LES PORTES DE L'AUBE

Ann Victoria Roberts est née à York (Angleterre) en 1945 où elle vit toujours. De formation artistique, elle s'est mise à écrire lorsque son mari, capitaine de pétrolier, partait en mer pour de longs voyages. Elle signe, avec Les Portes de l'aube, *son deuxième roman, après le succès international de* Louisa Elliott.

Au carrefour de trois époques turbulentes, sur les aventureux navires du XIXe siècle, dans les ruelles bruissantes de la ville de York, à Londres, à Melbourne ou dans le golfe Persique, au cœur du fracas de la guerre de 14 ou dans le silence de sombres demeures victoriennes, se tisse le destin de Zoé et de Stephen. Les deux jeunes gens aspirent à l'oubli d'amours malheureuses, mais, héritiers bien malgré eux de lourds secrets de famille, ils cèdent à l'irrésistible besoin de lever le voile qui recouvre depuis près d'un siècle la passion qu'éprouvèrent l'un pour l'autre leurs ancêtres William Elliott et Georgina Duncannon. Une passion dont ils vivront eux aussi tous les tourments et tous les bonheurs grâce au journal de William, miraculeusement épargné.

Un roman fascinant, par l'auteur du désormais célèbre *Louisa Elliott,* dont on retrouve ici les lointains descendants.

Dans Le Livre de Poche

LOUISA ELLIOTT.

ANN VICTORIA ROBERTS

Les Portes de l'aube

Traduit de l'anglais
par Jean Autret

LE LIVRE DE POCHE

Titre original : *Liam's Story*,
publié par Chatto & Windus Ltd, Londres.

NOTE DE L'AUTEUR

L'idée d'écrire *Les Portes de l'aube* m'est venue après la lecture du journal intime qu'un jeune soldat australien avait tenu en 1916. Tous les éléments du roman qui ont trait à la Première Guerre mondiale sont tirés de ce journal et fondés sur des recherches approfondies destinées à en vérifier le contenu. Le reste de l'ouvrage relève purement de la fiction et, sauf en ce qui concerne les personnages historiques, toute ressemblance avec des personnes existant ou ayant existé ne pourrait être qu'involontaire et fortuite.

Je dois une profonde gratitude à mon ami Bill Mulholland, dont les connaissances se sont révélées particulièrement précieuses pour mes recherches, ainsi qu'à mon mari qui, dans un souci d'authenticité, a accepté de revivre les épisodes pénibles auxquels il avait été confronté dans le golfe Persique. A Melbourne, Jenny Carew s'est dépensée sans compter pour me fournir les précisions dont j'avais besoin, alors qu'elle ne disposait que d'indications on ne peut plus sommaires. Quant à Carol et Gary Matthews, ils ont eu l'extrême gentillesse, sans avoir jamais eu l'occasion de me connaître, de m'aider à recueillir des informations sur le Dandenong d'antan.

7

Enfin, il va sans dire que je n'aurais jamais rien pu écrire sur l'armée impériale australienne sans me référer constamment aux quatre ouvrages suivants : *The Official History of Australia in the War of 1914-1918*, de C.E.W. Bean (University of Queensland Press) ; *The Anzacs*, de Patsy Adam-Smith (Nelson) ; *The Broken Years*, de Bill Gammage (Penguin) et *Pozières*, de Peter Charlton (Leo Cooper).

Ann Victoria ROBERTS, York, 1991.

*Pour Peter Scott Roberts
avec tout mon amour*

CHAPITRE I

Sur toute l'Angleterre, l'année s'achevait dans un sursaut de splendeur. Les jours sans cesse plus courts bénéficiaient à midi d'un ciel bleu cobalt et d'un soleil éclatant, avec une chaleur qui compensait les gelées du petit matin et les brumes glacées du crépuscule. Séduits par la clémence du temps, des groupes de touristes s'empressaient d'admirer les sites avant que l'hiver ne vienne hâter le pas de chacun et rendre plus attrayante l'atmosphère feutrée des salons de thé.

A York, les Américains, armés de leurs caméras, s'extasiaient devant la cathédrale, reculant sur la chaussée pour mieux cadrer les célèbres tours jumelles, tandis qu'une grappe de Japonais, arborant le visage stoïque des touristes consciencieux qui savent qu'il n'y a pas de temps à perdre, ressortait de l'édifice par la porte ouest.

Son guide à la main, Zoe Clifford s'arrêta, se demandant si elle allait pénétrer à l'intérieur. Il n'était pas encore midi et elle avait tout l'après-midi devant elle, mais quatre ou cinq heures ne lui suffiraient peut-être pas pour faire tout ce qu'elle avait prévu, surtout si elle consacrait à cette cathédrale la bonne heure que méritait sa visite, une heure qui risquait fort de lui faire défaut par la suite.

Elle s'éloigna à contrecœur, rejoignant les cousins

11

d'outre-Atlantique sur le bord du trottoir pour regarder, comme eux, la fine dentelle de pierre et les clochetons blancs qui s'élançaient à soixante mètres au-dessus du sol. Sous ce soleil éclatant, avec le bleu du ciel en toile de fond, l'effet était saisissant. Fascinée par ce spectacle, Zoe n'avait plus la moindre envie de s'en aller. Regrettant à moitié sa décision, elle se contenta de contourner l'édifice par l'extérieur, étonnée par la longueur et le volume de cette cathédrale qui écrasait de sa masse tout ce qui se trouvait alentour.

Tournant le dos au vitrail imposant qui donnait sur le côté est, elle demeura un instant immobile, contemplant St. William's College avec ses colombages, la rangée d'arbres qui lui faisait face et la voûte médiévale qui débouchait sur la rue, un peu plus loin. Une rue étroite, bordée de maisons de poupées aux toits irréguliers. Elle se dit qu'il devait être bien agréable de pouvoir admirer chaque jour la cathédrale à partir de l'une des minuscules fenêtres qui s'ouvraient sur leurs façades.

Au moment où elle s'apprêtait à repartir, une cloche énorme commença à sonner midi, et la jeune fille eut l'impression que les coups vibrant dans sa poitrine, avec une solennité annonçant la mort de l'année qui s'achevait, soulignaient la magnificence de cette journée superbe tout en rappelant la solitude à laquelle elle était condamnée.

Poussant un profond soupir, elle repartit pour achever son circuit autour de l'édifice, jetant un coup d'œil aux réparations en cours sur le toit du transept sud, avant de s'engager dans une ruelle pavée qui l'emmènerait dans le labyrinthe de la cité médiévale. Une tasse de café et un sandwich lui permirent de trouver un certain réconfort et, l'esprit accaparé par des préoccupations plus immédiates, elle consulta une nouvelle fois son guide.

Gillygate, la rue qu'elle cherchait, partait des alentours de la cathédrale pour longer le rempart de la ville. Vérifiant dans un carnet le numéro de la maison qui l'intéressait, elle se conjura mentalement de ne pas se faire trop d'illusions. D'après ce qu'on lui avait dit, tous les taudis qui bordaient cette rue pouvaient très bien avoir été rasés depuis longtemps, pour laisser la place à des immeubles futuristes, du genre de ceux qui avaient fait florès pendant les années soixante. Ses chances de retrouver intacte la maison natale de son arrière-grand-mère étaient donc bien minces ; mais après tout, c'était aussi pour se livrer à ces recherches qu'elle était venue dans cette ville !

D'après un certificat de naissance obtenu quelques semaines plus tôt à Londres, à St. Catherine's House, l'arrière-grand-mère de Zoe était née à la fin de l'été 1897, l'année du Jubilé de Diamant de la reine Victoria. Elle s'appelait Letitia Mary *Duncannon* Elliott, ce qui n'avait pas manqué de lui causer quelque surprise car personne dans la famille ne se rappelait avoir entendu Letitia utiliser le nom de Duncannon. Ce nom n'avait même pas été mentionné à propos de son mariage, bien qu'un certain Robert Devereaux Duncannon eût figuré parmi les témoins le jour de ses noces.

Tout en remettant son carnet et son guide dans le grand sac qu'elle portait à l'épaule, Zoe se demanda quelle énigme pouvait bien se cacher derrière tout cela. A moins que les Elliott n'aient simplement voulu donner l'impression d'avoir des parents fortunés, à la naissance de leur unique fille ?

Zoe était plutôt séduite par cette dernière explication, bien que sa mère eût toujours affirmé que cette Letitia — on ne l'appelait jamais *grand-mère* — s'était sans cesse complue à s'envelopper d'un certain mystère jusqu'au jour de sa mort.

Mystérieuse, peut-être ; d'une indépendance agressive et excentrique à l'excès, sûrement. Mais pendant son enfance, contrairement au reste de la famille proche, Zoe avait toujours apprécié la compagnie de son aïeule. Sans doute parce que la vieille dame se souciait comme d'une guigne de l'opinion d'autrui... et ne se gênait pas pour le dire. Elle était dotée d'un talent étonnant pour déstabiliser les gens, en particulier la mère de Zoe, réduisant cette femme volontaire mais profondément conventionnelle à des larmes d'impuissance totale. Et Zoe, qui était alors constamment obligée de se plier aux décisions arbitraires de sa mère, avait admiré cette qualité. Encore maintenant, alors que, en accédant à la maturité, elle commençait à comprendre la nature des problèmes auxquels Marian avait été confrontée, elle n'en éprouvait pas moins une nette préférence pour l'aïeule.

En effet, Letitia était la seule personne de la famille avec laquelle Zoe se sentait quelque affinité. Ni son père, ni sa mère, ni les deux tantes et les quelques cousins du côté paternel n'avaient eu le moindre point commun avec Zoe. Certes, elle aimait bien son père, et s'il n'y avait pas eu le divorce, elle aurait sans aucun doute été beaucoup plus proche de lui ; mais il était difficile d'affirmer qu'ils se comprenaient vraiment. Quant à Marian, elle restait figée une fois pour toutes, incapable d'évoluer dans un sens ou dans un autre, et Zoe regrettait sans cesse de ne pouvoir aimer sa mère davantage.

Pendant quelques brèves semaines, bien que ce fût pour des raisons différentes, Zoe et Letitia avaient été comme des alliées résistant à un ennemi commun. La fillette de dix ans et la femme de soixante-treize ans s'étaient appréciées et comprises, et le plus grand regret de Zoe avait été que Letitia n'eût pas vécu assez longtemps pour lui faire partager les secrets de son passé et lui parler de la famille qu'elle avait laissée derrière elle à York. Quelque chose lui disait — une intuition en quelque sorte, à moins que ce ne fût tout simplement un espoir inavoué — que c'était là, à York, parmi les membres depuis longtemps disparus de la famille de Letitia Elliott, que se trouvait la clé de son identité et non du côté de son père, dans cette tribu d'agents de change et d'hommes d'affaires du Surrey. Et elle avait besoin de découvrir cette identité, elle avait besoin de savoir pourquoi, avec son tempérament créatif, volontaire et non-conformiste, elle était si différente de ses bourgeois de parents, toujours si respectueux des conventions sociales. Peut-être qu'en se comprenant elle-même, elle pourrait apprendre à comprendre les autres...

Zoe traversa la rue, face à la grosse masse carrée de Bootham Bar, et contourna l'édifice pour s'engager dans Gillygate. Ralentissant le pas sans s'en rendre compte, elle ne put s'empêcher de sourire en constatant que la rue avait bien peu changé au cours des siècles, à part les façades des boutiques que l'on avait restaurées pour leur redonner leur aspect d'antan.

La plupart des numéros avaient disparu, et elle en conçut une certaine contrariété, mais soudain elle vit la maison qu'elle cherchait, avec son numéro bien en évidence sur la porte d'entrée. Trois étages, une large façade, des fenêtres et un porche dans le style des années 1850 : la maison natale de Letitia était toujours intacte et bien à sa place.

Plus qu'intacte en fait, car la pension de famille qu'elle était devenue venait apparemment d'être restaurée, refaite à neuf avec des persiennes autrichiennes aux fenêtres des étages et des rideaux de dentelle au rez-de-chaussée. L'espace d'une trentaine de secondes, Zoe hésita, l'œil fixé sur le heurtoir de cuivre étincelant qui se détachait sur une porte bleu sombre. Mais la tentation de voir l'intérieur de cette demeure était trop forte. Elle avait emporté son carnet de chèques et ses cartes bancaires. Quant à son billet de retour, il serait tout aussi valable demain qu'aujourd'hui. Saisie d'une bouffée d'espoir, elle appuya sur la sonnette.

Une femme d'une quarantaine d'années vint ouvrir et l'invita à entrer dans un étroit vestibule. Le bureau de réception n'était autre qu'une table semi-circulaire avec un vase de chrysanthèmes et un registre destiné à consigner les arrivées, que la femme consulta d'un regard rapide avant de déclarer qu'elle pouvait proposer une chambre à un lit. Elle était petite, et située au second étage, mais avait l'avantage d'être tranquille et d'offrir une très belle vue sur la cathédrale. Le palier du second étage était minuscule, et trois portes donnaient dessus.

« Nous y voici. Vous serez très bien installée, et au calme. Il n'y a personne à côté. La salle de bain se trouve là, au bout du passage; elle est pour vous toute seule. »

La propriétaire, qui avait déclaré s'appeler Mrs. Bilton, se dirigea vers la fenêtre, qu'elle ouvrit en se penchant au-dehors.

« Tenez, vous pouvez voir la cathédrale, maintenant que les feuilles sont tombées. Quelqu'un s'est plaint, l'autre semaine, parce que la vue ne correspondait pas à notre description. Le problème, c'est qu'en été les arbres forment un écran trop épais. Je n'arrête pas de dire à mon mari que nous devrions les faire abattre. »

Zoe fut horrifiée par cette idée.

« Oh non, ne faites pas cela. Vous n'avez qu'à dire aux gens de venir seulement en hiver. »

Mrs. Bilton éclata de rire.

« A moins de se contenter de les élaguer. Comme ça tout le monde sera content. »

Mise en confiance par la jovialité de son hôtesse, Zoe éprouva soudain la tentation de lui révéler la véritable raison de sa visite, mais si elle se lançait dans de longues explications maintenant, elle perdrait trop de temps. Autant remettre les confidences à une heure plus tardive, quand elle demanderait à faire le tour complet de la demeure. Pour l'instant, il valait mieux profiter du soleil pour voir la ville.

Au-dessus des talus herbeux et boisés, le mur blanc des remparts de la cité séparait les jardins s'étalant à l'arrière des maisons de Gillygate de l'enceinte dans laquelle se dressait la cathédrale. Zoe avait du mal à s'imaginer qu'elle n'était qu'à une centaine de mètres de l'endroit où elle s'était trouvée à midi.

« On peut se promener sur les remparts ? demanda-t-elle en remarquant pour la première fois des têtes qui surgissaient entre les créneaux.

— Oui, bien sûr. Mais si vous voulez le faire l'après-midi il ne faut pas perdre de temps. L'accès des murs est interdit après la tombée de la nuit. »

Quand elles furent revenues en bas, la propriétaire indiqua l'heure du petit déjeuner à Zoe et lui tendit une clé de la porte d'entrée pour le cas où elle s'attarderait au-dehors. Et la jeune fille, après un geste d'adieu, s'engagea dans Gillygate d'un pas alerte.

Du haut des remparts, la vue était saisissante. Au-dessus d'une mer de toits et de cheminées, la cathédrale se dressait comme un énorme vaisseau, toutes voiles déployées, captant la totalité de la lumière de l'après-midi, pour noyer dans l'ombre les rues étroites qui s'étiraient alentour. Fascinée par le spectacle, Zoe ne savait plus de quel côté tourner ses regards, admirant tour à tour l'arrière des maisons anciennes de Gillygate et Treasurer's House, cet édifice du XVIIe siècle qui s'élevait au milieu des arbres de son parc élégant, tacheté d'or et de bronze.

Zoe s'était toujours dit que l'automne était la saison de la nostalgie, car l'odeur des feuilles mortes avait le don pour elle d'évoquer le passé. Alors que les ombres s'allongeaient à ses pieds, elle pensait à Letitia, qui avait quitté cette ville pour aller se marier à Londres où elle devait connaître un bonheur si tragiquement éphémère. Et elle ne pouvait s'empêcher de se demander pourquoi Letitia s'était ensuite installée dans le Sussex, dans une maison où ses beaux-parents avaient fait tout ce qu'il fallait pour qu'elle n'y fût jamais chez elle, alors que York était là, qui lui tendait les bras, dans toute sa splendeur. Surtout qu'elle y aurait retrouvé sa famille, ses parents dont elle ne parlait jamais, ses frères qu'elle n'avait mentionnés qu'une fois. Pourquoi était-elle partie ? Et pourquoi n'était-elle jamais revenue ? Et qu'était-il donc advenu de ses frères, ces deux beaux garçons qui avaient envoyé leur photo, de France, pendant l'été de l'année 1916 ?

Dans un ciel immaculé, le soleil se couchait, rien de plus qu'un croissant d'or feu qui disparaissait là-bas, au sud-ouest. Un froid humide flottait dans l'air et, au-dessus des cheminées et des toits de tuile, une brume orange virait au rouge vif.

Zoe descendit avec précaution les marches qui menaient à la petite porte faiblement éclairée par la clarté crépusculaire, et retrouva avec un certain soulagement l'animation quotidienne de la rue.

La circulation était intense dans Goodramgate, les passants se frayant un chemin sur les trottoirs étroits, frôlés de près par les voitures sillonnant une chaussée qui avait gardé son caractère médiéval. La devanture brillamment éclairée d'une pharmacie déjà décorée pour Noël lui rappela qu'elle n'avait pas emporté de bagages. Elle fit l'emplette d'une brosse à dents et d'un tube de dentifrice, puis acheta quelques sous-vêtements, fourrant le tout dans un sac déjà bien rempli.

Émergeant sur le trottoir, elle marqua un moment d'hésitation, serrant son sac sous son bras comme pour le protéger d'un geste instinctif.

Dans le ciel assombri, il n'y avait plus qu'un vestige de lumière naturelle qui, au-dessus de la masse noire des maisons bordant cette rue sinueuse, avait pris une couleur surprenante, qui rappelait le bleu français des tableaux de la Renaissance représentant la Nativité.

18

Soudain Zoe s'arrêta. Elle venait d'arriver devant la cathédrale, dont toute la façade es se détachait, inondée de lumière, sur le ciel bleu foncé.

Avec quelque surprise, Zoe se rendit compte qu'elle se trouvait face à l'endroit qu'elle avait déjà remarqué à midi. De l'autre côté de la rue, s'ouvrait la petite voûte qui menait dans la cour de l'archevêché.

Elle resta un moment immobile, car elle voulait graver dans sa mémoire cette vision parfaite et si rare. La circulation des voitures s'était calmée et il n'y avait plus que quelques passants qui s'arrêtaient un moment pour jouir du spectacle avant de reprendre leur chemin.

Le froid était très vif, mais Zoe le remarquait à peine. Avec toute l'acuité de son regard d'artiste, elle notait la qualité des couleurs et de la lumière, attentive à l'ensemble comme aux plus minuscules détails. Absorbée dans sa contemplation, elle constata soudain un phénomène étrange. Une épaisse fumée blanche semblait s'échapper de sous le toit de la cathédrale, s'enroulant en volutes autour des pinacles et des pilastres. Se rappelant l'incendie qui avait dévasté le transept sud deux ans auparavant, elle fut prise de peur et partit en courant dans la ruelle aux pavés inégaux.

Devant le collège St. James, elle s'arrêta net. Il n'y avait aucune odeur de brûlé, aucune trace de flamme mais, semblable à une fumée s'élevant d'un champ de bataille sanglant et muet, le nuage mouvant dérivait lentement vers elle.

Les toits et les cheminées qui dressaient, quelques instants plus tôt, leurs silhouettes sombres devant elle, disparurent dans les ténèbres, ainsi que la façade gothique de la cathédrale, qui prit l'immatérialité d'un rêve, engloutie dans les tourbillons de ce brouillard envahissant.

Des images de mort surgissaient maintenant, si précises que Zoe percevait presque le grondement de la canonnade et l'odeur de la cordite. Des hommes avançaient et tombaient devant elle, en poussant des cris affreux bien que silencieux.

Elle recula, fermant les yeux de toutes ses forces, mais quand elle eut rassemblé assez de courage pour les rouvrir, elle s'aperçut qu'il n'y avait plus rien. Une lumière blanche l'éblouissait. Le contact de cette brume lui faisait l'effet d'un linceul glacé et humide.

Tremblant violemment, elle se détourna, luttant contre une faiblesse soudaine qui lui coupait les jambes. Les yeux brûlants, elle repartit d'un pas incertain vers l'animation rassurante de Goodramgate.

Un homme de haute taille, vêtu d'un imperméable léger, lui décocha un regard inquisiteur en la voyant hésiter à côté de lui au bord du trottoir. Zoe, qui n'avait rien perdu de ce manège, releva le menton et lui lança un coup d'œil foudroyant, tous les muscles tendus pour résister à un tremblement intérieur et à un ridicule désir de fuir.

Glissant un deuxième coup d'œil vers la droite, Stephen Elliott admira ces pommettes saillantes et ces boucles brunes, et, en dépit du regard féroce dont il venait de se faire gratifier, il conclut que cette jeune fille était l'une des plus jolies qu'il avait vues depuis longtemps. Profitant d'une interruption dans le flot des voitures, elle traversa devant lui, les épaules pleines de détermination, le pas décidé et agressif.

Il la regarda un moment d'un œil perplexe. Il l'avait vue s'immobiliser pour observer les volutes de la brume qui enveloppait le toit de la cathédrale ; elle avait paru éprouver la même fascination que lui pour ce phénomène bizarre et inexpliqué. La plupart des gens se contentaient d'y jeter un bref coup d'œil, mais elle était restée perdue dans sa contemplation pendant plusieurs minutes, et avait eu l'air effrayé ensuite.

Amusé par les idées qui lui venaient à l'esprit, il résolut de regagner son logis. Quelques instants plus tard, il montait les marches menant à son appartement de Bedern. Il jeta un bref regard à sa montre et empila ses emplettes sur la table de la cuisine, conscient du fait qu'il allait devoir se dépêcher de finir ses bagages s'il voulait arriver à l'heure chez ses amis de Strensall, qui l'avaient invité à dîner.

Il décrocha le téléphone, appelant d'abord le garagiste chez qui il laissait toujours sa voiture quand il partait. Puis il composa le numéro de sa sœur Pamela, qui demeurait à Harrogate.

Lui ayant assuré que tout était fin prêt, il répéta son lieu de destination, donna le nom de son bateau et dit qu'il ne savait pas du tout où il serait au moment des fêtes.

« Peut-être en Afrique occidentale, si je me fie aux itinéraires suivis par le bateau depuis un moment, mais je ne peux rien certifier. De Philadelphie, en fait, nous pouvons aller n'importe où, tout dépend des affréteurs et du prix du pétrole, entre autres... »

Étouffant un soupir, Stephen écouta avec quelque impatience sa sœur qui égrenait ses habituelles litanies sur la rareté de sa correspondance — il ne lui écrivait jamais assez — , et la nécessité d'avoir une nourriture saine, ce qui lui apparaissait comme une contradiction dans les termes, étant donné ce qu'il voyait sortir de la cambuse du bateau. Mais il se contenta de ne rien dire. A quoi bon répéter une fois de plus ce que, de toute façon, elle savait déjà depuis belle lurette ? Pourtant, quand elle se lança sur le chapitre des maladies sexuellement transmissibles, Stephen ne put s'empêcher de s'exclamer d'une voix incrédule :

« Pour l'amour du ciel, Pamela ! Je n'ai plus seize ans ! J'en ai trente-six ! Et si tu savais ce que j'ai vu depuis vingt ans que je parcours les mers, tu te rendrais compte que cette conversation est parfaitement inutile... Oui, je sais bien que tu dis ça dans mon intérêt, concéda-t-il en consultant brièvement sa montre, mais je me tiens au courant de ce qui se passe à l'heure actuelle, crois-moi. J'ai entendu parler du sida, et je sais parfaitement à quoi servent les capotes... »

La crudité du propos déclencha une tempête de protestations. Quand la voix eut été ramenée à un niveau plus supportable, à l'autre bout du fil, il dit :

« Écoute, Pam, je m'en vais demain matin et je ne serai peut-être pas de retour avant six mois. Alors autant nous quitter bons amis ! »

Elle en convint non sans réticence. Il imagina la bouche aux lèvres serrées, crispées dans une moue sévère, et se demanda à qui ressemblait sa sœur. Certainement pas à un parent proche, en tout cas.

Ayant enfin réussi à la ramener à de meilleurs sentiments, grâce à quelques paroles apaisantes, il put mettre un terme à cette conversation juste à temps pour récupérer dans le sèche-linge les quelques sous-vêtements qu'il avait prévu d'emporter. Il repassa ensuite deux ou trois chemises, boucla sa valise, et alla prendre une douche avant de se raser.

Vingt minutes plus tard, il sortait du garage sa Jaguar XJ-S en se demandant à quelle heure il pourrait décemment prendre congé de ses amis afin de s'octroyer une bonne nuit de sommeil : à six heures du matin, il devait partir pour Philadelphie, et le lendemain soir, dans vingt-quatre heures exactement, il prendrait le commandement du *Nordic*.

CHAPITRE II

Allongée sur son lit, dans sa chambre de la pension de famille de Gillygate, Zoe regardait les rideaux pimpants et les jolies pâquerettes du papier peint, se demandant comment était cette pièce quatre-vingt-dix ans plus tôt. Beaucoup plus austère, sans doute, se dit-elle. Située ainsi sous les combles, sans cheminée pour la chauffer, elle avait certainement servi de logement à une servante, car dans une maison de cette taille il était hors de question de se passer de domestiques.

Malheureusement, Mrs. Bilton n'avait pas pu dire grand-chose sur l'histoire de cette demeure, mais les questions de Zoe ayant éveillé sa curiosité, elle n'avait pas demandé mieux que de montrer à sa visiteuse toutes les pièces restées inoccupées. La cuisine avait été restaurée une dizaine d'années plus tôt, mais si les derniers propriétaires avaient fait disparaître le fourneau et les placards qui garnissaient les murs du plancher jusqu'au plafond, ils avaient eu la bonne idée de conserver toutes les cheminées, ce dont Mrs. Bilton se félicitait tout particulièrement.

Tout en admirant le manteau en acajou de celle qui se trouvait dans le grand salon, Zoe imagina la famille de Letitia rassemblée devant un joyeux feu de charbon. Elle demanda, sur le ton de la plaisanterie, s'il y avait des fantômes dans la maison.

La réponse fut négative mais Mrs. Bilton ne put s'empêcher de mentionner les fantômes dont elle avait entendu parler, citant les soldats romains qui hantaient les caves de Treasurer's House, la Dame Grise qui effectuait ses apparitions au théâtre et d'autres ectoplasmes moins connus du grand public. Il y avait un bruit qui courait à propos d'enfants qui jouaient à Bedern ; en outre, dans l'une des boutiques de Gillygate, il n'était pas rare que l'on entende la nuit des pas lourds qui retentissaient sur le plancher d'une mansarde ; à l'arrière d'une autre boutique, les vendeurs voyaient parfois une petite vieille toute vêtue de noir — « d'après eux, elle a l'air aussi réelle que vous ou moi » — qui traversait la cour.

Zoe avait légèrement frémi en entendant ces histoires mais s'était gardée de faire le moindre commentaire. Sans cesse ballottée durant son enfance entre deux parents divorcés, soumise aux règles strictes d'une école anglicane où l'imagination n'avait guère sa place, elle répugnait à se confier à des étrangers, surtout lorsqu'il s'agissait d'un sujet aussi particulier.

Bien qu'à aucun moment, dans le passé, elle n'eût jamais eu l'occasion d'assister à des phénomènes surnaturels, elle avait le sentiment parfois aigu que certains endroits, certaines atmosphères, pouvaient provoquer des impressions bizarres. Elle était encline à penser que les lieux absorbaient les événements, s'en imprégnaient un peu comme des éponges, et que les émotions les plus fortes réapparaissaient lentement dans l'air ambiant, pendant des siècles.

Mais il ne s'agissait là que d'un simple sentiment qui paraissait bien absurde une fois exprimé par des mots. Pas plus toutefois que cette histoire de fantômes attachés à un endroit particulier et refaisant sans cesse les mêmes gestes, une nuit après l'autre...

24

Trois semaines plus tard, après être restée cloîtrée tout l'après-midi dans l'atmosphère confinée de St. Catherine's House, Zoe regagnait son logis sous une petite pluie fine qui s'acharnait sur Londres, à l'heure où la foule se déversait hors des bureaux et des magasins. Fouettée par le crachin que poussait la bise à la hauteur de Kensington Gardens, elle leva le visage au ciel avec reconnaissance, en descendant de l'autobus. Elle appréciait le froid de ce début décembre, après toutes les heures passées dans une ambiance surpeuplée et surchauffée qui finalement lui en avait appris beaucoup plus sur la difficulté des relations avec ses semblables que sur les antécédents de la famille Elliott.

Dédaignant d'ouvrir son parapluie, elle remonta lentement les quelques centaines de mètres qui la séparaient de Queen's Gate, heureuse de sentir cette pluie sur sa peau, et ouvrant même le col de sa cape d'infirmière, qu'elle avait achetée l'année précédente chez Oxfam.

Elle connaissait de vue l'agent de police qui montait la garde devant l'ambassade d'un pays du Moyen-Orient. Il lui souhaita le bonsoir en portant la main à son casque. Zoe lui adressa un sourire qu'elle prolongea encore en montant les marches du perron qui menait à sa porte, se disant qu'elle avait tort de flirter ainsi mais qu'après tout elle n'avait aucune raison de se priver de ce plaisir.

Elle aimait beaucoup Queen's Gate, appréciant ses larges trottoirs, l'élégance et la dignité de ses demeures toutes semblables qui, grâce à leurs portiques élancés, avaient une grandeur toute victorienne. Quel dommage, se disait-elle souvent, que cette apparence majestueuse ne fût plus que le vestige d'une époque révolue ! Les hôtels particuliers, pourvus d'une nombreuse domesticité, avaient depuis longtemps été partagés en appartements de trois ou quatre pièces ; ou alors ils étaient devenus des hôtels ou des bureaux, à moins qu'ils ne fussent occupés par des ambassades. Les diplomates représentant les pays producteurs de pétrole du Moyen-Orient résidaient dans les maisons d'hommes qui avaient autrefois dirigé un empire. Zoe était très sensible à l'ironie de cette situation.

Elle avait quatre étages à monter pour atteindre son appartement et elle tirait une certaine fierté de l'habitude qu'elle avait prise de les escalader quatre à quatre, même si elle terminait sa course à bout de souffle, cramponnée au montant de la porte pour reprendre haleine. Ce soir-là ne fut pas une exception. Une fois de plus, elle remplit sa bouilloire, alluma l'interrupteur, et s'écroula sur le divan pour se remettre de ses efforts en attendant que l'eau soit chaude.

Examinant ensuite ses notes devant une tasse de café brûlant, elle constata que ses recherches lui avaient fourni bien peu d'informations nouvelles. Autant la bibliothèque d'York lui était apparue comme une véritable mine d'or, autant St. Catherine's House lui apparaissait vide de toute indication concernant la famille Elliott. Et ce n'était pas donné, en plus. Les certificats de naissance qu'elle avait demandés lui avaient coûté plusieurs livres chacun, et encore ne les avait-elle sollicités que pour se consoler de n'avoir pas pu trouver ceux qui l'auraient réellement intéressée.

« Mais enfin, où donc êtes-vous nés ? » demanda-t-elle à la photographie sépia qui trônait sur sa bibliothèque. Mais elle n'eut pour toute réponse que deux demi-sourires, et deux paires d'yeux la regardèrent avec un amusement silencieux, comme s'ils partageaient le secret d'une plaisanterie connue d'eux seuls.

Les deux jeunes hommes de la photo étaient les

frères de Letitia. Zoe le savait parce que Letitia le lui avait dit, une fois, il y avait très longtemps de cela. Si elle n'avait pas bénéficié de cette indication, elle n'aurait jamais pu le deviner. D'abord, ils ne se ressemblaient guère ; ensuite, ils portaient les uniformes de deux pays différents. L'un était revêtu de la tenue classique du fantassin britannique. Assis dans un fauteuil, il avait posé son képi sur son genou. L'autre, appuyé sur l'un des accoudoirs, portait l'uniforme des soldats australiens. Comparé à son compagnon, il paraissait beaucoup moins soigné, presque débraillé, avec ses guêtres de cuir et ses chaussures grisâtres, comme si elles étaient recouvertes de boue. Son chapeau de brousse, relevé d'un côté, était ramené en arrière, avec une certaine désinvolture, révélant des sourcils et des cheveux beaucoup plus clairs que ceux de son frère. Peut-être même était-il blond tandis que l'autre avait des cheveux courts et bruns surmontant un visage mince et séduisant.

Pourtant, en dépit de cette perfection juvénile, c'est l'Australien que Zoe préférait. Bien qu'il fût moins beau garçon, il avait des traits plus larges, plus forts, et une bouche plus pleine. C'était le genre de bouche qu'elle aurait aimé voir s'ouvrir pour rire à belles dents. Elle avait l'impression que le sourire qu'ils ébauchaient l'un et l'autre exprimait une certaine malice, comme s'ils se retenaient pour éclater de rire. On aurait pu croire qu'ils avaient passé une journée formidable ensemble et que, après avoir vidé quelques verres, ils avaient décidé de se faire tirer le portrait pour l'envoyer à la famille.

Elle n'avait pas besoin d'enlever le cadre pour savoir ce qui était écrit au dos de cette carte postale bon marché, expédiée d'une petite ville de France au cours de l'été 1916. Il y avait longtemps qu'elle le savait par cœur.

« *Nous avons enfin réussi à nous retrouver ! Félici-*
tations pour ton mariage, Tish. Nous aurions bien
voulu être là. Bien à toi, Robin et Liam. »

Mais lequel était Robin et lequel était Liam ?
Étaient-ils seulement sortis vivants de cette guerre ?
Letitia n'en avait jamais parlé et Zoe ne disposait
d'aucun moyen de le savoir. Depuis plus de dix ans
qu'elle détenait cette photo, elle ne s'était guère posé
ces questions, jusqu'au jour où, quelques mois plus
tôt, elle l'avait retrouvée dans ses vieilles reliques en
cherchant tout autre chose. Bizarrement, elle en
avait éprouvé un choc au cœur, comme s'il s'était agi
d'un souvenir laissé par une liaison amoureuse
aujourd'hui révolue.

Bien que cette comparaison la fît sourire, elle n'en
présentait pas moins une certaine pertinence : arrivée à un âge où les autres collégiennes se passionnaient pour les stars du pop et adhéraient en masse à
des clubs de fans, Zoe s'était perdue en soupirant
dans la contemplation de cette photo, lisant assidûment les ouvrages de Rupert Brooke. Une bien
étrange passion pour une adolescente, auraient pu
dire certains, mais il fallait tout de même
reconnaître que pendant la guerre les poètes avaient
été aussi jeunes et désespérés que n'importe quelle
star du top cinquante.

A cette époque-là, les deux frères de la photo
avaient partagé tous ses secrets, lui permettant de
rester seule, à l'écart des promiscuités trop envahis-
santes imposées par le pensionnat. Ils avaient été à
la fois ses amants et ses protecteurs, venant à elle le
soir, au moment où elle allait s'endormir, pour écouter ses pensées et lui apporter quelque réconfort.
Bien qu'elle eût alors trouvé tout naturel de se
comporter ainsi, elle se demandait à présent s'il n'y
avait pas là quelque chose d'exagérément romanesque. Pour se rassurer, elle attribuait maintenant

cette attitude aux excès de l'adolescence et aux débordements d'une imagination qu'elle avait heureusement réussi à canaliser dans des voies plus utiles.

Aussi étrange que cela puisse paraître, la découverte de cette photo — il y en avait aussi une autre, de Letitia âgée d'une vingtaine d'années — l'avait incitée à se poser maintes questions sur la famille Elliott. Des questions auxquelles elle n'avait jamais songé et qui maintenant lui surgissaient en foule à l'esprit, de plus en plus insistantes dans la mesure où il était impossible d'y apporter une réponse. Marian, apparemment, ne savait rien, et plus Zoe demandait de précisions, plus sa mère manifestait son irritation. Elle ne comprenait pas pourquoi sa fille voulait tous ces détails ; pour elle, la famille Elliott était aussi lointaine qu'une tribu d'aborigènes et elle se moquait complètement de savoir si, comme l'avait prétendu Letitia, ils avaient appartenu à l'aristocratie terrienne ou s'ils étaient tous morts à l'hospice des pauvres. Ce qui était certain, en tout cas, c'est qu'aucun d'eux n'avait survécu, et au lieu de s'acharner à résoudre d'insolubles énigmes, Zoe ferait mieux de cultiver ses relations avec les vivants, relations d'ailleurs totalement inexistantes pour l'instant, Marian s'en rendait bien compte. Quant aux morts, il fallait les laisser en paix.

Ce pieux sentiment n'avait pas abusé Zoe, qui voyait fort bien que Marian était loin de souhaiter un repos paisible à la femme qui l'avait élevée après la mort prématurée de ses parents. En réalité, Zoe soupçonnait sa mère de se délecter à l'idée que Letitia souffrait le martyre au purgatoire en punition de ses péchés, ce qui ne l'incita que davantage encore à fouiller le passé.

Il faut dire aussi que de plus en plus de gens se passionnaient alors pour l'histoire de leur famille ; il y avait sur ce sujet des livres qui offraient des indications précieuses sur la manière d'effectuer des recherches dans des archives plus ou moins accessibles. Zoe décida donc qu'elle trouverait elle-même les indications qu'elle cherchait ; et si les déceptions étaient fréquentes, la satisfaction de découvrir un élément inconnu jusqu'alors valait bien celle que l'on éprouvait en éclaircissant une énigme policière, avec en prime le plaisir de savoir que l'histoire se poursuivait encore...

Grâce aux indications concernant le mariage de Letitia, il avait été facile de retrouver sa date et son lieu de naissance, mais pour ses frères, le problème était beaucoup plus ardu. S'ils n'étaient pas nés en Angleterre — ce dont Zoe était pratiquement certaine — , il fallait donc supposer que leurs parents avaient vécu en Écosse ou en Irlande, ou même peut-être en Australie, pourquoi pas après tout ? Quoi qu'il en soit, la famille s'était trouvée à York en 1897, année de la naissance de Letitia.

Perdue dans ses réflexions, Zoe ouvrit le carnet dans lequel elle avait consigné tous les éléments rassemblés jusqu'à présent. Sur la première page, elle revit les indications qu'elle avait obtenues sur le certificat de naissance de Letitia. Père : Edward Elliott, relieur ; mère : Louisa Elliott, née Elliott. Zoe en avait conclu qu'Edward et Louisa devaient être cousins, thèse qu'elle avait pu confirmer grâce à des renseignements recueillis à York par la suite.

Avant de quitter la ville, trois semaines plus tôt, elle s'était rendue au bureau du cadastre et, avec l'aide d'une jeune employée particulièrement aimable, elle avait réussi à établir qu'une certaine Mary Elliott avait été locataire d'une maison de Gillygate vers la fin du siècle dernier. Zoe, qui s'attendait à trouver un nom d'homme, n'avait pu se défendre d'une certaine surprise, d'autant plus que la maison en question était en fait un hôtel, et non une résidence privée, ce qui semblait indiquer que la fortune des Elliott n'était pas aussi considérable qu'elle se l'était imaginé pendant un temps.

Quelle coïncidence ! Cette maison avait donc été un hôtel, comme elle l'était encore maintenant. Depuis dix ans seulement, certes, mais tout de même...

Pourtant, en 1902, l'*Hôtel Commercial Elliott* était devenu la propriété d'une certaine Mrs. Eliza Greenwood qui en avait fait des appartements meublés. Zoe en conclut que les Elliott étaient partis se loger dans une maison plus grande et plus confortable.

Intriguée par l'identité de cette Mary Elliott, Zoe avait alors consulté, sur les conseils de l'employée, le document établi par le bureau de recensement en 1881. Après de longues recherches sur le microfilm elle finit par voir s'afficher à l'écran la liste des personnes qui avaient occupé l'hôtel un certain jour d'avril de cette année-là. Elles étaient toutes mentionnées : Mary Elliott, veuve et chef de famille, ses trois filles, son neveu Edward, une servante et quatre clients.

Son excitation était telle qu'elle faillit bondir sur sa chaise et crier la nouvelle à toute l'assistance. Mais elle se contenta de recopier consciencieusement tous les renseignements donnés par la fiche de recensement.

Mary Elliott était née dans le Lincolnshire tandis que ses trois filles, dont Louisa, alors âgée de quatorze ans, était l'aînée, avaient vu le jour à York. Le lieu de naissance d'Edward était Darlington ; il avait vingt-six ans en 1881 et exerçait la profession de relieur.

Il s'agissait incontestablement, se dit Zoe, d'une famille qui avait beaucoup voyagé ; quant à Mary Elliott, elle avait dû faire preuve de beaucoup de force de caractère pour élever toute seule trois enfants dans ces conditions, sans aucune aide sociale, ainsi qu'il était de règle à l'époque.

Se rappelant que le second prénom de Letitia avait été Mary, Zoe se demanda si son arrière-grand-mère n'avait pas été de la même trempe, elle aussi.

Une chose l'intriguait pourtant. Quelles relations avait-il pu y avoir entre Louisa, sa fille aînée, et Edward Elliott ? Cousins germains avec une différence d'âge de douze ans ! Cet Edward était-il installé à demeure dans cette maison ou n'avait-il été qu'un simple visiteur à l'époque du recensement ? Il était impossible de le dire mais Zoe ne pouvait s'empêcher de se demander s'il n'avait pas tiré parti de cette promiscuité en obligeant Louisa à l'épouser après lui avoir fait un enfant. C'était peut-être à cause de ce mariage forcé qu'ils avaient dû quitter York, avant d'y revenir plusieurs années plus tard, les esprits s'étant calmés, pour s'installer de nouveau à la table de Mary Elliott.

La théorie ne manquait pas d'attraits mais il ne s'agissait là que d'une simple supposition. D'autres interprétations étaient également possibles. Tout en soupirant, Zoe regretta une fois de plus que son arrière-grand-mère ne se fût pas montrée plus loquace à propos de son passé et de l'histoire de sa famille. Avait-elle eu honte de ses origines, trop humbles à son gré, elle qui prétendait avoir des ancêtres appartenant à l'aristocratie terrienne ?

Pourtant, Letitia se refusait à taxer de mensonge ou d'affabulation une vieille dame aussi sympathique, tant que des faits nouveaux n'auraient pas permis de reconstituer l'intégralité de ses origines. Pour y parvenir, il lui fallait trouver d'autres descendants des Elliott, des gens qui avaient connu Letitia, Liam et Robin, et qui savaient à quoi s'en tenir sur leurs antécédents familiaux.

Une tâche ardue, indiscutablement, car la Première Guerre mondiale avait pu occasionner la mort de l'un ou l'autre des deux frères, peut-être même des deux, et il était fort possible qu'elle fût l'unique descendante encore vivante de cette mystérieuse famille.

Mais elle n'admettrait pas la défaite, tant que toutes les voies n'auraient pas été explorées. D'ailleurs, il y avait, au plus profond d'elle-même, une voix qui la conjurait de poursuivre ses recherches, pour un motif plus vital que le simple plaisir de la découverte.

Elle ne tarda pas à constater que son estomac commençait à crier famine. Dans une heure, Philip allait venir la chercher et ils iraient retrouver Clare et David dans un de ces petits bistrots que David mettait toujours un point d'honneur à dénicher, afin d'y passer la soirée tous ensemble.

Le plaisir qu'elle éprouvait à la perspective de dîner en compagnie de Philip Dent n'était pas sans mélange, dans la mesure où il faudrait également subir la présence de David, qu'elle trouvait parfois pénible, d'autant que ce serait la troisième fois en peu de temps. Mais il était difficile de l'éviter car David venait de se fiancer avec Clare, qui était une des plus anciennes amies de Zoe. Pas la meilleure amie, certes, mais elles étaient toutes deux restées en relation depuis la fin de leur scolarité, alors que d'autres compagnes plus intimes à l'époque, avaient complètement disparu de son horizon.

Naturellement, elles se voyaient beaucoup moins depuis que Clare et David se fréquentaient assidûment, mais Zoe s'était rendu compte avec un certain amusement que, si on l'invitait maintenant, c'était parce que David avait décidé de trouver une amie pour Philip, son vieux copain, qui venait de terminer un stage de deux ans à Bruxelles et avait perdu de vue toutes ses connaissances londoniennes.

Zoe s'était bien gardée de la moindre récrimination car elle y trouvait son compte, elle aussi. Elle avait vécu en ermite ces derniers mois, trop absorbée par la nécessité de faire face à des commandes urgentes et de consolider sa réputation d'illustratrice pour prêter beaucoup d'attention à sa vie sociale.

La rencontre avec Philip avait donc été une surprise agréable, d'autant qu'il avait exercé sur elle une attirance indiscutable. Il était vraiment beau garçon et son manque d'assurance avec les femmes ne pouvait qu'ajouter à sa séduction. Une fois sa timidité surmontée, il savait se montrer fort amusant, disposant de tout un stock d'anecdotes hilarantes sur la vie dans la Communauté européenne. Zoe était persuadée qu'il parviendrait à être plus intéressant encore, en dehors de la présence de son ami David.

Tout en pensant à ces perspectives encourageantes, elle prit une douche et enfila une jupe bouffante qui lui arrivait à mi-mollets et un corsage de soie dont la couleur émeraude foncée mettait une note de vert dans ses yeux gris clair. Pour une fois, la coiffure se tenait convenablement, avec les petites mèches bouclées qui lui encadraient le visage. Debout devant le miroir, elle venait de décider, quand Philip arriva, qu'il manquait encore quelque chose pour compléter l'ensemble...

Avisant le foulard qu'elle voulait, posé sur le dossier du divan, elle le saisit, le secoua avec vigueur, et se l'arrangea autour des épaules, tandis que son compagnon, qui l'attendait dans le vestibule, la regardait avec quelque surprise.

« Je croyais que cette étoffe faisait partie du décor... »

Ce fut le tour de Zoe de marquer son étonnement.

« Euh... Oui. »

Elle lui décocha un sourire enjôleur et reprit :

« Mais il s'harmonise plutôt bien avec le reste de ma toilette, tu ne trouves pas ? »

Il sourit avec un hochement de tête approbateur, mais elle se rendit bien compte qu'il n'était pas vraiment d'accord. Elle poussa un soupir. Peut-être avait-il une mère aux idées bien arrêtées sur la destination que devait avoir chaque objet ; à moins qu'il ne craignît que le châle ne fût un peu poussiéreux après être resté plusieurs semaines sur le dossier du divan. De la poussière, il devait y en avoir, assurément, mais pour Zoe ce qui comptait surtout, c'était d'avoir trouvé un accessoire qui complétait bien l'ensemble de sa toilette.

Pendant un moment, elle hésita, se demandant s'il fallait céder au rigorisme du jeune homme et opter pour quelque chose de plus respectable, mais finalement elle se dit qu'elle n'avait aucune raison de renoncer à l'envie qu'elle avait eue et qui reflétait un aspect de sa personnalité. Philip devait apprendre à l'accepter telle qu'elle était, avec ses verrues, ses châles, la poussière et tout le reste.

Au dernier moment, alors qu'elle refermait sa porte à clé, il réussit à lui rendre sa sérénité et à sauver la soirée en lui annonçant que David avait un accès de laryngite. Comme ce jeune avocat promis à un brillant avenir devait plaider le lundi matin, il avait préféré rester au logis pour ne pas se fatiguer la voix.

C'était une excellente nouvelle.

Le lendemain matin, pourtant, la poussière était encore à l'ordre du jour, les rayons d'un pâle soleil hivernal révélant sa présence en tous lieux : sur les plinthes, sur les corniches, et surtout, en une couche plus grise encore, sur le marbre blanc de la cheminée. Il y avait aussi des toiles d'araignée dans les coins et sur les rayonnages de livres. Comme sa mère menaçait de venir bientôt la voir, Zoe se dit qu'elle allait devoir prendre le temps de nettoyer un peu. Et le plus tôt serait le mieux.

Ce dont l'appartement avait le plus besoin, en fait, c'était d'une nouvelle couche de peinture, mais il n'était pas question d'entreprendre de tels travaux avant le printemps. Elle avait déjà dû, quatre ans plus tôt, tout refaire à neuf et le souvenir qu'elle avait gardé de ces longues semaines passées à s'acquitter de tâches qui lui avaient brisé les reins lui levait littéralement le cœur. Il faut dire que, quand elle avait voulu emménager, l'appartement était dans un état de crasse innommable, laissé complètement à l'abandon pendant des années par le locataire précédent, et elle avait dû se donner corps et âme pour venir à bout d'une entreprise aussi ardue.

Il est vrai qu'à l'époque, elle avait apprécié ce genre de défi qui avait contribué à lui permettre de surmonter, juste après la période des examens, le chagrin causé par un amour déçu.

D'emblée, en dépit de la crasse et de la poussière, Zoe avait admiré les magnifiques proportions de ces pièces qui avaient semblé l'accueillir comme si quelqu'un qu'elle aurait bien connu avait autrefois demeuré entre ces murs.

Cette première impression ne s'était jamais effacée et Zoe éprouvait toujours le même plaisir à rentrer chez elle dès qu'elle s'était absentée un moment. C'était là, surtout dans cette pièce, qu'elle travaillait le mieux, sans jamais éprouver le besoin de s'interrompre.

Le petit déjeuner achevé, Zoe revint s'asseoir à sa table de travail. Elle parcourut du regard une série de croquis et d'illustrations, éprouvant un intense sentiment de satisfaction. Quel bonheur, après toutes ces années d'études, de combats et d'efforts pour sortir de l'impasse, de faire ce qu'elle avait toujours rêvé d'accomplir, avec un succès que rien ne semblait pouvoir démentir. Les illustrations, plus ou moins terminées, qu'elle avait étalées devant elle étaient destinées à une nouvelle édition de luxe des *Contes* de Hans Christian Andersen. Jamais on ne lui avait encore passé une commande aussi lucrative et c'était le genre de travail dans lequel elle excellait : la réalisation de vignettes aux coloris subtils, originales, pleines de détails précis, qui évoquaient tout à fait la vie d'un autre âge.

Parmi les livres qu'elle avait particulièrement aimés durant son enfance se trouvaient les ouvrages illustrés par Arthur Rackham ; pendant ses études, elle avait été influencée par le trait ferme et assuré de Beardsley et d'Éric Gill. Son propre style reflétait ces particularités mais l'intérêt pour l'Art nouveau qu'elle manifestait également avait permis à ses œuvres de susciter un afflux de demandes.

Les satisfactions matérielles ne manquaient pas non plus. Elle pouvait enfin envisager de payer à son père un loyer moins symbolique bien que, naturellement, James Clifford lui eût dit qu'elle ne devait pas se croire obligée de lui verser le moindre argent. L'essentiel était qu'elle eût du succès ; il fallait qu'elle en profite. Mais Zoe ne pouvait oublier qu'il était le propriétaire de cet immeuble et ce n'était pas parce qu'il touchait par ailleurs des loyers autrement plus avantageux qu'elle allait abuser de sa générosité.

Parfois, pour la taquiner lorsqu'elle insistait pour lui faire accepter un chèque, il disait qu'il allait revendre l'appartement, maintenant qu'elle l'avait rendu si attrayant, mais elle savait bien qu'il ne parlait pas sérieusement. Depuis qu'elle avait rompu avec Kit, à l'université, James Clifford avait assisté avec une satisfaction croissante aux progrès tant matériels que sentimentaux de cette fille unique qui accédait à l'indépendance de l'état adulte. Du moment qu'elle lui témoignait de l'affection, que pouvait-il désirer de plus ?

En pensant à Kit, Zoe sourit, et son sourire

s'accentua encore quand elle le compara à Philip. Autant mettre côte à côte un bâtard galeux et un chien d'arrêt bien dressé et pourvu d'un pedigree prestigieux. S'il pouvait être amusant de jouer avec le bâtard, au moins le chien d'arrêt, lui, savait se conduire et on pouvait se fier à lui. Quel changement tout de même de se faire traiter avec déférence et respect après avoir subi la présence de ces êtres égocentriques qu'elle avait connus dans le passé ! A sa grande surprise, elle constatait même que Philip avait mis son point d'honneur à l'impressionner.

D'abord le restaurant de luxe. Ensuite, le night-club. Plutôt flatteur, non ? Et agréable, surtout que Philip s'était révélé un danseur plus que passable. Zoe adorait danser, et il semblait bien qu'il en fût de même pour Philip. Cet enthousiasme commun les avait rapprochés l'un de l'autre, et le succès de cette soirée ouvrait pour l'avenir toute une gamme de possibilités. Des possibilités qui n'allaient pas nécessairement inclure David et Clare.

CHAPITRE III

Dans le golfe de Guinée, juste au sud de l'équateur, le soleil amorçait une plongée rapide vers la mer. La température sur le pont était phénoménale, chacune des plaques métalliques retenant la chaleur qu'elle avait absorbée dans le courant de la journée. Vêtu d'un short et d'une chemisette d'un blanc immaculé, Stephen Elliott s'engagea d'un pas apparemment nonchalant sur la coursive, notant de son regard aigu l'avancement des travaux d'entretien et calculant le nombre d'heures supplémentaires qu'il allait pouvoir accorder à son équipage chinois.

Il grimpa sur le gaillard d'avant, avisant quelques points de rouille auxquels il faudrait veiller et inspecta les treuils et le matériel d'amarrage qui avaient été revus dans l'après-midi. Il scruta l'intérieur du logement de l'ancre et se pencha au-dessus du bossoir, pour s'assurer que tout était en ordre. Puis il se détendit, appréciant cette brise qui donnait une illusion de fraîcheur et un silence si doux à l'oreille. Sur la passerelle, dans sa cabine, à l'arrière, sévissait un bruit constant, ponctué par les vibrations des générateurs et des machines vingt-quatre heures sur vingt-quatre. Ces quelques minutes de répit qu'il s'accordait, quand l'équipage se trouvait en bas et la plupart de ses officiers au bar pour l'apéritif, étaient le seul luxe de Stephen Elliott.

Le bord inférieur du soleil touchait déjà l'horizon ; quelques instants plus tard, l'astre avait complètement disparu, laissant des nuages nocturnes rayés d'or et de pourpre sous un ciel violet. Le drame intense que constituait un coucher de soleil tropical ne manquait jamais de l'enchanter, et son âme prenait son envol, dépassant de mille coudées les préoccupations terre à terre, le bateau et sa cargaison, la responsabilité de ces vingt-six vies qui pesait sur lui. Pendant quelques minutes il pouvait oublier qui il était et ce qu'il faisait là, et communier intimement, loin de son enveloppe matérielle, avec la mer et le ciel.

Mais ces instants de liberté s'achevaient trop vite. Non loin de là se profilait la cohorte des soucis quotidiens et devant ses yeux, la lumière faiblissait. Il poussa un soupir et repartit sur le pont plongé dans la pénombre, l'esprit de nouveau accaparé par des problèmes immédiats. Dans un peu plus de douze heures ils arriveraient à Cabinda, ce port d'Afrique occidentale. Ou, plus précisément, ils allaient s'amarrer à une bouée, à vingt-cinq kilomètres au large de la côte. Et une journée plus tard, après avoir embarqué 80 000 tonnes de pétrole, le *Nordic* poursuivrait sa route sur Muanda, à l'embouchure du Congo, pour finir de remplir ses cuves.

Ensuite, nanti d'une cargaison complète d'une valeur de trente millions de dollars, le bateau effectuerait son voyage de retour jusqu'à Philadelphie, mettant dix-huit jours pour traverser l'Atlantique. Cette expédition, qui durait six semaines en tout, n'avait rien d'un voyage d'agrément : pas de courrier, aucune escale à terre, un ennui profond ponctué toutes les trois semaines par la fébrilité des démarches auprès des pilotes et des autorités du port, les réparations essentielles, les démêlés avec les fournisseurs, les courtiers et les inspecteurs, les formalités de toutes sortes qui avaient pour résultat de maintenir les membres d'équipage sur le pied de guerre de l'aube au crépuscule et parfois encore toute la nuit suivante.

Stephen, quant à lui, attendait toujours avec curiosité de voir s'il serait une fois de plus capable de rester éveillé trente ou quarante heures de suite sans se départir de son calme, sans rien oublier ni personne, et de parvenir tout de même au bout du compte à reprendre la mer sans encombre. Pour l'instant, il n'avait jamais eu de problème majeur, mais à chaque voyage il constatait que les contraintes ne cessaient de s'accroître ; le bateau se faisait de plus en plus vieux et l'équipage de moins en moins nombreux. Ce qui lui était d'abord apparu comme un défi se révélait maintenant un véritable test d'endurance.

Une fois de plus, arrivé presque au milieu de son voyage, il se demanda pourquoi il continuait de faire ce métier, quel accès de masochisme le poussait à prendre le commandement de ce rafiot, alors que le plaisir avait depuis longtemps disparu. La force de l'habitude, peut-être. L'appât du gain, certainement ; et sans doute aussi l'espoir que le prochain bateau serait en meilleur état. Pourtant, ce parcours était aussi ennuyeux qu'un trajet en autobus qu'un conducteur effectuerait vingt fois par jour sans jamais changer d'itinéraire. Sauf que ce bus n'était qu'une vieille guimbarde rétive qui risquait de tomber en panne à tout instant. Et Stephen ne pouvait même pas se consoler en se disant que ce n'était pas lui qui était responsable de l'état des machines ; c'est toujours au chauffeur que l'on s'en prend en cas d'accident.

Emplissant bien ses poumons une dernière fois avant de pénétrer à l'intérieur du bateau, Stephen décida de ne plus penser à ses soucis. Il fouilla sa mémoire pour y trouver quelque chose qui allait atténuer son ennui, cet ennui qui était toujours son principal ennemi. Il n'y avait rien à Cabinda ; encore moins à Muanda... Seul Philadelphie pourrait peut-être présenter quelque intérêt la prochaine fois qu'il terminerait son périple. Il sourit soudain en revoyant l'image de cette séduisante jeune femme, une divorcée, qui travaillait au bureau du courtier maritime. Si seulement il arrivait à se libérer quelques heures, il l'inviterait à dîner et ensuite...

Mais un mois plus tard, quand le bateau eut regagné les États-Unis, Stephen se rendit compte que ses intentions étaient condamnées à rester à l'état de projets. La jolie rousse échangea avec lui quelques propos badins, resta déjeuner à bord et accepta de dîner avec lui en ville ; mais il y eut un différend sur les chiffres présentés par le commandant, et les discussions avec les inspecteurs et les représentants de la compagnie se prolongèrent fort avant dans la nuit. Stephen lui téléphona d'abord à huit heures, puis à dix heures et demie, et elle convint, de fort bonne grâce, qu'il était tout à fait inutile qu'elle l'attende.

Déçu et frustré, Stephen revint à son bureau, bien décidé à en découdre et à ne pas céder d'un pouce sur la validité des chiffres qu'il avait avancés. Il ne fut que médiocrement consolé en parvenant à prouver que c'était lui qui avait raison et que la compagnie n'avait plus qu'à s'exécuter.

Elle vint le voir le lendemain matin, juste avant le départ du bateau, follement sexy avec son corsage d'un blanc immaculé et le pantalon noir qui lui moulait les cuisses. Stephen n'en eut que plus clairement conscience de ce qu'il avait raté la veille.

« La prochaine fois, je serai en vacances, lui murmura-t-elle pendant que son patron était occupé à parler avec le chef mécanicien, mais téléphonez-moi quand même, nous pourrons peut-être trouver un moyen de nous voir.

« — Ce sera avec plaisir », dit-il à mi-voix, tout en se demandant s'il pourrait avoir ne serait-ce qu'une heure de répit.

C'est seulement lorsqu'elle eut tourné les talons que Stephen se rappela que la prochaine fois il était censé prendre ses congés ; la jeune femme exerçait sur lui une telle fascination qu'il avait complètement oublié ce détail. Au cours des six semaines qui suivirent, cependant, le *Nordic* allait réussir à effacer de sa conscience des considérations aussi futiles.

Une fois la nuit tombée, alors qu'ils se trouvaient au large de Cabinda et se préparaient à commencer les manœuvres d'approche vers la bouée d'amarrage, les machines cessèrent soudain de fonctionner. Normalement, il n'y aurait pas eu là de quoi dramatiser ; mais pendant qu'ils partaient à la dérive, alors que les mécaniciens s'affairaient dans la chaleur humide et oppressante de la salle des machines pour essayer de trouver la cause de la panne, un autre bateau apparut sur le radar. Il fonçait droit sur eux et ne tentait rien pour modifier sa direction.

Appelé sur la passerelle, Stephen attendit un moment que ses yeux s'accommodent à l'obscurité. Posté devant la console du radar, le second lieutenant s'adressa à lui d'une voix angoissée :

« Bateau à tribord, commandant. Il s'approche de nous à toute vitesse.

— Vous l'avez contacté ? » demanda Stephen en saisissant les jumelles après un bref regard à l'écran du radar. Le bateau arrivait en effet par le travers tribord, et il était beaucoup trop près pour que cela parût rassurant.

Au moment où il attrapait l'émetteur radio, le second arriva aux nouvelles, chaussé de savates et vêtu d'un simple short.

« A quoi il joue ? marmonna-t-il en scrutant les ténèbres. Il est aveugle ou quoi ?

— Il s'est probablement endormi. »

Le téléphone de la salle des machines se mit à sonner.

« Tu veux répondre, Johnny ? Ça doit être le chef mécanicien. »

S'absorbant totalement dans sa tâche, Stephen commença à émettre sur le canal 16, la fréquence utilisée en mer, essayant de masquer son anxiété sous une apparence de calme.

« Ici le *Nordic*. Un bateau libérien. Ma position est cinq degrés trois minutes sud et neuf degrés cinquante-deux minutes est. Je me dirige vers le sud-est, et j'appelle le bateau qui m'arrive par le travers tribord en se dirigeant vers le nord. »

Cessant sa pression sur le bouton de l'émetteur, il attendit la réponse. Plus de trente secondes s'écoulèrent, tandis qu'il écumait intérieurement, se demandant si l'homme de quart sur l'autre bateau n'avait pas purement et simplement déserté la passerelle.

Finalement, une voix retentit, manifestant avec un accent à couper au couteau la contrariété d'un homme qui n'appréciait pas du tout le dérangement qu'on lui avait causé :

« *Nordic*, ici le bateau grec *Lemnos*. Je vous reçois cinq sur cinq. »

Incapable de dissimuler la fureur qui s'était emparée de lui, Stephen reprit :

« *Lemnos*, ici *Nordic*. Je vous reçois bien, moi aussi, mais pourriez-vous, s'il vous plaît, quitter le canal 16 ? Je vous propose le canal 6.

— OK, *Nordic*. Aucun problème pour moi. Je passe sur le canal 6. »

Une fois le changement de canal effectué et après s'être assuré qu'on l'entendait de nouveau, Stephen déclara d'un ton cinglant :

« Je suis en panne de machine. Il m'est impossible

de gouverner la marche du bateau. Je vous demande de vous écarter le plus loin possible, vous comprenez ? »

L'anglais était la langue de communication obligatoire en mer mais il était parfois assez difficile de se faire comprendre. En tout cas, ce n'était pas le moment de laisser subsister la moindre équivoque.

« OK, *Nordic*. Je comprends parfaitement. Je vire de bord immédiatement. Vers bâbord.

— Pas bête, pas bête du tout, murmura le second.

— *Lemnos*, ici *Nordic*. Merci. Et bon voyage. Terminé. »

Le Grec lui ayant répondu sur le même ton, la conversation prit fin. Réglant de nouveau l'émetteur sur le canal 16, Stephen laissa échapper un long soupir.

« Assurez-vous qu'il part bien vers bâbord.

— Ce sont de sacrés marins, ces Grecs, commenta Johnny, quand ils se donnent la peine de rester sur la passerelle pour regarder ce qui se passe alentour. »

Comme le *Lemnos* changeait visiblement de direction, il éclata de rire pour détendre l'atmosphère.

« C'est ça, mon pote, t'as pigé. Encore un petit coup à gauche et il n'y aura plus aucun risque ! »

Stephen eut un sourire un peu crispé en regardant l'autre bateau disparaître dans les ténèbres. Il se demandait pourquoi ce nom lui semblait familier.

« Lemnos, c'est dans la mer Égée, non ?

— Aucune idée. La seule île grecque que je connaisse, c'est la Crête. Ma copine a voulu m'y entraîner à toute force pendant mes dernières vacances. En août. Elle a eu de ces coups de soleil !

— Ah oui. »

Stephen réfléchit un moment, puis il demanda :

« Au fait, qu'est-ce qu'il a dit, tout à l'heure, le chef mécanicien ?

— C'est le générateur principal qui a lâché. Et

ensuite le numéro deux a refusé de démarrer pour une raison inconnue. Quant au numéro trois, il gît en mille morceaux sur le sol de la salle des machines. Ils ont travaillé dessus toute la journée, à ce qu'il dit.

— Merveilleux. Et quel est le diagnostic ?

— Il a pas voulu s'avancer, au stade où en sont les opérations.

— Eh bien, il va pourtant bien falloir qu'il fasse un effort. »

Stephen jeta à sa montre un regard anxieux. Presque huit heures et le pilote devait partir de Cabinda à l'aube, vers cinq heures et demie. Comme le bateau avait une légère avance, Stephen avait prévu de ralentir un peu en fin de parcours, mais maintenant, les réparations seraient-elles effectuées à temps ? Sinon, il allait falloir décommander le pilote et renoncer à se mettre dans la file des bateaux qui attendaient leur cargaison. Tout cela allait coûter de l'argent. Beaucoup d'argent. Et les directeurs de la compagnie, au siège de Londres, n'allaient pas apprécier. Pas plus que les affréteurs de Hong Kong.

Sur le rebord du hublot de la passerelle, il y avait des allumettes et un paquet de Marlboro.

« Je croyais que tu avais arrêté de fumer ? » dit-il au second lieutenant. Voyant le sourire penaud du jeune homme, il prit une cigarette et lui rendit le paquet. Puis il appela la salle des machines.

« Nous avons encore une heure et demie devant nous. Deux au grand maximum, si nous mettons ensuite les bouchées doubles. Seulement, il faudra marcher à quinze nœuds. Croyez-vous pouvoir y arriver ? »

La réponse fut brève. On raccrocha très vite, à l'autre bout du fil. Les sourcils levés mais sans le moindre commentaire, Stephen reposa le combiné sur sa fourche avec un soin exagéré et sortit prendre l'air. Avec les générateurs en panne, la climatisation avait cessé de fonctionner et il faisait une chaleur moite et à peine supportable, même dans la timonerie. Quant à sa cabine, elle n'avait pas de hublot ouvrant. Il n'osait imaginer comment cela pouvait être en bas, dans la salle des machines.

« Johnny, demande à l'un des stewards de leur descendre une ou deux caisses de rafraîchissements, s'il te plaît. Du Coca, ou de la limonade. Ils ne voudront pas boire de la bière pendant le travail. On mettra ça sur le compte de la compagnie. »

Il déboutonna sa chemise et inspira profondément, regardant les lumières du *Lemnos* se fondre au loin. Un souffle de vent à peine perceptible parvenait jusqu'à lui.

« Dieu merci, murmura-t-il à l'intention du second qui était venu le rejoindre, la nuit est calme. »

Lorsque le gros jet américain commença à s'élever au-dessus de la piste d'envol, Stephen aperçut, à quelques mètres de là, le *Nordic* amarré le long du quai, tout près de l'aéroport. Ses pensées allèrent vers ce bateau qui lui en avait vraiment fait voir de toutes les couleurs en dépit des efforts déployés par les équipes chargées de son entretien, et il en conçut une certaine rancœur. Il en était arrivé, au bout des cinq mois qu'il venait de passer pratiquement sans interruption à bord, à concevoir une véritable haine pour ce bâtiment et il adressa au ciel une prière pour qu'on ne lui en confie plus jamais le commandement.

Une haussière en acier s'était soudain détachée au cours d'une manœuvre d'amarrage, manquant de peu trois des hommes d'équipage ; à un ou deux centimètres près, ils auraient pu être tués. Et s'ils avaient pu arriver à temps, avec même quelques minutes d'avance, pour récupérer le pilote à Cabinda, les générateurs n'en avaient pas moins continué à poser des problèmes, tombant en panne au moment où on avait le plus besoin d'eux et sans aucune raison visible.

Il lui revint alors à l'esprit la réflexion d'un électricien indien qui lui avait déclaré que le moteur était en parfait état : il avait tout vérifié.

« Le seul problème, capitaine, avait-il dit, c'est que ce maudit engin refuse absolument de fonctionner. »

Stephen Elliott n'appréciait pas des comportements aussi capricieux.

L'avant-veille encore, il avait bien cru sa dernière heure arrivée. Au moment précis où le navire devait, sous la direction du pilote, effectuer l'ultime manœuvre qui allait l'amener le long du quai, le moteur était de nouveau tombé en panne. Emporté par son élan, l'énorme mastodonte poursuivit sa course vers le débarcadère et la piste principale de l'aéroport qui se trouvait au-delà. Stephen imaginait déjà le bossoir du bateau écrasé contre le béton et toute la cargaison de pétrole qui s'échappait dans la rivière ; et c'est alors qu'aurait commencé le ballet des lances à incendie, des détergents à base de mousse et des avocats fédéraux réclamant sa tête à cor et à cri.

Pour couronner le tout, au moment où il avait voulu contacter la salle des machines, le téléphone s'était mis à faire des siennes lui aussi. Il avait fallu que l'un des hommes transmette les questions et les ordres par l'intermédiaire du système de connexion d'urgence tandis que lui-même opérait au télégraphe et que le deuxième lieutenant transcrivait fiévreusement sur le journal de bord tous les ordres donnés sans oublier d'en préciser à la seconde près la chronologie exacte. Et le pilote, figé sur place par l'anxiété, ressemblait à un personnage tiré d'un mélodrame mal ficelé.

A la dernière minute, cependant, grâce aux

miracles opérés par les mécaniciens dans la salle des machines, les moteurs avaient retrouvé la vie dans un hoquet soudain, accompagné d'une brusque émission d'épaisse fumée noire, et les remorqueurs avaient réussi à tourner le *Nordic* pour l'amener en douceur le long du quai.

Soulagé au-delà de toute mesure, Stephen Elliott avait réussi à plaisanter :

« Voyez-vous, pendant une minute ou deux, dit-il sans rire au pilote, j'ai cru que je n'aurais pas besoin de taxi pour aller à l'aéroport. »

Et le chef mécanicien, qui émergeait alors sur la passerelle avec sa salopette maculée de sueur et de taches de cambouis, s'était esclaffé bruyamment. Mais le pilote du Delaware avait dû trouver que tout cela était de fort mauvais goût car il avait tourné les talons après lui avoir souhaité bonne nuit d'un ton sec.

Pendant que les douaniers et les officiers du service d'immigration examinaient les papiers du bateau dans son bureau, Stephen avait fermé la porte de sa cabine pour s'octroyer une bonne rasade de whisky ; mais il transpirait et tremblait encore, plus d'une heure après.

Heureusement, il connaissait bien le commandant qui allait le relever — ils avaient navigué ensemble deux ans plus tôt, l'un comme pacha et l'autre comme second — et les mises en garde prodiguées par Stephen à l'encontre de tous les mauvais tours que pouvait jouer le *Nordic* furent prises très au sérieux.

C'est seulement lorsque l'un des employés de la compagnie lui eut demandé quel vol il comptait emprunter pour le retour que Stephen se souvint de la jolie rousse et de son invitation. Il déclara alors qu'il n'était pas particulièrement pressé. Il pouvait attendre le lendemain après-midi, ce qui lui donnerait le temps de visiter Philadelphie.

Il en avait eu tout le loisir, en effet, car après avoir tenté à plusieurs reprises de joindre la jeune femme au téléphone, il avait dû finalement se résigner à l'idée qu'elle était partie passer en d'autres lieux ce beau week-end de printemps. En réponse, sans aucun doute, à une invitation plus récente que celle de Stephen.

C'était évidemment plutôt contrariant mais il n'en eut pas le cœur brisé pour autant. Il y avait bien des années qu'il n'avait pas eu l'occasion de jouer les touristes dans un port étranger et il y avait dans la ville de Philadelphie un charme étrange et désuet qui ne manquait pas de piquer sa curiosité.

Ce soir-là, il dîna chez le shipchandler, un homme très aimable et fort cultivé, dont la famille remontait aux Quakers qui avaient fondé la ville, et Stephen oublia bien vite la déconvenue provoquée par son rendez-vous manqué.

Juste au moment où l'avion amorçait son mouvement de bascule vers le nord-est, Stephen jeta un dernier regard sur le *Nordic* et poussa un soupir de soulagement.

Il quitta l'aéroport Kennedy peu après six heures, ce soir-là, et arriva le lendemain à Heathrow juste à temps pour prendre un avion à destination de Leeds-Bradford, en milieu de matinée. Les bras et les jambes endoloris et engourdis par l'immobilité prolongée, les yeux piquants sous l'effet du manque de sommeil et de la sécheresse de l'air conditionné, il émergea sur le tarmac de Yeadon et aussitôt l'air vif de mars lui fit oublier sa fatigue.

Le soleil brillait sur un ciel bleu porcelaine et de minuscules nuages couraient au-dessus de ce plateau élevé et mal protégé. Il se dit que plus bas, dans la vallée de la Wharfe, la matinée devait être belle, à peine ventée. Il le savait parce qu'il y avait vécu autrefois. A cinq kilomètres à peine de l'aéroport, ce qui était bien commode pour lui, qui était toujours parti par monts et par vaux. Et à quinze cents mètres peut-être de l'école où Ruth enseignait.

Cinq ans ! se dit-il, alors que le taxi l'emmenait à vive allure dans Pool Bank, négociant avec une aisance méprisante ses virages aigus et abrupts. Un tunnel d'arbres sur lesquels la verdure n'était pas encore apparue, un autre virage et c'était l'avenue des Hirondelles, dont le nom avait été gravé, d'une manière plutôt incongrue, dans la pierre d'une arche de style classique.

Le cadre était vraiment très beau, bien qu'inattendu, et il était fort possible que les hirondelles reviennent là chaque printemps. Il n'avait jamais exploré ce quartier à fond, et il n'en aurait plus jamais l'occasion, sans doute. Il faisait partie de son passé, comme Ruth. Cinq années s'étaient écoulées depuis leur séparation, mais en revoyant ces lieux, si familiers, si immuables, il avait l'impression qu'elle était survenue la veille.

Il regrettait cette rupture car, d'une manière étrange, elle le faisait encore souffrir. Ruth était-elle heureuse, se demanda-t-il, avec ce nouveau mari, si fiable, si sécurisant ? Au moins, elle pouvait tabler sur la certitude qu'il reviendrait au logis chaque soir pour le dîner, qu'il serait là le week-end pour bêcher le jardin et installer des étagères.

Chaque fois qu'il pensait à elle, Stephen se posait cette question. Pourtant, elle n'avait toujours pas d'enfants, ce qui ne manquait pas de l'étonner. Elle voulait des enfants, et c'était une des raisons qu'elle avait données pour mettre fin à leur mariage, car avec des enfants, avait-elle prétendu, elle aurait mené la vie d'une mère célibataire, ce qui aurait été un handicap certain pour la progéniture qu'elle souhaitait.

L'argument reposait sur une hypothèse pure et simple, et Stephen se disait qu'il témoignait d'une certaine mauvaise foi. Elle savait quel métier il exerçait avant de l'épouser et n'ignorait nullement qu'il n'avait jamais manifesté l'intention d'en changer. Peut-être s'était-elle imaginé, comme beaucoup d'autres femmes avant elle, que l'amour et le mariage allaient métamorphoser l'homme de sa vie, qu'elle aurait assez de pouvoir pour le persuader que c'était son idée à elle qui était la meilleure, dans la mesure où elle se conformait aux opinions les plus communément reçues.

En fait, elle ne pouvait admettre qu'il s'en aille pendant des mois pour la laisser seule, elle qui détestait la solitude. Stephen lui avait alors dit qu'elle pouvait renoncer à son métier et voyager avec lui, comme le faisaient beaucoup d'autres femmes de marins. Mais la première expérience qu'elle avait tentée, en prolongeant de quelques semaines les vacances scolaires d'été, s'était révélée un tel échec qu'elle n'avait jamais voulu effectuer une seconde tentative.

Ruth s'était prodigieusement ennuyée, loin de ses amies et de sa famille, privée du plaisir de faire son shopping ou de partir en week-end. Elle avait même souffert de l'impossibilité où elle s'était trouvée de faire la cuisine. Certes, la nourriture avait été particulièrement infecte au cours de ce voyage, et la longue traversée du Pacifique ne lui avait guère permis autre chose que de prendre d'interminables bains de soleil, mais elle n'avait jamais fait l'effort de savourer ces instants. Contrairement à Stephen, elle ne tirait aucun plaisir de la lecture alors qu'il pouvait lui-même rester pendant des heures le nez dans un livre, ce qui lui arrivait d'ailleurs souvent. Et Ruth l'avait accusé de chercher à fuir sa compagnie.

Bien qu'à l'époque il se fût convaincu, par amour

pour elle, qu'elle n'était aucunement responsable de cet état de fait, il se disait maintenant, avec un peu de recul, qu'il lui en avait secrètement voulu de cette attitude. Il se reprochait de ne pas avoir pris le taureau par les cornes pour en avoir le cœur net une fois pour toutes. Il regrettait aussi de s'être laissé asservir par ses besoins physiques ; mais c'était toujours par ce côté qu'il était le plus vulnérable. Maintenant qu'il était plus âgé, il pouvait le reconnaître, et même en rire en songeant aux frasques de sa jeunesse.

Il y avait une chose qui ne le faisait pas rire, cependant : la trahison de sa femme. Stephen lui était resté fidèle durant tout le temps qu'ils avaient été mariés, endossant sa vertu comme un cilice dans l'espoir que l'amour viendrait récompenser des efforts aussi méritoires, et pourtant les deux dernières années de leur vie de couple lui avaient apporté bien peu de compensations, amoureuses ou autres.

Quand Ruth lui dit qu'elle avait rencontré un autre homme, il resta pétrifié de stupeur. Quand elle eut reconnu que c'était une liaison qui ne datait pas de la veille et annoncé qu'elle voulait divorcer, il fut saisi d'une fureur incoercible. Incapable de rester une minute de plus dans cette maison, il alla se réfugier chez sa sœur. Ce n'était pas une bonne idée mais Stephen savait, avec une lucidité effroyable, que s'il restait auprès de sa femme il la tuerait.

Pour ne rien arranger, Pamela ne lui manifesta pas la moindre sympathie : Ruth étant sa meilleure amie, il n'était pas question de lui donner tort. Stephen ne réussit jamais à lui pardonner tout à fait cette ultime trahison. A l'heure actuelle encore, il évitait d'en dire trop à sa sœur, sachant que ses propos risquaient d'être immédiatement répétés à son ex-épouse.

A cette époque-là, il avait terriblement regretté la disparition tragique de ses parents, dont la mort était survenue un an après son mariage, dans un accident de voiture, alors qu'il se trouvait en mer. Il n'avait pu rentrer que très longtemps après les obsèques, et leur absence l'avait laissé étrangement indifférent, tant il s'était habitué à ne plus vivre avec eux. Pourtant, après le naufrage de son couple, Stephen s'était soudain retrouvé dans la peau d'un orphelin de trente ans, et le chagrin s'était alors abattu sur lui.

Ce pénible souvenir fit surgir à sa mémoire l'image de sa mère, une femme douce et affectueuse, dévouée à son mari et à ses enfants, facile à vivre, facile à aimer ; et bien que son père lui eût toujours paru sévère et inaccessible, Stephen savait que les deux époux avaient vécu une relation qui les avait comblés de bonheur. Il comprit alors, comme en un éclair, qu'il s'était naïvement figuré qu'il en allait ainsi pour tous les couples.

Il enviait ses parents pour la félicité conjugale qu'ils avaient connue ensemble pendant tant d'années. Pour lui, le mariage avait manifestement été une erreur et pourtant il regrettait de ne pas avoir une femme qui l'attendait chez lui chaque fois qu'il rentrait. Ce sentiment de solitude, contrairement au choc provoqué par la douleur de se savoir trahi, ne s'était pas atténué avec le temps ; il ne faisait même que s'accentuer d'une fois sur l'autre.

Il avait connu d'autres femmes depuis sa rupture avec Ruth, et il y en avait même une ou deux qu'il avait trouvées très attachantes ; pourtant Stephen savait qu'il ne se remarierait pas tant qu'il continuerait d'exercer ce métier. Il y avait trop de risques pour accepter de renouveler une telle expérience. Et il n'était pas question pour lui de renoncer à la mer uniquement pour mener une vie conjugale normale.

Pour consentir à envisager une autre profession il faudrait qu'on lui offre une situation nettement meilleure, un métier qu'il aurait vraiment envie d'exercer. Pour l'instant l'occasion ne s'était pas encore présentée et il se demandait si elle viendrait un jour.

Mais il ne tarda pas à chasser toutes ces pensées de son esprit. La journée était trop belle, trop prometteuse pour la gâcher en songeant à des considérations impossibles. Il préférait apprécier en toute quiétude le plaisir du trajet et savourer le spectacle de ce blé d'hiver frais et vert, de ces terres labourées aux tons bruns et ocre, et des fleurs de dentelle rose qui apparaissaient dans les vergers de chaque côté de la route. Quel régal pour un œil sevré depuis cinq mois de toutes ces splendeurs !

Pourtant, quand les tours de la cathédrale surgirent à l'horizon, c'est le souvenir de sa grand-mère qui s'imposa soudain à lui. Quelques semaines plus tôt, après une courte maladie, elle avait fini par succomber à la vieillesse et à l'épuisement. La mère de son père, une femme rigide et réservée, avait réussi à inspirer à toute la famille plus de respect que d'affection vraiment sincère ; mais depuis quelques années, Stephen et elle avaient connu ensemble des instants de parfaite harmonie et cette disparition l'affecta profondément.

Bien qu'il eût téléphoné à sa tante, par satellite, pour exprimer sa sympathie, et qu'il l'eût de nouveau appelée, pas plus tard que la veille, de Philadelphie, il savait qu'il n'allait pas tarder à lui rendre visite. Joan Elliott, la sœur de son père décédé, était de loin la personne qu'il aimait le plus dans toute sa famille, et il lui devait une profonde gratitude.

Elle était manifestement venue à l'appartement quelques heures après son deuxième coup de téléphone. A côté du courrier, entassé en une pile bien nette à un bout du comptoir de la cuisine, il y avait un message annonçant que les compteurs d'eau et d'électricité étaient ouverts et le réfrigérateur garni de denrées de première nécessité. Un post-scriptum précisait que la dépense s'élevait à douze livres et des poussières.

Stephen se fit du café, fuma une cigarette et resta au moins dix minutes à se demander s'il allait décongeler quelque chose dans le four à micro-ondes ou prendre son repas dans un restaurant. Finalement la perspective de devoir faire la conversation, ne serait-ce qu'avec la serveuse, si avenante fût-elle, qui lui apporterait ses plats, ne l'enchanta aucunement. Il attrapa donc une poêle à frire et se prépara le plus succulent petit déjeuner anglais qu'il lui eût été donné de déguster depuis des mois. Une heure plus tard à peine, il était au lit, dormant du sommeil de ceux que l'épuisement a totalement anéantis.

Quand le réveil sonna, à six heures, il eut d'abord la tentation de n'en tenir aucun compte, mais le bon sens finit par l'emporter. Évidemment, le repos qu'il venait de prendre n'était pas encore suffisant, mais il allait devoir s'en contenter pour l'instant : son horloge interne finirait par se régler naturellement, petit à petit.

L'esprit encore engourdi par le sommeil et les membres lourds, il se força à sortir du lit et à se traîner sous la douche ; ensuite il se sentit déjà beaucoup mieux mais il décida que le rangement de ses affaires pouvait attendre jusqu'au lendemain. Enfilant un vieux jean, il gagna le salon, une serviette drapée autour de ses épaules nues. Craquant une allumette pour allumer le radiateur à gaz — c'était le moyen de chauffage moderne qui approchait le plus du feu à l'âtre qu'il aurait aimé avoir — , il glissa une cassette dans le magnétophone de sa chaîne hi-fi.

La musique de Dire Straits, qui rappelait un peu

l'Espagne avec ses cadences passionnées, emplit peu à peu la pièce, tandis que de l'autre côté de la fenêtre les toits noirs et irréguliers de Goodramgate se détachaient en un contraste saisissant sur la façade illuminée de la cathédrale. Une fois de plus, la pureté de cet édifice le frappa, tandis que la musique faisait naître en lui des pulsions qui n'étaient pas uniquement spirituelles.

Il se souvint alors de la dernière soirée qu'il avait passée dans cette ville, de ce soudain nuage tourbillonnant de brume et de la jeune fille qui se trouvait là, juste devant. L'image était aussi nette que s'il l'avait vue la veille.

Mais tout cela, c'était du passé. Les jonquilles étaient de nouveau en fleur sous les murs de la cité et l'heure était venue de songer à des préoccupations plus immédiates.

Il alluma une cigarette, se versa un verre de whisky et commença à regarder son courrier, jetant impitoyablement à la corbeille toutes les publicités qui lui tombaient sous la main. Les relevés de la banque et les factures furent mis de côté — il s'en occuperait plus tard — et il ne lui resta plus que quelques lettres, émanant le plus souvent d'amis résidant à l'étranger et qui étaient arrivées trop tard pour être réexpédiées à Philadelphie. Il y avait aussi une note de la compagnie maritime réclamant un rapport au sujet d'un marin qui s'était blessé et il poussa un juron exaspéré. Enfin, il fronça les sourcils en voyant une enveloppe sur laquelle son adresse avait été écrite d'une main ferme, en élégantes italiques.

Elle avait été postée à Londres, juste après Noël ; pendant un moment, Stephen se demanda pourquoi sa tante n'avait pas jugé utile de la faire suivre. Puis il vit qu'elle avait gribouillé au crayon, au dos de la lettre : « Nous avons eu la même. Inutile de te la renvoyer. Joan. »

Intrigué, il sortit une feuille dactylographiée de l'enveloppe qui était déjà décachetée. Le message était photocopié, ce dont l'expéditeur s'excusait dès la première phrase.

Comme il y a 52 Elliott dans l'annuaire d'York, sans qu'il soit possible de savoir s'il s'agit d'hommes ou de femmes, j'espère que vous voudrez bien me pardonner le caractère impersonnel de cette lettre et comprendre que le seul motif qui m'amène à l'envoyer est mon désir de savoir quelque chose sur la famille à laquelle je suis apparentée.

Je suis l'arrière-petite-fille de Letitia Mary Elliott, qui est née à York en 1897 et morte dans le Sussex en 1972. Je crois savoir que Letitia, que tout le monde appelait Tisha, avait deux frères, Robin et Liam, qui ont servi l'un et l'autre pendant la Première Guerre mondiale. J'aimerais beaucoup entrer en contact avec toute personne qui serait issue de l'un ou l'autre d'entre eux.

Naturellement, cette lettre risque fort de manquer sa cible.

Tous les Elliott d'York ne sont pas apparentés avec eux. Mais j'espère sincèrement parvenir à toucher un de leurs descendants qui consentira peut-être à me répondre.

La signature était tracée d'une main ferme et parfaitement lisible : Zoe Clifford.

Frappé d'étonnement, Stephen relut le message une seconde puis une troisième fois. Le nom de Letitia Mary Elliott ne lui disait absolument rien mais il savait que son grand-père, Robert Elliott — que l'on appelait aussi Bobby ou Robin — avait été soldat pendant la guerre de 14-18. De même que son frère William Elliott, dont le sobriquet était Liam.

De prime abord, cette démarche lui parut bizarre. Puis il se souvint d'une amie de sa sœur qui se passionnait pour les recherches concernant l'histoire de sa famille et se demanda si cette jeune femme n'était pas possédée de la même passion. Il se dit alors que Zoe Clifford était en train de perdre son temps. A part Liam, qui avait émigré en Australie, les Elliott n'avaient, à sa connaissance, jamais rien fait de remarquable. Pas de bâtards royaux, personne n'avait fait fortune dans les chancelleries et il n'y avait même pas eu un braconnier condamné à la pendaison.

Il retourna l'enveloppe et relut le message laissé par Joan. Puis il décrocha le téléphone. Pendant une demi-heure, peut-être, ils parlèrent de sa grand-mère et de sa maladie qui avait si rapidement évolué depuis Noël. Joan lui décrivit le bref séjour à l'hôpital et la façon paisible dont l'aïeule s'était éteinte. Joan s'était trouvée à ses côtés et bien que sa voix ne se brisât pas en évoquant ces derniers instants, Stephen discerna la profonde émotion trahie par ses paroles.

Soudain, après avoir toussé énergiquement, sa tante changea de sujet.

« Je suis bien contente que tu sois rentré, mon grand. Il va falloir que je te voie. Je vais acheter un appartement et mettre en vente cette immense baraque d'un jour à l'autre. Je ne m'y suis jamais plu et maintenant que maman n'est plus là, j'ai hâte d'en partir. Le plus tôt sera le mieux. »

Stephen faillit s'étrangler de surprise.

« Tu es bien certaine... ? Enfin, certaine de faire le bon choix ? Tu vas être drôlement à l'étroit dans un appartement après avoir vécu si longtemps dans une maison aussi vaste.

— C'est justement pour ça que je veux en partir. Il me faut quelque chose de petit et de facile à nettoyer, et surtout, Stephen, facile à chauffer. Mon arthrite ne s'arrange pas, tu sais, et il y a trop de travaux à entreprendre ici. Pour être très franche, je ne peux plus assurer l'entretien, avec une seule pension. Alors, j'ai pris conseil auprès de mon notaire et j'ai décidé de vendre. Je vais me payer un mignon petit deux-pièces à Walmgate.

— *Walmgate ?*

— Oh, ne prends pas cet air offusqué, rétorqua sa tante d'un ton réprobateur. C'est à deux pas du centre ville et les appartements qu'ils viennent de faire sont absolument impeccables : chauffage central, double vitrage, cuisine intégrée, tout ce qu'il y a de mieux. C'est presque aussi bien que chez toi », conclut-elle d'une voix mordante.

Stephen ne put s'empêcher de rire.

« D'accord, tu n'as pas besoin de me faire l'article. Moi, je n'ai rien contre, c'est toi qui as toujours dit pis que pendre du quartier de Walmgate.

— En effet, reconnut-elle, c'était très moche avant la guerre. Mais ça s'est beaucoup amélioré depuis, tu sais, et au prix où sont les appartements maintenant, quand on est fauché on ne peut pas faire les difficiles. »

Tout en souriant intérieurement, sachant fort bien que sa tante était loin d'être fauchée, il lui dit qu'elle tirerait un bon prix de sa maison. Il n'y avait pas de travaux importants à prévoir et il y aurait certainement beaucoup d'amateurs étant donné sa situation et sa surface habitable. Peu convaincue, en apparence, par les arguments de son neveu, Joan dit qu'elle avait également l'intention de vendre la plupart de ses meubles. S'il y avait quelque chose qui l'intéressait, il fallait qu'il le lui dise sans trop tarder.

« J'avais l'intention de venir te voir demain, de toute façon, dit-il. J'en profiterai pour jeter un coup d'œil.

— Viens déjeuner avec moi. Je te préparerai quelque chose de bon. »

Juste au moment où elle allait raccrocher, Stephen se souvint de la lettre qu'il avait reçue.

« Ah, oui ! Eh bien, nous pourrons parler de ça aussi. Elle est venue nous voir en janvier. Une fille très bien. Bon, eh bien à demain, vers midi. »

Ayant ainsi donné à son neveu de quoi meubler ses réflexions, elle raccrocha.

La maison de Joan se trouvait tout près de l'appartement de Stephen, à quelques centaines de mètres en dehors des murailles qui entouraient la ville. De la fenêtre de l'une des mansardes, on apercevait Monk Bar, ce qui amènerait sans doute, se dit Stephen, un agent immobilier peu scrupuleux à affirmer qu'il y avait vue sur la porte nord-est de la ville.

C'était une demeure fort agréable avec de profondes fenêtres en saillie et une porte d'entrée imposante. A l'exception d'une salle de bain installée au premier étage au début des années cinquante, et d'une cuisine qui datait à peu près de la même époque, la maison avait échappé aux travaux de modernisation et son charme désuet pouvait tenter quelqu'un qui avait suffisamment d'argent pour faire refaire l'installation électrique et prévoir une isolation efficace contre le froid et l'humidité. S'il avait pu se résigner à renoncer à la vue qu'il avait sur la cathédrale, Stephen se serait sans doute laissé tenter lui-même...

Joan était dans la cuisine, préparant un repas qui promettait d'être copieux : une marmite de soupe bouillait sur le fourneau et une odeur fort appétissante de pâté en croûte à la viande et à la pomme de terre s'échappait du four. Tout en embrassant la joue rosée de sa tante, Stephen sortit de derrière son dos un bouquet de jonquilles, riant de la surprise qu'elle ne put s'empêcher de manifester. Les fleurs furent immédiatement plongées dans un vase en cristal qu'elle posa sur la table de la salle à manger.

Joan Elliott, avec sa taille imposante, sa peau claire et épaisse, et ses cheveux grisonnants, faisait penser à une fermière qui aurait amené à l'âge adulte toute une nichée d'enfants, et pourtant ses doigts n'étaient ornés d'aucune bague. Incorporée pendant la guerre dans les services féminins de l'armée territoriale, elle avait perdu son homme le jour du débarquement en Normandie, et il n'y avait jamais eu personne pour le remplacer. Rentrée dans ses foyers, la paix revenue, elle avait pris un emploi dans les chemins de fer et s'était installée avec sa mère pour partager les coûts de cette grande maison familiale.

Cette existence aurait pu paraître bien triste, mais lorsque Stephen se retrouvait en compagnie de l'unique sœur de son père, il n'était jamais enclin à la mélancolie. D'une grande bonté et dotée d'une intelligence hors du commun, elle n'était vraiment pas du genre à inspirer la pitié et elle figurait au nombre de ses parentes favorites. Lorsqu'il avait été confronté au naufrage de son propre ménage et au chagrin causé à retardement par la mort de ses parents, elle avait écouté Stephen, dès qu'il s'était montré capable de parler de ses malheurs avec une certaine lucidité. Et elle avait pu, en outre, lui dire sur son père des choses que Stephen n'avait jamais soupçonnées, ce qui l'avait amené à considérer sous un jour plus favorable cet homme austère et réservé, en lui permettant de se défaire de certains des regrets qui avaient subsisté en lui jusqu'alors.

Il était prêt maintenant à lui venir en aide, sans la moindre hésitation, si les circonstances l'exigeaient. Car il semblait bien qu'il y eût un problème et au cours du repas, elle ne tarda pas à s'en ouvrir à son neveu, avec la franchise qui lui était coutumière. Son nouvel appartement serait fort exigu et il y avait des objets qu'elle ne parviendrait jamais à y caser. Comme ils n'avaient aucune valeur autre que sentimentale, elle pensait que personne ne voudrait s'en porter acquéreur. Stephen, qui avait du temps et une chambre inutilisée chez lui, pourrait-il la dépanner ?

Il resta un moment silencieux, un peu interloqué, et passa mentalement en revue le contenu de cette pièce « inutilisée ». Puis il lui demanda en quoi consistaient ces objets et s'il pouvait d'abord les voir.

Joan l'emmena dans le grenier, escaladant les hautes marches de bois avec des efforts qui lui arrachaient de petits gémissements. La main posée sur l'étroite porte à demi vitrée, elle s'arrêta pour reprendre son souffle.

« Tout est là, dit-elle, y compris le matériel de photo de père. Mais, ne t'inquiète pas, j'en ai fait don au musée.

— Dieu merci », fit-il en riant.

Pourtant, un brusque accès d'émotion l'avait soudain ramené bien des années en arrière, à l'époque de son enfance où on l'avait autorisé, en de fort rares occasions, il est vrai, non pas à jouer mais à venir regarder l'énorme appareil photo, le gigantesque trépied et les immenses négatifs de verre qui avaient fait partie de l'existence de son grand-père. Robin Elliott avait appris le métier de photographe avant la Première Guerre mondiale et, la paix revenue, il avait ouvert une boutique à Monkgate. Des centaines de clichés, dont certains n'étaient même pas montés, gisaient dans des boîtes et des tiroirs, sous les pentes du toit.

Stephen ne se souvenait plus de l'existence des malles et pourtant, dès que Joan les lui eut montrées du doigt, les souvenirs se mirent à affluer. La grosse malle en métal noire, avec ses clous et ses fermoirs de cuivre, était pleine de livres, il en était sûr. Des volumes du siècle dernier, et des collections reliées de journaux illustrés, de vieilles bibles et des livres d'histoire. Et des photos, des albums entiers, qu'il avait pu feuilleter avec Pamela durant son enfance.

L'espace d'un moment, il retrouva l'âme d'un enfant, frappé de mutisme et le cœur battant d'espoir, se demandant quels trésors se cachaient sous le couvercle. Et puis il sourit au souvenir de la déception qui avait été la sienne en constatant qu'il n'y avait que des livres et des photos, un butin bien banal quand on s'était attendu à trouver des colliers de perles et des pièces d'or à profusion.

Mais il y avait aussi une autre malle, plus petite, capitonnée de cuir, fermée par un cadenas de taille plus que respectable. Personne ne l'avait jamais ouverte, grand-mère prétendant qu'elle avait perdu la clé.

A sa grande surprise, après de courtes recherches, Joan sortit une clé du tiroir du haut d'une commode peinte. Il ne put s'empêcher de dire :

« Je croyais qu'elle était perdue. »

Sa tante lui lança un regard résigné.

« C'est elle qui le prétendait toujours. »

La clé tourna sans effort, mais le pêne refusa de céder et Stephen dut le forcer. Les charnières étaient raides elles aussi et elles protestèrent en grinçant quand il souleva le lourd couvercle.

« Bon sang, marmonna-t-il en pensant aux bagages ultra-légers qu'il utilisait lui-même, quand on pense que les gens voyageaient avec de pareils engins ! Pas étonnant qu'il leur fallait toujours des porteurs ! »

Une couche de vieux journaux en recouvrait le contenu et au-dessous il vit un tiroir à compartiments avec plusieurs petites boîtes et trois minuscules paires de chaussures d'enfant. Le cuir en était raidi par l'âge.

« A qui ça pouvait bien être, je me le demande ?
murmura Stephen.

— A mon père, dit sa tante à mi-voix, à son frère
et à sa sœur. »

Au bout d'un moment, après avoir toussé pour
s'éclaircir la gorge, elle reprit :

« Grand-mère était tellement sentimentale ! Elle
ne pouvait pas supporter de se défaire de quoi que ce
soit, surtout des lettres. Enlève ce tiroir. »

Il hésita. Le spectacle de ces petites chaussures
était ridiculement émouvant. Il y avait là un vestige
si intime du passé d'un autre être qu'il ne voulait pas
y toucher. Il n'avait d'ailleurs plus envie de voir le
reste. Le temps s'était télescopé d'une façon alar-
mante, faisant disparaître comme par enchantement
un laps de temps d'une centaine d'années. Il fut
parcouru par un frisson.

Joan s'était penchée par-dessus son épaule et elle
tentait de soulever le tiroir en bois. A contrecœur,
Stephen joignit ses efforts à ceux de sa tante. Au-
dessous, attachés avec des rubans, se trouvaient des
paquets de plusieurs centaines de lettres. Celles qui
se trouvaient au-dessus, dans des enveloppes jau-
nies, étaient adressées à une certaine Mrs. L. Elliott.
L'une d'elles portait très visiblement le cachet de la
poste de Dublin, et elle était datée de 1922.

« Tu savais qu'il y avait tout ça ? demanda-t-il.
Mais oui, forcément, que je suis bête ! Tu as lu ces
lettres ? »

Joan secoua négativement la tête.

« Non, je n'ai jamais pu. Je me souviens très bien
d'elle, tu sais. C'est elle que je préférais, étant petite,
une vraie grand-mère, rassurante et affectueuse, le
genre de personne à qui on pouvait confier tous ses
chagrins. »

Joan sourit d'un air attendri, puis elle poussa un
soupir.

« Elle est venue vivre avec maman pendant la guerre. Je veux parler de la guerre 39-45 cette fois. Et c'est là qu'elle est morte, juste avant le débarquement en Normandie.

— Elle était très vieille ?

— Elle avait soixante-dix-sept ans... Pauvre grand-mère.

— Pourquoi dis-tu cela ? » demanda-t-il doucement.

Joan soupira encore, et crispa ses lèvres comme pour indiquer que tout ne s'était pas très bien passé sur la fin.

« Eh bien, dit-elle lentement, elle a vu mourir presque toute sa famille, à part sa fille, qui ne s'est jamais souciée d'elle... et elle ne savait plus très bien où elle en était sur la fin. Ça agaçait ma mère, j'en ai peur. Je la revois encore, la veille du jour où grand-mère est morte, debout dans la cuisine, elle se tordait les mains en disant qu'elle en avait assez. *Elle va finir par me faire croire que cette maison est hantée*, m'a-t-elle expliqué, *et moi, je suis persuadée qu'il n'en est rien.* »

Joan eut un sourire un peu triste. Puis elle ajouta :

« Elle croyait qu'ils étaient encore là, tu vois... »

Un frisson traversa l'échine de Stephen. Il inspira profondément et demanda :

« Mais ta mère a gardé ses affaires ?

— Oui, grand-mère attachait un grand prix à ces objets et maman n'a pas pu prendre sur elle de s'en débarrasser. »

Elle souleva un paquet d'enveloppes et vit, en dessous, une écriture qui lui paraissait familière.

« Attends, je crois qu'il y a aussi des lettres que mon père a écrites. Oui, dit-elle lentement en lisant les adresses, ce sont des lettres qu'il a envoyées à ma mère. Elle a dû les ranger ici pour les mettre en lieu sûr. » Saisie d'une brusque émotion, elle en prit quelques-unes qu'elle garda serrées contre sa poitrine. « Celles-là, je vais les garder, si ça ne t'ennuie pas.

— Mais non, pas du tout », dit Stephen avec une certaine surprise. En fait, il ne tenait nullement à s'approprier toutes ces reliques, bien qu'il n'osât pas le dire. Il consentirait à la rigueur à entreposer ces malles chez lui, mais de là à en lire le contenu... !

Quand ils furent redescendus au salon, sa tante fit chauffer de l'eau pour le thé et, ayant recouvré son esprit pratique, elle saisit la longue liste de toutes les dispositions qu'elle avait prévu de prendre et cocha la ligne concernant le problème du grenier. En la voyant remettre le crayon et le papier derrière un vase en porcelaine sur le manteau de la cheminée, il dit :

« Bon, alors, tu m'en parles de cette lettre ? »

Manifestement, Joan n'attendait que cette question pour satisfaire la curiosité de son neveu. La lettre écrite par Zoe Clifford lui était parvenue au début janvier, et elle avait répondu aussitôt pour dire qu'en effet elle était parente de Letitia et de son frère Robin. Seulement, comme Letitia avait quitté York très longtemps auparavant, elle ne pensait pas pouvoir être d'une grande utilité à la jeune fille. Celle-ci avait téléphoné deux jours plus tard, remerciant Joan avec une telle gratitude qu'elles avaient aussitôt sympathisé. Une fois qu'elles eurent établi clairement leur lien de parenté — Joan aurait été la cousine germaine de la fille de Letitia qui s'était tuée en 1942 — , Zoe voulut en savoir davantage sur Robin et Liam, demandant où et quand ils étaient nés et où leurs parents s'étaient mariés. Joan put indiquer leurs dates de naissance respectives, sans plus. Pour le reste, il faudrait qu'elle demande à sa mère qui était malade. La jeune fille dit alors qu'elle devrait venir à York dans quelques jours pour ses affaires. Pourrait-elle en profiter pour leur rendre visite ?

« Comme je n'y voyais aucun inconvénient, Stephen, j'ai dit que c'était d'accord. Je pensais que maman serait aussi contente que moi de retrouver une parente éloignée, quelqu'un de jeune, qui voudrait parler du passé. Comme elle n'était pas bien depuis quelque temps, j'ai pensé que ça lui remonterait un peu le moral. »

Joan fit une grimace au souvenir de la réaction qu'avait eue Sarah Elliott, et saisit la théière.

« Jamais il ne me serait venu à l'idée qu'elle trouverait quelque chose à redire ou qu'elle refuserait de la voir... mais en tout cas, elle a été furieuse. Naturellement, il était trop tard pour décommander Zoe.

— Qu'est-ce qui la chiffonnait à ce point ?

— C'était à cause de Letitia, tout simplement. *Letitia Mary*, en fait, était la sœur de son père. Une fieffée petite garce, au dire de maman. Elle l'avait connue toute jeune, mais moi, je ne l'ai jamais vue, alors je ne peux rien en dire. »

Joan but une gorgée de thé et ajouta d'un air pensif :

« Apparemment, Zoe avait un air de ressemblance avec Tisha, et c'est ça qui a mis le feu aux poudres. Maman l'a regardée une seule fois, puis elle n'a plus ouvert la bouche. Elle n'a rien voulu lui dire, rien d'autre que le strict minimum. Et moi, je me suis bien gardée de jeter de l'huile sur le feu en parlant des malles qui se trouvaient dans le grenier. Cela aurait fait toute une histoire.

— Mais comment l'as-tu trouvée, toi ? demanda Stephen, qui se fiait toujours à l'opinion que se faisait sa tante sur les personnes qu'elle rencontrait.

— Très, très sympathique. Une fille bien, pleine d'entrain et qui respire l'honnêteté. Et une éducation irréprochable. J'ai l'impression que ses parents sont très fortunés ; en tout cas, ses recherches généalogiques ne sont pas motivées par l'espoir de nous soutirer quelque argent. »

Au bout d'un moment de silence, Joan reprit :

« Non, la seule chose qu'elle voulait, c'était obtenir des renseignements et finalement, elle n'a pas appris grand-chose. Maman lui a précisé quelques dates et lieux de naissance, à contrecœur, il faut bien le dire, et c'est tout. Et ce qu'elle n'a pas dit — et pourtant je suis sûre qu'elle le savait — , c'est la raison pour laquelle Tisha a quitté York pour ne jamais y revenir. »

Stephen sourit et se resservit du thé. De l'air de quelqu'un à qui on ne la fait pas, il dit :

« Ah, toujours la même histoire, je suppose. Elle s'est retrouvée enceinte, alors elle est partie. »

Joan secoua négativement la tête.

« Non, je ne le crois pas. Ce serait trop simple. Et maman me l'aurait dit, elle n'aurait eu aucune raison de me le cacher, à moi en tout cas. A chaque fois que je lui posais la question, elle ne savait que me répéter que Tisha n'était qu'une sale petite garce, une snobinarde qui lui en avait fait voir de toutes les couleurs. Et c'était bien fait pour elle si elle était morte seule et sans amis. »

Un peu choqué par une rancune aussi tenace, Stephen remarqua :

« Ça ne ressemble pas à grand-mère de parler comme ça.

— Non, mais manifestement elle détestait Tisha, et je voudrais bien savoir pourquoi.

— Elle a dû poser un tas de questions à la jeune fille, alors.

— Oh ! ça oui. Elle buvait comme du petit-lait tout ce qu'a pu lui raconter la petite Zoe. »

Stephen lui demanda alors si elle avait repris contact avec la jeune fille depuis sa visite, mais Joan lui répondit qu'elle n'en avait pas eu le temps, sa mère ayant dû être hospitalisée avant de mourir. Et depuis, elle avait eu trop de choses à régler. Mais elle n'avait pas oublié sa visiteuse et maintenant que Stephen était rentré, elle espérait qu'il allait la contacter.

« Mais qu'est-ce que je pourrai bien lui raconter ? Et puis je ne la connais pas, moi.

— Elle est très gentille. Et très jolie, par-dessus le marché. Je suis sûre que tu la trouveras à ton goût, dit-elle avec un sourire entendu.

— Je suis trop vieux pour les jeunes filles, dit-il en riant. Elle va me prendre pour un vieux chnoque. D'ailleurs, je ne pourrai rien lui dire de plus que toi.

— Mais je t'ai donné les malles, non ? »

CHAPITRE IV

Juchée sur la dernière marche de l'escabeau, Zoe passait le rouleau dans tous les sens, s'efforçant d'atteindre l'encoignure, attentive à ne laisser aucun manque. Elle avait déjà fait le plafond et deux murs, et elle était satisfaite du travail accompli, ravie de pouvoir se défouler et effacer, de plus d'une manière, les traces du passé.

Trois mois de gâchés, ne cessait-elle de se répéter. Et c'était cela qui la faisait le plus enrager. Car enfin, comment avait-elle pu être assez bête pour s'imaginer que Philip Dent et elle, ça aurait pu marcher ? Ce garçon n'était pas du tout son type, mais alors pas du tout. Enfin, il n'y avait plus rien entre eux. Elle le lui avait dit et plus vite il l'accepterait mieux cela vaudrait.

Le téléphone sonna, et le timbre amorti et pathétique lui fit proférer une bordée d'injures, tandis qu'elle s'efforçait de garder son équilibre.

« Si c'est encore lui, marmonna-t-elle furieusement, je le tue. »

Un moment, elle envisagea de ne pas répondre ; mais il s'agissait peut-être d'un client, et bien qu'elle fût déjà très occupée à refaire son appartement, elle n'avait pas les moyens de dédaigner une nouvelle commande. Elle dégringola vivement les marches de son escabeau et enleva les vieux draps et les coussins qui recouvraient l'appareil.

« Allô ? » dit-elle d'un ton à peine aimable.

A l'autre bout du fil, un homme lui souhaita le bonjour et demanda à parler à Zoe Clifford. Il ne s'agissait manifestement pas de Philip, et cette constatation lui rendit toute sa sérénité. La voix était chaude, grave, et faiblement marquée par un accent du Nord. Elle commençait à se demander qui cela pouvait être quand le correspondant précisa qu'il se nommait Stephen Elliott, cita le nom de sa tante et dit qu'il appelait d'York. Elle ne put se défendre d'un mouvement de surprise. Elle n'espérait plus que les Elliott allaient se manifester de nouveau.

Elle s'assit sur le canapé pour écouter plus à son aise. En apprenant que l'homme venait de perdre sa grand-mère, elle prononça les condoléances d'usage, mais elle ne put cacher la surexcitation qui s'était emparée d'elle quand il eut mentionné le contenu des malles qui se trouvaient maintenant en sa possession.

« Mais c'est *merveilleux*. Vous avez vu tout ce qu'il y avait dedans ?

— Je me suis contenté d'y jeter un coup d'œil. Je n'ai pas eu le temps de m'y attarder davantage. Il y a beaucoup de photos — des gens que je ne connais pas tous, d'ailleurs — qui pourraient vous intéresser et, à première vue, des centaines et des centaines de lettres. Je ne les ai pas lues, naturellement, dit-il avec un rire bref, mais j'ai vu aussi, et ça vous intéressera sûrement, des certificats de naissance et de mariage. »

Il s'arrêta un moment, et elle se demanda pourquoi. La vieille Mrs. Elliott, la veuve de Robin, lui avait dit, bien à contrecœur d'ailleurs, que les deux frères étaient nés en Irlande, ce qui avait causé à Zoe une déception cruelle. Elle avait lu suffisamment de traités de généalogie pour savoir que fort peu de registres d'état civil avaient survécu à la guerre civile irlandaise et elle s'était alors dit que ses recherches allaient immanquablement tourner court. Mais elle s'était peut-être trompée.

« Vous avez trouvé les originaux de ces certificats ?

— Oui.

— Oh, c'est magnifique ! » murmura-t-elle d'un ton approbateur, luttant contre une envie absurde de rire pour exprimer son ravissement. Elle reprit bien son souffle.

« J'aimerais beaucoup les voir. »

L'homme marqua un bref moment d'hésitation puis il dit :

« Eh bien, si vous voulez venir à York, il vous suffit de me fixer une date. Je serai libre presque tous les jours au cours des semaines à venir, alors dites-moi ce qui vous arrange... »

Décidée à saisir l'occasion aux cheveux avant qu'il n'ait eu le temps de changer d'avis, elle se lança, les yeux fermés.

« C'est très aimable à vous, Mr. Elliott. J'aimerais que cela se fasse rapidement, si c'est possible. Voyons, la semaine prochaine ? »

Voulant ignorer le chaos qui régnait autour d'elle, elle ajouta impulsivement :

« Lundi, ça irait ? »

Un peu surpris, il dit que cela lui convenait et ils se mirent d'accord sur le détail de l'opération. Zoe prendrait un train qui arriverait à York vers midi et il viendrait la chercher à la gare avec sa tante.

La surexcitation de Zoe était telle qu'elle décida de ne pas se laisser impressionner par l'ampleur de la tâche qui l'attendait encore. Si elle voulait être à York le lundi, il faudrait qu'elle ait terminé ses travaux avant, même s'il fallait y consacrer la totalité du week-end. C'était là un véritable défi mais le résultat escompté en valait la peine. Il y avait tellement long-temps qu'elle marquait le pas dans ses recherches qu'elle jubilait littéralement à l'idée de voir ces lettres et de reprendre le cours de ses investigations.

Poussée par un sursaut d'énergie, elle remonta sur son escabeau et se remit à son rouleau.

Le lendemain soir — c'était un vendredi — , les murs et le plafond avaient pris le ton délicat de l'abricot, une teinte beaucoup plus chaude que le blanc cru qu'elle avait étalé partout après avoir emménagé, en réaction à la crasse qui sévissait alors de toutes parts. Elle passait une première couche sur les étagères qui garnissaient une alcôve à côté du manteau de la cheminée en se jurant que jamais plus elle ne peindrait un meuble en noir. Mais elle dut s'interrompre, à son profond agacement. On sonnait à la porte.

C'était Philip. Elle en eut les jambes coupées. Il se moquait bien qu'elle fût occupée à refaire son appar-tement, que le désordre régnât partout et qu'il n'y eût pas un seul endroit où l'on pouvait s'asseoir. Il fallait qu'il lui parle. D'un geste las, elle appuya sur le bouton qui commandait l'ouverture de la porte. Mais elle ne voulait pas risquer d'être retardée ; elle laissa donc ouverte la porte qui donnait sur le vestibule et se remit au travail d'un air farouchement déterminé.

Pendant une bonne minute, il resta debout à la regarder s'affairer. Elle sentait que ses yeux lui vril-laient le dos. Quand elle en eut assez de ce manège, elle essuya son pinceau et le planta dans un pot de térébenthine. Impeccablement vêtu, comme à l'accoutumée, il offrait un spectacle particulièrement incongru dans ce décor tendu de vieux draps, avec tous ces tapis roulés dans un coin. Zoe faillit éclater de rire.

Mais la situation était loin d'être comique. Le cha-grin qui se lisait sur le visage de Philip finit par la gagner, avec son cortège de mauvaise conscience, de ressentiment et finalement de colère.

« Philip, pourquoi es-tu venu ? Nous nous sommes dit tout ce qu'il y avait à dire et je n'ai aucunement l'intention de changer d'avis.

— Bien sûr, mais l'autre soir, quand tu m'as parlé, j'étais trop en colère pour te répondre ; depuis, je t'ai téléphoné mais tu as refusé de me rencontrer. C'est pour ça que j'ai préféré venir en personne. »

Cette façon qu'il avait de rejeter tous les torts sur elle ne fit qu'attiser sa colère.

« Je ne vois toujours pas l'utilité de cette entrevue. Je n'ai rien d'autre à te dire.

— Eh bien, moi, il faut que je te parle. Tu ne peux pas refuser de m'écouter. Je t'en prie ! »

Avec beaucoup de mauvaise grâce, elle écarta quelques draps pour lui faire de la place sur un canapé et alla chercher deux boîtes de bière dans la cuisine — sans verres, pour lui faire les pieds — , et elle s'assit sur un autre canapé. Ils n'étaient pas face à face, ce qui obligeait Philip à se contorsionner pour la regarder. Il prit distraitement la boîte mais ne l'ouvrit pas.

« Je suis désolé de m'être mis en colère, dit-il dans un effort de contrition. Je n'aurais pas dû te dire tout ça, je ne le pensais pas, Zoe. Franchement.

— N'empêche que tu l'as dit, Philip, on ne peut pas revenir là-dessus. Tes paroles m'ont fait beaucoup de peine mais elles ne font que confirmer ce que j'essayais de te dire ; en fait, nous n'avons rien de commun.

— Je ne suis pas d'accord. Nous aimons les mêmes choses : le théâtre, les concerts, les galeries d'art. Nous avons passé ensemble des moments formidables...

— Tu les as aimés uniquement parce que tu t'imaginais qu'il le fallait, parce que ça fait bien de dire que tu as vu une pièce de Tchekhov ou la dernière exposition à la Tate Gallery. Mais tu n'as aucune idée du message que l'on a voulu faire passer. Pas plus que ton merveilleux ami David. »

Zoe but une longue gorgée de bière et vit qu'il tournait vers elle un visage désapprobateur.

« Ah oui ! C'est bien là le fond du problème, n'est-ce pas ? David. Tu es morte de jalousie ! »

La puérilité de cette remarque n'amusa pas Zoe. Comme toujours lorsqu'elle était vraiment en colère, elle baissa la voix pour dire d'un ton mordant :

« Ce n'est pas vrai. Je ne suis pas jalouse de David. Je ne peux pas le piffer, voilà tout. Je suis certaine qu'il peut être très brillant au tribunal mais je regrette simplement qu'il se croie obligé de s'entraîner à la plaidoirie quand il est avec ses amis. C'est un salopard, Philip, tu ne t'en es jamais aperçu. Il se plaît à t'écraser de sa prétendue supériorité, et toi, tu le laisses faire. Avec Clare, il est pareil, d'ailleurs, et ça m'attriste tout autant. Dieu sait si elle en avait, de la personnalité, pourtant, mais c'est bien fini. Il lui dit "saute" et elle demande "à quelle hauteur ?". Ça ne me plaît pas du tout. Pas plus que de voir qu'il fait exactement la même chose avec toi. Si tu étais de la même espèce que lui, ça me serait bien égal, mais ce n'est pas le cas. Tu es beaucoup trop gentil pour faire partie de ses amis. »

Il rougit. Était-ce sous l'effet de la gêne ou de la colère ? Elle ne put le déterminer avec certitude. Finalement il dit :

« Écoute, si c'est vraiment cela que tu penses de moi, pourquoi veux-tu que tout soit fini entre nous ? On ne pourrait pas faire un nouvel essai ? Nous nous sommes expliqués en toute franchise, nous savons quels sont les problèmes, pourquoi serions-nous incapables de les résoudre ?

— Je te l'ai déjà dit.

— Mais Zoe... Je tiens tellement à toi. Je n'arrive pas à reprendre le dessus. Toute cette semaine, j'ai vécu un véritable enfer... »

Un moment, elle eut pitié de lui, s'accusant de le faire souffrir, mais elle se ressaisit bien vite. La compassion ne pourrait rien arranger, bien au contraire.

« Ça passera, Philip. Ça finit toujours par passer, ce genre de choses. Je suis désolée. N'y vois aucune cruauté de ma part, j'essaie seulement de regarder les choses en face. Seulement vois-tu, ça ne collait pas entre nous, tu le sais aussi bien que moi.

— Laissons tomber David et Clare. Rien ne nous oblige à les fréquenter.

— Non. »

Sa manière simpliste de voir les choses la mettait hors d'elle, alors qu'autrefois elle y avait trouvé un certain charme. Grands dieux !

« Tu ne me pardonneras jamais de m'être mise entre toi et ton plus vieil ami. »

Au bout d'un moment, il dit :

« Tu pensais vraiment ce que tu as dit à propos de David ? »

Ce n'était pas exactement le fond de sa pensée. En fait, c'était à Clare qu'elle en voulait de se comporter comme une idiote.

« Absolument, mentit-elle. Et je crois bien ne pas me tromper. »

Mal à l'aise, confuse, elle se leva pour l'inciter à partir. Il se planta devant elle et après un moment d'hésitation, il l'embrassa, gauchement. Elle ne protesta pas mais se demanda comment ses lèvres avaient pu l'exciter autrefois. Se souvenant de tout ce qu'il y avait eu entre eux — pas assez d'ailleurs, à son gré — , elle l'embrassa doucement sur la joue.

« Philip, pour être heureux, il faut que tu sois capable d'être toi-même. Cesse donc de te demander ce que les autres attendent de toi ! »

Mais il n'était pas encore prêt à accepter de tels conseils et il resta une heure à essayer de lui faire admettre son propre point de vue. Finalement Zoe perdit patience et lui dit de partir ; elle avait du travail à faire, un travail qu'il lui fallait terminer d'urgence car elle partait pour deux jours à York.

« Ah, York ! Je vois que tu es de nouveau lancée à la poursuite de tes fantômes. Eh bien, j'espère qu'en leur compagnie tu réussiras à trouver le bonheur. Manifestement, la vie réelle te paraît trop difficile à supporter. »

Il resta un moment immobile dans le vestibule, la main sur le bouton de la porte.

« Au revoir, Zoe. »

Quand il fut parti, elle n'eut pas le cœur de se remettre à l'ouvrage. Elle se servit une forte dose de cognac et monta à l'étage au-dessus pour voir son amie Polly, mais Polly était sortie, ce qui n'avait rien de surprenant pour un vendredi soir. Pourtant, Zoe fut déçue. Elle regagna son appartement, acheva son cognac et saisit ses pinceaux et son pot de peinture avec une détermination farouche. A minuit et demi, quand son amie revint, elle était toujours au travail.

Polly avait vu la lumière de l'extérieur. Elle passa la voir avec un ami, un garçon plein de tact, fort heureusement, qui, voyant que sa présence n'était pas vraiment désirée, ne tarda pas à s'éclipser.

Quand il fut parti, Zoe dit tout ce qu'elle avait sur le cœur, versa quelques larmes de colère et de fatigue, et se sentit soudain beaucoup mieux. Polly rangea la bouteille de cognac et fit du café. Après avoir formulé un commentaire succinct sur la vie, l'amour et la nature humaine, elle invita Zoe à aller se coucher et lui souhaita une bonne nuit.

Le lendemain, Clare lui téléphona. Ce ne fut pas une conversation agréable, ni pour l'une ni pour l'autre. Clare, semblait-il, était consternée par l'attitude de Zoe. Elle accusa son amie de se servir de Philip, d'exploiter sa crédulité et, pire encore, d'essayer de briser sa vieille amitié avec David.

Zoe n'était aucunement d'humeur à prendre ces accusations avec sérénité. Si on en arrivait à parler de ceux qui se servaient des autres, dit-elle, David n'avait sûrement pas été le dernier, avec la bénédiction de Clare. Et le moins possessif de tous n'était certainement pas David car il ne pouvait admettre que Clare entretienne des relations avec d'autres que lui.

« Tu n'aimes pas David », lança Clare avec fureur.

Zoe lui dit que c'était tout à fait exact. Là-dessus, Clare raccrocha brutalement et les choses en restèrent là.

Lâchant une bordée de jurons, tout en se demandant lequel des trois méritait le plus sa vindicte, Zoe inséra une cassette dans sa chaîne hi-fi ; tout le reste de l'après-midi, l'appartement vibra aux échos d'une musique trépidante. Zoe travailla avec un acharnement furieux et quand arriva l'heure de se mettre au lit, elle était pratiquement arrivée au bout de sa tâche.

Le dimanche après-midi, elle avait fini de peindre la totalité du salon, les portes, les plinthes et les étagères enduites de la même peinture que les murs et le plafond, mais dans un ton légèrement plus soutenu. L'ensemble donnait l'impression d'une pièce spacieuse, sereine et élégante qui ne reflétait aucunement la colère ayant présidé à sa transformation. Pendant quelques instants, Zoe se demanda si elle était de l'humeur qui convenait pour porter un jugement valable, mais au bout d'un moment elle se dit que ce décor avait au moins le mérite de respirer la gaieté et elle eut un bref sourire.

Bien qu'il fût impossible de remettre tout de suite

en place les livres et les plantes, Polly vint l'aider à déblayer les lieux. Une fois les draps de protection enlevés et les tapis déroulés sur le parquet ciré, quand les divans eurent réintégré leur place ainsi que la table de travail de Zoe — devant les fenêtres —, le salon retrouva un visage humain. On raccrocha les toiles sur les murs : deux qu'elle avait peintes elle-même, des estampes de Beardsley, une copie d'un portrait de Gwen John et un petit tableau abstrait, un original, qu'elle gardait en souvenir de son premier amour. Il y avait un peu partout des bibelots qui lui restaient des hommes qu'elle avait connus, mais Philip ne lui avait rien donné de plus durable qu'un minuscule bouquet de fleurs artificielles.

C'était beaucoup mieux ainsi, se dit-elle, puisqu'il lui avait reproché d'avoir commis une injustice. Elle n'avait donc nullement besoin d'un objet matériel pour le rappeler à son souvenir. Les derniers mots qu'il lui avait dits lui suffisaient amplement. Les Elliott comptaient davantage à ses yeux, mais personne d'autre qu'elle n'avait l'air de le comprendre.

Elle alla chercher les photos de Tisha et de ses frères et les regarda longuement avant de les poser provisoirement sur sa table de travail. Elle avait enfin réussi, au cours de son dernier voyage à York, à établir le nom du soldat australien. « Liam », murmura-t-elle doucement, et une fois de plus, elle éprouva une bouffée de plaisir en prononçant ce nom.

Elle pensa à ce qui se passerait le lendemain, se demandant si elle obtiendrait beaucoup de renseignements à York et jusqu'où ces indications nouvelles allaient la mener. Voilà qui piquait sa curiosité, beaucoup plus que Philip Dent, son amie Clare et l'odieux David.

Pourtant, elle dit à Polly qu'elle était beaucoup plus affligée par la fin d'une vieille amitié que par la perte d'un soupirant. C'était sans doute, comme le fit remarquer Polly, parce que les hommes avaient tendance à ressortir de votre vie aussi facilement qu'ils y étaient entrés tandis que les amies, elles, y restaient généralement beaucoup plus longtemps.

Deux heures après avoir quitté la gare de King's Cross, à Londres, la locomotive du British Rail Intercity amorçait la longue courbe qui annonçait l'entrée dans York. La matinée avait été bien grise à Londres, mais le ciel s'était dégagé progressivement à mesure que le train remontait vers le nord.

York était baigné de soleil, sous un ciel parsemé de petites boules de coton, et une forte brise s'engouffra sous les jupes de Zoe quand elle débarqua sur le quai.

Du haut de la passerelle qui enjambait les voies, elle repéra immédiatement les formes généreuses de Joan Elliott et vit, debout à côté d'elle, un homme de haute taille aux cheveux châtain clair. Sans être très beau garçon, il attirait tout de même l'attention. Il la regardait, les mains enfoncées dans les poches d'un imperméable Burberry.

Comme ils avaient l'air d'être ensemble, Zoe se dit que ce devait être l'homme qui lui avait téléphoné. Stephen Elliott, le petit-fils de la vieille Mrs. Elliott.

Il était beaucoup plus jeune qu'elle ne se l'était imaginé, car entre lui et elle, il y avait une génération d'écart. Selon Zoe, il aurait donc dû avoir l'âge de sa mère.

En redescendant les marches de la passerelle, elle remarqua son teint hâlé, se demandant jusqu'à quel point ce bronzage pouvait être naturel. Puis elle se rappela soudain l'avoir entendu mentionner qu'il travaillait à l'étranger. Elle décida alors de lui accorder le bénéfice du doute.

Elle se retrouva bientôt enveloppée par les bras

accueillants de Joan Elliott. L'homme fit un pas en avant et lui tendit une main sèche et ferme.

Il se déclara enchanté tandis que ses yeux semblaient avides d'enregistrer tous les détails concernant la nouvelle venue. Avant qu'elle ait eu le temps de dire ouf, il l'avait déjà débarrassée de son sac de voyage et il emmenait les deux femmes à travers le hall de la gare. Si elle n'avait pas été aussi attentive aux propos que lui tenait Joan Elliott, Zoe aurait pu concevoir un certain agacement devant un tel comportement.

Mais toute trace d'irritation s'envola quand ils sortirent de la gare. Juste en face d'eux, de l'autre côté d'une avenue large et animée, les murs de la cité semblaient leur sourire au-dessus de remparts recouverts de jonquilles. Ce spectacle était si inattendu et si accueillant qu'elle ne put s'empêcher de sourire, figée sur place. Zoe se dit qu'elle n'avait jamais rien vu d'aussi réconfortant que cette masse mouvante de fleurs jaune vif.

« Mais c'est magnifique !

— Absolument. Et ça fait d'autant plus d'effet, quand on s'est absenté de la ville pendant tout l'hiver... »

Il laissa la phrase inachevée et Zoe le regarda avec surprise.

« Oui, dit-elle, je l'imagine très volontiers. »

Leurs yeux se croisèrent et elle fut déconcertée une fois de plus par le regard particulièrement inquisiteur qu'il lui décochait.

« Vous m'avez dit que vous étiez à l'étranger, Mr. Elliott, dit-elle d'un ton enjoué. C'était un pays intéressant ? »

Il eut un petit rire.

« Pas vraiment, dit-il. Au fait, je m'appelle Stephen. »

Pas bavard du tout, le personnage, songea Zoe, de

nouveau agacée par un tel comportement. C'est alors qu'avec un petit gloussement hilare, Joan Elliott hocha la tête en direction de son neveu et dit à Zoe de ne pas se laisser abuser.

« C'est un de ses trucs favoris. Voyez-vous, ça l'amuse de laisser croire aux gens qu'il vient de sortir de prison ou qu'il fait du porte-à-porte pour écouler une camelote quelconque. En fait, il n'en est rien, déclara-t-elle en agitant l'index tandis que Stephen arborait un sourire malicieux. Il est capitaine au long cours et je suis très fière de lui.

— Ça y est, Joan, il a fallu que tu recommences. Tu me coupes tous mes effets... »

Zoe ne put s'empêcher de rire.

« Comment cela ? demanda-t-elle.

— Généralement, pour répondre à la question qu'on me pose immanquablement ensuite, je dis que je suis dans le pétrole et dans l'acier. Ça impressionne beaucoup.

— Mais je suis déjà très impressionnée comme ça, capitaine Elliott. »

Le trio était maintenant arrivé devant une Jaguar XJ-S d'un vert foncé étincelant. Zoe s'installa sur une banquette en cuir moelleux et tandis que Joan lui montrait les endroits intéressants de la ville, elle résuma mentalement tout ce qu'elle pouvait dire de l'homme qui était au volant : probablement célibataire, un intérêt certain pour le beau sexe, et à en juger d'après la voiture, aussi soucieux de son image que Philip Dent. Mais n'allait-elle pas trop loin ? Elle le regarda de nouveau à la dérobée et nota que si le sweater Aran était tout neuf, son Burberry avait acquis la patine d'un âge assez avancé. Quant à ses cheveux, qui avaient tendance à boucler, ils n'auraient rien eu à perdre d'un passage chez le coiffeur. Elle sourit et lui pardonna presque la voiture.

Il déposa Zoe et la tante dans Gillygate, devant l'hôtel, puis repartit pour aller garer la voiture près de son appartement, leur disant qu'il viendrait les rejoindre ensuite.

« C'est tellement malcommode, maintenant, expliqua Joan, avec toute cette circulation et ces voies piétonnières partout. Je suis bien contente de ne pas avoir de voiture. »

Zoe dit qu'elle en avait une personnellement, mais qu'elle ne pouvait pas compter sur sa vieille guimbarde pour effectuer de longs déplacements. Elle préférait donc prendre le train.

« Mais elle me rend bien service de temps en temps le week-end, quand je vais voir mes parents. »

Elles pénétrèrent à l'intérieur de l'hôtel et Mrs. Bilton se déclara enchantée de revoir Zoe en lui tendant les deux clés habituelles. Joan Elliott ne cessait de jeter alentour des regards curieux. Avant que Zoe ne lui communique tous les renseignements qu'elle avait glanés sur Mary Elliott et sa famille, elle n'avait jamais soupçonné qu'ils tenaient un hôtel.

« Ma grand-mère serait donc née ici ? demanda-t-elle, voulant parler de Louisa.

— Je ne le pense pas. Letitia, oui, certainement, mais pour Louisa, je ne peux rien affirmer. Elle a vécu ici, avec Edward et leurs enfants, parmi lesquels il y avait Robin. C'était bien votre père, n'est-ce pas ? Liam, c'est celui qui est allé en Australie ?

— Oui, c'est bien ça. »

Elle alla regarder par la minuscule fenêtre de la chambre qui s'ouvrait sur un lacis de rameaux et de branches derrière lequel se dressaient les tours de la cathédrale.

« Dire que mon père a vécu ici, et je ne l'ai jamais soupçonné ! C'est bizarre, vous savez. Grand-mère parlait souvent de son cottage de Clementhorpe mais elle ne m'a jamais dit qu'elle avait demeuré ici. »

Pendant un moment, Zoe se demanda pourquoi ; mais soudain Joan se rappela que Stephen devait être en train de les attendre pour aller déjeuner et les deux femmes redescendirent.

Ils partagèrent un repas tout à fait convenable dans un restaurant d'époque aux murs garnis de colombages en chêne. Le café servi, la conversation qui avait roulé jusque-là sur le passé de la famille Elliott en général se concentra sur un point plus particulier. D'abord surprise, Zoe ne tarda pas à éprouver une certaine gêne. Les certificats de naissance que Stephen avait trouvés dans la malle pleine de lettres étaient accompagnés d'un certificat de mariage dont la date ne concordait pas, dans la mesure où cette union aurait dû normalement se produire un ou deux ans avant la première naissance. Il y avait également d'autres détails qui contredisaient les faits dont Joan avait pu avoir connaissance. Il semblait donc que l'on avait, à plusieurs reprises, recouru au mensonge et à divers subterfuges pour des raisons que Joan Elliott ignorait totalement. Cette révélation, survenue si peu de temps après la mort de sa mère, ne manqua pas de la bouleverser profondément. Gagnée par cette émotion, Zoe ne savait plus que dire.

Refusant une deuxième tasse de café, Joan annonça qu'elle devait les quitter. Elle avait rendez-vous avec un agent immobilier et quelques emplettes à faire. D'ailleurs, elle ne tenait pas spécialement à être présente pendant que l'on allait se pencher sur les secrets de la vie de Louisa Elliott.

« Ça ne m'ennuie pas du tout que vous lisiez ces lettres, expliqua-t-elle avec beaucoup de gentillesse à Zoe, mais moi, ce serait vraiment au-dessus de mes forces. De toute façon, tenez-moi au courant de ce que vous aurez découvert, et si je peux répondre à vos questions j'en serai très heureuse. »

En la regardant partir, Zoe fut saisie d'un sentiment de culpabilité à l'idée qu'elle était arrivée dans cette famille pour y semer le trouble. Elle se demandait maintenant ce que son innocente curiosité allait leur faire découvrir une fois que serait ouverte la boîte de Pandore. Comme s'il avait deviné ses pensées, Stephen Elliott posa une main sur son poignet.

« Non, ne regrettez rien, dit-il doucement, et cessez de vous tourmenter. Juste avant de vous téléphoner, j'avais demandé à Joan si elle était d'accord pour vous laisser continuer vos recherches. »

Il s'arrêta soudain, comme s'il venait de se rendre compte qu'il était en train de la toucher. Il enleva bien vite sa main.

« Elle n'aurait jamais voulu laisser une étrangère se mêler de nos histoires, ajouta-t-il en souriant, mais pour vous, c'était tout à fait différent. Je crois bien que vous avez réussi à la séduire et elle vous considère maintenant comme quelqu'un de notre famille. Et à ses yeux, c'est un compliment ! »

Zoe détourna son regard, sentant qu'une bouffée de plaisir et de gêne empourprait ses joues.

« Mais...

— Mais tôt ou tard, l'un de nous aurait examiné le contenu de cette malle et nous aurions bien fini par découvrir les anomalies qui s'y trouvent. On ne peut pas tirer un trait sur le passé d'une personne tant qu'on n'a pas commencé par en étudier les différents aspects.

— N'empêche que j'aurais préféré ne pas être celle qui pose le problème la première », dit-elle dans un souffle.

Surmontés par leur frange de cils bruns et épais, les yeux de Stephen s'éclairèrent soudain et se plissèrent en un sourire chaleureux. Pour la première fois, Zoe remarqua à quel point ils pouvaient être bleus.

« Cessez donc de vous tourmenter », dit-il.

Il se leva pour aller payer l'addition et elle l'observa à la dérobée. Il y avait quelque chose de familier dans ses traits mais elle ne parvenait pas à dire quoi. Peut-être lui rappelait-il quelqu'un qu'elle connaissait. Mais elle ne voyait pas qui. Il se retourna et elle regarda vite ailleurs, pour qu'il ne se rende pas compte qu'elle l'avait dévisagé.

A côté de la foule qui se pressait dans The Shambles, St. Andrewgate paraissait presque désert. On n'y voyait guère que des ouvriers du bâtiment occupés à restaurer de vieux immeubles ou à en construire de nouveaux qui s'harmonisaient avec les anciens. Zoe ne savait plus où donner du regard, notant au passage les détails de ces fenêtres et de leurs encadrements en brique. Stephen dut lui toucher le bras pour la diriger dans une étroite ruelle serpentant entre les maisons. Elle débouchait dans une cour fort coquette et Zoe se rendit compte non sans surprise qu'ils étaient revenus à Bedern et que son compagnon était en train de chercher les clés de son appartement.

« *Bedern,* c'est un nom étrange. Qu'est-ce que ça veut dire ?

— Ah, ça ne me revient pas à l'esprit... et pourtant, il y a une plaque là-bas, je passe devant presque tous les jours. Ah oui, *Maison de Prière,* je crois. C'est de l'anglo-saxon. »

Pour la première fois, elle remarqua le vieux mur de pierre calcaire ponctué de fenêtres en ogive qui portait la plaque. Stephen expliqua qu'il avait autrefois fait partie du collège des Chantres. Le reste de l'édifice — une collection de maisons médiévales semblables à celles de The Shambles — avait disparu depuis longtemps.

« C'était bien pratique, avec la cathédrale juste en face, mais les jeunes prêtres se sont fait expulser à l'époque de la Réforme. Toutefois je ne pense pas qu'ils aient suscité beaucoup de regrets, ajouta-t-il ironiquement. D'après ce que j'ai pu comprendre, ce n'était guère autre chose qu'un ramassis d'ivrognes médiévaux, des rustres qui buvaient, braillaient dans la rue et terrorisaient les voisins... »

Amusée par ces détails, elle eut un petit rire, bien qu'il fût difficile de croire que de telles choses avaient pu avoir lieu dans un cadre aussi moderne.

« ... et puis, il y a eu une école ici, au siècle dernier. C'était beaucoup moins réjouissant. Les enfants, tous issus de milieux défavorisés, étaient très mal traités. »

Il s'interrompit et leva les yeux vers les murs baignés de soleil et les petits jardins pimpants pleins de fleurs printanières.

« Ils sont encore là, ajouta-t-il à mi-voix. Parfois on les entend la nuit qui rient et qui jouent... »

Ne sachant pas trop s'il parlait sérieusement, elle leva vivement les yeux vers lui, mais son visage était empreint d'une gravité inaccoutumée.

« Vous les avez entendus ?

— Oui. Absolument. Une fois où je suis rentré chez moi tard dans la nuit. On ne m'avait jamais parlé de cette histoire et j'ai cru que c'était des gamins qui chahutaient. Mais j'ai fait le tour du quartier et je n'ai vu personne. Ce n'est que par la suite, quand j'ai posé la question à des voisins, que j'ai trouvé d'autres gens qui avaient entendu le même bruit ici même, dans cette cour. Et à des moments différents. »

Elle frissonna.

« J'ai l'impression que York est pleine de fantômes...

— J'en suis absolument persuadé. »

Il sourit.

« Autrefois, reprit-il, ce genre d'histoires me faisait bien rire... »

A l'autre bout du mur de pierre percé de fenêtres en ogive, il y avait une voûte profonde ; voyant des gens la traverser, elle demanda le nom de la rue. Quand il eut dit que c'était Goodramgate, un souvenir soudain l'incita à aller voir de plus près. Elle s'arrêta au pied, regarda de l'autre côté de l'arche et vit une autre voûte qui débouchait sur la cour de la cathédrale. L'extrémité est de la cathédrale se trouvait à une centaine de mètres de là.

Zoe frissonna de nouveau, se remémorant cette soirée où lui étaient apparues, dans cette brume soudain éclairée par un mur de lumière changeante, les images d'une bien étrange vision.

Elle se tourna vers l'homme présent à ses côtés et, l'espace d'une seconde, il parut décontenancé. Pendant un long moment ils restèrent sans parler puis, alors qu'elle détournait son regard, il lui demanda à mi-voix si elle était venue à York à la fin de l'automne, un soir vers six heures, quand la brume tourbillonnait autour de la cathédrale.

C'était à croire qu'il lisait dans l'esprit de Zoe. Elle fut si surprise qu'elle éprouva d'abord la tentation de nier. Mais, comme elle avait hoché affirmativement la tête, il expliqua qu'il l'avait vue, immobile pendant plusieurs minutes, près de St. William's College.

« Ensuite vous êtes venue vers moi. Vous vous êtes arrêtée au carrefour et vous m'avez lancé un regard furieux avant de traverser la rue. »

Il éclata d'un rire bref.

« Voyez-vous, depuis que vous êtes descendue du train, j'essaie de me rappeler où j'avais bien pu vous voir avant.

— Vous devez avoir une mémoire extraordinaire...

— Pas du tout. Seulement, c'était ma dernière soirée au pays... Je me suis souvenu de cette brume et, apparemment, je me suis aussi souvenu de vous. La seule chose qui soit extraordinaire à ce propos, c'est qu'il y a dans ma vie des espèces de parenthèses qui peuvent durer jusqu'à cinq ou six mois, tout le temps où je suis en mer. Quand je reviens, tout se passe comme si ces "trous" n'avaient pas existé... C'est une bien étrange sensation ! »

Elle se déclara d'accord avec lui tout en lui vouant une certaine reconnaissance pour avoir trouvé une explication aussi prosaïque. De son côté, pourtant, bien qu'elle fût harcelée par cette idée qu'elle devait le connaître elle aussi, elle n'avait gardé aucun souvenir de cette fugitive rencontre.

Ils regagnèrent la cour de Bedern. Stephen tourna la clé dans sa serrure et s'effaça pour la laisser entrer. Au sommet d'un escalier, plusieurs portes s'ouvraient sur un palier éclairé par une lucarne. Elle entrevit une cuisine fort bien tenue avant de le suivre dans le salon, où elle n'eut guère le loisir d'avoir autre chose qu'une vision confuse de livres, de tableaux et de meubles modernes, car son attention fut immédiatement accaparée par la vue qui s'offrait à elle. De hautes cheminées, des toits pointus couverts de tuiles et d'ardoises, des briques patinées et de minuscules fenêtres, tout cela formait le premier plan derrière lequel surgissait, comme dans un conte de fées, la stature imposante de la cathédrale elle-même. Zoe comprit immédiatement pourquoi Stephen Elliott habitait ici et son admiration se teinta d'une pointe d'envie.

Il épiait son visage, attendait ses réactions. Elle n'essaya nullement de dissimuler son plaisir, car l'homme qui vivait en ces lieux méritait de savoir qu'elle appréciait elle aussi ce spectacle. En riant elle dit :

« Vous avez bien de la chance. »

Il rit lui aussi, l'invitant à s'asseoir et à admirer le paysage pendant qu'il préparerait le café. Quelques instants plus tard, assis l'un et l'autre devant la fenêtre avec le plateau entre eux, Zoe eut soudain conscience qu'elle était détendue et heureuse. Stephen Elliott était vraiment d'un commerce fort agréable. C'était un homme habitué à écouter tout autant qu'à parler. Ses questions ne paraissaient jamais indiscrètes et pourtant, Zoe s'aperçut qu'ils avaient depuis longtemps abandonné le terrain des banalités pour aborder des points beaucoup plus personnels et qu'elle révélait beaucoup plus de choses sur elle-même qu'elle ne le faisait généralement si peu de temps après avoir lié connaissance.

Ils bavardaient maintenant comme de vieux amis, à croire qu'ils se connaissaient depuis des années. Il lui parla brièvement de son mariage et de son divorce, et bien qu'il ne se fût pas attardé sur les raisons de ce drame, elle comprit immédiatement qu'il avait beaucoup souffert de la trahison dont il avait été victime. D'instinct, elle devinait pour quels motifs il ne s'était pas remarié en dépit de l'attirance visible qu'il éprouvait pour les femmes. Il parlait avec affection de sa tante et des épouses de ses amis proches, et Zoe voyait bien que sa vie sociale ne se limitait pas aux quelques verres qu'il pouvait boire ici et là avec des collègues : tout laissait supposer bien au contraire qu'il entretenait des relations nombreuses et variées dans des milieux fort différents. Il s'en allait souvent en week-end chez des amis et c'était la raison pour laquelle il appréciait d'avoir cette voiture. Une folie, certes, et il en convenait bien volontiers, mais grâce à elle il pouvait se déplacer confortablement. En plus, il adorait conduire. D'ailleurs, ajouta-t-il avec un sourire désarmant, il avait toujours rêvé d'avoir une Jag.

Quelle différence avec Philip, se disait Zoe en regardant l'appartement tandis que Stephen s'affairait pour lui préparer quelque chose à boire. Chez Philip, l'élégance confinait à l'austérité alors qu'ici régnait un désordre bon enfant qui vous mettait immédiatement à l'aise. Il y avait des livres qui tapissaient pratiquement tout un mur, une collection de tableaux et d'ornements variés était disposée un peu partout, tandis que divers objets du genre calculatrice, lettres et trousseaux de clés parsemaient la surface des meubles disséminés dans la pièce.

Elle remarqua que le cendrier était presque plein. Il fumait trop, mais elle comprenait fort bien pourquoi. Elle-même s'était arrêtée de fumer depuis un an, mais il lui prenait parfois de folles envies d'allumer une cigarette.

Il revint avec deux tasses de café fumant, refusant manifestement de sacrifier au rituel des soucoupes, sucrier, et petit pot de crème, et elle lui en fut reconnaissante. Elle était heureuse de constater qu'il était aussi décontracté qu'elle. Au-dehors le jour baissait et la douceur du crépuscule s'installa entre eux.

Ce n'est que lorsqu'il alla allumer l'une des lampes qu'ils remarquèrent l'heure qu'il était. Stephen manifesta alors son inquiétude, craignant d'avoir abusé du temps de la jeune fille. Il lui demanda si elle avait prévu quelque chose pour la soirée.

« Non, dit-elle sans la moindre réticence. A part rentrer à l'hôtel à un moment ou à un autre pour dormir un peu. De toute façon, après l'excellent déjeuner que nous avons eu ce midi, je n'ai pas du tout faim. Nous pourrions peut-être jeter un coup d'œil à ces papiers dès ce soir ? A moins que vous n'ayez d'autres projets, bien entendu.

— Non, assura-t-il. Rien de spécial. Il y a de la salade et quelques petites choses dans le frigo. Si vous voulez, nous pourrons faire la dînette un peu plus tard. »

Zoe ayant donné son accord, il alla chercher un épais album sur une étagère de la bibliothèque.

« Avant que nous jetions un coup d'œil aux certificats, j'ai pensé que vous aimeriez peut-être voir quelques photographies. Ne serait-ce que pour bien visualiser les gens dont nous allons parler. »

Passant rapidement sur les toutes premières pages, il s'attarda bientôt sur deux portraits. Le premier représentait une jeune femme aux cheveux courts et bouclés qui semblait vous défier de son menton volontaire. Elle avait un visage rond et très beau, des yeux intelligents et une bouche bien dessinée et généreuse. Stephen dit que son sourire le fascinait. Comme pour la Joconde, il n'arrivait pas à voir si ce sourire était amusé, dédaigneux, irrésolu ou carrément provocant. Pourtant, en tant qu'homme, il penchait plutôt pour la dernière hypothèse.

Zoe éclata de rire et secoua la tête.

« Vous prenez vos désirs pour des réalités. Pour moi, c'est plutôt de la fierté, avec un rien de dédain. Mais elle me rappelle quelqu'un... »

Elle fixa sur la photo un regard intense pendant un bon moment, masquant de sa main le bas du visage.

« Ce sont les yeux et la forme du front... »

Une lueur amusée éclaira les pupilles de Stephen. Il regarda rapidement Zoe puis la femme de la photo.

« Si vous ne tenez aucun compte de ce que je vous ai dit à propos de son sourire ni de la façon dont elle est coiffée, à qui vous fait-elle penser ?

— Je ne vois pas vraiment... Je pensais à Letitia, mais...

— Eh bien, moi, elle me faït penser à *vous*. Oh, la ressemblance n'est pas frappante, se hâta-t-il de préciser. Ce n'est pas ce que je veux dire, mais il y a quand même un petit quelque chose... enfin, c'est mon opinion... »

Pour la première fois, Zoe ne sut que dire. Il semblait regretter cette remarque impulsive et s'apprêtait à passer au portrait suivant, mais elle l'arrêta d'un geste.

« Qui est-ce ?

— Louisa Elliott. Mon arrière-grand-mère.

— Et mon arrière-arrière-grand-mère, dit Zoe d'une voix songeuse en s'efforçant de paraître calme et réfléchie pour dissiper la tension soudaine qui avait surgi entre eux. C'était la mère de Letitia. Or on m'a toujours dit que je ressemblais à Tisha, il n'y aurait donc rien d'étonnant... Mais il y a tout de même une chose qui me surprend. Elle a l'air de savoir ce qu'elle veut. Ce n'est pas la victime éplorée que j'imaginais. »

Amusé par la façon dont elle présentait les choses, il demanda :

« Une victime ? Pourquoi une victime ?

— Oui, enfin c'est comme ça que je me la représentais, à tort sans doute. »

Désignant l'autre portrait, un homme plutôt jeune, barbu et vêtu d'une redingote, elle demanda qui c'était.

« Là, c'est Edward Elliott, le mari de Louisa. Il était également son cousin, je crois, et il me semble aussi qu'ils ont mis bien du temps à se décider avant de se marier. D'après mes calculs, elle avait trente-deux ans quand il lui a passé la bague au doigt et lui, il devait en avoir quarante-quatre.

— Tant que ça ! Mais...

— Oui, je sais. Si vous n'avez pu retrouver aucune trace de leur mariage, c'est parce que vous n'avez pas cherché à la bonne date. J'ai le certificat original, ils ne se sont pas mariés avant 1899.

— Mais alors, les enfants... ?

— Bonne question, observa-t-il d'une voix brève. Patientez une petite minute, voulez-vous, et jetez un coup d'œil à ça. »

Stephen sortit deux autres photos qu'il avait trouvées insérées entre les pages. L'une d'elles représentait un groupe de personnes rassemblées dans un jardin. Sur l'autre se trouvait un homme vêtu d'une tenue militaire. La coupe de l'uniforme et les insignes qu'il portait montraient qu'il s'agissait d'un officier. Il pouvait avoir une trentaine d'années. Il avait beaucoup de prestance et la longueur de ses jambes indiquait qu'il était de haute taille. Il avait une moustache et des cheveux noirs et épais, les traits de son visage étaient empreints d'une grande fermeté.

Au dos du cliché figuraient le nom du photographe et une adresse à Dublin. Zoe retourna une nouvelle fois la photo et regarda le sourire légèrement arrogant avec une impression de malaise qu'elle ne pouvait expliquer.

« Et lui, qui c'est ? »

Stephen crispa les lèvres.

« Eh bien, je n'ai pas encore pu le déterminer avec certitude mais j'ai bien l'impression que son nom était Robert Duncannon. »

Zoe se mordit la lèvre.

« Un témoin du mariage de Letitia ?

— L'auteur de nombreuses lettres.

— Un parent proche et fortuné ? »

Elle scruta le visage de Stephen, attendant une réponse.

« Quelqu'un d'autre ? »

Il leva un sourcil narquois.

« A votre avis ? »

CHAPITRE V

La musique jouait en sourdine et la table de la salle à manger était recouverte de papiers et de photographies. Stephen se redressa et s'étira, fixant un œil tendrement amusé sur Zoe qui, la tête penchée en avant, observait les documents avec une attention extrême. Sa peau lui faisait penser à l'Irlande et à des matins brumeux, et il était impossible de ne pas sourire en imaginant la douceur qu'il éprouverait en y posant ses lèvres.

Ils travaillaient depuis des heures et il commençait à se demander si elle allait continuer ainsi, toute la nuit, à accumuler les indices comme si elle se livrait à une course au trésor. La poignée de lettres qu'ils avaient examinée posait plus de questions qu'elle n'en résolvait, suscitant la curiosité et l'enthousiasme, provoquant des réactions qui leur avaient révélé l'un à l'autre beaucoup plus d'indications sur leur nature profonde que s'ils s'étaient fréquentés des semaines durant.

Elle lui plaisait. Terriblement. Aucune ostentation. Ni affectation ni artifice. En dépit d'une diction irréprochable et d'un milieu familial privilégié, elle n'avait rien de l'enfant gâtée. L'esprit vif, de l'humour, une étrange vulnérabilité et — allons, sois honnête, Elliott, lui soufflait une voix intérieure, tu

96

as envie de coucher avec elle, tu le sais parfaitement, elle t'a tapé dans l'œil dès la première minute où tu l'as aperçue...

Elle releva la tête, fixant sur lui de grands yeux gris interrogateurs, comme si les pensées qu'il venait d'avoir avaient modifié l'atmosphère ambiante. Ce qui était peut-être le cas. Il ne détourna pas les yeux, elle non plus. Il vit que son expression changeait, un brusque afflux de sang colorant les joues de la jeune fille. La proximité physique de leurs deux corps semblait charger l'air en électricité. La lettre qu'elle tenait trembla. Elle baissa la tête et les longues boucles brunes masquèrent sa rougeur soudaine sans parvenir toutefois à dissimuler la palpitation haletante de son sein.

Suffoqué, tendu par le désir, Stephen se contraignit à se lever.

« Je vais faire du café », dit-il.

Mais il ne put, avant de s'éloigner, résister à la tentation de la toucher légèrement.

Penché au-dessus de l'évier, il inspira profondément et souffla, en prenant bien son temps. Quelques minutes plus tard, il avait repris le contrôle de lui-même, bien qu'un sang brûlant continuât de parcourir ses veines tant était grande son ardeur, après tous ces mois d'abstinence, à profiter d'une occasion aussi merveilleuse. Mais ce ne serait pas seulement une faute, dit-il à l'image que lui renvoyait la glace, ce serait un manquement aux règles de la civilité. Calme-toi, s'ordonna-t-il silencieusement, ramène-la à son hôtel et donne-lui du temps. Même si elle quitte York demain, elle reviendra, tu le sais très bien...

De toute façon, pensait-il en revenant auprès d'elle avec le café, il était toujours possible de suggérer une rencontre à Londres.

Avant qu'elle n'ait eu le temps de formuler le

moindre commentaire sur l'heure qu'il était, il dit avec beaucoup de naturel :

« Il est tard, Zoe, et vous devez être fatiguée. Dès que nous aurons fini notre café je vous ramènerai à Gillygate. Nous reprendrons tout cela demain. »

Elle prit aussitôt un air contrit.

« Oh, je suis désolée. Je vous ai empêché d'aller vous reposer. Je ne pensais pas...

— Mais non, pas du tout. »

Avec un sourire qu'il espérait désarmant, Stephen lui prit le bras et le serra doucement :

« Je suis un oiseau nocturne. Je l'ai toujours été, d'ailleurs. C'est pour vous que je me faisais du souci. Après tout le travail que vous avez fait pour redécorer votre appartement, je m'étonne que vous ne soyez pas sur les genoux. »

Elle lui adressa un regard reconnaissant où se lisait aussi une certaine complicité. Quelques minutes plus tard, il alla chercher la cape de la jeune fille et ils se mirent d'accord sur l'emploi du temps du lendemain.

« C'est une cape d'infirmière que vous avez là ? Comment avez-vous pu dénicher ça ? »

Elle lui raconta en riant qu'elle l'avait trouvée chez Oxfam et que son père, scandalisé qu'elle pût se mettre une telle horreur, avait voulu qu'elle jette sans délai à la poubelle cette guenille qui devait être infestée de puces.

« Mais je me suis contentée de la faire nettoyer et maintenant elle ne me quitte plus. Ça fait deux hivers que je la porte et pour rien au monde je n'accepterais de m'en défaire. Le plus idiot c'est que j'ai aussi trois manteaux accrochés dans la penderie de mon appartement.

— J'aime beaucoup ça », dit-il en drapant le vêtement autour des épaules de Zoe.

Ses mains s'attardèrent un moment sous les cheveux de la jeune fille. Puis, quand elle se tourna vers lui, il suivit du bout du doigt le contour de son menton. Elle crut un moment, le souffle coupé, qu'il allait l'embrasser. Mais il se contenta de dire :

« Elle vous va très bien. »

Et il lui ouvrit la porte.

Ils n'eurent que quelques pas à faire pour se retrouver à l'endroit de leur première et brève rencontre, traversant Bedern pour passer sous la voûte et descendre Goodramgate avant de franchir la seconde arche qui débouchait dans la cour de la cathédrale. Abrités du vent âpre de la nuit, ils s'arrêtèrent un moment sous les poutres de chêne anciennes soutenant le premier étage d'une maison qui paraissait bizarrement coupée en deux. Autrefois, expliqua Stephen, elle avait fait partie de tout un ensemble mais depuis qu'on avait démoli sa voisine immédiate, elle se dressait toute seule, comme oubliée, avec un large accès nouvellement tracé juste à côté d'elle.

Zoe dirigea son regard vers la cathédrale dont la dentelle illuminée se détachait sur un fond d'arbres et de ciel nocturne avec en arrière-fond la longue enfilade basse de St. William's College. Il n'y avait pas une trace de brume, rien ne bougeait, et à part les clameurs assourdies provenant d'un estaminet voisin, le silence était total.

Comme s'il avait conservé le même souvenir qu'elle de cette soirée de décembre, il lui dit une nouvelle fois qu'il se rappelait l'avoir remarquée au moment où il s'était lui-même arrêté pour regarder les volutes formées par la brume. Elle s'était immobilisée elle aussi, comme pétrifiée, et cela l'avait intrigué.

« Et puis vous avez tourné les talons, tout d'un coup, et vous vous êtes précipitée dans ma direction. Je ne voulais pas que vous ayez l'impression que je vous espionnais, alors je suis sorti de là-dessous comme si j'avais eu l'intention de traverser la rue. »

Elle rit doucement, et lui pressa la main.

« Je ne vous ai pas vu...

— Non, en effet. Vous aviez l'esprit ailleurs. Dites-moi, ajouta-t-il en fixant sur elle un regard scrutateur, qu'est-ce qui vous impressionnait à ce point ? »

Étonnée de ce qui passait presque à ses yeux pour un don de divination, Zoe secoua la tête et détourna les yeux.

« Je ne sais pas au juste... C'est difficile à expliquer. Il y avait quelque chose dans le brouillard. Comme vos enfants de Bedern, sauf que moi, je n'ai rien entendu, c'était plus... »

Elle ne put continuer. Plus elle cherchait ses mots pour décrire la scène qui lui était apparue, plus ils lui faisaient défaut. Et, tout en désirant lui faire comprendre ce qui s'était passé, elle craignait, sans raison précise d'ailleurs, qu'il ne la prît pour une folle.

« Je ne peux pas l'expliquer, dit-elle enfin, en lui lançant un regard suppliant J'essaierai peut-être une autre fois, quand je vous connaîtrai un petit peu mieux.

— Je l'espère », murmura-t-il.

Soudain, au moment où ils s'y attendaient le moins, il se pencha vers elle pour l'embrasser. Ce fut un baiser très tendre, très bref, mais elle ressentit alors le besoin qu'il lui communique sa force, sa solidité. Involontairement, elle s'accrocha à lui, enfouissant son visage dans les revers de sa veste. L'espace d'un instant, il la tint serrée contre lui, lui faisant une sorte d'abri avec son corps et les poutres en chêne de la petite voûte.

Quand leurs lèvres se rencontrèrent pour la seconde fois, il sentit un contact chaud et sensuel et, du bout de la langue il lui incendia les sens, l'emportant dans un tourbillon d'émotions qui abolissait tout le reste. La passion se déchaîna et elle perçut la faim qu'il éprouvait et son propre désir de satisfaire cet appétit. Et ce fut un véritable choc physique quand il se détacha d'elle pour lui saisir les mains en les serrant à lui faire mal.

« Excuse-moi, chuchota-t-il. Je n'aurais pas dû. »

Le souffle court, il lui entoura le visage de ses doigts tremblants et l'embrassa sur le front ; puis, saisi d'une détermination farouche, il l'entraîna vers la cour de la cathédrale.

Elle avait du mal à le suivre, tant il marchait à grandes enjambées, mais il continuait toujours, sans se soucier de ses difficultés. Complètement abasourdie, Zoe ne savait plus que penser, et sa confusion s'accrut encore quand il s'arrêta soudain devant le transept sud pour lui dire d'une voix brève :

« Si tu décides de rester une nuit de plus, viendras-tu chez moi ? »

Elle en resta tout interdite, incapable de donner une réponse immédiate. Des images du passé récent — fugaces mais précises — défilèrent à toute vitesse dans son esprit. Philip et son inexpérience, sa pruderie si bien enracinée qu'elle en avait fini par se demander s'il aimait et appréciait vraiment les femmes. Le culte qu'il vouait à David prit soudain une dimension différente et elle frissonna. Elle se demanda avec effroi ce qu'il adviendrait de ce petit trio et se félicita d'avoir pris ses distances avec lui. Par contraste, la forte virilité de Stephen la rassurait. Presque sans réfléchir, elle hocha affirmativement la tête.

« Oui, Stephen. C'est promis. »

Il eut un sourire qui lui crispa la commissure des lèvres.

« Bon, murmura-t-il en passant un bras autour de ses épaules. Après une telle promesse, je crois que je vais peut-être dormir cette nuit. »

Mais il ne dormit pas bien. La surexcitation qui s'était emparée de son corps et de son âme lui interdisait le repos tandis que s'agitaient et se mêlaient dans son esprit l'image de Zoe, la femme désirable, et celle de Zoe, sa parente par le sang, descendant comme lui de tous les autres Elliott. En la voyant entrer dans cette maison de Gillygate, il avait éprouvé une sensation des plus bizarres, comme s'il avait connu cet endroit, comme si tout cela s'était déjà produit auparavant.

Cette impression de déjà vu le perturbait suffisamment pour l'inciter à passer de nouveau en revue tous les faits et toutes les suppositions qui avaient meublé leur soirée, et à s'interroger sur la multitude de renseignements que contenait encore la petite malle. Tout autant que Zoe, il voulait maintenant découvrir la vérité qui se cachait derrière ces certificats de naissance.

Il se réveilla de bonne heure et décida de classer toutes les lettres qu'ils avaient lues ensemble dans leur ordre chronologique. Puis il alla chercher Zoe juste avant dix heures. Tandis qu'elle réglait sa note, il examina le salon d'accueil avec un tel intérêt que Mrs. Bilton lui proposa de visiter le reste de la maison comme sa cousine l'avait déjà fait.

Il accepta sans se faire prier et ce fut pour lui une expérience extraordinaire. Sa famille avait vécu entre ces murs pendant plus de vingt ans et lorsqu'il monta l'escalier pour atteindre les chambres élégantes du premier étage, il éprouva la même sensation qu'en ouvrant les malles pour la toute première fois : l'impression que le passé était un peu trop proche, ce qui faisait naître en lui des émotions et des réactions insoupçonnées jusqu'alors. Pour lui qui s'était toujours considéré comme un homme du présent, façonné par les circonstances et l'environnement pour s'adapter à une indépendance solitaire, il n'était pas facile de s'accommoder de cette situation nouvelle, de ce sentiment qu'il n'était peut-être rien d'autre qu'un simple maillon dans une très longue chaîne.

Et cette chaîne s'était soudain repliée sur elle-même pour le mettre face à face avec les Elliott d'autrefois, des gens qui avaient partagé le même nom et les mêmes gènes, dont les existences avaient été façonnées dans cette maison, dans cette ville ; des gens dont les yeux avaient regardé des rues qui n'étaient pas tellement différentes de celles qu'il voyait aujourd'hui.

Plus personnelle, plus immédiate encore, était la conscience qu'au bout de cette chaîne il y avait aussi Zoe Clifford, une femme qui pouvait autant que lui se réclamer des Elliott. Cette idée le harcelait avec une telle intensité qu'il éprouva un immense soulagement en se retrouvant dans la brise fraîche du matin, après qu'ils eurent pris congé de Mrs. Bilton.

« Alors, quel effet ça t'a fait ? » demanda Zoe au moment où ils s'engageaient dans l'allée du Lord-Maire. Tout au long des douves, sous les hautes murailles, les jonquilles dansaient au vent, comme pour reprendre en écho les pensées joyeuses qui s'agitaient en elle.

« Mais j'ai trouvé ça très intéressant, dit-il sans se compromettre. Avant que tu me l'aies dit, je n'avais aucune idée qu'ils tenaient un hôtel.

— D'accord, mais quel effet ça t'a fait, insista-t-elle, quand tu t'es trouvé entre ces murs ? »

Il eut un rire bref et serra une des mains de Zoe dans la sienne.

« Plus tard, dit-il. Quand je te connaîtrai mieux.

— Mon Dieu, s'exclama-t-elle, son sourire ardent s'étant mué en grimace. Aussi désagréable que ça ?

— Non, pas désagréable... perturbant, je crois. Mais, tu sais, ce n'est pas facile à expliquer. »

Zoe le regarda du coin de l'œil ; cherchant à le rassurer elle dit :

« Oui, ne t'inquiète pas... Je comprends. »

De retour chez lui, Stephen s'affaira avec beaucoup de sens pratique, posant les paquets de lettres sur la table avec des blocs-notes et des crayons. Il sortit aussi les albums photos en insérant entre la couverture et la page de garde une feuille de papier donnant les dates approximatives.

Bien que Louisa Elliott eût classé les lettres selon les années et les expéditeurs, il était important, expliqua Stephen, de bien s'organiser sinon ils risquaient facilement de négliger des points d'une importance vitale. D'ailleurs, maintenant qu'ils commençaient à avoir une idée assez précise de ce qui s'était passé quand la famille avait vécu à Gillygate, il valait peut-être mieux s'intéresser en priorité aux lettres écrites antérieurement, au lieu de lire au petit bonheur celles que le hasard mettait à portée de la main.

Zoe ne perdait pas une seule de ses paroles, se montrant d'accord avec tout ce qu'il disait ; étonnée pourtant de le voir déployer une telle efficacité, lui qui, la veille encore, proclamait sa réticence à s'immiscer dans le passé d'autrui.

Sans cesse, elle revoyait la scène qui s'était déroulée la veille au soir, quand il l'avait reconduite à l'hôtel, s'étonnant de constater avec quelle promptitude elle avait été séduite par cet homme avec lequel elle se voyait déjà tant d'affinités. Elle lui était reconnaissante de n'avoir pas voulu brusquer les choses, d'avoir essayé de lui laisser du temps, car le baiser qu'il lui avait donné, ou plutôt qu'ils avaient échangé, l'avait profondément remuée, soulevant en elle un déferlement de passion qu'elle n'avait pas connu... eh bien depuis Kit. Elle avait aimé Kit, mais après lui, elle ne s'était jamais éprise de personne.

Ce qui lui arrivait maintenant ne manquait pas de l'étonner quelque peu, mais il était trop tard pour reculer. D'ailleurs il avait manifestement envie d'elle. Et ce désir trouvait en elle des échos auxquels elle n'éprouvait nullement le besoin de résister...

Avec effort, elle s'obligea à ne plus penser à Stephen pour se concentrer sur les lettres de Louisa.

Au bout d'une heure de travail passée à confronter les noms et les dates, Zoe conclut qu'avant de quitter Gillygate vers la fin des années 1890, Louisa avait dû détruire une grande partie de la correspondance alors en sa possession. C'était vraiment dommage car les enfants étaient déjà nés et il n'existait aucun document précisant l'identité de leur père. Les lettres les plus anciennes portaient le cachet d'un bureau de poste de Dublin, elles avaient été expédiées au printemps 1899 par une certaine Letty, qui semblait être une amie appartenant à un milieu social assez évolué. Comme ces missives contenaient un grand nombre de conseils sur la façon de s'occuper des jardins, Zoe vit rapidement que les deux femmes avaient une passion commune et que Louisa avait dû entreprendre la réalisation d'un potager. Apparemment, Letty était venue rendre visite à la famille, avec une enfant du nom de Georgina, car certaines des lettres écrites par la suite parlaient du cottage de Louisa et de sa situation merveilleuse au bord de la rivière.

S'agissait-il du cottage qu'elle avait vu sur la photo de groupe ? Voulant en avoir le cœur net, Zoe alla dans la pièce ensoleillée où Stephen classait les livres qu'il sortait de la plus grande des malles. Absorbé dans sa tâche il ne l'avait pas entendue entrer ; il était accroupi, le dos tourné, les manches de sa chemise enroulées sur ses avant-bras bruns et musclés. Quelque chose, peut-être l'intensité du regard de la jeune fille, l'amena à se retourner.

Pendant un long moment, il resta immobile à la regarder fixement. Quand il bougea enfin, ce fut avec lenteur, d'un mouvement égal et continu, le petit livre qui avait retenu son attention encore dans sa main. Elle sentit le froid de la couverture sur son cou quand il l'embrassa et le baiser fut rapide, violent, sous l'effet d'un désir longtemps réprimé ; le souffle court, il la serrait étroitement contre lui.

Étendu auprès de lui sur le lit, l'âme en fête et le corps satisfait, Zoe était incapable de formuler la moindre parole. Ils avaient atteint l'extase si vite, l'un et l'autre, qu'elle sentait son cœur s'affoler dans sa poitrine rien que d'y penser. Désireuse de revivre l'émotion du premier contact, elle passa une main sur la poitrine de Stephen, puis sur son ventre plat, admirant, ses yeux mi-clos, les lignes parfaites de ce corps. Après toutes ces années passées au soleil des tropiques, il était mince et bronzé, et à côté de lui elle se sentait molle et délicieusement fragile.

Il la regarda un moment avant de parler.

« Pour la première fois, soupira-t-il, j'ai l'impression d'avoir reçu une récompense parce que je m'étais bien conduit. »

Il lui enveloppa les épaules avec son bras, rit doucement et l'embrassa.

« Et au risque de passer pour un coureur de jupons, je dois te prévenir que généralement, dans un cas comme celui-ci, je présente mes excuses les plus plates en promettant de faire mieux la prochaine fois. Pourtant, ajouta-t-il, la bouche tout contre celle de Zoe, j'ai la nette impression que les excuses ne sont pas vraiment nécessaires... »

Elle sourit, mais en s'abandonnant à son étreinte, Zoe fut très heureuse qu'il ne lui demandât pas depuis combien de temps elle avait été condamnée à l'abstinence. Sa dernière expérience s'était avérée décevante et elle n'avait aucune envie d'y penser maintenant...

Ce n'est qu'assez longtemps après qu'il sortit ses cigarettes de la poche de sa chemise. Il fuma en silence, la caressant doucement comme il aurait pu caresser un enfant. Zoe se sentit étrangement mise à l'écart, comme s'il l'avait bannie de ses préoccupations. D'une voix hésitante, elle s'aventura à lui demander à quoi il pensait et ne fut que médiocrement rassurée par le sourire mi-figue mi-raisin que sa question avait fait naître.

« A beaucoup de choses, dit Stephen à mi-voix, des choses auxquelles tu n'es pas étrangère, d'ailleurs.

— Quoi, par exemple ?

— Eh bien, ça me paraît assez évident. En vingt-quatre heures la situation a évolué d'une manière qu'aucun de nous n'aurait pu envisager. »

Il y eut une longue pause, puis il reprit :

« Et demain, tu repars pour Londres. »

Un nuage menaçant planait au-dessus d'eux. Le problème de la séparation ne les avait pas effleurés devant l'urgence du besoin physique, mais Zoe ne regrettait aucunement d'avoir cédé au vertige des sens sans réfléchir. Il suivit du bout du doigt le contour de sa joue puis lui releva le menton pour qu'elle le regarde. Elle lut dans ses yeux l'inquiétude qu'elle éprouvait elle-même.

« Je ne veux pas que tu t'en ailles.

— Mais il le faudra bien. Tôt ou tard, même si ce n'est pas demain. C'est là-bas que je travaille. »

Pour la première fois, elle vit dans ce travail qu'elle avait aimé, pour lequel elle s'était battue, quelque chose qu'elle aurait voulu mettre de côté, ne fût-ce que pour un moment. Il devait y avoir un moyen de résoudre le problème, de trouver un compromis. Mais pour cela il faudrait beaucoup de temps et d'efforts.

« Ne me demande pas d'y réfléchir tout de suite, supplia-t-elle en posant les lèvres sur son épaule, sa joue, sa bouche. Je vais essayer de trouver une solution, même s'il faut d'abord que je retourne à Londres pour cela.

— Mais tu reviendras ?

— Naturellement, promit-elle avec un sourire taquin. Je n'ai pas encore fini de lire les lettres. »

Elle poussa un petit glapissement quand Stephen la pinça. Se tournant sur le côté, elle vit l'heure au réveil digital posé sur la table de nuit. Il était près d'une heure de l'après-midi.

« A quelle heure as-tu dit que ta tante viendrait ?

— Après le déjeuner.

— Alors, je crois que nous avons intérêt à nous dépêcher. »

Poussant une exclamation étouffée, il marqua son approbation.

« Joan a les idées très larges, mais je ne pense pas qu'elle apprécierait de nous trouver dans cette tenue ! »

Une fois rhabillée, les cheveux brossés et une nouvelle application de maquillage mettant en valeur des yeux qui risquaient peut-être de trahir trop de choses, Zoe retourna dans la chambre pour récupérer sa montre. Sur la commode se trouvait le petit livre que Stephen tenait à la main quand elle était venue le voir. La reliure fatiguée en cuir noir portait les initiales W.E. gravées en or sur la couverture.

Sa curiosité piquée au vif, Zoe le saisit. C'était un agenda de l'année 1916 dont chaque page était entièrement couverte d'une écriture serrée, aux lettres calligraphiées. Le propriétaire, qu'elle pouvait enfin identifier, n'était autre qu'un certain William Elliott qui servait dans une compagnie de mitrailleurs de l'armée impériale australienne.

William Elliott... Liam. *Liam !* Ce nom surgit en

elle, amenant à son esprit un afflux de souvenirs. Ce visage qu'elle avait vu sur une douzaine de photos, cette étrange vision dans le brouillard...

Les jambes coupées, elle se laissa tomber sur le lit juste au moment où Stephen, après l'avoir appelée de la cuisine, apparaissait dans l'embrasure de la porte, disant qu'ils avaient intérêt à manger avant que Joan n'arrive. Que voulait-elle pour le déjeuner ?

Elle leva les yeux vers lui, comme si elle le voyait pour la première fois, et pourtant elle connaissait ce sourire, ces yeux, elle savait pourquoi elle avait éprouvé cette impression de déjà vu : Stephen Elliott, par les yeux, la bouche et la forme du visage, ressemblait étonnamment à Liam. Bien qu'il fût plus âgé que Liam sur la photo, et qu'il y eût entre eux deux générations d'écart, la ressemblance n'en était pas moins frappante. Était-ce à cause de cela qu'elle avait subi une telle attirance ? Cette possibilité l'effleura comme une vague glacée.

Alarmé par son expression et par le frisson soudain et violent qui la traversait, Stephen courut à elle, réchauffant de ses baisers ce visage exsangue. Mais, d'un geste brusque, elle s'écarta de lui.

Il vit le carnet et le saisit. Comme elle se levait pour s'éloigner, il expliqua d'une voix hésitante.

« J'ai trouvé ça au fond de la petite malle... Mais qu'y a-t-il donc ? Est-ce que j'ai fait quelque chose de mal ? »

Elle secoua la tête mais évita son regard. Stephen la serra contre lui, caressant ses cheveux, posant les lèvres sur ses tempes.

« Alors, dis-moi ce qu'il y a. »

Elle se raidit un moment puis se détendit, enfouissant son visage contre l'épaule de Stephen.

« Je ne sais pas. J'ai l'impression de devenir folle. »

C'était si grotesque qu'il faillit pouffer.

« Ne dis pas de bêtises. Qu'est-ce qui t'a mis cette idée dans le crâne ?

— Il ne cesse de se produire des choses bizarres... je ne sais pas comment les expliquer, ni même par où commencer. A l'instant même, je suppose que c'était à cause du carnet, quand j'ai vu à qui il avait appartenu... ça m'a fait un choc. Et puis quand tu es arrivé... »

Sa voix se brisa, s'éteignit presque et il dut tendre l'oreille pour saisir le reste, quelque chose à propos de la cathédrale, de ce fameux soir dans le brouillard...

Le timbre strident de la porte d'entrée venait de retentir. Stephen proféra un juron à mi-voix et la saisit aux épaules, lui demandant s'il fallait trouver un quelconque prétexte pour remettre à plus tard la visite de Joan.

« Non, non, ça va très bien, dit Zoe en redressant les épaules. Nous pourrons parler après.

— J'y tiens absolument », dit-il.

La visite de Joan s'avéra fertile en discussions de toute sorte et il fut beaucoup question de naissances et de décès, de liens de parenté compliqués et de changements de domicile plus ou moins bien établis. Joan était maintenant dans d'excellentes dispositions d'esprit car elle comprenait mieux la nature et l'intérêt de leurs recherches. Elle était encore intriguée par l'anomalie présentée dans le certificat de naissance de son père mais d'autres éléments étaient venus se rappeler à son souvenir et les pièces du puzzle se mettaient à leur place sans difficultés excessives. Chaque révélation soulevant de nouvelles questions, l'après-midi passa bien vite et le trouble qui s'était emparé de Zoe avant l'arrivée de Joan semblait maintenant bien oublié.

Zoe se sentait tout à fait à l'aise avec cette femme qui exerçait sur elle une fascination indéniable. C'est avec un amusement certain qu'elle la vit adresser à

Stephen, juste avant de partir, un sourire chargé de sous-entendus.

« Je te l'avais dit que tu t'entendrais bien avec elle », souffla-t-elle d'un air complice, provoquant de la part de Stephen et de Zoe un petit rire légèrement gêné.

Peu après son départ, Zoe ne put s'empêcher de remarquer :

« J'ai l'impression qu'elle m'a adoptée, que je fais vraiment partie de la famille, maintenant...

— Elle t'aime beaucoup, dit simplement Stephen. Et moi aussi. »

Pourtant, comme si la cordialité de sa tante lui rappelait, par contraste, l'hostilité latente de certains autres membres de la famille, il décida de mettre Zoe en garde contre sa sœur.

« Si jamais tu rencontres Pam — et ça n'a rien d'impossible car elle a pris l'habitude de débarquer ici sans crier gare chaque fois qu'elle vient en ville —, attends-toi à ce qu'elle te soumette à un interrogatoire serré. Et elle ne fera preuve d'aucune indulgence à ton égard. Par principe, même si elle te trouve sympathique. Mon ex-femme était — et est toujours — sa meilleure amie et Pam ne tient, semble-t-il, aucun compte du fait que c'est moi qui ai été trahi. Pour elle, tous les torts sont de mon côté. A l'entendre, il aurait fallu que j'impose ma présence, que je reste au logis après avoir pris un emploi sédentaire... » Il poussa un soupir. « Elle a beau être ma sœur, nous n'avons vraiment pas grand-chose en commun.

— Mais tu n'as jamais envisagé de travailler à terre ? Sérieusement, je veux dire.

— A cette époque-là, non. Maintenant, j'y pense de plus en plus. Mais, ajouta-t-il en haussant les épaules, je suis confronté à cet éternel problème : à quoi peut bien s'occuper un vieux loup de mer quand il a échoué sur le plancher des vaches ? A part l'inspection maritime, ce qui me ferait mourir d'ennui, je ne vois pas du tout.

— Tu pourrais toujours écrire tes mémoires, dit-elle avec un sourire malicieux. Je suis sûre que tu aurais des choses passionnantes à raconter ! »

Comme il secouait la tête en riant, elle reprit avec une conviction accrue :

« Regarde Joseph Conrad ! Il a écrit des romans merveilleux, non ?

— Allons, allons, mon amour, ne retourne pas le fer dans la plaie. »

Là-dessus, il alla lui chercher sa cape et annonça qu'ils sortaient.

Il l'emmena dans un restaurant tranquille qui donnait sur une des petites rues les plus pittoresques de la ville. Stephen évitait soigneusement d'aborder de nouveau le sujet de la conversation qu'ils avaient eue avant l'arrivée de Joan Elliott et parlait d'abondance de la vie qu'il menait en mer, des gens qu'il avait connus et des lieux qu'il avait visités. Amusée par la cocasserie de ses propos, Zoe riait beaucoup et le souvenir de l'impression pénible qu'elle avait éprouvée en constatant cette étrange ressemblance s'estompait de sa mémoire. Il était lui-même et personne d'autre ; un être chaleureux, vivant, plein de vitalité et dont les yeux lui disaient qu'elle était belle et qu'il se consumait de désir pour elle.

En regardant ces yeux si clairs et si bleus dans ce visage hâlé, Zoe savait que c'était Stephen qu'elle voulait, qu'elle aurait voulu, quel que fût son nom, quelle que fût son ascendance. Tout le reste n'était que coïncidence. Une coïncidence à laquelle elle se sentait capable de faire face, étant donné les circonstances. Le moment venu, elle pourrait même en parler avec un certain degré de détachement.

La nuit était tombée lorsqu'ils sortirent, bien qu'il ne fût pas très tard. La ville reposait, abandonnée à elle-même dans sa solitude du milieu de semaine. York avait un visage très différent la nuit, Zoe le perçut tout de suite, comme si, libérée de la foule de ses visiteurs, la cité respirait dans la paix retrouvée.

Ils remontèrent Stonegate avec la grande tour centrale de la cathédrale illuminée qui se dressait au-dessus des cheminées. Stephen pointa le doigt sur une figure de proue de navire qui ornait une façade en saillie et, un peu plus loin, il s'arrêta pour lui montrer Coffee Yard, où Edward Elliott avait autrefois exercé la profession de relieur. Cette remarque innocente leur rappela à tous les deux le carnet de Liam que Stephen avait trouvé au fond d'une malle. S'absorbant dans leurs pensées, ils firent le reste du chemin sans échanger la moindre parole.

Stephen servit à boire et alluma le feu. Il inséra dans sa chaîne hi-fi une cassette de Richard Rodney Bennett et resta un moment à regarder Zoe dont la silhouette se détachait sur la fenêtre. Les accents plaintifs et lancinants de la mélodie éveillaient en lui les échos d'une tendresse qu'il lui était impossible de mettre en paroles. Presque hésitant, il posa les mains sur ses épaules, et s'appuya la joue contre ses cheveux. Devant eux, bien détachée sur le ciel nocturne, se dressait la cathédrale inondée de clarté.

Stephen se demandait à quoi elle pensait. Allait-elle lui expliquer le rapport qu'elle avait établi entre ce carnet et la vision qu'elle avait eue dans le brouillard ? Le silence qu'elle observait lui apparaissait comme un prélude, comme si elle s'efforçait de mettre de l'ordre dans ses pensées et de trouver les mots qui leur faisaient défaut à l'un comme à l'autre. Puis, comme si l'impérieuse nécessité de procéder à cette description s'était soudain manifestée, elle commença à parler de sa promenade, de ce ciel d'un bleu intense et de la vision de ce champ de bataille noyé dans le brouillard.

Il regrettait presque maintenant qu'elle lui eût dit tout cela. Il se souvenait du choc qu'il avait éprouvé en touchant ce carnet, en lisant au hasard ces pages calligraphiées, écrites dans la boue et l'horreur du front occidental. Et il se rappela avec une intense acuité ce sentiment qu'il avait éprouvé de tenir entre ses mains l'existence d'un autre homme.

Il serra Zoe contre lui, s'imprégnant de l'odeur de ses cheveux et de sa peau. Et soudain, avec une telle force qu'il faillit prononcer les mots, il eut envie de lui dire qu'il l'aimait. Submergé par la toute-puissance inattendue de son émotion, il résista de toutes ses forces, se disant que l'amour était la dernière chose qu'il voulût éprouver. L'amour, cela supposait un engagement total, la douleur de la séparation, la peur de la trahison ; l'amour, c'était l'angoisse, la jalousie et la prise de conscience horrible que c'était un mot qui pouvait se charger de sens bien changeants.

Non, il ne fallait pas sombrer dans cette folie. Ce qu'il voulait, c'était sa présence, le plaisir que son corps pouvait offrir, mais le reste, il était prêt à y renoncer.

Elle se retourna vers lui, puis après une brève étreinte, elle se recula pour le fixer d'un regard scrutateur. Il ne détourna pas les yeux. Dans un souffle, il chuchota :

« Viens. J'ai envie de toi. »

La fièvre de leurs premiers ébats encore présente à leur esprit, ils se dévêtirent mutuellement avec une lenteur calculée. S'attardant sur cette peau parfumée, il en explora tendrement les creux et les courbures, l'effleurant de ses lèvres, caressant doucement ces seins aux formes pleines et le doux arrondi de ce ventre moelleux. Il voulait savourer chaque instant, prendre son temps en dépit de son urgent désir d'arriver à une satisfaction totale, pour elle comme pour lui. Elle avait compris son intention, il le voyait dans ses yeux, dans ses lèvres qui ébauchaient un discret sourire, dans la façon dont elle le touchait. Il discernait le désir et le consentement, et une excitation vibrante et tenace dont les échos se répercutaient en lui-même.

Ce fut aussi étonnant que la première fois, meilleur, décida-t-il. Puis trouvant en lui des réserves inattendues, Stephen la prit une seconde fois, poussant chaque réaction jusqu'à l'extrême limite. Ce ne fut qu'après, alors qu'elle reposait contre lui, épuisée, qu'il se demanda pourquoi il avait agi ainsi. Qu'essayait-il de prouver ? Qu'il était remarquable au lit ou qu'il était meilleur que tous les hommes avec qui elle avait déjà couché ? A moins qu'il ne tentât, par le sexe, d'oblitérer les puissantes émotions qu'elle faisait naître en lui ?

Si tel était le cas, se dit-il avec une pointe de regret, il allait vite se rendre compte de la vanité de ses efforts. Chacune de leurs rencontres en effet ne réussissait qu'à les rapprocher davantage l'un de l'autre. Elle était excitante et belle et généreuse, et il voulait prendre tout ce qu'elle pouvait lui donner ; mais pour la première fois ; il s'interrogea sur le prix qu'elle allait devoir payer.

Finalement, il valait peut-être mieux qu'elle reparte bientôt à Londres. Et une fois qu'elle serait loin, il faudrait éviter de l'encourager à revenir trop souvent.

S'il était facile de prendre une telle décision au cœur de la nuit, il apparaissait autrement plus difficile de la mettre en application. Bien que Zoe eût prolongé de vingt-quatre heures son séjour à York, quand arriva le moment de prendre congé, Stephen ne put supporter l'idée de la voir partir. Avec force rires et baisers et tout en sachant l'un et l'autre qu'ils se comportaient comme des gamins, Stephen entassa quelques affaires dans un sac de voyage tandis que Zoe faisait main basse sur des paquets de lettres et de photos, et ils s'embarquèrent pour Londres dans la Jaguar.

Le trajet se déroula dans une atmosphère d'allégresse totale ; ils s'amusèrent comme des petits fous, aux sons fracassants de la pop music, et arrivèrent à l'appartement de Zoe à la tombée de la nuit.

Quand elle ouvrit la porte, ils furent assaillis par les odeurs agressives de la peinture fraîche. Zoe se confondit en excuses et courut ouvrir les fenêtres à guillotine pour assainir l'air ambiant. Il y avait des livres empilés sur le sol, des bibelots et des photos sur une longue table blanche dont l'un des pieds soutenait un damier posé en biais.

Confuse de ce désordre, Zoe s'affaira pendant plusieurs minutes, abandonnant une tâche aussitôt commencée pour en entreprendre une autre qui lui paraissait soudain plus urgente. Finalement, Stephen intervint, la prit dans ses bras et lui dit de préparer plutôt à boire. Il l'aiderait ensuite à tout remettre en ordre.

Mais ils avaient à peine bu la moitié de leur verre qu'elle se souvint de Polly.

« Il faut que j'aille la prévenir que je suis rentrée. Je lui avais demandé de jeter un œil sur l'appartement et elle doit s'inquiéter de mon retard... »

Elle se précipita à l'étage au-dessus, laissant Stephen complètement éberlué. Puis il se dit qu'il pourrait tout aussi bien ranger quelques livres, partant du principe que les piles correspondaient à une place bien définie sur les étagères. Après tout, s'il se trompait, elle pourrait toujours en modifier l'ordonnance. Intrigué par les préférences qu'elle pouvait avoir en matière de littérature, il prit goût à la tâche qu'il s'était assignée et sursauta quand le timbre asthmatique de la porte d'entrée retentit soudain. Pendant un moment, il se demanda ce que c'était puis, ayant identifié la source de ce bruit, il se trouva confronté à la nécessité de faire fonctionner un interphone qui avait certainement connu des jours meilleurs.

« Oui ? »

Une voix de femme retentit dans le haut-parleur.

« Philip ? C'est toi ?

— Non. Ici, c'est l'appartement de Zoe Clifford.

— Oui, oui, ça je le sais. »

Il y eut un silence anxieux. Puis la voix reprit :

« Elle est ici ? »

Stephen trouva bien étrange de conduire une conversation ainsi. Il expliqua néanmoins la raison de l'absence momentanée de Zoe et invita la femme à entrer. Tout en se demandant qui pouvait être ce Philip, il pressa un bouton qu'il espérait être celui qui commandait l'ouverture de la porte d'entrée et retourna à ses livres.

Il sentit plus qu'il n'entendit l'arrivée de la visiteuse et se retourna pour voir une jeune femme dont la toilette élégante et les cheveux ultra-courts, à la dernière mode, contrastaient étrangement avec le manque d'assurance qui se lisait dans ses yeux.

« Asseyez-vous ! Elle ne devrait pas être longue. Au fait, je suis Stephen Elliott... Le cousin de Zoe.

— Oh ! Merci. »

Elle glissa vers lui un regard qu'elle détourna aussitôt pour le poser de nouveau sur lui, avec nervosité.

« Je suis Clare, dit-elle. Une vieille amie de Zoe. »

Le silence s'installa encore et Stephen devina la suspicion qu'avait dû faire naître chez elle la présence d'un cousin de son âge et de son apparence. Manifestement elle n'osait pas demander ce qu'il faisait là.

Il se remit à disposer les livres sur leurs étagères.

« Ça fait des jours et des jours que j'essaie de la contacter ! »

C'était presque une accusation.

« Elle était à York.

— Ah ? A York... ?

— Elle faisait des recherches d'ordre familial. Je l'ai un peu aidée.

— Oh, je vois... »

Un rapide regard suffit à Stephen pour se rendre compte qu'elle voyait, en effet, que cette indication répondait à de nombreuses questions et ouvrait un créneau dans lequel il s'insérait sans problème. La suspicion laissa la place à l'hostilité.

Quelques secondes plus tard, il entendit la voix de Zoe, elle riait en renouvelant ses remerciements à Polly. Il voulut la prévenir, sans trop savoir pourquoi ni de quoi. En voyant le changement de son expression quand elle entra, il regretta de ne pas avoir pu le faire.

Les salutations échangées par les deux femmes furent plutôt fraîches en dépit des explications de Clare et des excuses qu'elle présentait avec un certain embarras à propos d'un échange assez vif qui s'était produit au téléphone quelques jours plus tôt. Assez gêné, Stephen proposa de s'absenter pendant une heure environ.

« Non, non, Stephen, ce n'est pas nécessaire. »

Mais elle était gênée elle aussi, déchirée entre des sentiments contraires.

« Dans ce cas, je vais préparer le café pour tout le monde. »

Là-dessus, il s'éclipsa dans la cuisine, laissant les femmes régler leur différend en tête à tête. Bien qu'il eût soigneusement refermé la porte, il entendait clairement ce qui se disait car les deux pièces étaient contiguës. Il fit couler l'eau du robinet, sortit la vaisselle dont il avait besoin, ouvrit en grand le brûleur du gaz et alluma une cigarette. Mais il avait encore présent à l'esprit le visage fermé de Zoe, et cette gêne que trahissaient certains silences. Quoi qu'ait pu faire l'autre femme, elle avait en tout cas réussi à lui causer un immense embarras, dont elle ne serait pas pardonnée de sitôt, manifestement. Il avait eu l'impression que si Zoe acceptait les excuses de Clare, c'était uniquement pour se débarrasser d'elle.

Pourtant, Clare semblait disposée à admettre ses torts à propos d'un certain David et suppliait Zoe de faire preuve de compréhension. Zoe ne se faisait pas trop tirer l'oreille, allant même jusqu'à proposer une nouvelle rencontre pour qu'elles puissent en discuter tout à loisir. La suggestion fut acceptée et les voix s'affaiblirent un peu, provenant maintenant du vestibule. Puis il entendit Clare dire quelque chose au sujet de Philip. Elle le plaignait beaucoup et trouvait que Zoe l'avait traité un peu trop durement. Si cette cruauté était motivée par l'apparition de ce nouvel homme dans sa vie, elle aurait au moins pu se montrer un peu plus honnête, au lieu de tout mettre sur le dos de David...

La voix de Zoe s'éteignit en un murmure, elles devaient être sur le palier. Stephen en conçut un certain sentiment de frustration, il aurait bien voulu entendre la réponse qu'elle avait donnée à une telle remarque. Si la disgrâce de ce Philip était aussi récente qu'elle en avait l'air, il se demandait si Zoe serait prête à reconnaître qu'elle venait seulement de faire la connaissance de Stephen.

Initialement, cette histoire ne l'avait pas préoccupé outre mesure mais à mesure que les minutes s'écoulaient, il commença à se demander pourquoi Zoe avait omis de lui en parler. Une rupture qui aurait remonté à plusieurs mois, passe encore, mais quelque chose d'aussi récent ?

Il haussa les épaules en se disant qu'il préférait ne rien savoir. Il lui avait parlé de Ruth, en quelques mots, et elle, tout aussi brièvement, lui avait dit qu'elle avait rencontré un homme marié à la fac, une sorte d'artiste fou qui avait une passion dévorante pour les femmes et pour l'alcool. Un fiasco, apparemment, mais, comme son mariage avec Ruth, cette liaison l'avait marquée. Naturellement, pas plus qu'il n'avait dressé une liste de ses aventures depuis, il ne lui avait demandé d'énumérer les siennes. Pourtant...

Mais qui donc était ce Philip ?

Zoe remonta l'escalier en courant et reparut ; bouleversée, elle se confondit en excuses. Attendant qu'elle se calme, il lui tendit une tasse de café et alluma une cigarette.

« Je suppose que tu as entendu la plus grande partie de ce qu'on s'est dit.

— Oui. Il eût été difficile de ne pas le faire.

— Et je suppose, continua-t-elle avec effort, que tu te demandes de quoi il est question. »

Avec un sourire sec, il hocha la tête.

« Mais seulement si tu as envie de me le dire. Tu n'es absolument pas obligée. »

Elle se répandit alors en explications mais se montra beaucoup plus loquace sur ses problèmes avec Clare — et par association avec son fiancé David — que sur ses démêlés avec Philip. Le peu qu'elle en dit toutefois amena Stephen à penser que ce personnage manquait plutôt d'étoffe mais il se refusa à tout commentaire. Et à toute question. Elle était jeune, et il savait que les femmes trouvaient parfois chez les hommes de bien étranges raisons de se laisser séduire. Avait-elle couché avec Philip ? L'avait-elle aimé ? C'étaient là des choses qu'il préférait ne pas tirer au clair. Cette histoire était terminée, elle était même déjà finie avant qu'il ne l'appelle au téléphone.

Pourtant, un doute subsistait en lui.

Quant à Zoe, elle se reprochait de s'être conduite aussi stupidement, au risque de ternir son image auprès de Stephen. Oh, si seulement Clare avait pu se contenter de téléphoner ! Elles se seraient rencontrées quelque part, en privé, pour discuter tout à leur aise.

Éveillée dès le petit matin, avec Stephen endormi à son côté, elle s'accablait de reproches beaucoup plus sévères que ceux qu'il lui aurait jamais adressés et priait avec ferveur pour que cet incident ne vienne pas compromettre leurs relations.

Pour Zoe, le meilleur remède à l'anxiété, c'était le travail. Elle se glissa donc à bas du lit et alluma les lampes dans le salon. Ayant posé sur sa table une tasse de café brûlant et un paquet de lettres de Louisa Elliott, elle commença à lire. Comme toujours, elle découvrait sans cesse davantage de questions que de réponses mais elle nota ses remarques dans un carnet, s'interrompant de temps en temps pour regarder des photos, en particulier celles de Liam.

Maintenant qu'elle avait vu des portraits de Stephen quand il avait une vingtaine d'années, elle était plus que jamais frappée par leur ressemblance. Quant à l'intérêt que Stephen avait manifesté pour le carnet intime de Liam, il n'avait d'égal que la passion qu'elle éprouvait elle-même pour ces lettres.

Parmi les photos se trouvait le portrait en buste d'une jeune infirmière, probablement pris pendant la Première Guerre mondiale. Bien que ses cheveux fussent cachés par une coiffe blanche, Zoe était convaincue qu'il s'agissait là de la jeune femme qui apparaissait également dans la photo de groupe prise une année ou deux plus tôt. En lisant une lettre écrite par la suite, Zoe avait conclu que c'était sans doute Georgina, la fille de Robert Duncannon.

Quant à Robert Duncannon lui-même, elle avait maintenant la certitude que c'était bien le jeune officier photographié à Dublin avant la fin du siècle précédent. Et il était aussi, sans aucun doute, l'homme qui se trouvait au centre de cette photo de famille prise beaucoup plus tard. Sanglé dans son costume civil de couleur foncée, il était plus vieux, plus gris et plus lourd, mais la ligne bien marquée du nez, du front et de la mâchoire était la même. Nonchalamment assis sur une chaise de jardin et souriant à l'appareil photo, il dominait la scène comme il avait probablement dominé tout son entourage sa vie durant.

A côté de lui, il y avait Louisa dont l'expression adoucie par la vie et l'expérience revêtait maintenant une apparente sérénité. Non loin de là se trouvait Edward, moins détendu, qui fronçait les sourcils face au soleil. Comme il avait abandonné la barbe qu'il arborait sur des portraits antérieurs, il avait été plus difficile à reconnaître. Pourtant, malgré le passage des années, il était encore remarquablement séduisant, avec ses traits d'une grande finesse et sa bouche délicate. Durant sa jeunesse, avait dit Joan, Edward avait été une sorte de poète, ce qui correspondait tout à fait à son image, mieux en tout cas que celle d'un relieur établi à son propre compte.

Devant eux, sur l'herbe, il y avait une adolescente vêtue de blanc, aux joues rebondies et aux yeux obliques, surmontés de sourcils bien marqués. La photo de Letitia que Zoe avait en sa possession représentait une femme d'une vingtaine d'années mais on reconnaissait bien les yeux et les cheveux drus et rebelles que Zoe avait elle-même reçus en héritage.

A la droite de Robert Duncannon s'était installée la jeune femme identifiée comme sa fille Georgina. Elle se tenait bien droite, les mains sagement croisées sur ses genoux et ses cheveux blonds et lisses ramenés en arrière pour bien dégager un visage aux lignes délicates. Cette posture, cette robe foncée et toute simple rappelaient un peu l'image d'une religieuse aux yeux de Zoe. Une très belle religieuse. Rien d'étonnant à ce que Liam la regardât avec une telle ferveur. Elle devait faire tourner bien des têtes, se dit Zoe, partout où elle allait.

Oui, ils étaient tous là, à l'exception de Robin, qui, ainsi que l'avait fait remarquer Stephen, devait probablement être celui qui prenait la photo. Les Elliott et leurs riches parents de Dublin, les Duncannon. Une famille heureuse, photographiée dans le jardin d'un joli cottage, par un bel après-midi d'été.

Zoe aurait bien voulu établir les liens de parenté exacts qu'il y avait entre eux. Il était vraiment dommage que les documents établis en Irlande fussent perdus.

CHAPITRE VI

Des tuiles patinées par le temps, irrégulières par endroits, recouvraient un cottage vieillissant aux murs de brique rouille. L'avancée de l'arrière-cuisine n'était pas tout à fait au centre de la façade et les fenêtres, à demi cachées par un lierre envahissant, avaient été disposées avec un dédain encore plus marqué pour la symétrie. Et pourtant, l'ensemble produisait un effet charmant, et l'on sentait que cette maison était chère au cœur de chacun en dépit des bizarreries de son architecture. Au nord, un haut mur flanqué de peupliers de Lombardie abritait des arbres fruitiers et un potager fort bien garni qu'une haie de rosiers séparait d'une vaste pelouse.

Le dos tourné à cette alignée de roses rouge sombre, Robin Elliott avait l'œil collé à l'objectif de son appareil d'emprunt et se demandait pourquoi son frère restait à l'écart au lieu de venir se fondre dans le groupe. Et quel air renfrogné ! A croire qu'il s'ennuyait à mourir en leur compagnie et ne pensait qu'à prendre la poudre d'escampette. Mais Robin avait décidé de faire une autre photo et il tenait à la réussir.

Enjoignant à Liam de se rapprocher des autres, il patienta un moment, tandis que Georgina s'occupait de trouver une place pour le nouveau venu. Liam se pencha en avant, les coudes posés sur le dossier de la chaise, et tourna la tête vers la jeune fille en souriant. Celle-ci regarda l'appareil et croisa les mains, et Robin appuya sur le bouton commandant l'obturateur.

Aussitôt ce fut la débandade générale.

« Attendez, ne vous en allez pas, supplia Robin. Je vais en faire une autre.

— Mais tu en as déjà pris au moins une demi-douzaine, objecta sa mère. On ne va quand même pas rester assis tout l'après-midi à poser pour toi. J'ai le thé à préparer, entre autres. Viens, Tisha, dit-elle en agrippant sa fille par le bras avant qu'elle n'ait eu le temps de disparaître, nous avons du travail à faire. »

Cette invitation provoqua l'émission d'un grognement parfaitement audible et d'un affaissement peu enthousiaste des épaules mais l'interpellée se dirigea néanmoins vers la cuisine. Se tournant vers la maîtresse de maison, Georgina lui demanda si elle avait besoin d'une aide supplémentaire.

« Non, ma chérie, il vaut mieux que tu ailles t'asseoir auprès de ton père pour parler un peu avec lui. Je sais que tu ne le vois pas très souvent. »

Mais Robert Duncannon s'intéressait apparemment davantage au matériel du photographe, qu'il examinait avec une grande attention en demandant des renseignements sur la manière dont fonctionnait l'appareil et les temps d'exposition qu'il fallait prévoir. Flatté, Robin s'empressait de lui faire partager ses connaissances et de prodiguer des détails sur la carrière qu'il venait d'embrasser si récemment. Mais ce qui l'impressionna le plus, ce fut l'intérêt que manifesta le colonel Duncannon quand il lui eut appris qu'il suivait des cours de préparation militaire.

« Si jamais tu changes d'avis et décides d'entrer

pour de bon dans l'armée, viens d'abord me trouver. J'ai quelques relations au ministère de la Guerre et je pourrai faire quelque chose pour toi. »

Liam, qui avait entendu cette proposition, regarda leurs deux têtes, toutes proches, et l'espace d'un instant, il fut frappé par leur ressemblance, qui dépassait de beaucoup la simple similarité due à la taille ou à la couleur de leur peau. Il en éprouva une gêne passagère. Mais son frère changea bientôt de position et la ressemblance s'estompa.

Tournant son regard dans une autre direction, il remarqua que son père observait Robin et le colonel d'un œil plutôt dénué d'aménité. Était-ce la manie qu'avait son fils de photographier tout ce qui passait à sa portée qui l'agaçait ainsi ? A moins que leur père ne fût que médiocrement ravi de recevoir ce parent fortuné, expansif et trop élégamment vêtu à son gré.

En tout cas, leur mère avait fait grand cas de cette lettre qui était arrivée juste au moment où ils s'étaient attablés pour le dîner du samedi et qui l'avait mise dans un état d'agitation confinant presque à la panique. Et depuis que le colonel était arrivé avec Georgina, une heure plus tôt, elle n'avait cessé de sourire et de babiller comme une collégienne. Cela aussi, c'était inhabituel. Peut-être son père était-il jaloux ?

Cette pensée avait traversé son esprit comme un éclair. Il l'en chassa vivement. Après tout, se dit-il, les couples mariés qui avaient des enfants adultes n'avaient aucune raison d'éprouver ce genre de sentiments.

Assise sur sa chaise, à quelques pas devant lui, Georgina avait assisté avec une grande attention, elle aussi, à cette conversation entre son père et Robin. Il discerna une certaine tension dans la façon dont elle redressait l'échine et penchait sa tête blonde et lisse. Persuadé qu'elle souffrait de la négligence de son

126

père à son égard, Liam était prêt à décerner à cet homme un blâme définitif et sans appel. Comme il esquissait un geste dans sa direction, elle se retourna vers Liam et ses yeux s'adoucirent en un sourire.

« Quel dommage, dit-elle d'un ton léger, que les photos ne montrent pas la couleur. Ces roses sont si belles ! »

Tout en sachant fort bien que ce n'étaient pas les roses qui avaient retenu son attention, Liam entra volontiers dans son jeu, suggérant qu'elle devrait revenir un après-midi pour les peindre. Elle se mit alors à rire, disant que ses capacités artistiques étaient trop limitées et qu'elle ne pourrait jamais les reproduire fidèlement. Sur quoi, il se récria car il avait vu certaines de ses toiles, dont elle avait fait cadeau à sa mère et qui ornaient le salon de leur cottage. Leur amicale discussion se poursuivit un moment et lorsque Georgina se leva, il l'imita, prêt à se soumettre au moindre de ses caprices, à l'accompagner jusqu'au bout du monde si elle en émettait le désir.

Il éprouvait pour elle une attirance considérable. Il était si bien avec elle, elle était si calme, si discrète, faisant parfois preuve d'un humour si subtil qu'il devait réfléchir un moment avant de comprendre ce qu'elle avait voulu dire. Pourtant, contrairement à la sœur de Liam qui faisait souvent montre d'une ironie agressive, Georgina Duncannon ne manifestait jamais la moindre cruauté.

Au cours de ces trois derniers mois, depuis qu'elle était venue à York pour travailler comme infirmière à l'hôpital de *The Retreat*, elle leur rendait régulièrement visite, passant la plupart de ses journées de congé au cottage. Elle aidait Louisa à la cuisine ou dans le jardin et partageait le repas du soir de la famille. L'affection que témoignait Georgina à sa mère surprenait toujours Liam ; il avait tendance à oublier qu'elles étaient parentes et que Georgina les connaissait depuis bien des années.

Il était parfois un peu gêné à l'idée que Georgina l'avait connu quand il n'était encore qu'un petit enfant, bien qu'il n'eût conservé de cette période qu'une image fort imprécise. A cette différence d'âge s'ajoutait encore la disparité des classes sociales, mais bien qu'elle ait vécu à Dublin une existence insouciante, elle avait choisi de se faire infirmière ; et après avoir terminé une formation bien spécifique, elle avait décidé récemment de se spécialiser dans une autre branche, celle des malades mentaux, à l'hôpital des Quakers.

Physiquement, Georgina travaillait plus dur que lui et il souffrait parfois à la vue de ses pauvres mains rougies et meurtries par l'utilisation intensive du phénol. Au moins sur ce plan-là, Liam pouvait comprendre l'exaspération éprouvée par le colonel devant la vocation choisie par sa fille ; elle se contentait d'en rire mais, pour défier ainsi l'autorité paternelle, elle avait dû faire preuve d'une volonté difficile à imaginer quand on la voyait à peine moins fragile que la rose qu'elle était en train de contempler.

Lorsque Georgina lui proposa de faire une petite promenade, il accepta très volontiers.

Dès qu'ils eurent franchi la barrière, leur parvint de la rive opposée de la rivière un bruit de quolibets ponctués de coups de sifflet. Sous les arbres de New Walk, Liam aperçut un groupe de jeunes filles parées de leurs plus beaux atours qui marchaient à pas pressés, suivies de près par des soldats venus de la caserne voisine. Non sans une certaine gêne, il fit remarquer que les jeunes filles s'étaient montrées bien imprudentes. Mais Georgina lui décocha un sourire malicieux et dit qu'à son avis, comme elles allaient manifestement à la foire de St. George, elles ne demandaient sans doute pas mieux que de se faire escorter par des chevaliers servants de belle prestance.

« Est-ce que l'uniforme rend les hommes beaux ?

— En tout cas, il améliore le physique de ceux qui sont laids », répliqua-t-elle gaiement.

Il acquiesça sans conviction et ils restèrent un moment à regarder comment évoluaient les choses sur l'autre berge. En effet, les jeunes filles avaient ralenti l'allure et, les présentations faites, les deux groupes fusionnèrent et partirent ensemble vers la foire.

Georgina et Liam entendaient au loin les accents d'une musique égrenée par un orgue Gavioli et les bribes d'une mélodie populaire parvenaient jusqu'à eux. Ils se regardèrent puis détournèrent les yeux. Georgina dit qu'elle n'était jamais allée à la foire, ce qui étonna Liam, qui avait eu l'occasion de s'y rendre plusieurs fois. Il crut devoir préciser que ce genre de divertissement risquait de choquer une demoiselle par son caractère parfois un peu rude et tapageur.

Les yeux baissés, Georgina en convint, ajoutant que sa tante Letty l'avait déjà mise en garde ; puis, incapable de se contenir davantage, elle déclara qu'elle mourait d'envie d'y aller.

« Je sais bien que je ne devrais pas dire ça, ajouta-t-elle à regret, surtout aujourd'hui... Mais la foire sera finie la prochaine fois que j'aurai mon jour de congé et je n'en aurai peut-être plus jamais l'occasion. »

Liam hésita un moment, évaluant le temps qu'il leur faudrait pour se rendre à pied jusqu'à St. George. Puis il pensa au père de Georgina et à sa mère à lui, qui préparait le thé. Soudain il se souvint de la vieille barque qui était amarrée à un ponton, non loin de là. Il dévala le talus bordant la rivière pour voir si l'embarcation était là.

« Attends une minute, je n'ai pas pris mon chapeau.

— Si tu retournes le chercher, ils voudront savoir où tu vas, objecta-t-il. Et tu pourras faire ton deuil de la foire.

— Tu as raison », convint-elle, prise soudain du désir d'agir avec insouciance, avec un rien de folie et de gaieté, au lieu de rester sans cesse la demoiselle sérieuse et compassée qu'elle était devenue. Elle eut quand même un remords en se souvenant de la raison pour laquelle son père était venu rendre visite aux Elliott. Mais cette pensée ne réussit finalement qu'à attiser son envie.

Avec de grands gestes cérémonieux, Liam l'aida à descendre le talus et à s'installer dans le bateau. Puis il prit les avirons et tandis que la barque, à grands coups de rames, précis et réguliers, s'éloignait de la berge pour remonter le courant, il expliqua ce qu'il avait l'intention de faire. Il irait s'amarrer dans le bassin de la Foss, l'embarcation y serait plus en sécurité et il y avait un escalier qui permettait de gagner plus facilement la rive. Et on ne serait qu'à quelques pas de la foire.

Impressionnée par sa compétence, Georgina était également touchée par l'attitude protectrice qu'il lui témoignait. Quand Liam se trouvait au milieu de sa famille, il était toujours très détendu, peu loquace mais heureux de se trouver avec elle. Elle le traitait comme un jeune frère et lui s'en contentait fort bien. Mais pour la première fois, ils se trouvaient ensemble dans un lieu public et cela semblait avoir métamorphosé en homme mûr l'adolescent avec lequel elle avait l'habitude de plaisanter. En le regardant lui frayer un chemin dans la cohue, elle eut soudain l'impression qu'il se comportait comme s'il avait été avec une jeune fille dont il était amoureux. Aussi stupide que fût cette idée, elle ne manqua pas de lui paraître séduisante et elle sentit une boule se nouer dans sa gorge. Mais elle détourna les yeux bien vite pour s'intéresser aux baraques et aux stands, à la musique et à la foule turbulente.

Il y avait une femme énorme, arborant une barbe superbe et qui, selon Liam, paraissait plus forte que le soi-disant athlète en maillot qui se tenait à ses côtés. Un stand de tir faisait des affaires d'or grâce aux jeunes soldats qui rivalisaient d'adresse. Liam s'arrêta à l'un des stands pour lui offrir un sachet de bonbons rose et blanc à la noix de coco qu'il lui tendit avec une timidité qu'elle n'avait jamais soupçonnée en lui.

Et c'est au milieu de cette foule bigarrée qu'ils trouvèrent enfin l'endroit d'où provenait la musique. Le clou de la foire, un énorme manège avec des chevaux de bois qui allaient par deux, montant et descendant en rythme, avec de-ci de-là une carriole à deux places, qui tournait au son de l'orgue Gavioli. Le spectacle était si charmant que Georgina se mit à battre des mains comme une enfant, disant qu'elle voulait monter. Il n'était pas question de repartir sans avoir d'abord essayé le manège.

Finalement, ils se payèrent deux tours, un à dos de cheval et un dans la carriole. Georgina était ravie, c'était comme quand on dansait, disait-elle, beaucoup, beaucoup mieux même, comme si on volait dans les airs. Elle adorait ça.

Son plaisir était contagieux et quand il l'aida à redescendre, Liam riait lui aussi, les yeux brillants, ses dents toutes blanches se détachant sur son visage doré par le soleil de l'été. Elle était si heureuse et il était si beau qu'elle avait envie de l'embrasser. Pourtant, comme la main de Liam s'attardait sur son bras, elle la repoussa vivement et s'enfonça dans la foule avant qu'il n'ait eu le temps de s'apercevoir de l'impulsion subite qui l'avait saisie.

« Il est temps de repartir », dit-elle à regret.

Ils regagnèrent en silence l'endroit où ils avaient

amarré le bateau et retraversèrent la rivière sans guère se parler.

En faisant les quelques pas qui les ramenaient au cottage, Georgina eut envie de s'arrêter, de s'asseoir un moment sur la berge tranquille pour dire à Liam pourquoi son père était venu à York ce jour-là. Mais c'était une histoire triste, longue et compliquée ; et elle sentait qu'elle serait incapable de la raconter sans pleurer. Et cela, elle ne le voulait à aucun prix. « Les gens n'ont rien à faire de ta tristesse, disait toujours tante Letty. Si on te demande comment tu vas, réponds *très bien, merci*, et ne te plains jamais. »

Et pourtant Georgina avait souvent envie d'être sincère et de dire à quelqu'un ce qu'elle ressentait vraiment. Surtout maintenant, avec sa mère qui était morte deux jours plus tôt, et les obsèques à affronter, et le passé qui resurgissait comme une lame de fond en menaçant de l'engloutir.

Stoïque jusqu'au bout, tante Letty n'aurait jamais compris ces appréhensions. Quant à son père, Georgina se rendait parfaitement compte qu'il était ravi d'être débarrassé de cette pauvre femme qui lui empoisonnait l'existence depuis vingt-cinq ans. Impossible de se montrer sincère avec lui, d'autant que la tristesse qu'elle éprouvait était également due aux allées et venues incessantes et aux absences prolongées, interminables, de ce père qu'elle ne voyait pratiquement jamais. Louisa était la seule qui pût la comprendre. Mais comment pourrait-elle lui parler maintenant ? Elle allait devoir attendre d'être rentrée de Dublin, après l'enterrement. Et son prochain congé n'aurait lieu que dans deux semaines.

Georgina était une jeune fille bien élevée. Elle se montra un peu plus silencieuse que d'habitude, une fois rentrée avec Liam, mais dans le brouhaha incessant de la conversation, sa discrétion passa inaperçue.

Ils étaient arrivés à temps pour le thé. Obéissant à son instinct, Liam avait évité de dire ce qu'ils avaient fait, et Georgina se garda elle aussi de donner la moindre explication. Ce serait leur secret, se dit-elle, croisant le regard de Liam au moment où elle s'asseyait, et personne ne se formaliserait de ce divertissement incongru au moment où elle aurait dû pleurer la mort de sa mère.

Dans le salon, la table avait été dressée comme pour un banquet, recouverte d'une nappe blanche en damas, avec des couverts en argent, de la vaisselle en porcelaine et, au milieu, un énorme bouquet de fleurs estivales. Il y avait trois sortes de pâtés en croûte, de la salade, de la viande froide, et des œufs accompagnés de mayonnaise. Sur le buffet trônait un compotier en cristal garni de fraises écarlates, à côté d'un pot rempli à ras bord de crème fraîche.

Georgina elle-même était impressionnée par la rapidité avec laquelle la maîtresse de maison était venue à bout des difficultés soulevées par cette visite inattendue. Elle alla retrouver dans la cuisine Louisa qui lui tendit un plateau avec un sourire et se tourna vers le fourneau pour saisir une bouilloire.

« Est-ce que mon père t'a dit pourquoi il était venu à York aujourd'hui ?

— Eh bien non, reconnut Louisa d'un air un peu surpris. J'ai pensé qu'il venait passer quelques jours avec toi. Y avait-il autre chose ? demanda-t-elle soudain intriguée.

— Rien de bien important pour l'instant. Je te le dirai plus tard. »

Sentant une fois de plus cette boule ridicule qui lui nouait la gorge, Georgina revint dans le salon et alla s'asseoir auprès de Liam. Son père était juste en face d'elle, entre Robin et Tisha. Edward trônait au bout de la table. Quand Louisa vint s'installer à l'autre extrémité, Georgina fut surprise de voir comme elle avait peu changé. Plus imposante, bien sûr, et avec quelques rides discrètes autour des yeux et de la bouche, mais la beauté de son expression n'avait pas diminué et elle était restée toujours aussi séduisante.

A la lueur d'amusement qui apparaissait au fond de ses yeux, Georgina remarqua que son père lui parlait avec une galanterie plus appuyée encore qu'à l'accoutumée. Elle avait vu au cours des années passées la façon dont il se comportait avec les femmes et savait parfaitement à quoi s'en tenir sur ses intentions profondes. D'abord consternée, elle avait appris dans l'exercice de son métier d'infirmière à faire preuve d'une certaine tolérance à l'égard des besoins physiques puissants éprouvés par les hommes et comprenait bien maintenant que, n'ayant pas d'épouse, son père devait chercher à les satisfaire là où il le pouvait. Non que la tâche fût bien ardue pour lui, d'ailleurs, car Robert Duncannon, bien qu'âgé de cinquante ans, était resté un homme très séduisant.

Tout en l'observant, Georgina se disait que depuis qu'il était venu ici pour la dernière fois — huit ou neuf ans auparavant — son penchant pour Louisa était toujours aussi marqué. En dépit de la présence d'Edward, et bien que la famille entière fût rassemblée dans ce havre de paix domestique, il fallait encore qu'il désirât Louisa et qu'il fût assez stupide pour le laisser voir ! Jetant un regard anxieux vers l'autre bout de la table, elle remarqua l'expression volontairement neutre d'Edward et fut prise de compassion pour lui. Robin et Tisha se disputaient gentiment, sans rien remarquer, mais Liam, à côté d'elle, avait les nerfs tendus avec toute la circonspection d'un jeune mâle en présence d'une menace.

Prise soudain de panique, Georgina se prit à souhaiter que son père parte immédiatement, saute sans délai dans le prochain train pour Londres, pour ne plus jamais revenir. Elle le lui dirait aussitôt qu'ils se retrouveraient seuls, en tête à tête. Pourquoi fallait-il qu'il pousse l'inconscience jusqu'à revenir ici, après tout ce temps, pour faire du charme à Louisa et lui rappeler des moments qui ne gagnaient sans doute qu'à rester enfouis dans l'oubli ?

Exaspérée au plus haut point, elle fit un geste brusque qui amena la chute d'un couteau qu'elle avait dans son assiette. Le couteau atterrit sur les genoux de Liam, répandant de la mayonnaise sur son pantalon et sur le tapis. Georgina poussa un cri désolé, s'excusa et, ravie finalement de cette diversion, lui saisit le bras pour l'entraîner de force dans la cuisine où elle lui prodigua ses attentions et ses conseils avant de revenir en courant au salon pour réparer les autres dégâts.

C'est avec une grande satisfaction qu'elle constata qu'elle avait réussi à interrompre le manège de son père. Pendant que Louisa s'affairait à essuyer le tapis, Robert Duncannon s'était tourné vers Edward pour lui consacrer toute son attention.

De plus en plus frappée par la ressemblance qu'elle avait remarquée entre Liam et Robert Duncannon, Georgina ne cessait de regarder les deux hommes à la dérobée, pour confirmer son impression. Quant à Liam, il continuait manifestement de surveiller Robert, qui se comportait maintenant de manière tout à fait irréprochable.

L'attention de Georgina fut alors attirée par Tisha qui, alors âgée de seize ans, venait de trouver un emploi dans les bureaux d'une confiserie située dans la banlieue de la ville. Consciente d'avoir un joli minois et des formes qui s'annonçaient prometteuses, elle sollicitait effrontément les compliments que lui prodiguaient en riant aussi bien Edward que Robert Duncannon.

Elle était tout à fait le genre de fille, se dit Georgina sans le moindre soupçon d'envie, à avoir toujours les hommes de son côté. L'ennui, c'était qu'elle se montrait le plus souvent attirée par la facilité procurée par la fortune, et il ne faisait aucun doute qu'elle finirait par trouver un homme susceptible de satisfaire ses ambitions purement matérielles.

Tisha était ulcérée à l'idée que ses parents continuaient de vivre dans cet humble cottage, au bord de la rivière, avec une simple femme de ménage pour aider Louisa dans ses travaux domestiques, alors qu'ils auraient eu les moyens de s'installer dans une belle maison de ville avec au moins une bonne à temps complet.

Ce qui ne manquait pas non plus de l'exaspérer, c'était que Louisa, qui adorait le jardinage, vendait le surplus de sa récolte à des voisins ou à des passants occasionnels. Pour elle, Edward Elliott était un personnage important, respecté de tous, et sa femme avait tort de s'abaisser à vendre des fruits et des légumes comme une quelconque maraîchère.

En somme, Tisha était très snob. Robin ne s'en formalisait aucunement, allant même jusqu'à lui trouver des excuses, mais Liam, beaucoup plus idéaliste et intransigeant, ne pouvait pardonner à sa sœur les dissensions qu'elle provoquait, ni surtout le chagrin qu'elle infligeait à leur mère.

Il faudrait qu'il apprenne la souplesse, songeait Georgina avec anxiété. Qu'il apprenne à céder avant que la vie ne lui assène des coups qui risqueraient de le briser. Par certains côtés, outre la taille et la couleur des cheveux, Robin ressemblait à Robert Duncannon, car il partageait avec l'officier une certaine flexibilité de caractère qui leur permettrait toujours de survivre. Mais Liam, qui avait plutôt le tempérament d'Edward, était trop entier pour ne pas être vulnérable. Et dans l'état où en étaient les choses maintenant, le danger se trouvait beaucoup trop près de lui.

Le soleil se couchait lorsqu'ils firent leurs adieux auprès du portail, des adieux que Georgina trouva interminables. Désireuse de mettre le plus de distance possible entre Edward et son père, elle marcha à grands pas sur le sentier sablonneux pour ne commencer à ralentir que lorsque ses pieds sentirent le contact des pavés qui menaient au pont. Elle entendait encore la musique provenant de la foire, ce qui lui rappelait la raison pour laquelle elle avait voulu s'esquiver du cottage dans l'après-midi beaucoup plus que la joie qu'elle avait tirée de son escapade. C'est pourquoi elle s'adressa à son père sur un ton plus agressif qu'elle ne l'avait d'abord voulu.

« Tu sais, tu aurais très bien pu te contenter d'écrire. Tu n'avais aucune raison de faire un tel voyage. »

Robert s'arrêta, un peu essoufflé mais surtout peiné qu'elle lui parle de cette manière.

« Il y avait plusieurs mois que je ne t'avais pas vue, dit-il lentement. Était-ce donc anormal que je veuille voir par moi-même comment tu allais ? »

Ainsi vue de profil, avec cette coiffe sévère qui lui durcissait encore plus le visage, Georgina lui rappelait Letty, sa sœur, quand elle jouait les censeurs. L'espace d'un instant il fut tenté de dire à sa fille que si elle n'y prêtait pas garde elle finirait, comme sa tante, dans la peau d'une vieille fille acerbe et anguleuse.

Non qu'il n'aimât pas Letty. Il était d'ailleurs le premier à reconnaître que si elle ne s'était pas mariée, c'était surtout parce qu'elle avait eu à s'occuper d'un bébé qui l'avait obligée à tourner le dos à la société. En dépit des scrupules exprimés par Robert, elle ne lui avait jamais adressé le moindre reproche, disant même que grâce à Georgina elle avait eu la chance de savoir ce qu'étaient les joies de la maternité sans devoir subir la présence d'un mari.

Cette dernière remarque avait toujours fait rire Robert.

Mais il ne riait plus maintenant, cependant. Letty n'avait que trop bien réussi à transmettre à cette enfant l'anticonformisme qu'elle avait toujours professé elle-même. Bien que remarquablement douée pour les arts plastiques et la musique, et dotée d'un physique qui pouvait inciter n'importe quel homme normalement constitué à la demander en mariage, Georgina ne s'intéressait qu'à la profession d'infirmière. Et comme s'il ne lui avait pas suffi de soigner les malades, il avait fallu qu'elle insiste pour venir à *The Retreat* pour s'occuper des débiles mentaux. Et dans ses lettres elle se répandait en éloges sur les Quakers, qui assuraient la bonne marche de l'établissement, et en formules de compassion pour les infortunés dont elle avait la charge. En la voyant ainsi qui fixait sur lui son regard désapprobateur, Robert se dit qu'elle allait finir par convoler avec un médecin quaker qui lui ferait des enfants aussi sinistres que lui. Et cette pensée ne fit que le déprimer davantage.

Heureusement Georgina, mis à part son teint délicat, ne ressemblait nullement à Charlotte et c'était là une chose dont il ne cessait jamais de se réjouir. Autrefois il avait éprouvé une peur horrible à l'idée que Georgina risquait de devenir comme sa mère, mais en dépit de son anticonformisme et de ses obsessions — surtout dès qu'il était question de la manière dont elle entendait mener sa vie — , elle était beaucoup trop chaleureuse et affectionnée pour que ces craintes soient justifiées.

Maintenant que Charlotte était morte, Robert allait faire le nécessaire pour que Georgina hérite de la fortune laissée par la défunte. Du moins de ce qu'il en restait, étant donné les sommes énormes qu'il avait fallu payer pour assurer le traitement et la garde de la malade, sans oublier les frais occasionnés par la restauration du manoir familial de Waterford et de sa maison de Dublin. Et puis, quelques années plus tôt, il y avait eu quelques investissements malencontreux qui avaient réduit les revenus en ébréchant considérablement le capital, de sorte que l'héritage allait être bien dérisoire maintenant. Tout en le regrettant, Robert pouvait certifier, la main sur le cœur, qu'il n'en avait pratiquement jamais rien soustrait pour son usage personnel. Gardant toujours en mémoire la façon dont on l'avait trompé pour lui faire épouser Charlotte, il avait toujours considéré qu'il s'agissait là d'un argent maudit.

Il poussa un soupir et ajouta :

« J'ai pensé qu'il valait mieux dire de vive voix la nouvelle que j'avais à t'annoncer. Remarque, je suis heureux de constater qu'elle ne t'a pas affectée outre mesure. »

Il n'avait pas dit cela avec une intention méchante mais Georgina n'en fut pas moins froissée. Elle détourna les yeux sans répondre, laissant son regard s'attarder sur la rivière baignée par la pâle clarté crépusculaire. Son père dut s'apercevoir qu'il était allé trop loin car il lui prit une main qu'il cala au creux de son bras.

Inquiet de l'expression soucieuse qui crispait le visage de sa fille, il se demanda à quoi elle pensait et si en fait elle n'était pas plus affligée qu'il ne l'avait d'abord cru par la mort de sa mère. Craignant d'aborder là un sujet délicat, il préféra se lancer dans des considérations moins périlleuses et lui dit qu'elle travaillait trop : il avait obtenu de la directrice de l'hôpital qu'on lui accorde une semaine de congé. Elle se rebiffa alors, protestant qu'il se mêlait de ce qui ne le regardait pas, et l'atmosphère ne s'était pas encore rétablie lorsqu'ils montèrent ensemble le chemin qui menait à *The Retreat*. C'est alors qu'il eut un aperçu sur les préoccupations véritables de sa fille. Elles différaient tellement de ce qu'il avait supposé qu'il demeura interloqué.

« Tu ne vas pas retourner au cottage, hein ?

— Comment ? Ce soir ? Non, bien sûr que non.

— Ni ce soir, ni demain. Jamais, dit-elle brutalement. N'y retourne jamais, je t'en prie. »

Étonné d'une telle sévérité, Robert s'arrêta.

« Mais enfin, pourquoi ?

— Tu le sais très bien. Tu n'as rien à y faire. Ta présence y est indésirable pour tout le monde. Après toutes ces années.

— Georgina, protesta-t-il avec véhémence. Ce sont là mes affaires. Pas les tiennes. Et je te serai reconnaissant de ne pas t'en mêler. Tu n'as aucun droit de...

— J'en ai parfaitement le droit, affirma-t-elle avec force. Le bonheur des Elliott est aussi important à mes yeux qu'aux tiens. Probablement plus, même. Ton comportement, cet après-midi, a été odieux. J'en étais gênée pour Edward. Quant à Liam, tu ne l'as sans doute pas remarqué, mais il te foudroyait du regard.

— Ah bon ? Sapristi, je n'ai pas remarqué...

— Non, bien sûr. Tu étais trop occupé avec Louisa. Tu es peut-être libre, toi, papa. Mais elle, elle ne l'est pas ! »

La confusion colora d'un flot de sang le visage de Robert. Pris de scrupules tardifs, il se réfugia dans la colère.

« Faites attention à ce que vous dites, mademoiselle ! »

Prise de remords, tout à coup, Georgina baissa la tête.

« Excuse-moi, papa. Mais si je ne te mets pas en garde, qui le fera ? »

La maturité dont elle faisait preuve était si inattendue qu'il en fut tout surpris. Il lui prit la main et la serra dans les siennes.

« Tu crois que j'ai besoin de ces mises en garde ?

— Pas toujours, concéda-t-elle. Mais cette fois-ci, cela s'imposait vraiment.

— Dans ce cas, j'essaierai de m'en souvenir. »

Un portier leur ouvrit la grille et Robert remonta l'allée avec sa fille. Vue de l'extérieur, cette maison de retraite qui ressemblait plus à un manoir qu'à un hôpital, avait beaucoup de points communs avec l'asile où Charlotte était restée enfermée en Irlande pendant quinze ans. Mais ici, le personnel était beaucoup plus humain, plus accessible. On ne voyait pas de religieuses en robe noire mais des gens ordinaires, agréables, qui n'étaient pas confits en dévotion.

Après avoir accompagné Georgina jusqu'à la porte de sa chambre, il s'attarda un moment à la crête de la colline sur laquelle l'hôpital avait été construit pour contempler le parc envahi par l'obscurité. D'un côté, il pouvait voir les tours de la cathédrale qui captaient les derniers rayons du soleil à l'ouest, tandis qu'au-dessous de lui, au-delà des prairies, émergeaient les bâtiments de la caserne. Quelques lumières brillaient sur la façade, lui rappelant avec une nostalgie soudaine le séjour qu'il avait autrefois effectué à Fulford.

L'espace d'un instant, il se revit tel qu'il avait été à trente ans, impulsif et fougueux, obsédé par ce mariage inconsidéré qui l'avait lié à une folle, et tentant vainement de trouver une échappatoire dans l'alcool et la débauche. Et puis, tout à coup, une sorte de miracle s'était produit : il avait rencontré Louisa dans le petit hôtel que tenait Mary Elliott, et son existence avait été transformée.

Grâce à Louisa, Robert avait retrouvé son équilibre. Et pourtant, bien qu'il lui eût exposé franchement la situation dans laquelle il se trouvait, elle l'avait rejeté, et lui avait résolu de rester à l'écart. Mais la destinée en avait décidé autrement, en fin de compte. Jamais, dût-il vivre jusqu'à cent ans, il n'oublierait ce soir d'été où Louisa était venue le voir, tout à fait inopinément, dans son appartement de Fulford, car c'est alors que s'était produit le véritable point de départ de ces deux années d'un bonheur sans mélange.

Georgina avait beau jeu de lui dire ce qu'il devait et ce qu'il ne devait pas faire. Elle ignorait trop de choses et sa perspective était différente. En revoyant Louisa, il avait eu une révélation à laquelle il ne s'était pas préparé le moins du monde. Après tant d'années de séparation, il s'était attendu à trouver une femme vieillissante, qui aurait perdu la séduction de celle qu'il avait gardée dans son cœur. Quelle surprise ! La chaleur de son sourire n'avait nullement changé, pas plus que l'éclat de son regard. Elle avait mûri en beauté. Oui, se dit-il en souriant à la nuit, Louisa Elliott était encore une femme délicieuse, naturelle et sans fard, comme elle l'avait toujours été.

Il voulait la revoir, et il savait qu'il retournerait au cottage. Mais la prochaine fois il ne referait pas l'erreur d'y aller quand toute la famille y serait rassemblée. La prochaine fois, il s'arrangerait pour la voir en tête à tête.

CHAPITRE VII

Il n'y avait dans cette maison aucun endroit où l'on pouvait discuter tranquillement. Tisha aidait à la vaisselle et allait bientôt se coucher, mais les murs étaient si minces, au premier étage, qu'il fallait parler à voix très basse pour ne pas risquer d'être entendu. Installé près de la fenêtre pour bénéficier des dernières lueurs du jour, Robin écrivait la liste des photos qu'il avait prises dans l'après-midi tandis que, vautré sur le canapé, sous la lampe à pétrole qu'il avait déjà allumée, Liam s'était plongé dans un livre. A le voir, on aurait pu croire qu'il allait y rester toute la nuit. Irrité par le calme de cette scène familiale et incapable de feindre le moindre intérêt pour quoi que ce fût, Edward attendait avec une impatience grandissante que Louisa ait fini de ranger la maison.

A bout de nerfs, il sortit dans le jardin et se mit à arpenter l'allée, espérant qu'elle allait le rejoindre bientôt. Se détachant sur une étroite bande de ciel rose, les arbres ressemblaient à des silhouettes découpées dans du carton noir, avec ici et là des trous disposés au petit bonheur. Une jolie illusion d'optique, se disait-il, la vie imitait l'art en masquant sa réalité à trois dimensions.

Il se retourna vers le cottage, remarquant une fois

de plus ses formes irrégulières et son manque de symétrie. Il savait que l'édifice reposait sur des fondations fragiles et pourtant, aux derniers rayons du soleil, la demeure toute rose offrait la parfaite image du bonheur rural. Il se demanda si les années de félicité qu'il avait connues sous ce toit avaient été une illusion du même ordre, reposant elle aussi sur des fondations précaires, qui ne risquaient pas de céder tant que Robert Duncannon ne viendrait pas imposer sa présence.

Cette pensée amère le fit frissonner de frayeur. Il vouait à Louisa un tel amour que leurs années de vie commune avaient été les plus belles de son existence. Et bien qu'il ne fût pas d'un naturel jaloux, dès qu'il était question de Robert Duncannon, Edward avait beaucoup de mal à garder la tête froide.

Elle vint enfin, prenant tout de même le temps d'ôter son tablier pour l'accrocher à un portemanteau. Debout sous les arbres, le cœur débordant d'amour, il la regarda s'engager dans l'allée avec une lenteur exaspérante. Elle s'arrêtait sans cesse pour faire un commentaire sur les légumes et sur les framboisiers qui commençaient à bourgeonner. Manifestement, elle cherchait à retarder le moment où ils allaient aborder le sujet qui le tourmentait.

Car elle n'avait pas tardé à se rendre compte qu'Edward souffrait, et le sourire épanoui qui avait éclairé son visage s'était peu à peu estompé à mesure que lui était apparu le visage de son mari, lequel semblait incapable de prononcer la moindre parole. Dans le silence, elle se raidit, et se détourna à demi avant de formuler de très brèves excuses.

« Ah ! çà, tu peux t'excuser, fulmina-t-il à mi-voix en lui prenant le bras. Viens, nous ne pouvons pas parler ici, on entend tout de la maison. »

Ce ne fut que lorsqu'ils eurent avancé d'une centaine de mètres sur le chemin de halage qu'il parla de nouveau ; sa colère et son appréhension étaient telles que les mots se bousculaient sur ses lèvres en phrases courtes et hachées. Il dit sa méfiance à l'égard de Robert Duncannon et aussi la colère que lui avait inspirée le comportement de sa femme, qui avait flirté ouvertement avec l'officier en présence de ses enfants. Car c'était elle la principale responsable : elle avait encouragé un homme à provoquer la ruine d'un foyer heureux et uni. Furieuse elle aussi, Louisa l'accusa de faire preuve d'une jalousie aveugle et irrationnelle.

« Ce n'est pas tous les jours que nous avons de la visite, dit-elle d'un ton véhément. Tu aurais préféré que je reste assise comme un spectre à un festin, sans lui accorder la moindre attention ? »

L'image était plutôt mal choisie et Edward ne se fit pas faute d'observer, ayant été informé de la mort de Charlotte Duncannon juste au moment où les visiteurs s'en allaient, que le spectre au festin aurait dû en fait être la femme du colonel.

« Car enfin, ajouta-t-il d'un ton sarcastique, c'est elle qui vient de mourir, non ? Personne n'aurait d'ailleurs pu s'en douter, il avait l'air heureux comme un poisson dans l'eau !

— Étant donné les circonstances, Edward, je doute fort que tu aurais toi-même été anéanti par la douleur.

— En tout cas, j'aurais au moins essayé de me comporter décemment ! »

Ravalant une réplique mordante, Louisa se détourna, scrutant les ombres pourpres du soir en direction de l'autre rive. Au loin, après les maisons qui flanquaient la route de Fulford, se dressait la caserne. Malgré toutes les années qui s'étaient écoulées, cette bâtisse attirait encore ses regards comme un aimant. Et pourtant elle avait été heureuse avec Edward, elle avait vécu une existence calme et pleine de satisfactions de tous ordres. Ce n'était qu'au cours de la dernière année qu'il y avait eu de rares disputes, et presque toujours au sujet de Tisha. D'habitude, c'était Louisa qui était l'offensée. Maintenant elle souffrait de se trouver en butte au ressentiment d'Edward.

Désireuse de l'apaiser, elle dit avec un calme forcé :

« Robert a voulu attendre que nous ayons fini de manger pour nous parler de Charlotte. Il a expliqué qu'il n'avait pas voulu gâcher la journée en annonçant le décès avant. »

Mais il en aurait fallu bien davantage pour apaiser la colère d'Edward.

« Quelle délicatesse ! Dommage qu'il ne se soit pas dit que sa visite risquait de nous gâcher le reste de notre existence !

— Oh, Edward, soupira-t-elle. N'exagère pas !

— Je n'exagère nullement, Louisa, dit-il en faisant un effort pour calmer une jalousie qui risquait finalement de causer plus de dégâts que la présence de Robert Duncannon. Il est resté loin de nous pendant des années et le voilà tout à coup qui resurgit, tout charme et tout sourires. Et outre le fait que tu l'as accueilli comme le fils prodigue — il marqua un temps d'arrêt pour laisser le temps à cette accusation de faire son effet — , je m'inquiète de l'effet que son retour a pu produire sur les enfants. Ils doivent se demander qui il est et pourquoi il est venu.

— Mais c'est le père de Georgina, tout de même. A partir du moment où elle vient chez nous, pourquoi n'en ferait-il pas autant ? »

Le haussement d'épaules dont elle ponctua ses paroles ne fit que fouetter l'irritation d'Edward.

« Ah, parlons-en, de Georgina ! s'exclama-t-il. Oh, je sais que c'est une jeune fille charmante et que tu l'aimes beaucoup. Seulement, vois-tu, Louisa, à sa façon, elle est aussi dangereuse que lui. Tu n'as donc rien remarqué ?

— Remarqué quoi ?

— Eh bien, elle est jeune et jolie, elle a un charme exceptionnel, et nous l'aimons tous beaucoup, non ?

— Et alors ?

— Alors, il y en a un, dans notre famille, qui est particulièrement sensible à la séduction de la fille de Robert. Mais ne me dis pas que ça t'a échappé.

— Mais de qui parles-tu donc ?

— Alors tu n'as rien remarqué, reprit-il sur un ton radouci. Et pourtant je me suis efforcé de t'ouvrir les yeux pendant des semaines, en essayant de trouver les mots qu'il fallait.

— Qui est-ce ? »

Mais la question était en fait bien inutile. Étant donné l'étendue et la variété de ses intérêts, Robin avait à peine le temps de manger, encore moins de tomber amoureux. De toute manière, se disait-elle, il était beaucoup trop jeune. Mais c'était également le cas de Liam. Sans doute admirait-il Georgina — car après tout cette jeune fille était digne de la plus grande admiration — , mais il ne s'agissait pas d'autre chose. Il ne pouvait pas s'agir d'autre chose.

« Je suppose que tu veux parler de Liam, railla-t-elle.

— Exactement. »

Décidé à ne pas se laisser interrompre, il enchaîna vivement :

« Un amour bien platonique, je n'en disconviens pas. Et je me garderai bien de suggérer que Georgina ait jamais encouragé ses sentiments. Sans doute n'en est-elle même pas consciente. Mais elle apprécie beaucoup sa compagnie, Louisa, et ça le flatte énormément. Ce qui est normal, d'ailleurs. Alors il s'imagine qu'il l'aime. Il passe ses journées à rêver d'elle au lieu de s'intéresser à son travail. On ne peut pas dire qu'il ait jamais manifesté une ardeur excessive dans l'apprentissage de sa profession, ajouta Edward avec une ironie amère, mais ces derniers temps sa concentration a été inexistante. »

Un étau impitoyable semblait se resserrer autour du cœur de Louisa. Liam amoureux à dix-huit ans ? C'était grotesque. Et de la *fille de Robert* ! Impensable !

« C'est absurde ! s'écria-t-elle. Je n'ai jamais rien entendu d'aussi stupide.

— Il n'y a rien de stupide là-dedans. Je dirai plutôt que c'est tragique... Surtout s'il essaie de manifester ses sentiments. »

Cette fois, c'en était trop.

« Il ne fera jamais ça !

— Mais il est jeune, Louisa, il le peut très bien.

— En tout cas, elle s'y refuserait.

— Évidemment, j'en suis bien persuadé, moi aussi. Mais, ajouta-t-il d'un ton véhément, il ne faut pas laisser dégénérer une telle situation. »

Dans l'obscurité qui s'épaississait, Louisa se mit à arpenter le chemin, six pas dans un sens, six pas dans l'autre, les bras croisés, bien serrés sur sa poitrine comme pour retenir une blessure qui faisait mal.

« Tu es en train de monter en épingle quelque chose qui n'existe pas, accusa-t-elle d'une voix rendue âpre par la souffrance. Et tout ça parce que tu ne veux pas que Georgina continue de venir nous voir chez nous. Liam n'est pas du tout amoureux d'elle, son seul problème, c'est qu'il n'aime pas ce travail. Il n'est pas fait pour ce genre de métier, tu ne t'en es jamais aperçu ?

— Il était pourtant bien content au début, se défendit Edward. Je lui ai donné toute liberté de choisir ce qu'il voulait faire.

— Il ne le savait pas lui-même. C'est toi qui l'as influencé par tes beaux discours. »

Mortifié au plus haut point par ces reproches, Edward n'en était pas moins conscient que la discussion s'éloignait du centre du problème. Il fallait agir d'urgence pour préserver le bonheur d'une famille avec les seules armes dont il pouvait disposer.

« Je pense qu'il va falloir que tu aies une explication avec Georgina. Tu lui diras que des visites fréquentes de sa part ne sont pas désirables. Et il sera nécessaire de lui dire pourquoi. Elle connaît la situation... elle ne souhaitera pas nous causer un préjudice supplémentaire.

— Mais enfin, Edward...

— Et quant à son père, continua-t-il avec une détermination farouche, je ne veux plus qu'il remette les pieds ici, Louisa. Tu es *ma* femme et ce cottage est *ma* demeure. Je ne tolérerai pas une nouvelle visite de sa part. »

Profondément mortifiée par la méfiance que ces paroles laissaient transparaître, elle se récria d'une voix mordante :

« C'est donc là toute la confiance que tu as en moi ! Après toutes ces années ! »

Il se tourna vers elle, l'œil enflammé de colère.

« C'est en lui que je n'ai aucune confiance. Mais là n'est pas le problème. Je ne veux pas qu'il remette les pieds chez moi parce que sa présence ne pourra que donner prise à tous les ragots dont nous avons été victimes autrefois. Les gens n'ont pas la mémoire courte. As-tu vraiment envie de te donner en pâture aux commérages des uns et des autres ? »

Louisa ne répondit pas, mais Edward put déceler dans son attitude, dans la façon dont elle relevait le menton, par exemple, une hostilité têtue dictée par l'incrédulité : elle ne voulait pas le croire, cela sautait aux yeux. Cherchant quel argument il pourrait invoquer pour la convaincre, il revit Robert Duncannon et le jeune Robin, côte à côte, examinant l'appareil photo que son fils avait emprunté. Edward avait alors été frappé par la ressemblance de ces deux êtres. Et il était certain que Georgina l'avait remarquée elle aussi. Combien de temps faudrait-il pour que d'autres fassent la même constatation ?

La colère et la frustration brûlèrent dans le cœur de Louisa pendant presque toute la journée du lendemain, et elle se vengea sur les placards de la cuisine le matin et sur les mauvaises herbes du potager l'après-midi. Et c'est ainsi que le soir, une fois le calme revenu en elle, après avoir tout de même versé quelques larmes sur une vieille photo qu'elle conservait soigneusement avec d'autres reliques, elle eut assez de bon sens pour reconnaître que les remontrances d'Edward n'étaient pas dépourvues de fondement.

Maintenant qu'elle voyait les dangers, ne valait-il pas mieux attirer sur eux l'attention de Robert ? Si quelqu'un devait s'en charger, il valait mieux que ce soit elle plutôt qu'Edward. Pour elle, ce n'était d'ailleurs pas un problème. Elle avait depuis longtemps appris à se passer de la présence de Robert et en dépit du plaisir qu'elle avait éprouvé la veille en le revoyant elle se rendait fort bien compte des problèmes que d'autres visites pourraient causer.

Une fois prise cette décision et quand elle eut pardonné à Edward son accès de jalousie, elle tourna ses pensées sur les inquiétudes que nourrissait son mari à propos de Liam et de Georgina. Elle ne parvenait pas à croire que Liam éprouvât autre chose que l'affection d'un frère à l'égard de la jeune fille. De toute façon, tant qu'elle n'aurait aucune certitude, elle ne ferait rien qui risquât de faire de la peine à la fille de Robert. Durant les trois années qu'elle avait passées à Dublin, avant son mariage avec Edward, elle avait aimé Georgina comme sa propre fille et elle avait encore présent à la mémoire le chagrin qu'elle avait éprouvé au moment de la séparation.

Bien qu'elle n'eût pas eu l'occasion de voir souvent la jeune fille par la suite, Louisa se disait qu'elle la connaissait sans doute mieux que Robert et elle appréciait maintenant ces liens d'amitié qui les unissaient l'une à l'autre, y trouvant une sympathie et une compréhension qui faisaient cruellement défaut dans les rapports qu'elle entretenait avec Tisha, sa propre fille. Tisha, se disait Louisa non sans tristesse, tenait beaucoup plus de Blanche, sa sœur, et aussi de la sœur de sa mère, Elizabeth. Et elle s'étonnait bien souvent aussi de voir la tendresse aveugle qu'Edward vouait à sa fille, sans discerner en elle les défauts qu'il avait reprochés avec une telle véhémence à Blanche comme à Elizabeth.

Contrairement à Robert et à sa sœur Letty, Louisa comprenait fort bien ce qui avait pu décider la jeune fille à embrasser la profession d'infirmière et pourquoi elle avait choisi plus particulièrement de soigner les malades mentaux. Étant souvent allée rendre visite à sa mère à l'asile, Georgina avait vite été sensibilisée aux problèmes concernant la folie et aux traitements susceptibles de la guérir. Il semblait donc logique, étant donné l'éducation qu'elle avait reçue auprès de Letty, que la fille de Robert ait éprouvé le désir de soigner ceux qui étaient atteints de la même maladie que sa mère.

Comme Georgina était partie à Dublin pour assister aux obsèques de Charlotte, on n'allait pas la revoir pendant un bon moment. Louisa décida de tirer parti de ce répit pour poser quelques questions subtiles à Liam et observer ses réactions. Mais naturellement, elle ne pourrait avoir aucune certitude tant qu'elle ne les verrait pas ensemble. Grâce aux avertissements prodigués par Edward, elle pourrait alors se faire une idée beaucoup plus nette de la situation.

Liam répondit admirablement aux questions qu'elle lui posait, mais une légère coloration de son épiderme, sous le hâle du soleil de l'été, éveilla les soupçons de Louisa. Elle commença alors à se dire que les appréhensions d'Edward pouvaient fort bien être justifiées et en conçut une certaine inquiétude. De son côté, Edward la pressait sans cesse de prendre une décision ; il ne parlait plus que de cela. Ces chuchotements véhéments créaient une tension presque insoutenable.

Grâce à l'extraordinaire intuition de ceux qui sont possédés par la passion, Liam ne tarda pas à s'inquiéter des questions de sa mère, au point même qu'il n'osa pas s'enquérir des raisons qui motivaient l'absence de Georgina. Quant à la tension qui régnait au logis, un instinct infaillible lui souffla de l'imputer à l'amour qu'il avait conçu, sans espoir de retour, pour la fille du colonel Duncannon.

Au bout de dix jours, convaincu qu'il se passait quelque chose d'anormal, il décida d'aller rôder le soir auprès de *The Retreat,* dans l'espoir d'apercevoir sa bien-aimée. Après trois tentatives infructueuses, le désespoir lui avait insufflé suffisamment d'audace pour l'amener à écrire un billet dans lequel il disait qu'il voulait la voir : il le fallait absolument. Il attendrait une heure pour le cas où elle parviendrait à se libérer. Sinon, il reviendrait le lendemain soir.

Écrire la lettre était une chose, mais il devait maintenant persuader le portier de la transmettre. L'homme n'avait aucune envie de perdre son emploi pour avoir passé des billets doux aux infirmières. Liam lui ayant offert un pourboire, il accepta d'épingler le message sur le tableau d'affichage du personnel soignant. Miss Duncannon le trouverait peut-être le lendemain matin. Il ne pouvait rien faire de plus.

Liam dut se contenter de cette solution. La mort dans l'âme, il rentra au bercail, mais le lendemain soir, juste après sept heures, il était de nouveau sur les lieux.

Georgina s'était juchée sur un monticule à l'intérieur du parc pour surveiller la route. Quelques instants plus tard, elle dévalait l'allée sur sa bicyclette et après lui avoir jeté un simple coup d'œil au passage, commençait à pédaler en direction du village de Heslington. Déconcerté, Liam resta un moment planté sur le bord de la route, puis, au moment où elle disparaissait de l'autre côté de la colline, il remonta en selle et se lança à sa poursuite dans la lumière dorée et les ombres qui s'allongeaient. Il eut assez de bon sens pour maintenir entre elle et lui une distance suffisante, jusqu'à ce qu'ils eurent dépassé la dernière maison du village.

Il se mit alors à appuyer plus fort sur les pédales, mais à mesure que se raccourcissait l'intervalle qui les séparait, Liam se rendait compte de la fascination qu'exerçaient sur lui la ligne de ce dos, cette taille étroite, et ces hanches aux formes suggestives. Georgina avait un chapeau de paille tout simple et un corsage blanc. Penchée sur le guidon, sa jupe bleu marine bien serrée sous son petit postérieur bien net et bien provocant, elle faisait aller ses cuisses en rythme avec le mouvement des pédales. Liam ne pouvait détacher ses regards de ce spectacle fascinant.

Quelques instants plus tard, il eut honte de ces pensées. Il s'obligea à relever son regard et à accélérer l'allure. Georgina, après le virage suivant, ralentit et s'arrêta au moment où il arrivait à sa hauteur. Il trouvait que l'exercice la rendait plus belle que jamais et pourtant elle lui parla sans aménité, lui disant qu'il ne fallait surtout pas confier de messages au portier, ni chercher à la voir, à moins que ce ne fût pour une question de vie ou de mort. Elle aurait de graves ennuis si quelqu'un la soupçonnait de rencontrer des jeunes gens à l'extérieur de l'enceinte de l'hôpital.

Consterné par ces reproches inattendus, Liam resta un moment à la regarder d'un air incrédule. Puis il tourna sa bicyclette dans la direction opposée pour repartir. Une pression de la main sur son bras le dissuada de mettre son projet à exécution.

Le souffle court, Georgina s'excusa.

« Pardonne-moi, j'ai été méchante. Tes motifs étaient très importants, c'est évident. Et tu ne connaissais pas le règlement de l'institution. »

Elle poussa un soupir, observant le visage qui s'était détourné. et lui tira doucement la manche.

« Viens, nous allons mettre les vélos en lieu sûr et marcher un peu. Je dispose d'environ une heure avant de reprendre mon service. »

Il y avait un petit sentier qui s'écartait de la route à quelques mètres de là. L'air était embaumé de senteurs mélangées d'herbe et de terre et de fleurs des champs. La nature somnolait à la lumière rasante du soleil couchant. Au bout d'un moment, Liam sentit que sa nervosité commençait à s'apaiser. Pourtant ses premières paroles ne furent pas des plus aimables.

« Mais où donc étais-tu passée ? Il y a une éternité que tu n'es pas venue nous voir. J'ai cru qu'il était arrivé quelque chose, moi ! »

Indiscutablement, elle fut surprise d'une telle véhémence.

« Ta mère ne t'a pas dit que j'étais allée à Dublin ? Pourtant, elle le savait, j'en suis bien certaine.

— Personne ne me dit jamais rien, expliqua-t-il avec amertume. Mais pourquoi Dublin ? Il me semble que tu aurais pu me prévenir l'autre fois, puisque tu savais que tu y allais. »

Georgina le fixait d'un air désapprobateur, le sourcil froncé, et Liam se rendit compte qu'il avait tort de prendre les choses sur ce ton.

« Je croyais que nous étions amis, reprit-il sans conviction.

— Nous sommes amis, dit-elle d'un ton apaisant. Et il est manifeste que je te dois des excuses, Liam. Seulement, la dernière fois que je t'ai vu, je n'ai pas eu envie de t'en parler et je me disais que de toute façon tu aurais l'explication plus tard, aussitôt après notre départ. »

Ils marchèrent un moment en silence et Liam attendit avec une certaine impatience la justification de cette absence prolongée. Quand elle arriva enfin, en phrases courtes et hachées, il fut d'abord incrédule, avant d'éprouver un sentiment de honte. Imaginant ce qu'il aurait lui-même ressenti s'il avait perdu sa mère, il ne pouvait comprendre qu'elle eût caché son chagrin comme elle l'avait fait. Dire qu'il l'avait emmenée à la foire sans se douter de la sinistre nouvelle que son père était venu annoncer ! Il regrettait vraiment qu'elle ne se fût pas confiée à lui.

« Non, Liam. Ç'aurait été trop pénible. »

Elle parlait d'une voix ferme, mais il commençait à bien la connaître. De six ans son aînée, Georgina lui avait toujours paru dotée d'une grande maturité et d'une indiscutable invulnérabilité. Il lui avait confié ses soucis et s'était conformé à ses conseils. Pour la première fois, il voyait en elle un être humain en proie à la souffrance, confronté à des problèmes infiniment plus graves que ceux qu'il devait lui-même résoudre, et se trouvait placé devant la nécessité de jouer le rôle de celui qui réconforte, un rôle nouveau et dans lequel il ne se sentait pas du tout à l'aise.

155

Imaginant sa propre mère incarcérée pendant quinze ans dans un asile psychiatrique, Liam fut pris de panique. Il ne parvenait pas à réaliser que Georgina n'avait jamais vu en Charlotte une mère au sens propre du terme mais il se rendait compte qu'étant enfant, elle n'avait pas bénéficié de la chaleur et du réconfort d'une présence maternelle.

« Ça a dû être pire que d'être orpheline, déclara-t-il d'un air apitoyé.

— Oui. Je le crois, fit-elle pensivement. Naturellement, je suis allée la voir pendant des années avec ma tante... mais je ne pense même pas qu'elle me reconnaissait.

— C'est terrible...

— En tout cas, ce n'était pas facile. »

Elle resta absorbée dans ses pensées tandis qu'il s'affligeait à l'idée de tout ce qui les séparait : l'âge, les circonstances et l'expérience. Il poussa un soupir.

Georgina se tourna vers lui et sourit.

« Oh, Liam, je ne voulais pas te rendre triste. Parlons d'autre chose. De toi, par exemple. Qu'est-ce que tu as fait pendant mon absence ? »

Il éclata d'un rire bref et secoua la tête.

« Rien de bien important. Sauf que j'ai de plus en plus de problèmes avec mon père.

— Ah bon ? Qu'est-ce qu'il y a qui ne va pas ?

— Oh, rien de bien précis. Je ne sais pas ce qu'il a, Georgina, mais je ne peux plus lui parler. Nous nous entendions si bien, autrefois. Maintenant, il n'arrête pas de me harceler. A l'entendre, je ne fais rien de bien à l'atelier, je suis méchant avec Tisha, je ne travaille plus au jardin et je sors beaucoup trop. Mais si je reste à la maison, il m'accuse de passer trop de temps à lire et de me coucher trop tard. Par contre, Robin va et vient comme il veut, et on ne lui dit jamais rien. Quant à Tisha, maman ne la loupe jamais, mais elle fait marcher mon père au doigt et à

156

l'œil. Elle ne fait jamais rien de mal et moi je ne fais jamais rien de bien.

— Et ce n'est pas juste », renchérit Georgina d'un air amusé.

Il fit la grimace.

« Parfaitement, ce n'est pas juste, et ça me met hors de moi. Je ne sais plus que faire. Je ne suis peut-être pas à la hauteur à l'atelier mais, tu sais, la reliure, ça me rase, par moments. J'ai horreur de rester enfermé. Ce qu'il me faut, c'est le grand air. C'est pour ça que je sors le soir.

— As-tu déjà essayé de lui parler ? En dehors du travail, je veux dire.

— Non, mais je ne pense pas que ce serait possible en ce moment. »

Georgina lui suggéra alors de solliciter l'aide de sa mère mais Liam expliqua que Louisa avait une attitude assez bizarre à son égard en ce moment, ce qui rendait l'atmosphère familiale extrêmement tendue.

« Tu te rends compte, elle n'a même pas jugé utile de m'informer que ta mère était morte. »

Ils restèrent un bon moment silencieux l'un et l'autre, perdus dans leurs conjectures. Un talus gazonné qui longeait le chemin leur apparut comme une invitation trop tentante pour être négligée. Liam se laissa tomber à terre, mâchonnant un brin d'herbe, et Georgina resta debout à le regarder d'un air pensif.

C'est parfois terriblement pénible d'être jeune, se disait-elle, se souvenant de sa propre adolescence. Surtout quand on ne vous explique jamais rien, car il vous faut alors cheminer seul dans le noir. Une vague de tendresse et de compassion déferla en elle, et elle se prit à regretter qu'il ne fût plus un petit garçon que l'on pourrait choyer et cajoler afin de lui rendre le sourire.

En fait elle avait devant elle un superbe gaillard

aux larges épaules, arborant un visage tragique, étalé dans l'herbe à ses pieds. Avec un pareil physique, il lui était facile de briser le cœur d'une fille. Qu'il serait facile de tomber amoureuse de lui, se dit-elle, enviant celles qu'il choisirait pour compagnes. Avec sa droiture et son honnêteté, il ne trahirait jamais, il n'abandonnerait jamais celle qu'il aimerait. Elle éprouva un moment le désir de lui dire pourquoi les choses se passaient ainsi au cottage, mais elle fut retenue par l'idée que ce secret ne lui appartenait pas, qu'elle n'avait pas le droit de le divulguer elle-même. Mais qu'il était donc difficile de garder le silence !

« Alors, dit-elle d'un ton décidé en s'asseyant à côté de lui. Que ferais-tu si tu étais totalement libre de tes faits et gestes ? »

Il leva les yeux vers elle, surpris de ce brusque changement de sujet de conversation. Puis un sourire apparut à la commissure de ses lèvres. Jetant le brin d'herbe qu'il avait mâchonné, il se retourna pour s'allonger sur le ventre. Le visage dans l'ombre, il dit :

« Une liberté totale ? Aucune attache familiale, ni professionnelle ?

— Aucune attache, dit-elle, se demandant pourquoi cette précision était si importante et pourquoi elle attendait la réponse avec une telle impatience.

— Si j'avais de l'argent, je parcourrais le monde, dit-il à mi-voix, conscient qu'en lui faisant un tel aveu, il la mettait au courant de ses rêves les plus chers. Je voyagerais jusqu'au moment où, la fatigue venue, je trouverais un endroit pour m'installer. Et alors, j'écrirais un livre pour raconter ce que j'ai vécu. »

Il la regarda à la dérobée, craignant à demi qu'elle ne se mette à rire. Mais elle le fixait avec une attention concentrée, impatiente d'entendre la suite. Le visage soudain fendu par un large sourire, il reprit :

« Mais si je n'avais pas d'argent — ce qui est d'ailleurs le cas — , j'irais tout simplement travailler dans un pays étranger : au Canada, en Australie ou en Amérique. Des terres nouvelles et inexplorées. Je me ferais fermier, probablement, mais la profession n'aurait pas beaucoup d'importance.

— Et tu écrirais aussi ?

— Au bout d'un moment. Quand j'y aurais vécu suffisamment longtemps pour avoir quelque chose à dire. »

Décontenancée par le bon sens et la simplicité de ces réponses, Georgina se demandait pourquoi personne n'avait jamais songé à lui poser ces questions. Liam était un homme jeune qui aimait la vie au grand air. Il n'était pas du genre à se plaire dans un espace confiné, enfermé toute la journée pour fabriquer des livres que d'autres allaient lire ou des registres où l'on allait inscrire des colonnes de chiffres minuscules.

Écrire des livres, oui, il pouvait l'envisager, après avoir vécu. Une fois qu'il aurait connu l'aventure, dans des terres inexplorées qu'il aurait contribué à conquérir.

Étant donné l'atmosphère qui régnait chez lui, surtout depuis que le colonel Duncannon se mettait à manifester un intérêt tardif pour les Elliott, il valait peut-être mieux que Liam prenne ses distances.

« Et qu'est-ce que tu attends ? » demanda-t-elle d'un ton anxieux.

Ces paroles avaient à peine franchi ses lèvres qu'elle mesurait déjà à quel point il lui manquerait si jamais il s'en allait.

« Comment veux-tu que je fasse ? » murmura Liam, conscient qu'il ne pourrait jamais partir avant de la connaître bien, avant qu'elle ne le connaisse parfaitement, elle aussi.

« Mais tu peux partir ! »

Il détourna les yeux, attristé de voir qu'elle n'avait pas compris.

« Il faut que je finisse mon apprentissage, dit-il d'un ton brusque, se redressant sur son séant. Après, peut-être... »

Il se leva. Elle regarda sa montre, sentant confusément qu'elle l'avait déçu, d'une certaine manière. Mais le moment était venu pour elle de regagner l'hôpital. Le soleil avait plongé derrière l'horizon et quand ils reprirent le sentier en sens inverse, la lumière dorée avait laissé la place à une teinte grise uniforme.

CHAPITRE VIII

De retour à Londres, après les obsèques de Charlotte à Dublin, Robert écrivit à sa fille, qui était repartie une semaine avant lui car il avait été chargé par son supérieur hiérarchique de profiter de son voyage en Irlande pour régler une affaire concernant le service. La réponse qu'il reçut de Georgina lui ayant paru trahir une certaine tristesse, le colonel décida de mettre à profit les deux jours de congé qui lui restaient pour faire un saut jusqu'à York.

Retenant une chambre au Royal Station Hotel, il fut assailli par le souvenir d'autres visites effectuées autrefois en ces lieux, en particulier en 1899, lorsqu'il avait décidé de couper tous les liens avec Louisa en allant se battre au Transvaal. Depuis longtemps déjà, elle désirait cette séparation mais lui, il lui avait fallu cette guerre pour en voir la nécessité. Et malgré tout, il avait eu du mal à s'y résigner.

Quand il eut commencé à longer la rivière, retrouvant le même paysage qu'autrefois, ces arbres majestueux et le sentier sablonneux, si doux sous les pas, il se rappela toutes les vieilles passions et la jalousie qui l'avaient empêché d'accepter le mariage de Louisa avec Edward. Encore maintenant, il avait du mal à comprendre que la jeune femme eût alors préféré mener avec le relieur une vie calme mais monotone plutôt que de partager avec lui une existence mouvementée mais marquée par la passion.

Jamais personne n'avait pu remplacer Louisa dans son cœur. Et il continuait d'éprouver pour elle un amour intense, malgré toutes ces années passées à l'étranger, en dépit des autres femmes qu'il avait connues et de toutes les stupidités qu'il avait pu dire ou faire. Louisa était une femme aimante et une femme digne d'être aimée. Et il la voulait encore. Un point c'est tout.

Arrivé à la barrière du cottage, Robert remarqua un écriteau présentant une liste de fruits et de légumes — *provenant tous du jardin* — avec leurs prix respectifs. L'euphorie qui l'avait gagné tomba d'un coup car il comprit alors que l'après-midi risquait de ne pas être aussi intime qu'il l'avait envisagé.

Réprimant un soupir, il poussa la barrière fraîchement repeinte, espérant qu'à défaut d'autre chose, l'effort qu'il avait fourni en venant jusque-là lui vaudrait au moins un verre de rafraîchissement et un moment de repos à l'ombre. Quelques coups discrets frappés à la porte d'entrée ne furent suivis d'aucune réaction. A l'arrière de la maison, la porte de la cuisine était ouverte mais il n'y avait aucun signe de vie à l'intérieur et le jardin lui-même paraissait désert. Pourtant, au bout d'un moment, les manches retroussées et coiffée d'un foulard, Louisa émergea de derrière l'écran formé par les superbes roses rouges. Elle tenait à la main un panier empli de salades et de fruits veloutés.

Il sentit qu'une boule se formait dans sa gorge. La voyant ainsi, il était instantanément transporté vingt ans plus tôt, à cet après-midi où ils avaient marché dans de vastes prairies — elle avait alors une jolie robe d'été en coton et un foulard qui volait au vent —, jusqu'au moment où ils avaient atteint ce petit bois,

162

non loin de Blankney. Et là, sous un chêne où s'enchevêtraient les guirlandes de gui, ils avaient fait l'amour pour la première fois...

Le souvenir était empreint d'une netteté presque douloureuse et, bien que Louisa eût vingt ans de plus, elle était restée aussi désirable que jamais. Croisant son regard, elle s'arrêta pour arranger quelques mèches qui s'étaient échappées de sous sa coiffe. Autrefois, elle avait eu les cheveux courts, comme un garçon, une marque d'indépendance qui à l'époque lui seyait fort bien. Tout compte fait, il préférait l'image plus douce qu'elle offrait maintenant.

Mais le plaisir éprouvé par Louisa à sa vue n'était pas totalement exempt d'embarras. Elle lui adressa un sourire un peu contraint. Pourtant elle s'approcha de lui d'un pas résolu, comme si elle avait décidé de tirer le meilleur parti possible de sa présence. Voilà qui n'est guère encourageant, se dit-il en lui embrassant la joue, conscient que son regard manquait de chaleur.

« Tu n'aurais pas dû venir, dit-elle. Mais puisque tu es là, je dois reconnaître que je suis contente de te voir.

— Tu n'en as pas l'air, rétorqua-t-il sur un ton de léger reproche.

— Peut-être que contente n'est pas le mot qui convient, corrigea-t-elle d'un air énigmatique. Disons plutôt que ça m'arrange assez bien que tu aies décidé de me rendre visite. »

Il voulut la suivre à l'intérieur de la maison, mais elle l'arrêta d'une main ferme.

« Edward a dit, après ta dernière visite, que tu ne refranchirais plus jamais le seuil de cette porte. Et tu ne peux pas lui en vouloir ! Alors ne m'oblige pas à lui mentir. Reste ici, ajouta-t-elle, je vais t'apporter quelque chose à boire. »

Elle ressortit quelques minutes plus tard avec un plateau chargé de verres et d'une cruche de citronnade qu'elle posa sur un tabouret devant le long banc de jardin.

« Je m'étais promis de t'écrire pour t'exposer la situation mais j'ai eu un autre motif de préoccupation. C'est quelque chose que tu devras savoir aussi, car il s'agit de Georgina. »

Poussant un grand soupir, elle leva les yeux vers lui et il vit qu'ils étaient chargés d'angoisse et d'appréhension. Et puis, d'une manière tout à fait inattendue, elle glissa une main brune, rendue rugueuse par le travail, dans l'une des siennes. Robert ne savait plus très bien si elle voulait trouver du réconfort ou si elle ne cherchait pas simplement à lui offrir le sien.

« J'aurais dû écrire, murmura-t-elle d'une voix altérée par l'émotion, mais je remettais sans cesse au lendemain, car ce n'était pas facile à dire dans une lettre. Edward sera furieux quand il saura que tu es revenu mais je suis quand même bien contente de te voir. »

Ayant croisé son regard, elle ajouta d'un ton suppliant :

« Il faut que nous parlions — et très sérieusement — au sujet de nos enfants. »

A l'âge de quatorze ans, Edward avait commencé à travailler à Fossgate comme apprenti relieur et était resté employé dans la même maison pendant vingt-cinq ans avant de monter sa propre entreprise dans le dédale de cours et de ruelles qui constituait alors Piccadilly. Huit années plus tard, il avait déménagé pour aller s'installer à Coffee Yard, au centre du quartier des professionnels du livre à York. Bien que les locaux qu'il occupait fussent vétustes et moins fonctionnels que ceux de Piccadilly, Edward éprouvait une intense satisfaction à l'idée que des écrivains, des imprimeurs et des relieurs avaient occupé ces lieux pendant des siècles avant lui.

Le déjeuner terminé et après un bref passage à la banque, il resta un moment à l'ombre fraîche de la ruelle, soupirant soudain à l'idée qu'il allait devoir passer l'après-midi, sur les conseils du banquier, à mettre un peu d'ordre dans sa comptabilité. Non sans une certaine irritation, il se souvint que, des semaines durant, Liam l'avait harcelé pour qu'il se mette à jour. Sur ce plan, du moins, l'adolescent savait faire preuve d'une incontestable rigueur. Dommage, se disait Edward, qu'il n'eût pas des talents aussi développés pour la reliure ! Non qu'il fût moins doué que la plupart des autres apprentis, loin de là. Seulement son manque d'application l'amenait trop souvent à commettre des négligences regrettables, et cela ne faisait que croître et embellir ! Si c'était à la fréquentation de Georgina Duncannon qu'il fallait imputer ces manquements au devoir professionnel, mieux valait que Louisa voie la jeune fille au plus vite afin de faire en sorte qu'elle disparaisse à jamais de leur existence.

Pris d'un brusque accès de mauvaise humeur, Edward entra dans son bureau. Au milieu de sa table en désordre, il y avait le courrier de l'après-midi.

Dans l'atelier situé à l'arrière de l'immeuble, au rez-de-chaussée, Liam s'affairait au massicot, préparant le papier nécessaire à la fabrication d'une série de douze volumes. Il travaillait avec un soin minutieux, ayant toujours en mémoire une erreur commise quelque temps plus tôt : il avait calculé trop juste la dimension des feuilles et l'opération s'était soldée par un gâchis total.

Bien qu'il ne portât rien d'autre qu'un tablier de toile sur sa chemise et son pantalon, il suait sang et eau même avec le col ouvert et les manches retroussées. Il s'essuya le front, rassembla les planches et s'engagea dans l'escalier en colimaçon qui menait à l'étage supérieur.

Saisi à la gorge par la chaleur et l'odeur de colle qui régnaient dans cet atelier, il se précipita vers la fenêtre à guillotine pour relever la vitre de quelques centimètres supplémentaires. Son geste avait été si brusque que le cordon se brisa net, rabattant violemment le panneau inférieur. Liam poussa un juron sonore, sans se soucier de savoir si son père allait l'entendre.

Quelques instants plus tard, il perçut le pas d'Edward dans l'escalier.

« Il fait une chaleur à crever là-dedans, alors j'ai voulu aérer un peu. Excuse-moi d'avoir cassé la fenêtre. »

Mais Edward avait d'autres chats à fouetter. Il tenait à la main un paquet ouvert. Avec une ostentation théâtrale, il enleva le papier d'emballage et le jeta de côté.

« Qu'est-ce que tu penses de ça ? » demanda-t-il en exhibant un gros volume superbement relié en cuir.

Reconnaissant là un ouvrage à la confection duquel il avait collaboré, Liam le saisit sans enthousiasme, se demandant quelle erreur mineure il avait bien pu commettre.

« Et alors ? Qu'est-ce que j'ai encore fait ? demanda-t-il en examinant le dos du livre, incrusté de lettres en relief, et la tranche lisse et dorée des pages.

— Ouvre-le. »

Liam s'exécuta et pâlit : il avait monté l'intérieur sens dessus dessous.

L'algarade qui s'ensuivit fut explosive, envenimée par la chaleur ambiante et par tous les griefs qui s'étaient accumulés depuis un bon moment. Pour Edward, cette bourde était la dernière en date d'une série d'erreurs stupides tandis que Liam qui, jusqu'à ce jour, avait toujours évité de manier l'insolence, ripostait à l'accusation d'incompétence par des remarques de son cru, disant par exemple à son père que s'il ne tenait pas mieux ses livres de comptes, il finirait par faire faillite.

Se jugeant gravement insulté, Edward saisit un énorme manuel consacré à la reliure et le jeta dans les bras tendus de l'adolescent.

« Si tu t'intéressais un peu moins à des demoiselles au-dessus de ta condition et trop âgées pour toi, pour faire plus attention à ton travail, tu aurais peut-être davantage de chances de te retrouver avec un métier sûr dans les dix années à venir », persifla Edward.

Liam crut que son cœur allait cesser de battre dans sa poitrine. J'avais donc raison, songea-t-il. Ils savent pour Georgina. Et ça ne leur plaît pas du tout.

Ulcéré par la perfidie de cette allusion, plus que par les autres reproches formulés par son père, Liam reposa soigneusement le manuel sur l'établi. Sans une parole, il ôta son tablier maculé de colle et saisit sa veste et sa cravate. Edward le regarda faire, un sourire sardonique aux lèvres.

« Et tu t'en vas où, comme ça ?

— Quelle importance ? demanda Liam en arrangeant son col.

— Et le travail ? Il n'est pas important le travail ?

— Pas pour moi. Plus maintenant. »

Et il dévala l'escalier pour aller récupérer sa bicyclette dans la cour.

Edward, qui avait cherché en vain une formule suffisamment empreinte de dignité, ne put que ravaler sa rancœur en le regardant partir.

Mortifié par cette querelle mais plutôt satisfait de l'audace dont il avait fait preuve en bravant ainsi son père, Liam traversa la ville dans la chaleur de ce début d'après-midi, convaincu d'avoir agi comme il le fallait. De cette manière, il avait au moins réussi à montrer qu'il n'était plus disposé à subir toutes ces critiques mesquines, cette hargne incessante qui ne tenait aucun compte de ses efforts ni de ses capacités. Certes, il avait monté ce livre en dépit du bon sens, c'était le cas de le dire, mais il avait commis cette bourde à la fin d'une longue journée, particulièrement chaude et chargée ; d'ailleurs, l'erreur était parfaitement réparable !

Mais en fait, il se rendait bien compte que ce qu'on lui reprochait surtout, c'était la tendresse qu'il manifestait pour Georgina, cette amitié qui, pour lui du moins, s'était muée en amour. Il le savait, qu'il n'était pas assez bien pour elle, mais ce n'était tout de même pas une raison pour qu'on le harcèle de reproches ou d'allusions perfides !

Il décida de rentrer au logis pour s'en expliquer franchement avec sa mère. Bien qu'il n'eût pas l'impression que leurs relations avaient été cordiales ces derniers temps, il savait qu'elle était de bon conseil et on pouvait lui parler plus facilement qu'à Edward. Quelle que fût l'issue d'une telle conversation, Liam se disait que la situation avait atteint un point de non-retour. Du moins en ce qui concernait son avenir immédiat. Peut-être allait-il devoir envisager de s'expatrier, comme le lui avait suggéré Georgina ; la séparation serait bien dure certes, mais une fois qu'il serait parti, elle se rendrait peut-être compte qu'elle l'aimait aussi. Et elle irait le rejoindre...

Perdu dans ses rêves, Liam pédalait au bord de la rivière, appréciant l'ombre épaisse prodiguée par les arbres. Il mit pied à terre devant la barrière qu'il ouvrit avec précaution pour ne pas abîmer la peinture encore toute fraîche. Sa hâte de régler son problème était telle qu'il abandonna sa bicyclette contre le mur latéral et fit le tour de la maison en traversant la pelouse.

Un bruit de conversation l'arrêta net. Il crut d'abord que sa mère parlait à un voisin venu acheter des fruits ou des fleurs du jardin, mais il entendit prononcer son nom. Une voix d'homme retentit alors, une voix qui lui fit dresser les cheveux sur la tête.

Ah, non ! Ça n'allait pas recommencer ! Une fois de plus, il revit dans son esprit l'image du colonel Duncannon flirtant avec sa mère, en prenant le thé sur la pelouse. Il avait envie de contourner la maison en courant pour mettre fin à cette scène ridicule, mais les paroles qu'il entendit alors lui ôtèrent toute possibilité d'action ; sa colère soudain douchée, il ne pouvait plus qu'écouter, sans même oser respirer.

Totalement inconscients de la présence d'oreilles indiscrètes à quelques mètres de là, Robert et Louisa parlaient avec animation, pénétrés tout autant par des passions et des griefs d'autrefois que par le problème qui les préoccupait dans l'immédiat.

« Je te le répéterai encore une fois, Louisa, ce genre de situation n'aurait jamais dû se produire. Elle est leur sœur, bon sang, et ils auraient dû en être informés depuis longtemps !

— Leur demi-sœur, corrigea Louisa les dents serrées. Et je te serais fort reconnaissante de m'épargner tes conseils sur la façon dont j'aurais dû m'y prendre. C'est moi qui me suis retrouvée avec la responsabilité de les élever pendant que toi, tu parcourais allégrement le vaste monde en jouant au petit soldat !

— Mais c'est toi qui m'as plaqué. Rappelle-toi ! Pour te marier avec un autre ! Je ne t'aurais jamais abandonnée, Louisa, et tu le sais très bien ! »

La voix soudain altérée, Louisa protesta :

« Pourquoi est-ce que tu reviens toujours là-dessus ? Je me suis mariée avec Edward parce que je l'aimais, parce qu'il avait besoin de moi et parce que nous nous comprenions, lui et moi, beaucoup mieux que tu ne me comprenais toi-même, en tout cas. Notre mariage a été une réussite, et Edward a été un très bon père pour tes enfants, bien meilleur que tu ne l'as été toi-même et bien meilleur que tu ne le seras jamais.

— Ce genre de discussion ne mène à rien, trancha Robert avec amertume. Ses vertus ne m'intéressent aucunement. Le problème, c'est qu'il faut que tu cesses de rester la tête dans le sable, Louisa. Dis la vérité à Liam, pour l'amour du ciel ! Dis-lui franchement... qu'il est mon fils, à moi, et que Georgina est sa sœur. Elle, elle le sait depuis toujours. Elle n'a pas besoin qu'on la mette en garde ! »

Assommé par le choc, au point qu'il crut un moment qu'il allait défaillir, Liam resta cramponné au mur. Il était le fils de Robert Duncannon ? Et Georgina était sa sœur ? Non, ce n'était pas possible !

L'esprit à la dérive, il s'éloigna d'un pas chancelant, saisit sa bicyclette, s'appuyant sur elle pour ne pas tomber, et franchissant la barrière comme un automate, enfourcha l'engin pour s'engager sur le chemin de halage. Après quelques embardées qui faillirent à deux reprises le jeter à terre, il se mit soudain à pédaler furieusement, sur quatre ou cinq kilomètres, jusqu'à Bishopthorpe, comme si sa peine allait disparaître sous l'effet de la vitesse. Juste avant le village, se sentant trop malheureux pour affronter le spectacle d'autres êtres humains, Liam jeta sa bicyclette dans un fossé, se dépouilla de ses vêtements et plongea dans la rivière. Il nagea à contre-courant sur plus de quinze cents mètres de distance puis, épuisé par l'effort, il se mit sur le dos et se laissa ramener à son point de départ, fixant le vaste ciel bleu et les arbres touffus tandis que les alouettes chantaient joyeusement au-dessus de sa tête.

Secoué de tremblements incoercibles, il regagna la rive et enfilant son pantalon, il se laissa tomber sur le talus, gisant comme un mourant au soleil de l'après-midi.

Blessé au plus profond de lui-même, Liam n'éprouvait pourtant aucune douleur. Avec une grande lucidité, il examina la situation.

Pour lui, maintenant, il ne subsistait plus aucun doute sur la véracité des propos qu'il avait surpris. Tout concordait si bien ! Cette extraordinaire ressemblance entre Robin et Robert Duncannon, par exemple. Jusqu'aux prénoms qui étaient identiques ! Il comprenait maintenant pourquoi sa mère n'avait pas voulu parler de la mort de Mrs. Duncannon. En pensant à la manière dont il avait interprété les tensions et les acrimonies de leur vie familiale ces derniers jours, il faillit rire de sa naïveté et de son innocence.

Ainsi, Edward Elliott, cet homme pour lequel il n'éprouvait plus maintenant qu'une indifférence vaguement teintée de pitié, n'était plus son père ; quant à sa mère bien-aimée, finalement, elle ne valait guère plus cher que ces créatures qui s'exhibaient la nuit tombée sur les trottoirs de New Walk ! Comment s'étonner après cela qu'elle puisse flirter aussi ouvertement avec le colonel ? se dit Liam avec amertume. Il était son amant, le père de ses enfants. L'homme qui était l'autre jour assis au bout de sa table était seulement quelqu'un qu'elle avait épousé pour dissimuler son péché.

Quant à Georgina Duncannon, la femme qu'il avait aimée, avec qui il avait rêvé de faire l'amour, c'était le fruit défendu par excellence. Elle était sa sœur. Son père à elle, c'était aussi son père à lui, un homme que Liam détestait.

Au bout d'un moment, il s'endormit ; il se réveilla plusieurs heures plus tard, constatant qu'un passant charitable lui avait étalé sa chemise sur la poitrine pour le garantir du soleil. Malgré cela, il se sentait mal, sa peau tendue à craquer le brûlait, il était agité de frissons. Il s'habilla d'une main malhabile ; il voulait rentrer à la maison pour avoir quelque chose à manger et à boire. A boire, surtout, car il mourait de soif. Et puis il se souvint, et un spasme violent lui tordit l'estomac.

Le calme qu'il avait ressenti après être sorti de l'eau cédait maintenant la place à un désespoir total ; il ne pouvait plus que pleurer, tempêter et maudire. Ce qu'il fit pendant plusieurs minutes, puis, la fatigue le prenant de nouveau, il s'affaissa au bord de la rivière. Il avait l'impression d'être seul au monde, comme si sa famille avait été décimée par un désastre imprévu, et il ne parvenait pas à croire que ce fût possible.

Au milieu de toute cette confusion, pourtant, revenait sans cesse à son esprit la phrase prononcée par Robert Duncannon quand il avait dit que Georgina était sa sœur et qu'elle le savait depuis toujours. S'il en était vraiment ainsi, pourquoi l'avait-elle laissé lui témoigner tant d'attentions et de tendresse ? Quel amusement sadique avait bien pu la pousser à taire un tel secret ? Son silence avait fait de lui un pauvre imbécile ignorant et crédule. Avait-elle éprouvé de la pitié à son égard, ou s'était-elle contentée de rire devant une adoration aussi manifeste ? Quoi qu'il en ait été, il y avait là quelque chose qu'il ne pourrait jamais oublier, qu'il ne pourrait jamais pardonner. Et il savait aussi qu'il ne pourrait plus jamais se retrouver en face d'elle.

Mais non, rien de tout cela ne pouvait être vrai. C'était absolument impossible car alors c'est sa vie tout entière qui était un mensonge. Ses parents avaient toujours fait un tel cas de l'honnêteté, comment de telles gens auraient-ils pu bâtir leur vie sur une duperie ?

Peut-être valait-il mieux qu'il rentre au logis pour leur poser la question. Il s'apercevrait alors que tout cela n'avait été qu'un terrible cauchemar ; Robert Duncannon n'était jamais venu au cottage, sa mère n'avait jamais dit ces paroles, et tout redeviendrait comme avant.

Pourtant, une petite voix fielleuse, au fond de lui-même, lui rappelait sans cesse qu'il avait effectivement entendu cette conversation et que désormais, plus rien ne pourrait jamais être comme avant.

Les heures s'écoulaient. La nuit était tombée et il restait toujours au même endroit. En se rinçant le visage et les mains dans l'eau fraîche, Liam tentait encore de trouver une autre explication : peut-être s'étaient-ils aperçus qu'il les écoutait et avaient-ils seulement voulu lui causer un choc, pour l'empêcher d'aimer Georgina. Peut-être étaient-ils simplement en train de répéter des répliques pour une pièce...

Mais les noms, ils les avaient bel et bien mentionnés, ripostait la voix. Le nom de Liam, le nom de Georgina, le nom de son père. Non, ce n'était pas son père. Son vrai père, c'était le colonel Duncannon, ce salopard arrogant, le séducteur, le charmeur de ces dames, l'officier de cavalerie qui se croyait tellement supérieur à un Edward Elliott...

« Le *salaud* ! » murmura Liam, répétant ce mot comme une incantation.

Il sortit sa bicyclette du fossé et partit vers le cottage en articulant ce mot tout au long du chemin. C'était la seule protection dont il disposait contre le mur de douleur qui s'écroulait autour de lui.

Avant de monter se coucher, Louisa regarda une nouvelle fois la pendule. Il était près de onze heures et Liam n'était toujours pas rentré. Où pouvait-il bien être à une heure pareille ? Robin était allé jusqu'au gymnase et sur le chemin du retour, il avait interrogé les camarades de Liam, mais personne ne l'avait vu et l'anxiété de Louisa faisait maintenant place à la panique. Installé à son bureau, Edward travaillait, mais elle savait qu'en fait, il attendait lui aussi, tout en feignant de penser que l'adolescent faisait exprès de leur causer de l'inquiétude.

« Il veut se venger, avait dit Edward plusieurs fois au cours de la soirée, parce que je l'ai réprimandé cet après-midi. »

En arrivant au cottage à six heures du soir, il s'était irrité de constater que Liam n'était pas là et, avec une colère justifiée, avait raconté ce qui s'était passé à l'atelier.

« C'est inadmissible, répéta-t-il à maintes reprises. Il faut que ce garçon comprenne qu'il ne peut pas déserter ainsi son lieu de travail. Même si c'est son père qui l'emploie. Je vais lui mettre les points sur les i dès qu'il sera rentré, tu peux me croire. »

Quant à Louisa, elle commençait à se demander si Liam n'était pas passé à la maison dans l'après-midi. Et si tel était le cas, qu'avait-il entendu ? Il y avait eu un bruit, à un moment, à tel point que Robert s'était interrompu au milieu d'une phrase pour aller voir ce qui se passait. Ils étaient même allés tous les deux jusqu'au chemin de halage mais à part la barrière restée grande ouverte, il n'y avait aucune trace du passage d'un intrus. Troublé par cet incident, Robert avait décidé de prendre congé peu après.

Épouvantée à l'idée que ce mystérieux visiteur pût être Liam, Louise avait tenté de trouver un moyen de prévenir Edward, mais la présence de son autre fils dans la maison l'avait alors empêchée de faire une révélation qui risquait de lui attirer des remarques désobligeantes.

Robin proposa bientôt de repartir à la recherche

de Liam mais Louisa commençait à se demander si de tels efforts étaient bien utiles. D'un ton apparemment insouciant, elle invita son fils cadet à monter se coucher. Et maintenant, une demi-heure plus tard, elle n'avait toujours pas fait part à Edward de l'inquiétude qui la rongeait.

En l'entendant soupirer, Edward se tourna vers elle.

« Ne t'inquiète pas, dit-il doucement, il va rentrer bientôt. Et même s'il décidait de passer la nuit dehors, il ne risquerait pas grand-chose. Nous ne sommes quand même pas au cœur de l'hiver ! »

Tortillant un mouchoir entre ses doigts, Louisa secoua la tête.

« C'est pas ça ! » Elle inspira un grand coup, pour se donner du courage. « Il y a autre chose qui me tracasse. Je me dis qu'il est peut-être venu cet après-midi quand... »

Un bruit de pas dans l'allée l'interrompit au milieu de sa phrase ; elle se rua dans la cuisine tandis qu'Edward repoussait lentement sa chaise.

Louisa s'était soudain immobilisée, comme pétrifiée sur place. Quand il l'eut rejointe à grands pas, Edward vit immédiatement pourquoi. Au milieu des ombres projetées par l'unique lampe à pétrole, Liam se tenait debout contre la porte fermée, les yeux brillants de fièvre, le visage boursouflé. Edward crut d'abord qu'il était ivre mais quand son fils se déplaça, la lumière éclaira ses sourcils et ses cheveux touffus, contrastant avec sa peau écarlate, brûlée par le soleil.

Sans dire un seul mot, Liam alla jusqu'à l'évier et, tournant le robinet, il se mit à boire, les deux mains jointes en forme de coupe sous le jet, comme quelqu'un qui aurait été en proie à une soif inextinguible. Puis il se mit à s'asperger le visage et le cou.

Comme si un charme venait soudain d'être rompu, Louisa saisit un grand verre sur une étagère et, en le lui tendant, elle posa la main sur son front. Ce contact sembla lui causer une insupportable torture ; il s'écarta violemment, disant à sa mère de le laisser tranquille.

« Je ne cherche pas à te faire mal, protesta Louisa. Je voulais seulement voir si tu avais de la fièvre...

— Et après ? Ce ne sont pas tes affaires. Va-t'en. Ne me touche pas. »

Se tapotant le visage avec une serviette, il fit quelques pas pour se mettre hors de portée. Mais cette précaution était bien inutile. Cramponnée à l'évier pour ne pas tomber, Louisa restait immobile, l'œil fixe, comme si Liam l'avait assommée. L'espace d'un instant, Edward voulut frapper son fils, l'attraper par le col et, d'un coup de pied, l'expédier dans sa chambre. Mais l'adolescent était manifestement malade ; son comportement était trop inhabituel pour qu'on ne cherchât pas à le calmer plutôt qu'à l'exciter davantage.

« Si tu ne te sens pas bien, Liam, dit-il d'une voix calme en poussant vers lui une chaise, assieds-toi donc. Tu nous diras où tu étais. »

Puis il se tourna vers Louisa et l'aida doucement à s'asseoir elle aussi. Prenant un siège à son tour, il renouvela son invitation à son fils.

« Manifestement, dit-il, tu es resté au soleil tout l'après-midi. Ce n'est pas très judicieux, tu en conviendras. La prochaine fois, tu t'en souviendras sans doute. »

Laissant tomber la serviette, Liam s'esclaffa. C'était un rire sans joie, un rire qui semblait lui faire plus de mal à lui qu'à eux, qui l'entendaient.

« Oh, ne craignez rien, je ne suis pas près d'oublier cet après-midi, dit-il avec une ironie amère. Tu peux être tranquille, *mon père ;* je m'en souviendrai jusqu'au jour de ma mort.

176

— Que veux-tu dire ? » demanda Edward, le cœur envahi d'une crainte soudaine.

Il glissa un regard vers Louisa, vit son visage blêmir sous le choc, et comprit instantanément qu'il s'était produit cet après-midi-là quelque chose qui n'avait rien à voir avec leur stupide querelle à l'atelier.

« Que veut-il dire ? » demanda-t-il à sa femme.

Sans quitter du regard son fils un seul instant, elle se contenta de secouer la tête.

« Tu ne lui as pas dit ? demanda Liam. Tu ne lui as pas dit qui était ici cet après-midi, ni de quoi vous parliez ? Tu ne lui as pas dit que vous parliez de Georgina et de moi, et que, selon lui, le moment était venu de me dire la vérité ? »

En voyant leur visage décomposé, Liam comprit qu'il venait de leur assener un coup effroyable. Il sentait que, pour la première fois de sa vie, il avait ces deux êtres à sa merci et il en conçut un sentiment de puissance invincible. Il voulut leur faire mal, les faire souffrir autant qu'il avait souffert lui-même.

« Dis-moi, demanda-t-il à sa mère sur le ton d'une conversation de salon, le colonel est-il resté ton amant pendant tout ce temps ou l'as-tu largué le jour de ton mariage ?

— En voilà assez, siffla Edward en s'interposant devant Louisa pour obliger Liam à reculer. C'est à ta mère que tu parles, au nom du ciel ! Tu n'as donc aucun respect ! »

Ils ne niaient même pas ! Une fois de plus quelque chose mourut en Liam. Debout à moins d'un mètre de l'homme qui avait été son père, il se redressa de toute sa hauteur. Il dominait Edward d'une douzaine de centimètres. En voyant cette tête grisonnante, ces traits angoissés, déformés par la colère, il n'éprouva pas la moindre pitié.

« Je n'ai aucun respect, déclara-t-il implacablement, pour aucun de vous deux. »

Il eut l'impression qu'Edward s'affaissait sur lui-même, devant ses yeux. Edward recula pour s'appuyer à la table, secouant lentement la tête.

« Oh, mon Dieu, murmura-t-il d'une voix à peine perceptible, qu'avons-nous fait ? »

De l'air de quelqu'un qui émerge d'un cauchemar, il se tourna vers sa femme.

« Robert est donc venu ? Aujourd'hui ? Pourquoi ne me l'as-tu pas dit ? »

Elle eut à peine la force de répondre.

« Je ne sais pas. J'aurais dû... J'ai essayé de... »

Au prix d'un grand effort, elle se hissa sur ses pieds et fit un pas vers Liam, la main tendue comme une mendiante.

« Pardonne-moi, dit-elle à son fils qui s'était reculé vivement. Liam, mon chéri, pardonne-moi ! Nous ne voulions pas te faire ce chagrin. Nous ne savions pas que tu étais là... J'ignore ce que tu as entendu, mais...

— Épargne-moi tes excuses ! Essaie de dire plutôt la vérité, pour changer. Pourquoi ne m'as-tu rien dit avant ? Pourquoi m'as-tu laissé croire quelque chose qui n'était pas vrai ? Tout ce à quoi j'ai cru n'était qu'un tissu de mensonges. Tout. Il ne reste rien, ma vie est détruite. Tu m'as tout pris en me ridiculisant. Je t'aimais... J'aimais mon père, mais il n'est pas mon père. J'aimais Georgina aussi, d'un amour stupide, ridicule et sans espoir mais pourtant, je l'aimais.

— Elle n'aurait jamais dû venir ici, murmura Edward d'un air égaré.

— Comme ça vous auriez pu continuer de me mentir impunément.

— Non... Pour t'éviter tout ce chagrin ! C'est cela qui a toujours été la préoccupation de ta mère : vous épargner, à Robin, à Tisha et à toi, le chagrin de savoir que vous étiez les enfants d'un homme qu'elle ne pourrait jamais épouser.

— Oh, oui, j'avais oublié, dit Liam avec un ricanement méprisant, il était marié, mère, n'est-ce pas ? Ainsi tu as ajouté le péché d'adultère à celui de la fornication, et ensuite tu as épousé ton cousin pour essayer de camoufler le tout. »

Pénétré de la haine qu'il ressentait en constatant qu'elle était si loin d'être parfaite, qu'elle détruisait l'image qu'il s'était faite d'elle, comme mère et comme femme, Liam ne remarqua pas la main qu'Edward avait levée sur lui. Le poing qui s'abattit sur sa mâchoire le fit basculer de côté. En étendant brusquement un bras pour reprendre son équilibre, il accrocha une étagère qui tomba à terre avec son chargement de vaisselle.

Un autre fracas retentit : Robin venait de faire irruption dans la cuisine, ouvrant la porte avec une telle violence que le panneau de bois vibra longuement après avoir heurté le mur. Un silence horrifié s'installa alors. Comme Liam se ramassait sur lui-même, prêt à rendre coup pour coup, Robin bondit en avant pour lui saisir les bras, le conjurant de quitter les lieux, de ne pas envenimer les choses. Accordant à peine l'aumône d'un regard à sa mère éplorée et à son père qui massait ses phalanges endolories, le cadet entraîna son aîné en dehors de la pièce.

Tisha était assise au milieu de l'escalier, les genoux remontés sous le menton, les yeux immenses dans un visage exsangue et tourmenté. Elle fixait le vide et n'eut aucune réaction quand ses deux frères passèrent à côté d'elle pour monter dans leur chambre.

D'une voix rogue, du haut des marches, Robin lui dit d'aller se coucher ; pour l'instant, il était trop préoccupé par l'état de son frère qui était sur le point de défaillir, perdant son sang en abondance à la suite d'une blessure profonde à la lèvre.

Après avoir soutenu son frère jusqu'à la chambre

qu'ils partageaient au premier étage, Robin versa de l'eau dans une cuvette et lava soigneusement le visage du blessé. Puis il aida Liam à se dévêtir et à s'allonger dans le grand lit où ils dormaient ensemble depuis leur plus tendre enfance. Bien qu'ils en eussent perdu l'habitude depuis fort longtemps, quand Robin l'eut rejoint, il lui enveloppa les épaules de ses deux bras et ils s'endormirent étroitement enlacés.

Tisha ne bougea pas. Elle écoutait les sanglots de sa mère et les récriminations de son père qui s'en prenait à lui-même et aux autres. Elle fut consternée en entendant son père bien-aimé, si calme, si maître de lui d'habitude, en proie à une telle détresse, et horrifiée de constater qu'il pût être aussi vulnérable.

Les cris de sa mère, qui répétait le nom de Liam comme une litanie, l'émouvaient beaucoup moins. Liam était le préféré de Louisa. Il l'avait toujours été. Elle se serait beaucoup moins tourmentée pour Robin. Pour Tisha elle n'aurait pas versé une larme !

Le nom de Robert Duncannon fut prononcé à plusieurs reprises et la jeune fille réalisa alors lentement que le fringant et spirituel officier qu'elle admirait tant était, en fait, son véritable père. Elle se rendit compte aussi qu'Edward le détestait. Mais dans l'immédiat, cependant, tout cela était moins important que le désir qu'elle éprouvait d'être réconfortée. Elle avait l'impression d'être suspendue au-dessus d'un gouffre béant et personne n'avait l'air de s'en apercevoir. Obsédés par leur propre malheur, ses parents se souciaient d'elle comme d'une guigne. Quant à Robin et Liam, ils pouvaient compter l'un sur l'autre. Elle n'avait pas sa place auprès d'eux.

Elle entendit Edward dire à Louisa de venir se coucher. Le cœur étreint par une main glacée, Tisha s'esquiva en silence.

Accablés et épuisés, ni Edward ni Louisa n'avaient le courage d'affronter leurs enfants.

« Demain, dit Edward en aidant sa femme à se dévêtir. Nous aviserons demain. Je suis sûr que nous verrons les choses différemment.

— Est-ce que tu me détestes ? demanda-t-elle en s'allongeant auprès de lui entre les draps de lin.

— Comment pourrais-je te détester ? chuchota-t-il dans le noir. Moi qui t'aime depuis le jour où tu es née ? »

Il la serra dans ses bras, lui embrassa le front tandis qu'elle se blottissait contre lui. L'amertume et le ressentiment qu'il éprouvait, il les réservait exclusivement à Robert Duncannon, non point par jalousie, mais parce qu'il connaissait depuis toujours la capacité de destruction de cet homme. Et maintenant, ses craintes étaient devenues une réalité.

Cherchant les mots qu'il fallait pour la réconforter, Edward pensait à toutes ces années où ils avaient vécu ensemble. Élevés dans la même maison, ils se considéraient plus comme frère et sœur que comme cousin et cousine. Et maintenant, suprême ironie, Liam s'éprenait de la fille de Robert, sans s'être rendu compte du caractère incestueux de cet amour.

Bien qu'il regrettât d'avoir cédé à la colère en frappant le jeune homme, Edward devait reconnaître qu'il éprouvait un certain soulagement. Aussi pénible qu'ait pu être cette scène, elle avait au moins eu le mérite de faire éclater la vérité au grand jour. Certes, il aurait préféré que les choses se passent autrement, lui qui avait toujours souhaité informer les enfants en dépit du désir de garder le secret sans cesse manifesté par Louisa.

Il ne lui en voulut pas de ce qui s'était passé dans l'après-midi. De toute façon, il considérait que la façon dont il s'était comporté lui-même avec Liam n'était pas non plus au-dessus de tout reproche. Ce qui le préoccupait surtout, connaissant la propension de Louisa à se culpabiliser, c'était la souffrance qu'elle allait éprouver maintenant. Liam était à plaindre, certes, mais il était jeune, et Edward ne doutait pas qu'il reprendrait le dessus rapidement.

Demain, songeait-il, ils auraient tous une franche discussion sur le passé, le sien comme celui de Louisa, et ensuite on pourrait parler de l'avenir.

Liam fut réveillé à quatre heures et demie par un rayon de soleil qui filtrait à travers les rideaux. Son cœur battait encore très fort et il avait la bouche endolorie. Avec une grimace de douleur, il tourna la tête pour fuir cette lueur qui l'aveuglait. Le visage de Robin semblait empreint d'une sérénité inattendue après la violence de la scène qui s'était déroulée quelques heures plus tôt.

Bien qu'ils fussent de caractère bien différent — ils ne seraient certainement jamais devenus amis — , Liam avait une conscience aiguë des liens qui existaient entre eux. L'espace d'un instant, il songea à la dette qu'il avait contractée envers son frère. Sans son intervention, Liam savait qu'il aurait provoqué des dommages irréparables, qu'on n'aurait jamais pu lui pardonner.

Grâce au sommeil, Dieu merci, la torture s'était apaisée. Maintenant, il se sentait froid et vide, capable de penser et de raisonner. L'heure était venue de partir, tout de suite, avant qu'on ait le temps de prodiguer les explications, les excuses, toutes ces considérations qui allaient le paralyser en faisant naître en lui un sentiment de culpabilité. Liam savait, il en avait la certitude absolue, que mis en présence de Georgina après ce qui s'était passé, il souffrirait l'agonie la plus insupportable qu'il fût possible d'infliger à un homme. Il voyait ses yeux qui lui souriaient, il imaginait ses cheveux souples qui tombaient de chaque côté de son visage, il pensait à ce corps flexible et élancé et il savait qu'il voudrait toujours l'avoir pour compagne. Quelles que fussent les circonstances, il l'aimerait toujours. Mais il ne pouvait affronter sa pitié.

Le plus discrètement possible, pour ne pas éveiller son frère, Liam se glissa à bas du lit en étouffant une plainte. Il avait mal partout, ses muscles étaient endoloris, sa peau le brûlait, le sang battait dans sa tête. Il se sentait sale, mentalement et physiquement. Il regarda avec dégoût les vêtements froissés et tachés qu'il avait mis la veille et, ouvrant un tiroir avec d'infinies précautions, il en sortit du linge propre, sans oublier le rechange. Puis il prit son costume et un pantalon supplémentaire dans l'armoire et descendit à pas de loup dans la cuisine.

Ses ablutions terminées, Liam fourra ses hardes dans un sac à dos, y ajoutant son rasoir et une savonnette. Il y mit également une miche de pain et un peu de fromage. Puis il glissa son livret de caisse d'épargne dans une poche intérieure. Avec l'argent qui lui restait de sa semaine, il espérait pouvoir se payer la nourriture et le logement pour quelques jours. Pour le reste, il n'avait plus qu'à s'en remettre à la chance.

Il noua sa cravate, enfila sa veste et jeta un coup d'œil au miroir pour donner à ses cheveux un dernier coup de brosse. Ils étaient mouillés mais de teinte plus claire que sa peau. Bien que sa lèvre inférieure fût contusionnée et enflée, la plaie était moins visible qu'il ne l'avait craint. Tout compte fait, se disait-il avec un certain détachement, il avait plutôt bonne allure et c'était l'essentiel pour trouver un emploi sans encombre. Il espérait que son voyage se passerait sans incident.

La main sur le bouton de la porte, Liam se rappela qu'il oubliait quelque chose. Il hésita un moment mais l'impulsion était trop forte. Il alla jusqu'au buffet sur lequel Robin avait fait un petit tas bien net de toutes ses photographies. Il passa en revue tous les clichés et ne tarda pas à trouver un portrait de Georgina, qu'il glissa entre les pages de son livret de caisse d'épargne. Entendant un bruit, il se précipita dans le couloir juste au moment où Robin arrivait au bas de l'escalier, vêtu de pied en cap.

Liam resta un moment immobile, sans dire mot. Puis, d'un geste brusque, il rejeta la tête en arrière.

« Si tu veux parler, murmura-t-il, il vaut mieux que nous sortions. »

Ils contournèrent la maison en marchant dans l'herbe, et en ouvrant la barrière, Liam se félicita d'en avoir huilé les gonds récemment. L'idée ne lui vint même pas que s'il n'avait rien fait pour l'empêcher de grincer, sa mère et Robert Duncannon auraient été avertis de sa venue, la veille, et tous ses espoirs auraient été encore intacts.

Liam entraîna son frère jusqu'à l'endroit où il avait laissé sa bicyclette la nuit précédente. Une sorte d'instinct l'avait poussé à cacher l'engin dans la haie plutôt que de courir le risque de se le faire confisquer et garder sous clé. Pendant qu'il dégageait les roues des rameaux et des branches Robin lui demanda ce qu'il avait l'intention de faire.

« Je vais quitter York et chercher un autre emploi. Quelque chose d'entièrement différent. Mais je ne t'en dirai pas plus parce que si tu en sais trop, ils te tireront les vers du nez et viendront me chercher. Et ça, je ne le veux pas. Pas tout de suite, en tout cas, ajouta-t-il en voyant l'air désespéré de son frère. Dès que j'aurai trouvé une place, je te préviendrai.

— Et si je partais avec toi ? »

Liam leva les yeux, considérant les cheveux sombres et rebelles de Robin et son visage mince et pâle. Son frère cadet était certainement plus résistant qu'il n'en avait l'air mais Liam savait que ses propres projets ne pouvaient lui convenir. Robin risquait de regretter une telle décision jusqu'à la fin de ses jours.

« Ne sois pas ridicule. Tu as un bon emploi et tu réussiras très bien dans cette branche. Je ne pense pas que tu serais intéressé par ce que j'ai l'intention de faire.

— Et c'est quoi ?

— Moins tu poseras de questions, moins tu entendras de mensonges. »

Campé sur ses deux jambes, au milieu du chemin sablonneux, Robin fit une moue de dégoût.

« Décidément, tu ne vaux pas mieux qu'eux !

— Ferme-la ! Tu vas réveiller toute la maison ! »

D'un geste résolu, Liam empoigna le guidon de sa bicyclette et demanda à son frère de dégager le passage.

« Laisse-moi passer avant que quelqu'un s'amène pour essayer de m'empêcher de partir.

— De toute façon, je vais partir, moi aussi, annonça Robin d'un air têtu. J'ai bien réfléchi cette nuit. Je vais m'engager dans l'armée.

— Alors ça, c'est la pire connerie que tu puisses faire. L'armée ne te mènera jamais à rien.

— Elle me permettra de partir d'ici.

— Alors, agis à ta guise, marmonna Liam. Fais toutes les idioties que tu voudras, mais il n'est pas question que tu viennes avec moi. »

Le pied sur une des deux pédales, il fit signe à son frère de s'écarter.

« Tu diras au revoir à Tisha de ma part. Dis-lui que... que je lui demande pardon.

— De quoi ?

— Je ne sais pas. De tout ça, peut-être.

— Et si je vois Georgie ?

— Rien, murmura Liam en détournant la tête. Absolument rien. »

Du chemin de halage, ils ne virent ni l'un ni l'autre

le visage collé à la fenêtre de leur chambre. Une paire d'yeux bleus frangés de cils bruns observait leurs adieux avec un mélange d'envie et de souffrance. Tisha était restée éveillée toute la nuit, écoutant les paroles qu'ils chuchotaient et les grincements de la vieille maison. Elle avait attendu en vain que quelqu'un vienne la réconforter. Personne n'était venu, pas même son père, dont elle avait toujours été la préférée. Mais il n'était plus leur père maintenant, ce qui était sans doute l'explication d'une telle indifférence.

Elle vit que son jeune frère regardait Liam partir et fut soulagée de constater qu'il restait. Quand Robin rentra dans la maison, elle regagna sa chambre, décidant de feindre le sommeil. Jamais son orgueil ne lui permettrait de reconnaître qu'elle avait souffert d'être tenue ainsi à l'écart.

Le soleil du petit matin était déjà chaud quand Liam passa sous les murailles de Walmgate avant de tourner à droite, sur la large route qui traversait l'East Riding pour atteindre le port animé de Kingston-upon-Hull. Une pancarte annonçait une distance de soixante kilomètres. Un long trajet, se dit Liam en enfonçant solidement son chapeau sur sa tête, mais avec un peu de chance, il atteindrait le port avant que le soleil n'arrive à son zénith.

Conscient soudain de l'importance de la décision qu'il venait de prendre, il se retourna pour regarder en arrière. La vieille cité de son enfance commençait à renaître à la vie, entre ses murs. Elle ne semblait pas le moins du monde affectée par sa défection.

Les remparts de craie blanche luisaient au soleil et les tours de la cathédrale s'élançaient vers l'azur. Non loin de là, se dressait Coffee Yard, et curieusement, en pensant à ce lieu, Liam avait presque les larmes aux yeux, à l'idée de tout ce qu'il laissait derrière lui.

Mais York faisait partie du passé et pour lui, le passé devait être un livre refermé une fois pour toutes. L'heure était venue de se tourner vers ce qui serait le reste de son existence.

Sans doute y aurait-il, à Hull, une couchette de libre sur un cargo en partance ? Il réussirait sans doute à payer son voyage en travaillant. Pour aller où ? Aucune importance. La destination, pour l'instant, ce n'était qu'un détail insignifiant.

CHAPITRE IX

Les jonquilles avaient presque disparu et ce qui en restait était fouetté et aplati par le vent. Lorsqu'ils sortirent de la gare, Stephen agrippa Zoe pour éviter qu'une rafale ne la précipite sur la chaussée. De grosses gouttes de pluie leur frappaient les mollets avec la même force que des pièces de monnaie. Elle fut contente de voir que Stephen était venu la chercher en voiture.

Quand ils entrèrent dans l'appartement, le téléphone sonnait. Laissant tomber le sac de Zoe au haut des marches, Stephen se précipita pour répondre. Elle entra sans se presser, décidant d'aller tout de suite dans la cuisine, par discrétion, pour préparer du café. Pourtant, il était impossible de ne pas entendre les échos de la conversation et elle se demanda qui pouvait bien être à l'autre bout du fil. Les répliques de Stephen étaient si brèves et sa voix si chargée de désapprobation qu'elle eut peur un moment que ce ne fût son ex-épouse.

« Vous me mettez vraiment le couteau sur la gorge, dit-il enfin, mais je vais voir ce que je peux faire... Oui, je peux sans doute m'arranger d'une manière ou d'une autre, mais laissez-moi une heure pour y voir plus clair... Vous me rappelez ? Bon. »

Le juron qu'il poussa après avoir raccroché fut plus qu'éloquent.

En voyant la tête qu'il faisait, Zoe se prépara au pire ; mais avant qu'elle n'ait pu poser la moindre question, il l'avait prise dans ses bras et la serrait très fort. Quand il lâcha prise, elle vit qu'il était différent. Il lui rappelait le Stephen qu'elle avait connu le premier jour ; plein de retenue, établissant délibérément une distance entre eux.

« Je suis désolé, mon amour. Il semble que tu sois venue pour rien.

— Ridicule, dit-elle bravement, malgré le grand creux qu'elle sentait en elle. Je suis ici, et avec toi. Ce n'est pas rien, ça ! »

Il alluma une cigarette, perdu dans ses pensées. Elle se vit contrainte de demander une explication.

Avec un geste brusque, il s'excusa.

« Pardon, je croyais que tu avais compris. C'est la compagnie qui m'appelait. Il faut que je parte, de préférence ce soir. A Teesport, près de Middlesborough. C'est tout un cirque pour y aller, d'ailleurs. Faudra que je prenne un taxi.

— *Ce soir ?* » Sa surprise n'avait d'égale que son indignation. « Mais ils n'ont pas le droit ! Ton congé ne s'achève que... combien m'avais-tu dit ? Dans deux semaines ? »

Stephen s'adossa au comptoir de la cuisine, fixant sur elle un œil légèrement ironique, un sourcil légèrement relevé.

« Crois-moi, Zoe, les compagnies maritimes peuvent faire ce qu'elles veulent. Elles n'ont de comptes à rendre à personne.

— Mais pourquoi un délai aussi court ? Ils devaient bien savoir que le bateau allait arriver ?

— Effectivement, mais le capitaine en titre est sur le carreau pour un mois. Il a été propulsé à l'autre bout de la timonerie hier soir et il s'est cassé la jambe. Un temps de chien, et en plus le bateau était lège : pas de cargaison. Le rafiot devait rouler comme une barrique, apparemment.

— Oh !

— Tu l'as dit, *oh !* »

Stephen se pencha de côté pour regarder par la fenêtre. Les arbres, près de la cathédrale, se balançaient encore furieusement. Il prit un air pensif et préoccupé.

« Si ça continue comme ça, ils ne vont même pas réussir à le faire entrer ce soir. Il va falloir que je contacte l'agent... »

Pendant que Stephen téléphonait pour avoir un taxi qui vienne le chercher chez lui à minuit, Zoe inspecta le frigo et le congélateur pour trouver quelque chose à manger. Il avait prévu de l'emmener à leur restaurant favori, mais maintenant, il avait trop à faire et le temps risquait de lui manquer.

Il appelait un autre numéro. Elle en profita pour décongeler deux épaisses côtelettes et quand il eut terminé la conversation, elle avait mis des pommes de terre en robe de chambre dans le four à micro-ondes et préparait une salade. Pas très original, se disait-elle, mais rapide et nourrissant. Et avec six heures devant soi, il valait mieux manger maintenant, avant que l'angoisse ne s'installe et que les appétits ne disparaissent complètement. Le sien, en tout cas. Pas celui de Stephen. Il était habitué à ce genre de situations. Elle, non. Mais pour l'instant, elle se sentait étonnamment calme et compétente.

« Y a quand même un côté positif dans tout ça, dit-il en s'emparant d'une tige de céleri. Je ne sais pas si tu te souviens de m'avoir entendu le dire, quand nous sommes allés chez lui au dernier week-end, mais Mac va être du voyage.

— Ah bon ? »

Cette nouvelle lui causa un réel plaisir. Elle revit instantanément le visage jovial du chef mécanicien avec sa barbe rousse et son sourire épanoui. Zoe et Stephen étaient allés passer deux jours chez lui, dans la maison qu'il occupait avec sa femme à Alnwick, en vue de la rivière et du château. Zoe avait été enchantée par les paysages du Northumberland.

Les deux hommes avaient voyagé ensemble suffisamment souvent pour être devenus de véritables amis mais les occasions de se retrouver sur le même bateau se faisaient de plus en plus rares.

« Tant mieux, sourit Zoe en lui embrassant la joue. Ça devrait être un bon voyage, cette fois.

— Meilleur que le dernier, en tout cas. Et là, c'est un bateau relativement récent. Nous ne devrions donc pas avoir trop de problèmes. »

C'étaient là des paroles qu'ils devaient se remémorer par la suite.

« Je suppose qu'Irène va conduire Mac jusqu'à Teesport », dit-elle avec une indifférence feinte, en débarrassant la table. Stephen hocha affirmativement la tête en allumant une cigarette. Il parcourait d'un œil attentif une liste d'objets à emporter.

« Crois-tu, risqua-t-elle lentement, que je pourrais t'accompagner aussi ? »

Il releva brusquement la tête, les yeux rétrécis à travers un nuage de fumée bleue.

« Jusqu'au bateau ? J'aimerais mieux pas. »

Le ton était sans réplique. Zoe tourna brusquement les talons pour aller dans la cuisine. Pour masquer sa détresse, elle alluma la radio. Et le hasard voulut que s'élève la voix de Phil Collins, prononçant ces paroles émouvantes, trop bien adaptées à la situation.

Comment peux-tu me quitter ainsi
Moi qui ne peux que te regarder partir ?
Nous avons partagé les rires et les peines
Nous avons même partagé les larmes...

> *Tu es le seul qui me connaisse vraiment*
> *Alors regarde-moi maintenant*
> *Eh bien, il n'y a plus que le vide*
> *Il ne reste rien, chéri, pour me souvenir*
> *Rien que le souvenir de ton visage...*

Faisant couler l'eau dans l'évier, Zoe laissait la musique se répandre en elle et autour d'elle, espérant qu'elle disait à Stephen les mêmes choses qu'à elle-même.

> *Ah si seulement tu pouvais te retourner*
> *Te retourner pour me voir pleurer*
> *Il y a tant de choses que j'ai besoin de te dire*
> *Tant de raisons qui font*
> *Que tu es le seul...*

Stephen avait tourné le bouton. Pendant une seconde, le silence fut tangible.

« C'est exactement pour ça, dit-il d'une voix brusque, que je ne veux pas avoir une femme, debout sur un quai complètement paumé, en train d'agiter son mouchoir pour me dire au revoir. »

Il tourna les talons et sortit de la cuisine en claquant la porte. Mais elle l'entendit, dans la chambre, qui jetait bruyamment des affaires dans sa valise. Elle se souvint alors qu'elle avait laissé son sac dans le couloir, en arrivant. Un moment, elle eut envie de le prendre pour repartir directement à Londres. Après tout, à quoi lui servirait-il de rester ? Il partait, et Zoe, l'estomac noué, se disait que ces six mois de séparation allaient être bien longs, sans que rien ne puisse garantir qu'elle le reverrait au bout du compte. Ou que, si elle le revoyait, il voudrait reprendre leurs relations comme avant.

S'il ne lui avait rien dit du tout, elle aurait été moins angoissée, mais Stephen lui avait répété à mainte reprise qu'il ne lui demandait pas de l'attendre. Elle était jeune, elle avait toute la vie devant elle ; il aurait donc été stupide qu'elle prenne des engagements qu'elle risquait de regretter ensuite.

Et pourtant, ces engagements, elle était prête à les prendre. Il n'en avait cure, apparemment. A croire qu'il lisait dans ses pensées : dès qu'il la voyait sur le point de donner à leur relation un tour plus sentimental, il réussissait à modifier l'atmosphère, comme s'il avait voulu à tout prix l'empêcher de s'engager définitivement.

Restée seule pendant quelques jours, car Stephen aidait sa tante à emménager dans son appartement, Zoe avait eu tout le loisir de réfléchir à ce problème. Elle avait fini par conclure que le subtil changement constaté dans l'attitude de Stephen à son égard remontait à la visite de Clare, dans son appartement de Londres, le jour où son amie avait parlé de Philip Dent. Après cela, Stephen n'avait plus jamais été aussi spontané. Tout s'était passé comme si le doute s'était insinué en lui, lui rappelant peut-être d'autres blessures et la nature transitoire de leur relation.

Ce départ précipité la contrariait vraiment. Elle avait justement décidé d'aborder ce problème au cours du week-end, de dire à Stephen ce qu'il en était avec Philip Dent et de lui demander de ne plus la traiter comme une jouvencelle inexpérimentée, comme si les dix ans qu'il avait de plus qu'elle et l'échec de son mariage avaient fait de lui un expert infaillible dès qu'il s'agissait de la vie et de l'amour.

Elle avait peut-être encore beaucoup de choses à apprendre, mais le fait que ses parents avaient divorcé lui avait conféré une certaine vision des choses ; et en ce qui concernait les hommes, elle n'était pas non plus née de la dernière pluie. En tout cas, elle savait ce qu'elle éprouvait pour Stephen et n'appréciait pas outre mesure le don qu'il lui avait fait de cette liberté pleine et entière. Elle n'avait pas pu le laisser indifférent, tout de même, elle devait être autre chose à ses yeux qu'un simple interlude entre deux voyages. Et elle méritait certainement plus qu'un simple remerciement et un adieu furtif.

Quand il reparut, l'air un peu gêné, elle leva un verre de vin abandonné sur la table, comme pour lui adresser un toast.

« A la tienne, dit elle d'un ton sardonique. Tu préfères que je parte maintenant ou tu veux d'abord me donner un baiser d'adieu ?

— Je n'ai aucune envie de te donner un baiser d'adieu, grommela-t-il, parce que j'ai autant envie de partir que de me pendre. »

Déjà un peu rassurée par ces paroles, Zoe le fut encore davantage quand il la prit dans ses bras pour lui prouver sa sincérité. Un moment plus tard, après s'être brièvement excusé, il lui dit que la pensée de devoir partir le mettait toujours de fort méchante humeur. Il avait l'impression d'être condamné à six mois de prison, sans aucune visite ni la moindre perspective de bénéficier d'une remise de peine pour bonne conduite.

Un long baiser qui promettait certains prolongements plutôt intéressants fut interrompu par la sonnerie du téléphone. Cette fois, Zoe écouta sans le moindre scrupule. Le correspondant était manifestement un employé de la compagnie qui appelait de Londres pour mettre au point les derniers détails de l'opération. Tout en exprimant l'inquiétude que lui inspiraient les conditions météorologiques, Stephen nota les instructions qui lui étaient communiquées. Répétant le nom, l'adresse et le numéro de téléphone du courtier, il assura son interlocuteur qu'il rejoindrait le bateau dès que celui-ci arriverait au port.

Une fois qu'il eut raccroché, il resta un moment immobile, absorbé dans ses pensées. Puis il se tourna brusquement vers Zoe.

« Tu veux vraiment venir jusqu'à Teesport ? Je te préviens tout de suite que tu risques de poireauter là-bas toute la nuit... »

Elle mit un point d'honneur à affecter une certaine nonchalance.

« Bah, je m'étais dit que ça ne manquerait peut-être pas d'intérêt. Tu sais, en matière de navigation mon expérience se limite à la traversée du Channel en ferry. »

Pour la première fois ce soir-là, il éclata d'un rire franc et la vue de ses robustes dents blanches contrastant avec son teint hâlé renforça encore l'envie qu'elle avait de lui.

« J'ai l'impression que tu vas trouver un pétrolier de cent mille tonnes assez différent d'un ferry trans-Manche ! »

Il venait de décrocher le téléphone.

« J'appelle l'agent maritime tout de suite pour qu'on établisse un laissez-passer à ton nom. » Après lui avoir adressé un bref sourire, il ajouta : « Il ne faudrait pas qu'on te prenne pour une belle de nuit, n'est-ce pas ? »

Il eut encore d'autres appels à effectuer. Pour Joan, d'abord, qui profita de l'occasion pour dire qu'elle avait un message pour Zoe et lui demandait de la contacter un jour prochain. Ensuite il téléphona à sa sœur, puis à l'agent de Middlesborough qui dit que les conditions météorologiques semblaient s'améliorer sur la côte. La conversation terminée, Stephen ne raccrocha pas le combiné.

Avec un soupir d'immense lassitude, il attira Zoe vers lui.   « Allons nous coucher. »

Il l'aima tendrement, avec une douceur lente et longue qui la remplit de tristesse. Bien qu'elle se fût juré de ne se laisser aller ni aux pleurs ni aux supplications, elle eut toutes les peines du monde à se contenir jusqu'au bout.

Un maquillage appliqué avec un soin méticuleux et un pull rose bien douillet jetèrent une certaine note de gaieté, en fin de compte. Zoe se félicita d'avoir emporté un pantalon chaud et un anorak épais ; au moins, elle ne souffrirait pas du froid. En attendant que Stephen ait fini de se doucher et de boucler ses bagages, elle prépara des sandwiches et un thermos de café, comme il le lui avait suggéré. Ils seraient bien contents de pouvoir se réconforter s'il fallait attendre longtemps sur un quai exposé à tous les vents.

Il vint la rejoindre dans le salon, sanglé dans un complet gris pâle, portant cravate comme un homme d'affaires. Le Burberry et un foulard épais sur le bras, il observa la rue dans l'attente du taxi. Zoe regardait la cathédrale, avec ses contours un peu flous dans cette pluie battante. Elle ne pouvait s'empêcher de se demander si elle reverrait jamais ce spectacle, de cette fenêtre...

« Eh bien, dit Stephen en consultant sa montre. Il est minuit. J'espère qu'il ne va pas être en retard. »

Il avait à peine achevé ces mots que deux phares surgissaient dans la minuscule cour au pied de l'immeuble. Au même moment, d'autres lumières s'éteignaient et la cathédrale disparaissait comme sur un coup de baguette magique. Il en était ainsi tous les soirs mais Zoe n'avait encore jamais assisté au phénomène. Elle y vit comme un sinistre présage et elle frissonna. L'esprit absorbé par des problèmes plus immédiats, Stephen n'avait rien remarqué.

Une fois sur la route, pourtant, elle se sentit moins accablée. Elle trouvait piquant, finalement, de partir à cette heure de la nuit, au moment où le commun des mortels se mettait au lit. La A19 était pratiquement déserte et le chauffeur restait muet, son principal souci étant de s'acquitter de sa mission pour rentrer se coucher le plus tôt possible.

Ils traversaient un village endormi. Prenant la main de Stephen dans la sienne, elle pensa soudain à Liam. Par une étrange coïncidence, Stephen parla du carnet, qu'il avait glissé dans sa poche au dernier moment. Il dit qu'il allait le lire pendant son voyage et le récrire à la machine afin d'en envoyer une photocopie à Zoe.

« Ça me donnera quelque chose à faire entre les ports, dit-il brièvement.

— As-tu idée de l'endroit où tu vas aller au départ de Teesport ?

— Dans la Méditerranée, je crois. Mais ensuite, ça pourra être n'importe où. »

Zoe faillit lui demander son adresse mais résolut finalement de s'abstenir. Elle pourrait toujours la demander à Joan en cas de besoin. Gênée par la présence du chauffeur, elle se dit qu'il valait sans doute mieux parler de choses impersonnelles.

« Comment Liam est-il allé en Australie ? Il en parle dans le carnet ?

— Il donne seulement la date de son arrivée là-bas. Janvier 1914. Le pauvre ! Il n'y est pas resté longtemps, hein ? Huit mois en Australie... et ensuite la guerre a éclaté. Retour à la case départ.

— Sinon, tu crois qu'il se serait expatrié quand même ?

— Peut-être. Mais il aurait fallu que ses parents lui en donnent l'autorisation. Or j'ai l'impression — du moins d'après l'une de ses lettres — qu'il les a quittés assez brutalement. Non, je crois qu'il a travaillé sur un bateau pour payer son voyage.

— C'était possible ?

— A l'époque, oui. De mon temps, aussi. On se faisait embaucher comme matelot de pont, et en route pour l'aventure. On partait à la découverte du monde. Et puis on s'apercevait que c'était beaucoup plus dur qu'on ne l'avait cru, ou alors on rencontrait une fille dans un port, ou on se disait qu'on avait atteint la terre promise, en Australie, par exemple. On n'avait plus qu'à déserter le bateau. A l'époque, c'était simple comme bonjour. Il suffisait de se tenir à carreau ensuite pendant deux ans, et on ne risquait plus rien. »

Il se mit à rire d'un air pensif, se remémorant manifestement sa propre expérience de la côte australienne.

« Quand j'avais dix-huit ans, dit-il, on voyait des écriteaux par dizaines dans tous les ports du monde. Les compagnies maritimes avaient tellement besoin de main-d'œuvre que n'importe qui pouvait embarquer à bord d'un cargo, à condition de consentir à rester loin de chez soi pendant un ou deux ans ! Mais maintenant c'est fini, tout ça. La marine marchande est fichue. Elle est morte à petit feu, depuis la formation du Marché commun, pour toutes sortes de raisons. L'appât du gain, l'égoïsme, l'inaction gouvernementale, etc. Et si elle n'est pas encore tout à fait morte, elle n'est pas loin de pousser son dernier soupir. Prie le ciel pour qu'il n'y ait pas une autre guerre des Malouines, Zoe, parce que si ça recommençait, le gouvernement aurait toutes les peines du monde à trouver un cargo pour ravitailler les navires de guerre. »

Zoe serra sa main plus fort, pour l'encourager à dire tout ce qu'il avait sur le cœur. En l'entendant expliquer tout ce qui n'allait pas dans ce métier qui n'était plus ce qu'il avait été autrefois, elle parviendrait sans doute à le connaître mieux.

« Vois-tu, les compagnies britanniques ne possèdent plus aucun bâtiment. Elles ne sont plus que des gestionnaires travaillant pour le compte de consortiums internationaux qui ont établi leur siège social dans tous les paradis fiscaux du monde. Elles font marcher des bateaux immatriculés au Liberia ou au Panama et elles emploient des gens comme moi. Eh oui, ajouta-t-il avec un air de défi, je ne suis qu'un simple mercenaire qui travaille pour le plus offrant. Et c'est le patron qui fait la loi, Zoe, c'est pour ça que je ne proteste pas outre mesure quand je reçois des coups de téléphone du genre de celui de ce soir. Si je refusais de partir, ils appelleraient celui qui figure après moi sur leur liste. Ils me donneraient peut-être une autre chance dans deux ou trois mois, mais rien n'est moins sûr. Et moi, je ne peux pas courir ce risque, du moins si je veux continuer à travailler pour eux.

— Et tu crois que tu ne pourrais pas trouver autre chose ailleurs ?

— Bien sûr que si. Je n'aurais aucun mal à me faire embaucher dans une autre compagnie. Mais je ne pense pas que le salaire serait aussi intéressant. Et d'après ce que j'ai entendu dire, les conditions de travail seraient encore pires. Au moins, ceux-là, je les connais. Ils ne me font pas de cadeaux mais ils sont réguliers et ils ont les reins solides. »

Zoe éprouvait quelque peine à comprendre son attitude. Car enfin, si ce métier lui déplaisait à ce point, pourquoi ne l'abandonnait-il pas pour chercher autre chose ? Peut-être derrière ce ressentiment y avait-il encore des traces de passion, comme dans un couple qui s'achemine vers le divorce. La mer avait été son premier amour, et plus encore, peut-être, son refuge. Il devait lui être difficile de reconnaître que tout était fini.

Au fond, se disait Zoe, Stephen Elliott était un homme qui avait besoin de réussir. Maintenant qu'il avait un mariage brisé derrière lui, il n'avait aucune envie de se placer une fois de plus dans la position de perdant.

La route n'aurait déjà pas été facile, se dit-elle, si Stephen avait eu un emploi qui le maintienne à York en permanence ! Alors ces absences en mer durant cinq ou six mois de suite n'allaient sûrement pas arranger les choses... Mais il y avait là un défi du genre de ceux que Zoe aimait à relever. Il aurait été stupide de laisser partir sans réagir l'homme qu'elle aimait ! Zoe voulait se battre. Elle ne demandait que ça !

Une fois traversées les vastes plaines du Yorkshire, Zoe aperçut de l'autoroute en surplomb Teesport qui s'étalait devant elle comme un tapis étincelant, constellé de multiples points lumineux. Elle distingua bientôt la mer sous un ciel d'encre et, en approchant encore, le mystérieux labyrinthe de quais, de docks et de raffineries, dominé par l'acier luisant des cuves massives portant les noms d'une demi-douzaine de compagnies pétrolières ; des bateaux étaient amarrés çà et là, avec leurs cheminées illuminées au milieu des ponts qui apparaissaient comme des plages de clarté.

Il se dégageait de tout cela une atmosphère d'excitation et d'aventure qui, aux yeux de Zoe, n'aurait pas paru plus romanesque si elle avait été en présence des trois-mâts et des goélettes d'une époque révolue.

Où vont-ils ? Quels océans vont-ils traverser ? Quels spectacles vont-ils contempler ? Ces questions restaient informulées dans sa tête tandis qu'elle se disait que c'était là le monde de Stephen, un Stephen qu'elle enviait et qu'elle plaignait tout en même temps. Et elle commençait à comprendre les sentiments qui le ramenaient à la mer, une fois après l'autre. Comme un amant auprès d'une maîtresse inconstante, pensait-elle en étreignant sa main.

Il passa un bras autour des épaules de Zoe et se pencha à la portière pour essayer de se repérer. La lueur qui brillait au fond de ses yeux et la fermeté avec laquelle il donnait ses instructions au chauffeur témoignaient du plaisir qu'il éprouvait à se retrouver dans son élément.

Bien qu'il eût réussi à identifier le bateau grâce à sa cheminée, il leur fallut beaucoup de temps pour trouver l'entrée du terminal pétrolier. Il était près d'une heure et demie quand ils arrivèrent sur place, mais il n'y avait aucune trace de Mac et d'Irène. L'agent n'était pas là non plus. Le factionnaire qui gardait l'entrée ne put pas leur dire grand-chose, sauf que personne ne pouvait accéder au point de mouillage sans avoir un laissez-passer officiel.

Dix minutes plus tard, l'agent arrivait, se confondant en excuses et expliquant que le bateau venait juste d'accoster. Il y avait un problème car la passerelle avait été gravement endommagée par la tempête au cours de la nuit précédente. On renvoya le taxi et le jeune homme les emmena à bord de sa voiture.

Face à cet énorme mur d'acier de près de vingt mètres de haut, Zoe eut du mal à croire qu'elle se trouvait devant le bateau. Cette paroi abrupte la déconcertait, elle qui s'était toujours imaginé que la coque était forcément incurvée. Elle s'étonna aussi à la vue de ce pont plat et nu comme le dessus d'une péniche, avec la passerelle de commandement et les cabines de l'équipage qui se dressaient à l'arrière comme un immeuble inondé de lumière.

Des hommes s'affairaient de toutes parts sur le pont et sur le quai, car il fallait amener une passerelle provisoire. Soudain une autre voiture arriva ; c'étaient Mac et Irène. On échangea des salutations cordiales, et après avoir fait le point de la situation, on sortit le café et les sandwiches. On aurait dit un pique-nique, pensait Zoe, en plein cœur de la nuit, par un vent glacial, auprès du plus gros bateau qu'elle eût jamais vu, qui les dominait de toute sa hauteur et de toute sa masse. Tout cela était si étrange qu'elle ne put s'empêcher de rire, un rire qui se communiqua à Irène, si bien que les hommes, vaguement amusés, finirent par convenir que ce casse-croûte improvisé n'était pas moins surréaliste que les autres événements survenus au cours de cette mémorable soirée.

« D'ailleurs personne n'aurait jamais l'idée de rejoindre son bateau pendant les heures de bureau ! » conclut Mac.

A trois heures moins le quart, la passerelle était arrimée. Le douanier et l'employé de la régie montèrent à bord les premiers, accompagnés de l'agent qui représentait la compagnie. Stephen saisit ses bagages, imité par Mac, et se prépara à gravir l'étroit passage qui montait presque à la verticale à l'assaut du navire. Zoe fixa un regard horrifié sur la pente et sur les cordes. On aurait dit une planche fixée sur les flancs de l'Eiger. Heureusement, un Philippin qui faisait partie de l'équipage descendit la moitié du chemin pour prendre les bagages, ce qui permit aux deux hommes de revenir pour escorter Zoe et Irène jusqu'au sommet.

« Tu te rends compte, haleta Irène, tentant de retrouver son souffle, il va falloir redescendre ça tout à l'heure !

— Je préfère ne pas y penser, dit Zoe d'un ton pénétré. Sinon, je me cacherais à bord comme passager clandestin.

— Si tu fais ça, l'avertit Stephen, je te mets aux fers, et tu seras au pain et à l'eau ! »

Toutes les plaisanteries cessèrent quand le second vint à leur rencontre. Zoe se tint à l'écart pendant que Stephen discutait avec lui de ce qui était arrivé au commandant. En regardant vers le quai, elle vit une ambulance qui s'approchait du navire.

Quand ils eurent atteint les cabines, le second

emmena Stephen dans une chambre. A travers la porte ouverte, Zoe aperçut un grand lit et les jambes d'un homme dont l'une était solidement assujettie à une lourde attelle.

« Sale histoire, commentait l'agent. Il était sur la passerelle de commandement et un brusque coup de roulis l'a envoyé dinguer de l'autre côté de la timonerie. Il s'est fracassé la jambe contre le radar. »

Zoe tressaillit. Elle venait de remarquer, sur le sol, un objet qui ressemblait à s'y méprendre à un instrument de torture médiéval. L'agent lui dit que c'était une civière qui avait la particularité d'emprisonner entièrement le corps, du cou jusqu'aux orteils. C'est là-dedans qu'on allait mettre le « pacha » pour le sortir du bateau. En pensant à la passerelle qu'il allait falloir descendre, Zoe n'envia pas le capitaine qui allait se trouver à la merci de ceux qui l'amèneraient à terre.

Deux ambulanciers en uniforme se présentèrent à la porte. On les fit entrer dans la chambre ; Stephen apparut alors, une liasse de papiers à la main. Il échangea quelques mots avec le douanier et se tourna vers Zoe.

« Viens, je vais t'emmener dans la cabine de Mac. Tu pourras y rester un moment à discuter avec Irène pendant qu'on évacue le commandant. Dès que la voie sera libre, j'irai te chercher. »

Mac et le chef mécanicien qu'il allait relever étaient déjà au travail dans le bureau qui jouxtait la cabine. Zoe fut accueillie avec une grande amabilité et elle alla retrouver Irène qui feuilletait un magazine en buvant un verre de Coca-Cola.

« J'évite l'alcool, expliqua-t-elle à Zoe, parce que je dois prendre le volant tout à l'heure. Mais si le cœur t'en dit, les bouteilles sont là. Prends ce que tu veux. »

Sans se faire prier, Zoe se servit une bonne dose de

cognac. En dépit de son anorak, le froid lui avait transpercé les os et apparemment, le bateau n'était pas chauffé. Elle sentit peu à peu ses tremblements se calmer tandis que sa fatigue se dissipait progressivement. Sa conversation avec Irène fut soudain interrompue par un appel sonore, auquel Mac et le chef mécanicien répondirent immédiatement. Après un moment d'hésitation, les deux femmes allèrent voir ce qui se passait.

« Nous avons besoin de renfort », disait Stephen.

Les deux ambulanciers étaient agenouillés près du brancard, manifestement incapables de se sortir seuls d'une situation difficile. Mac se porta aussitôt volontaire pour leur prêter main-forte, bientôt rejoint par un gaillard en bleu de chauffe maculé de cambouis mais doté d'une paire d'avant-bras dont aurait pu s'enorgueillir un haltérophile olympique.

Et c'est alors que commença une interminable descente dans des escaliers étroits et abrupts, avec franchissement d'une demi-douzaine de portes coupe-feu, avant d'arriver au pont. Accroupie sur un étroit divan, Irène regardait leur progression le souffle court, à travers un hublot. A côté d'elle, Zoe osait à peine regarder. Quand le brancard arriva devant la passerelle, elle fut prise de nausée, en imaginant le gouffre dans lequel il allait falloir descendre. Le petit groupe disparut lentement à leur vue et Irène se détourna, le visage décomposé.

« Je crois que je vais tout de même boire quelque chose », dit-elle d'une voix tremblante.

Stephen était debout au sommet de la passerelle, observant les opérations, tous les muscles de son corps crispés. Finalement, il se détendit et se tourna en souriant vers le second, qui se tenait à côté de lui, et Zoe devina qu'on avait réussi à amener le blessé sans dommage jusqu'à l'ambulance.

En dépit du froid de la nuit, Mac transpirait quand

il revint. Balayant les inquiétudes de sa femme d'un geste insouciant, il se versa une bière et repartit à son bureau où l'attendait sa liasse de documents.

Comme Zoe faisait remarquer qu'il avait beaucoup de travail, Irène éclata de rire.

« Tu penses ! C'est comme si le rayon d'un grand magasin changeait de responsable tous les cinq ou six mois. Et ils n'ont qu'une demi-journée pour se transmettre les consignes. Après ça, il faut qu'ils se débrouillent tout seuls. »

Zoe secoua la tête.

« Je n'y arriverais jamais... Je deviendrais folle.

— Moi aussi. Mais eux, ils n'ont pas l'air d'en souffrir. Bien au contraire... »

Quand Stephen reparut, il avait enfilé un pantalon noir très ajusté et un pull bleu marine de style militaire. Comme pour rehausser encore davantage l'autorité qui émanait de sa personne, quatre galons dorés brillaient sur ses épaulettes et Zoe se prit soudain à penser à Robert Duncannon, dont le mariage avec l'armée paraissait beaucoup plus solide que celui qui l'avait uni à sa femme. L'uniforme pouvait être différent, mais l'effet était le même, complétant le changement qu'elle avait constaté dans le comportement de Stephen depuis qu'il avait reçu ce coup de téléphone à York. Il était plus froid, plus dur, séparé d'elle par un mur invisible dont elle percevait l'existence mais qu'elle ne pouvait pas briser.

Bien qu'il répondît aux gens avec son esprit et sa bonne humeur habituels, le sourire si naturel qu'il avait toujours eu avant ne réussissait plus tout à fait à atteindre ses yeux.

Elle le suivit dans sa cabine dont la porte était marquée de l'inscription *Commandant*. Il ferma la porte qui séparait le bureau du salon et resta un moment immobile.

« Et voilà, dit-il laconiquement. Je me suis dit que

tu aimerais peut-être voir le cadre où je vais vivre ces prochains mois... »

Une espèce de gêne s'était installée entre eux, et ils semblaient en être conscients l'un et l'autre. Mais Zoe joua sans réticence le rôle qu'on attendait d'elle, examinant les lieux, passant la tête dans la chambre, qui était meublée de teck, comme le salon, avec des placards partout et des tableaux assez conventionnels, mais de bon goût, accrochés au mur. Dans le salon, il y avait même des plantes en pot qui ornaient tout un coin, près du hublot.

« On se croirait chez le capitaine Bligh, dit-elle en manière de plaisanterie.

— Eh bien, j'espère que le second n'a rien de commun avec Mr. Christian. »

Le silence s'étant de nouveau installé, il regarda par le hublot.

« Il va faire bientôt jour. Irène va vouloir reprendre la route. Elle a dit qu'elle pourrait te déposer à la gare. »

Il l'attira à lui et la serra dans ses bras, mais Zoe resta de marbre. Elle se sentait mal, elle avait froid, et elle regrettait d'avoir tant insisté pour venir. Il aurait bien mieux valu qu'ils se disent au revoir à York. Ici, dans cet environnement où il s'intégrait manifestement si bien, il lui apparaissait comme un étranger.

Quand il lui avait dit, un jour, qu'elle ne le connaissait pas, Zoe avait trouvé qu'il exagérait, qu'il cherchait sans doute un prétexte pour garder ses distances. Mais maintenant elle se rendait compte qu'il y avait du vrai dans ses paroles. Elle ne voulait plus qu'une seule chose : s'en aller. Le vœu qu'elle avait formé dans le taxi n'était que folie pure, elle le voyait bien.

Stephen se détourna pour écrire vivement quelque chose sur un carton. C'était le nom du bateau et l'adresse de la compagnie à Londres.

« Voilà, dit-il d'une voix brève. Comme ça, tu pourras toujours entrer en contact avec moi. Tiens-moi au courant de tes recherches, si tu trouves quelque chose en lisant les paquets de lettres.

— Oui, d'accord. »

En fait, Zoe se demandait si elle voulait vraiment savoir ce qu'il y avait dans ces missives d'un autre âge. Le récit d'une tragédie déclenchée par une liaison qui n'avait pu aboutir, c'était là ce qu'elle voyait en elles ; avait-elle vraiment envie d'y trouver le contrepoint de ses propres mésaventures sentimentales ?

CHAPITRE X

Le film que Stephen avait fait développer à La Coruña lui avait permis d'obtenir deux photos acceptables de Zoe et une autre qui était excellente. Elle avait été prise à York, sous la voûte où ils s'étaient rencontrés pour la première fois, là où ils avaient échangé leur premier baiser. Un demi-sourire éclairait son visage encadré de cheveux souples qui formaient comme un nuage foncé au-dessus de sa tête. Elle était encore plus séduisante que jamais et il se promit de faire agrandir et encadrer ce portrait, qu'il gardait en permanence, dans un format carte postale, sur un coffre à côté de son lit.

C'était la troisième journée qu'ils passaient à dériver au large de la Grèce, en attendant des ordres qui ne venaient jamais. Stephen avait pris sa douche après s'être baigné l'après-midi dans la minuscule piscine du navire. Il enfila une chemise et un short blancs tout propres et s'assit pour lacer ses espadrilles sur ses pieds nus et hâlés. Une fois de plus, ses yeux se posèrent sur la photo et une fois de plus il se souvint de la dernière vision qu'il avait eue de Zoe, le bref signe du bras qu'elle lui avait adressé avant de monter dans la voiture d'Irène et ce petit sourire étincelant qui était si manifestement forcé. Cette détermination farouche l'avait touché beaucoup plus que les larmes n'auraient pu le faire. Il compara cette attitude avec celle de Ruth qui pleurait d'abondance à chaque fois qu'il partait, ce qui lui donnait toujours le sentiment d'être en faute.

C'était en partie pour cette raison-là qu'il n'avait d'abord pas voulu que Zoe l'accompagne à Teesport. Pourtant son appréhension avait finalement cédé devant son désir de l'avoir avec lui le plus longtemps possible, avec aussi un besoin un peu pervers de parader un peu, en lui montrant ce que c'était que de prendre le commandement d'un bateau. Ce qui pourrait peut-être amener Zoe à réaliser l'impossibilité d'une relation durable. Et pourtant Stephen se rendait compte qu'il ne pouvait plus se passer de Zoe Clifford, de même qu'autrefois Ruth lui avait été indispensable, et cette idée le harcelait sans cesse, le poursuivait jour et nuit.

Heureusement, il n'avait pas cédé à la tentation de lui dire qu'il l'aimait ! Dès l'instant où il avait compris que le plaisir qu'il éprouvait en compagnie de Zoe n'était pas uniquement physique, il s'était dit qu'il aurait été cruel d'imposer une existence entière de séparations à une femme qu'il aimait ; qu'il ne fallait à aucun prix échanger des serments impossibles à respecter.

Et pourtant il pensait à elle à longueur de journée, en se remémorant des paroles qu'elle avait prononcées, des choses qu'elle avait faites, revivant sa tendresse, le bien-être qu'il éprouvait par le simple fait de se trouver en sa compagnie. Il s'était bien douté qu'elle allait lui manquer, mais jamais il n'aurait pu imaginer que ce serait à ce point.

D'habitude le travail constituait un antidote parfait à ce genre de problème, mais cette fois Stephen se trouvait à bord d'un navire où tout marchait comme sur des roulettes ; l'équipage ne comportait que des gens compétents, faciles à vivre, qui agissaient en véritables professionnels. Il en arrivait presque à souhaiter une quelconque anicroche pour pouvoir penser à autre chose qu'à Zoe.

Le pire, c'était la nuit. Bien qu'il n'eût jamais été du genre à passer beaucoup de temps au bar des officiers, il prenait maintenant l'habitude de s'y rendre après le dîner, soi-disant pour faire connaissance avec ses collègues mais en fait pour retarder au maximum le moment où il se retrouverait seul derrière la porte close de sa cabine.

Mac semblait avoir deviné la véritable nature de son problème mais évitait soigneusement de formuler le moindre commentaire. De toute façon, même s'il en avait parlé, Stephen savait qu'ils n'auraient jamais abordé le point fondamental, la crainte obsédante que Zoe ne rencontre quelqu'un de plus jeune et de plus intéressant, quelqu'un qui aurait pu être avec elle 365 jours par an.

Elle était jeune, elle était belle et elle avait beaucoup de talent. Étant donné la solitude dans laquelle elle exerçait sa profession, elle avait besoin d'avoir une vie sociale. Stephen ne pouvait l'imaginer restant seule pendant longtemps. Et il savait aussi, quand il y pensait au cœur de la nuit, qu'il y avait eu dans sa vie ce garçon nommé Philip, au sujet duquel elle n'avait jamais donné de véritable explication et avec qui elle avait rompu quelques jours seulement avant de rencontrer Stephen. *Un de perdu, dix de retrouvés ?* Était-ce là le principe qui gouvernait sa vie sentimentale ? Tant que le soleil brillait dans le ciel, il se refusait à le croire, mais enfermé dans sa cabine, avec ses livres et sa musique pour toute compagnie, il pensait à son ex-femme en qui il avait placé toute sa confiance, et il n'était plus du tout sûr de Zoe.

La seule chose qui le rassurait un peu, c'était qu'elle désirât tant poursuivre l'étude de ces lettres.

Grâce à ces recherches, ils allaient pouvoir rester en contact. Et puis il avait ce fameux carnet en sa possession, ce journal intime qui les intriguait tant l'un et l'autre. Ils en avaient lu une partie ensemble mais l'écriture était si serrée et le papier si fin qu'il n'était pas facile de comprendre immédiatement le texte. Comme il avait promis à Zoe de lui envoyer une copie de la transcription qu'il en aurait faite, il y avait là une raison supplémentaire de lui écrire.

Les lettres qu'ils avaient échangées jusqu'à présent laissaient pourtant transparaître quelques divergences sur leur façon de voir les événements qui avaient agité les membres de la famille Elliott.

Les sympathies de Zoe se portaient plutôt sur Louisa et Edward. Elle considérait Robert comme un séducteur inconséquent qui n'avait pas hésité à abandonner sa maîtresse pour aller combattre dans un pays lointain dès qu'il avait commencé à se lasser d'elle.

Plus ou moins à son corps défendant, Stephen s'était senti obligé de prendre la défense de l'officier, car il avait l'impression que Zoe établissait une sorte de parallèle entre leur propre histoire et celle de leurs ancêtres communs. Car enfin, Robert était un militaire, et il avait une mission à accomplir. Là-dessus Zoe avait répliqué qu'il n'avait nullement été obligé de partir pour le Soudan, son régiment étant resté stationné à Dublin. Il était rentré en Irlande avec le grade de commandant juste à temps pour aller décrocher d'autres décorations en Afrique du Sud. Alors que Louisa avait été contrainte de chercher la sécurité dans son mariage avec Edward.

« Alors, là, nous n'en savons rien », avait dit Stephen, objectant ensuite que Zoe accusait pratiquement Louisa de s'être servie de son cousin pour accéder à la sécurité et à la respectabilité.

« Et après, même si c'était le cas, avait rétorqué

sèchement Zoe, qui pourrait l'en blâmer ? Dans la même situation, avec trois enfants de moins de cinq ans, j'aurais été tentée de faire la même chose ! »

N'empêche que Stephen ne pouvait se défendre d'une certaine sympathie pour Robert Duncannon qui, en dépit de l'amour qu'il éprouvait pour Louisa, n'avait pu se résigner, par pure ambition, à compromettre ses chances dans la carrière militaire. Lui aussi était possédé par cet amour pour son métier et par un certain désir de réussir. Ruth l'avait souvent accusé d'avoir une double personnalité, de se comporter d'une certaine façon à la maison et d'avoir une tout autre attitude en mer. Eh bien, se disait Stephen, Robert Duncannon avait dû souffrir d'une dualité du même ordre, se montrant incapable de renoncer à sa carrière militaire en dépit de son amour pour Louisa.

Stephen secoua la tête, légèrement étonné de constater le pouvoir de ces ancêtres morts depuis si longtemps. Il semblait incroyable qu'ils puissent être dotés, tout en gisant dans leurs tombes lointaines, de la faculté de s'immiscer ainsi dans l'existence des vivants. Comme s'il suffisait de penser à eux pour qu'ils se mettent à revivre, utilisant le savoir de leurs descendants pour régler de vieux comptes restés en suspens.

« Allons, Elliott, se dit-il, ne sois pas ridicule. »

Abandonnant la lettre qu'il était en train d'écrire, il descendit prendre une bière avec Mac.

Cette pause de trois jours imposée au bateau fut le principal sujet de conversation pendant le dîner au salon. Certes on appréciait de se dorer au soleil pendant des heures mais on aurait aussi aimé savoir où on allait devoir se rendre et quel genre de cargaison il faudrait transporter. Stephen, qui détestait rester sans rien faire, avait hâte de reprendre le travail quelle qu'en pût être la nature. Et il était impatient de mouiller dans un port où il pourrait enfin avoir du courrier. Il se demandait déjà si Zoe lui avait écrit et, dans l'affirmative, ce qu'elle pouvait bien lui raconter.

Juste avant midi, le lendemain, un télex arriva. Le navire devait se mettre immédiatement en route pour Odessa pour y prendre un chargement de mazout. Stephen alla trouver le premier lieutenant qui s'apprêtait à prendre son quart pour lui demander quelles cartes il y avait à bord pour la mer Égée et en particulier pour les Dardanelles, cet étroit goulet débouchant sur la mer Noire qui avait posé tant de problèmes à Churchill pendant la première guerre mondiale.

Une fois sur la passerelle de commandement, ils examinèrent les cartes ensemble. Elles étaient toutes là, mais malheureusement il y avait fort longtemps qu'elles n'avaient pas été remises à jour. Jetant un coup d'œil à la pile de documents envoyés par l'Amirauté et contenant toutes les indications nécessaires, Stephen fit remarquer à son collaborateur qu'il avait du pain sur la planche pour les prochains jours. Le jeune officier hocha la tête.

« Ce n'est pas grave, commandant, dit-il en poussant un soupir. Malheureusement, je viens de rectifier toutes les cartes concernant l'Afrique du Nord. Le second pensait que c'était de ce côté que nous avions le plus de chances d'aller.

— Dans notre métier, on ne peut jamais savoir d'avance. »

Une fois le navire parti dans la bonne direction, Stephen réunit ses officiers pour discuter avec eux de l'itinéraire à suivre et établir une estimation de la date et de l'heure d'arrivée, afin de transmettre ces renseignements au bureau londonien de la compagnie et aux affréteurs de Hong Kong. Examinant les différentes cartes, il nota la position de plusieurs îles dont il avait déjà entendu parler par sa sœur qui avait passé des vacances d'été dans ce secteur, et remarqua soudain l'île de Lemnos. Elle se trouvait au sommet d'une carte tout en longueur, non loin des Dardanelles.

Pas très loin non plus de Gallipoli, cette péninsule où les Australiens avaient livré de si terribles batailles en 1915. C'était sans doute là que Liam Elliott avait reçu le baptême du feu. En observant cette longue péninsule, Stephen se demanda avec amertume, comme beaucoup de ces jeunes hommes avant lui, sans doute, ce qu'ils pouvaient bien faire dans ces parages, eux qui s'étaient engagés dans cette guerre pour empêcher les troupes du Kaiser d'envahir l'Europe et lui interdire finalement l'accès à leur propre pays.

Comment diable as-tu pu te laisser entraîner dans cette boucherie, demanda-t-il mentalement à Liam, persuadé que la carrière militaire n'avait certainement jamais figuré parmi les objectifs du jeune homme. S'était-il trouvé emporté par une sorte de fièvre guerrière collective et généralisée ? Sans doute s'était-il dit, en août 1914, comme beaucoup d'autres avec lui, qu'il allait entrer de plain-pied dans une existence riche en péripéties de toutes sortes. La fascination de l'action, qu'un Robert Duncannon aurait envisagée avec la prudente méfiance d'un vieux routier des champs de bataille. Mais Liam ? Stephen secoua la tête.

Ce soir-là, après le dîner, il refusa l'offre de Mac qui lui proposait de prendre un verre au bar. Il préférait rentrer dans sa cabine. Dans quelques jours seulement ils arriveraient à Istanbul où il pourrait poster ses lettres. Il était donc temps de compléter le texte dactylographié qu'il avait promis d'envoyer à Zoe.

Mais d'abord, il allait lire un certain nombre de pages de ce carnet. Bien que Liam l'eût rédigé en 1916, il y mentionnait des événements importants qui s'étaient produits au cours des deux années précédentes. Certains passages, en dépit de leur concision, étaient très révélateurs.

Ce qui s'était passé le 13 janvier, par exemple. Ce jour-là, Liam avait inscrit dans son petit carnet relié de cuir noir la mention de son arrivée à Melbourne en 1914. Deux jours plus tard, il écrivait : « *Quitté le bateau. Pars à pied vers l'intérieur du continent.* »

CHAPITRE XI

Liam, qui n'avait aucun projet précis ni aucune destination spécifique, travaillait ici et là, durant quelques jours, au gré des occasions. Il écoutait ce qu'on disait et suivait les conseils sans avoir d'autre obligation que de porter son sac sur le dos et de manger à des intervalles raisonnables.

Absorbé comme il l'était par la nécessité quotidienne d'assurer sa survie, il trouvait dans ce voyage trop d'incidents variés et intéressants pour avoir le temps de s'appesantir sur ce qu'il avait laissé derrière lui. Quant au périple fertile en détours de toutes sortes qu'il avait accompli sur les océans au cours de ces six derniers mois, il avait établi une incommensurable distance, tant physique que mentale, entre l'adolescent meurtri d'antan et un jeune homme qui se muait rapidement en un adulte plein de maturité.

Il travaillait pour quelques shillings ou pour un repas, éprouvant à la vue de cette nourriture saine et abondante un plaisir qu'il n'avait jamais eu ni à bord des bateaux, lorsqu'on lui servait de maigres portions d'un brouet infesté de charançons, ni devant les plats exotiques de la Grèce, du Liban ou de l'Extrême-Orient.

Arrivé en Australie au cœur de l'été, il y avait

trouvé un climat très chaud et très sec, mais quand il couchait à la belle étoile le ciel formait au-dessus de sa tête un toit beaucoup plus accueillant que celui qu'on avait pu lui fournir dans les réduits exigus et nauséabonds des gaillards d'avant des cargos. Sous les tropiques, il avait connu le rationnement de l'eau et dans les zones humides, il avait eu toutes les peines du monde à sécher des vêtements imbibés d'eau saumâtre.

Il avait subi la tyrannie des maîtres d'équipage et l'art consommé avec lequel les marins confirmés s'arrangeaient pour que les tâches les plus pénibles échoient aux plus jeunes et aux moins expérimentés. Quant à ses pairs, voyant tout de suite son manque de sociabilité, ils l'avaient laissé tranquille.

Pourtant, Liam avait eu maintes fois l'occasion de se féliciter de la vivacité de son esprit et de l'agilité de ses doigts, se remémorant les leçons tirées de son stage dans l'atelier d'Edward. D'abord ignorant de tout, il avait vite appris la meilleure manière d'enrouler un cordage, de briquer les planches du pont et de décaper la rouille. Physiquement, le plus dur avait été de tenir la roue du gouvernail par gros temps, pour maintenir le cap ; mais il avait fini par y arriver et il avait un certificat de timonier pour le prouver.

Il n'y avait pas de certificats pour attester les autres aspects de son éducation, cependant. Par exemple sa capacité à obéir aux ordres séance tenante, sans hésitation ni murmure et dans les pires conditions ; et surtout, plus importante encore, son aptitude à ne pas céder un pouce de terrain devant des hommes plus âgés et plus expérimentés que lui. Il avait été à une bien rude école, sans aucune échappatoire possible ; entre les ports les hommes étaient emprisonnés ensemble, comme des détenus, il fallait tolérer ses compagnons et même établir avec eux un minimum de relations. En certaines occasions ce pouvait être une question de vie ou de mort.

Souffrant parfois du mal de mer, souffrant toujours du mal de vivre, il avait bien souvent failli céder à la tentation de déserter le bateau entre Hull et Hong Kong, et seule la perspective de débarquer un jour en Australie l'avait retenu à bord. Mais une fois arrivé à destination, Liam n'avait pas bondi sur la première occasion. Fort de la maîtrise de soi qu'il avait appris à acquérir, il avait dédaigné les ports de Freemantle et d'Adélaïde pour attendre Melbourne. Il se ferait moins remarquer dans une très grande ville et l'État de Victoria, apparemment plus riche, jouissait en outre d'un climat plus agréable pour un Européen.

Il passa plus d'un mois sur la route, partant d'abord vers le nord-ouest en direction de Bendigo. Pourtant, dans les épaisses forêts des collines, il trouvait rarement autre chose que des tâches de défrichement. Il obliqua alors vers l'est. Les habitants se montraient généralement fort hospitaliers et, sans la moindre crainte, ils lui proposaient de petits travaux ou lui offraient, par pure générosité, de quoi se rafraîchir ou se restaurer. Les gens se prétendaient britanniques et parlaient un anglais qui avait de vagues ressemblances avec sa langue maternelle, mais Liam ne voyait en eux que fort peu de points communs avec ses compatriotes de la métropole ; tout comme le continent indompté qu'ils habitaient, il semblait qu'il n'y eût rien de petit chez eux. Ils avaient un visage ouvert, des manières décontractées et une confiance en soi qui transparaissait à tout instant. Et dans ce pays d'immigrants, on acceptait les étrangers sans leur poser de questions, une fois établi leur lieu de destination. Qui était le nouveau venu, d'où il venait, ce qu'il avait fait avant, tout cela paraissait absolument sans importance. Tout le temps qu'il passa sur la route, Liam eut l'impression que seuls comptaient le présent et l'avenir immédiat. Le passé, on n'en parlait Jamais.

Arrivé à proximité de Yarra Glenn, il découvrit qu'il avait en fait décrit un grand arc de cercle autour de Melbourne et que s'il voulait trouver un emploi relativement stable, il aurait intérêt à rester dans les plaines. Peu désireux de se rapprocher de la ville, il obliqua vers le sud, se fit embaucher pour quelques jours dans une grande ferme près de Lilydale, puis traversa une autre série de collines, plus petites mais très boisées, qui lui parurent, à sa grande surprise, relativement peuplées. Alors qu'auparavant il lui était arrivé de marcher toute une journée sans rencontrer âme qui vive, il pouvait, sur les monts et dans les vallées, voir des clairières et des cabanes tous les cinq ou six kilomètres.

Il y avait même un village avec une gare de chemin de fer, une charmante petite bourgade bordée d'arbres en fleurs et de fougères géantes, mais après la solitude des forêts, Fern Tree Gully lui paraissait trop animé. Il ne tarda pas à découvrir pourquoi. Melbourne ne se trouvait qu'à une trentaine de kilomètres de là et la chaîne de Dandenong était l'endroit le plus frais que l'on pût trouver à deux pas de la cité.

Une vaste plaine, bien arrosée par les cours d'eau qui descendaient de la montagne, s'étendait en arc de cercle entre Melbourne et le village, constituant les terres les plus fertiles d'Australie. Et grâce au chemin de fer qui reliait Melbourne à Dandenong, situé à quinze kilomètres au sud de Lilydale, il était facile d'acheminer rapidement les récoltes et les bestiaux jusqu'à la grande ville.

Comme tout le monde parlait de Dandenong dans le village, Liam, qui commençait à avoir un pressant besoin d'argent pour remplacer ses chaussures

219

éculées et ses vêtements usés jusqu'à la corde, décida d'aller y tenter sa chance. Il y avait suffisamment de fermes et d'industries locales pour offrir des débouchés. Si ses espérances étaient déçues, il pourrait toujours reprendre la route.

Après avoir parcouru quinze kilomètres sous un soleil de plomb, Liam arriva dans la ville assoiffé et couvert de poussière. Assis sur ses talons, le dos appuyé contre un tronc d'arbre, il resta longtemps à observer les allées et venues des passants, près de différentes hôtelleries, et finit par jeter son dévolu non point sur la plus petite mais sur celle où les clients paraissaient le moins soucieux de leur tenue vestimentaire.

Ce choix fut confirmé par l'arrivée d'un ouvrier agricole émergeant de l'atelier d'un maréchal-ferrant voisin, où il était resté à surveiller le ferrage de deux chevaux robustes avant de traverser la route pour se diriger vers l'hôtel. En passant devant Liam, il lui adressa un bref signe de tête pour le saluer. Quelques minutes plus tard, Liam saisit son balluchon et le suivit.

L'homme était au comptoir, il commandait une bière. Liam se dirigea vers les toilettes et éprouva un tel plaisir à voir l'eau jaillir du robinet qu'il plongea la tête dans le lavabo pour boire avant même de prendre le temps de se laver les mains et le visage.

Il eut un haut-le-corps en voyant l'image que lui renvoyait le miroir fêlé, constellé de crottes de mouches. Des pommettes saillantes, des traits durcis, un menton volontaire, une peau au hâle foncé, tout concourait à lui donner l'aspect d'un homme aguerri, impression encore renforcée par la barbe de trois jours qui lui couvrait le bas du visage.

Avec une assurance renouvelée, il passa un peigne dans ses cheveux épais et poussiéreux, rentra sa chemise dans son pantalon élimé et émergea dans la salle pour commander une grande chope de bière qu'il avait encore les moyens de s'offrir grâce à ce qui lui restait de sa paie de la veille. Tandis que le liquide amer commençait à étancher sa soif, il se dit qu'avec un peu de chance, il aurait peut-être encore assez d'argent pour prendre un repas ; sinon, il serait condamné à rester sur sa faim. Mais le besoin de boire venait en priorité.

L'homme qu'il avait suivi dans l'hôtel était encore accoudé au comptoir. Sans se soucier le moins du monde de dissimuler sa curiosité, il regarda Liam boire et sourit quand le jeune Anglais eut reposé sa chope sur le zinc.

« Vous aviez soif, on dirait.

— Je viens de faire une longue route, expliqua Liam. Et j'ai eu le soleil tout le temps, depuis le haut des collines.

— Il me semblait bien aussi vous avoir jamais vu ici. »

Il sortit un paquet de cigarettes de la poche de sa chemise et en offrit une à Liam.

« Vous fumez ? »

Prenant bien garde de manifester une gratitude excessive, Liam accepta. Il était resté sans tabac depuis plusieurs jours et la bière avait réveillé son envie de fumer. Mis en confiance par le visage avenant de son compagnon, il ne tarda pas à parler de ses dernières aventures, ajoutant pour conclure qu'il était à la recherche d'un travail.

Son interlocuteur fixa alors sur lui un regard surpris.

« Eh bien, annonça-t-il, vous allez peut-être tomber de haut, quoi qu'on ait pu vous raconter dans le Nord. Nous avons eu une longue période de sécheresse dans les parages, comme vous avez dû le remarquer, et les patrons ont plutôt tendance à débaucher leur personnel. »

Il s'interrompit un moment, les lèvres crispées, puis reprit :

« Remarquez, vous avez de la chance, parce que chez nous on est un peu à court de main-d'œuvre, avec la récolte qui s'annonce. Si vous voulez venir avec moi, on peut toujours essayer. Je ne peux rien vous promettre mais le patron se laissera peut-être faire.

— C'est quel genre d'homme ?

— Très bien, quand on est réglo avec lui. C'est un Gallois. Il est arrivé par ici il y a une trentaine d'années. Il possédait juste les frusques qu'il avait sur le dos. Il s'est pas mal débrouillé. Il s'appelle Maddox. Ah, poursuivit le jeune homme avec un sourire, au fait moi, c'est Hanley. Ned Hanley. Toute la famille du côté de mon père vient de Newcastle. Et toi, tu es d'où ?

— Du Yorkshire.

— Il y a une bonne équipe de cricket, là-haut. Tu feras l'affaire », dit-il avec un sourire encourageant, comme si l'embauche avait déjà été décidée. Là-dessus, il commanda deux autres chopes de bière.

Il confia un cheval à Liam, croyant que celui-ci savait monter, mais voyant les efforts infructueux de son compagnon pour se maintenir en selle il n'insista pas et les deux hommes firent le trajet à pied, plus de huit kilomètres que Liam avait déjà parcourus en partie dans l'autre sens en venant en ville.

La région était fort belle : de vastes prairies aux molles ondulations ponctuées çà et là de petits bouquets d'arbres, avec des alignées d'eucalyptus qui suivaient le cours des rivières descendues des collines. En voyant les contours bleutés qui se fondaient avec le ciel à l'horizon, et les formes tourmentées de ces feuillages sombres qui surplombaient le chemin de place en place, Liam se prit à penser à Georgina, au plaisir qu'elle aurait pu éprouver à représenter de telles splendeurs sur la toile.

Une famille de kangourous, dérangée par leur approche, détala devant eux. Tandis que Liam s'arrêtait pour les admirer, Ned se maudit de n'avoir pas pris son fusil ; ces bestioles étaient de vrais fléaux, selon lui. Elles brisaient les clôtures et endommageaient les récoltes. Un cauchemar pour tous les fermiers du coin. Heureusement, on arrivait peu à peu à s'en débarrasser.

Un large portail marqué du nom de Maddox indiquait l'entrée du domaine du Gallois, un ensemble de près de quatre cents hectares, expliqua Ned, où l'on cultivait différentes céréales et aussi des légumes. Mais l'activité principale était l'élevage des bœufs. Derrière de solides clôtures qui bordaient le chemin de terre rouge, Liam voyait les bêtes qui paissaient tranquillement sous les arbres.

Ils arrivèrent bientôt en vue de la maison, une longue bâtisse basse et fonctionnelle flanquée de vérandas et couverte d'un toit en tôles ondulées. Cette demeure n'avait rien d'un manoir colonial mais son aspect respirait la permanence et la solidité. Ewan Maddox n'était pas un homme qui se battait dans le désert, il avait pris soin de s'organiser et comptait bien rester là longtemps. Saisi d'admiration, Liam se dit qu'il voulait la même chose pour lui. Et il l'aurait. Un jour.

Ewan Griffith Maddox était un homme courtaud, massif, avec des cheveux épais gris fer et des yeux noirs auxquels rien n'échappait. Il n'était guère loquace, ses questions se limitant à l'essentiel. Liam exposa sa situation avec la plus grande franchise, disant qu'il ne connaissait rien au travail de la ferme mais désirait ardemment commencer son apprentissage. Il affirma aussi que sans fausse modestie il pouvait se prétendre bon travailleur.

Comme il l'avait fait à chaque fois depuis qu'il était parti de chez lui, il dit s'appeler Bill Elliott. Il préférait de beaucoup ce prénom bref et viril au diminutif mièvre de Liam dont sa famille l'avait affublé. Pour lui, Liam représentait l'Irlande dont était originaire Robert Duncannon, un homme qu'il ne voudrait jamais reconnaître comme son père. Et il s'était juré que désormais plus personne ne l'appellerait ainsi.

Après avoir jaugé le nouveau venu du regard, Ewan Maddox lui demanda de venir l'aider à déplacer quelques sacs de grain dans la grange. Liam s'acquitta de cette tâche sans l'ombre d'une difficulté. Maddox lui dit alors qu'il l'engageait à l'essai pour un mois.

Ravi, Liam balbutia des remerciements mais Maddox avait déjà tourné les talons. Ned se contenta de lui adresser un clin d'œil approbateur puis il l'invita à le suivre. Il allait le mener à sa chambre.

Les logements des hommes faisaient face à l'arrière de la maison où se trouvaient les cuisines, les réserves et les chambres des servantes. Habituellement, expliqua Ned, il y avait deux femmes mais l'une d'elles venait de prendre la poudre d'escampette avec l'un des valets de ferme, alors, si Liam tenait à rester il lui était fortement conseillé de ne pas faire de l'œil à l'autre fille.

« Mrs. Maddox a été complètement écœurée, dit-il avec un large sourire, alors nous avons tous promis de garder nos distances. »

Ned entreprit bientôt un récit détaillé de l'histoire de la famille, expliquant que le fils et la fille aînés étaient tous deux mariés et installés ailleurs, le fils ayant pris en main la ferme de ses beaux-parents. Une autre fille nommée Mary travaillait comme infirmière au grand hôpital de Melbourne. On ne la voyait pas très souvent mais toujours avec plaisir car elle n'était pas fière le moins du monde. Enfin, il y avait un autre garçon, qui faisait ses études à l'université.

« En principe, commenta Ned avec une certaine ironie, il étudie l'agriculture, mais quand il vient ici il passe le plus clair de son temps dans la brousse à regarder les arbres et à collectionner les fleurs. Ce sera jamais un fermier, tu peux m'en croire, contrairement à ce qu'espère le vieux. Lui, ce qu'il voudrait être c'est... comment qu'il appelle ça ?... Il m'a dit le nom un jour mais ça me revient pas. Enfin quelqu'un qui étudie les plantes, tu vois ?

— Un botaniste ?

— Ouais, c'est ça. »

Une étincelle de moquerie jaillit dans les yeux du valet de ferme.

« Me dis pas que t'as de l'instruction !

— Non, pas vraiment. Mais je lis beaucoup.

— Bah, tu trouveras pas beaucoup de bouquins par ici. Au mieux tu pourras lire le journal qui paraît toutes les semaines.

— C'est pas grave, je me débrouillerai. »

Liam laissa tomber son sac au pied du châlit que son compagnon venait de lui indiquer. Comme les murs, il avait été confectionné avec de solides madriers grossièrement rabotés et assemblés avec des chevilles. Il n'y avait ni draps ni couvertures mais Ned Hanley expliqua que Mrs. Maddox fournirait la literie, qu'elle gardait en réserve à l'intérieur de la maison d'habitation. Sous un appentis, à quelques pas de là, se trouvaient une pompe reliée à une pomme de douche, un évier de pierre surmonté d'un robinet et deux minuscules cabines. Mrs. Maddox s'occupait du linge mais il fallait que les hommes se lavent et se rasent régulièrement.

« Si tu te tiens bien, tu mangeras dans la cuisine, comme si tu faisais partie de la famille. Sinon, tu prendras tes repas tout seul, ici. »

Liam regardait et écoutait avec une évidente satisfaction. Après toutes ces semaines d'inconfort, il avait grande hâte de se mettre sous la douche.

Quel plaisir ce fut pour lui de se débarrasser de la poussière et de la crasse qui s'étaient accumulées en dépit de ses fréquentes ablutions dans les torrents de montagne. Puis il enfila avec ravissement, bien qu'ils ne fussent pas tout à fait à sa taille, les vêtements propres que Mrs. Maddox lui prêta en attendant que les siens aient été lavés.

Frais et dispos et propre comme un sou neuf, il n'avait plus qu'un seul problème : son estomac qui criait famine. Il n'eut pas longtemps à attendre. Peu après sept heures, alors que la température commençait à fraîchir un peu, la fermière proposa à ses employés d'énormes assiettées de ragoût, suivies de portions imposantes de tartes aux fruits additionnés de crème fraîche. Liam dévora tout ce qu'on lui donnait, prenant quand même le temps de savourer ces mets délicieux.

Décidément, conclut-il, cette Mrs. Maddox avait son franc-parler mais quelle générosité ! Elle était aussi volubile que son mari était taciturne et elle avait gardé l'accent chantant de son pays de Galles natal. Il la trouva fort sympathique et se dit qu'il avait eu la main heureuse en débarquant dans cette maison. La suite des événements allait confirmer bien vite cette impression.

Au début, tant qu'ils ne le connaissaient pas, les autres employés le traitèrent avec une certaine distance mais les mois qu'il avait passés en mer avaient appris à Liam à se comporter avec tact et diplomatie et à connaître la valeur d'un sourire. Il parla peu, garda son passé pour lui-même et travailla comme un forcené.

Étant arrivé juste au moment où la moisson allait commencer, il fut immédiatement soumis à un régime harassant. Il se levait à l'aube pour suivre la faucheuse, entassant les gerbes en pyramides bien régulières, tandis que le chaume lui transperçait cruellement la peau partout où elle n'était pas protégée. Ce travail éreintant, en pleine chaleur et dans la poussière, lui plaisait toutefois, et le soir il s'écroulait sur son lit, dès la tombée de la nuit, pour dormir du sommeil du juste.

Pendant la moisson, les hommes n'avaient pas le temps d'accomplir d'autres tâches. C'étaient donc Mrs. Maddox et Ella, la servante, qui trayaient les quelques vaches laitières et s'occupaient du potager, permettant ainsi à Mr. Maddox et à ses six employés, une fois le fauchage terminé, de s'atteler au battage puis au vannage du grain, que l'on entassait dans des sacs dans un coin de la grange, le reste étant occupé par la paille que l'on mettait en réserve pour l'hiver. Le foin qui avait été ramassé bien avant Noël avait déjà été disposé en meules de l'autre côté de la cour.

Ce travail se poursuivit pendant des semaines, sans que l'on eût le temps de souffler, mais aussitôt qu'il y eut un moment de répit, Ned demanda à Liam de l'accompagner dans l'enclos le plus proche. Il voulait lui donner sa première leçon d'équitation.

Liam éprouva alors un profond soulagement. Plus d'une fois, il s'était dit qu'Ewan Maddox ne l'avait embauché que pour la période des moissons et n'hésiterait pas à le congédier à la première occasion. S'il avait donné à Ned l'ordre de lui apprendre à monter à cheval, cela montrait qu'il avait l'intention de le garder.

En voyant Ned harnacher l'un des chevaux, Liam fut soudain assailli par un souvenir de sa petite enfance. Une contraction douloureuse lui serra la gorge. Il était redevenu un bambin soupçonneux qui regardait un homme aux cheveux bruns, chaussé de bottes, effectuer des gestes tout à fait semblables.

Des paroles surgirent du passé.

« Tu ne sais pas comment tu dois m'appeler, n'est-ce pas, Liam ? »

Son esprit se bloquait. Il sentit que le sang refluait de son visage. Un frisson le secoua.

Se méprenant sur les raisons de ce trouble, Ned éclata soudain de rire.

« T'as aucune raison d'avoir peur, crois-moi. Cette vieille Daisy est la jument la plus calme et la plus douce que je connaisse. La foudre pourrait tomber à ses pieds, elle ne s'écarterait pas d'un pouce ! »

Liam chassa de sa mémoire ces souvenirs du passé et se concentra sur sa leçon. Ned se déclara satisfait de son élève et tous les jours de la semaine, avant qu'on ne parte au travail, les leçons se répétèrent. Quinze jours plus tard, il fut déclaré apte à partir tout seul à cheval, et, à sa grande surprise, Liam éprouva un immense plaisir en se voyant capable de commander les mouvements d'un animal tellement supérieur à lui en taille et en puissance.

Au bout d'un certain laps de temps, il découvrit même qu'il était doué d'un certain talent pour l'équitation et qu'une fois juché sur des montures plus fougueuses que Daisy il se tirait fort bien d'affaire. Pourtant, il refusait obstinément de considérer qu'il avait hérité ces dons de Robert Duncannon, lequel avait passé toute son existence auprès des chevaux, bien que le souvenir qui avait surgi la première fois continuât de le hanter.

Il avait l'impression d'être un peu comme un amnésique qui ne possède qu'un seul indice permettant d'établir son identité. Mais lui, il n'en voulait pas, de cette identité.

Plusieurs fois, au cours de cette période, il rêva d'une vaste demeure avec de hautes fenêtres auprès desquelles il se sentait tout petit. Il y avait aussi un vasistas aux formes compliquées au-dessus d'une porte d'entrée massive. Parfois, sa mère apparaissait dans ce rêve. Elle pleurait. D'autres fois, il y avait une jolie petite fille aux cheveux blonds et bouclés, avec une robe bleue. Ces images le troublaient d'autant plus qu'il avait la certitude que cette maison existait quelque part, mais il n'arrivait pas à déterminer l'endroit où elle se trouvait.

Pour chasser ces souvenirs importuns, pour étouffer les questions avant qu'elles ne s'imposent à lui, Liam s'astreignit à un travail épuisant. Mars était le mois des labours. Puisque Nobby, que tout le monde considérait comme le spécialiste de la charrue, refusait de prolonger sa journée de travail en lui donnant des leçons, Liam s'entraîna tout seul à tracer les sillons avec la vieille Daisy, s'obligeant à répondre par un rire jovial aux quolibets que lui lançaient ses camarades accourus pour le regarder opérer.

Il mangeait avec appétit et dormait relativement bien, de sorte qu'il prenait du poids et du muscle en dépit de toutes ces occupations qu'il s'imposait. Quand Mrs. Maddox le conjurait de s'accorder un peu de répit, il disait qu'il aimait se dépenser alors qu'en réalité il avait peur de l'inaction. Il avait besoin de dérivatifs pour lui occuper l'esprit, sa journée terminée, mais une fois qu'il avait lu le journal et les magazines agricoles qui traînaient dans leur chambre, ce qu'il aurait vraiment voulu avoir, c'était un bon livre.

A Pâques, le fils des fermiers, Lewis Maddox, vint chez ses parents pour y passer les vacances. Liam, qui s'attendait à voir un adolescent rabougri et pâli par l'étude, fut surpris de se trouver face à un homme au teint hâlé et aux épaules solides, qui aurait très bien pu être Ewan Maddox quelque trente ans plus tôt. Cavalier accompli, il partait à cheval tous les jours et c'est au cours d'une de ces excursions que Liam, qui l'avait accompagné pour l'aider à rechercher une variété particulière d'acacia, trouva une occasion de lui parler. La conversation ne tarda pas à prendre un tour tout à fait amical.

« Quel genre de livres aimerais-tu ? demanda Lewis.

— Bah, peu importe, en fait. Ce que j'aime, c'est lire. »

Lewis Maddox réfléchit un moment.

« L'Institut de mécanique a une bibliothèque. Elle est à la mairie. Elle ouvre presque tous les soirs, je crois, alors quand tu auras l'occasion de descendre en ville... Mais j'ai toutes sortes de livres dans ma chambre, à la maison. Si tu n'es pas trop difficile, je t'en passerai quelques-uns. Ah, ma sœur a tout un tas de romans, quelques classiques et aussi beaucoup d'histoires à l'eau de rose, sûrement ! dit-il en éclatant de rire. Elle ne demandera pas mieux que de t'en prêter. »

Liam n'en était pas aussi sûr, mais quand il rencontra Mary Maddox quelques jours plus tard, il se dit que son frère avait sans doute raison. C'était une jeune femme d'allure saine et réaliste, pleine d'assurance mais d'une grande simplicité. Elle parlait aussi facilement aux employés de son père qu'à la servante de sa mère, considérant que tout le personnel faisait un peu partie de la famille.

Le dimanche de Pâques s'annonçait particulièrement ensoleillé et tout le monde partit à bord d'un chariot découvert pour assister à l'office religieux qui se tenait dans la petite église méthodiste de Dandenong. Il y avait bien longtemps que Liam n'était pas allé à la messe. Se joignant du bout des lèvres au chœur des fidèles, il se demandait s'il avait vraiment la foi. Il avait cru en Dieu, autrefois, mais depuis qu'il avait quitté sa famille il n'avait guère adressé à son créateur autre chose qu'un juron, de temps à autre. S'il y avait un dieu, pourquoi avait-il mis fin si brusquement et si cruellement à un bonheur qui ne demandait qu'à se prolonger indéfiniment ?

C'est sur la route du retour que Mary Maddox aborda le problème des livres.

« Lew m'a dit que vous aimeriez avoir quelque chose à lire. Je vais vous choisir quelques romans. Vous les aurez avant que je retourne à Melbourne. »

Intimidé par ces manières directes, Liam ne put que balbutier quelques paroles de remerciements.

« Il n'y a vraiment pas de quoi, dit-elle en souriant. Je suis une passionnée de lecture, moi aussi. »

C'est alors que Liam surprit le regard noir que lui lançait Ned. Le contremaître avait-il des visées sur la fille de la maison ? Saisi d'un doute, Liam craignit que ses relations avec son ami ne soient compromises par une jalousie injustifiée, mais Mary, qui paraissait ne rien avoir remarqué, enchaînait aussitôt, annonçant qu'elle avait l'intention d'organiser un pique-nique dans la montagne pour le lendemain. Comme ce lundi, férié pour tout le monde, risquait d'être l'un des derniers beaux jours de l'automne, elle avait décidé d'en tirer le meilleur parti possible. Ses parents déclinèrent l'invitation : ils n'avaient aucune envie de faire des kilomètres et des kilomètres dans la montagne pour se retrouver au milieu de la foule des citadins en goguette.

« Mais je vais vous préparer un repas froid, dit Mrs. Maddox, si vous, les jeunes vous avez vraiment envie d'y aller. »

Liam coula un regard en biais vers Ned qui manifestait quelques réticences, contrairement à son habitude. Lewis le gronda gentiment, lui assurant qu'une bonne journée au grand air lui ferait certainement plus de bien que de rester traînailler dans les bars de la ville.

Comme toujours quand il quittait la ferme, Lewis se sentait dans son élément en pleine nature. Tout au long de la promenade il montra à Liam, qui l'écoutait avec beaucoup d'attention, les différentes espèces d'acacias et d'eucalyptus, plus d'une douzaine de chaque, et Liam admira le spectacle offert par les fougères délicates qui filtraient les rayons du soleil, dessinant sur le chemin des motifs lumineux aux contours compliqués.

Respirant à pleins poumons l'air chargé de senteurs qui l'enivraient comme un vin nouveau, Liam parla des premières semaines qu'il avait passées en Australie et des travaux de défrichage auxquels il avait participé avant d'arriver à la ferme des Maddox. Bien que Lewis fût fasciné par ce récit, il ne put s'empêcher de condamner ce déboisement systématique. Si on continuait ainsi, toutes les essences typiquement australiennes allaient être condamnées à la disparition.

« La seule chose qui nous restera, ajouta-t-il d'un ton sarcastique, ce seront les précieux arbres étrangers au pays que nos jardiniers importent pour leurs clients riches et ignorants. »

Balayant du regard l'épaisse forêt qui les entourait, Liam esquissa un sourire sceptique. Il faudrait des années à une armée entière pour défricher la région de Dandenong et des siècles pour transformer en désert tout le territoire australien.

En dépit des objections de Lewis, on décida de faire le pique-nique dans une clairière récente près de Belgrave. Ces troncs mutilés, disait Lewis, ressemblaient à des pieds d'éléphants qu'on aurait amputés et la vue d'un tel carnage lui coupait l'appétit. Ils éclatèrent tous de rire mais il insista pour aller manger sa part au milieu des arbres dans la forêt et ne revint rejoindre les autres qu'une fois le repas terminé.

La petite ville de Belgrave se composait principalement de maisons en rondins recouvertes de tôles ondulées, bordant des chemins qui s'enfonçaient dans la forêt. Avec l'enthousiasme d'un enfant, Ned accepta la suggestion de Mary qui proposait de faire une petite promenade à bord du chemin de fer à voie étroite qui allait jusqu'à Emerald et Gembrook. On attacha les chevaux dans un coin ombragé et la petite troupe monta dans de minuscules wagons, ouverts à tous vents et tirés par une locomotive miniature qui prenait d'assaut des pentes apparemment impossibles à gravir. En voyant la foule de citadins, venus eux aussi pour profiter d'un week-end exceptionnellement ensoleillé, s'extasier sur les beautés d'un paysage autrefois inviolé, Liam ne put s'empêcher de s'interroger sur les craintes exprimées par Lewis quelque temps plus tôt. Que resterait-il de toutes ces splendeurs d'ici une centaine d'années, si on ne faisait rien pour sauvegarder la solitude des forêts ?

Mais le temps passait, et on décida de s'arrêter à Emerald pour rentrer au plus vite par un autre train. Le soleil était déjà bien proche de l'horizon lorsqu'ils retrouvèrent leurs chevaux et il fallut se hâter pour traverser les forêts que l'obscurité n'allait pas tarder à envahir.

Mrs. Maddox, qui commençait à s'inquiéter, leur adressa quelques reproches mais sa fille ne manifesta aucun remords. Elle avait passé une journée merveilleuse et Liam savait qu'en parlant ainsi elle exprimait l'opinion générale.

Liam eut enfin des livres. Ceux que Mary avait choisis pour lui, d'abord, car elle devait retourner à l'hôpital de Melbourne bien avant que son frère n'eût terminé ses vacances. Après son départ, les ouvrages bien en évidence sur une étagère, les commentaires de Ned se firent plus acerbes que jamais mais Liam décida de les ignorer, se réfugiant dans un silence stoïque. Avant qu'il n'ait eu le temps de finir *Bleak House*, de Dickens, Lewis vint le voir dans la chambre avec une vingtaine d'autres ouvrages portant sur une grande variété de sujets, depuis la flore et la faune de l'Australie jusqu'aux biographies d'explorateurs et d'aventuriers illustres. Au bout de quelques semaines, Liam n'ignorait plus rien de la vie du capitaine James Cook, qui était parti du Yorkshire, comme lui. Après la *Vie de Nelson*, de Southey, il se lança dans une étude sur le commerce de la laine dont l'un des pôles se situait à Bradford. Il se souvint alors que le père de sa mère avait été négociant en tissus, ce qui ne manqua pas de faire surgir en lui une série d'associations d'idées aux résonances fâcheuses.

En regardant les feuilles bronze et jaunes des peupliers joncher le jardin de Mrs. Maddox, il se dit que le printemps allait commencer en Angleterre. Les jonquilles ne tarderaient pas à apparaître, et en pensant à celles qui dansaient au vent au pied des remparts et des tours de la cathédrale, il sentit une boule lui serrer la gorge. Il aurait donné n'importe quoi pour revoir York, pour pouvoir marcher le long de son large fleuve indolent et regarder les péniches décharger leur cargaison. Certes, il ne tenait pas du tout à quitter l'Australie, mais il aurait voulu avoir l'assurance que York était encore à sa place, sans avoir subi de changement. De là où il était, il avait l'impression que sa ville avait disparu à jamais.

Pris de remords, il décida quelques jours plus tard d'écrire à son frère, de tenir une promesse formulée si longtemps auparavant et qu'il avait oubliée pendant des mois. La lettre n'était pas longue, elle disait peu de chose sur le voyage, insistant surtout sur le bonheur qu'il éprouvait actuellement à se trouver chez des employeurs si accueillants.

« J'ai l'impression d'avoir été accepté ici, disait-il

en conclusion, et j'ai l'intention d'y rester aussi longtemps qu'ils voudront bien me garder. Mais je mets le plus possible d'argent de côté parce que je veux avoir ma ferme à moi, un jour. »

Il dépensait très peu, en effet. Sauf pour se rendre à la bibliothèque, Liam n'allait pas souvent en ville, préférant s'activer dans la sellerie où il astiquait les selles ou réparait les harnais brisés. Un samedi après-midi pourtant, alors que les autres, bravant la pluie et le froid, étaient partis faire leur promenade habituelle, il resta dans la chambre pour lire. Traversant la cour, Mrs. Maddox l'aperçut. Elle lui dit qu'il faisait beaucoup trop froid pour rester là. S'il voulait, il pouvait rentrer dans la maison.

Dans la cuisine bien chauffée, imprégnée de l'odeur réconfortante des gâteaux qui cuisaient au four et du pain tout frais, le murmure des femmes le plongea dans une douce rêverie. Le livre ouvert sur les genoux, regardant fixement le feu, il se revoyait chez lui, dans le cottage, par un après-midi d'hiver, avec sa mère qui faisait une tarte, son alliance tintant en cadence contre le rouleau à pâtisserie en faïence creuse.

Cette tiédeur, cette certitude d'être aimé le remplissaient d'un bonheur renouvelé. En passant devant lui pour aller régler le four, sa mère lui caressait les cheveux et lui disait de bouger un peu, ses longues jambes la gênaient.

« Bill, tu te déplaces ? Il faut que j'aille tisonner le feu. »

Un éclat de rire le fit revenir à la réalité dans un sursaut. Ella, la plantureuse servante qui aidait aux travaux ménagers, lui poussait les pieds. Mrs. Maddox riait doucement en roulant sa pâte. Saisi de panique, Liam les regarda tour à tour comme un enfant perdu au milieu d'étrangers et que sa mère viendrait d'abandonner. Comme un enfant, il avait envie de pleurer et il craignait tellement de céder à cette envie qu'il se leva, la poitrine serrée par la déception, pour sortir précipitamment.

Il entendit Ella s'exclamer « Eh bah alors ! » avec un petit rire nerveux et un bruit de pas qui s'arrêta quand il eut claqué la porte derrière lui. Transpercé par la pluie en traversant la cour, Liam donna libre cours à des larmes qu'il ne pouvait contenir, des larmes d'autant plus violentes qu'elles s'étaient accumulées pendant bien longtemps.

Mais avant qu'il eût atteint l'abri de sa chambre, son chagrin s'était mué en fureur, la même rage impuissante que celle qui l'avait consumé un an plus tôt.

Négligeant d'ôter ses vêtements mouillés, il resta longtemps allongé sur son lit tandis que la pluie tambourinait avec un entêtement monotone sur le toit de tôles ondulées. Il commençait à faire nuit mais il n'avait aucune raison de se presser. Les autres ne seraient pas rentrés avant minuit.

Quelque temps plus tard, il sursautait. La porte s'ouvrait et une silhouette solitaire apparaissait, enveloppée dans une pèlerine. Une femme proféra une exclamation étouffée. Elle posa quelque chose dans un léger bruit de vaisselle et alluma une lampe.

« Tiens, annonça Mrs. Maddox. Je t'ai apporté de quoi dîner. Mange ça tout de suite, avant qu'Ewan ne me prenne sur le fait. J'ai essayé de garder ton assiette au chaud, pensant que tu allais venir nous rejoindre... »

Il prit le plateau, trop étonné pour songer à la remercier. Elle resta au pied du châlit, dans la longue pièce, le fixant avec inquiétude. Liam ne put soutenir l'intensité de ce regard. Marmonnant quelques paroles de remerciements, il se mit à manger, étonné de voir qu'il avait si faim.

« Le mal du pays, hein ? Rien de plus normal, tu

sais... J'ai connu ça, moi aussi, pendant très long-temps. Mais ça te prend au moment où tu t'y attends le moins. »

Comme il ne répondait rien, elle poussa un soupir non dénué d'une certaine exaspération, comme le faisait parfois Louisa.

« Tu n'es pas très bavard, dis donc, reprit-elle. Pourtant ça te ferait du bien de parler un peu. Bon, en tout cas, tu sais où je suis si tu as envie de dire ce que tu as sur le cœur. Je suis capable de garder un secret. »

Liam la croyait très volontiers mais il ne savait que dire.

« Merci. » Il n'était pas capable de trouver autre chose.

Bien qu'il fût ridiculement ému par tant de gentillesse, il n'en avait pas moins envie qu'elle le laisse tranquille. Comme si elle l'avait deviné, elle tourna les talons pour sortir.

« N'oublie pas ce que je t'ai dit. »

Il n'oublia pas, mais en ces moments-là, la gratitude lui apparaissait comme un fardeau supplémentaire dont il pouvait fort bien se passer. Certes, il y avait bien une petite partie de lui-même qui réclamait les consolations d'une mère, mais l'image qu'il s'était forgée de sa propre virilité tournait ces aspirations en dérision. Et puis, plus profondément, il avait peur de ce qu'il dirait une fois qu'il aurait commencé à parler.

Bien que la gêne qu'il éprouvait en présence de Mrs. Maddox le rendît parfois un peu bourru avec elle, elle n'eut pas l'air de s'en formaliser et continua de le traiter comme par le passé. Pourtant il fut soulagé quand le retour du soleil leur permit à tous de reprendre leurs activités.

Le *Dandenong Journal* leur parvenait une fois par

semaine et ils pouvaient lire les journaux de Melbourne chaque fois que Lewis ou sa sœur Mary venaient passer quelque temps chez leurs parents. Vers la fin du mois de juillet, les rumeurs d'une guerre imminente en Europe s'intensifièrent, mettant les esprits en ébullition. On ne parlait plus que de cette menace : si un cataclysme se déchaînait en Europe, tout le monde s'accordait à penser que la Grande-Bretagne ne pourrait rester neutre, ce qui signifiait que l'Australie se trouverait elle aussi impliquée dans le conflit.

Liam fut surpris de constater avec quelle passion des hommes qu'il croyait connaître pouvaient s'opposer dans leurs discussions. Ewan Maddox, qui était le plus âgé et avait deux fils en âge de se battre, s'efforçait de calmer les esprits des plus excités. Murphy, par exemple, le plus ancien des employés, se répandait en de telles invectives contre l'Angleterre que Liam en arrivait à se demander de quelles injustices il avait bien pu souffrir personnellement de la part de la mère patrie. En revanche, Ned, qui était pourtant d'ascendance irlandaise lui aussi, traitait ouvertement Murphy de vieil imbécile. Liam était trop consterné par ce qui se disait pour intervenir, se demandant parfois si ces discussions n'allaient pas se terminer par un pugilat. D'ailleurs, il considérait que son avenir était plus important à ses yeux que le passé de l'un ou l'autre de ses compatriotes.

Il était loin d'être le seul à raisonner ainsi mais chaque fois qu'il allait en ville, il constatait qu'il y avait toujours des gens qui se querellaient. Les Irlandais, fort nombreux dans la région, n'étaient jamais les derniers à donner libre cours à leur ressentiment contre les Anglais mais il y avait aussi des Anglais qui ne portaient guère dans leur cœur un pays qui les avait chassés ou les avait laissés souffrir d'un tel dénuement qu'ils s'étaient vus contraints de s'expatrier. Pour eux, l'Australie devait rester en dehors du conflit. Mais cette opinion n'était pas partagée par les jeunes, dont le patriotisme avait été exacerbé par une éducation imprégnée de militarisme et de principes d'allégeance absolue à la monarchie britannique.

Liam s'efforçait de rester en dehors de tout cela. Quand on lui demandait son opinion, il se contentait de dire qu'il n'y aurait pas la guerre, que toutes ces disputes lui paraissaient prématurées. Ce neutralisme ne lui attirait aucune sympathie et Ned ne se faisait pas faute de lui reprocher de vouloir jouer au plus malin.

Un jour où ils se trouvaient seuls, il entreprit de faire sortir Liam de sa réserve.

« Mais enfin, Bill, si la guerre éclate, qu'est-ce que tu feras ?

— Écoute, laisse-moi tranquille, veux-tu ? lança Liam d'un ton exaspéré. Je viens d'arriver ici, merde alors, je vais quand même pas me précipiter au-delà des océans au premier coup de clairon ! »

Ned en resta stupéfait.

« Ah bah ça alors... ! Fais gaffe quand même, mon pote. T'as pas intérêt à dire des choses comme ça à n'importe qui. Ça pourrait être mal interprété. »

Liam laissa tomber le harnais qu'il était en train de réparer. Il se dressa tout à coup, les poings serrés.

« Vas-y, dis-le tout de suite. Dis-le que je suis un lâche.

— Non ! Sincèrement, c'est pas ce que je voulais dire. Mais j'arrive pas à comprendre comment toi, un Anglais de pure souche, tu n'es pas plus patriote...

— Eh bien, non. Primo et d'une, je me plais bien ici. Je suis venu dans ce pays pour m'y installer, pour gagner ma vie à la sueur de mon front. Je n'ai pas l'intention de foutre tout ça en l'air. Secundo, j'ai énormément de respect pour Ewan Maddox. Il n'était pas obligé de m'embaucher et pourtant il l'a fait et il a tenu parole. Comment va-t-il se débrouiller si tout le monde s'en va ? Tu y as pensé à ça ?

— Il fera comme les autres, je suppose. Il attendra que ça se tasse. Est-ce que tu t'imagines que je vais rester là à toucher ma paie pendant que les autres sont au casse-pipe ? C'est pas mon genre, ça, mon pote. Pas mon genre du tout. »

L'argument invitait à la réflexion. Un peu gêné, Liam alluma une cigarette et tendit le paquet à Ned qui se servit avec une satisfaction farouche.

« Ouais, ne crois pas que je n'y aie pas pensé, dit lentement Liam. J'ai un frère plus jeune que moi au pays. Il m'a dit qu'il voulait s'engager dans l'armée... »

Cette nuit-là, se souvenant des dernières paroles qu'ils avaient échangées sur le chemin de halage, il se demanda où Robin se trouvait maintenant et ce qu'il faisait. Il pensa aussi à Georgina et ressortit la photo que son frère avait prise avant que ne s'écroule le précieux univers qui avait été le leur. Elle avait été heureuse ce jour-là. Elle souriait. Souriait-elle comme ça maintenant ?

Il l'aimait encore. Il savait avec une certitude absolue qu'il l'aimerait toujours. Un an après, avec plus de vingt mille kilomètres qui les séparaient, ses sentiments n'avaient pas varié d'un pouce. Il se souvenait des choses qu'elle lui avait dites, de tous les moments qu'ils avaient passés ensemble.

Non, Ned n'avait aucune raison d'être jaloux à propos de Mary Maddox. Liam aurait bien voulu pouvoir le lui dire.

Quelques jours plus tard, alors qu'il rentrait frigorifié et affamé de l'autre extrémité du domaine où il était allé réparer une clôture, Mrs. Maddox l'appela pour lui dire qu'il avait une lettre qui l'attendait. Aussitôt, lui qui avait pensé à Georgina sans cesse pendant des jours, il se mit à espérer que c'était elle qui lui avait écrit après avoir obtenu son adresse par Robin. Elle lui avait écrit quelque chose, n'importe quoi, pour lui dire qu'elle comprenait les raisons de son départ, qu'elle l'aurait sans doute aimé elle aussi un jour...

Mais la lettre venait de son frère. Il l'avait envoyée d'une ville au nom français située sur l'île de Jersey. Enfin, Robin avait mis à exécution le projet annoncé le jour du départ de Liam et, s'étant engagé dans le second bataillon des Green Howards, il était maintenant stationné dans les îles Anglo-Normandes. Et il s'y trouvait très bien, comme le lut Liam sur la première page, se demandant combien de temps ces vacances allaient encore durer. Robin affirmait qu'il était dans l'armée comme un coq en pâte et la perspective d'une guerre prochaine l'excitait autant que la plupart des jeunes de Dandenong. Liam secoua la tête d'un air sceptique.

Mais de même que Liam avait passé sous silence les mauvais moments qu'il avait endurés en venant en Australie, son frère ne soufflait pas mot des suites immédiates du départ de Liam, sauf pour dire que tout le monde avait été bouleversé, surtout leur mère. Il indiquait également que son père avait refusé de le laisser s'engager dans l'armée, mais que sa mère avait fini par donner son accord, bien à contrecœur d'ailleurs.

En lisant le paragraphe suivant, Liam fut pris de colère. Apparemment, Robin avait rencontré Robert Duncannon à York et bien qu'il eût décliné fièrement l'offre de l'aider que lui faisait le colonel, il semblait qu'il était plus ou moins tombé sous son charme. Tout en parcourant rapidement les feuillets suivants, Liam maudit son frère de se conduire ainsi, en gamin naïf et jobard. D'abord incrédule, il lut jusqu'au bout, puis relut une seconde fois, sentant monter en lui la colère à chaque phrase.

Il est beaucoup plus gentil que tu ne le crois, et il s'est beaucoup inquiété à ton sujet. Nous avons parlé d'homme à homme, ce que j'ai trouvé très chic de sa part, étant donné sa position. Il m'a dit avec la plus grande franchise qu'il avait voulu, plus que toute autre chose au monde, se marier avec maman mais qu'il n'avait pas pu parce qu'il était déjà marié. La mère de Georgina était malade quand il l'a épousée, une espèce de maladie mentale qui n'était pas très grave au début mais qui a empiré très vite. Et personne ne l'avait prévenu. Dans sa famille à elle, on était au courant mais on voulait se débarrasser d'elle.

Ensuite il est venu à York et c'est là qu'il a rencontré maman. Plus tard, elle est allée vivre avec lui à Dublin où il a retrouvé sa sœur. Georgina était toute petite et maman s'est aussi occupée d'elle, et c'est pour ça que Georgina estime tant maman. Elle a d'ailleurs été très gentille avec elle après ton départ, Georgina. Nous étions tous très inquiets et personne ne savait quoi faire. Il lui a fallu plusieurs semaines pour reprendre le dessus mais je crois que ça va aller mieux maintenant qu'elle sait où tu es et que tu n'es plus en danger. Papa est très content également.

Je pense que le colonel sera soulagé lui aussi, parce qu'il se considère comme le vrai responsable de ce qui s'est passé. Mais il ne reproche pas à papa d'avoir épousé maman, son seul regret c'est de ne pas l'avoir épousée lui-même. Il m'a dit qu'il était encore très amoureux d'elle et qu'il n'avait jamais rencontré une femme plus digne d'être aimée.

Tu parles ! songeait Liam avec une ironie pleine d'amertume. Pas plus difficile que ça ! Rien sur les mensonges et le chagrin, pas un mot sur les ruines que ce drame avait provoquées. Et dans la foulée, Robin prêchait le pardon. *Jamais*, se dit Liam. Jamais, dût-il vivre jusqu'à cent ans, jamais il ne leur pardonnerait ce qu'ils avaient fait.

Il alluma une cigarette et fuma avec fureur pendant une minute. Un peu calmé, il reprit la lettre pour lire la fin. Il y avait une ou deux lignes à propos de Tisha qui écrivait parfois à Robin, puis il fut de nouveau fait mention de Georgina. Son nom semblait ressortir de la page et il voulait tellement savoir ce qui lui arrivait qu'il relut plusieurs fois la phrase, s'efforçant d'extraire le maximum d'indications de ces quelques mots trop brefs.

> *... et sa lettre est arrivée par le même courrier que la tienne. Elle est toujours à* The Retreat *où elle travaille énormément. Elle n'a pas le temps d'écrire souvent mais je sais qu'elle sera aussi soulagée que nous quand elle recevra ma lettre où je lui dirai que tu te portes bien et que tu ne cours aucun danger...*

Ainsi donc, elle s'était tourmentée à son sujet. Mais il en avait été de même pour les autres, après tout. Et il avait réussi à rendre sa mère folle d'inquiétude pendant plusieurs semaines. Il en éprouva un accès de remords qu'il parvint à étouffer quand monta de nouveau en lui la colère que lui inspirait le comportement de Robin. Cette sympathie soudaine pour Robert Duncannon le mettait en rage et il lui fallut beaucoup de temps pour considérer cette apparente trahison avec un certain degré d'objectivité.

Il finit tout de même par se rappeler que Robin avait un tempérament qui lui interdisait de se fâcher avec qui que ce soit, car il pouvait toujours discerner les deux faces d'un problème. Avec sa générosité et son caractère placide et affectueux, Robin était toujours le premier à voir le côté positif qu'il pouvait y avoir dans chacun de nous. Malheureusement, se disait Liam, il se laissait aisément manipuler, surtout par ceux que les scrupules n'étouffaient pas. Tisha n'était pas la dernière à avoir joué à ce petit jeu, apparemment, puisque Robert Duncannon s'y était essayé à son tour.

Liam finit donc par lui pardonner et dans la lettre qu'il écrivit, il évita de se montrer sévère, manifestant même une grande inquiétude pour son frère, car maintenant la guerre semblait de plus en plus inévitable. Sachant que Robin serait parmi les premiers concernés par un conflit, Liam se montra dorénavant aussi pressé que ses compagnons de connaître les derniers rebondissements du drame qui s'annonçait. Quand l'Autriche eut déclaré la guerre à la Serbie, la Russie prenant aussitôt position pour défendre son minuscule voisin, il apparut que toutes les grandes puissances européennes se trouvaient sur le point de mobiliser leurs populations.

Pourtant, la nouvelle mit du temps à leur parvenir. Le 3 août ils lurent que l'Allemagne s'était rangée du côté de l'Autriche-Hongrie et avait déclaré la guerre à la Russie ; et deux jours plus tard, à la France. Quand l'Allemagne exigea qu'on lui laisse les coudées franches en Belgique afin d'attaquer un voisin innocent, la colère des Britanniques se déchaîna dans le monde entier. La déclaration de guerre contre l'Allemagne devait s'ensuivre immanquablement.

La nouvelle de cette entrée dans le conflit n'atteignit l'Australie que deux jours plus tard, le 6 août. Liam avait été dépêché en ville ce jour-là et la surexcitation qui régnait à Dandenong le frappa immédiatement. Une foule importante s'était massée devant le bureau de poste de Lonsdale Street et un autre attroupement s'était formé devant le siège du journal où l'on placardait des communiqués avant même que l'encre n'ait eu le temps de sécher.

Peu après une heure de l'après-midi, la nouvelle qu'ils attendaient tous arriva de Sydney. La Grande-Bretagne était en guerre et l'Australie la soutenait jusqu'à la garde. « *Jusqu'au dernier homme et jusqu'au dernier shilling* », comme l'avait dit un homme politique.

Saisissant un feuillet imprimé que quelqu'un distribuait, Liam se fraya un chemin dans la cohue et s'arrêta à un coin de rue pour le lire. Moins de quelques secondes plus tard, une demi-douzaine de personnes l'entouraient, lui arrachant presque le papier des mains. Les réactions allaient de la jubilation extrême au dégoût le plus profond mais la plupart des gens estimaient que cette intervention était justifiée. Il ne fallait pas permettre à l'Allemagne de se comporter en Europe comme en terrain conquis. Elle avait de par le monde tellement d'intérêts en conflit avec ceux de l'Empire britannique que l'on pouvait se demander comment la guerre n'avait pas éclaté plus tôt.

Un cargo allemand quittait précipitamment le port de Melbourne. Des obus — *les premiers de la guerre* — furent tirés sur lui. Deux vaisseaux de guerre allemands croisaient dans le Pacifique, le *Scharnhorst* et le *Gneisenau*. Ils subirent le même sort. Tout d'un coup, cette guerre qui allait déchirer l'Europe ne se trouvait plus située aux antipodes. Elle était là, à deux pas. Assailli par des émotions aussi violentes qu'inattendues, Liam ne put attendre davantage. Il enfourcha son cheval et partit au galop.

Au bout d'un moment, pourtant, il s'arrêta pour réfléchir tout à son aise. Il fallait s'engager, impossible de faire autrement, il n'était pas question de rester sur la touche pendant que les autres se battaient pour défendre son droit de continuer à vivre dans ce paradis terrestre ; et si en défendant l'Australie il défendait également l'Angleterre, alors il n'y avait plus à hésiter. En outre, se disait-il pour justifier ce brusque changement d'attitude, il souffrirait trop dans son amour-propre à l'idée que son jeune frère Robin se trouverait au cœur de la mêlée tandis que lui, Liam, attendrait tranquillement la fin des combats.

Il pensa à Georgina et se demanda s'il la reverrait un jour. Il n'y avait là rien d'impossible, s'il retournait en Angleterre.

Il poussa un soupir et plia la feuille de papier qu'il rangea soigneusement dans sa poche. Le moment était venu de rentrer. A la ferme de Mr. Maddox, tout le monde attendait les nouvelles qu'il avait été chargé d'apporter.

En dépit de leur empressement à voler au secours de la mère patrie, la plupart des employés eurent quelque scrupule à l'idée d'abandonner la ferme. Pendant que Mr. Maddox lançait des regards navrés vers les champs que l'hiver avait dénudés en se demandant comment il ferait pour venir à bout pratiquement seul des difficultés qui l'attendaient, les hommes finirent leur souper avec une célérité inaccoutumée et s'esquivèrent dans leur local pour se lancer dans de nouvelles discussions.

Moins pressé que ses compagnons, Liam entendit Mrs. Maddox essayer de rassurer son mari. Murphy allait rester, disait-elle. Il était trop vieux pour faire un bon soldat, et en outre il avait les jambes arquées. Quant à Bert, ses dents étaient tellement pourries que les dentistes de l'armée tomberaient à la renverse dès qu'il ouvrirait la bouche. Pas question de l'incorporer dans ces conditions.

« Laissons-les toujours aller à Melbourne, conseilla-t-elle à son mari, et tu verras qu'il y en a qui reviendront. »

Persuadé qu'elle avait raison, Liam referma la porte sans bruit derrière lui.

Dans le dortoir, les discussions allaient bon train. Ned, qui avait toujours affirmé qu'il s'engagerait quoi qu'il arrive, semblait maintenant moins enthousiaste que quelques jours plus tôt. Le vieux Murphy avait la larme à l'œil, répétant qu'il allait rester pour aider le patron. Arnie était partagé entre sa soif d'aventures et sa loyauté à l'égard de gens qui lui avaient donné un foyer. Incapable de s'exprimer clairement, il ne pouvait manifester son angoisse que par des mouvements violents, arpentant la pièce de long en large, cognant du poing sur les murs ou se jetant sur son lit pour marteler son oreiller. Liam le plaignait bien sincèrement.

Pourtant, Bert et Nobby ne se posaient aucune question : une fois enrôlés, ils allaient connaître des moments exaltants en Angleterre et faire le tour de l'Europe en touristes, tuant quelques Allemands en chemin. Liam soupçonnait que les choses ne seraient pas aussi faciles.

Soudain quelqu'un mentionna le nom de Lewis et celui de son frère aîné qui dirigeait la ferme de ses beaux-parents à Warragul. Que feraient-ils ? Et si ses deux fils partaient, que ferait Ewan Maddox ? De l'avis général, le plus âgé ne bougerait pas et le patron allait sûrement demander à son fils cadet d'interrompre ses études pour venir travailler sur le domaine familial.

« Et s'il veut s'engager, comme nous tous ? » demanda Liam.

Personne ne sut que répondre.

Si Lewis donna de ses nouvelles à ses parents au cours des jours qui suivirent, aucun des employés n'en fut informé mais ils furent tous très surpris de voir Mary arriver le dimanche pour leur annoncer qu'elle avait décidé, avec une demi-douzaine de ses collègues, de partir comme infirmière militaire. Ned ne se sentit plus de joie.

Comme rien n'avait encore été prévu pour accueillir les nouvelles recrues, les journaux recommandèrent à chacun de s'armer de patience. Les hommes n'avaient guère le cœur à l'ouvrage et tous les prétextes étaient bons pour aller aux nouvelles en ville. Mrs. Maddox s'inquiétait à tout propos et son mari était sur des charbons ardents. Lewis ne s'était toujours pas manifesté.

Le recrutement commença le 11 août.

CHAPITRE XII

Au moment même où les hommes commençaient déjà à envisager de se rendre à Melbourne pour se faire enrôler, Nobby rentra de la ville pour annoncer que Dandenong avait enfin aménagé des locaux pour accueillir les nouveaux soldats. Mais Ewan Griffith Maddox se montra intraitable. Le 11 août qui tombait un mardi était jour de marché. Ceux qui se rendraient en ville ce jour-là partiraient avec une demi-douzaine de jeunes taureaux. Pour lui, ils restaient ses employés jusqu'au jeudi soir. Après cela ils pourraient faire ce que bon leur semblerait.

Le mécontentement fut grand dans le dortoir. Certains parlèrent de passer outre, mais finalement on décida d'obéir. Si jamais l'un ou l'autre d'entre eux, aussi improbable que cela puisse paraître, n'était pas accepté par les autorités militaires, il serait bien content de retrouver la ferme à son retour de la ville.

Le jeudi soir, chacun s'affaira à cirer bottes et chaussures, récupérer tous les objets personnels sur les étagères et emballer du linge et des vêtements de rechange. Le lendemain, après un petit déjeuner matinal, on prit congé. Ewan Maddox s'esquiva brusquement, prétextant un travail urgent dans les granges, mais sa femme versa quelques larmes inattendues en disant au revoir à chacun. Ella était inconsolable, cachant ses pleurs dans son tablier, tandis qu'ils partaient sur la route aux premières lueurs de l'aube. Le vieux Murphy se dirigea en boitant vers les écuries.

D'abord muet, le petit groupe ne tarda pas à entonner un chant de marche sur la route de Dandenong, le moral renaissant avec la montée du soleil au-dessus de l'horizon. Quand les contours de la ville apparurent au loin, ils eurent l'impression d'apercevoir une cité céleste avec ses tours en faux gothique, les cimes des arbres et les cheminées qui scintillaient au-dessus d'un nuage blanc, inondé de soleil. Mais cette vision laissa bientôt la place à une grisaille uniforme quand ils pénétrèrent dans le brouillard qui envahissait les rues.

Près du Royal Hotel, des hommes s'étaient attroupés, attendant l'ouverture du bureau de recrutement. Liam reconnut parmi eux l'un des maréchaux-ferrants et un employé de la poste. Ned engagea la conversation avec deux ouvriers agricoles qui travaillaient dans une ferme voisine. Quant à Arnie, il avait l'air de connaître tout le monde.

Tous tremblaient de froid mais on se passa des cigarettes et on échangea des plaisanteries tout en discutant des multiples rebondissements que cette guerre pourrait comporter. Quand des hommes plus jeunes passaient à proximité, chacun se rengorgeait sous l'effet d'un indiscutable sentiment de supériorité. Certains, comme Arnie par exemple, ne résistaient pas à la tentation de lancer un ou deux quolibets. Deux adolescents d'origine allemande changèrent de trottoir pour éviter de se faire remarquer mais deux ouvriers irlandais se montrèrent nettement plus agressifs. Les coups allaient commencer à pleuvoir mais l'arrivée des recruteurs et l'ouverture du bureau mirent fin aux hostilités.

Deux sergents à la carrure imposante les firent

entrer et tandis qu'un jeune lieutenant replet compulsait des papiers derrière une table reposant sur des tréteaux, les hommes furent invités à se mettre en file indienne. Il y eut quelques petits rires, des toussotements, des sourires gênés, puis l'un des sergents leur adressa une courte allocution pour leur rappeler les raisons de leur présence en ces lieux.

Le médecin de la ville arriva bientôt, suivi d'un caporal qui avait manifestement reçu la mission de l'assister. Après une brève concertation avec l'officier, le médecin pénétra dans la pièce voisine, refermant la porte derrière lui.

Une fois les noms des volontaires couchés sur le papier, il y eut une autre attente qui parut interminable, à la suite de quoi les hommes furent invités à tour de rôle à s'approcher de la table pour répondre à un questionnaire détaillé. On passait ensuite dans la pièce voisine pour y subir un examen médical étonnamment approfondi.

Si quelqu'un s'était imaginé qu'il pourrait embobiner ce praticien local par de belles paroles, il aurait été bien déçu. Les autorités militaires avaient fixé des normes extrêmement précises et, tout civil qu'il était, ce quinquagénaire était tenu de se conformer aux instructions reçues.

Le caporal prenait les mensurations, clamant les chiffres d'une voix sonore, comme sur un terrain de parade. Liam vit le médecin hocher la tête d'un air approbateur. 1,80 mètre de haut, 101 centimètres de tour de poitrine, 79 kilos, 19 ans 10 mois, tous ces renseignements furent dûment enregistrés. Le cœur et les poumons, les pieds et les organes génitaux, tout était normal. La vue et l'ouïe ne posaient aucun problème et il n'avait jamais eu de maladie grave. Liam se demandait avec anxiété si on l'inviterait à expliquer comment il était arrivé dans le pays mais il n'en fut rien. Il apposa sa signature au bas d'un document intitulé « *Armée impériale australienne* », après avoir été déclaré bon pour le service.

Il n'en avait pas été de même pour tout le monde. Bert, bien qu'il eût menti sur son âge, vit sa demande rejetée. Comme l'avait prédit Mrs. Maddox, c'est sa dentition qui le perdit. Quant au petit Nobby Clarke, il lui manquait cinq centimètres pour avoir la taille requise : 1,68 mètre. Arnie passa facilement l'examen, et Ned émergea de la salle en se rengorgeant comme le vainqueur d'un concours d'haltérophilie.

Après avoir consolé leurs deux camarades malheureux, les trois héros se congratulèrent joyeusement. Pourtant leur joie fut de courte durée car on leur annonça que si l'armée était ravie d'avoir leurs noms, elle ne savait que faire de leurs personnes : la caserne Victoria de Melbourne était déjà pleine à craquer. Alors en attendant qu'une décision soit prise à leur sujet, ils étaient invités à regagner leurs foyers et à se présenter de nouveau le lundi suivant.

C'était là une situation que personne n'avait envisagée. Pendant plusieurs minutes ils restèrent en compagnie des autres recrues à se demander quelle contenance prendre. Ces gladiateurs n'avaient aucune envie de se muer en clowns.

C'est alors que Ned éclata de rire.

« Venez, lança-t-il. On va prendre une cuite. »

Arnie trouva l'idée excellente. Au risque de passer pour un rabat-joie, Liam fit remarquer d'un air lugubre que puisqu'ils seraient obligés de réintégrer la ferme ils auraient intérêt à se rappeler que Mrs. Maddox n'aimait pas les ivrognes. Il n'en suivit pas moins ses deux amis jusqu'à leur bar habituel où ils eurent la joie de retrouver Bert et Nobby qui noyaient leur chagrin dans un coin.

Mais le rire de Ned était trop contagieux pour qu'on puisse y résister longtemps et au bout de quelques secondes, ils étaient tous pliés en quatre, se donnant de grandes claques dans le dos et essuyant les larmes qui ruisselaient sur leurs joues. Une tournée en amenait une autre et au milieu de l'après-midi ils tenaient à peine sur leurs jambes. Le soir venu, il fallut bien, la mort dans l'âme, reprendre le chemin de la ferme des Maddox.

Heureusement, Ewan Maddox ne fut pas le dernier à voir le côté comique de cette situation. Pendant que sa femme se répandait en reproches tout en s'apitoyant sur le sort des pochards, il cachait son rire derrière le nuage de fumée dégagé par sa pipe. Ils pourraient rester jusqu'à la fin du week-end, mais à condition de travailler pour payer leur pension, gueule de bois ou non. Et naturellement, il était prêt à reprendre les refusés à son service, quelle que fût l'opinion de l'armée à leur égard.

Le lundi matin, personne ne prenait plus au sérieux ce nouveau départ. Ella, maintenant secouée de gloussements joyeux, les embrassa à tour de rôle en disant :

« Bon, bah, à ce soir, hein ? »

Mais ce soir-là, contre toute attente, ils ne reparurent pas.

La grande avenue qui va de la gare de Flinders Street jusqu'à la caserne de St. Kilda Road avait été envahie par la foule, comme un jour de fête nationale. Des familles entières étaient sorties en force, ainsi que des groupes d'hommes et de jeunes gens, avec des enfants qui gambadaient à leurs côtés, créant une atmosphère électrique pleine de cette surexcitation qui accompagne les grands événements. Les vendeurs de journaux clamaient les dernières nouvelles de la guerre, ajoutant encore à la confusion, mais ici et là, dans la cohue, on voyait des hommes silencieux, solitaires et déterminés, dont les chaussures et le sac poussiéreux révélaient qu'ils avaient dû faire, pour arriver jusqu'ici, beaucoup plus que les trente kilomètres que Liam venait de parcourir par le train.

Ces hommes lui rappelaient ce qu'il avait été lui-même huit mois plus tôt, et en regardant sa belle veste de tweed et ses souliers bien cirés il mesura la différence, non sans étonnement d'ailleurs. Il leva les yeux vers les jeunes filles qui agitaient les bras du haut de leurs fenêtres, il vit les drapeaux qui volaient au vent, et il pensa aux vastes plaines qui ondulaient au pied des collines embrumées ; mais il ne dit rien.

Les hommes qui étaient venus ensemble par le train plaisantaient et riaient, ravis du spectacle offert par la cité et fiers de se dire qu'ils faisaient eux-mêmes partie du spectacle. Pour eux, Dandenong ne représentait plus grand-chose, alors que pour Liam c'était le symbole même de la vie qu'il avait toujours voulu mener. A ce moment précis, Liam avait l'impression d'avoir été trahi par ses émotions, trahi par des attachements sentimentaux qu'il croyait avoir tranchés un an plus tôt. Le cœur serré, il se rendit compte que la vie militaire allait avoir beaucoup de points communs avec celle qu'il avait menée sur les bateaux avant d'arriver en Australie.

Près de la caserne, l'animation était à son comble, avec tous ces tramways qui affluaient, bondés de conscrits, et repartaient à vide, et tous ces hommes qui arrivaient à pied et s'attroupaient devant les grilles que l'on avait toutes les peines du monde à approcher. L'armée s'était crue prête à accueillir les nouvelles recrues mais personne ne s'était attendu à ce qu'il y eût une telle avalanche de volontaires.

Bien qu'ils eussent déjà été enrôlés, Liam et ses compagnons durent attendre toute la matinée que vienne leur tour de prêter serment avant de se faire incorporer.

Ces formalités enfin accomplies, on les fit mettre en rangs par quatre et sous la conduite d'un sergent

254

quadragénaire et de deux caporaux sur le retour, ils sortirent de la caserne pour se diriger vers un terrain d'exercice situé à Broadmeadows, à une vingtaine de kilomètres de là. C'était une vaste plaine parsemée de baraquements provisoires avec une multitude de tentes coniques.

Quelques jours plus tard le temps, qui avait été jusque-là remarquablement sec, changea brusquement. La poussière se mua en boue. Les semaines qui suivirent furent marquées par une interminable succession d'exercices et de harangues menée sous une pluie battante ; un avant-goût, bien que personne n'en eût conscience, de ce que serait dorénavant l'existence de ces malheureux.

Métamorphoser ces individualistes forcenés, ignorant tout de la vie militaire, en combattants disciplinés et entraînés n'était pas chose facile, d'autant que la plupart des sous-officiers hâtivement promus n'avaient pas plus d'expérience que les hommes qu'ils s'efforçaient d'instruire. Quand on demanda des volontaires pour prendre le grade de caporal, Liam et Arnie pressèrent Ned de poser sa candidature. Il était plus âgé qu'eux et il avait exercé les fonctions de contremaître chez les Maddox. Autant avoir pour chef cet homme sympathique plutôt qu'un inconnu arrogant, insista Liam, aussitôt approuvé par les autres garçons venus eux aussi de Dandenong. L'employé des postes fut promu soldat de première classe. Bien qu'assez réticents au début, les deux hommes finirent par prendre leur nouveau statut avec beaucoup de sérieux, surtout une fois qu'ils eurent endossé l'uniforme.

Ned faisait preuve d'une remarquable conscience professionnelle. Il assistait à toutes les conférences et à tous les cours de formation. La présence des galons sur son épaule ou le poids de ses responsabilités nouvelles avaient fait de lui un autre homme. Il riait beaucoup moins facilement et toutes ses critiques portaient moins sur des points personnels que sur des considérations pratiques. Un jour, à la fin d'une journée particulièrement pénible, il confia à Liam qu'il regrettait de ne pas avoir été plus attentif à l'école.

« Je suis sûr que toi, tu pigerais tout ce qu'on explique là-dedans, dit-il en montrant une liasse de règlements et d'instructions qu'il était censé apprendre. Je ne vois vraiment pas pourquoi tu n'as pas demandé à devenir caporal, tu t'en serais tiré bien mieux que moi. »

Réprimant son envie de rire, Liam lui rétorqua avec un sourire convaincant :

« Oui mais toi, tu sais parler aux autres et ils font ce que tu leur dis de faire, parce que tu as l'habitude de commander. Moi, je ne saurais pas m'y prendre. D'ailleurs ils se mettraient à rigoler aussitôt que j'ouvrirais la bouche. Avec mon accent à couper au couteau. »

Ned secoua la tête en grommelant. Il paraissait tellement dépassé par toute cette masse de documents militaires que Liam se sentit contraint de lui offrir son aide.

« Tu veux que je regarde ça avec toi ? proposa-t-il sans grand enthousiasme. A deux, ce sera peut-être plus facile. »

Il se mit donc à l'ouvrage, apprenant lui aussi le contenu de ces fascicules et quand Ned réussissait à progresser dans l'acquisition de ces connaissances nouvelles, Liam était aussi content que si ces succès avaient été les siens. Bien qu'ils fussent moins souvent ensemble que chez les Maddox, Liam fut heureux de constater que Ned éprouvait maintenant un certain respect pour lui et en échange il s'efforça de lui faciliter la tâche au maximum.

Ce n'était pas toujours évident car il y avait un

certain nombre d'hommes qui refusaient de se laisser réduire à la condition de simples rouages dans une vaste machinerie bien huilée. Arnie était de ceux-là. Il semblait avoir un talent particulier pour se trouver toujours là où il ne fallait pas. La seule chose qui lui plaisait dans l'armée, c'était l'uniforme, et l'image qu'il présentait en costume militaire lui était littéralement montée à la tête. Comme les filles le trouvaient extrêmement séduisant, il profitait de toutes les occasions pour aller faire la fête à Melbourne, entraînant à ses trousses la moitié du camp, avec un mépris total pour les horaires prévus par le règlement.

Pendant un moment, Liam s'efforça de faire face, l'arrachant aux établissements les plus malfamés de la cité, mais c'était là une tâche harassante pour quelqu'un qui avait déjà passé toute la journée à manier le fusil sur le terrain d'exercice. Il tenta d'expliquer que ces filles qui se jetaient au cou d'Arnie ne valaient pas mieux que les prostituées qui hantaient les bastringues à matelots, mais Arnie ne voulait rien entendre, trop heureux de se faire toucher et cajoler par des femmes, aussi vulgaires et malpropres qu'elles pussent être.

Incapable de refréner les excès de son compagnon, Liam renonça à poursuivre ses efforts. La vie au camp n'en fut pas facilitée mais du moins eut-il la possibilité de dormir toute la nuit pour pouvoir en supporter les servitudes avec stoïcisme.

Il était à Broadmeadows depuis un peu plus d'un mois quand Ned accourut un jour pour lui annoncer qu'il venait de rencontrer Lewis Maddox. Le fils de leur ancien patron n'avait pas encore revêtu l'uniforme mais il allait incessamment recevoir le grade de sous-lieutenant dans le régiment de cavalerie légère. Apparemment, son père avait menacé de lui couper les vivres s'il ne rentrait pas immédiatement

257

au logis, mais Lewis avait vingt et un ans ; il pouvait faire ce que bon lui semblait.

Quant à Mary, elle avait été acceptée dans le service d'infirmerie de l'armée australienne, si bien qu'avec un peu de chance ils risquaient de se retrouver à bord du même navire.

Liam eut du mal à discerner laquelle de ces deux nouvelles faisait le plus plaisir à Ned. Le fait que Lewis avait réussi à échapper à l'autorité paternelle ou la présence si proche de Mary Maddox ? Il n'eut pas besoin toutefois de réfléchir longtemps pour conclure que c'était la seconde, ce qui ne manqua pas de le faire sourire.

Quelques semaines plus tard, le premier courrier arriva d'Angleterre, fort retardé par la guerre et par un passage préalable à la ferme des Maddox et à la caserne Victoria, à Melbourne.

Il y avait deux lettres, l'une revêtue de caractères élégamment calligraphiés par Edward et l'autre de l'écriture arrondie de sa mère. Liam regarda longuement les deux enveloppes sous la pluie. Quand le nom et l'adresse furent presque complètement brouillés par les gouttes d'eau, il fourra les lettres dans sa poche et partit à grands pas.

Il avait si bien réussi à les chasser de sa mémoire que ce fut une surprise pour lui, plus tard dans la journée, d'entendre le froissement du papier quand il ôta sa tunique. La plupart de ses camarades étaient en ville ou à la cantine. Pour une fois Arnie s'était endormi, assommé par le sommeil, sa force phénoménale l'ayant temporairement déserté.

Liam alluma une petite bougie, tant était grande la tentation de brûler ces lettres sans les lire, celle de sa mère en particulier. Mais au moment même où la flamme commençait à brunir les coins de l'enveloppe, il fut pris de scrupule. Ces bords calcinés étaient comme un reproche. Pourtant, pris d'une fureur soudaine ; Liam jeta au loin cette liasse compacte de feuillets fumants. Il ne voulait pas la lire. Sa mère n'avait aucun droit de s'immiscer dans sa nouvelle existence, rien ne l'autorisait à s'imposer à lui ici !

Des voix s'élevèrent à l'extérieur de la tente. Arnie poussa un gémissement et s'agita un moment. Vite, Liam récupéra les missives et les cacha au milieu de ses affaires. Le silence revenu, il souffla la bougie et s'allongea pour dormir. Mais le sommeil ne venait pas. Un peu avant minuit, il abandonna la lutte et ralluma sa lampe. Il regarda de nouveau la lettre d'Edward, la soupesa un moment, puis décida de commencer par l'autre.

Si le message que lui avait déjà envoyé son frère avait pu lui donner un aperçu de ce à quoi il fallait s'attendre, les mots que lui adressait directement sa mère ravivaient des plaies que le temps n'avait pas encore cicatrisées complètement. Elle lui parlait de son amour, un amour qui lui avait brisé le cœur quand il était parti, un amour qui avait essayé de le protéger et n'avait réussi qu'à le tromper.

Avec une franchise qui sidéra son fils, Louisa décrivait la vie qu'elle avait d'abord eue avec Robert Duncannon. Il était question d'amour, là aussi, mais d'un amour bien différent, terni aux yeux de Liam par une sensualité qui submergeait toute autre considération. Mais Louisa avait beau insister sur la gravité de la maladie mentale de Charlotte Duncannon, qui rendait le divorce impossible, Liam ne parvenait pas à la croire, persuadé que Robert avait sciemment exagéré l'étendue du mal. Car enfin, se disait-il, cette femme ne pouvait être à ce point repoussante. N'avait-elle pas donné une fille à son mari, confirmant ainsi qu'il y avait bel et bien eu des relations conjugales ! Robert Duncannon avait dû aimer cette femme, au début du moins. Qu'il ait pu l'abandonner aussi facilement pour en aimer une autre ne plaidait guère en faveur de sa moralité, pas plus qu'en celle de sa mère qui, sans aucun espoir de pouvoir l'épouser un jour, avait quitté sa demeure et sa famille pour aller vivre ouvertement avec lui à Dublin. Fallait-il chercher ailleurs les raisons de l'aggravation de la démence de Charlotte Duncannon ?

Il poursuivit sa lecture, sentant son cœur se durcir à chaque ligne. Apparemment, une fois calmés les premiers élans de la passion, les choses n'avaient pas tardé à se gâter à Dublin. Selon elle, assaillie par un sentiment de culpabilité sans cesse croissant, elle avait vite compris qu'elle ne pourrait pas vivre ainsi avec Robert, en dehors du mariage.

Lisant entre les lignes, Liam devina que les attentions et l'affection de son père naturel avaient commencé à s'orienter dans d'autres directions. Souvent absent de chez lui, obsédé par des pulsions difficilement contrôlables, il avait dû faire bon marché des principes d'abstinence et de fidélité qui auraient pu garantir une union durable. Et pourtant, Louisa avait continué de partager sa couche, ainsi qu'en témoignait la naissance de Tisha.

Louisa affirmait qu'elle ignorait, en quittant Dublin, qu'elle était enceinte de Tisha. Elle était rentrée à York parce qu'elle ne savait pas où aller. Sa mère, leur vieille servante Bessie et surtout son cousin Edward l'avaient accueillie à bras ouverts avec ses deux fils, et ils l'avaient aidée à survivre.

Malheureusement, l'hôtel de Gillygate, dont Liam avait conservé un très vague souvenir, avait commencé à péricliter et après la mort de Mary il avait fallu s'installer dans un logement plus petit. Bessie était partie, laissant Louisa et Edward seuls avec les trois enfants. C'est à ce moment-là qu'ils avaient emménagé dans le cottage près de la rivière.

Elle s'était mariée avec Edward dix mois plus tard, en 1899, le jour du cinquième anniversaire de Liam.

Aussitôt un éclair jaillit dans l'esprit de Liam. Avec une précision stupéfiante, il se revit rentrer de l'école pour trouver tous ces invités rassemblés au logis : ses tantes Blanche et Emily, l'oncle John Chapman et la vieille Bessie qui était allée travailler chez les Chapman à Leeds. Tout le monde riait, tout le monde le félicitait en lui souhaitant un bon anniversaire. Il y avait des cadeaux à profusion.

Mais le souvenir le plus marquant, finalement, c'était celui de sa mère, belle comme une princesse, la joie étincelant au fond de ses yeux. Et il avait eu envie de rester avec elle, de se faire dorloter et choyer jusqu'au moment où il s'endormirait. Au lieu de cela, il n'avait connu que les larmes et la déception car Robin, Tisha et lui avaient été expédiés à Leeds, chez la tante Emily et l'oncle John, dans une maison qui, malgré ses dimensions, n'avait qu'un jardin grand comme un mouchoir de poche.

On s'était donc servi de lui, on avait profité de cet anniversaire pour dissimuler la véritable raison de cette réunion familiale. Liam fut si outré de cette odieuse mascarade que malgré les protestations d'amour et d'abnégation multipliées par sa mère il se contenta de survoler le reste de la lettre, dans lequel il n'y avait d'ailleurs guère autre chose qu'une énumération bien peu convaincante de toutes les raisons pour lesquelles ce mariage avait eu lieu.

Louisa prétendait qu'Edward et elle s'étaient toujours aimés mais que, pour une raison inexpliquée, ils ne s'en étaient pas aperçus avant ce fameux été 1899. A qui espérait-elle faire croire une chose pareille ? Liam, qui était lui-même amoureux, se disait qu'il y avait là une invraisemblance criante. Incrédule, persuadé que sa mère ne lui présentait qu'un tissu d'inventions pour soulager sa conscience, il était en outre profondément choqué de son obstination à vouloir lui faire connaître les détails intimes de son existence. Il lui suffisait bien de savoir qu'elle avait partagé sa couche avec un autre homme, il n'éprouvait nullement le besoin qu'on lui dise avec quelle ardeur elle s'était précipitée dans ses bras. Autant il lui paraissait normal qu'Edward l'ait enlacée et couverte de baisers, autant il était révolté à l'idée qu'elle se soit accouplée comme une bête avec ce bellâtre de Robert Duncannon !

Il ne put se résoudre à lire la lettre d'Edward. Elle resta dans son enveloppe pendant plusieurs jours, au fond d'une poche. Pendant ses rares moments de tranquillité, il déplorait le mauvais sort qui semblait s'acharner sur lui. Jamais il ne parvenait à conserver les choses et les êtres qui avaient le plus de prix à ses yeux. Il regrettait amèrement de ne plus être chez les Maddox et il pensait à leur ferme avec une tristesse poignante ; en revanche, il se refusait à admettre que sa nostalgie englobait également l'existence qu'il avait menée à York.

Décidément, l'armée n'offrait que de bien maigres compensations à la vie qu'il aurait dû avoir, et quand il lui arrivait de penser à Robert Duncannon, le fait que ce dernier eût choisi délibérément une carrière militaire ne servait qu'à souligner encore davantage les différences qui pouvaient les opposer l'un à l'autre.

Aucune solitude, aucune possibilité d'avoir une vie privée, une nourriture infecte et une succession de jours marqués par un bruit incessant et des exercices stupides, voilà ce que c'était l'armée. Liam ne parvenait pas à comprendre comment tant d'hommes pouvaient s'en satisfaire.

A la fin d'une semaine particulièrement pénible, il partit pour la ville, décidé à tout faire pour tenter de se remonter un peu le moral. Après avoir pris plusieurs bières dans un bar, il quitta les quartiers populeux pour chercher un endroit où il pourrait manger. Dans le labyrinthe de ruelles sombres, glissantes de pluie, il trouva une petite taverne tranquille et relativement propre.

Il se commanda un steak frites et but une autre bière en attendant qu'on vienne le servir. En prenant son temps, cette fois. Et c'est alors, le calme ambiant aidant, qu'il se souvint de la lettre d'Edward. Il se sentait suffisamment fort pour la lire maintenant.

Le ton était plus calme, moins passionné que celui de sa mère. Loin de récriminer contre son départ, Edward espérait que sa nouvelle vie en Australie allait lui apporter toutes les satisfactions qu'il recherchait. Il y avait là une telle ironie involontaire que Liam faillit sourire en se rappelant que ces lignes avaient été écrites bien avant que la tourmente ne se déchaîne sur leur univers.

Bref, cette lettre n'était pas du tout ce qu'il avait redouté. Mis à part un passage dans lequel il demandait à Liam de faire preuve de compréhension à l'égard de Louisa et de lire avec compassion la missive qu'elle lui avait envoyée, Edward ne tentait pratiquement pas d'expliquer quoi que ce soit, ce dont Liam lui fut très reconnaissant car il n'aurait pu supporter qu'on lui administre une nouvelle version de ce qui s'était passé avant. Ce qui le toucha le plus, en fait, ce fut la manière dont Edward parlait des sentiments de Liam à l'égard de Georgina.

Je ne pouvais pas parler, parce que je n'étais pas libre de le faire. Et pourtant, en voyant la manière dont les choses évoluaient, je tremblais et priais, espérant que mes craintes n'avaient pas leur raison d'être. C'est pour ça que je me montrais parfois un peu brusque avec toi, mon cher garçon, et je te demande humblement de bien vouloir me le pardonner. Je comprends, en partie du moins, ce que tu as dû éprouver alors et ce que tu éprouves peut-être encore à l'heure actuelle. Il ne peut pas y avoir une plus grande tragédie dans la vie d'un homme. Je prie pour que le souvenir de ce drame s'efface de ta mémoire, ainsi que cela arrive parfois. Nous voyons Georgina moins souvent maintenant, mais elle semble se bien porter, bien qu'elle ait beaucoup perdu de son entrain. Elle demande toujours des nouvelles de toi mais je ne crois pas qu'elle se soit doutée des sentiments que tu avais pour elle, et nous n'avons bien entendu rien fait pour la mettre au courant. En ce qui concerne son père, je ne suis pas certain qu'il ne se soit aperçu de rien.

Une brume soudaine fit disparaître les mots. Repliant la lettre, Liam toussa pour dissiper cette boule qui lui étreignait la gorge. Au moment où il sortait son mouchoir la serveuse réapparut avec le plat qu'il avait commandé et il mit la lettre de côté pour le moment.

A sa grande surprise, il n'éprouvait aucun ressentiment à l'égard de son père adoptif et les quelques lignes que ce dernier avait écrites sur Georgina faisaient naître en lui une profonde gratitude. Aussi succinctes fussent-elles, c'étaient tout de même des nouvelles de Georgina, et bien que des mois durant il eût souhaité qu'elle comprenne les véritables raisons de son départ, il trouvait finalement qu'il valait sans doute mieux qu'elle ne se doute de rien. Autant lui épargner cette souffrance supplémentaire.

La cuisine était tout à fait convenable, dans ce restaurant. Son repas terminé, Liam se sentit tout ragaillardi. Réconcilié avec l'existence, il reprit la lettre pour en continuer la lecture. Il n'y avait plus grand-chose à lire mais les dernières lignes étaient si émouvantes qu'il se félicita de s'être installé dans un coin tranquille et pas trop bien éclairé.

> *Bien que je ne sois pas votre père naturel, avait écrit Edward, je vous ai tous aimés comme si vous aviez été mes propres enfants. Souviens-toi aussi que je ne suis pas un étranger, je suis ton cousin, et nous partageons le même sang.*

Jamais encore cette idée n'avait effleuré l'esprit de Liam. Sa détermination à trancher tous les liens, à se réfugier dans une solitude totale, s'en trouva temporairement oubliée à mesure que pénétrait en lui la chaleur des paroles d'Edward.

Il lut cette lettre à de nombreuses reprises au cours des semaines qui suivirent et il en tira un grand réconfort. Le tact d'Edward et sa compréhension semblaient authentifier le changement de leur relation en leur conférant à l'un et à l'autre un statut différent de celui de père et de fils pour les mettre en quelque sorte sur un pied d'égalité. Après avoir vu en Edward et en Louisa des complices acharnés à conspirer contre lui, Liam se sentait maintenant obligé de revoir ses conceptions. Edward, semblait-il, aurait préféré dès le début que la vérité soit nettement établie. Et en plus, rien ne l'avait obligé à s'encombrer de la charge de ces trois enfants illégitimes. Qu'il ait accepté d'assumer la responsabilité incombant à un autre, de bon gré et avec un incontestable succès, plaidait éloquemment en faveur des qualités de cet homme hors du commun.

Non sans mortification, Liam se disait qu'il n'aurait sans doute pas eu la même attitude lui-même. Et il ne pouvait s'empêcher de se demander ce qu'aurait été sa vie si Edward n'avait pas consenti à leur servir de père. Non point tellement, peut-être, sur le plan financier, car Robert Duncannon, en dépit de tous ses défauts, n'aurait certainement jamais voulu les laisser mourir de faim, mais spirituellement et intellectuellement, ils auraient vécu une existence infiniment plus pauvre.

Jamais une seule de ses paroles, jamais un seul de ses gestes n'avaient trahi le moindre ressentiment à l'égard de ces trois enfants qui étaient autant ceux de Robert Duncannon que ceux de Louisa ; et pourtant Edward n'éprouvait qu'une sympathie très limitée pour le colonel, cela Liam le savait avec certitude. Grâce à lui, ils avaient eu une enfance heureuse et c'était peut-être à cause de cela que la vérité était si difficile à admettre.

Si Liam se montrait maintenant de plus en plus compréhensif à l'égard d'Edward, son attitude envers sa mère ne s'améliorait aucunement. En fait, Louisa se trouvait amoindrie dès qu'on la comparait à Edward. Dans la réponse qu'il envoya à son père adoptif, Liam ne mentionna même pas le nom de sa mère.

CHAPITRE XIII

A York, cette année-là, se disait Georgina, on n'allait pas fêter Noël avec une joie sans mélange. Déjà la mi-décembre, et rien ne laissait présager une fin prochaine de la guerre. D'ailleurs, il suffisait de lire attentivement les communiqués et de regarder les listes des victimes pour s'apercevoir que l'on s'enlisait dans l'immobilisme. Partout dans les rues on ne voyait que des uniformes, des visages tendus par l'anxiété et une brume froide qui enveloppait la ville avec acharnement. Georgina avait beau fouiller sa mémoire, elle n'arrivait pas à se rappeler un seul jour où le soleil avait brillé dans un ciel parfaitement bleu. En été, sans doute, mais l'été avec ses roses et ses pique-niques semblait maintenant appartenir à un autre âge.

Elle passa devant la cathédrale qui paraissait murée dans une solitude maussade, comme si Dieu l'avait désertée en attendant le retour de la paix. Traversant la rue près du transept sud, elle coupa par Minster Gate pour se rendre au salon de thé où l'attendait Louisa. En passant devant Coffee Yard, elle ralentit le pas, pensant à Edward qui devait être en train de s'affairer auprès de ses beaux livres. L'espace d'un instant, elle fut tentée de rentrer lui dire bonjour mais leurs rencontres se faisaient de plus en plus rares ces derniers temps, et bien qu'il manifestât toujours la même courtoisie à son égard, elle avait parfois l'impression que sa présence le mettait un peu mal à l'aise.

Georgina en était arrivée à se demander s'il n'était pas rongé par quelque inexorable maladie. Son visage émacié et plus pâle que jamais ne laissait jamais transparaître la moindre émotion mais elle croyait y voir les signes d'une maladie cardiaque qui n'en était encore qu'à ses débuts. Il lui aurait fallu du repos et beaucoup de tranquillité mais la guerre ne faisait que lui imposer des tracas supplémentaires.

Le tintement de la sonnette du salon de thé parut plutôt incongru aux oreilles de Georgina quand elle franchit la porte, mais il faisait bon à l'intérieur et elle en fut agréablement impressionnée. Assise près d'une fenêtre, Louisa leva une main pour l'accueillir. Elle avait maigri, elle aussi, mais les souffrances qu'elle avait endurées au cours des dix-huit derniers mois avaient été atténuées par les nouvelles que Robin avait données de Liam ; maintenant, elle n'attendait plus qu'une lettre de son aîné, un mot qu'il lui enverrait directement pour lui dire qu'il la comprenait et qu'il lui avait pardonné.

Ce jour-là, le sourire de Louisa était tendu mais la pression de sa main sur celle de Georgina était chaleureuse et pleine de gratitude.

« Je suis si heureuse que tu aies pu venir. Edward a eu deux lettres de Liam cette semaine, l'une d'Australie, postée il y a six semaines, et l'autre d'Égypte. Il est en Égypte, Georgina ! Mon Dieu, que tout cela paraît bizarre ! Tu te rends compte que Liam se trouve dans un pays comme celui-là. Alexandrie, ça fait tout de suite penser aux pharaons, non ? Et *Le Caire !* »

Georgina serrait ses deux mains l'une dans l'autre sous la table pour apaiser leur tremblement et pendant que Louisa cherchait les lettres dans son petit sac de cuir, elle étira de force ses lèvres crispées pour les contraindre à sourire. C'était vraiment ridicule, se disait-elle, de réagir ainsi chaque fois qu'il donnait de ses nouvelles. Et encore, la première fois, ç'avait été pire et elle s'étonnait de voir qu'elle avait réussi à maîtriser ce sauvage déferlement d'émotions successives. Soulagée d'apprendre qu'il était en sûreté dans une ferme en Australie, elle avait sangloté comme un enfant, une fois seule dans sa chambre. Certes, personne ne l'avait accusée ouvertement de la disparition de Liam mais au fond d'elle-même, elle se rendait bien compte que c'était à cause des sentiments qu'il éprouvait pour elle qu'il avait réagi avec une telle violence. Avec le recul du temps, Georgina se reprochait d'avoir délibérément ignoré l'évidence, uniquement pour mieux goûter le plaisir égoïste de sa compagnie. Seul Edward avait eu quelque soupçon du rôle qu'elle avait joué dans cette tragédie. Ce gentil Edward, si fin, si subtil ! Il avait soupçonné mais jamais il n'avait formulé la moindre accusation.

Pour une fois, Georgina n'avait nul besoin de prodiguer des paroles rassurantes. Louisa était aux anges, bien que ce fût à son mari que ces lettres avaient été adressées. Elle commença à lire à haute voix des passages de la première puis, comme le tremblement croissant de sa voix trahissait ses émotions, elle les tendit toutes les deux à Georgina.

« Tiens, dit-elle en se tapotant les yeux avec son mouchoir, lis-les toi-même. Je me rends bien compte que je suis ridicule mais, aussi contente que je sois d'avoir de ses nouvelles, j'aurais bien voulu qu'il se rappelle que j'existe... »

Sa voix se brisa et ses yeux brillants se tournèrent vers la rue. Georgina la plaignait mais se sentait incapable de la réconforter par des paroles creuses.

Une fois la lettre de Liam dans la main, elle s'obligea à se détendre, à donner au moins extérieurement une impression de calme. Pour cela, elle avait un truc, qu'elle avait appris étant enfant et qu'elle employait avec le plus grand succès depuis qu'elle exerçait les fonctions d'infirmière. Pour son usage interne, elle appelait cela l'*acceptation*. Accepter n'importe quoi, même les situations les plus bizarres, et faire comme si c'était normal. Ne pas questionner, ne pas réagir, et surtout ne pas céder à la panique. Les rires, les pleurs, le déchaînement de la fureur, ce sera pour après, une fois que tu seras seule.

Les caractères inclinés n'étaient pas aussi élégants que les lettres calligraphiées d'Edward, mais ils formaient un ensemble agréable sur la page, et si l'expression pouvait paraître un peu ampoulée au début, le style finissait par se faire plus familier, beaucoup plus mûr en tout cas que celui de Robin, qui semblait toujours obsédé par le désir de résumer une situation avec le moins de mots possible. Liam, une fois lancé, avait le don de trouver le mot juste et de mettre la vie dans ses descriptions.

Grâce à ces lettres adressées à Edward, Georgina était à même elle aussi de maudire cette infecte nourriture, de soupirer sur l'ennui profond qui se dégageait de ces interminables exercices et de partager la frustration de ne pas savoir quand on allait partir pour l'Europe, la date, qui avait été d'abord fixée à la fin septembre, étant sans cesse repoussée à cause de la présence dans les parages de navires de guerre allemands qui présentaient une grave menace pour un convoi d'une importance vitale.

Liam mentionnait que le jour de son vingtième anniversaire il avait dû rester au camp, comme d'habitude, pour faire du maniement d'armes, mais qu'il était allé à Melbourne le soir avec un ami pour fêter l'événement en mangeant au restaurant, « un bon prétexte, écrivait-il, pour couper à l'inévitable ragoût de la cantine ».

Et puis, deux semaines plus tard, le 19 octobre, le « transport de troupes » *Benella* avait fini par quitter Melbourne pour rejoindre le convoi à Albany, en Australie-Occidentale ; et quelques jours après, on s'était préparé à commencer la traversée de l'océan Indien.

> *Nous avons à bord tout un contingent d'infirmières dont la plupart viennent de Victoria. Parmi elles se trouve Mary Maddox, la fille des gens chez qui je travaillais. Son frère Lewis est avec nous aussi. J'aime autant te dire que nous avons eu droit à une cérémonie d'adieu plutôt inattendue dans le port de Melbourne. Mr. et Mrs. Maddox étaient venus de Dandenong et personne ne s'y attendait. Mais bien que n'ayant pas donné leur consentement à Lewis quand il s'était engagé, ils lui ont quand même apporté leur bénédiction, à la fin.*
>
> *J'aurais voulu que tu voies ce départ, avec la fanfare, les banderoles, les sirènes qui mugissaient et toutes ces femmes et ces jeunes filles qui pleuraient sur le quai. Mary pleurait, elle aussi, mais elle avait son frère pour la consoler.*

Tout en remerciant la Providence de sa mansuétude en l'occurrence, Georgina ne pouvait se défendre d'un sentiment de jalousie tout à fait irrationnel. Elle se disait que cette famille Maddox était vraiment trop belle pour être vraie, qu'elle n'avait aucun droit à prendre une telle place dans le cœur de Liam alors que sa propre famille était si cruellement privée de sa chère présence.

La seconde lettre avait été écrite en mer, dans sa

plus grande partie du moins, et relatait la routine quotidienne des maniements d'armes et des leçons de signalisation, mentionnant en outre un passionnant accrochage avec un croiseur allemand qui portait le nom de *Emden*. Quand le *Emden* avait fini par couler, sous les coups du *HMS Sydney*, tout le monde avait poussé de joyeuses acclamations. Désormais, on avait plus hâte que jamais d'atteindre l'Europe pour « commencer enfin à en découdre pour de bon ».

Pourtant, après tant d'enthousiasme, la lettre se terminait sur une note de désappointement. Pour une raison inconnue, ils avaient reçu l'ordre de débarquer à Alexandrie et Liam se demandait si cette escale imprévue avait un quelconque rapport avec le fait que l'Angleterre avait déclaré la guerre à la Turquie. Il espérait bien que non, « car les copains et moi on s'est engagés pour aller là où on se bat vraiment, pas pour faire de la figuration ou rester sur la touche ».

Il demandait aussi qu'on lui donne des nouvelles de Robin et de Tisha et dans un post-scriptum, il indiquait sa nouvelle adresse qui se trouvait selon lui « *à l'ombre des pyramides* ». Frappée par cette image romanesque, Georgina imagina Liam au bras d'une autre infirmière, se promenant au clair de lune, et elle fut saisie d'un accès soudain de solitude et de jalousie. Il ne demandait pas de ses nouvelles, à *elle*, et tout comme Louisa elle avait envie de crier : « Je voudrais bien qu'il se rappelle que j'existe... »

Mais elle se contenta de replier les feuillets dans leurs enveloppes en disant qu'au moins pour le moment Liam ne courait aucun danger en Égypte. Robin, lui, était stationné en Flandre depuis le début octobre et il avait été engagé dans d'effroyables combats pour défendre Ypres, en première ligne sans interruption pendant près de trois semaines.

Son bataillon qui se composait d'un millier d'hommes au départ ne comprenait plus maintenant qu'un seul capitaine, trois sous-lieutenants et moins de deux cent cinquante hommes de troupe. C'était un véritable miracle que Robin s'en soit sorti sans la moindre égratignure. Bien qu'il ne fût pas vraiment hors de danger maintenant — ce qui restait du bataillon avait été replié de l'autre côté de la frontière, le temps de procéder à un regroupement des forces — , leur anxiété s'était un peu atténuée, d'autant que ses lettres recommençaient à arriver régulièrement, même si on n'y retrouvait plus la même insouciance que par le passé.

« Et comment va Tisha ? » réussit-elle à demander, espérant détendre un peu l'atmosphère.

Malheureusement, Tisha continuait de se comporter comme si son cœur avait été transformé en pierre. Elle appréciait beaucoup son nouvel emploi à la caserne et sortait avec des amis presque tous les soirs. On ne la voyait à la maison que pour manger, dit Louisa ; en dehors des repas, elle disparaissait complètement. Elle lisait les lettres de Robin aussitôt après qu'elles étaient arrivées et lui répondait même à l'occasion, mais dès qu'il était question de Liam, elle parlait d'autre chose ou quittait la pièce. Quand on lui reprochait son attitude, elle déclarait sans ambages qu'elle ne pouvait plus supporter de les voir se faire du tracas pour lui. Il avait choisi sa propre voie et pouvait parfaitement se débrouiller tout seul.

« Elle est jeune, observa Georgina, et les jeunes sont parfois très entiers. »

En fait, Georgina se demandait si Edward et Louisa avaient encore suffisamment d'autorité pour s'imposer auprès d'elle. Tisha était têtue : une fois qu'elle avait pris un parti, il était fort difficile de la faire changer d'avis.

Comme toujours, avant de partir, Georgina parla

de son père, répétant à quel point il regrettait ce qui s'était passé et souffrait de l'attitude intransigeante de Louisa à son égard.

« Si seulement il avait pu éviter de venir nous relancer... Mais ton père n'a jamais rien compris à quoi que ce soit, mis à part ses obligations militaires. » Elle poussa un soupir, puis à la grande surprise de Georgina, demanda : « Au fait, qu'est-ce qu'il fait en ce moment ? Je ne pense pas qu'on l'ait envoyé au front, *lui*, ajouta-t-elle avec amertume.

— Non, non. A son grand regret. Il le demande depuis des mois, depuis le début de la guerre. Mais... sa spécialité à lui, c'est l'Irlande et j'ai l'impression que ses supérieurs tiennent à ce qu'il poursuive le travail qu'il a commencé il y a plusieurs années. »

De nouveau, ce fut le silence. Avec un effort visible, Louisa tenta de contenir sa curiosité mais n'y parvint pas.

« Et qu'est-ce qu'il fait là-bas ?

— Je ne sais pas, avoua Georgina. Il n'en parle jamais. A mon avis, il doit être tenu de garder le secret. »

Un sourire plus narquois que vraiment amusé passa sur les lèvres de Louisa.

« Ça serait secret à ce point-là, tu crois ? En tout cas, l'Irlande a toujours été chère à son cœur. Je me demande, ajouta-t-elle au bout d'un moment, si ses supérieurs au ministère connaissent ses véritables opinions à propos de l'Irlande. S'il en était ainsi, ils se dépêcheraient sans doute de l'expédier au front.

— Que veux-tu dire ?

— Demande-le-lui, ma chérie. C'est à ton père qu'il faut le demander, pas à moi.

— C'est ce que je ferai », promit Georgina au moment où elles se séparaient dans Coney Street.

Par la suite, pourtant, les insinuations de Louisa ne lui apparurent guère que comme l'expression de son amertume, du profond ressentiment qu'elle éprouvait à l'idée qu'un homme qui avait fait de l'armée sa vie et son métier — et aux dépens de tant d'autres choses ! — soit tenu à l'écart de cette terrible guerre tandis que des garçons innocents se voyaient dans l'obligation de partir à la boucherie.

Une fois seule, Georgina laissa son esprit s'attarder sur le souvenir de Liam, écrivant sa nouvelle adresse sur la dernière page de son agenda, au-dessous des deux autres qu'elle avait apprises par cœur. Puis elle tenta une fois de plus de lui écrire une lettre mais au bout d'une heure d'efforts incessants elle se rendit compte que là encore elle ne parviendrait pas à trouver le ton juste, l'équilibre parfait entre la froide indifférence d'une vieille gouvernante qui réprimande et les interrogations tendres d'une femme passionnée.

Elle finit par renoncer, se disant que la seule façon de clarifier les choses serait de s'en expliquer avec lui de vive voix. Face à lui, elle trouverait les mots qu'il fallait pour lui faire comprendre la véritable nature de son affection et l'aider à accepter ce qu'il était impossible de changer.

Pourvu, pria-t-elle, qu'il vive assez longtemps pour cela. Elle ne pouvait supporter l'idée qu'il risquait de mourir avec de la haine dans son cœur. Quels que fussent les torts de Louisa, qui avait beaucoup plus péché par omission que par intention, elle était une mère irréprochable et aimante. Elle ne méritait pas le traitement que Liam lui infligeait.

Et s'il s'avère que je suis moi-même plus coupable que je ne le crois, se disait Georgina, alors, moi aussi, j'ai besoin d'être pardonnée.

Une semaine plus tard, quelques jours avant Noël, Georgina prit une importante décision. Depuis longtemps déjà, elle se demandait si elle devait se porter volontaire pour servir dans un hôpital militaire, et l'idée de s'éloigner de cette ville, où l'environnement était si lourd de charges émotionnelles et de responsabilités, ne manquait pas d'exercer sur elle un certain attrait.

Quelques-unes de ses collègues étaient déjà parties et Georgina avait entendu parler des horribles mutilations que les sauvages bombardements avaient infligées aux jeunes soldats engagés dans les combats. En mettant en œuvre toutes les compétences qu'elle avait acquises dans cet hôpital, elle pouvait sauver des vies, réconforter des âmes en détresse et aider certains de ces malheureux à retrouver leur intégrité avant de les rendre à leurs familles, une fois la guerre terminée.

A quoi bon prolonger un séjour à York désormais inutile, alors qu'elle pouvait rendre tant de services ailleurs ?

CHAPITRE XIV

Trente-huit transports de troupes étaient arrivés à Alexandrie, pour décharger par milliers les hommes que l'on acheminait ensuite à près de deux cents kilomètres de là, non loin du Caire. De la gare de chemin de fer de la capitale jusqu'à leur destination, aux confins du désert de l'Ouest, il avait fallu marcher sur plusieurs kilomètres en pleine chaleur, dans des conditions particulièrement éprouvantes.

Les premiers arrivés, parmi ces dix-huit mille soldats, n'avaient rien trouvé d'autre, sur cet espace dominé par la haute silhouette des pyramides, qu'un ensemble de bâtisses entourant un hôtel rustique. On avait donc réquisitionné Mena House, et c'est de là que le camp de Mena avait tiré son nom. Les tentes surgirent de terre comme des champignons, par centaines, donnant à ce camp l'aspect d'une véritable ville. Une ville où il n'y avait que des hommes.

Bien qu'il eût été à même d'entrevoir brièvement l'Égypte un an plus tôt en franchissant le canal de Suez, Liam ne fut pas moins impressionné que ses compagnons par la beauté de ce pays brûlé par le soleil et envahi par le sable, une beauté éclatante et décadente qui l'exaltait et lui répugnait tout à la fois. Il y trouvait partout la lumière et la couleur mais aussi la pauvreté la plus épouvantable qu'il lui eût jamais été donné de voir. Les fleurs odorantes des jardins somptueux rivalisaient avec l'odeur de pourriture qui flottait dans les rues, tandis que les palais de marbre blanc bordant les grandes avenues cachaient un dédale de ruelles fétides, peuplées d'indigènes. Les tramways électriques et les automobiles rutilantes roulaient de pair avec d'autres formes de transport qui rappelaient irrésistiblement la Bible : les ânes et les chameaux se bousculaient bruyamment tandis que leurs maîtres hurlaient des insultes incompréhensibles aux soldats qui les regardaient bouche bée.

Comparé aux rues du Caire, le désert apparut au début comme un havre de paix, mais Liam ne réussit jamais à trouver comment occuper les nuits où il était de service de garde. A la clarté de la lune qui inondait les pyramides, le désert parvenait à exercer une terrifiante fascination ; les tombeaux vides des pharaons que la mort avait terrassés si longtemps auparavant semblaient peuplés de rires et de chuchotements et d'ombres mouvantes. C'était vraiment impressionnant.

Le camp terminé, pourtant, personne n'avait plus le temps de rêvasser, il n'y avait plus qu'un mot d'ordre : place au travail. Ces dix-huit mille hommes furent immédiatement soumis à un régime intensif à base de marches forcées, de maniements d'armes incessants, de creusements de tranchées, dans le seul et unique but de les amener à un niveau optimal de force physique. En fait, après la relative inactivité de ce voyage en bateau qui les avait amenés d'Australie, il ne réussit qu'à les mettre sur les genoux. Si les horaires avaient été moins rigoureux, avec une nourriture convenable et une journée de repos par semaine, ces malheureux ne seraient pas tombés comme des mouches, terrassés par l'épuisement et une pléthore de maladies bénignes mais débilitantes.

Au début, bien peu d'hommes, Liam entre autres, avaient encore suffisamment d'énergie pour aller en ville, après avoir marché dans le sable toute la journée avec pour toute nourriture un quignon de pain et quelques sardines en conserve. Mais le ressentiment engendre aussi une certaine forme d'énergie et au bout de trois semaines, le mécontentement commença à gronder, tel un orage qui couve au loin.

Comme ses camarades, Liam en était arrivé à se demander à quoi pouvait bien rimer ce séjour dans un endroit aussi perdu. A quelques jours de Noël, la seule chose qu'il parvenait à distinguer c'était les appels des muezzins, du haut de leurs lointains minarets, rien de comparable avec les cloches des églises de la bonne ville de York. Envahi par la nostalgie, il se rendit compte aussi que son sentiment patriotique était enflammé par les lettres de son frère qui, lui, avait la chance d'être en France, où des batailles grandioses décidaient du sort de l'humanité. Car enfin, s'ils s'étaient engagés dans l'armée, ce n'était pas pour entendre les discours moralisateurs d'officiers qui n'avaient pas plus qu'eux l'expérience de la guerre. Ils étaient venus pour se battre, un point c'est tout.

Las et démoralisés, les hommes prenaient maintenant l'habitude de partir chaque soir, en nombre sans cesse croissant, avec ou sans permission, pour aller se distraire dans les lupanars du Caire. Recevant une solde de cinq shillings par jour, les Australiens étaient les mieux payés de toutes les armées alliées, et Liam n'avait jamais eu autant l'impression d'être riche. Même en reversant la moitié de ses allocations sur un compte en banque d'York, au nom d'Edward, il lui restait encore beaucoup plus que ce que touchait Robin, et il était bien décidé à en profiter au maximum.

L'estomac sans cesse dans les talons, Liam était

obsédé par la nourriture, et au Caire, le choix ne manquait pas, depuis le restaurant renommé de Shepheard's jusqu'aux gargotes moins chères mais également fort mal tenues qui foisonnaient dans les ruelles des quartiers indigènes.

Au début, il se contenta de s'offrir un repas décent, arrosé de quelques bières, mais comme beaucoup d'autres de ses camarades, il ne tarda pas à se laisser gagner par l'excitation qui marquait ces déplacements illicites jusqu'à la ville. Après des semaines de claustration ils étaient tous exaltés à l'idée que l'on pouvait enfreindre les règles sans encourir le moindre risque.

Ces expéditions nocturnes se faisaient sans cesse plus échevelées, une véritable hystérie collective gagnant ces hommes qui se retrouvaient pour boire, jouer leur solde ou forniquer dans les tripots et les lupanars du Caire. Libérés de leurs obligations familiales ou professionnelles, lâchés dans une ville aussi vieille que le péché et capable de satisfaire tous les vices, un grand nombre de ces garçons étaient décidés à profiter pleinement de leur chance.

Bien que Liam fût parti de chez lui depuis longtemps déjà, la tristesse et la répugnance que lui inspiraient ces divertissements ne l'inclinaient guère à céder à de telles tentations, mais l'atmosphère licencieuse qui régnait en tous lieux commençait à émousser son jugement. Au début il se contenta d'accompagner Ned, mais comme celui-ci disparaissait souvent sans lui laisser d'explications, le laissant avec Arnie au milieu des autres, il conclut que son ami avait dû dénicher une maison de passe particulièrement intéressante et refusait d'en partager les délices avec ses subordonnés. En fait, Liam avait parfois d'autres soupçons, qu'il gardait pour lui, mais quoi qu'il en soit, ces défections mettaient entre eux une distance plus grande que la différence de grade n'aurait normalement dû le faire.

Mortifié par ce manque de confiance, il réagit en se jetant à corps perdu dans cet océan de jouissances. Épuisé par ses travaux diurnes, il semblait flotter la nuit sur un nuage euphorique, ballotté par les vents qui le ramenaient toujours vers une terre exotique parsemée de fleurs de lotus. Et ce rivage semblait peuplé de la moitié des femmes d'Europe et d'Asie. Qu'elles fussent blondes ou brunes, timides ou audacieuses, elles fourmillaient dans les ruelles obscures, dans les bouges ou les établissements de luxe, gardées par des Françaises outrageusement maquillées ou des homosexuels égyptiens.

Certains spectacles montraient des Orientales effectuant leur danse du ventre ou des jeunes filles s'exhibant avec leurs éventails, et d'autres cherchaient à aguicher les clients avec des prestations beaucoup moins innocentes. A tous les carrefours étaient proposés aux acheteurs des cartes postales et des livres appartenant à un genre qui n'aurait jamais pu voir le jour dans des pays où la morale victorienne exerçait son autorité.

C'était un pays où le sexe était à vendre, un pays où chaque indigène avait une « sœur » prête à tenir compagnie à tous les beaux soldats bien argentés qui s'apprêtaient à partir à la guerre.

Un tel commerce ne suscitait chez Liam qu'embarras et dégoût, mais il y avait là une telle force de suggestion que ses rêves diurnes ou nocturnes étaient marqués par un érotisme qui leur avait été étranger jusqu'alors.

En maintes occasions il observa le manège d'Arnie et de ses compagnons lorsqu'ils sortaient des bars pour aller choisir des filles dans Haret el Wasser. Et lui qui n'était jamais le dernier à lever le coude ou à jeter les dés avec les plus acharnés, il ne parvenait jamais à se joindre à eux dans leurs débauches nocturnes. Malgré les verres d'alcool qu'il absorbait pour réchauffer son ardeur et les plaisanteries joviales de ses camarades, il y avait toujours quelque chose qui le retenait au dernier moment.

Ah, s'il avait seulement pu trouver une fille ressemblant à Georgina, alors il n'y aurait plus eu aucun problème, mais les cheveux blonds et le teint pâle de celle qu'il aimait étaient aussi rares dans ce pays que la neige à la surface du désert. Quant aux belles infirmières européennes cantonnées à Mena et dans les hôpitaux du Caire, elles étaient aussi inaccessibles que les femmes d'un purdah. Du moins pour les simples soldats comme lui, car il soupçonnait que la présence d'un ou deux galons sur les épaulettes aurait certainement pu lui faciliter les choses.

Malgré les dénégations furieuses de Ned, qui rabrouait sans cesse Liam en lui disant de s'occuper de ses affaires, il était persuadé que le caporal entretenait des relations suivies avec la fille de son ancien patron. Il avait aperçu plusieurs fois Mary Maddox qui s'était montrée très aimable avec lui, et il lui arrivait souvent de croiser Lewis Maddox. La différence de grade leur interdisait de prolonger leurs conversations au-delà de quelques minutes mais il avait toujours la satisfaction de voir l'intérêt que lui portait le jeune lieutenant et de constater que l'entraînement subi par les officiers de cavalerie n'était pas plus enviable que celui des fantassins.

Lewis n'avait rien perdu de son ardeur juvénile mais Liam avait tout de même l'impression qu'il avait beaucoup mûri. En le voyant un soir au milieu d'un groupe d'officiers et d'infirmières sur le perron de l'hôtel Shepheard's, Liam envia la décontraction et l'élégance de son ami, regrettant de ne pas avoir lui-même un cœur plus disponible. Ah, si seulement il avait pu lui être épargné de faire la connaissance de Georgina ! Ou, l'ayant rencontrée, être capable de se libérer de l'obsession qu'elle était devenue pour lui !

Non, c'était vraiment trop ridicule. A plusieurs reprises, il jura qu'il allait déchirer cette photo que Robin lui avait donnée. Mais il ne put s'y résoudre. En fait, il n'y avait plus qu'une seule solution : se trouver une fille qui n'avait rien de commun avec Georgina et mettre en pratique ce dont il avait rêvé si souvent.

Plus facile à dire qu'à faire. La première fois, la crasse qui régnait dans la chambre éteignit complètement son ardeur. Au moment où la femme allumait les lampes, Liam prit la porte, poursuivi par les cris et les insultes.

La seconde fois, il procéda d'une manière plus circonspecte. Il choisit un établissement d'une classe supérieure au lieu de se contenter d'un lupanar de bas étage. Maîtrisant sa nervosité, Liam expliqua à la sous-maîtresse qu'il voulait une fille jeune et propre, et il exigeait qu'on lui change les draps. La femme était vieille et obèse et outrageusement maquillée, mais pendant un moment, après avoir observé ce garçon élancé avec sa mèche de cheveux qui lui barrait le front, elle parut sur le point de suggérer autre chose. Puis elle se détourna en haussant les épaules.

Une jeune fille arriva. C'était une adolescente petite et jolie, d'une beauté enfantine, avec ses yeux profonds et sa peau qui faisait songer à une olive. Liam hésita. Ce n'était pas tout à fait ce qu'il avait envisagé. Il préférait les femmes aux toutes jeunes filles, mais ses protestations risquaient de prêter à confusion. Se rappelant le regard que la mère maquerelle avait jeté sur lui, il jugea plus prudent de se contenter de ce qu'on lui offrait.

La chambre n'était pas aussi pimpante qu'il l'aurait souhaité, et en outre elle donnait sur la rue où il y avait un bruit assourdissant. Par contre, elle était meublée avec goût et les draps paraissaient relativement propres. La fille ôta rapidement sa robe et s'allongea sur un large lit de plumes, les jambes écartées. Elle l'attendait. Liam la regarda un moment puis commença lentement à dégrafer sa tunique. La fille tendit alors la main vers un compotier et saisit une orange qu'elle se mit à peler.

Cette absence totale d'intérêt pour ce qu'ils se préparaient à faire n'avait vraiment rien de bien stimulant. Il cessa de déboutonner sa chemise, se rendant compte que son excitation était tombée. Il n'y avait rien dans cette fille qui suscitât son intérêt. Elle ne l'émouvait pas plus qu'un quartier de viande exposé à la devanture d'une boucherie. Il pensa à tous les hommes qui avaient déjà recouru à ses services et cessa de s'étonner. Pourquoi lui attacherait-elle la moindre importance ?

Il eut un petit pincement de regret pour la somme d'argent qu'il avait déjà versée, mais toute réclamation était inutile. Il poussa un soupir et remit sa tunique pour partir.

Une fois rentré au camp, cependant, il se maudit de sa bêtise et de sa lâcheté, se demandant pourquoi il était incapable de faire une chose que les autres hommes trouvaient si simple. Pris d'un accès de désespoir, il se jeta sur son lit de camp et resta en proie à de sombres pensées. Ned qui rentrait tout ragaillardi de sa sortie nocturne partit d'un grand éclat de rire.

« Mais non, espèce de crétin, il n'y a rien d'anormal là-dedans. Rien qu'une femme digne de ce nom ne puisse régler en deux coups de cuiller à pot. Et pour l'amour du ciel, ne commence pas à te comparer avec Arnie. Tu sais très bien qu'il est bête à manger du foin et un de ces jours, ça lui retombera sur le bec, tu verras. D'ailleurs, ajouta-t-il avec un sourire énigmatique, tu peux me croire sur parole : la plupart des femmes préfèrent la qualité à la quantité et sur ce plan-là, Arnie n'a pas plus d'idées qu'un coq de basse-cour.

— Évidemment, c'est facile pour toi de te moquer des autres, rétorqua Liam avec amertume. Tu n'as guère de problèmes, à ce que je vois. C'est Mary Maddox que tu vas retrouver tous les soirs, hein ? »

Ned se tapota le bout du nez.

« Comme je te l'ai déjà dit, si tu ne poses pas de questions, on ne te dira pas de mensonges. »

Une lueur ironique au fond des yeux, Liam s'assit sur son séant et alluma une cigarette.

« Eh bien, je te souhaite que personne ne s'aperçoive jamais de rien, c'est tout. Sinon, on la réexpédiera chez elle et toi tu te taperas toutes les corvées jusqu'à la fin de cette putain de guerre. »

Avec une superbe indifférence, Ned se contenta de rire.

« Trouve-toi donc une mignonne petite infirmière, dit-il d'un ton conciliant, et surtout ne remets plus les pieds dans c'te saloperie de Wasser. Tu n'y auras jamais que des ennuis, mon pote. »

Mais les chances que pouvait avoir Liam de rencontrer une infirmière étaient bien minces, ils le savaient l'un et l'autre. Pourtant, il évita soigneusement de remettre les pieds dans Haret el Wasser, mais pas pour la raison que Ned avait invoquée. En fait, la crainte de subir de nouvelles humiliations dominait chez Liam son désir de connaître les plaisirs sexuels. En outre, il y avait maintenant dans l'armée australienne un tel relâchement de la discipline que des changements importants ne pouvaient manquer de survenir.

Juste après Noël, il fut signalé que trois cents hommes s'étaient absentés sans autorisation. Il y eut même un bataillon qui fut obligé de renoncer à défiler pour la simple raison qu'il n'y avait plus assez de militaires qui étaient restés à leur poste. Des barrages furent constitués sur la route allant de Mena au Caire et toutes les permissions passées au peigne fin.

On décida de soumettre les soldats à un entraînement encore plus intense, de leur imposer des marches dans le désert plus longues que par le passé et d'exiler certaines unités dans des garnisons situées le long du canal de Suez.

Bien que la nourriture fût encore essentiellement constituée de pain accompagné de confitures, de sardines et de corned beef, elle était en quantités suffisantes, et on décida enfin que le dimanche serait un jour de repos. On rassemblait encore le bataillon pour assister à l'office, mais après cela, les hommes avaient leur journée libre. Ils commencèrent à se comporter davantage en touristes et moins comme des vandales et le nombre de ceux qui se faisaient porter malades diminua de façon spectaculaire.

Pourtant un autre problème avait surgi.

Tant que l'un de leurs camarades n'avait pas été atteint, les maladies vénériennes n'avaient guère été autre chose qu'un sujet de plaisanterie dans l'unité de Liam, mais quand Arnie eut demandé à se faire examiner par un docteur, ils ne le revirent plus jamais. Tout en reconnaissant que, plus que tout autre, il l'avait bien cherché, ses camarades furent choqués par le traitement infligé au malade. Encadré par des hommes en armes, il alla rejoindre le nombre sans cesse croissant de ceux qui avaient « délibérément » contracté le mal, vit son livret de solde dûment tamponné, et fut obligé de porter un brassard blanc, « comme une clochette de lépreux », ainsi que le déclara Liam.

Certes, Arnie s'était conduit comme un imbécile, mais la maladie aurait tout aussi bien pu échoir à un homme qui n'aurait succombé à la tentation qu'une seule fois. Liam fut pris d'une panique rétrospective en se rappelant ses propres tentatives et se reprocha de ne pas avoir tenté avec davantage de conviction de dissuader Arnie de fréquenter les prostituées. Conscient d'avoir manqué à tous ses devoirs envers son jeune camarade, Ned était lui aussi bourrelé de remords. Le dimanche après-midi suivant, ils allèrent tous les deux auprès de la clôture en fil de fer barbelé qui délimitait le camp des « pestiférés », en emportant des fruits et des cigarettes.

Ils furent invités à s'éloigner. Personne n'avait le droit de parler aux patients, pas même leurs gardiens. Debout dans le sable, sous les rayons brûlants du soleil, Ned et Liam ne purent obtenir d'Arnie rien d'autre qu'un vague salut, esquissé d'une main molle. Il ressemblait à un chien que l'on aurait attaché à une laisse et enfermé derrière un grillage sans qu'il puisse savoir pourquoi. Liam aspira avec amertume une longue bouffée de sa cigarette qu'il écrasa ensuite rageusement par terre.

« Ah les salauds ! s'écria-t-il. Ils ont une façon de punir pour l'exemple !

— Viens, murmura Ned. Ça sert à rien de rester là. On croirait des animaux dans un putain de zoo ! »

La leçon était sévère mais elle porta ses fruits. Le bruit courut, bien fondé pour une fois, que tous les hommes atteints de maladies vénériennes seraient rapatriés en Australie avec ceux qui avaient commis des délits graves, et l'on considéra que c'était là une conclusion ignominieuse pour une aventure dans laquelle on avait placé tant d'espoirs six mois plus tôt. Et tout cela à cause de l'Égypte !

L'attrait de la nouveauté maintenant tombé, personne n'avait même plus envie de se rebeller et les hommes de troupe en vinrent peu à peu à quelque chose qui ressemblait à de la résignation, bien que cette existence continuât de présenter son lot habituel de contrariétés exaspérantes. Le sable du désert, bien que plus grossier que celui que l'on pouvait trouver sur n'importe quelle plage, s'immisçait dans les yeux, les oreilles et les narines. On le trouvait dans la nourriture et dans la literie, et les vents du désert infligeaient un véritable supplice aux bêtes comme aux hommes.

Au bout de quatre mois, Liam commença à se demander, à l'instar de tous ses compagnons, s'ils quitteraient un jour cette crasse et ce sable pour entreprendre les tâches qui les avaient amenés à quitter l'Australie. Ces marches de plus de quinze kilomètres à travers les dunes, avec des fusils mitrailleurs et des sacs de dix kilos, leur paraissaient aussi inutiles et cruelles que par le passé, mais ils commençaient tous, même les moins motivés d'entre eux, à se rendre compte que grâce à l'encadrement des officiers et des sous-officiers, ils se comportaient beaucoup moins comme une horde indisciplinée que comme des soldats bien entraînés, prêts au combat.

Liam, qui avait toujours eu l'habitude d'œuvrer en solitaire, découvrait par exemple les avantages tactiques du travail en équipe et la nécessité de s'appuyer sur les autres. Il retrouvait également les vertus de l'amour-propre. Grâce à un entraînement efficace, joint à des dons naturels indiscutables, il était devenu un tireur d'élite, le meilleur de son peloton, tandis que quatre mois passés à creuser des tranchées avaient développé sa force musculaire. A vingt ans maintenant, au mieux de sa forme physique, il attendait impatiemment, ainsi qu'il l'écrivit une fois de plus à Robin, le moment de se lancer sur le théâtre des opérations.

Vers la mi-mars, en même temps que l'on distribuait de nouveaux fusils, des bruits commencèrent à courir. Certains disaient qu'ils allaient partir pour la

France et d'autres qu'il fallait défendre le canal contre les attaques des Turcs. Mais après l'échec du bombardement naval des Dardanelles, on évoquait aussi l'intervention des fantassins dans cette zone pour prendre Constantinople et obliger les Turcs à se retirer du conflit. De cette façon les Russes, qui étaient les alliés de la Grande-Bretagne, pourraient libérer leurs troupes de la mer Noire où elles étaient bloquées depuis des mois. En outre, les Allemands se verraient interdire l'accès de la Méditerranée. Étant donné l'immobilisme qui sévissait sur le front occidental, c'était là un succès dont les Alliés avaient grand besoin.

À la fin du mois, la nouvelle se confirma : ils iraient dans les Dardanelles ; on les débarquerait dans une île de la mer Égée, l'île de Lemnos, dont aucun d'entre eux n'avait jamais entendu parler.

Les esprits étaient tellement surchauffés par la perspective d'un départ prochain que le moindre incident risquait de mettre le feu aux poudres. L'étincelle jaillit le vendredi saint, provoquée par une rumeur insistante selon laquelle un soldat avait été poignardé et dévalisé dans une maison de passe de Haret el Wasser. Ce n'était pas la première fois qu'une telle agression se produisait, mais le prétexte arrivait à point nommé pour se venger des souteneurs et des prostituées de ce quartier malfamé. Plusieurs établissements de mauvaise réputation furent pris d'assaut, et on jeta par les fenêtres le mobilier et la literie qui atterrirent dans la rue. Il y eut même un piano qui subit le même sort, s'écrasant sur le trottoir dans un fracas de cordes brisées, aux applaudissements de la troupe assemblée qui mit le feu aux meubles disloqués.

L'incendie ne tarda pas à se propager dans l'étroite ruelle, et ce qui n'avait d'abord été qu'un incident violent mais limité dégénéra bientôt en une véritable émeute, qui nécessita l'intervention de la police militaire, des pompiers locaux et des troupes britanniques, qui eurent toutes les peines du monde à rétablir l'ordre.

Dans le bataillon de Liam toutes les permissions furent supprimées en prévision du départ. En même temps qu'un millier de ses compatriotes, il passa la journée à emballer des armes et des munitions. Il fut annoncé que l'on quitterait le camp trente-six heures plus tard. Après quatre longs mois d'attente, la nouvelle fit sensation. Différentes unités, parmi lesquelles figurait le régiment de chevau-légers dont Lewis faisait partie, avaient déjà été acheminées vers le canal de Suez, mais le bataillon de Liam fut l'un des premiers à recevoir un véritable ordre de route. D'autres allaient partir ensuite, se rendraient en train jusqu'à Alexandrie pour embarquer dans les bateaux qui allaient traverser séparément la Méditerranée : un convoi aurait trop risqué d'attirer l'attention.

Fouetté par un vent qui soulevait le sable en un brouillard épais à couper au couteau, le 8e bataillon replia les tentes dans la matinée du 4 avril et parcourut à pied les seize kilomètres qui séparaient Mena du Caire. Tout le monde était ravi de ce départ définitif.

« Et si je n'revois jamais ces putains de pyramides, lança Ned d'une voix farouche en regardant par-dessus son épaule, j'en ferai pas une maladie, vous pouvez m'en croire. »

A la gare, pourtant, ce fut une tout autre histoire. Sur l'un des quais, entourée par un petit groupe d'infirmières, Mary Maddox l'attendait pour lui dire au revoir. Son doux visage marqué par la détresse fit pitié à Liam, surtout quand elle s'avança vers Ned pour lui parler avant qu'il ne monte dans l'un des nombreux wagons. Avec beaucoup de tact, Liam essaya de se mettre à l'écart mais une affectueuse pression sur le bras, accompagnée d'une prière à peine audible, l'invita à ne pas bouger. D'abord très étonné, il comprit soudain que sa présence était souhaitée pour servir de couverture. Mary ne voulait pas qu'on la voie seule avec Ned.

Tandis que fusaient autour d'eux des commentaires acerbes sur les conditions précaires dans lesquelles allait s'effectuer le trajet jusqu'à Alexandrie, Mary échangea quelques paroles avec Ned avant de se tourner vers Liam. A la grande surprise de ce dernier, elle se dressa sur la pointe des pieds et lui embrassa la joue.

« Que Dieu soit avec toi », murmura-t-elle.

Il ne comprit pas très bien ce qu'elle dit à Ned mais leurs lèvres se joignirent et, pendant quelques instants, il la serra dans ses bras avec passion. Liam jetait autour de lui des regards inquiets, craignant que quelqu'un ne fasse une remarque sur une mésalliance aussi manifeste, mais le groupe qui les entourait se composait uniquement d'hommes appartenant au peloton de Ned, et il ne perçut que quelques clins d'œil et des sourires entendus. Poussant un soupir de soulagement, il se tourna vers Mary pour lui dire de ne pas s'inquiéter, il allait veiller sur Ned. Mais elle avait déjà tourné les talons.

Une fois juché sur le wagon qui n'était en fait qu'une plate-forme découverte, il l'aperçut avec les autres infirmières qui étaient toutes venues pour souhaiter bonne chance à « leur » bataillon. Liam aurait bien voulu pouvoir formuler quelques paroles de sympathie mais il n'arrivait pas à trouver ses mots. Un soudain désir de voir Georgina l'envahit, et il enviait Ned d'avoir pu embrasser la femme qu'il aimait.

Observant les infirmières qui tentaient de s'abriter du vent chargé de poussière, il se demanda si Georgina allait porter une cape rouge elle aussi. Grâce aux lettres qu'il avait reçues, il savait qu'elle n'était plus à York mais soignait les blessés dans un hôpital militaire dont il ne connaissait pas le nom, dans la région londonienne. En apprenant la nouvelle, il avait amèrement regretté de ne pas aller en France. Il se demanda s'il la reverrait jamais et poussa un soupir en se souvenant de la sinistre prédiction d'un général qui leur avait dit un jour que dans un mois la plupart d'entre eux seraient probablement morts.

Il envia Ned pour les heures qu'il avait passées avec Mary et pour la brièveté forcée de leurs adieux. Avec une clairvoyance soudaine, il se rendit compte que s'il n'y avait pas eu ces circonstances particulières provoquées par la guerre, Ned n'aurait sans doute jamais pu fréquenter Mary Maddox et que, en dehors des liens du mariage, l'intimité qu'ils avaient partagée aurait été tout à fait impossible. Était-ce mieux ainsi, ou y avait-il là quelque chose de moralement condamnable, ainsi qu'il avait toujours été enclin à le croire ? Cette question l'embarrassait fort et débouchait sur des perspectives sur lesquelles il ne souhaitait pas s'attarder.

Noyé dans cette cohue turbulente et tapageuse, Liam se sentit soudain bien seul et envahi par une horrible incertitude. Il fut heureux d'entendre le coup de sifflet strident de la locomotive et il rit de bon cœur quand le brusque départ du convoi les déséquilibra, chacun cherchant désespérément à retrouver sa stabilité. Ils partaient, et une clameur s'éleva. Des chapeaux s'agitèrent, avant de s'élever en l'air, et la petite troupe d'infirmières souriait bravement en secouant des mouchoirs, les capes rouges claquant au vent comme des drapeaux.

Ils quittèrent Alexandrie quatre jours plus tard, en pleine nuit, alors que les vents se renforçaient encore pour tourner en tempête. Le vieux navire s'élança à travers la Méditerranée en roulant et en tanguant, dans des conditions atmosphériques pires que toutes celles auxquelles Liam avait jamais été confronté. Ces hommes torturés par le mal de mer ne trouvaient qu'une bien mince consolation dans le fait qu'un pareil temps ne convenait pas davantage aux sous-marins ennemis. Entassés les uns sur les autres dans les soutes comme des sardines dans une boîte, les malheureux geignirent et vomirent pendant deux jours et deux nuits, priant le ciel pour que la mort vienne leur apporter la délivrance.

Chassé par la puanteur, et en dépit de la fraîcheur des nuits, Liam passa le plus de temps possible sur le pont, blotti sous sa capote.

Au cours de la seconde nuit, la tempête se calma et ils arrivèrent au large de l'île de Lemnos à la clarté d'un superbe soleil d'avril. Liam se dit qu'il n'avait jamais rien vu d'aussi beau. Se détachant sur un fond de collines ondulées aux pentes couvertes de fleurs, la mer s'étalait comme un lac turquoise reflétant les maisons toutes blanches du village de Mudros, au fond de la baie. Une vaste armada était à l'ancre, des cuirassés et des destroyers qui avaient participé aux premiers combats, parmi lesquels se trouvaient le vaisseau amiral *Queen Elizabeth* ainsi que l'*Agamemnon* et le *Lord Nelson*. Il y avait également des cargos à la coque noire, des navires-hôpitaux tout blancs et des petits bateaux de pêche qui, se dit Liam, devaient déjà être vieux quand les Grecs de l'Antiquité étaient jeunes.

Il était impossible d'établir un camp à terre car il n'y avait pas assez d'eau pour couvrir les besoins des milliers d'hommes que l'on rassemblait avant de les lancer à l'assaut de Gallipoli ; il fallut donc les laisser à bord de leurs transports de troupes où ils vécurent dans les mêmes conditions précaires que celles qu'ils avaient connues depuis leur départ d'Alexandrie.

Pendant deux semaines, ils attendirent l'ordre de départ tout en continuant leur entraînement qui, heureusement, comportait suffisamment de nouveautés pour paraître presque divertissant. Chaque jour, il fallait descendre des échelles de corde avec le barda sur le dos pour apprendre à passer au plus vite par-dessus le bastingage du navire ou à se réfugier dans un bateau de sauvetage. Les meilleurs rameurs subissaient également un entraînement intensif, et on organisait des courses à travers la baie qui constituaient le clou de la semaine.

Parfois on avait congé pour l'après-midi et on en profitait pour aller visiter l'un ou l'autre des bâtiments de la Royal Navy. Pourtant les marches n'avaient pas été rayées de l'emploi du temps, mais heureusement, pendant leurs heures de repos, les hommes étaient autorisés à se baigner.

Après la poussière, la crasse et la puanteur de l'Égypte, Lemnos apparaissait comme un lieu de vacances grâce au soleil, à la brise fraîche et aux habitants timides mais hospitaliers. Avec leurs costumes bizarres qui les faisaient ressembler à des personnages d'un conte oriental, ils paraissaient un peu ahuris mais multipliaient les témoignages d'amitié, cédant la nourriture qu'ils avaient en trop à un prix tout à fait raisonnable. Aucun d'eux, nota Liam avec une certaine ironie dans une lettre adressée à son frère, n'avait de sœur à proposer.

Dans cette mer tiède, qui clapotait doucement, Liam nagea et plongea comme un dauphin, ravi de retrouver le goût du sel tout propre et appréciant le picotement de sa peau qui rôtissait au soleil. Il avait un corps dur et brun, et une certaine exaltation le prenait à l'idée que bientôt il se trouverait au cœur de l'action. Tout son être tendu vers la perspective de l'attaque prochaine, il n'avait nullement peur de mourir. Sa seule appréhension était de savoir comment il se comporterait s'il était blessé. La douleur causée par une grave mutilation physique était quelque chose qu'il n'avait jamais connu, et dans l'ignorance où il se trouvait, il ne pouvait qu'espérer qu'il conserverait toute sa dignité et ne se transformerait pas en une loque tout juste bonne à geindre et à se lamenter.

Pourtant, le soir où ils quittèrent la sécurité de la baie de Mudros, il fut assailli par le doute. Il en était d'ailleurs de même, semblait-il, pour la majorité des hommes qui se trouvaient à bord. Partout, des hommes gribouillaient sur des feuilles de papier en demandant discrètement à leurs meilleurs amis de transmettre certains objets personnels particulièrement précieux si jamais il leur arrivait quelque chose.

« J'ai l'impression que ma frangine va se précipiter sur mon testament dès qu'elle aura lu ça, plaisanta Ned en montrant à Liam une enveloppe comportant une adresse à Melbourne. Et toi, à qui files-tu tous tes biens ?

— A ma famille de York », répondit brièvement Liam, la plume en suspension au-dessus d'une feuille de papier vierge.

Ned se mit à parler de sa sœur et du terrain qu'elle avait acheté en Australie. Ils avaient souvent échangé leurs projets, Liam et lui, partageant la même ambition de se constituer un vaste domaine comme Ewan Griffith Maddox. Cette fois, il exprima l'espoir de retrouver Mary pour toujours, si elle voulait encore de lui quand la guerre serait terminée.

« Naturellement, son père ne sera peut-être pas ravi de la voir épouser un simple ouvrier agricole, mais elle ne va pas se laisser manœuvrer comme une gamine. Elle est assez grande pour savoir ce qu'elle veut, Mary. Et je suis sûr qu'elle tient à moi. »

Il continua de rêver tout haut, bien que Liam eût

préféré qu'il se taise. Puis, sortant une enveloppe cachetée de la poche de sa chemise, il poussa son ami du coude.

« Tiens, tu donneras ça à Mary si jamais il m'arrivait quelque chose. Je ne veux pas l'envoyer par la poste, ajouta-t-il avec un sourire gêné, pour le cas où je m'en sortirais. Oui, tu comprends, j'aurais vraiment l'air d'un con si après lui avoir écrit tout ça, je m'en sortais sans la moindre égratignure. »

Liam acquiesça d'un hochement de tête en souriant. Il se disait que Ned aurait quand même dû poster cette lettre, mais il y avait aussi une partie de lui-même qui comprenait ces réticences. Après tout, lui aussi avait écrit à l'intention de Georgina quelque chose qu'il ne voulait pas lui faire parvenir directement. Cette lettre adressée à Edward se trouvait insérée entre les pages de son carnet et s'il se sortait vivant de cette aventure elle n'atteindrait jamais sa destinataire.

Sa plume restait toujours suspendue en l'air. Tandis que Ned se plongeait dans une profonde rêverie, Liam poussa un soupir, appuyant avec lassitude sa tête contre son sac. Les lumières avaient été réduites au minimum, et dans le silence inhabituel les vibrations régulières du moteur ressemblaient à un battement de cœur, et le léger roulis du bateau n'était rien de plus que le doux balancement d'un berceau d'enfant.

Tous ses compagnons affichaient un visage anxieux ; certains écrivaient encore, mais beaucoup fumaient, le dos calé contre leur barda.

Il n'était guère besoin de se livrer à de gros efforts d'imagination pour deviner que la plupart d'entre eux, comme lui-même, pensaient à leur famille et à leur maison, dont ils étaient si éloignés. Il y avait maintenant des mois qu'il avait reçu cette première lettre écrite par sa mère et elle lui en avait envoyé d'autres, beaucoup plus anodines, comme si elle s'était rendu compte de son erreur. Mais il n'avait jamais répondu.

Maintenant pourtant, avec cette angoisse de l'inconnu qui lui étreignait le cœur, il sentait qu'il fallait s'en remettre entièrement aux décisions de sa conscience. Certes, Liam savait que si c'était à refaire, il ne voudrait pas — il ne *pourrait* pas — se comporter différemment. Mais il regrettait la peine qu'il avait causée. Ce regret, il l'éprouvait depuis qu'il avait reçu la lettre de Robin. Et si le sort voulait qu'il meure à l'aube, elle allait souffrir encore davantage, et ce serait vraiment trop cruel d'ajouter le silence à une telle peine, de lui faire sentir qu'il était allé à la mort sans lui pardonner.

Ah, si seulement il avait pu trouver dans son cœur la possibilité de lui pardonner vraiment ! Malheureusement, maintenant encore, ce n'était nullement le cas. Il y avait encore en lui cette angoisse qui le serrait à la gorge quand il pensait à elle, et le simple fait de mentionner les raisons de son départ allait susciter un flot de récriminations. Non. Le moment n'était pas encore venu.

Finalement, il écrivit tout de même quelques lignes, la suppliant de lui pardonner le chagrin qu'il lui avait causé et l'assurant qu'elle était dans toutes ses pensées. Il ajoutait qu'elle ne devait pas se tourmenter pour lui car il n'avait pas peur de la mort. De toute façon il avait de bons amis, ils allaient tenir ou tomber ensemble.

Très vite, avant d'avoir le temps d'ajouter autre chose ou de changer d'avis complètement, Liam plia le feuillet en quatre et le fourra dans une enveloppe. Quoi qu'il arrive, sa mère aurait quelque chose de lui, et s'il ne s'agissait que d'une demi-réconciliation c'était tout de même mieux que rien.

Vers une heure du matin, après avoir dormi par

intermittence pendant environ deux heures, Liam monta sur le pont. Des marins circulaient lentement entre les soldats pour leur donner des gobelets de chocolat ; il en prit un avec reconnaissance. A la clarté de la lune qui traçait un long chemin luisant sur la mer unie comme un miroir, il apercevait les silhouettes massives des autres cargos ; les cuirassés et les destroyers qui étaient partis devant, au coucher du soleil, devaient déjà être loin, maintenant, en position pour préparer le débarquement. Ces vaisseaux avaient à bord les hommes de la 3e brigade, qui seraient les premiers à prendre pied sur le rivage.

Liam les enviait. Eux au moins auraient l'avantage de la surprise, tandis que la 1re et la 2e brigades auraient à affronter un ennemi bien réveillé et implacable. D'après ce qu'il avait entendu dire, le 8e bataillon serait parmi les derniers à débarquer. Cette perspective lui paraissait pour le moins inquiétante.

Le temps passait avec une lenteur exaspérante. Vers trois heures, ils arrivèrent au large de la pointe sud de l'île d'Imbros, à une vingtaine de kilomètres de la péninsule. L'assaut devait être donné là où elle n'avait pas plus de sept kilomètres de large ; il fallait ensuite pénétrer à l'intérieur des terres, aux endroits où la cordillère montagneuse était interrompue par des collines à pente douce, et traverser la péninsule de part en part pour atteindre l'éminence qui commandait l'entrée du détroit.

Au même moment, les Britanniques débarqueraient au cap Helles, à la pointe méridionale, et les Français sur le rivage asiatique, juste en face.

En entendant l'officier expliquer le détail de ces opérations, Liam s'était dit que tout cela paraissait vraiment d'une simplicité enfantine, mais il devait y avoir un hic quelque part. Sinon pourquoi leur aurait-on dit en Égypte que la plupart d'entre eux ne s'en sortiraient pas vivants ?

298

La lune allait disparaître à l'horizon derrière une brume épaisse. On lança un ordre de la passerelle. Il fallait éteindre toutes les lumières. Liam écrasa à regret le bout de la cigarette qu'il venait seulement d'allumer. Ce devait être la dixième depuis qu'il était arrivé sur le pont. En remettant sa cigarette dans le paquet, il remarqua que ses mains tremblaient. Au creux de son estomac, le petit déjeuner chaud qu'il venait d'absorber lui soulevait le cœur, menaçant de remonter.

Soudain un murmure détourna son attention de cette déplaisante sensation. Il y avait une lueur, blanche et confuse, derrière l'étendue de terre, sur la droite. Quelqu'un dit qu'il s'agissait d'un projecteur. Le faisceau se déplaçait par à-coups de la gauche vers la droite ; puis il disparut.

Autour de Liam, les hommes commençaient à s'agiter. Liam mourait d'envie de prendre une autre cigarette. Sous sa capote, en dépit du froid de la nuit, il suait à grosses gouttes.

Aux premières lueurs verdâtres de l'aube, il apercevait la haute crête aux lignes irrégulières qui dominait le rivage, et trois autres transports de troupes qui se mettaient en ligne avec son bateau. Quelqu'un, dans un souffle, demanda l'heure. Il était quatre heures et demie. Le suspense et le silence étaient insoutenables. De toute son âme, Liam souhaitait que quelque chose se produise. N'importe quoi pour mettre fin à cette tension.

L'événement arriva quelques minutes plus tard, sous la forme d'une lueur jaune vif qui jaillit au sud. Un instant plus tard retentit un bruit bizarre, un coup sourd, suivi d'une série de détonations qui se prolongèrent de façon continue. Les armes automatiques ! Ils avaient dû débarquer ! La première vague était arrivée et le combat commençait.

Un soupir de soulagement s'échappa de toutes les

poitrines. Éclairés par les premiers rayons du soleil, les visages souriaient soudain, des doigts se crispaient sur les fusils, tout le monde avait hâte de s'y mettre à son tour.

Les détonations s'intensifiaient, des éclairs brillants commençaient à apparaître sur un point de la côte. Une pluie soudaine fit bouillonner l'eau à tribord. Étonné, Liam se dit qu'une averse n'aurait pas pu être aussi localisée. C'étaient des éclats d'obus qui retombaient.

Provenant de l'un des cuirassés qui se trouvaient à proximité, une explosion assourdissante déchira l'air. Liam vit le recul du canon et l'énorme volute de fumée qui montait vers le ciel et il eut envie d'applaudir. Des destroyers qui avaient stationné tout près de la côte venaient maintenant en direction des transports de troupes, se préparant à prendre la nouvelle vague d'assaillants.

« Ça va être bientôt notre tour, murmura un soldat à côté de Liam. Ils ont sorti les réserves de rhum. »

Les obus tombaient près du bateau tandis que les grosses pièces de la marine répondaient sans relâche ; un sifflement aigu retentit et il y eut un immense jaillissement d'eau près de l'antique *Clan MacGillivray*, l'envoyant rouler et s'affaisser comme une vieille femme. Liam chancela, et le marin qui se tenait à ses côtés faillit perdre l'équilibre, mais réussit à garder le rhum qu'il tendit deux fois plus vite qu'il ne l'avait prévu. Liam engloutit sa ration en une seconde, suffoquant lorsque le liquide sirupeux lui atteignit la gorge et commença à descendre en mettant le feu à sa poitrine. Mais il se sentait mieux maintenant et il éprouva une véritable joie en voyant leur destroyer se mettre bord à bord avec le cargo.

Aux premiers rayons du soleil levant, le pont du navire de guerre offrait un spectacle dantesque. Il était jonché d'hommes mutilés, aux blessures horribles, avec le sang qui coulait de toute part. Ce fut une véritable torture pour Liam d'attendre que tous ces malheureux aient été transférés à bord du cargo et, comme tous les autres soldats autour de lui, il détourna la tête pour ne pas voir, essayant de ne pas entendre les cris de douleur que l'on distinguait au milieu du sifflement des obus.

Chaque peloton ayant été regroupé à la place qui lui était dévolue, on passa sans encombre d'un bateau à l'autre, escaladant les bastingages pour descendre les échelles, grâce à l'entraînement assidu dont les hommes avaient bénéficié. Et ce fut de nouveau la tension tandis que le destroyer fonçait vers la plage avec son chargement humain entassé comme des soldats de plomb ; et puis il fallut descendre le long des échelles de corde pour prendre place dans les canots qui ressemblaient à des espèces de péniches. Liam se demanda comment les rameurs allaient pouvoir manœuvrer des embarcations aussi massives et encombrantes.

Ils étaient environ à deux cents mètres de la plage, et les obus éclataient autour d'eux. Un rameur fut atteint par un éclat, aussitôt remplacé par un autre qui se précipita à sa place, tirant sur son aviron à contretemps.

« Ho, *hisse*, ho, *hisse* », hurla leur officier, en tout point semblable à un barreur pendant une course. Liam eut envie de rire.

Le canot raclait les galets.

« Ça y est, les gars, on n'ira pas plus loin. Tout le monde descend ! »

L'eau jusqu'à la poitrine, Liam suffoquait, levant son fusil le plus haut possible, décidé à ne pas perdre pied malgré le sac qui lui pesait sur les épaules. Sur l'étroite bande de terre, il distinguait des formes blotties sur elles-mêmes comme des ballots de chiffon et il se demandait ce que c'était. Puis des balles criblèrent le sable et d'autres hommes tombèrent. Quelque chose chanta en lui frôlant l'oreille et la mer se mit soudain à siffler autour de lui.

Un homme portant deux galons se tourna vers eux après avoir pris pied sur le rivage, pressant ses hommes d'activer. Liam vit que c'était Ned. Il hâta le pas pour le rejoindre au moment où un obus explosait sur les rochers en face de lui. Il eut le temps d'enregistrer l'éclair aveuglant avant que le souffle ne le projette en arrière. Assourdi, à demi noyé, il n'était plus capable que de se dire une chose : gagner l'abri offert par ces falaises, au-delà de la plage, et il se précipita en avant, d'un pas chancelant. Un homme qui le suivait lui saisit le bras et l'aida à se tenir d'aplomb.

Liam cherchait Ned mais il ne le voyait pas. Arrivé au pied des falaises, il parcourut la plage du regard, en proie à une panique grandissante. Ballotté par les vagues, à un mètre de la plage, il y avait un corps. Des soldats venus d'une autre barge se prirent les pieds dedans, révélant les galons. C'était Ned. Liam était sûr que c'était Ned. Jetant son sac à terre, il partit vers l'eau en titubant. L'homme qui se tenait à côté de lui le retint par le bras.

« Qu'est-ce qui t'arrive ? Nous, il faut qu'on quitte la plage. Les blessés, c'est l'affaire des brancardiers.

— Mais ils sont pas là, les brancardiers. Et c'est mon copain, nom de Dieu ! Je peux quand même pas le laisser se noyer ! »

Il bondit en avant, suivi par l'inconnu. Ils tirèrent Ned hors de l'eau, gênant les mouvements d'autres soldats qui débarquaient à leur tour. Liam les injuria, tout en s'efforçant de couper les courroies du sac de Ned.

Ned vivait encore mais il était très affaibli, le sang jaillissait par saccades d'une blessure qu'il avait à la gorge. Sous une grêle de mitraille, ils le traînèrent jusqu'à l'abri.

Ned avait encore suffisamment de conscience pour reconnaître Liam. Il sourit. Quelques minutes plus tard, alors que le sang continuait toujours de couler malgré un pansement appliqué à la hâte, il mourait dans les bras de Liam.

Trempé jusqu'aux os, avec l'eau de mer qui lui dégoulinait des cheveux et des vêtements, Liam ne se rendait pas compte qu'il pleurait. Il n'entendait pas non plus son compagnon qui lui demandait avec insistance ce qu'ils allaient faire maintenant. Confusément, il se rappelait les instructions qu'on leur avait répétées mille fois pendant les séances d'entraînement : « Allez trouver l'officier le plus proche. Notez l'emplacement du cadavre et signalez-le à l'officier. »

« Bordel de merde ! On va y passer nous aussi si on reste sur cette putain de plage. Dieu sait où sont mes copains maintenant. Ils doivent déjà être en vue de Constantinople. Amène-toi ! »

L'inconnu avait commencé à gravir la pente. Il se retourna.

« Qu'est-ce que tu fous ? Allez, grouille-toi ! »

Liam fouillait les poches de Ned.

« Il m'avait demandé de lui poster une lettre...

— Tu crois que c'est le moment ? T'es dingue ou quoi ? »

Il se laissa glisser jusqu'à Liam et lui saisit la main qui venait de trouver la lettre chiffonnée.

« Amène-toi donc, espèce de crétin, lança-t-il en l'obligeant à se redresser. On va finir par se faire tuer tous les deux. »

Abasourdi par l'émotion, Liam ne tenta aucune résistance. Il fut vaguement conscient de grimper une pente au milieu d'un groupe d'hommes qui haletaient et proféraient des jurons. Il s'égratignait les mains et les genoux sur des cailloux pointus mais ne s'en apercevait même pas.

« Où c'est qu'on est, bordel ? demanda une voix sur la gauche. C'est pas là qu'on devait aller. C'était un endroit plat, qu'ils disaient, on devait débarquer sur une plage plate.

— Ça doit être à cause du courant, commenta un autre en haletant. La première vague doit être plus au nord. Il aurait fallu aller plus bas, là où c'te saloperie de fort est en train de canarder.

— Quelle bande d'abrutis, renchérit une autre voix sans la moindre trace de rancune. On aurait pu espérer qu'ils savaient se repérer, dans la marine. »

Pour la première fois, Liam se retourna pour regarder le chemin parcouru. L'étroite bande de plage au-dessous d'eux était encore dans l'ombre, s'incurvant à partir d'un piton abrupt sur la gauche pour en rejoindre un autre plus petit sur la droite. Ensuite elle s'élargissait considérablement pour se prolonger vers l'intérieur des terres par un champ de blé qui ressemblait à un tapis de soie vert pâle.

Un promontoire rocheux dominait la grande plage et c'était de son sommet que venaient les éclairs, indiquant la source de ces obus qui éclataient, avec une précision si meurtrière, sur les embarcations qui amenaient les troupes au rivage. En son for intérieur, Liam se dit que leur situation n'aurait guère été plus enviable s'ils avaient débarqué là-bas ; manifestement, les défenses des Turcs étaient concentrées sur ce point névralgique pour réduire à néant les assauts des envahisseurs.

En mer, il y avait au moins deux destroyers qui tiraient des obus sur la forteresse pour essayer de réduire au silence ces maudits canons. Cela ne manquait pas de mettre du baume au cœur des hommes qui se trouvaient sur les falaises, mais les mitrailleuses postées au-dessus de leurs têtes n'en continuaient pas moins de les arroser sporadiquement de projectiles.

Juste avant le sommet, ils rencontrèrent un groupe qui faisait halte pour reprendre son souffle. Certains de ces hommes portaient l'écusson du bataillon de Liam mais aucun n'appartenait à son peloton. Il se demanda alors ce qu'il était advenu de ses camarades. Un officier du 9e dont les hommes s'étaient éparpillés dans une ravine tentait de regrouper tous les éléments des autres bataillons qui avaient été séparés au cours de leur progression chaotique. Il ne cessait de répéter qu'il était important de renforcer la ligne et Liam, lui, se demandait comment il pouvait savoir où se trouvait cette ligne.

De nouveaux arrivants débarquaient encore, servant de cible à un feu nourri. Les morts s'amoncelaient sur les galets tandis que certaines âmes courageuses tentaient de ramener les blessés dans les bateaux pour les évacuer. En voyant cette énorme quantité de victimes, Liam pardonna à l'homme qui l'avait entraîné loin de Ned. Ned était mort et on ne pouvait plus rien faire pour lui. Pourtant Liam se promit de signaler l'emplacement du cadavre dès qu'il verrait un officier de sa compagnie pour que l'on procède à une inhumation du corps.

Si ç'avait été moi, se dit-il, Ned aurait fait exactement la même chose.

Regardant pour la première fois vers la gauche et vers la droite, il se rendit compte qu'ils n'étaient pas seuls sur les falaises. A demi cachés par la broussaille, il y avait des dizaines et des dizaines d'hommes qui progressaient par groupes de trois ou quatre. De temps à autre, il y en avait un qui tombait. Sidéré, Liam se rendit compte qu'ils étaient la cible de tireurs embusqués dans les buissons.

L'officier parlait à mi-voix, rassemblant les hommes pour procéder à une attaque concertée contre le nid de mitrailleuses posté au-dessus d'eux. Tandis qu'ils fixaient leurs baïonnettes, Liam se rappelait sans cesse les consignes données au cours des manœuvres : bondir en avant en poussant un grand cri et bien viser le ventre de l'ennemi. Pourtant, une fois confronté à la réalité, ce ne devait pas être aussi simple !

Ils eurent beaucoup de mal à gagner le sommet avec ces cailloux qui cédaient sous les pas et roulaient sur la pente mais ils finirent par y parvenir. Sur le flanc droit, Liam tomba dans la tranchée dissimulée à sa vue, s'étalant presque sur un Turc qui tenta de s'enfuir et, pendant une seconde, il hésita. L'homme épaula son fusil et Liam alla sur lui, gauchement. Il n'avait pas la place pour prendre du recul mais la baïonnette pénétra en trépidant dans les entrailles du Turc qui tomba en avant, son cri soudain étouffé par un flot de sang.

Choqué, Liam fit un bond en arrière, évitant de peu une balle qui le frôla. Un sergent régla le compte du tireur tandis que d'autres assaillants rechargeaient leurs fusils pour tirer sur l'ennemi en fuite.

Ce succès avait galvanisé les hommes et une douzaine de suggestions furent émises sur la suite à donner à un tel fait d'armes. L'officier pensait qu'il fallait qu'un des leurs reste auprès du canon pour l'utiliser contre les Turcs. Les pièces d'artillerie alliées n'étaient pas encore arrivées et il ne faisait aucun doute qu'on aurait un mal de chien à les hisser de la plage jusque-là. Malheureusement, personne ne fut capable de faire fonctionner le canon capturé et il fallut le démanteler.

Liam but de l'eau laissée dans une bouteille par un Turc en essayant de ne pas regarder l'homme qu'il avait tué. En à peine plus d'une heure il avait vu mourir son meilleur ami et tué un homme à bout *portant. Il tremblait* si fort qu'il eut toutes les peines du monde à allumer sa cigarette. Ses oreilles bourdonnaient encore de l'explosion qui s'était produite si près de lui sur la plage.

Il concentra son attention sur ce qu'expliquait le sergent. On allait passer de l'autre côté de cette crête, en multipliant les précautions, puis on descendrait dans le vallon suivant où l'on se regrouperait tous. Ensuite, chacun se débrouillerait pour retrouver son unité.

Le terrain n'était pas commode, avec tous ces rochers acérés et ces trous invisibles où des tireurs avaient pu s'embusquer sans mal. Idéal pour la défense, certes, mais quel calvaire pour les attaquants ! De temps à autre, une brusque rupture de pente vous expédiait, si vous n'y faisiez pas attention, au fond d'une ravine caillouteuse, qui devait être un lit de torrent asséché, maintenant envahi par les ronces. En moins de deux cents mètres, Liam compta trois crêtes exposées au feu ennemi et autant de ravins impossibles à repérer.

Ce fut un véritable cauchemar de gagner le point de ralliement, au fond du vallon le plus large et le plus profond de tous, qui était orienté en biais par rapport à la plage. Le spectacle qui l'y attendait n'avait rien non plus qui puisse lui remonter le moral. Il y régnait un chaos indescriptible, avec ces hommes horriblement mutilés que des brancardiers emmenaient dans la pierraille, tandis que des groupes de combattants tentaient d'escalader l'autre versant pour renforcer la ligne ténue qui s'étirait sur la crête. Des officiers supérieurs s'étaient rassemblés à la hâte au pied d'un gros rocher pour se concerter sur la marche à suivre, des messagers se faufilaient entre les balles, les adjudants s'affairaient d'un air soucieux tandis que les sergents appartenant à une douzaine de compagnies différentes transmettaient à leurs hommes des ordres à peine compréhensibles.

Liam et l'inconnu qui l'accompagnait depuis la plage cherchaient l'écusson rouge et blanc de leur bataillon. Ils finirent par trouver des hommes qui étaient perdus comme eux, mais ne virent pas d'officiers. Pendant le court instant où ils s'étaient attardés sur la plage, les autres avaient dû prendre de l'avance sans les attendre. Liam accosta un adjudant qui avait l'air complètement dépassé par les événements pour lui demander où il fallait qu'il aille. D'un geste vague, le sous-officier montra les collines qui se dressaient sur la droite et donna confusément à Liam la permission d'aller à la recherche de la compagnie qu'il avait perdue.

« Y aurait intérêt à se magner, dit un autre soldat en réponse à la question de Liam, tout en se roulant une cigarette, on a plutôt l'air con à rester lambiner dans ce secteur. »

L'inconnu de la plage était nettement moins pressé de partir. Au fond de ce vallon, c'était loin d'être la sécurité, mais sur la crête les chances de survie étaient encore plus faibles. Pourquoi ne pas attendre qu'on leur donne un ordre bien précis ? Balayant sa proposition d'un geste impatient, Liam décida de procéder à un vote. Il y avait autant de voix pour que contre. Non sans tristesse, car il se disait qu'il avait contracté une dette envers cet homme, Liam lui fit ses adieux et, redressant les épaules, partit avec son petit groupe.

Arrivés au sommet, après avoir mis une heure pour franchir une série de raidillons et de ravines en profitant d'une accalmie dans le feu adverse, ils aperçurent un groupe important de soldats australiens sur la crête suivante. Sans jumelles, il était impossible de voir s'ils appartenaient au 8e et il ne servait à rien de crier car les Turcs bombardaient la plage de plus belle et le bruit était assourdissant.

Parcourant du regard la vallée qui les séparait, Liam resta indécis pendant plusieurs minutes. Manifestement, ces hommes étaient venus de là où il était maintenant, et l'absence de tireurs sur les versants qu'il lui fallait franchir indiquait que le terrain avait déjà été nettoyé. Le plus grand danger, se disait-il, allait venir d'en haut. Pourtant, il fallait courir ce risque.

Épuisés par leurs efforts et n'ayant rien absorbé de solide ou de liquide depuis les premières heures de la matinée, les autres préféraient rester sur place pour se reposer. Liam, lui, voulait précipiter le mouvement pour ne pas perdre de vue le groupe qu'il apercevait en face. Il montra la pente caillouteuse et dit à ses compagnons de bien planter les talons au sol et de se laisser glisser. Ensuite, il n'y aurait plus qu'une seule montée.

« Ouais, murmura le plus agressif de son petit groupe, une putain de montée, dans tout ce bordel ! »

Il avait les mains écorchées et ensanglantées, et son pantalon, comme celui de Liam, était en lambeaux.

« Moi, je dis reposons-nous, ajouta-t-il. On pourra toujours les rattraper après. »

Les autres paraissaient indécis. Cette hésitation pouvait s'avérer fatale pour eux tous. D'un air menaçant, Liam tira sa baïonnette de son fourreau. Bien qu'il n'en fût pas conscient, il avait une allure impressionnante avec le sang qui lui maculait la poitrine et la manche, son visage couvert d'égratignures et de poussière, et ses yeux bleus qui étincelaient sous son chapeau à larges bords solidement enfoncé sur son front.

« S'ils sont en train de progresser, dit-il farouchement, ils ont besoin de tous les hommes qui peuvent se joindre à eux. Alors moi, je dis qu'on y va, et on reste ensemble, d'accord ?

— D'accord, mon pote, c'est pas la peine de s'énerver. Tu veux y aller maintenant ? Parfait, on y va maintenant.

— Exactement. Et c'est toi qui pars le premier ! »

Là-dessus, il poussa violemment l'homme qui dévala la pente à toute allure, suivi des autres, qu'il ne fut pas nécessaire de prier. Liam leur emboîta le pas alors que des balles tirées d'un point invisible lui frôlaient la tête. Les autres se réfugièrent à l'abri dans la ravine mais Liam était maintenant habitué au bruit de la mitraille. Pour lui, le plus important était de voir d'où l'on tirait. Accroupi derrière une touffe de myrte odorant, il fouilla les alentours du regard. Un mouvement, un peu plus haut, suivi de deux autres éclairs, attira son attention. Très soigneusement, il épaula et attendit. Pas longtemps, car il y eut un autre éclair suivi d'une détonation. Une fraction de seconde plus tard, il pressa la détente et au moment où la crosse lui frappait violemment l'épaule, il eut la satisfaction de voir le canon d'un fusil jaillir en l'air, au-dessus d'un buisson. Il tira de nouveau et un corps tomba, tel un pantin désarticulé.

Ivre de joie, il eut envie de sauter sur place en clamant sa satisfaction. Mais il se contenta d'embrasser le canon de sa Lee Enfield et se dépêcha de rejoindre les autres. Ils restèrent muets d'étonnement puis, après lui avoir donné de grandes tapes sur l'épaule, ils reprirent leur ascension.

Un sifflement sournois. L'un d'eux tomba. Choqué, Liam mesura à quel point ses satisfactions d'amour-propre avaient été prématurées. Il y avait un autre tireur embusqué ailleurs. Il aurait dû s'en douter à voir le nombre de balles qui pleuvaient sur eux. Cette fois, cependant, cette attaque soudaine avait attiré l'attention des hommes groupés sur la crête. En moins de quelques minutes, grâce à un feu nourri, ils réglèrent le problème tandis que Liam et ses trois compagnons achevaient la grimpée comme s'ils avaient eu le diable à leurs trousses, pour rejoindre leurs compatriotes.

Ils trouvèrent des hommes aussi éprouvés et épuisés qu'ils l'étaient eux-mêmes, en qui on avait peine à reconnaître les fringants militaires qui s'étaient rassemblés sur le pont des bateaux avant l'aube. Liam retrouva sa compagnie mais, de son peloton, il ne restait plus qu'une poignée d'hommes. Son arrivée causa une certaine sensation parmi eux, car ils étaient tous persuadés qu'il avait été tué en même temps que Ned et les quelques autres sur qui l'obus était tombé.

Le jeune officier qui les avait exhortés à activer pour gagner la plage avait trouvé la mort dans le premier ravin et beaucoup d'autres avaient été tués ou blessés par la mitraille au cours de leur progression. Le nombre de victimes était tel que la mort de Ned était passée presque inaperçue, mais Liam fut étrangement frappé de voir à quel point sa réapparition pouvait réjouir ses compagnons. Il ne se serait jamais cru aussi populaire.

Il y avait plusieurs compagnies appartenant à différents bataillons rassemblées sur cette longue crête couverte d'une épaisse végétation qui s'étirait au sud de la presqu'île. Tous étaient placés sous les ordres du colonel Bolton, du 8e bataillon. Bien que l'on n'eût qu'une idée assez confuse de ce qui s'était passé, il semblait que l'avance avait été stoppée par une résistance concertée de la part de l'adversaire. Les ordres étaient de se retrancher sur place pour tenir ces hauteurs à l'extrémité du flanc droit de la ligne des combats.

On creusa donc des tranchées avec acharnement. Profitant d'une pause, Liam partagea un peu d'eau et quelques biscuits avec les hommes qui restaient de son peloton. Ce n'était pas un festin, certes, loin de là, mais ces instants de répit au milieu d'un travail incessant leur remirent un peu de baume au cœur. Soudain, il leur parut agréable de se trouver là. Le ciel était bleu, les oiseaux chantaient et la chaleur de midi leur apportait les senteurs du myrte et du thym. Devant eux, sur la gauche, là où le sommet de la colline s'élargissait avant de se rétrécir en une autre crête, il y avait un petit champ de blé parsemé de coquelicots écarlates. C'était le champ que Liam avait vu aussitôt après avoir quitté la plage.

Avec tous ces visages familiers qui l'entouraient pour la première fois depuis le début de la matinée, il se sentait en sécurité. Détendu, la cigarette aux lèvres, après ce repas frugal mais plaisant, il suivait du regard les évolutions d'un destroyer qui longeait la plage au-dessous d'eux.

Le calme fut brusquement rompu lorsque le *Bacchante* se mit à tirer une série d'obus sur le fort de Gaba Tepe, perché au sommet du promontoire. Les hommes poussèrent de grands cris de joie en voyant les points d'impact marqués par des jaillissements de flammes, et leurs acclamations redoublèrent quand l'un des canons massifs du Gaba Tepe sauta en l'air en se brisant comme une allumette.

Pourtant, leur enthousiasme s'arrêta net quand les pièces ennemies déclenchèrent un tir nourri, de l'intérieur des terres. Une compagnie du 6e bataillon qui creusait des tranchées dans le champ de blé venait de se faire repérer par les Turcs. Le blé vert pâle constituait une cible facile et les salves pleuvaient l'une après l'autre sur ce minuscule lopin de terre, sous les regards consternés de ceux qui ne pouvaient qu'assister impuissants au massacre des hommes qui se terraient dans leurs trous, sous leurs yeux.

Blotti au fond d'une tranchée, Liam se trouvait suffisamment près de l'abri des officiers pour entendre certains de leurs commentaires. Pour l'instant ils ne disposaient d'aucune pièce d'artillerie mais avec les énormes canons des bateaux si proches on pourrait anéantir cette batterie turque, à condition de la localiser.

Des messagers furent dépêchés afin de contacter les premières lignes situées plus au nord, mais aucun ne revint. En attendant, chaque fois que des hommes se déplaçaient sur le champ de blé ou à proximité, les Turcs ouvraient de nouveau le feu. D'autres courriers furent envoyés vers le quartier général installé dans le vallon qui débouchait sur la plage ; ils revinrent porteurs de l'inquiétante nouvelle selon laquelle la première ligne d'assaut était en train de s'ouvrir à mesure qu'elle continuait sa progression à travers le plateau principal. Il fallait renforcer le gros des troupes si l'on voulait tenir les positions et pour cela, il était nécessaire que des hommes du colonel Bolton soient envoyés en première ligne.

En entendant certains de ces propos, Liam commença à se demander s'il se trouvait au bon endroit. Il vit un homme se détacher du contingent installé dans le champ de blé et se précipiter sur le versant qui montait vers lui, s'attirant aussitôt une salve nourrie de coups de feu ennemis. Liam se plaqua au sol tandis que l'homme s'écroulait comme une masse à côté de lui. Liam voulut l'aider à se relever mais l'autre se dégagea aussitôt pour aller délivrer son message.

Permission fut immédiatement accordée à ces hommes de poursuivre leur avance, tout valait mieux que de rester immobiles sous le tir des Turcs. Les ordres furent donnés à la hâte et exécutés sans délai. Accompagné d'autres sections du 8ᵉ, le peloton de Liam fut désigné pour les soutenir dans leurs efforts pour atteindre la première ligne. Il fallait traverser entièrement ce champ bien dégagé tandis que les obus pleuvaient tout alentour. Certes, les Turcs n'avaient pas bien réglé leur tir, de sorte que les shrapnels n'éclataient pas au-dessus de leurs têtes, comme ils auraient dû le faire normalement, mais à tout instant un de ces obus pouvait atterrir sur l'un des assaillants et le couper en deux.

Pourtant, ils parvinrent, sans subir la moindre perte, à rejoindre un détachement commandé par un jeune lieutenant, puis continuèrent leur progression en rampant jusqu'aux buissons qui bordaient l'extrémité du champ. Ils étaient maintenant devant une pente abrupte qui descendait au fond d'un ravin.

A l'extrémité de l'éperon suivant, ils rencontrèrent un autre groupe de survivants du 8e, commandé par le seul sous-officier ayant échappé à la mort. Ils avaient eu toutes les peines du monde à se sortir de la plage, subissant de lourdes pertes au cours de leur progression, et leur moral était au plus bas. Quelqu'un leur demanda s'ils avaient mangé : dans la chaleur du combat, ils n'avaient même pas pensé à absorber la moindre nourriture.

Une fois de plus, ainsi que cela s'était produit pour Liam, la présence de visages amicaux combinée avec la possibilité de se garnir l'estomac réussit à leur insuffler une vie nouvelle. Au bout d'un moment, ils se mirent tous au travail pour creuser les tranchées qui leur serviraient à s'abriter.

Il était essentiel de rester sur le qui-vive, mais à part les obus qui sifflaient toujours au-dessus de leurs têtes, l'après-midi se passa sans incident. Liam se mit à compter les salves, s'apitoyant sur le sort des hommes qui étaient restés sur la crête derrière eux car les Turcs savaient exactement où ils étaient. Quand on l'avait désigné pour accomplir cette mission, il s'était dit que jamais il ne se sortirait vivant de la traversée de ce champ de blé. Mais il y était parvenu et il se trouvait maintenant dans une position beaucoup moins précaire qu'auparavant.

Pourtant, cette bataille lui paraissait bien étrange,

une série de furieux bonds en avant avec pour toute arme le fusil et la baïonnette, contre un ennemi bien retranché sur ses positions avec son artillerie et ses mitrailleuses. Pour l'instant les Australiens n'avaient encore rien de tout cela.

Vers cinq heures de l'après-midi, un nombre important de Turcs surgirent à l'horizon, quittant les positions qu'ils occupaient sur la crête la plus élevée pour s'avancer vers la colline couverte de pins qui se trouvait juste en face. Bien détachés sur le bleu du ciel, ils constituaient une cible idéale mais trop éloignée pour que des balles de fusil puissent les atteindre.

Soudain, des obus partirent en hurlant de l'un des bateaux de guerre. Beaucoup de Turcs tombèrent, mais il y en eut davantage qui continuèrent leur progression. Les Australiens qui étaient avec Liam se préparèrent à intervenir et une demi-heure plus tard, au moment où les soldats ennemis se faufilaient au milieu des pins qui peuplaient la petite vallée, ils ouvrirent le feu. Un tir nourri et ininterrompu, qui prit l'ennemi totalement par surprise et l'obligea à battre en retraite.

Fous de joie, les Australiens poussèrent de grands cris et le jeune lieutenant bondit sur ses pieds pour mieux diriger ses hommes. Une balle turque le frappa de plein fouet. Grièvement blessé, l'officier pouvait à peine parler mais il demanda instamment à sa compagnie de se cramponner jusqu'à la tombée de la nuit.

Ils tinrent bon, défendant leur position malgré leurs nombreuses pertes et décidés à repousser les assauts des Turcs. Quand le jour commença à baisser, Liam entendit des combats se dérouler tout autour de lui, mais il était impossible de distinguer les amis des ennemis. Finalement, les Turcs battirent en retraite, et, à la nuit tombée, un messager qui était allé rendre compte de leur situation revint leur transmettre l'ordre de se replier sur la crête dominant le champ de blé.

Liam n'avait jamais envié les officiers. Jamais il n'avait désiré en devenir un. Pour lui, c'étaient des gens qu'il assimilait à Robert Duncannon et qui ne méritaient donc que le mépris. Pourtant ce jour-là, il ne put se défendre d'une certaine admiration pour cet homme, qui n'était pas plus âgé que lui et qui avait néanmoins réussi à garder la tête froide face à des situations parfois terrifiantes. Mieux encore, ce jeune lieutenant avait fait preuve de jovialité et d'enthousiasme, on avait toujours eu l'impression qu'il savait ce qu'il fallait dire et quand il fallait le dire. Grâce à lui, les hommes avaient gardé leur cohésion. Sa seule erreur lui avait coûté très cher.

Après avoir subi sans discontinuer les épreuves d'une journée qui avait commencé quelque vingt heures plus tôt, ils étaient tous épuisés à ne plus pouvoir tenir debout. Beaucoup dormaient au fond de leur embryon de tranchée, le fusil serré dans leur poing, à leur côté. Une fois le messager revenu, Liam alla trouver le caporal qui avait pris le commandement de la section et qu'il avait connu au Caire. Originaire de la province du Queensland, c'était un gaillard taillé en athlète dont le nez cassé attestait la force des coups qu'il avait encaissés de la part de poings au moins aussi vigoureux que les siens. Liam et lui étant les plus grands des hommes qui avaient survécu à la bataille, il paraissait normal qu'ils se chargent de transporter le lieutenant blessé.

Ils lui firent un siège avec leurs mains croisées, et au prix de mille difficultés descendirent dans la vallée. Bien que l'officier ne fût pas très lourd, ils étaient tellement épuisés qu'ils avaient l'impression de transporter du plomb, et la nécessité de se frayer un chemin sur une pente abrupte, en pleine nuit, sur un sol caillouteux parsemé de buissons épineux, nécessitait une force et un contrôle de soi qui les vidaient de toute leur énergie.

Quand ils arrivèrent au bas de la ravine, Liam était trempé de sueur et il tremblait de tous ses membres. Il ne pouvait plus bouger les bras tant ils étaient endoloris. Face à la montée qui se dressait devant eux, terrifié à l'idée qu'ils risquaient de laisser tomber le lieutenant et d'aggraver ainsi ses blessures, il proposa de le porter sur son dos.

Les traits contractés par la douleur, l'officier protestait énergiquement, les conjurant de le laisser sur place. Mais le bruit courait que les Turcs mutilaient leurs prisonniers et c'était là un risque que Liam refusait totalement de courir.

Encore haletant, le caporal ordonna à Liam de maintenir le blessé en position verticale. Il obtempéra avec beaucoup de difficulté, puis le souleva doucement, en essayant de ne pas entendre les plaintes du lieutenant, sur les épaules du colosse. Liam s'étant ensuite mis devant pour tirer et guider, ils réussirent à faire une vingtaine de pas. Ce fut alors le tour de Liam de faire le porteur tandis qu'un de ses camarades le poussait par-derrière et que le caporal lui disait où mettre les pieds. Il monta ainsi la moitié de la pente.

Au moment où il s'effondrait à terre, les poumons en feu, il entendit les voix de gens qui discutaient entre eux au-dessus de lui. Le caporal, qui les avait entendus aussi, s'empressa de dire qui ils étaient afin de ne pas être pris pour des Turcs qui se seraient égarés dans le secteur.

On leur prêta main-forte. Bien que soulagé de son fardeau, Liam ne pouvait plus faire le moindre mouvement. A sa grande honte, il dut se laisser porter jusqu'au haut de la montée et il fallut encore le soutenir pour traverser un espace ressemblant à un champ fraîchement labouré. Il éprouva alors un grand choc en se rendant compte que c'était le champ de blé parsemé de coquelicots, qui lui avait paru si joli au soleil levant.

CHAPITRE XV

Après avoir étudié le trajet jusqu'aux Dardanelles, Stephen prit son café dehors, bâillant dans le vent tiède, ravi de sentir le contact du soleil sur son visage et sur ses bras. Une fois de plus, la matinée s'annonçait limpide, avec les collines bleu azur de l'île d'Imbros en suspension entre le ciel et la mer. Une matinée comme celle-là ne pouvait que combler d'aise n'importe quel touriste en vacances dans les îles de la mer Égée, et les touristes, eux, devaient faire des économies pendant toute l'année pour venir jusque-là. Cette réflexion amena un sourire sur ses lèvres, et il se dit qu'il avait bien de la chance de ne pas être obligé de rester confiné dans un bureau durant onze mois. Si son métier avait ses inconvénients, il avait aussi des avantages, et des moments comme ceux-là lui apparaissaient comme une véritable bénédiction.

Une belle journée de printemps ; comme celle sans doute qui avait vu la première attaque contre Gallipoli. L'anse d'Anzac, ainsi nommée en l'honneur du corps d'armée australo-néo-zélandais (Australian and New Zealand Army Corps), était entrée dans la légende et le fiasco auquel avait abouti l'ensemble de cette campagne n'avait laissé qu'un souvenir bien pâle à côté de la bravoure des hommes qui s'y étaient illustrés.

En transcrivant le journal de Liam, Stephen avait commencé par séparer les notes se rapportant à des années différentes. 1914 avait été vite réglé mais les souvenirs de 1915 occupaient un espace plus important, même si l'on se sentait parfois un peu frustré devant la concision de certains détails.

Balayant du regard le profil austère du continent turc qui se détachait à l'horizon et le bout de la péninsule qui apparaissait devant lui, Stephen se demanda si Liam avait noté sur le coup les dates et les endroits des combats les plus violents, ou s'il avait attendu le retour dans le désert, au début de 1916, pour confronter ses souvenirs avec ceux de ses camarades qui avaient participé à cette campagne afin de consigner les faits les plus marquants dans le nouveau carnet qu'on lui avait envoyé d'York à Noël.

Difficile à dire. Peut-être y avait-il eu une combinaison des deux car Liam semblait appartenir à cette espèce d'hommes qui aiment consigner les événements à mesure qu'ils se produisent.

En étudiant la carte la veille au soir, Stephen avait discerné les raisons qui avaient amené les stratèges de Londres à penser qu'il fallait attaquer en cet endroit précis. La péninsule de Gallipoli n'avait que sept kilomètres de large. Pour quelqu'un qui ne connaissait pas le terrain et qui n'avait aucune idée des préparatifs intensifs auxquels s'étaient livrés les Turcs pendant des semaines, l'idée avait dû paraître excellente à l'époque. Capturer les forteresses de chaque côté des Dardanelles, faire main basse sur la flotte ennemie, et pendant qu'on y est, les gars, un petit bond en avant pour s'emparer de Constantinople !...

Seulement, ces forts s'étaient avérés inexpugnables, et les Alliés étaient restés bloqués sur place d'avril à décembre, expédiant des bombes artisanales sur les tranchées des Turcs, mourant de la chaleur et des mouches en août, et décimés par un froid polaire en novembre, sous la neige. Ni eau ni nourriture fraîche sur place, tout devait venir par bateau de Lemnos.

A l'idée que des incapables, bien installés dans leurs confortables bureaux de Londres, avaient pu envoyer des hommes à l'autre bout du monde pour trouver la mort dans des conditions effroyables, il sentait la colère bouillonner en lui. Une colère qui grandissait encore quand il songeait que bien peu de chose avait changé depuis.

Vue de la mer, la péninsule, basse à son extrémité méridionale pour s'élever en une série de collines ocre, recouvertes par endroits d'une épaisse végétation, ne manquait pas d'une beauté sauvage, mais les images évoquées par ce spectacle ne pouvaient que le faire frémir, car Stephen savait que ce qu'il voyait maintenant, Liam l'avait vu, lui aussi, quand il avait participé au second assaut contre le cap Helles, le 3 mai, juste une semaine après le premier débarquement.

Au cours des rares répits que laissaient les effroyables combats qui s'étaient déroulés les jours suivants, Liam avait noté qu'il avait exploré les ruines du fort de Sedd el Bahr, nagé dans la mer et discuté avec un certain commandant Sampson au sujet de son aéroplane. Tout cela dénotait une certaine décontraction jusqu'à l'inscription portée à la date du 8 mai : « Participé à la seconde attaque contre Krithia. Progression de 800 mètres, pertes s'élevant à 2 000 hommes. »

Pourtant, le 15 mai, Liam était de retour dans l'anse d'Anzac, où il débarquait sous un tir d'artillerie intensif. Et le 20, il se battait dans l'enfer de Quinn's Post, où les tranchées n'étaient séparées que de quelques mètres. Sur un espace aussi concentré, les morts s'entassaient par milliers, sans sépultures, si nombreux et si nauséabonds qu'il avait fallu demander un cessez-le-feu pour procéder à leur inhumation.

Stephen se demandait comment Liam avait pu se sortir de cette boucherie sans une égratignure. D'autant que la dysenterie sévissait à l'état endémique, encore aggravée par le manque d'installations sanitaires et la présence de hordes de mouches voraces, apparues dès les premières chaleurs. L'insuffisance notoire du régime alimentaire avait également fait payer un lourd tribut. Pendant huit mois, ces hommes avaient vécu en se nourrissant de rations de campagne conçues pour les sustenter pendant quelques jours au maximum.

Pourtant, au début du mois de septembre, Liam avait été gravement malade. Ce n'était pas la dysenterie mais une pneumonie. Il avait quitté Anzac à bord d'un navire-hôpital à destination d'Alexandrie, arrivant au Palace Hotel d'Héliopolis le 10 du même mois. Ce jour-là, ce grand et superbe gaillard notait qu'il ne pesait plus que 59 kilos. En quatre mois, Liam Elliott avait perdu plus de 23 kilos.

Six semaines plus tard, pourtant, il était déclaré de nouveau bon pour le service et promu au grade de caporal ; il retournait à Anzac avec un uniforme tout neuf, avantage dont beaucoup d'autres n'avaient pas bénéficié.

L'hiver arriva de bonne heure sur la péninsule cette année-là, et les deux derniers mois connurent un froid rigoureux avec des températures largement au-dessous de zéro. Terrés dans leurs trous dérisoires, à même le sol, beaucoup de ces jeunes gens émaciés étaient morts de froid.

Après cela, juste avant Noël, était venu l'ordre d'évacuation. On avait procédé alors à une retraite discrète, pour que les Turcs ne se rendent pas compte que leurs ennemis quittaient le terrain et abandonnaient le combat. Liam, qui était resté aux avant-postes jusqu'au tout dernier instant, avait regardé sur la plage brûler le matériel et la nourriture tandis que d'autres, non loin de là, mouraient de faim. Le lendemain, après un bombardement qui avait duré six heures, il avait quitté l'anse d'Anzac sans tirer un seul coup de feu. Moins de vingt-quatre heures plus tard, avait-il noté, ils étaient de retour à Lemnos, où l'entraînement reprenait aussitôt, trois heures par jour.

Tous les jours, pendant trois mois, il avait consigné ses commentaires avec la plus grande concision. Quand il revint en Égypte, il constata que le pays n'avait pas changé, mais les hommes, eux, n'étaient plus les mêmes. Ils étaient las et déprimés, après avoir subi une défaite ignominieuse et vu leurs amis mourir pour rien. Le fait qu'ils aient eux-mêmes survécu ne suffisait aucunement à leur remonter le moral, d'autant qu'ils se trouvaient alors confrontés à l'indifférence générale.

Les remarques notées par Liam durant cette période qui avait commencé au début de 1916 étaient courtes et monotones, et révélaient un tel malaise que Stephen avait senti la colère monter en lui à mesure qu'il tapait sur sa machine à écrire les mêmes phrases qui revenaient sans cesse : « *Encore des exercices d'entraînement, nourriture toujours aussi insuffisante.* » Liam se plaignait aussi que les hommes n'avaient jamais de permissions, tandis que les officiers s'en voyaient octroyer à profusion.

Plus tard, affecté à un poste le long du canal de Suez, il avait écrit pendant plusieurs jours : « *Rien à manger, nulle part où en acheter... On creuse des trous et des tranchées... Aucune distribution d'eau depuis 48 heures. Un pain pour trois hommes... Speech du colonel : sommes-nous suffisamment entraînés pour aller en France ?* »

Ces remarques inscrites dans le carnet de Liam constituaient aux yeux de Stephen une terrible accusation contre l'impéritie de ceux qui, bien qu'investis des charges les plus hautes, n'avaient pu organiser la survie d'hommes qui avaient pourtant la même nationalité qu'eux, qui luttaient contre le même ennemi. Finalement de telles privations auraient été plus pardonnables si elles avaient été infligées par des forces hostiles.

Le carnet dans la poche, les yeux fixés sur cet étroit promontoire si chargé d'histoire, Stephen était tellement absorbé dans ses pensées qu'il remarqua à peine l'arrivée du pilote turc. Il lui fallut faire un effort pour se concentrer de nouveau sur le présent et les tâches qui l'attendaient.

Quelques heures plus tard, ils déposaient le pilote à Gallipoli, là où les Dardanelles s'élargissent pour déboucher dans la mer de Marmara. Ils virent sur leur passage un grand nombre de bateaux soviétiques et roumains, appartenant pour la plupart à la marine marchande, bien qu'il y eût aussi deux ou trois bâtiments de guerre truffés de technologie de pointe, que Stephen photographia pour le plaisir.

En les regardant glisser sur l'eau comme des requins assoupis, il ne put s'empêcher de penser à l'ironie du sort qui avait voulu que Liam aille se battre pour libérer la flotte du tsar bloquée en mer Noire. Avec le recul du temps, il se demanda quel changement il aurait pu y avoir si l'entreprise des alliés avait réussi. Rien de très important sans doute, car le processus révolutionnaire était déjà bien engagé dès les premières années de la guerre.

La nuit était tombée depuis un certain temps déjà quand Istanbul et le Bosphore défilèrent, parés de tous leurs joyaux, comme dans un décor des *Mille et Une Nuits*. En comparaison, Odessa, où ils arrivèrent aux alentours de midi, paraissait aussi attrayante qu'une république bananière à la veille d'un pronunciamiento. De toute façon, même si leur port de chargement avait été la plus belle ville du monde, cela ne lui aurait fait ni chaud ni froid, car il avait beaucoup trop de travail pour descendre à terre. Et il en allait de même pour les autres officiers, à l'exception de Sparks, le responsable des communications radio.

En revanche, la plupart des membres de l'équipage, composé essentiellement de Philippins, réussirent à passer quelque temps à terre. Tout en leur donnant des roubles avant qu'ils ne quittent le bord, Stephen leur rappela qu'ils devaient réclamer les reçus attestant du montant de leurs dépenses.

Deux jours plus tard, pressé de fuir les gardes armés et le spectacle déprimant de cette ville sinistre, il fit venir les marins dans son bureau, avant le départ du navire, pour récupérer l'argent qu'ils n'avaient pas dépensé.

« Vous n'avez pas le droit de garder les roubles, leur expliqua-t-il. Tout ce qui vous reste doit être rendu à l'agent. Et il me faut les factures de vos achats. »

Les trois premiers marins secouèrent la tête d'un air embarrassé.

« Mais nous n'avons pas eu de reçus, commandant. »

Comme le jeune steward dessinait la silhouette d'une femme avec ses mains, les deux cuisiniers furent pris de fou rire et Stephen comprit aussitôt comment ils avaient dépensé leur argent. Mais il n'arrivait pas à le croire.

« Comment ? Avec des femmes russes ?

— Oh, oui, commandant. *Très* bien. »

Pour la première fois depuis bien longtemps, Stephen rit de bon cœur. Mais il se demandait tout de même comment il allait décrire leurs achats sur le formulaire qu'il avait devant lui. Il ne savait ce qu'il devait le plus admirer : la détermination de ces hommes et leur rapidité d'exécution ou l'esprit d'entreprise qui se faisait jour dans cette austère ville communiste. Une ville qu'il était pourtant bien content de quitter.

En approchant du Bosphore, sur le trajet du retour, il raconta l'anecdote dans une lettre destinée à Zoe, mais ce fut surtout de Liam qu'il parla, joignant le texte dactylographié des extraits du carnet qu'il avait lus jusqu'alors. C'est seulement lorsqu'ils eurent jeté l'ancre pour attendre le bateau qui viendrait chercher le courrier qu'il ressentit le besoin d'ajouter quelques lignes, moins empreintes de gravité et certainement beaucoup plus personnelles. Devant ces mosquées et ces minarets qui se reflétaient dans l'eau paisible, et le fameux dôme du palais de Topkapi qui se dressait en face de lui, il était impossible de ne pas être touché par le côté romanesque d'Istanbul, siège des papes et des sultans, carrefour du passé et du présent, du sacré et du profane ; l'Europe et l'Asie face à face, séparées par un mince filet d'eau.

L'air du soir avait des douceurs de velours sur sa peau, et les parfums d'épices l'incitaient à désirer des choses qui, comme la ville elle-même, semblaient destinées à rester hors de sa portée.

Après avoir décrit les lieux et l'atmosphère, Stephen fut soudain tenté de la faire sourire. Il était poursuivi, écrivit-il, par un fantasme sexuel, à base de bateaux à voile dont le pont de bois luisait sous les étoiles :

> *Et ici nous serions dans le cadre idéal. Mais voilà que tout d'un coup je regarde autour de moi et je n'aperçois ni mâts élancés, ni espars, ni*

voiles repliées, pas plus que de ponts de bois bien
lisses et astiqués à fond. Il n'y a que l'acier peint et
fonctionnel, avec un pont arrière bien carré et un
bossoir en forme de bulbe. De nos jours, les
bateaux ne ressemblent même pas à des bateaux !

Pourquoi suis-je ici ? Voilà la question que je
me pose sans cesse. Et s'il faut que je sois ici, ce
qui semble bien être le cas, pourquoi es-tu si loin
de moi ? Comme je voudrais que nous soyons
ensemble, ici, tout de suite, avec un bon repas qui
nous attend dans un restaurant éclairé de chan-
delles, et mon lit, si confortable mais si vide, qui
attend notre retour. (Et tant pis pour le pont de
bois bien chaud — toujours plus beau en imagi-
nation, j'en suis bien persuadé, que dans la réa-
lité !)

Relisant les dernières lignes avant de cacheter
l'enveloppe, Stephen se demanda si elles ne contenaient pas une sorte d'engagement tacite et dangereux, mais il n'éprouva aucun désir de changer quoi
que ce soit. Il y avait eu dans le passé des moments
où il avait désiré connaître avec quelqu'un d'autre les
joies d'une expérience commune, mais jamais
encore il n'avait pu le faire avec une femme dotée
d'une capacité de compréhension aussi profonde que
celle de Zoe, une femme avec laquelle il avait pu
mener une existence aussi complète. Et surtout, il ne
voyait pas quelle autre femme pourrait partager avec
une telle intensité l'intérêt qu'il éprouvait à l'égard de
Liam Elliott.

Son désir de lui parler de ce sujet particulier fut
encore accru moins d'une heure plus tard. Le bateau
qui venait chercher le courrier apportait aussi un
paquet de lettres venant de Londres. Stephen les tria
en plusieurs petits tas, destinés à différents officiers,
et sentit que son cœur bondissait de joie à la vue de
l'écriture de Zoe sur deux enveloppes.

Incapable de résister à la tentation de les ouvrir sur-le-champ, il en parcourut rapidement le contenu, ravi d'apprendre qu'il lui manquait encore plus qu'elle ne l'avait prévu. Mais, pressentant sans doute que ce genre d'aveux l'engageait sur une voie dangereuse, elle s'orientait aussitôt sur un terrain plus sûr. Déçu, Stephen revint en arrière vers ces quelques lignes qui lui faisaient si chaud au cœur et les relut trois fois. Il survola le passage où elle parlait d'une nouvelle commande, de l'opinion de son agent, pour ralentir en atteignant une nouvelle des plus inattendues. Elle avait, disait-elle, trouvé dans les affaires de Louisa tout un paquet de lettres écrites par Liam pendant la guerre. Adressées à Edward, elles couvraient les périodes passées en Égypte, à Gallipoli, puis en France. Les premières, détaillées et fourmillant d'annotations enthousiastes ; les autres, concises et blasées, donnant l'impression que beaucoup de choses étaient passées sous silence et pas seulement pour échapper aux ciseaux de la censure.

La joie que lui avait causée cette découverte transparaissait sur toute la page. Mais il y avait aussi beaucoup de tristesse. Comme Stephen, elle était indignée par les horreurs dont Liam avait été victime, horreurs qui l'amenaient à passer sous silence une grande part de ce qu'il avait vécu, se contentant de phrases anodines pour décrire les moments les moins dramatiques.

« Le plus étrange, commentait Zoe de son écriture penchée, aux lettres si bien formées, c'est qu'en dépit de ses efforts manifestes pour cacher certaines choses, je sais ce qu'il cache et pourquoi il le cache. J'ai l'impression de le connaître personnellement. »

Moi aussi, se dit Stephen, se sentant soudain plus proche de Zoe grâce à cette émotion qu'ils avaient en commun. Pourtant, quand dans la phrase suivante elle lui avouait qu'elle en était arrivée à rêver de

Liam, Stephen eut un petit pincement au cœur, se demandant si les rêves qu'elle avait faits étaient aussi effroyables que les siens. Il espérait que non, mais une telle coïncidence lui causait une vive inquiétude. Si Zoe avait été devant lui, il lui aurait dit de ne plus lire ces lettres. Mais elle était à Londres, et le courrier était déjà parti.

Le jour revenu, quand il retraversa les Dardanelles, il se dit qu'il n'y avait pas lieu de s'inquiéter ainsi. Après tout il n'y avait plus maintenant aucun mystère sur les identités et les relations de chacun et on pouvait comprendre les raisons du départ soudain de Liam et des excentricités auxquelles Tisha s'était livrée par la suite. Certes, malgré l'intervalle de deux générations, il avait subi un choc en apprenant sa filiation avec Robert Duncannon, mais il avait fini par trouver excessive une telle réaction dans la mesure où il n'avait jamais connu Edward.

En revanche, Zoe n'avait rien éprouvé de semblable. Ne sachant rien de cette famille, elle avait commencé ses recherches sans aucune idée préconçue. Et pourtant, son indifférence avait volé en éclats dès qu'il s'était agi de Liam, et Stephen constatait qu'il en était de même de son côté. Pourquoi ?

C'était une question à laquelle il n'y avait pas de réponse toute faite ; à moins qu'il n'y en eût trop, toutes faciles à imaginer, mais dont aucune ne touchait le cœur du problème pas plus qu'elle n'expliquait cette longue série de coïncidences.

Une fois franchies les Dardanelles, pourtant, Stephen prit la résolution de ne plus s'attarder à ces pensées. Cédant aux instances de Mac, il accepta ses invitations à aller jouer aux fléchettes au bar et organisa même un test de culture générale qui se déroulerait le samedi soir. Autrefois, songeait-il avec un certain regret, les jeunes officiers affectionnaient ce genre de divertissements, auxquels ils conviaient les vieilles badernes par pure courtoisie. Par contre, maintenant, ils se gavaient de télévision et de vidéo, rangeant les jeux de société au rayon des passe-temps démodés. Pourtant ils étaient bien autre chose qu'un simple divertissement. Ils faisaient parler les gens, et ces rapports sociaux revêtaient une importance vitale dans la mesure où ils tissaient des liens entre des étrangers, et teintaient d'un certain humour les relations que l'on pouvait avoir pendant le travail.

Stephen avait besoin de connaître ses officiers et il avait besoin qu'ils se connaissent entre eux. Ce métier était déjà suffisamment difficile pour qu'on n'y ajoute pas les contraintes de l'isolement et de la tension d'esprit.

Pour mener le jeu à bien, Stephen divisa l'équipage en deux groupes, l'un dirigé par le second et l'autre par le chef mécanicien ; Mac, comme les fois précédentes, réussit à soulever l'hilarité générale en répondant « Graham Greene » à toutes les questions portant sur l'auteur d'un livre. Bien qu'il y eût quelques protestations de la part des jeunes, qui trouvaient que Stephen avait fait figurer trop de questions sur la Première Guerre mondiale, tout le monde fut satisfait de la soirée, à tel point que l'un des officiers demanda si l'on pourrait recommencer le samedi suivant.

« Pourquoi pas ? A condition de ne pas être dans un port, bien entendu. J'ai l'impression qu'on va avoir des samedis bien organisés, dorénavant. Sports d'équipe le matin. Jeu de culture générale après le dîner. »

Le jeune officier le regarda sans comprendre.

« Sports d'équipe ? C'est quoi, ça, commandant ?

— Exercice d'abandon, Marcus, expliqua Stephen avec un large sourire, et exercice d'incendie. »

En faisant route vers Augusta, en Sicile, Stephen

se demanda quelle serait leur destination suivante. Il était toujours inquiet quand la pénurie de cargaison se faisait sentir à Londres. Avec la guerre Iran-Irak, il redoutait qu'un armateur en mal de contrat ne l'expédie avec son bateau de l'autre côté du détroit d'Ormuz.

Le chargement fut vidé en Sicile sans trop de problèmes, mais c'est seulement au moment où le dernier agent maritime achevait sa bière pour quitter le bord qu'arriva le télex de Londres. Comme si on cherchait à les tenir en haleine, les instructions leur demandaient simplement de repartir en direction du canal de Suez.

« Chouette ! s'exclama Mac en simulant l'enthousiasme d'un collégien. Ça fait des années que j'ai pas vu Port-Saïd. Je me demande s'il y a eu du changement là-bas.

— On peut toujours l'espérer », répondit Stephen, qui avait gardé un souvenir trop précis de son premier voyage à travers le canal de Suez, juste avant sa fermeture occasionnée par la guerre des Six Jours. Toutes ces barques agglutinées autour du navire à l'ancre, ces jeunes garçons avec leurs bibelots de pacotille qui réclamaient des bakchichs sans discontinuer ! Se rappelant les filles de Port-Saïd, il éclata soudain de rire.

« Dieu merci, nous nous contenterons de passer. Tu imagines l'équipage à terre ? Ils reviendraient tous sans un fifrelin. »

Mac s'esclaffa bruyamment.

« Vu ce qui s'est passé à Odessa, on devrait envoyer un télex à tous les ports pour leur demander de mettre leurs femmes sous clé. Nos marins ne sont peut-être pas doués pour les langues mais en tout cas ils peuvent se faire comprendre dans tous les pays. Remarque que nous, on se débrouillait pas mal non plus quand on était jeunes, hein ?

— Pas dans ce Port-Saïd de merde, en tout cas, se récria Stephen d'un air horrifié.

— Oh ! non, pas Port-Saïd. C'était Singapour l'idéal à l'époque, et le Japon. Je me souviens d'une fille à Osaka-ko, elle était incomparable pour...

— Mac, s'exclama Stephen en regardant le télex. Il y a quelque chose qu'on ne nous dit pas. Pourquoi allons-nous à Suez ? Ça coûte très cher de franchir le canal et nous n'avons rien dans les soutes, donc ça ne va pas leur rapporter un centime. Je ne sais pas à quoi ils nous destinent de l'autre côté, mais il faut que ce soit rudement lucratif... »

Voyant mal où il voulait en venir, Mac secoua lentement la tête.

« Allons, Stephen, allons. Ils ne voudraient quand même pas...

— Ah tu crois ça, toi ! » Il posa violemment la feuille sur la table et, allumant une cigarette, se mit à marcher de long en large. « Je te parie tout ce que tu voudras que c'est là que nous allons. »

Mac se caressa la barbe.

« En Indonésie, tu crois ? A Singapour ? On aurait besoin de passer en cale sèche...

— Ta cale sèche, tu peux te la coller où je pense, Mac. Ils nous envoient dans le Golfe. »

Quelques jours plus tard, un télex vint confirmer les craintes de Stephen. Et il ne s'agissait pas d'un voyage isolé mais d'un véritable contrat qui les obligeait à se rendre dans le Golfe une fois par semaine. *Pendant une durée limitée*, précisait le message, mais cela pouvait aussi bien vouloir dire six semaines que six mois, et Stephen s'en rendait parfaitement compte.

Furieux que de telles instructions n'aient pas été d'abord précédées d'un coup de téléphone personnel par satellite, il se contenta d'accuser réception du télex sans formuler le moindre commentaire. Il était midi à Londres, à eux d'appeler s'ils le jugeaient nécessaire. Quant à lui, il préférait éviter de parler aux responsables de la compagnie. Dans le feu de sa colère il risquait de prononcer des paroles qu'il regretterait ensuite.

Mac et le premier lieutenant se trouvaient dans la salle des machines, mais moins de dix minutes plus tard, ils arrivaient dans la cabine de Stephen, où le second, convoqué d'urgence lui aussi, s'était précipité sans délai. D'un ton délibérément neutre, Stephen lut à ses officiers le contenu du message. Contrairement à toute attente, le second lâcha une bordée d'imprécations grossières, qui furent reprises, d'une manière un peu édulcorée, par le premier lieutenant. Mac se contenta de fixer un point de l'espace, ses yeux bruns exprimant une vive contrariété, comme s'il en voulait à Stephen d'avoir tout fait pour que son hypothèse s'avère exacte.

Haussant les épaules avec agacement, Stephen posa la feuille de papier sur la table pour qu'ils puissent la lire eux-mêmes, et alla chercher quatre boîtes de bière dans le frigidaire. Il faisait chaud dans la cabine et il suait sang et eau, sa chemise lui collant à la peau comme une serviette mouillée.

« En principe, dit-il lentement, rien ne peut nous obliger à exercer notre activité dans un secteur qui a été officiellement déclaré *zone de guerre*. Je suis tout à fait en droit de renvoyer un télex demandant que nous soyons tous remplacés par des volontaires...

— Et nous savons tous comment Londres réagirait à ce genre de comportement », commenta Mac, les poils roux de sa barbe hérissés de fureur contenue.

Il but une longue lampée de bière.

« C'est vrai. Mais je peux essayer. D'ailleurs il ne fait aucun doute que certains d'entre nous vont refuser d'y aller, quelles que soient les pressions qui seront exercées sur eux.

— S'ils me paient en conséquence, grommela Mac, moi je suis prêt à faire aller ce putain de bateau jusque dans les rues de Téhéran ! »

Un éclat de rire général soulagea la tension. Puis, pendant quelques minutes, ils parlèrent de l'aspect financier du problème, se demandant combien ils pourraient exiger de la compagnie en échange de leur « fidélité ». Stephen les laissa parler, sachant qu'on allait leur offrir un fixe et un certain pourcentage et que ce serait à lui qu'il reviendrait de négocier pour obtenir les conditions les plus avantageuses possibles. Mais il ne se faisait guère d'illusions sur la possibilité de se faire remplacer.

Seul le second paraissait particulièrement mécontent.

« J'ai une femme et trois gosses, et pour moi ça compte beaucoup plus que tout l'argent du monde. »

Bien qu'au fond il fût d'accord avec lui, Stephen s'abstint d'abonder dans son sens.

« Je n'ai ni épouse ni enfants, dit-il, mais je me place uniquement sur le plan des principes. Je déteste la guerre et les méthodes que ces gens emploient, mais il y a une chose à laquelle nous ne pouvons pas tourner le dos, je veux parler de notre réalité économique. Et je pense qu'avant de dire à notre compagnie qu'elle peut aller se faire foutre, nous avons drôlement intérêt à réfléchir. N'empêche, ajouta-t-il au bout d'un moment de silence, que ceux d'entre vous qui sont mariés devraient contacter leur femme. En un sens, elles ont autant leur mot à dire que nous. Seulement, je vous demanderai d'attendre que j'aie pu téléphoner au siège de la compagnie pour savoir exactement quelle liberté de choix on nous laisse. »

Stephen fit plusieurs photocopies du télex dont il

afficha un exemplaire au bar, un autre sur la passerelle et un troisième chez les hommes d'équipage, ajoutant un message pour que le bosco le contacte dans les meilleurs délais. Malgré la consigne qu'il avait donnée à ses officiers, il mourait d'envie de téléphoner tout de suite à Zoe mais tout en sachant d'avance ce qu'on lui répondrait en haut lieu, il se disait qu'il valait mieux attendre la confirmation de Londres.

Quand cette confirmation arriva, peu après sept heures ce soir-là, ce fut par la voix du directeur lui-même, une voix durcie délibérément pour bien marquer la distance qui séparait désormais les deux interlocuteurs. Nous étions amis, autrefois, se dit Stephen, liés l'un à l'autre par l'adversité, par tous ces problèmes que nous résolvions en commun. Et maintenant, nous nous parlons comme des ennemis.

« Je suis désolé, Jack, mais l'unanimité est loin de s'être faite à bord. Aucun d'entre nous n'a l'intention de risquer sa peau pour donner à une clique d'extrémistes musulmans les moyens de se payer des Exocet ! »

La voix qui retentit à l'autre bout du fil fut plus glacée que jamais.

« Ce contrat a été signé par les Kowétiens, commandant. Il s'agit de pétrole en provenance du Koweit.

— Foutaises ! » rétorqua Stephen, exaspéré par cette insistance à répéter toujours le même argument alors qu'ils savaient très bien, l'un comme l'autre, qu'il n'y avait là que pure hypocrisie. Certes le pétrole provenait des pipe-lines kowétiens, peut-être même avait-il été extrait des puits kowétiens, mais l'argent tiré de sa vente servait essentiellement, en dépit d'une prétendue neutralité, à alimenter les caisses de l'Irak, alors en guerre contre l'Iran. Et les Iraniens, qui savaient parfaitement à quoi s'en tenir, faisaient tout pour empêcher le pétrole de sortir du Golfe.

Le silence s'installa de nouveau un moment mais quand le patron parla, ce fut d'un ton radouci, presque suppliant.

« Écoute, Stephen, parlons d'homme à homme. Nous avons un besoin urgent de signer ce contrat, qui représente une chance inespérée pour notre compagnie. Nous sommes au bord du gouffre, crois-moi, et ça représente un véritable ballon d'oxygène. »

Il y eut un soupir éloquent, puis Jack reprit :

« Nous ne pouvons pas nous permettre de refuser et nous ne pouvons pas non plus nous permettre de prendre du retard pendant que tu discutes avec ton équipage pour décider de ce que vous allez faire. S'il faut remplacer les hommes, je peux te garantir que les Philippins ne retrouveront plus jamais de travail, pas en mer, en tout cas. Quant aux officiers, ils auront tellement de remarques défavorables sur leur dossier qu'il leur sera tout à fait inutile de solliciter une autre affectation ailleurs. La compagnie a le bras long, tu le sais très bien. »

Stephen le savait mais il n'aurait jamais cru qu'on aurait pu lui exposer les choses aussi crûment. Il s'était attendu à subir des pressions, certes, mais une telle détermination, encore renforcée par le ton confidentiel de Jack, le laissait pantois. Si ces mises en garde étaient venues de quelqu'un d'autre, même formulées par le P.-D.G. en personne, il aurait pu être tenté de relever le défi, mais il connaissait Jack, et Jack connaissait la compagnie mieux que personne. Dans le petit monde des armateurs et des sociétés de navigation, elle constituait une véritable mafia. Sinon comment aurait-elle pu survivre alors que toutes les autres compagnies britanniques avaient dû cesser leurs activités ?

Comprenant qu'il n'avait pas le choix, Stephen

serra les poings avec fureur. Ce chantage insolent offensait tous ses principes mais il se retint de dire à Jack ce qu'il pensait de ces méthodes. Il lui fallut mobiliser tout le sang-froid dont il était capable pour se rappeler le serment qu'il s'était fait bien des années plus tôt. « *Tu partiras, Elliott, quand tu seras prêt, et pas avant.* » L'heure n'était pas encore venue de faire le fanfaron.

Quand il eut raccroché, sans douceur, il lui fallut plusieurs minutes pour recouvrer son calme.

« Alors, lui demanda Sparks, qu'il était allé voir dans la salle des radiocommunications, combien ils paient ? En supplément, bien sûr.

— Pas assez, répondit Stephen laconiquement. Et même si c'était deux millions de dollars versés sur un compte en Suisse, ça serait encore insuffisant. »

Naturellement, tous les autres lui posèrent aussi la question. Ils auraient une prime proportionnée à leur salaire mensuel. C'était une somme importante, indiscutablement, mais qui était loin de compenser le fait qu'ils n'étaient couverts par aucune assurance dans la zone de guerre, en cas de décès ou d'incapacité grave.

Le second décida de consulter sa femme par téléphone sans tarder. Elle dut se déclarer d'accord avec lui car il demanda une nouvelle fois à être remplacé. Stephen hocha la tête avec résignation. En revanche, les officiers les plus jeunes étaient étrangement surexcités à l'idée du danger et des gains inespérés qui leur tombaient du ciel. Les plus anciens, eux, comptaient les semaines qu'il leur restait à faire avant de pouvoir solliciter un congé. Mac et Stephen, qui étaient les derniers arrivés à bord, avaient encore quatre mois à faire. Le troisième mécanicien, dont la femme venait d'avoir un bébé, demanda lui aussi à être remplacé.

« J'irai bosser sur les plates-formes, dit-il d'un air de défi. La compagnie, je l'emmerde ! »

Stephen ne put qu'admirer un tel courage. Contrairement à ce qu'il avait prévu, les hommes d'équipage acceptèrent la situation avec une grande philosophie. Était-ce le fatalisme ou l'appât du gain, toujours est-il qu'ils décidèrent tous de rester. Voilà qui va faire plaisir à Jack Porteous, se dit-il en retournant dans sa cabine pour l'appeler au téléphone.

Pourtant, au moment de composer le numéro du siège de la compagnie, il se dit qu'il allait d'abord appeler Zoe. Peut-être espérait-il vaguement qu'elle allait le persuader de prendre un autre parti, et énumérer une série d'arguments sans réplique qui l'amèneraient à dire, comme le second et le troisième mécanicien, « la compagnie, je l'emmerde, je trouverai autre chose... ».

Mais au fond de lui-même, il y avait quelque chose qui se refusait à prendre une telle position, pour le moment du moins... De toute façon, Zoe n'était pas chez elle. Imaginant l'appartement vide, il laissa le téléphone sonner longtemps, espérant qu'elle allait monter l'escalier quatre à quatre pour lui répondre. Le découragement le gagna ; il aurait tant voulu entendre sa voix ! Et puis la colère le prit. Où était-elle donc ? Que pouvait-elle avoir de si important à faire pour sortir de chez elle au moment où il avait tant besoin d'elle ?

La colère était encore en lui, avec le sentiment que toutes les issues lui étaient fermées, quand il appela Jack Porteous, et leur conversation se limita au strict nécessaire. Maintenant nous savons à quoi nous en tenir, semblait dire Jack, et nous pouvons nous organiser à la vitesse grand V. Stephen ne s'en demanda pas moins avec une certaine inquiétude qui on allait lui envoyer pour remplacer les hommes qu'il perdait.

C'est seulement quand il essaya une nouvelle fois d'entrer en contact avec Zoe qu'il se rendit compte que quelque chose ne tournait pas rond dans les communications satellite. Il essaya le télex sans davantage de succès. Pris de rage impuissante, il sentit son exaspération monter encore d'un cran quand Sparks, après avoir procédé à tous les contrôles possibles et risqué de se briser le cou en montant au haut du mât, lui annonça qu'il faudrait recourir aux services de techniciens spécialisés pour se faire dépanner. Et pendant les quelques jours qui suivirent, ils en furent réduits à utiliser un moyen de communication qui leur paraissait dater de la préhistoire : les signaux en morse sur ondes courtes à la radio.

Le bateau fit escale à Fujairah, à une distance respectable du détroit d'Ormuz, pour débarquer les deux récalcitrants et prendre leurs remplaçants à bord, et on en profita pour faire réparer l'antenne. Stephen fut heureux de retrouver comme second John Walker lui-même, l'homme avec qui il avait navigué la dernière fois à bord du *Nordic*, de sinistre mémoire. Il se dit que l'humour irrespectueux de Johnny allait constituer un tonique apprécié de tous.

« Mais enfin, bordel, comment as-tu pu accepter un tel marché ?

— J'en sais rien, commandant. C'est sûrement parce que mon banquier a trouvé que ça renflouerait un peu mes finances. Faut dire aussi que j'en avais un coup dans l'aile quand ils m'ont téléphoné, ça peut expliquer pas mal de choses.

— Et ta copine ? demanda Stephen en riant. Qu'est-ce qu'elle en a dit ?

— Aucun problème. De toute façon, la dernière fois que je l'ai vue, elle m'avait dit que je pouvais aller me faire voir ailleurs.

— Ah bon ! Alors finalement, ça baigne à ce que je vois. »

Le second redressa sa longue silhouette filiforme

et haussa les épaules avec la nonchalance d'un loup de mer qui en avait vu d'autres. Le nouveau troisième mécanicien, célibataire et la cinquantaine bien sonnée, semblait trouver la situation d'autant plus normale qu'il n'avait toujours pas réussi à décrocher son brevet et ne pouvait guère se montrer difficile. Le flegme de ses deux nouveaux collaborateurs mit un peu de baume au cœur de Stephen. Ils avaient pu voir, chez eux, à la télévision, ce qui les attendait au juste et ça ne les avait pas arrêtés. Un volontaire, se dit-il, valait mieux que dix hommes enrôlés sous la contrainte.

A midi, Stephen débarqua avec l'agent, le souffle oppressé par la chaleur qui lui brûlait les poumons. Il voulait téléphoner à Zoe mais se demandait comment il lui expliquerait pourquoi il était là. Cette fois, il ne pourrait éviter de s'engager un peu plus avant avec elle, et ce besoin qu'il éprouvait de lui dire qu'il l'aimait ne lui était pas imposé de l'extérieur, il venait de lui-même, du plus profond de son cœur. Il fallait qu'il lui fasse cet aveu, qui lui paraissait maintenant la chose la plus importante du monde. Et il voulait entendre les mêmes mots tomber de ses lèvres.

L'idée qu'il pouvait mourir lui avait merveilleusement clarifié les idées, lui permettant d'identifier les priorités avec la rapidité d'un ordinateur. Maintenant qu'il avait accepté cette mission, considérant qu'il n'avait pas le choix, il n'avait plus qu'un seul désir : la mener à bien et en finir au plus vite. Il était toujours en colère mais il chérissait son indignation, tout comme son amour pour Zoe, car elle lui servait de talisman contre la peur. Et dès que ce serait terminé, il rentrerait au pays pour faire le point et s'interroger sérieusement sur son avenir.

Il y avait trop longtemps qu'il menait cette existence d'errant ; le moment était venu de jeter l'ancre une fois pour toutes.

S'étant enfin débarrassé des formalités avec le représentant de la compagnie, il put composer le numéro de Zoe. Il y eut un silence, puis une série interminable de déclics et de soupirs. La sonnerie retentit quatre fois puis on décrocha.

C'est une voix d'homme qui répondit. La voix claire d'un homme cultivé, très détendu, vaguement amusé.

Ce fut pour Stephen comme si on lui avait enfoncé un couteau dans la poitrine. Le souffle coupé, il ne pouvait plus parler. A l'autre bout du fil, la voix s'impatientait, devenait péremptoire. Bégayant presque, Stephen demanda à parler à Zoe.

« C'est de la part de qui ?

— Elliott », aboya-t-il, se retenant de toutes ses forces de demander à l'autre qui il était et ce qu'il faisait dans l'appartement de Zoe à dix heures un samedi matin.

Des sons assourdis, puis la voix de Zoe, soudain très claire dans le lointain. Puis des pas pressés, qui lui faisaient se demander où elle avait été, pour quoi faire ; et une respiration courte, une agitation nerveuse.

« *Stephen*... D'où appelles-tu donc ? Alors ça, pour une surprise... ! »

Dévoré par le plus douloureux des soupçons, il la haït presque pendant un moment. Il eut toutes les peines du monde à choisir ses mots et à contrôler sa voix.

« J'ai eu envie de te passer un coup de fil... pour te demander comment tu allais.

— Mais ça va bien, très bien, s'exclama-t-elle tandis qu'un rire manifestement forcé s'échappait de ses lèvres. Et toi, comment vas-tu ? Tu n'as pas ta voix habituelle. A moins que ce soit à cause de ce maudit téléphone.

— Je vais très bien.

— Bon, tant mieux. Je suis très heureuse de l'apprendre. Où es-tu ?

— Dans un port dont tu ne connais sans doute même pas le nom Fujairah, ça fait partie des Émirats Arabes Unis. »

Il y eut un silence sur la ligne. Stephen l'imagina en train de chercher, faisant appel à ses notions de géographie, pour situer l'endroit.

« Zoe, dit-il d'un ton soudain pressant, conscient que les secondes passaient et qu'il y avait cet homme à côté d'elle, nous allons dans le Golfe. Nous allons faire la navette entre le Koweit et Karachi pendant les semaines à venir. Ça ne se passera pas sans problèmes et je ne peux pas te dire que ça m'enchante mais, franchement, il n'y avait pas moyen de faire autrement. Je voulais seulement te dire... oui, je voulais seulement te dire où nous sommes, au cas où tu resterais un moment sans nouvelles.

— Le Golfe ? répéta-t-elle d'une voix faible. Pas le golfe Persique ?

— Mais si, justement.

— Mais il y a la guerre là-bas. On voit ça tous les jours à la télévision, les missiles, les dragueurs de mines... »

Il entendait son souffle, violent et profond.

« Stephen, ce n'est pas possible ! Ils ne peuvent pas vous envoyer dans le Golfe.

— Pourquoi pas ? Le reste du monde veut acheter ce qu'ils continuent de vendre là-bas. Il faut bien qu'il y ait des imbéciles comme nous pour faire le sale boulot ! »

L'exclamation de détresse qui lui échappa à l'autre bout du fil coupa court à sa colère. Après tout, ce n'était pas sa faute à elle s'il se trouvait placé dans une situation aussi précaire. Il s'excusa en s'essuyant le front avec lassitude, conscient que la conversation ne s'orientait pas dans le sens qu'il avait souhaité. Il aurait voulu tout recommencer à zéro mais la présence de l'autre homme dans l'appartement de Zoe était aussi tangible que la chaleur qui s'abattait sur ses épaules.

« Je suis désolé, Zoe, il va falloir que je raccroche. Je t'appelle du bureau de l'agent et je ne peux pas accaparer la ligne. Au fait, as-tu reçu ma lettre d'Istanbul ?

— Oui, dit-elle avec empressement. Je l'ai reçue la semaine dernière. C'était une très belle lettre...

— Bon, tant mieux. Je te récrirai bientôt, pour te donner quelques détails sur ce qui se passe. »

Pendant un moment, il fut tenté d'arrêter là la conversation mais son besoin d'en savoir davantage sur l'autre homme était vraiment trop irrépressible. Un peu sèchement, il demanda :

« Qui c'est, ton ami, au fait ? Mais je suis peut-être indiscret. »

Il y eut un court silence. La réponse, quand elle vint, parut peut-être vouloir se faire un peu trop naturelle.

« Oh, c'est seulement Philip. Il... eh bien, ma voiture m'a encore joué un tour alors il m'a offert de m'emmener dans le Sussex. J'aurais pas tellement eu besoin de me déplacer, ajouta-t-elle avec un petit rire qui sonnait faux, mais j'avais justement rendez-vous cet après-midi avec quelqu'un qui devait me montrer la maison où a vécu Tisha, alors...

— Je vois. »

L'explication paraissait plausible et il aurait bien voulu la croire, pourtant même quand elle avait mentionné Tisha il n'avait pu se défendre d'une bouffée de jalousie. Ainsi, Philip Dent était de retour.

« Bon, j'espère qu'il conduit prudemment. Passez un bon week-end. »

Elle sembla surprise de l'acidité du propos.

« Stephen, ce n'est pas ça du tout. Ne va pas t'imaginer... »

Mais il n'avait jamais pu supporter le mensonge. D'un geste délibéré, il coupa la communication, écœuré par la fausse intimité de ces conversations au téléphone, les émotions remuées par le son d'une voix, l'impossibilité totale de rapprochement qui se trouvait soulignée encore davantage. Et puis, se dit-il avec une pointe de sarcasme, en téléphonant on pouvait tellement déranger celui qu'on appelait, en l'interrompant dans ses occupations...

Debout près de la fenêtre, les rayons du soleil filtrant à travers les jeunes feuilles des platanes, Zoe écoutait le bourdonnement vide de la ligne et elle savait que cette interruption n'était pas accidentelle. Déçue, frustrée au plus haut point, elle se tourna vers Philip.

« Et voilà ! Tu es content de toi ?

— Hé, minute ! Zoe, c'est toi qui m'as demandé de décrocher.

— Je sais, mais maintenant, il va s'imaginer des choses qui n'existent pas et... »

Elle n'en dit pas davantage, sortit de la pièce en claquant la porte et se mit à rassembler ses affaires, jetant furieusement les sacs dans le vestibule exigu.

« Oh, bon Dieu de bon Dieu ! grinça-t-elle, les dents serrées. Qu'il aille se faire foutre, et toi avec, Philip ! Et cette maudite voiture aussi ! Si elle était pas tombée en panne, celle-là, ça serait jamais arrivé. Et puis toi, il a fallu que tu t'amènes avec une heure d'avance ! »

Profondément vexé, Philip arpentait la pièce sans parvenir à retrouver son flegme habituel.

« Je commence à regretter de t'avoir proposé de t'emmener dans le Sussex, déclara-t-il d'un air fâché.

— Et moi, donc ! Mais puisque tu l'as fait, autant aller jusqu'au bout, non ? »

344

Sans autre commentaire, il saisit le plus léger des sacs et commença à descendre l'escalier pendant que Zoe fermait la porte à clé chargée d'un autre sac, de son appareil photo et de son matériel de dessin. Qu'est-ce qui lui avait pris de demander ce service à Philip Dent ? Et pourquoi avait-il fallu qu'elle le rencontre à la bibliothèque deux jours plus tôt ? En s'installant sur le siège avant de sa Ford Sierra rouge, elle se dit qu'elle aurait bien mieux fait de prendre le train pour Brighton en demandant à sa mère de venir la chercher à la gare.

D'abord gêné pendant quelques instants, il avait paru content de la voir et elle lui avait demandé des nouvelles de David et de Clare, heureusement surprise de constater qu'il la traitait en amie sans avoir l'intention de revenir sur ce qui s'était passé entre eux. Il lui avait proposé de prendre un pot ensemble le week-end, elle lui avait parlé de son problème de voiture et voilà où ils en étaient maintenant.

Et il avait fallu que Stephen téléphone justement à ce moment-là ! Une demi-heure plus tôt ou une demi-heure plus tard, il ne se serait douté de rien et comme il n'avait aucune raison de se tourmenter, elle n'aurait rien eu à lui expliquer. Non, vraiment, quelle déveine !

La rage au cœur, elle ne répondait à Philip que par monosyllabes mais elle s'avisa soudain qu'il y avait une certaine malice derrière les questions qu'il lui posait sans cesse, une certaine satisfaction à la voir en proie à un tel désarroi. Décidée à ne pas le ménager, elle lui répondit avec une franchise brutale.

« Oui, Philip. Je tiens beaucoup à Stephen. Il est de loin l'homme qui compte le plus de tous ceux que j'ai rencontrés. Oui, parfaitement, je serais comblée si je passais le reste de ma vie à préparer ses repas et à raccommoder ses chaussettes. Tu es content ?

— Et vive la libération de la femme, répliqua-t-il

avec mépris. Et moi qui m'imaginais que tu voulais t'affranchir de tout ça pour te consacrer entièrement à ton art.

— J'ai changé.

— Mais lui, il ne t'aime pas. En tout cas, à ce que j'ai pu voir, il n'a pas confiance en toi. Je le comprends très bien, d'ailleurs. Après tout, tu m'as plaqué pour lui et maintenant il doit penser...

— Je ne t'ai pas plaqué pour lui ! Clare est une menteuse, si c'est elle qui t'a mis cette idée en tête. Je ne le connaissais même pas quand nous nous sommes vus pour la dernière fois.

— N'empêche que s'il avait eu confiance en toi, il n'aurait pas accusé le coup pareillement en constatant que j'étais chez toi ce matin. »

Ces paroles faisaient mal parce qu'elles étaient très proches de la vérité. D'autant plus mal qu'un tel manque de confiance n'était nullement justifié. La femme de Stephen lui avait été infidèle et, manifestement, il soupçonnait Zoe de ne pas l'avoir attendu. Elle en aurait pleuré de rage, mais refusait de donner cette satisfaction à Philip.

Après cela, ce fut le silence total dans la voiture. Par cette superbe journée de début juin, les arbres maintenant bien feuillus projetaient des taches mouchetées sur la route. Zoe entrevoyait parfois des éclairs de couleurs vives provenant des jardins ou des parterres fleuris mais ils roulaient trop vite pour qu'elle puisse vraiment avoir le temps d'apprécier.

Soudain la voiture dut ralentir derrière un énorme camion-citerne qui roulait dans la même direction qu'eux. Jetant un coup d'œil anxieux au tableau de bord de la Sierra elle vit que le camion allait à quatre-vingt dix kilomètres à l'heure, ce qui était déjà une bonne vitesse sur une route à deux voies qui tortillait beaucoup. Elle eut tout le temps de regarder le sigle qui ornait la cuve. Q 8.

346

« Q 8 », murmura-t-elle rêveusement, sans comprendre tout d'abord. Puis il y eut comme un éclair. « Q 8, dit-elle, frappée par la coïncidence[1]. C'est de l'essence qui provient du Koweit. » Et Stephen, c'était du pétrole provenant du Koweit qu'il allait transporter dans le Golfe. Et c'était pour ce pétrole qu'il allait risquer son bateau et sa vie. Zoe se sentit envahie par un sentiment de culpabilité. Depuis qu'elle avait reçu ce coup de téléphone, elle n'avait pensé qu'à son propre problème, oubliant le motif qui était à l'origine de cet appel.

« Oui, dit Philip, manifestement heureux de pouvoir rompre le silence en parlant d'un sujet peu compromettant. C'est une nouvelle compagnie. Ils ont racheté un autre groupe, je ne me souviens plus de son nom. Mais ils vendent l'essence à un prix tout à fait raisonnable.

— Raisonnable ? » répéta-t-elle d'une voix un peu trop aiguë.

Elle pensait aux vingt-six hommes qui se trouvaient à bord du bateau de Stephen, et aussi aux centaines ou aux milliers d'autres qui risquaient leur vie pour acheminer ce pétrole. « Je suppose que tout peut être qualifié de raisonnable à partir du moment où l'on ne pense pas au coût en vies humaines. »

1. Q 8, en anglais, se prononce *Kiou Eït* comme le nom du Koweit *(N.d.T.)*.

CHAPITRE XVI

Pour aller à son rendez-vous, près de Worthing, elle demanda à sa mère de lui prêter sa voiture de sport, et en dépit de l'anxiété qui continuait de la tarauder, elle fut bien obligée de reconnaître qu'il était fort agréable de prendre le volant de cette vieille Triumph Spitfire, dont le moteur et la carrosserie rouge vif étaient maintenus en excellent état, à grands frais, par le « petit garagiste » du village où habitait Marian.

Ayant décidé de tirer un trait sur tout ce qui pouvait l'opposer à sa mère, Zoe se contentait maintenant de ne plus s'intéresser qu'à ce qu'elles avaient en commun. Toutes deux aimaient les objets anciens et éprouvaient une sorte de fascination pour ce qui se rapportait au passé.

Pourtant elles avaient l'une et l'autre une manière différente d'interpréter l'histoire de leur famille, Marian ayant souvent tendance à imputer à Tisha la responsabilité des nombreux problèmes qui l'avaient assaillie. Et elle en voulait à Tisha de lui avoir aliéné l'affection de son unique enfant, malgré les protestations véhémentes de Zoe qui ne manquait jamais de voler au secours de l'aïeule.

Pourtant, Marian manifestait une certaine curiosité à propos du passé de Tisha, cherchant à connaître les raisons qui avaient pu pousser la vieille dame à se cacher ainsi. Zoe n'avait donc été qu'à moitié surprise quand elle avait reçu un appel téléphonique de sa mère l'informant que la maison habitée autrefois par Tisha était de nouveau en vente.

« Je jetais simplement un coup d'œil aux annonces immobilières et j'ai aperçu celle-là tout à fait par hasard. Ça m'a fait un choc, ma chérie, mais que veux-tu, on n'y peut rien. Ah, au fait, j'ai téléphoné à l'agence, ajouta-t-elle comme à regret, à croire qu'en agissant ainsi elle avait enfreint les plus élémentaires de ses principes, et ils m'ont dit que la maison était en vente depuis un bon bout de temps déjà. Elle est entièrement vide. »

Cette nouvelle n'avait pas manqué de faire surgir à la mémoire de Zoe, avec un serrement de cœur, les souvenirs de son enfance à l'époque incertaine où ses parents s'étaient séparés, et elle avait revécu ce fameux été qu'elle avait passé avec une vieille dame excentrique qu'elle connaissait à peine. Son père, se rappelait-elle, avait longuement protesté mais comme d'habitude, Marian avait réussi à imposer son point de vue. Et tandis que les deux adultes tentaient d'y voir clair dans leurs problèmes conjugaux, Zoe avait passé plusieurs semaines dans cette étrange maison victorienne qui n'avait rien d'attrayant, avec ses pièces vides et son jardin envahi par la végétation.

Et Zoe avait vécu dans cette demeure des vacances paradisiaques !

Incapable de résister au désir de revoir cet endroit, elle avait téléphoné à l'agence et, s'efforçant de passer pour une cliente que l'affaire intéressait, elle avait pris rendez-vous pour visiter. Elle détestait mentir mais elle n'ignorait pas qu'aucune agence sérieuse n'aurait consenti à perdre son temps uniquement pour satisfaire la curiosité d'une jeune fille à la recherche de son passé.

En arrivant sur les lieux, Zoe espérait que la voiture de sport allait donner quelque crédit à la fable qu'elle avait inventée selon laquelle elle cherchait, de la part de son père, une maison qu'il voulait acheter pour faire un placement. Connaissant son père comme elle le connaissait, elle n'avait d'ailleurs même pas l'impression qu'en débitant ce conte elle ferait la moindre entorse à la vérité.

Mais en fait elle n'avait aucun lieu de s'inquiéter. Le jeune homme qui l'attendait avec les clés se moquait bien de savoir qui elle était et pourquoi elle venait. Il y en avait déjà tellement qui l'avaient dérangé pour rien qu'il s'était résigné à considérer qu'une fois de plus il allait perdre un après-midi qui s'annonçait pourtant superbe. Il ne lui proposa même pas de la faire visiter, se contentant de rester assis sur les marches de la terrasse, face au soleil, les manches relevées et le col de la chemise ouvert.

« Si j'avais vraiment eu l'intention d'acheter cette maison, fit remarquer Zoe avec un amusement acide, je crois que j'aurais pu signaler que vous aviez une attitude plutôt désinvolte. »

Il leva vivement les yeux vers elle, ne sachant trop si elle parlait sérieusement, et il eut même, l'espace d'un instant, un air légèrement inquiet. Mais Zoe sourit et il lui rendit ce sourire avec soulagement.

« Vous n'avez donc pas l'intention d'acheter ? Eh bien, je vous comprends. Cette baraque est un vrai taudis. Il faudrait dépenser une fortune pour la remettre en état. Mais on espère toujours trouver un amateur... »

C'était un paresseux qui ignorait tout de sa profession et Zoe aurait pu lui dire que ce métier n'était pas pour lui. Mais il n'était pas antipathique. Elle sourit de nouveau.

« Vous allez peut-être vous étonner, mais la maison n'a pas beaucoup changé depuis que je suis venue y vivre, il y a seize ans. C'est mon arrière-grand-mère qui l'occupait alors, mais elle est morte l'hiver suivant et je n'y suis jamais revenue. C'est ma mère qui en a hérité mais je crois me rappeler qu'elle l'a revendue très vite, et j'ignore complètement qui a pu l'acheter. Vous le savez, vous ?

— Il y a quinze ans ? Ça pourrait très bien être les gens qui veulent la vendre maintenant. Enfin des gens de la même famille. C'est un vieux monsieur qui vivait là, un veuf. Après la mort de sa femme il est parti. Ses deux fils sont à l'étranger. L'un en Amérique du Sud — c'est lui qui nous a chargés de la vente — et l'autre participe à une expédition dans l'Antarctique. »

Zoe ne put s'empêcher de rire.

« Comme ça, y a personne pour vous harceler ! »

Sous son hâle de play-boy, il eut la bonne grâce de rougir.

« Oui, enfin, tout de même...

— Allons, ne vous en faites pas. De toute façon, je ne suis pas venue pour acheter. Tenez, vous n'avez qu'à rester ici, au soleil, et moi je vais faire un tour à l'intérieur. J'en ai pour une petite demi-heure. »

Bien peu de chose avait changé. Les papiers peints, peut-être, mais quinze ans plus tôt un grand nombre de pièces étaient déjà vides comme elles l'étaient maintenant, et Zoe n'était aucunement dépaysée.

En fait, Tisha n'avait jamais été propriétaire de cette maison dont elle n'avait eu que l'usufruit, ses beaux-parents l'ayant léguée à leur petite-fille Edwina. Edwina, qui avait grandi ici, s'était mariée jeune avec un lieutenant de la Royal Navy, et ils avaient eu une enfant, Marian, en 1940.

Et puis Edwina et son fringant officier avaient été tués au cours de l'un des nombreux raids allemands sur Plymouth et c'est Tisha qui avait dû se charger de la responsabilité d'élever Marian.

Après la mort d'Edwina, Tisha avait dû abandonner son appartement de Pimlico, car Londres n'était vraiment pas l'endroit idéal pour élever un bébé, et s'était vue obligée de revenir dans ce sinistre Sussex et dans cette maudite baraque qu'elle trouvait pratiquement inhabitable.

Elle avait fini par se résigner pourtant, bien qu'elle fût contrainte, pour trouver de quoi vivre, de vendre peu à peu tous les tableaux, puis les meubles. Quand Zoe était arrivée il restait bien peu de choses et Tisha en était réduite à se réfugier dans deux ou trois pièces. Elle n'en prenait nullement ombrage, d'ailleurs, du moment qu'il lui restait assez pour se vêtir convenablement et faire un tour en ville une fois par semaine pour aller prendre le thé avec ses amies chez Fortnum. Cela suffisait à son bonheur.

Elle adorait jouer les grandes dames et se contentait de fort peu. Ses toilettes immaculées étaient toujours rehaussées d'un ou deux bijoux et d'une étole de vison. Et elle avait suffisamment de souliers faits main pour affronter toutes les fluctuations de la mode.

« Il n'y a jamais rien de nouveau, ma chérie, disait-elle, ce sont toujours les mêmes modèles qui reviennent. Il suffit de garder ce que l'on a suffisamment longtemps. »

Et pour garder, elle gardait. Les meubles avaient peut-être disparu mais les vêtements restaient, entassés dans les malles et les armoires, emballés dans du papier de soie, avec des boules de naphtaline. Zoe s'était vraiment payé du bon temps avec ces robes des années vingt, ces boas en plumes, sautillant de-ci de-là, chaussée de sandales d'or et d'argent et de pantoufles en satin pourpre, et parée de capes de velours qu'une reine n'aurait pas trouvées indignes d'elle.

Un vrai paradis, pour une fillette de dix ans !

Dans la chambre du premier étage, avec ses hautes fenêtres ouvrant sur un balcon, Zoe sourit à l'évocation des souvenirs qui surgissaient à sa mémoire. A cette époque-là, la pièce avait été entièrement vidée à l'exception des armoires et d'une longue glace en trumeau. Il y avait aussi une chaise longue ancienne près d'une fenêtre. L'endroit idéal pour se costumer. Et Tisha s'asseyait au soleil, regardant son arrière-petite-fille à travers ses yeux mi-clos, un sourire de satisfaction presque féline flottant sur ses lèvres.

Elle n'avait jamais beaucoup aimé Marian et semblait éprouver un certain plaisir à répéter à Zoe qu'elle n'avait jamais autorisé sa mère à toucher à ses précieuses affaires durant son enfance. Mais comme Zoe, à cette époque, ne se consumait pas non plus de tendresse pour sa mère, le plaisir avait été réciproque. Avec le recul du temps, Zoe en éprouvait maintenant un certain remords.

La vue de ces toilettes provoquait chez Tisha un plaisir supplémentaire. Elle n'avait jamais parlé de sa jeunesse à York mais elle avait manifestement gardé un souvenir attendri des gens qu'elle y avait fréquentés pendant les années vingt et au début des années trente. Et chaque toilette avait une histoire. Moulée dans une robe noire collante de Schiaparelli, elle avait dansé avec le prince de Galles.

« Il avait une prédilection pour les brunes très minces, et moi, à cette époque-là, j'étais très brune et très mince, ma chérie, avait-elle dit en tapotant ses boucles argentées coupées très court, à la dernière mode. Et naturellement, tout le monde affirmait toujours que j'avais des yeux absolument merveilleux. »

Regardant attentivement ceux de Zoe, elle avait ajouté :

« Quel dommage que les tiens ne soient pas très colorés. »

Revenant à ses moutons, elle reprenait :

« Il n'aurait jamais dû épouser cette Simpson. Elle avait des yeux d'hypnotiseuse. Tu le savais, ça ? Elle l'a envoûté, comme une hermine... Naturellement, soupira-t-elle, je ne pouvais pas fréquenter ces gens-là, il m'aurait fallu de l'argent. Oui, c'est bien dommage. Et après, il a fallu que je m'occupe de ma petite Edwina, avec ces horribles Fearnley, mes beaux-parents, tu sais ! Il fallait tout le temps que je rapplique ici... »

Et pendant que Zoe la fixait d'un regard innocent, fascinée par ces histoires de princes, de soirées mondaines et d'idylles ébauchées sous les lustres, elle s'était soudain assombrie.

« Edwina était une brave petite. Très affectueuse, et très confiante, tout le portrait de son père. Ce pauvre Edwin ! »

Elle poussa un profond soupir puis, en réponse à la question de Zoe, elle dit :

« Il est mort, ma chérie. Pendant la guerre de 14-18. Il a d'abord été blessé, assez grièvement, je crois, et puis il est mort. Il y avait tout juste un an que nous étions mariés, et il n'a jamais vu sa petite fille qui venait de naître... »

Zoe n'avait pas posé de question sur Edwina, car elle savait déjà que la mère de sa mère avait été tuée alors que Marian était encore trop jeune pour pouvoir vraiment se souvenir d'elle. Envahie par une soudaine tristesse, elle avait embrassé son arrière-grand-mère qui avait essuyé une larme en disant :

« Le problème, vois-tu, ma chérie, c'est que je n'ai jamais eu la fibre maternelle... »

Mais quelques secondes plus tard, apercevant un morceau d'étoffe en soie rouge qui débordait de l'une des malles, elle s'était lancée dans une histoire sur un comte russe exilé qu'elle avait rencontré à Paris juste après la guerre.

Zoe sourit en se rappelant ce détail. Décidément,

cette maison était pénétrée de la présence de l'aïeule qui avait imprégné chacune des briques de cette demeure de son esprit volontaire et indépendant et de son indifférence totale à l'égard de tout et de tout le monde, en particulier des gens de sa famille. Vaniteuse, égoïste et imbue d'elle-même, Letitia Mary Duncannon Elliott n'avait pas été une femme remarquable, si l'on se référait aux canons d'une société purement conventionnelle : et pourtant elle avait fasciné Zoe et, sous sa carapace de cynisme, il y avait eu quelque chose qui avait gagné le cœur de l'enfant qu'elle était alors.

Et Zoe avait apprécié tous les instants de son séjour dans cette vieille demeure, ravie de cette impression qu'elle avait de camper sous un toit, avec ces repas pris n'importe comment, cette nourriture que sa mère avait jugée tout à fait « inadaptée ». Un jour où l'épicier avait oublié de passer, elle n'avait mangé que des fraises du jardin ; une autre fois, après être allées aux provisions chez Fortnum, elles avaient eu des œufs de caille au petit déjeuner et du pâté de foie gras avec des toasts pour le goûter. Et ces promenades en ville, après les longs préparatifs de la veille, elle en avait gardé les souvenirs les plus excitants de son enfance. Les trois vieilles dames et leur ami bavardaient sans la moindre retenue devant elle, la gavant de gâteaux à la crème arrosés de gorgées de vin doux. Spirituels et blasés, secs et fragiles comme des feuilles d'automne, ils étaient les reliques de cette période d'entre-deux-guerres. Comme elle regrettait de ne pas avoir été plus grande alors, et quel dommage qu'ils ne fussent plus en vie !

Elle avait vécu là des semaines fabuleuses, dans cette maison qui avec ses multiples tourelles, ressemblait au château d'un conte de fées. Pourtant l'adulte qu'elle était maintenant ne pouvait manquer de voir le salpêtre qui montait le long des murs de la cuisine et les vers qui rongeaient les poutres du grenier ; elle frissonna involontairement, se demandant comment on pouvait vivre là pendant l'hiver. Le chauffage central semblait dater de la préhistoire et les cheminées paraissaient gigantesques. Tisha n'avait pas dû dépenser beaucoup pour le chauffage. L'hiver qui avait suivi cet été idyllique avait été particulièrement rigoureux et Zoe se rappelait combien elle avait souffert du froid dans le dortoir de son pensionnat. Elle ne s'étonnait plus du décès soudain de Tisha. Le certificat, qu'elle avait récemment retrouvé au milieu des paquets de lettres, indiquait que la mort avait été provoquée par hypothermie.

Prise tout d'un coup du désir de retrouver le contact direct du soleil, Zoe redescendit vite au rez-de-chaussée et sortit sur la terrasse. Elle tendit en souriant les clés de la porte d'entrée au jeune employé de l'agence.

« Vous pouvez refermer maintenant, si vous voulez. J'ai vu ce que je voulais à l'intérieur. Si ça ne vous dérange pas, je vais juste faire un petit tour dans le jardin.

— Je peux partir ?

— Si vous voulez. »

Il hésita, puis lui adressa un sourire un peu contraint.

« Est-ce que... ça vous dirait de venir prendre un verre au café du village ? »

Zoe secoua négativement la tête.

« Non, merci tout de même. Un autre jour, j'aurais pu dire oui mais là, tout de suite, je crois que ma compagnie ne serait pas très gaie.

— Vraiment ? »

Voyant qu'elle avait pris définitivement son parti, il n'insista pas et poussa un soupir de regret.

« Bon, tant pis. Une autre fois, peut-être ?

— Oui, peut-être. »

Elle le regarda tourner la clé dans la serrure et s'assurer que la porte était bien fermée et vit qu'il repartait vers sa voiture en jetant au passage un coup d'œil admiratif à la petite Spitfire de Marian. Adressant à Zoe un geste d'adieu, il fit demi-tour sur le gravier de l'allée et disparut entre les arbustes.

Les mauvaises herbes avaient tout envahi. Dans le verger, la vigne avait disparu et les arbres qui semblaient pourtant avoir été taillés à une époque relativement récente ne pouvaient sans doute plus donner de fruits. Il y avait une certaine beauté sauvage dans cette jungle mais le jardin avait perdu sa magie. Elle fit quelques pas sur le sentier qui sinuait entre les buissons ; étant enfant, ce parcours lui avait paru interminable, avec les branches qui formaient une sorte de tunnel au-dessus de sa tête.

De retour sur la terrasse, Zoe s'assit sur les marches et regarda la maison. Elle pensait à la photo de famille, prise à York dans le jardin d'un cottage, où tout le monde paraissait si heureux, malgré la tension qui se lisait sur le visage d'Edward. La vérité avait dû éclater peu de temps après, ainsi qu'en témoignait la correspondance de Letty Duncannon.

Tisha était restée à la maison pendant deux ans encore mais Zoe se doutait qu'elle attendait simplement le moment favorable pour partir à son tour, comme une chatte qui guette l'instant où l'on va ouvrir la porte pour se glisser au-dehors.

C'est la guerre qui lui avait fourni l'occasion tant recherchée. Avec tous ces hommes qui partaient au front, on avait eu recours aux femmes pour les travaux de secrétariat. D'abord embauchée dans une caserne d'York, elle avait été mutée au ministère de la Guerre, à Londres, où elle avait dû rencontrer le capitaine Edwin Fearnley, un militaire de carrière qui avait quelques années de plus qu'elle. L'avait-elle aimé ? Zoe se posa la question en regardant ce jardin que les parents du jeune homme avaient entretenu avec tant de sollicitude. Peut-être, à sa façon, car elle avait parlé de lui en termes affectueux. Peut-être représentait-il la sécurité qu'elle avait perdue, la sécurité détruite par Robert Duncannon. Au fait, se demanda Zoe, que pensait-elle de *lui* ?

Elle constata une fois de plus que de nouvelles questions ne cessaient de se poser, à mesure que l'on trouvait les réponses aux premières. C'était un exercice frustrant, surtout quand il fallait s'en débrouiller toute seule. Avec Stephen, il en allait tout autrement, ils lançaient des idées, raisonnaient, passaient les indices au crible et cherchaient des conclusions logiques à toutes les interrogations. Et c'était d'autant plus excitant que leurs tournures d'esprit se complétaient parfaitement, Zoe avec son intuition rapide mais qui ne partait pas toujours dans la bonne direction, et lui, plus lent mais beaucoup plus méthodique, qui ne s'écartait jamais d'un pouce de la ligne dictée par la raison. Et à eux deux, ils arrivaient à des résultats tangibles et satisfaisants.

Il lui manquait beaucoup. Elle avait besoin de sa compagnie et de ses taquineries affectueuses. Et surtout, en ce moment précis, elle aspirait à revivre cette passion qu'ils avaient partagée. De toutes les fibres de son corps, elle réclamait sa présence. Si cette belle et longue lettre qu'il lui avait envoyée d'Istanbul avait exprimé fidèlement le désir qu'il éprouvait, alors Zoe pouvait retrouver en elle son écho exact, dans ce jardin, au moment où allait tomber la nuit. Elle voulait Stephen, elle le réclamait ; maintenant, pas dans trois ou quatre mois. Il fallait qu'il soit ici, qu'il voie tout cela, qu'il partage son passé, qu'il l'aide à exorciser les démons du souvenir qui la tenaient comme envoûtée.

Elle ne pouvait se résigner à quitter cette maison, car la dernière fois qu'elle l'avait fait, seize ans plus tôt, elle avait ensuite découvert que son propre univers était en train de s'écrouler ; comme Tisha, elle avait dû affronter de bien amères vérités. Ses parents s'étaient séparés et elle avait eu l'impression qu'ils ne voulaient plus d'elle. James Clifford était parti à Londres et il n'avait réussi à la voir qu'une seule fois avant que Marian ne l'emmène dans cette horrible école pleine d'inconnues. Une véritable prison, telle avait été sa première impression qui n'avait pu que se confirmer par la suite en dépit du joli parc, des courts de tennis et du village coquet que l'on entrevoyait au-delà des murs.

Après la liberté de cette maison, après la présence magique de Tisha, le pensionnat avait représenté d'interminables années de punition pour un crime obscur qu'elle ne pouvait jamais se rappeler avoir commis. Et avec Marian qui ne cessait de déménager d'une maison à l'autre, les vacances n'avaient apporté aucune rémission. Elle voyait très peu son père et Tisha était morte.

Le retour dans la pénombre crépusculaire de cette journée d'été ne fut guère facile. Peu habituée à ces petites routes de campagne, Zoe fut obligée de se concentrer sur ce qu'elle faisait, se demandant sans cesse quelle direction il fallait prendre. Quand elle arriva enfin devant le cottage de sa mère, Marian sortit tout de suite à sa rencontre, comme si elle l'avait attendue derrière la porte.

« Dieu merci, te voilà ! J'étais persuadée que tu avais eu un accident, ou pire. Je te voyais séquestrée dans cette horrible maison, avec un maniaque ou autre !

— Oh, maman, je suis désolée. J'aurais dû te téléphoner. Je ne pensais pas... »

L'anxiété se mua en colère.

« Ne me dis pas que tu es restée à bavarder dans un pub avec cet employé de l'agence, Zoe, sinon...

— Mais non, voyons, je... »

Au bord des larmes, Zoe eut un petit rire nerveux. « Remarque, c'est marrant, parce qu'il m'a justement proposé... »

Une fois entrée, attablée devant une bouteille de vin bien frais, Zoe expliqua du mieux qu'elle put pourquoi elle était arrivée si tard. Mais le vin lui déliait la langue et pour une fois elle n'éprouva que peu de scrupules à dire ce qu'elle pensait vraiment, au risque de froisser l'amour-propre de sa mère. Sans voir les froncements de sourcils de Marian ni entendre les exclamations qu'elle laissait parfois échapper, Zoe dit tout ce qu'elle avait sur le cœur. Elle parla de Tisha et de ses relations avec les Elliott et avec Robert Duncannon, elle parla de la maison et de l'été qu'elle y avait passé, et elle parla d'elle-même et des années de séquestration au pensionnat, sans oublier de préciser qu'elle avait alors eu l'impression que ses parents ne voulaient plus d'elle.

Et comme le vin levait encore d'autres barrières, elle en arriva au coup de téléphone de Stephen, et se trouva incapable de contenir le chagrin accumulé. De grosses larmes coulaient sur son visage en rivières muettes, dégoulinaient de son menton pour mouiller le devant du corsage léger qu'elle portait. Comme Marian lui tendait une boîte de mouchoirs en papier, Zoe s'excusa de nouveau.

D'un air surpris, Marian tapota affectueusement l'épaule de sa fille.

« J'étais à cent lieues de me douter que tu souffrais à ce point, dit-elle. Tu étais toujours tellement réservée ; jamais de larmes, jamais la moindre récrimination. Comment aurais-je pu me douter... »

Tandis que les sanglots de Zoe redoublaient, en écho de toutes ces larmes qu'elle avait versées secrètement autrefois, sa mère expliquait :

« Vois-tu, quand j'étais petite, j'aimais beaucoup

l'école. C'était tellement mieux qu'à la maison... La maison ! répéta-t-elle d'une voix pleine d'amertume, ce grand mausolée vide ! Tu ne peux pas imaginer à quel point j'y étais malheureuse pendant les vacances. Aucune amie, rien à faire, et Tisha qui était toujours partie vadrouiller en ville... C'est bien à contrecœur que je t'ai envoyée chez elle, poursuivit Marian, mais je me disais que ces quelques semaines seraient vite passées et tout valait mieux que ces chamailleries incessantes qui m'opposaient à ton père, juste avant notre divorce. J'ai voulu t'épargner ça. Et pourtant, tu t'es plu chez Tisha ; n'est-ce pas ? J'avoue que je n'ai pas compris. Et quand tu es rentrée, je ne savais plus par quel bout te prendre, Zoe. Naturellement, j'ai tout mis sur le dos de Tisha. J'étais convaincue qu'elle t'avait montée contre moi. Nous n'avons jamais eu d'atomes crochus, elle et moi, tu sais.

— Je m'en suis bien aperçue, dit Zoe avec amertume, tout enfant que j'étais.

— Elle ne pouvait pas me souffrir. Elle m'en voulait d'exister. Par ma faute, elle avait été obligée de quitter Londres pour repartir dans le Sussex, et ça, elle ne pouvait pas me le pardonner. Elle ne souhaitait qu'une chose : que je retourne en classe pour pouvoir retrouver ses amies et ses amants et pour recommencer à faire la noce. Et elle était plus tranquille pour vendre tout ce qui avait de la valeur dans la maison, tous ces objets qui, en fait, m'appartenaient. »

Zoe avait déjà entendu tout cela ; et pourtant, une fois de plus, elle plaignit sa mère. Tisha avait réussi à inspirer de la rancune à sa petite-fille et toutes deux, l'une comme l'autre s'étaient avérées incapables, à force d'égoïsme et d'aveuglement, de mesurer la portée de leurs actes sur le bonheur des êtres dont elles avaient eu la responsabilité.

Zoe se demanda si ce n'était pas là un problème auquel chacun de nous se voyait plus ou moins confronté, et elle en ressentit une certaine anxiété. Elle voulait avoir des enfants, des enfants de Stephen, et elle avait peur à l'idée qu'elle pourrait, elle aussi, faire preuve d'égoïsme et d'aveuglement à leur égard.

Avec sa mère, Zoe ne réussit qu'à remuer de vieilles rancœurs qui eurent pour seul effet de la rendre plus malheureuse encore. Marian ne semblait pas comprendre la profondeur du sentiment que sa fille éprouvait pour Stephen, ni la qualité particulière que leur héritage commun pouvait conférer à leur relation, et Zoe cessa très vite de ressentir le besoin de parler de l'homme qu'elle aimait. Regrettant d'être venue, elle reprit le train pour Londres le lendemain, aussitôt après le déjeuner.

Elle pensa beaucoup à son père, sur qui la conversation avait souvent roulé pendant ce week-end. Sa mère s'était remariée très vite, pour redivorcer presque aussitôt après, mais James Clifford avait continué de vivre en solitaire et Zoe s'était souvent demandé pourquoi. Bien que sa mère affirmât sans cesse qu'il s'intéressait plus à l'argent qu'aux êtres humains, ce qui était sans doute une façon élégante de justifier un divorce qui après tant d'années lui restait encore sur le cœur, le père de Zoe éprouvait en fait une véritable passion pour les affaires qui accaparait son temps et ses capacités d'attention. Quand Marian affirmait qu'il aurait été incapable de s'occuper d'une fillette, même en la confiant à un pensionnat, Zoe savait qu'elle avait parfaitement raison, mais cela ne suffisait pas pour lui enlever ses regrets, car elle aimait beaucoup son père et il y avait entre elle et lui un niveau d'affection qu'elle n'avait jamais partagé avec sa mère.

Quand il n'était pas à l'étranger, ils dînaient ensemble assez régulièrement, une ou deux fois par mois le plus souvent. De temps en temps, il venait aussi la voir dans l'appartement, le soir, après le travail. En somme, elle le voyait plus souvent que Marian, mais si James Clifford demandait toujours des nouvelles de son ex-femme, il ne s'attardait jamais sur le passé. Seuls le présent et l'avenir l'intéressaient, et non les raisons d'une relation ratée, même si elle avait eu pour aboutissement l'existence d'une fille aussi chère à son cœur que pouvait l'être Zoe.

Il était au courant de sa liaison avec Stephen et regrettait que sa fille n'ait pas jugé bon de le lui présenter avant. Le lien de parenté qui les unissait n'avait pas non plus été sans le troubler quelque peu.

« J'espère sincèrement, commenta-t-il en riant quand elle eut expliqué leurs attaches familiales, que ces Elliott dont tu me parles n'ont rien de commun avec leur aïeule indigne et si peu regrettée ! »

Tisha lui avait toujours inspiré un respect un peu réticent, à défaut d'une certaine sympathie, pour la ténacité avec laquelle elle s'était cramponnée à un style de vie qu'elle avait toujours voulu revendiquer et il avait éprouvé quelque amusement en apprenant sa véritable origine.

« Tu vois, elle avait toujours affirmé qu'elle avait du sang d'aristocrate irlandais dans les veines. Finalement, elle ne s'était pas trompée. Pourtant, je dois avouer que je ne la croyais pas, à l'époque. »

Et il comprenait maintenant, étant donné le caractère illégitime de sa naissance, que Tisha se fût montrée si discrète sur le reste de sa famille.

Mais James Clifford était reparti à l'étranger et la sympathie qu'il aurait pu lui témoigner n'aurait de toute façon pas suffi pour aider Zoe à régler le problème posé par Stephen.

Elle rentra chez elle, la mort dans l'âme, et s'assit devant le téléphone un moment, regardant fixement cet appareil de malheur qui demeurait obstinément muet. Puis elle monta à l'étage au-dessus pour inviter Polly à venir prendre un verre.

Leur amitié n'avait cessé de se raffermir au cours des années, encore renforcée par le fait qu'elles étaient les seules célibataires de l'immeuble et que, de surcroît, elles se trouvaient chez elles dans la journée aux heures où tout le monde était parti travailler. Il s'agissait d'une amitié véritable, pleine de chaleur et de sincérité, et Polly s'était avérée infiniment plus fiable et plus fidèle que bien d'autres dont la profession était pourtant beaucoup plus classique.

C'était une actrice dont la voix, mélodieuse et chaleureuse, était très prisée des producteurs de pièces de théâtre diffusées à la radio et de commentaires « off » à la télévision, mais sa personnalité vibrante masquait une nature intensément pratique et elle avait le don d'exprimer son point de vue avec une franchise qui n'avait rien de diplomatique.

Mise au courant du problème qui tourmentait Zoe à propos de Stephen, elle déclara sans ambages :

« Tu n'as qu'à lui écrire, à ton Roméo, pour lui dire la vérité au sujet de Philip. Écris-lui une lettre torride, pleine de passion, où tu lui déclares ton amour, ton adoration, et ton impatience de le voir revenir réchauffer ton lit solitaire. Voilà qui lui remonterait le moral, crois-moi. »

C'était sans doute ce que Polly aurait fait. Passant d'un amour à l'autre avec un enthousiasme que rien ne venait jamais affaiblir, elle était capable de se passionner à tout propos. Mais les sentiments de Zoe étaient beaucoup plus nuancés et elle était loin d'être certaine que c'était ce genre de propos que Stephen voulait entendre. Polly avait beau affirmer que s'il avait téléphoné, c'était uniquement par amour, et que s'il avait raccroché aussi violemment, c'était uniquement par jalousie, elle le savait si réticent vis-à-vis d'un engagement définitif qu'une telle déclaration d'amour ne pouvait se faire à la légère.

Finalement, après une nuit de sommeil, elle choisit le moindre mal et écrivit une lettre où elle expliqua ce qu'il en était pour Philip Dent, racontant les circonstances de leur première rencontre et la façon dont elle s'était aperçue qu'elle perdait son temps avec lui. Il n'était guère facile d'aborder avec sincérité l'aspect sexuel de leur liaison mais malgré ses hésitations, Zoe sentait qu'il fallait trouver les mots et exprimer la vérité, quelles que puissent être les réactions de Stephen. Il fallait qu'il comprenne que Philip appartenait désormais au passé et ne risquait pas de resurgir dans sa vie à l'occasion d'une rencontre fortuite, même s'il offrait de l'emmener en voiture dans le Sussex.

Réprimant son désir de lui dire combien elle l'aimait et avait besoin de lui, Zoe passa presque toute la journée sur la première partie de sa lettre, le reste consistant en un compte rendu détaillé de ce qu'elle avait fait le samedi après-midi. En dépit des efforts qu'elle fit pour la contenir, son émotion transparaissait sous sa description de la maison de Tisha et l'évocation des souvenirs que cette visite avait suscités en elle.

... je ne cesse de me dire que je n'aurais pas dû aller là-bas, bien que le fait de te parler maintenant de ce week-end raté me procure un soulagement infini. Et après avoir remué les cendres de toutes ces années pour les regarder bien en face, je m'aperçois qu'elles sont moins redoutables qu'elles ne le paraissaient.

Et je dois dire que j'éprouve la même impres-

sion à propos de Philip. Je regrette de ne pas t'avoir parlé de lui avant, oui, je le regrette profondément, mais il faut dire que j'avais mauvaise conscience à l'époque. Maintenant, crois-moi, après tout ce que j'ai pu lui dire dans l'appartement et dans la voiture, je ne risque pas de le revoir un jour. Quant à Clare, je ne crois pas non plus qu'elle resurgira dans mon existence. Et je ne le regrette nullement.

Quel dommage que nous n'ayons pas pu parler l'autre jour, je veux dire, parler vraiment. C'était tellement merveilleux d'entendre ta voix au téléphone. Mais j'ai été bouleversée par la nouvelle que tu m'annonçais, et toi, tu te posais manifestement tant de questions sur la présence de Philip...

Mais tu sais maintenant ce qu'il en est au juste. J'espère que tu comprends ce qu'il pouvait y avoir de particulier dans ma situation...

Zoe marqua un temps d'arrêt pour relire entièrement sa lettre. Plus elle parlait de Philip, plus elle éprouvait le besoin d'en dire encore davantage, comme un criminel obsédé par l'acte qu'il a commis. Ce qui était stupide car, ainsi que l'avait fait remarquer Polly, elle lui donnait une importance qu'il ne méritait aucunement. Non, elle n'avait pas lieu d'en dire plus sur lui. Hésitant sur la formule finale, elle délaissa « Bien tendrement, Zoe », pour préférer « Tout mon amour pour toi... ».

Pendant un moment, la sincérité dont elle faisait ainsi preuve la remplit de bien-être mais elle ne tarda pas à être assaillie par le doute. Comment allait-il réagir ? Elle ne pouvait tout de même pas raturer ces mots et elle n'avait pas envie de récrire toute la page, alors elle se résigna à laisser la lettre telle quelle.

En revenant de la poste, elle sentit dans son cœur

un espoir fragile, semblable à ce que l'on éprouve après une maladie brève mais débilitante, non point une conviction que tout cela allait évoluer dans un sens favorable mais l'impression que la seule manière d'avancer était de faire un pas à la fois. Elle espérait qu'en lisant sa lettre, Stephen comprendrait qu'elle n'avait aucunement l'intention de faire bon marché des sentiments et des émotions qu'ils pouvaient nourrir l'un pour l'autre et elle se disait aussi qu'en lisant entre les lignes, il discernerait peut-être la présence de cet amour dont il avait tant besoin lui-même, plus que de toute autre chose, elle en avait maintenant la conviction, qu'il en fût conscient ou non.

Quand il rentrerait en Angleterre, il faudrait faire table rase. Ce n'était pas pour demain, certes, mais il lui suffisait pour le moment de savoir qu'ils en passeraient nécessairement par là.

En réfléchissant au contenu de sa lettre et à la façon dont elle avait employé son temps durant le week-end, elle fut soudain frappée par le fait que dans la correspondance de Louisa, elle n'avait encore jamais rien trouvé qui eût été envoyé par sa fille Tisha.

Dans une grande boîte en carton se trouvaient toutes les liasses auxquelles elle n'avait pas encore touché. Dans une autre, elle avait mis les lettres qu'elle avait identifiées sans avoir pris le temps de les lire, et elle avait classé dans une série de petites boîtes celles qu'elle avait déjà lues. Chaque enveloppe portait un numéro écrit au crayon, ce numéro correspondant à des notes que Zoe consignait dans un énorme carnet à couverture rigide.

C'était vraiment un travail gigantesque dans lequel fourmillaient des références et des renvois innombrables mais, comme elle en avait fait la remarque récemment à Stephen, elle pouvait ainsi s'occuper l'esprit à des tâches passionnantes qui ne lui laissaient que fort peu de temps pour penser à autre chose, et en particulier pour avoir une quelconque vie sociale.

Ce qu'elle ne regrettait nullement, bien entendu, car ce travail qu'elle s'imposait ainsi était devenu une véritable obsession qui l'obligeait à consacrer la majeure partie de son temps libre au déchiffrement de ces missives : elle les lisait en prenant de nombreuses notes et se documentait en empruntant des livres à la bibliothèque publique. Depuis des semaines, elle s'absorbait dans les récits de souvenirs, les rétrospectives et les histoires officielles de la guerre qui, avec les photocopies de la transcription du carnet de Liam envoyées par Stephen, constituaient l'essentiel de sa nourriture intellectuelle au point de lui faire oublier pratiquement tout le reste. Fort heureusement, sans doute, elle n'avait pas eu de commandes importantes de la part des éditeurs d'ouvrages à illustrer, car tous les dessins qu'il lui arrivait de tracer spontanément représentaient le même motif : des croix entrelacées de coquelicots et de fils de fer barbelés, résultats incontestables, de même que les cauchemars qui hantaient ses nuits, de recherches approfondies et souvent bouleversantes.

Maintenant, elle avait hâte de se replonger dans la correspondance de Louisa et c'était avec un plaisir incontestable qu'elle envisageait de trouver quelque chose de différent et de plus souriant, qui lui permettrait d'avoir un aperçu sur la vie de Tisha quand elle était jeune, et de comprendre comment la fillette au caractère difficile dont parlait Letty Duncannon était devenue la femme sophistiquée que Zoe avait connue.

Pour se rendre compte que Tisha avait causé bien du souci à sa mère, il suffisait de voir les réponses que Louisa recevait aux lettres qu'elle envoyait à sa vieille amie de Dublin. Pourtant, après le départ de la jeune fille pour Londres, Letty s'était contentée de déclarer avec beaucoup de bon sens mais aussi une certaine froideur : « *Maintenant, tu vas pouvoir cesser de te faire du mauvais sang à son sujet. Robert va veiller sur elle discrètement, et malgré la rancune que tu nourris encore à son égard, il fera l'impossible pour qu'il ne lui arrive rien de fâcheux.* »

Et après ces quelques lignes était venue la confirmation de ce que Stephen et Zoe avaient cherché si longtemps : « *Après tout, Robert est son père.* »

Cette bonne vieille Letty ! pensait Zoe avec affection, car elle éprouvait une grande sympathie pour la sœur de Robert Duncannon, dont elle appréciait particulièrement l'excentricité et la liberté de langage.

En allant s'asseoir à sa table de travail, Zoe vit la photo de Robert en grand uniforme qui trônait sur le dessus de sa bibliothèque. Bien qu'il se fût écoulé près de cent ans depuis que l'officier, alors âgé d'une trentaine d'années, avait posé pour le photographe, elle avait encore l'impression d'une force de caractère hors du commun qui se lisait aussi bien dans le visage que dans la façon dont il se tenait. Il ne s'agissait pas d'arrogance, comme elle l'avait d'abord cru, mais de confiance en soi. Il se connaissait très bien et elle sentait qu'un tel homme ne devait pas souvent présenter ses excuses.

Comme Stephen.

Cette pensée lui était venue tout d'un coup, à l'improviste, provoquant en elle l'apparition de petites ondes de choc. Pourtant, après tout, le sang de Robert se retrouvait fatalement dans celui de Stephen, et l'héritage génétique était une chose étrange, qui sautait souvent plusieurs générations pour réapparaître là où on l'attendait le moins.

Au fait, qu'avait donc dit Stephen à propos d'elle-même ? Ah oui, qu'elle avait la bouche de Louisa. Ce souvenir la combla de plaisir, la fit sourire tandis qu'elle se touchait les lèvres du bout des doigts. Peut-être ne ressemblait-elle pas tellement à Tisha après tout ; peut-être y avait-il en elle plus de traits empruntés à Louisa qu'elle ne l'avait soupçonné.

Pauvre Louisa ! Pour la première fois, sans doute à cause de l'incertitude dans laquelle elle se trouvait vis-à-vis de Stephen et du désir qu'elle éprouvait de l'avoir auprès d'elle, Zoe comprenait vraiment ce que Louisa avait dû ressentir. Robert n'avait jamais pu être à elle. Avait-elle cessé de l'aimer pour autant ? Aurait-elle seulement pu le faire ? N'y avait-il pas eu entre eux les liens tissés par les enfants et que pas même la mort ne pouvait trancher ?

En quittant York pour aller à Londres, Tisha s'était retrouvée, qu'elle le veuille ou non, sous la coupe de son père naturel, si bien que dès 1916, Robert avait eu deux filles sous sa responsabilité : l'infirmière dévouée, et l'autre, qui devait déjà manifester les signes de ce qu'elle allait devenir par la suite.

Zoe se demanda comment il avait pu venir à bout de cette tâche, lui qui, apparemment, s'absentait souvent de Londres. Se remémorant l'assurance avec laquelle Letty avait déclaré que son frère « ferait l'impossible pour qu'il ne lui arrive rien de fâcheux », elle laissa flotter sur ses lèvres un sourire sceptique. Manifestement, Letty connaissait mal sa nièce.

L'écriture de Tisha ne lui étant pas familière, elle chercha un paquet de lettres différentes de celles qu'elle avait lues jusqu'alors. Et c'est ainsi qu'elle trouva une liasse entourée d'un ruban, dont la première enveloppe portait une écriture ressemblant assez à la sienne. Convaincue par le cachet de la poste de Londres qu'elle avait trouvé l'objet de ses recherches, Zoe s'assit sur le canapé, les jambes repliées sous elle, et se prépara à passer une heure ou deux plongée dans une lecture passionnante. Avec beaucoup de précautions, elle dénoua le ruban poussiéreux qui maintenait ensemble une vingtaine de lettres.

A la différence de Zoe, Louisa Elliott n'avait jamais ouvert une enveloppe à la hâte en déchirant le papier avec son pouce. Chacune d'entre elles avait été découpée avec un canif et toutes les feuilles repliées avec soin, donnant l'impression que la lettre venait d'arriver à sa destinataire.

Ouvrant la première du paquet, Zoe jeta un coup d'œil à la dernière page pour y trouver la confirmation qu'elle attendait. Mais cette lettre ne venait pas de Tisha. Elle avait été écrite par l'autre fille de Robert Duncannon. En voyant la signature de Georgina, Zoe fut d'abord déçue puis contrariée. Elle faillit même remettre les feuillets dans l'enveloppe, rageusement, sans les lire. Mais au moment même où elle les repliait, une adresse figurant en tête de la première page lui sauta aux yeux. C'était sa propre adresse. Celle de la maison où elle habitait maintenant : Queen's Gate. A Londres.

L'espace d'un instant, elle crut avoir été le jouet d'une hallucination. Elle se frotta les yeux et regarda avec une attention redoublée, passant même les doigts sur les caractères gravés en relief. Aucune erreur possible, Georgina Duncannon avait vécu là, à la même adresse qu'elle.

Fiévreusement, Zoe ouvrit toutes les autres lettres, s'efforçant de ne pas déchirer les feuillets de ses doigts tremblants. Toutes n'avaient pas été écrites au même endroit. Il y en avait quelques-unes pour lesquelles on avait utilisé un papier bon marché, arraché à un bloc-notes, dans un hôpital du sud de Londres.

Était-ce là qu'elle avait été infirmière ? Sans doute, se dit Zoe en examinant les dates. Elle avait dû y loger dans une chambre que l'on mettait à sa disposition, son adresse permanente se trouvant ici même.

Se souvenant vaguement de quelque chose que Letty avait écrit à propos de sa nièce, Zoe alla chercher son gros carnet où figuraient de précieuses références. Oui, c'était bien cela. Il était précisé que Georgina partageait avec son père l'appartement qu'il avait à Kensington. Entre parenthèses, à côté de cette indication, Zoe avait noté qu'il faudrait préciser l'adresse exacte. Eh bien maintenant, elle la connaissait.

De quel appartement s'agissait-il ? A quel étage ? Une intuition soudaine lui dit qu'il fallait que ce fût là, à cet étage, dans ces pièces, et une douzaine de rêves étranges vinrent s'insérer à la place qui leur revenait, comme les pièces d'un puzzle.

Mais il devait y avoir un moyen de le prouver, de savoir qui avait été le propriétaire de cette maison à cette époque et qui avaient été les locataires. En se dirigeant vers le téléphone pour appeler son père, Zoe enjamba des feuillets épars qui étaient tombés sur le sol. Elle les ramassa d'un air confus, notant une date : 29 mars 1916, et de cette écriture bien nette qui aurait pu être la sienne, le nom de Tisha dans le premier paragraphe.

CHAPITRE XVII

La chambre de Georgina n'était pas très grande. Elle contenait un lit d'un mètre vingt de large, une petite armoire, une commode et une table de toilette qui suffisaient à occuper pratiquement tout l'espace disponible. Donnant sur la ruelle par-derrière, il y avait une haute fenêtre garnie d'un voilage de dentelle et d'une paire de doubles rideaux en brocart doré. Sur le sol, entre le lit et le mur, s'étalait un tapis turc aux couleurs chaudes.

La chambre était petite et encombrée mais, comparée à celle qu'on laissait à sa disposition à l'hôpital, elle était vraiment luxueuse. Le lit de plumes était moelleux, l'édredon assorti aux rideaux et il y avait des tableaux aux murs et un triple miroir au-dessus de la commode. C'était un havre de confort et d'intimité et Georgina s'y plaisait énormément.

Comme toujours avant de faire l'effort de se lever, elle jeta un coup d'œil à la ronde, appréciant chaque objet, la rangée de romans sur une étagère, les photographies de famille à sa portée ; et une fois de plus, elle bénit le jour où son père avait insisté pour qu'elle vienne s'installer ici. Elle avait pourtant beaucoup hésité au début, mais il n'avait pas lâché prise, répétant qu'il s'absentait souvent et longtemps. Et

Georgina s'était souvenue combien elle avait apprécié, à York, de pouvoir s'abstraire de la vie de l'hôpital. De même que le cottage au bord de la rivière avait été alors son refuge, de même elle pouvait maintenant trouver le repos dans l'appartement de son père.

A l'origine, avant que l'armée n'en fasse l'acquisition, l'immeuble se composait d'une seule maison d'habitation à la fois haute et profonde. Quel cauchemar ç'avait dû être, songeait-elle souvent pour les domestiques qui devaient constamment monter ou descendre les dix séries de marches menant des caves aux mansardes.

L'étage où elle logeait comprenait deux grandes salles, un vestibule et deux autres pièces plus petites. L'une d'elles était équipée d'un évier, d'un fourneau à gaz et de plusieurs placards. On pouvait difficilement l'appeler « une cuisine », bien qu'elle en fît l'office. Et c'était dans l'autre pièce, qui pendant des années avait servi de dressing-room à son père, qu'elle avait aménagé sa chambre.

Le domestique de Robert logeait avec des collègues deux étages plus haut et il y avait, à l'étage au-dessous, une salle de bains commune dont l'utilisation était réservée aux quatre officiers d'état-major qui habitaient dans l'immeuble. L'un d'eux était marié, et sa femme venait le rejoindre de temps en temps ; les autres étaient célibataires et elle les croisait à l'occasion, dans l'escalier.

On n'avait jamais dans cet immeuble le sentiment d'appartenir à une communauté, mais après tout, ce sentiment, elle l'éprouvait déjà bien assez à l'hôpital ; ici, c'était un lieu où chacun avait sa vie privée, le royaume de la paix et de la tranquillité ; pas de sonnettes, pas d'exigences, pas de corps brisés à soigner, pas d'esprits à la dérive auxquels il fallait apporter l'apaisement, pas de morts à évacuer à la hâte avant que n'arrive la nouvelle fournée de blessés. Ici, elle pouvait écrire son courrier et lire des livres ou tout simplement dormir d'épuisement, pour retrouver un peu de force physique et morale avant de retourner au travail.

Elle appréciait également de voir son père de temps en temps. Elle le trouvait bien changé par rapport à l'époque où il s'était si violemment opposé à ce qu'elle embrasse la carrière d'infirmière, et bien que son regard exprimât une certaine anxiété à propos de sa fille, il y avait aussi parfois une lueur de fierté.

Il reconnaissait maintenant la valeur de la formation qu'elle avait reçue à York, à l'hôpital de *The Retreat*. Les médecins militaires n'avaient guère la réputation d'être particulièrement ouverts aux idées nouvelles mais il arrivait de temps en temps qu'un praticien un peu plus averti que les autres demande à Georgina son avis. Si on ne le sollicitait pas, elle faisait ce qu'elle pouvait dans la limite du temps dont elle disposait et de l'influence qu'elle pouvait avoir.

De plus en plus souvent maintenant, elle se disait qu'un jour, quand la guerre serait finie, il faudrait créer des hôpitaux spéciaux où l'on prendrait le temps de comprendre les malades et de traiter les esprits blessés. *Manque de combativité*, ce n'étaient pas là les termes qu'il fallait utiliser pour caractériser un volontaire qui avait « craqué » au combat. Et si l'expression « *syndrome commotionnel* » paraissait nettement moins désobligeante, Georgina commençait à se rendre compte qu'il fallait autre chose que le bruit des obus pour détruire un homme. Il y avait aussi le spectacle et l'odeur de la mort, cette mort omniprésente qui s'abattait dans un sifflement pour anéantir indifféremment l'ami comme l'ennemi.

Ce qui l'étonnait le plus, en voyant les résultats de

ce qui se passait de l'autre côté de la Manche, c'était la résistance de l'esprit humain. Tous ne succombaient pas à la peur ; la plupart réussissaient à surmonter l'horreur tandis que d'autres parvenaient encore à rire et à plaisanter tout en prônant les vertus de la camaraderie et du patriotisme. C'étaient ceux-là que Georgina avait le plus de mal à comprendre, car elle avait perdu tout sentiment patriotique. Elle faisait ce travail parce qu'il fallait bien que quelqu'un le fasse et il se trouvait qu'elle avait reçu la formation lui permettant de s'acquitter de ces tâches. Mais elle pensait aussi à tous les autres blessés hospitalisés en Allemagne et soignés par des infirmières allemandes aussi harassées qu'elle-même.

Pour elle, la guerre se ramenait à un épuisement total qui lui mettait le dos à la torture, lui brisait les jambes et lui meurtrissait les pieds. Et ses mains, constamment plongées dans l'eau chaude, ressemblaient à celles d'une bonne à tout faire, congestionnées par les engelures et rugueuses comme du papier de verre au contact de ces peaux si tendres.

Tout l'hiver, Louisa lui avait envoyé des pots de beurre de cacao mélangé avec des herbes odorantes aux vertus apaisantes ; et Robert ne manquait jamais de plaisanter sur ses onguents, faisant à l'occasion des commentaires acerbes quand Georgina lui lisait les lettres de Louisa, tout en cherchant sans cesse à savoir ce qu'elle disait, à quoi elle passait son temps et comment se déroulait l'existence à York. Et bien que son sentiment de culpabilité se fût un peu atténué, il ne manquait jamais, quand Georgina répondait à ces lettres, de lui demander d'y inclure toute sa tendresse et son meilleur souvenir.

A Noël, Robert avait réussi à user de son influence auprès de certains fonctionnaires du ministère de la Guerre pour obtenir une semaine de permission en faveur de Robin. Il avait fallu multiplier les démarches mais ne pouvant rien pour Liam qui se trouvait en dehors de sa compétence, il voulait à tout prix faire quelque chose pour Louisa, n'importe quoi qui puisse alléger le fardeau de leur angoisse commune. Ils avaient réussi, Georgina et lui, à voir Robin à son retour du front, une toute petite heure, entre deux trains, dans un salon de thé lugubre ; mais cette brève rencontre l'avait payé de tous ses efforts. Robin s'était montré plein d'entrain, mais il avait beaucoup mûri. Et il ressemblait de plus en plus à Robert Duncannon. Georgina se rappelait qu'au moment où elle l'avait touché, en lui prenant la main, elle avait pensé à Liam.

Par la suite, en dépit des recommandations de Robert, elle avait écrit à Louisa pour lui dire que c'était lui qu'il fallait remercier pour la permission de Robin et dès lors dans chacune de ses lettres, Louisa avait demandé de ses nouvelles. Et Georgina était maintenant heureuse à l'idée que son père était un peu pardonné d'avoir révélé la vérité sur la naissance des enfants.

Mais si Robin et Liam avaient tous les deux survécu à près de deux années de guerre, ses cousins de White Leigh — l'un plus âgé que Georgina et l'autre plus jeune — avaient été tués à Loos. Elle ne les avait pas vus depuis les obsèques de sa mère, et elle avait beaucoup de mal à réaliser qu'elle ne les verrait plus jamais. Elle garderait toujours présente à sa mémoire l'image de deux garçons insouciants et rieurs avec lesquels elle avait aimé jouer, danser et chasser. Comme tant d'autres choses, ils faisaient maintenant partie du passé et il faudrait qu'elle retourne à White Leigh pour que leur disparition lui apparaisse de manière tangible, et c'est seulement à cette condition qu'elle pourrait pleurer ces chers disparus.

Plutôt heureuse, finalement, qu'une telle visite fût impossible, Georgina se tourmentait maintenant pour son père qui venait de rentrer de là-bas. Sa visite, qui coïncidait avec une mission officielle dont on l'avait chargé, l'avait complètement désespéré. William, avait-il dit, avait perdu tout intérêt pour l'existence ; le domaine partait à vau-l'eau, les fermiers étaient au bord de la rébellion et la maison ne valait guère mieux qu'un mausolée. Son frère semblait avoir décidé de se détruire par l'alcool tandis qu'Anne, la femme de William, faisait preuve d'un patriotisme exacerbé, passant le plus clair de son temps dans les locaux de la Croix-Rouge, où elle animait des clubs de couture et de tricotage, et exhortant tous les mâles de plus de dix-huit ans, à trente kilomètres à la ronde, à prendre les armes pour combattre le Boche malfaisant.

« Elle devrait faire attention, avait dit Robert la veille au soir devant un grand verre de cognac. Malgré la guerre, l'état d'esprit de la population du Sud n'est pas entièrement favorable aux Britanniques... »

Il savait de quoi il parlait et Georgina sentit un frisson parcourir son échine alors qu'elle regardait une photo de ses cousins à cheval devant le perron de White Leigh. Il y en avait une autre de Robert à trente ans, debout sur ces marches qui menaient à la porte d'entrée principale, tenant dans ses bras Georgina qui pouvait avoir alors trois ou quatre ans. Elle se serrait tout contre lui, sa petite joue ronde appuyée contre la sienne, et il riait. C'était l'une des rares fois où il était venu à la maison...

Cette photo faisait toujours resurgir en elle une foule de souvenirs qui n'étaient pas tous agréables : sa mère, qui errait dans White Leigh comme un fantôme dément, et puis le départ pour Dublin avec tante Letty et les années heureuses où Louisa avait vécu en leur compagnie. Qu'elles avaient vite passé !

Et après le départ de Louisa, son père les avait abandonnées aussi pour aller faire la guerre, au Soudan d'abord, puis en Afrique du Sud, avant de partir avec son régiment en Inde, laissant sa fille avec tante Letty à Dublin. Et on allait passer l'été à White Leigh.

Elle l'avait aimé comme on aime un héros, mais elle ne l'avait jamais vraiment connu, et ce qu'elle avait pu glaner de-ci, de-là et qui lui avait été révélé à la lueur crue d'une jeunesse impatiente, elle avait eu bien du mal à l'apprécier et à le comprendre, du moins jusqu'à une époque récente.

Car au cours de cette année qui venait de s'écouler, elle s'était beaucoup rapprochée de lui et elle le connaissait mieux maintenant. Ils se parlaient en adultes, discutant de leur travail, témoignant l'un pour l'autre d'un respect né d'une compréhension nouvelle. Il paraissait heureux de l'avoir auprès de lui et elle se demandait s'il souffrait de la solitude. Avait-il des liaisons féminines en ce moment ? Georgina l'ignorait totalement mais comme il était constamment partagé entre Londres et Dublin, elle se disait qu'il était probablement trop occupé pour former de nouvelles relations. Elle avait aussi l'impression que ce qui s'était passé à York, ce fameux jour d'été de l'année 1913, avait tué quelque chose en lui, cette flambée d'insouciance qui jaillissait parfois auparavant ; à moins que n'eût été rallumée une flamme différente, qui brûlait plus profondément qu'il ne le soupçonnait lui-même.

Il n'en parlait jamais, ce qui interdisait toute certitude à Georgina qui, d'ailleurs, ne tenait pas à le questionner à ce sujet. Au lieu de cela, ils parlaient de Dublin et de Letty et des missions qu'il effectuait en Irlande, depuis son retour des Indes en 1910. Mettant à profit sa connaissance du pays et les nombreuses relations qu'il entretenait là-bas, le gouvernement l'employait comme conseiller sur la difficile question de l'autonomie de la province. Mais la résistance des unionistes d'Ulster avait réussi à faire traîner les négociations et quatre années d'efforts n'avaient pu venir à bout de tractations qui se poursuivaient interminablement.

Quand la guerre avait été déclarée en août 1914, Robert s'était immédiatement porté volontaire pour le service actif, mais le War Office persistait à le renvoyer en Irlande pour qu'il puisse donner tous les renseignements qu'il parviendrait à collecter sur le Sinn Fein et la Fraternité républicaine irlandaise. Officiellement, il devait toujours travailler sur le problème de l'autonomie qui serait en principe accordée à la fin des hostilités, mais toute sa vie il avait assisté aux débats soulevés par cette question, qui avait été discutée en vain à deux reprises au Parlement, et il avait cessé d'y croire.

Georgina savait que son père souffrait de la dualité de son rôle et de la nécessité où il se trouvait de garder le secret sur ses activités. Mais depuis quelques mois, il commençait à voir l'utilité de son action. Car si la ferveur patriotique soulevée en 1914 par le début des combats était encore assez vivace pour que les mères irlandaises acceptent de voir leurs fils mourir pour les beaux yeux de l'Angleterre, il y avait maintenant d'autres forces qui semblaient déterminées à mener d'autres luttes.

Il y avait de la tension dans l'air et il redoutait que ce qui ne pouvait s'obtenir par la diplomatie ne soit arraché par la violence. Certains éléments voyaient la mort et la destruction comme la seule manière d'arriver à la liberté politique, et lui qui avait toujours été partisan du respect de la légalité, ne pouvait accepter ce recours à la voie des armes. Et ce qui l'effrayait par-dessus tout, c'était la réaction du gouvernement anglais.

« Il n'acceptera jamais une telle situation, avait-il encore dit la veille. Surtout avec cette guerre qui n'en finit pas. Et ces têtes brûlées ne veulent pas s'en rendre compte. Ils s'imaginent qu'ils vont pouvoir arriver à leurs fins parce que nous sommes occupés ailleurs. Ils ne me croient pas quand je leur dis ce qui va leur tomber dessus.

— Que risquent-ils donc ?

— Oh, ma chère petite ! Toute initiative de leur part sera considérée comme une trahison et la rébellion sera écrasée rapidement et efficacement, on enverra toutes les troupes nécessaires, crois-moi. Les révolutionnaires du Sinn Fein ne peuvent pas avoir gain de cause, je le leur ai dit à Dublin et à Waterford, et je leur ai bien recommandé de se passer le mot. Mais ils ne veulent pas me croire. Et le plus ridicule c'est qu'à Londres on ne veut pas non plus regarder la réalité en face. Mais moi, je sais ce qu'il en est, la révolte est dans l'air à Dublin, elle se prépare comme un orage d'été qui gronde au loin. J'ai dit à Letty d'aller se réfugier à White Leigh, mais naturellement elle n'en fait qu'à sa tête...

— C'est peut-être toi qui es dans l'erreur, hasarda Georgina.

— Non. Mais je préférerais que ce soit moi qui me trompe, tu peux me faire confiance... »

Aussi fatigué qu'il fût par ce voyage à Dublin, Robert n'avait pas voulu aller se coucher. Georgina aurait préféré pouvoir rester veiller avec lui mais l'épuisement lui rompait les jambes et lui brûlait les yeux et elle l'avait abandonné à sa solitude et à sa bouteille de cognac. Et maintenant, poussant force soupirs tout en se lavant et s'habillant, elle se demandait comment il se sentait, quels rapports il allait rédiger et comment les milieux officiels réagiraient aux suggestions qu'il ne manquerait pas de formuler.

Absorbée dans ses réflexions angoissées, elle sursauta soudain en entendant la sonnerie du téléphone. Ce ne pouvait être que son père ; à part Tisha, il était le seul qui pût s'adresser ainsi à elle. A l'hôpital on ignorait qu'il fût possible de la contacter par des voies aussi rapides et elle était décidée à ne jamais le révéler.

Il paraissait fatigué et son message fut bref. Sachant qu'il était de retour, Tisha était allée le voir au bureau. Elle désirait venir prendre le thé à l'appartement et demandait si elle pouvait amener quelqu'un avec elle.

« Qui donc ? questionna Georgina avec une brusquerie dont elle ne put se défendre.

— Oh, un jeune officier de mon service. Un certain Fearnley. Tu sais bien, celui qui me harcèle sans cesse pour qu'on l'envoie au front. Il l'a invitée une fois ou deux et maintenant elle veut lui rendre la politesse.

— Ou lui en mettre plein la vue.

— Eh bien oui, peut-être. Mais il me connaît assez bien et je ne pense guère être susceptible de l'impressionner. Tu pourras faire de ton mieux, Georgie ? Prépare-nous quelques-uns de tes petits gâteaux que tu réussis si bien, et on tâchera de se détendre pendant une heure ou deux.

— Tu n'as pas l'air très détendu toi-même, dis donc.

— Non, je n'ai pas tellement le moral ce matin. Mais c'est pas grave. Je te raconterai ça plus tard. »

Georgina reposa l'écouteur en proférant un juron à mi-voix mais avec conviction. La fréquentation des militaires lui avait permis de parfaire son éducation dans de nombreux domaines, y compris et surtout celui du langage. Elle ne doutait pas que son père était pétri de bonnes intentions à l'égard de Tisha, mais elle trouvait que sa demi-sœur manquait vraiment de discrétion. Depuis qu'elle était arrivée à

Londres à la fin janvier, la vie n'était plus du tout la même, et la perspective de délaisser le roman qu'elle lisait en ce moment pour renouer son chignon et se mettre à faire des ronds de jambe n'était pas spécialement excitante.

Et il allait falloir subir les commentaires enthousiastes de Tisha qui allait encore se lancer dans des descriptions dithyrambiques de la vie passionnante qu'elle menait à Londres. Une belle soirée en perspective, vraiment !

Elle vérifia le contenu du petit garde-manger et constata avec satisfaction que grâce à Louisa, qui n'oubliait jamais de leur envoyer d'York quelques pots de confiture de mûres et de gelée de pomme, sachant combien il était difficile de s'approvisionner convenablement à Londres, elle allait être en mesure de confectionner un goûter acceptable malgré les restrictions imposées par la guerre.

Lorsqu'elle eut terminé ses préparatifs culinaires, Georgina alla chercher dans sa garde-robe une toilette suffisamment élégante pour lui permettre de ne pas trop détonner auprès d'une Tisha qui ne manquerait pas d'arborer la toute dernière création de la mode actuelle. Malheureusement, elle n'avait rien de bien nouveau. Elle finit par opter pour une jupe grise et un corsage en soie rose, agrémentant le tout avec une rangée de perles que son père lui avait offerte pour ses vingt et un ans. Rien de bien sensationnel, mais elle ne pouvait pas faire mieux.

Ils arrivèrent juste après cinq heures, frigorifiés par le trajet qu'ils avaient fait en taxi depuis Westminster. Le domestique de Robert avait allumé le feu et la pièce avait pris un aspect accueillant grâce aux couleurs sombres projetées par les flammes. Audehors, le ciel gris et agité faisait plus penser à l'hiver qu'au printemps, et les vitres trépidaient sous les coups de boutoir des rafales qui tordaient les branches des platanes. Georgina tira les rideaux de velours pour tenter de colmater un vent coulis particulièrement sournois et s'assit dans son fauteuil auprès du feu, laissant le domestique de Robert servir le thé qu'elle avait préparé.

Heureusement, le jeune capitaine Fearnley connaissait suffisamment Robert pour ne pas être trop intimidé ; s'il avait su que la jeune fille qu'il escortait était la fille naturelle du colonel Duncannon et non la nièce qu'elle prétendait être, il n'aurait sans doute pas eu la même assurance. Mais Edwin Fearnley ignorait leur véritable lien de parenté. Comme tous ses autres collègues, il avait remarqué la ressemblance qui existait entre Tisha et le colonel, mais ce dernier s'était toujours comporté avec une certaine distance vis-à-vis de la jeune fille et l'attitude actuelle de celle-ci — que Georgina trouvait un peu trop coquette — s'harmonisait avec l'affectueuse indulgence que l'on pouvait attendre d'un oncle qui se laissait attendrir par des manières enjouées dans lesquelles pourtant Georgina croyait déceler un soupçon d'ironie.

C'était à des moments comme ceux-là qu'elle avait l'impression — peu charitable il est vrai — que sa demi-sœur exploitait au maximum l'affection et la générosité de son père. Elle flattait sa vanité, de même qu'elle flattait la vanité de tous les hommes à qui elle avait à faire, en usant de tout le charme félin et de toute la séduction qu'elle pouvait mobiliser pour la circonstance. Mais elle pouvait aussi sortir ses griffes en cas de besoin et bien que Robert n'eût encore jamais eu l'occasion de s'en apercevoir, Georgina savait à quoi s'en tenir sur la gravité des blessures qu'elle était capable d'infliger aux autres.

Pour le moment, toutefois, elle ne cherchait qu'à être amusante et belle, charmant les deux hommes avec le talent qu'elle avait pour contrefaire la voix et les manières des gens qu'ils côtoyaient quotidiennement, depuis le vieux colonel bougon jusqu'à la secrétaire aux piaillements de souris.

Et Robert, tout colonel qu'il était, bien qu'il ne fût jamais du genre bougon, buvait du petit-lait tandis que le jeune Edwin Fearnley se tenait littéralement les côtes.

« Vous êtes une très vilaine petite demoiselle », dit Robert avec une sévérité feinte tandis que Tisha, prenant une mine faussement contrite, lui donnait du « mon oncle » à tour de bras en passant les petits gâteaux de Georgina.

Notant les jolies chaussures et la toilette élégante de sa demi-sœur, Georgina ne put se défendre d'un accès de jalousie, qu'elle savait pourtant aussi stupide que déplaisant. Mais elle avait l'impression que son père ne pouvait jamais rien refuser à cette jeune péronnelle, et que si elle lui avait demandé la lune il aurait fait des pieds et des mains pour la lui donner. Et il expliquait, d'un air penaud, que c'était parce que son autre fille ne lui demandait rien, parce qu'elle lui refusait le plaisir de la gâter avec de jolies robes et des divertissements en tous genres, ainsi qu'elle l'avait toujours fait.

Certes, ce n'était pas tout à fait inexact, mais le ressentiment de Georgina ne s'en trouvait pas diminué pour autant. Elle se sentait si laide et terne à côté de Tisha ! Jamais elle n'aurait pu faire rire qui que ce soit ni rivaliser d'esprit avec sa demi-sœur. Les histoires les plus drôles qu'elle aurait pu raconter seraient venues comme des cheveux sur la soupe, parce qu'elles portaient sur la vie qu'elle menait à l'hôpital et elles auraient immédiatement douché la gaieté ambiante en amenant la guerre et ses tragédies dans la conversation. Elle se contentait donc de rire poliment à chaque saillie de Tisha, de formuler un commentaire pertinent ou la question qui convenait, tout en se demandant ce qu'il pouvait bien y avoir derrière ces yeux brillants mais calculateurs.

Edwin Fearnley, manifestement envoûté par la faconde de Tisha, ne tournait pratiquement jamais ses regards vers Georgina. Pourtant, grâce à son esprit de déduction et à quelques questions qu'elle lui avait posées sans avoir l'air d'y attacher la moindre importance, elle avait réussi à rassembler quelques informations. Il avait une dizaine d'années de plus que Tisha et avait été affecté avant les hostilités à l'École supérieure de guerre où il occupait un emploi administratif subalterne. Il prétendait, sur le mode plaisant, que chaque fois qu'il avait demandé qu'on le verse dans le service actif, on lui avait accordé une promotion pour l'envoyer ailleurs ; il en arrivait donc à la conclusion que ses supérieurs ne le jugeaient pas bon à grand-chose et désiraient uniquement l'orienter sur une voie de garage.

« Si telle avait été leur opinion, intervint alors Robert, ils vous auraient envoyé en France avec la première vague. Ou la seconde, en tout cas. »

Edwin fit une grimace et dit en riant qu'il envisageait de renouveler sa demande de partir au front. De cette façon, au moins, il serait peut-être promu au grade de commandant, avec une coquette augmentation de solde à la clé.

« Ne vous pressez pas trop, l'avertit Robert. Ils risqueraient d'accepter votre offre et moi je perdrais un auxiliaire précieux. »

Georgina se demanda ce qu'il pouvait bien faire mais se garda de poser la question, constatant toutefois qu'il avait un visage intelligent et des yeux qui, lorsqu'ils ne regardaient pas Tisha, étincelaient de perspicacité et de bonne humeur. Il n'était pas particulièrement séduisant mais ses manières vives et enjouées possédaient un charme certain.

Il apparut au cours de la conversation que sa famille habitait dans le Sussex, son père s'étant retiré quelques années plus tôt d'un commerce fort lucratif. Il révéla également qu'il était fils unique. Georgina commençait maintenant à voir ce qu'il y avait chez cet homme qui le rendait aussi attirant aux yeux de Tisha.

Georgina éprouva soudain une certaine pitié à son égard. Il serait sans nul doute un excellent mari pour Tisha, mais elle était trop jeune pour apprécier de telles qualités chez un homme. Ce qu'elle aimait avant tout, c'était manipuler les gens pour les amener à satisfaire ses caprices, et tout laissait prévoir qu'elle n'aurait de cesse qu'il ne soit acculé à la ruine.

Mais Georgina se dit alors qu'elle accordait peut-être à cette visite une importance exagérée. Edwin Fearnley pouvait fort bien n'être qu'un plaisant interlude pour une Tisha avide de jouir d'une liberté toute neuve à laquelle elle aspirait depuis si longtemps. S'il lui proposait le mariage, elle se détournerait probablement de lui pour s'intéresser à un autre.

Avant leur départ, il parlait déjà d'emmener Tisha dans le Sussex pour qu'elle lie connaissance avec ses parents et se fasse une idée sur la beauté de la côte et de la campagne. Robert était manifestement heureux de déceler dans cette proposition tout le sérieux des intentions du jeune homme et il alla même jusqu'à donner une tape affectueuse sur l'épaule du capitaine en l'appelant « mon garçon ». Georgina lui aurait volontiers allongé un coup de pied.

Cette exaspération, pourtant, n'allait pas tarder à se trouver balayée quelques minutes plus tard par des émotions infiniment plus fortes, d'un genre qu'il était bien difficile de dissimuler.

« Ah, au fait, dit Robert à Tisha au moment où celle-ci se levait pour partir. J'ai eu tout à l'heure des nouvelles des Australiens. Ils ont quitté l'Égypte. Liam est en route pour la France. »

Georgina était restée pétrifiée. Elle crut qu'elle allait s'évanouir. Voulant se rasseoir elle se cramponna au chambranle de la cheminée tandis que Tisha, crispant les lèvres en un sourire affecté, disait que Liam devait en être ravi car il ne s'était jamais plu en Égypte.

Puis, comme une violente rafale secouait la fenêtre derrière eux, elle frissonna d'un air dramatique en ajoutant :

« Seulement, j'ai l'impression que le temps ne va pas lui plaire beaucoup par ici. »

Comment Georgina réussit à maîtriser la violence de sa réaction, elle n'en eut aucune idée. Mais tandis qu'elle détournait son regard, son père dit sur un ton de tendre reproche :

« J'ai l'impression qu'avec ce qu'il va trouver en arrivant, le temps sera le cadet de ses soucis.

— Oui, je l'imagine bien volontiers, concéda Tisha sans grand intérêt. Bon, Edwin, maintenant, il va falloir partir sinon nous allons manquer le concert au Palladium, et ce serait bien dommage, tout le monde dit qu'il est excellent... »

Robert les raccompagna jusqu'à la porte puis, après avoir jeté un rapide coup d'œil à Georgina, dit qu'il descendait avec eux jusqu'à l'entrée de l'immeuble. Voyant l'expression de Georgina, il hésita une seconde, baissa les yeux et referma la porte du vestibule derrière lui.

Georgina se laissa tomber dans son fauteuil, aussi atterrée par cette nouvelle que si on lui avait appris la mort de Liam. Pour elle, la France n'était plus un pays étranger, c'était devenu l'antichambre de l'hôpital, un endroit où les hommes allaient pour mourir. Et c'est alors qu'elle se rendit compte combien elle avait espéré que Liam resterait indéfiniment en

Égypte. Il était malheureux là-bas, certes, mais il y courait tellement moins de dangers ! Par une espèce de miracle inexpliqué et incompréhensible, il s'était sorti vivant de l'enfer de Gallipoli ; pourquoi fallait-il donc qu'on l'envoie en France ?

Le domestique de son père entra pour raviver le feu et débarrasser la table. Avec effort, elle se composa un visage plus serein et prit un livre pour faire semblant de lire. Quand Robert revint, elle avait presque repris son air habituel.

Il servit à boire et lui tendit un verre de xérès avant de s'asseoir dans le fauteuil qui lui faisait face. Elle sentit qu'il la fixait d'un regard scrutateur.

« Je suis désolé, dit-il enfin. J'ai appris cette nouvelle ce matin et elle m'a obsédé toute la journée. J'ai cru bon de prévenir Tisha. Je ne voulais pas te causer un tel choc.

— C'est mon frère aussi. tu sais.

— Je sais. Parfois je l'oublie presque.

— Moi, non, déclara-t-elle, en regardant son père droit dans les yeux. Je ne l'ai jamais oublié.

— Eh bien, tant mieux. J'en suis très content. »

Consciente de s'aventurer sur un terrain dangereux, elle lui lança d'un air de défi :

« Je l'aime beaucoup, très profondément. Ce qui n'est pas le cas de Tisha. Elle est très attachée à Robin, peut-être, mais pas à Liam. »

Robert poussa un soupir et détourna la tête.

« Elle en est jalouse. Louisa fait trop grand cas de lui. Liam était son premier enfant. »

Au bout d'un long moment, il dit :

« Tisha, elle n'en voulait pas. »

Cette brutale franchise la surprit.

« Pourquoi donc ?

— Tisha a marqué la fin de nos relations, répondit-il avec amertume. Elle est le fruit d'un conflit et non de l'amour. Je me le suis toujours reproché...

Oh, je sais ce que tu penses. Tu crois que je ne la vois pas telle qu'elle est, que je lui passe tous ses caprices parce qu'elle est jolie et amusante et sait s'y prendre pour flatter un homme. Tu me prends pour un vieil imbécile, Georgie, continua-t-il en se servant un autre verre. Mais je ne suis pas encore gâteux et j'ai suffisamment connu de femmes de cette trempe pour savoir les reconnaître aussitôt. Tisha est jeune, et sa vie n'a pas été facile ces derniers temps. Je la plains beaucoup et j'ai une grande affection pour elle. Elle peut changer, tu sais. »

Pendant un bon moment, le temps d'absorber ces révélations inattendues, Georgina ne dit rien. Elle s'interrogeait sur la nature de ce conflit qui, prétendait-il du moins, avait été à l'origine de la naissance de Tisha, mais elle n'osait pas demander d'explications. Elle se contenta d'aborder la question par un autre biais en lui disant :

« Tu es sûr que c'est de la pitié que tu éprouves pour elle ? Ça ne serait pas plutôt un sentiment de culpabilité ? »

Il se rebiffa.

« Mais c'est ma fille, bon sang ! Tout comme toi. Oui, je la plains d'être comme elle est et oui, je me sens coupable. Et je ne puis rien y faire.

— Mais elle s'en est aperçue, papa, et c'est à cause de ça qu'elle se comporte ainsi avec toi ; pour en tirer le parti maximum. »

Il la regarda bien en face.

« Je le sais parfaitement.

— Et tu la laisses continuer.

— Absolument. Aussi longtemps que ce sera nécessaire.

— Pourquoi ?

— Parce que je ne pense pas que Louisa l'ait jamais comprise. Tandis que moi, d'une certaine manière, je vois un peu plus clair en elle. Elle a besoin qu'on s'occupe d'elle, qu'on la gâte pendant un moment, et puis ensuite, il lui faudra un homme très stable, très équilibré, qui l'aimera. Elle pourrait tomber beaucoup plus mal que sur ce jeune Fearnley, tu sais. S'il pouvait rester tranquille dans son coin, sans se faire remarquer, il se sortirait vivant de cette guerre, ce qui n'est pas le cas de tous ceux qui sont partis au front... »

Georgina eut un haut-le-corps. Elle pensait à Liam — et à Robin, il ne fallait pas oublier Robin. Puis elle secoua la tête.

« Vois-tu, papa, je crois que tu te trompes. Elle va briser le cœur d'Edwin Fearnley, et le tien aussi si tu n'y prends pas garde. »

Il sourit en se frappant la poitrine.

« Ne t'inquiète pas, ce vieux cœur qui est le mien est plus coriace que tu ne le crois... mais merci d'avoir pensé à lui. »

Ils dînèrent ensemble dans l'appartement et passèrent une soirée paisible. Robert étudiait des dossiers à sa table de travail tandis que Georgina écrivait des lettres et réfléchissait. Bien qu'elle eût depuis longtemps renoncé à communiquer avec Liam, elle parlait toujours de lui dans ses lettres à Louisa, en petites phrases impersonnelles mais formulées avec précaution, qui appelaient des réponses précises. Et sachant que Tisha envoyait rarement autre chose qu'une carte postale, Georgina mentionna la nouvelle que lui avait apprise son père le jour même.

« *Tu vas sans doute recevoir bientôt des nouvelles de Liam. Il t'a d'ailleurs peut-être déjà écrit d'Égypte. La poste est tellement bizarre en ce moment. J'ai prévenu Robin. Qui sait, ils vont peut-être se rencontrer.* »

C'était une bien faible lueur d'espoir dans les ténèbres qui les environnaient de toute part. Quand elle eut écrit les adresses, elle posa les enveloppes sur le bureau de son père pour qu'il les mette à la poste.

« Essaie de ne pas te tourmenter », dit-il doucement en lui prenant la main. Comme elle se détournait, il se leva pour lui faire face.

« Tisha fait partie de ces gens qui survivent à tous les cataclysmes, tu sais. Et j'ai bien l'impression que c'est la même chose pour tes frères. C'est peut-être quelque chose qu'ils ont hérité de moi. »

Il sourit ; puis soudain, sous l'effet d'une impulsion subite, il la serra contre lui.

« C'est pour toi, ma chérie, que je me fais le plus de soucis, murmura-t-il. Prends bien soin de toi. Si je te perdais, je ne m'en remettrais jamais. »

Elle sentit que les larmes gonflaient ses paupières, savourant ce bonheur si rare d'être dans les bras de son père. Il était fort, elle se sentait en sécurité auprès de lui, et elle aurait voulu redevenir une enfant, rien que pour rester tout contre lui.

Il s'écarta, remontant une longue mèche blonde qui pendait sur le front de sa fille.

« Tu vas aller travailler demain matin, je suppose. Si un jour tu peux disposer de ton après-midi, téléphone-moi au bureau. Je t'enverrai une voiture et nous irons faire un tour. »

Elle acquiesça d'un signe de tête, toussant pour s'éclaircir la voix.

« Quand repartiras-tu pour l'Irlande ?

— Je ne sais pas. Je suppose qu'ils vont m'y renvoyer plusieurs fois d'ici que tu aies à nouveau quelques jours de congé. Je te tiendrai au courant. »

Levant la tête, Georgina l'embrassa sur la joue.

« Merci, papa. »

Se sentant incapable de risquer un autre mot, elle se hâta d'aller se coucher.

CHAPITRE XVIII

Le lendemain matin, à peu près à l'heure où Georgina affrontait le vent et la pluie pour se rendre à son hôpital de Lewisham, Liam s'abritait des intempéries sur le pont arrière d'un transporteur de troupes de la compagnie Union Castle dans le golfe du Lion. Il était là depuis quatre heures du matin à guetter les sous-marins et il avait froid, il était fatigué et trempé jusqu'aux os, mais de temps à autre, il cessait de scruter les eaux sur le quart tribord pour regarder vers l'avant, là où il distinguait une terre qui se profilait à l'horizon. C'était probablement la côte française ; il savait que Marseille ne devait plus être bien loin.

Il avait du mal à croire qu'il allait enfin atteindre la terre promise après ces deux périodes de purgatoire que représentait pour lui l'Égypte, entrecoupées par ses deux incursions en enfer. Il y avait déjà presque deux ans qu'il s'était engagé et ce n'était pas sans amertume qu'il se remémorait le nom et le visage de tous ceux qui avaient tant voulu aller en France et qui ne reverraient jamais l'Australie. Ils avaient presque tous disparu et il avait peine à croire qu'il était encore vivant lui-même.

Il aurait dû mourir, en août dernier. Pourquoi avait-il survécu aux balles et aux obus qui frappaient toujours l'homme qui se trouvait à ses côtés mais l'épargnaient systématiquement ? Il était sorti miraculeusement indemne de ces batailles qui s'étaient prolongées pendant des jours et des jours et au cours desquelles des milliers de combattants étaient morts. Et il aurait dû mourir ensuite, ainsi que tout le monde le disait autour de lui, de la dysenterie qui l'avait terrassé pendant des semaines, et de cet accès de grippe qui s'était transformé en pneumonie au bout de quelques jours.

Tout le monde s'étonnait de la chance qu'il avait eue d'être encore en vie, y compris les docteurs d'Hélouân et d'Héliopolis, et les infirmières qui lui avaient prodigué leurs soins. Pendant un certain temps, il avait même joui d'une certaine célébrité auprès de ces religieuses aguerries et endurcies qui lui lançaient des sourires épanouis, comme des directrices d'école couvant du regard un enfant qui dépasse tous les autres par sa sagesse et son intelligence.

Mais Liam n'avait pas besoin qu'on le lui dise. Un moment, il avait cru qu'il était mort, et le plus étrange était qu'il s'en souvenait aussi clairement que si c'était vraiment arrivé. Il revivait cette impression de flotter, détaché de toutes les contingences terrestres, au-dessus de ce sentier qui serpentait entre des buissons et des arbres d'une beauté indescriptible. Il était arrivé dans un pré constellé de fleurs étincelantes, et de l'autre côté, il y avait un ruisseau avec un petit pont. Et l'exaltation de Liam n'avait plus eu de limite quand il avait vu Ned venir à lui les mains tendues dans un geste de bienvenue. Ned n'était plus en uniforme, il portait ses bottes et son vieux pantalon de moleskine, avec sa chemise au col ouvert et aux manches retroussées. Ils n'avaient échangé aucune parole mais ils s'étaient retrouvés dans les bras l'un de l'autre. Et puis Liam avait su, en regardant son vieil ami, qu'il ne devait pas traverser le pont. Ned lui avait pris le bras pour lui faire signe de rebrousser chemin, de retourner là d'où il était venu.

Et pendant une seconde, en s'éveillant de ce rêve qui n'était pas un rêve, il s'était vu sur un étroit lit d'hôpital, au milieu d'une espèce de tente que deux infirmières semblaient avoir du mal à installer. Plus tard, il avait eu conscience de se trouver encore sur ce lit, luttant pour respirer et pour ouvrir les yeux. Il avait vu les infirmières dans un brouillard épais et avait de nouveau sombré dans l'inconscience.

Pendant sa convalescence, il avait rencontré Mary Maddox et en lui racontant comment Ned était mort sur la plage, dans l'anse d'Anzac, il avait ressenti le besoin de la consoler, de lui donner quelque chose à quoi se raccrocher dans sa solitude et dans son chagrin. Quand elle était venue le voir pour la troisième fois, il avait tenté de lui expliquer ce qui lui était apparu comme une lueur de vie au-delà du présent physique, mais elle n'avait pas pu, ou voulu, comprendre.

Jusqu'à cet instant, il y avait eu entre eux quelque chose de commun, de la sympathie et une affection partagée pour Ned qui auraient pu les rapprocher encore davantage l'un de l'autre. Malheureusement, après cela, elle était redevenue une infirmière, lui assurant avec un détachement purement profession- nel que ce qu'il avait cru voir n'était qu'une halluci- nation provoquée par la fièvre. Elle lui avait même dit que de telles hallucinations étaient tout à fait courantes. Loin d'ébranler Liam dans ses convic- tions, ces propos n'avaient réussi qu'à les renforcer. Il aurait voulu lui expliquer que Ned, qui avait tou- jours été si brusque et si prosaïque, était illuminé par l'amour. Mais c'était là quelque chose que Liam ne pouvait exprimer avec des mots ; ça l'aurait gêné, et de toute façon elle ne l'aurait pas cru.

Il ne l'avait plus revue. Sans doute l'avait-elle trouvé stupide, s'imaginant même peut-être qu'il n'avait plus toute sa tête. Dommage ! Il avait l'impression qu'une fois de plus il avait perdu un lien qui le rattachait à Dandenong. Maintenant il lui paraissait de moins en moins probable qu'il pourrait y retourner un jour.

Pourtant Lewis était venu le voir, en Égypte, à deux reprises d'abord, puis une troisième fois, juste avant que le corps expéditionnaire ne parte pour la France. Il était beaucoup plus mince, plus dur, et attristé par la perte d'un si grand nombre de vieux amis. Manifestement, il se sentait coupable de ne pas être allé se battre à Gallipoli. Certes, la tâche n'avait pas été aisée non plus en Égypte, où il était resté tout ce temps, mais il y avait bénéficié d'une sécurité relative.

« J'aurais dû me porter volontaire pour vous accompagner, avait-il répété avant de prendre congé.

— Oh, non, avait répondu Liam à mi-voix. Il faut qu'il y ait quelqu'un pour retourner à la ferme, Lew, et ta place est là-bas. Alors, prends bien soin de toi. »

Liam avait eu le cœur serré en le voyant enfourcher l'un de ces robustes coursiers australiens. Il n'avait pu s'empêcher de se dire qu'ils ne se verraient sans doute plus, et cette idée l'avait bouleversé. Il aimait beaucoup Lewis. Leur amitié avait été de courte durée, certes, mais elle comptait énormément pour lui...

Liam avait vite bénéficié d'une promotion. Une fois ses deux galons sur l'épaule, il avait fait le maximum pour se montrer digne des responsabilités qu'on lui confiait. D'ailleurs, il y avait du pain sur la planche ; il fallait réorganiser les restes des unités qui avaient survécu aux combats, entraîner les nouvelles recrues venues d'Australie et s'acquitter de tâches jusque-là inédites. Tout cela demandait du temps et de la réflexion, dans le cadre d'un régime plus draconien encore qu'il ne l'avait jamais été.

Liam avait été placé à la tête d'une équipe de mitrailleurs sous les ordres d'un sergent plus âgé mais moins expérimenté que lui, un homme qui ne voyait pas d'un très bon œil la popularité dont jouissait ce caporal de vingt et un ans. Keenan l'accablait de sarcasmes, l'appelant, avec un accent qui trahissait son origine irlandaise, le *golden boy* ou *mon Billy aux yeux bleus*. Bien qu'il n'appréciât guère cette ironie, Liam comprenait très bien ce qui irritait Keenan dont la présence à Gallipoli s'était limitée aux toutes dernières semaines de combat. Liam était un des premiers à y être allé, un homme qui avait survécu aux débarquements, à la maladie et à huit longs mois de bataille dans la péninsule. Il était un homme favorisé par la chance, un homme auprès duquel il fallait rester et que ses compagnons regardaient avec une vénération à laquelle Keenan ne pouvait prétendre.

Le vieux port de Marseille avec ses docks, ses usines et ses fortifications exerça sur les hommes une grande fascination pendant les heures qui précédèrent le débarquement, mais ils n'eurent pas le droit d'aller à terre. Des gardes armés maintenaient le bateau sous une surveillance constante, comme si les autorités, se souvenant de ce qui s'était passé au Caire, avaient craint que la frustration et l'ivrognerie ne provoquent des scènes de pillage et de viol aux dépens de la population locale.

Pourtant, les troupes australiennes avaient été l'objet, avant leur départ d'Égypte, de multiples admonestations et mises en garde, et on ne s'était pas fait faute d'en appeler à leur sens de l'honneur et à leur patriotisme.

Liam était convaincu que la plupart de ses compagnons s'efforceraient de se comporter dignement, mais pour certains d'entre eux ce serait toujours difficile, surtout à partir du moment où il y avait des femmes. Et Dieu sait si elles étaient aguichantes, les filles qui s'étaient massées sur les trottoirs le lendemain matin pour regarder passer les soldats. Elles souriaient, agitaient les bras, mettaient de force des fleurs dans les mains des hommes et criaient leurs encouragements dans une langue musicale mais incompréhensible. C'était la tentation personnifiée.

Riant aux éclats, sa main baisée par des lèvres chaudes, Liam enfonça un rameau de cerisier en fleur dans le canon de son fusil en se disant qu'il valait sans doute mieux qu'on ne leur ait pas laissé la bride sur le cou dans cette cité enchanteresse, sinon bien peu d'entre eux seraient arrivés à destination. Il lui parut bien court, ce trajet du port jusqu'à la gare !

Le voyage en train dura quatre jours. Ils n'étaient pas dans des wagons à bestiaux, cette fois, mais dans des compartiments de troisième classe avec des banquettes et des fenêtres. C'était là un luxe tout à fait inhabituel et les hommes se sentaient une âme de touristes : ils saluaient au passage les gens qui attendaient dans les gares et poussaient de grands cris à l'intention de ceux qui travaillaient dans les champs. Ils avaient l'impression que tout le monde était venu les voir passer. Partout des civils se pressaient pour les acclamer ou leur faire des cadeaux chaque fois que le train s'arrêtait. Il y avait aussi beaucoup de soldats français, certains portant képi et pantalon rouge, et la plupart d'entre eux étaient blessés. Ceux des Australiens qui connaissaient quelques rudiments de français tentaient de lier conversation et recevaient des encouragements enflammés pour ce qui les attendait dans un avenir proche.

De la Méditerranée, ils remontèrent lentement jusqu'à Avignon, s'arrêtant sur une voie de garage pour y passer la nuit. Puis ils longèrent la vallée du Rhône, ce qui leur prit toute une journée car il fallait de temps en temps s'arrêter pour laisser passer les express qui défilaient devant eux à grand fracas. Ils traversèrent le fleuve sinueux sur une série de ponts métalliques pour entrer dans Lyon le lendemain matin au petit jour.

Le ciel clair et l'air glacé rappelaient si bien l'Angleterre au début du printemps que Liam, usant des prérogatives de son grade, se planta devant la fenêtre pour savourer le spectacle et les odeurs, se replongeant dans l'atmosphère du pays avec une telle intensité qu'il en eut les larmes aux yeux. Ce voyage vers des horizons nouveaux faisait naître en lui de vieux souvenirs grâce auxquels il pouvait revivre son enfance, tandis que d'autres impressions contribuaient à souligner les différences entre ce pays et le sien.

Ce trajet était si enchanteur qu'il n'aurait jamais voulu en voir la fin. C'était comme s'il voyageait pour la première fois, notant tout ce qu'il voyait, toujours prêt à poser des questions ; il voulait arrêter le train pour marcher, courir à travers ce champ ou sur cette route blanche et poussiéreuse, jusqu'à ces bois qui commençaient déjà à verdir délicatement. Il pouvait identifier un grand nombre des arbres qui longeaient la voie, et il répétait leurs noms en silence, comme une litanie apprise dans son enfance. Ah, comme il aurait voulu revoir l'Angleterre !

Pour la première fois depuis des mois, il rêva de sa maison, bien calé sur son siège, près de la fenêtre, les pieds posés sur la banquette en face. Il était dans la cuisine avec sa mère, il essayait de se réconcilier avec elle mais elle continuait de vaquer à ses occupations, roulant sa pâtisserie avec ce petit bruit métallique que faisait son alliance en heurtant le rouleau, et elle ne semblait pas s'apercevoir de sa présence. Il lui parla doucement, d'abord, puis il commença à s'agiter ; comme elle ne se retournait toujours pas, il lança un grand cri...

Il s'éveilla en sursaut pour constater que le train s'était arrêté dans le noir. Il avait le poids d'un homme contre son épaule et il y avait un corps étendu de tout son long par terre, sous ses jambes. Les membres endoloris, Liam essaya de bouger sans le réveiller. Il voulait descendre, s'en aller, rentrer au pays en laissant tout cela derrière lui. Il en avait assez de ces hommes, du poids de leur vie, du contact de leurs corps. Trop, c'était trop. Il n'était pas plus âgé qu'eux ; il était trop jeune pour se charger de telles responsabilités, leur dire ce qu'il fallait faire, leur moucher le nez et leur écrire leurs lettres... Et qu'allait-il faire quand ils se seraient fait tuer ?

Pendant un moment, il fut pris de panique.

Il fit jouer les articulations de ses bras, de ses doigts, de ses jambes, inspira à fond et attrapa la poignée de la vitre. Avec difficulté il abaissa la fenêtre, se mit péniblement debout et au milieu des gémissements et des grognements de protestation, il inspira à fond l'air froid et odorant.

Il y avait des arbres et des maisons qui profilaient leurs masses sombres sur un ciel qui l'était un peu moins. Quelqu'un demanda où ils étaient ; Liam n'en avait aucune idée. Une autre voix s'éleva avec force pour suggérer qu'il ferme la fenêtre ; il n'en tint aucun compte. Peu à peu cette agitation se calma pour laisser la place à une respiration régulière et sonore. Liam alluma une cigarette et commença à se sentir mieux.

Un jet soudain de vapeur. Un coup de sifflet strident. Une secousse brutale ébranla le convoi, réveillant tout le monde. Ils étaient repartis.

Ils traversèrent la sinistre banlieue parisienne au petit matin, changeant de direction pour obliquer vers le nord. Une fois de plus, la matinée était belle, très froide, avec une brume légère. Dans les haies il y avait des perdrix et des faisans, et il vit un renard traverser en courant un champ blanchi par le givre pour aller se réfugier à l'abri des regards. Il pensa aux Wolds et au Vallon d'York, se disant que désormais tout cela appartenait au passé. Même s'il y retournait maintenant, rien ne serait plus pareil parce qu'il avait changé.

Ils atteignirent les abords de Calais dans l'après-midi, mais contournèrent la ville, en repartant vers le sud, et s'arrêtèrent pendant plusieurs heures sur une voie de garage à Saint-Omer, l'ancien quartier général britannique, avant de faire les derniers kilomètres de leur voyage. Ce fut un trajet étrange, vers l'est jusqu'à Hazebrouck, puis le nord-est en direction d'Ypres. Finalement, juste après minuit, au moment même où ils étaient convaincus que leur destination serait cette vieille cité médiévale si éprouvée par la guerre, le train s'arrêta dans un village tout proche de la frontière belge. Les éclairs et les détonations des canons d'Ypres paraissaient si proches que Liam fut pris d'une crainte insurmontable.

Pourtant, ce n'était pas à Ypres qu'on allait les mener. Comme le leur dit un Tommy[1], un dur à cuire qui avait dû en voir de toutes les couleurs, ils n'étaient pas encore mûrs pour *Wipers*[2] ; en attendant, ils allaient rester cantonnés à l'école maternelle d'Armentières.

Liam faillit se rebiffer, mortifié par l'humour condescendant de ce vétéran, et il sentit ses poings se serrer au souvenir de ce qu'il avait vécu lui-même à Gallipoli, mais il ravala sa rancœur. Dans un sens,

1. Surnom donné aux soldats britanniques *(N.d.T.)*.
2. Surnom donné à la ville d'Ypres par les Anglais *(N.d.T.)*.

cet homme avait raison : ils étaient nouveaux ici et il leur fallait apprendre comment ça se passait. Déjà, il avait constaté quelques différences, la présence, par exemple, de vastes espaces restés intacts derrière les lignes. Ici, il y avait de la place pour manœuvrer tandis qu'à Gallipoli, une fois qu'on avait débarqué, on était plongé dans la fournaise jusqu'au cou. Pas le temps de s'initier aux principes les plus élémentaires de la survie ; il fallait agir instinctivement, et si vous faisiez la moindre erreur, vous n'aviez plus jamais l'occasion d'en commettre une autre. Ici, en Flandre, les Britanniques étaient beaucoup plus détendus.

Pourtant, l'atmosphère ne fut pas du tout à la détente lors de la première marche qu'ils effectuèrent. Treize kilomètres sur des routes pavées, chaussés de brodequins pratiquement neufs, ils souffrirent beaucoup. Ils étaient allés vers le sud-est cette fois, traversant la ville de Bailleul pour trouver à se loger chez l'habitant, de part et d'autre de la route d'Armentières. Avec cinquante de ses compagnons, Liam reçut l'ordre de se diriger vers une ferme entourée de murs. Au milieu de la cour, une odeur suffocante assaillit leurs narines dans l'air frais du matin : il y avait une énorme fosse pleine de purin. Quel choc ce fut pour eux, d'autant qu'ils allaient loger dans une grange, juste à côté, surtout pour ceux qui s'étaient naïvement imaginé qu'ils allaient coucher dans des lits avec des draps bien propres, dans les meilleures chambres des fermiers. S'il y avait des lits de libres dans la ferme, ils étaient réservés aux officiers.

Se souvenant de Gallipoli, Liam rit en voyant les narines qui se fronçaient autour de lui.

« Vaut mieux ça qu'un trou dans la terre, dit-il en se débarrassant de son sac d'un coup d'épaule. Et au moins vous avez de la paille propre. »

Bien qu'il ne s'agît que d'un lieu de repos temporaire, ils restèrent dix jours dans cette ferme, dix jours consacrés, il est vrai, à un entraînement intensif. Il y eut des séances d'information sur les attaques au gaz et des exercices désagréables mais nécessaires sur l'utilisation du masque. On fit exploser des grenades lacrymogènes pour montrer les effets qu'elles produisaient sur ceux qui ne s'étaient pas protégés puis, pour leur démontrer l'efficacité de ces appareils hideux, on ouvrit dans une tranchée un cylindre contenant un produit plus dangereux et les soldats masqués durent marcher au milieu de ces émanations mortelles.

Les mitrailleurs subirent une série de séances d'initiation au démontage, au remontage et au maniement de ces lourdes mitrailleuses Vickers, et leur instructeur se donna beaucoup de mal pour leur rappeler à tout bout de champ l'importance qu'il y avait à garnir les bandes avec le plus grand soin. Si chaque cartouche n'était pas mise en place correctement, l'arme risquait de s'enrayer et ce genre de négligence pouvait leur coûter la vie ; Liam était bien placé pour le savoir. Dès que des mitrailleurs cessaient de tirer, si l'ennemi connaissait leur position, il n'y avait pas de quartier. On ne faisait jamais prisonniers les mitrailleurs ; on les tuait.

En dépit de toutes ces fiévreuses activités, Liam pensait constamment à Robin, se demandant où il était. Il y avait longtemps qu'il n'avait rien reçu de lui et il tâchait toujours d'obtenir quelque renseignement sur l'endroit où était stationné son régiment, espérant que c'était dans le même secteur que le sien. Son frère lui manquait beaucoup, et jamais encore il n'avait éprouvé un tel besoin de le voir face à face, de le toucher, de le garder contre lui un moment. Sans doute s'agissait-il là des contrecoups de la solitude dont il souffrait depuis qu'il avait perdu ses compagnons de Dandenong. Ils avaient constitué une véritable famille pour lui et, depuis, il n'avait pas eu d'amis.

Certes il aimait bien les cinq garçons qui faisaient équipe avec lui et il aurait risqué sa vie pour n'importe lequel d'entre eux, mais aucun lien d'amitié personnel ne les rattachait à lui. Il ne pouvait plus dire, comme il l'avait fait autrefois pour Ned, *cet homme est mon ami*. Après Ned, il y avait eu trop de morts.

Mais le véritable point noir, c'était le sergent Keenan. Liam s'appliquait à ménager sa susceptibilité car son supérieur avait le pouvoir de se venger de mille manières, en imposant ces petites vexations qui s'avéraient toujours les plus irritantes. L'antipathie qui les opposait ne cessait de croître et Liam avait beau s'efforcer de la maîtriser, Keenan au contraire semblait décidé à la monter en épingle.

Par moments, Liam avait envie de lui mettre les points sur les i, de lui rappeler qu'ils étaient en guerre et qu'ils étaient censés se trouver du même côté ; s'ils n'arrivaient pas à s'entendre, à lutter ensemble pour une cause commune, comment pouvaient-ils espérer avoir la moindre chance de gagner ? Mais Keenan semblait tirer un malin plaisir de ces conflits personnels et se repaître des humiliations qu'il infligeait aux hommes qui se trouvaient sous ses ordres.

Il était vraiment peu aimé, si peu même que Liam en arriva à se demander ce qui allait se passer quand ils seraient dans les tranchées ; dans la chaleur du combat, il était facile de régler ses vieux comptes une fois pour toutes, et personne ne pouvait savoir d'où venait la balle qui avait été tirée. Les hommes qui ont combattu et souffert ensemble ne dénoncent pas leurs amis.

Mais Liam, en dépit de la répugnance que lui

inspirait le personnage, n'éprouvait aucune tentation de ce genre. Quand le moment serait venu pour Keenan, le destin déciderait seul du sort qui lui serait réservé et s'il y avait une justice en ce bas monde, le plus tôt serait le mieux.

Vers la mi-avril, ils allèrent loger plus près de la ligne des combats. Le temps, printanier jusqu'alors, changea d'humeur ce jour-là. Les chemins et les routes de campagne se transformèrent en bourbiers tandis que le vent faisait jaillir d'un ciel de plomb des rafales de neige qui leur lacéraient le visage et transformaient un trajet qui aurait pu être paradisiaque en un enfer sibérien.

Au bout de ces longs kilomètres de marche, Erquinghem leur apparut comme une oasis de civilisation. C'était une ville industrielle de petite taille mais fort active, toute en toits de tuile et en murs de brique rouge, avec ses rues larges qui s'enorgueillissaient d'une pléthore de cafés et de restaurants. Dès que les hommes eurent trouvé leurs cantonnements, ils ressortirent aussitôt. Tous avaient hâte de goûter à des plaisirs dont ils étaient restés privés depuis si longtemps.

Le maniement d'armes et les exercices de tir n'étaient interrompus que pour permettre aux hommes de se familiariser avec les tranchées. Les semaines suivantes, ils partirent en petits groupes pour aller voir le front en différents endroits, ce qui leur donna l'occasion de faire connaissance avec les villages et les petites villes qui bordaient les multiples méandres de la Lys.

Pâques tombait très tard cette année-là, pas avant la troisième semaine d'avril, mais bien que le Vendredi saint eût été aussi maussade que les jours précédents, le dimanche apparut comme une promesse d'été. Liam avait été parmi les rares soldats qui avaient participé à la procession du vendredi, mais en cette superbe matinée de Pâques, devant une ferme en ruine située à la limite de Fleurbaix, il fut entouré par la quasi-totalité du bataillon. Une fois l'office terminé, il eut soudain envie d'être seul, pour méditer tout à son aise.

Il avait de l'argent en poche et le reste de la journée devant lui. Esquissant un geste d'adieu en direction de ses compagnons, qu'il regarda à peine, il traversa le pont et partit vers l'ouest, le long de la rivière. Il trouverait bien quelque part un endroit pour manger et s'il ne voulait pas parler il pourrait toujours feindre une ignorance totale de la langue.

En réalité, les quelques rudiments de français qu'il avait appris à l'école revenaient lentement à sa mémoire et il progressait de jour en jour. Bien qu'il ne comprît pas toujours ce qu'on lui disait, il en savait assez pour communiquer avec la population, et ses services de traducteur étaient très sollicités par ses camarades. Il s'amusait beaucoup en jouant les interprètes, bien que ce fût parfois un peu fatigant, voire embarrassant quand on fondait sur ses compétences des espoirs qu'il était bien incapable de satisfaire. Mais en général, il se tirait plutôt bien d'affaire. Ce jour-là, pourtant, il ne voulait qu'une chose : la paix et le temps de réfléchir.

Il faisait un temps idéal et la chaleur du soleil faisait ressortir toutes les senteurs capiteuses du printemps ; Liam éprouvait un plaisir sensuel à respirer les parfums subtils de la terre, des fleurs et des feuilles nouvelles. Au milieu de toutes ces destructions, ces sensations lui apparaissaient comme un cadeau du ciel. Ici les gens vivaient comme des morts en sursis, entassant des sacs de sable pour se protéger des balles et fermant leurs volets en permanence pour que les vitres ne volent pas en éclats, fracassées par le souffle des obus. Un peu plus loin, vers l'est, la moitié d'Armentières avait été détruite tandis que dans l'autre moitié vivaient des familles qui continuaient de travailler, d'aller à l'école et de se rendre aux offices religieux le dimanche. Tout cela conférait un air de normalité à une situation éminemment anormale.

En somme, près de deux ans après le début des hostilités, la guerre était devenue une réalité quotidienne. Mais cette accoutumance n'était pas sans danger, surtout pour les soldats qui venaient d'arriver dans la région, car on avait beau leur rappeler la présence toute proche des canons allemands et le manège incessant des avions de reconnaissance ennemis qui survolaient les lignes, il était facile de se laisser endormir dans un sentiment de sécurité trompeur. Sur ces terres fertiles, regorgeant de nourriture, d'eau potable et de visages amis, on en arrivait vite à relâcher son attention, à marcher en chantant au milieu de la route pour regagner son cantonnement dans les maisons voisines, à parler fort et à fumer, en oubliant les yeux qui vous observaient et enregistraient les moindres mouvements.

Hier encore, le samedi de Pâques, près de Fleurbaix, deux cantonnements avaient été détruits par des obus ennemis.

Le chapeau crânement incliné sur son front, Liam était allé avec son équipe manger dans un restaurant d'Erquinghem. Il avait même réussi à attirer l'attention de la serveuse, une jolie fille avec qui il avait échangé quelques plaisanteries. Surexcité par les encouragements de ses amis et par le vin, il aurait volontiers poussé un peu plus loin le jeu, mais la mère de la jeune fille n'avait pas apprécié son manège et s'en était plainte à Keenan, qui n'avait pas tardé à menacer le jeune homme de ses foudres.

D'abord très contrarié, Liam souriait maintenant de cet incident. Il n'avait voulu aucun mal à cette jeune fille respectable, mais comment expliquer cela en français à une mère courroucée ? A la réflexion, il se disait maintenant, ses possibilités d'expression étant limitées, qu'il avait peut-être à son insu dépassé les limites de la bienséance ?

De toute façon, il aurait sans doute d'autres occasions de la rencontrer. On n'allait pas les envoyer dans un autre secteur pour l'instant, et entre deux incursions dans les tranchées il aurait tout le temps de renouer connaissance.

Il se retrouva bientôt dans Sailly, au milieu des villageois qui rentraient de la messe et des soldats venus d'une autre partie du front. Il adressa quelques signes de tête de-ci de-là et continua sa promenade. Au-delà du village, il trouva un cimetière militaire en bordure de la route. La plupart des tombes étaient britanniques mais il y avait déjà quelques Australiens qui étaient enterrés là. Il y faisait bon, à l'abri des arbres ; entre les rangées de croix de bois, il y avait des fleurs, des jacinthes et des narcisses sauvages près des tombes les plus anciennes et, sur certaines des plus récentes, des bouquets de pâquerettes et d'anémones. Otant son chapeau, il remonta les allées en lisant chaque nom qu'il répétait à mi-voix comme une litanie.

Quand il revint à Erquinghem, l'après-midi tirait à sa fin et il n'y avait pratiquement personne dans le petit restaurant où ils avaient dîné la veille au soir, à part deux soldats britanniques qui s'enivraient consciencieusement dans un coin, et un groupe d'Australiens qui, leur repas terminé, s'apprêtaient à partir. Il n'y avait personne derrière le comptoir et il ne pensait pas voir la jeune fille cet après-midi-là.

Quand elle apparut pour prendre sa commande, il y eut comme une sorte de déclic en lui. Bien qu'il eût très faim, il demanda d'abord une bière et, avec une insistance qui ne lui était pas coutumière, il la supplia de s'asseoir à côté de lui. Pendant un moment elle hésita puis, jetant un rapide regard par-dessus son épaule, elle se servit un verre d'eau minérale et s'assit.

Il se sentit ridicule, tout d'un coup. Il n'avait rien à lui dire ; en anglais, il n'aurait eu que l'embarras du choix, mais comment formuler cela avec tact en français ? Il se contenta donc de la regarder en buvant sa bière. Contrairement à la plupart des Flamandes, elle avait une ossature délicate avec un visage fin, presque fragile, une bouche mutine et des yeux espiègles qui semblaient lancer une sorte de défi.

Pour la première fois depuis bien longtemps, Liam était prêt à relever le gant, sous l'aiguillon d'un besoin et d'une assurance qui dépassaient de loin tout ce qu'il avait pu ressentir de semblable auparavant. Il voulait cette fille. Il avait le corps en feu, brûlant du désir de savoir, de toucher et de conquérir.

Ce désir était si violent qu'une partie de son esprit, qui l'observait avec un détachement dénué de toute passion, en ressentit un véritable effroi. Conscient de l'impossibilité où il se trouvait de satisfaire sur-le-champ de telles pulsions, il s'obligea à détourner les yeux, les cachant avec sa main de crainte que la jeune fille, saisie de panique, ne prenne ses jambes à son cou.

Mais elle n'était pas née de la dernière pluie. En dépit de la protection dont elle bénéficiait, l'intuition féminine et deux années de contact avec les soldats avaient provoqué une certaine perte de l'innocence. Elle prit dans sa main les doigts tremblants de Liam et l'obligea à la regarder. Elle avait des yeux noisette, contrastant avec ses cheveux blonds, qui le fixaient avec sympathie. Dans un mélange d'anglais approximatif et de français énoncé lentement, d'une voix claire, elle lui dit qu'elle comprenait. Elle regrettait que ce ne fût pas possible, mais elle comprenait.

« Je suis désolé », murmura-t-il, moins tendu maintenant, toute violence ayant disparu. Son désir était encore là, mais il le maîtrisait, dorénavant.

« Non, pas de regret. »

Elle haussa ses frêles épaules et sourit, les yeux étincelants.

« De la bière ?

— Oui, s'il vous plaît. »

Il alluma une cigarette, inhalant avidement la fumée, ce qui l'aida un peu.

Le verre posé sur la table, elle le regarda bien en face, les doigts noués avec les siens, lisant ses pensées beaucoup plus clairement que s'il les avait exprimées avec les mots qu'il brûlait de prononcer.

« Vous êtes triste. »

Liam faillit éclater de rire.

« Ah bon ?

— Oui. Aujourd'hui... Où ?

— Où je suis allé ? »

Elle fit oui d'un hochement de tête.

« J'ai marché, jusqu'à Sailly. »

Soudain, il se souvint, et son sourire disparut.

« Au cimetière.

— Vos amis ? »

Liam secoua négativement la tête, inhalant encore davantage de fumée, se rendant compte, maintenant qu'elle avait attiré son attention là-dessus, du désespoir total qui s'était emparé de lui depuis sa visite là-bas. Il savait désormais pourquoi il l'avait désirée si violemment. C'était pour se prouver qu'il était encore en vie et, plus encore, pour connaître la joie de faire l'amour à une femme avant de quitter ce monde à tout jamais. Même s'il ne l'aimait pas, même s'il la connaissait à peine. Même s'il ne s'agissait que d'une jolie fille au sourire aguichant.

Le lundi, la journée fut consacrée à un entraîne-

410

ment intensif. Le mardi, c'était le 25, premier anniversaire du débarquement dans l'anse d'Anzac. Ce jour-là, la brigade fut rassemblée pour l'inspection du général Walker et, comme pour rappeler aux Australiens le sort qui avait été le leur un an plus tôt, l'artillerie allemande pilonna quelques cantonnements situés en dehors d'Erquinghem, blessant dix hommes.

Deux nuits plus tard, après une alerte aux gaz, l'artillerie australienne entra en action pour la première fois, déversant un déluge de feu sur les lignes ennemies, ce qui souleva une bordée d'exclamations enthousiastes dans le camp australien. Massés devant leur cantonnement, engloutissant des quantités énormes de bière maison fabriquée par le fermier, Liam et ses compagnons hurlaient de joie à chaque explosion, saluant les lueurs qui montaient au ciel comme des fusées pour retomber en explosant comme des étoiles blanches et étincelantes. Avec ces éclairs rouges et jaunes qui sortaient des canons, on se serait cru aux fêtes du 5 novembre ; et Guy Fawkes devait prodiguer ses encouragements du fond de sa sépulture de félon.

« Vive l'Australie ! » cria le fermier à l'oreille de Liam avant de se précipiter avec sa cruche pour remplir leurs quarts.

Buvant à sa santé, Liam essaya de lui expliquer en français ce que représentaient chez lui les réjouissances qui avaient lieu en cette nuit de Guy Fawkes. Mais le Flamand ne comprenait rien à cette histoire de complot catholique pour envoyer *ad patres* le protestant qu'était le roi James, le jour de l'ouverture du Parlement en 1605. Chancelant sur ses jambes, Liam tendit son quart vide pour qu'il le lui remplisse.

« Ah, pour un beau feu d'artifice, c'est un beau feu d'artifice, dit-il d'une voix pâteuse, et c'est très gentil de leur part de nous l'offrir. *Mais à quoi ça va servir ?* »

Il avança la main pour saisir au col l'homme qui se tenait devant lui.

« Y a des hommes qui se font tuer en ce moment. Demain... demain, ce sera peut-être notre tour. Alors, je te le demande, mon pote, à quoi ça va servir ? »

La réponse claqua comme un coup de feu.

« Ferme ta gueule, caporal. Tu es soûl comme une bourrique. Si jamais ce salaud de Keenan t'entend, ou bien il te fait fusiller ou bien il t'arrache tes galons, et en vitesse.

— Cet enfoiré de Keenan ! C'est sur lui qu'il faudrait envoyer ces obus, sur lui et sur Haig et Walker. Ça leur ferait les pieds.

— Amène-toi, mon pote, t'es complètement bourré.

— Ah oui ? » demanda Liam d'un air surpris.

Il fixa son gobelet d'étain, qu'il venait de vider une nouvelle fois, comme s'il ne se rappelait pas avoir bu, puis leva les yeux vers le ciel que déchirait en deux le tir continu des obus. Une grande étoile blanche explosa et tomba à terre en décrivant une grande arabesque, et les bâtiments et les hommes qui l'entouraient vacillèrent ; sans le soutien de son compagnon, Liam se serait étalé dans la boue.

« Oui, marmonna-t-il, je suis soûl. Et ce que je disais était complètement idiot. Oubliez ça.

— Ça va, ça va, caporal, soupira l'autre homme. Si j'avais participé aux débarquements, je ressentirais peut-être la même chose. »

Le lendemain il avait le cœur barbouillé, comme une fois au Caire, et pour ne rien arranger, il se rappelait dans le moindre détail tout ce qu'il avait pu dire la veille. Par contre, il n'arrivait pas à se souvenir de celui à qui il avait parlé ainsi. Ce n'était pas quelqu'un de son équipe, malheureusement. Il se sentait tout bête. Ce qui le surprenait le plus, c'était qu'il puisse dire de telles choses sans même s'être rendu compte qu'il les avait pensées. Depuis long-temps du moins.

Si l'on ajoutait à cela le comportement qu'il avait eu à Erquinghem le dimanche après-midi, Liam commençait à s'inquiéter sérieusement. Il avait l'impression de ne plus pouvoir se maîtriser. Dans un effort pour se ressaisir, il se lança de toutes ses forces dans les rigueurs d'un entraînement mono-tone et intensif, priant le ciel pour qu'on les envoie en première ligne le plus tôt possible.

Ils partirent quelques jours plus tard dans les tran-chées du Bois-Grenier et, toutes réserves faites sur des conditions météorologiques imprévisibles et les activités intempestives de leurs compagnons de tous les jours, c'est-à-dire les rats, il put écrire dans les lettres qu'il envoyait à sa famille que tout se passait pour le mieux. Que c'est agréable, disait-il, de se retrouver en plein cœur de l'action, de faire enfin, après tant de mois d'attente, quelque chose d'utile ! Et là, au moins, après avoir passé une semaine ou deux dans les tranchées, on avait droit à une période de repos derrière les lignes. Ce n'était pas comme à Gallipoli !

Dans son carnet, il consignait les incidents de la vie de tous les jours, une soudaine amélioration du temps en mai, la présence appréciée de tous d'un chat dans leur gourbi. Il parla de tous ces avions qui survolaient les lignes, des combats aériens et des bombardements quotidiens, des balles tirées par des ennemis embusqués dans leurs tranchées et de la satisfaction qu'il éprouvait à leur rendre la politesse.

Ils avaient installé leur mitrailleuse dans une mai-son en ruine, près d'une route qui servait constamment de cible aux ennemis, mais eux avaient pris la précaution d'aller dormir dans une cabane enterrée et entourée de sacs de sable pour se protéger des obus qui pleuvaient sans cesse. Ils ne pouvaient se ravitailler que la nuit mais alors c'étaient les mitrailleuses allemandes qui balayaient la route avec une précision infernale. Plusieurs fois, en rapportant des munitions, Liam avait été obligé de courir se mettre à l'abri ou tout simplement de se jeter à plat ventre dans la boue jusqu'à la fin de l'attaque. Pour ne rien arranger, ils eurent soudain l'impression que leur cabane avait été repérée et qu'un tireur d'élite s'acharnait, au fusil ou à la mitrailleuse, à les exterminer systématiquement.

Il demanda à Keenan la permission d'aller s'installer ailleurs. Permission refusée. Heureusement, le lendemain, Keenan partit pour plusieurs jours afin d'assister à un stage d'entraînement. Après avoir essuyé une grêle de projectiles qui obligeait ses hommes à danser à chaque fois qu'ils voulaient quitter leur gourbi, Liam décida d'envoyer un message directement à l'officier qui commandait la section. Profitant du tir d'un mortier qui faisait flotter un nuage de fumée tout alentour, il réussit à sortir sans encombre et obtint immédiatement l'autorisation convoitée.

Ils travaillèrent toute la nuit à creuser un nouvel abri un peu plus loin et le lendemain, pendant que l'on bombardait les tranchées allemandes, ils déménagèrent de la maison en ruine. Juste à temps, ainsi qu'ils ne tardèrent pas à s'en apercevoir, car aussitôt l'attaque britannique terminée, quatre mitrailleuses allemandes tirant en même temps réussirent à arracher les sacs de sable qui recouvraient le toit de leur ancienne cabane et le lendemain après-midi, ils assistaient à sa désintégration totale sous une pluie d'obus de forte puissance.

« *Ensuite, ils ont arrosé le secteur de shrapnels qui explosaient en l'air, dans l'espoir de liquider tous ceux qui auraient tenté de s'enfuir*, nota-t-il dans son carnet. *Comme s'il avait été possible de survivre à un tel bombardement ! Mais Fritz ne veut jamais rien laisser au hasard. Dieu merci, nous avions déménagé à temps. Si Keenan ne s'était pas absenté, j'ai l'impression que nous serions tous à six pieds sous terre maintenant. »*

Décidé à se venger, Liam ne tarda pas à repérer l'emplacement des quatre mitrailleuses et, résolu à leur rendre la monnaie de leur pièce, il les fit arroser d'un feu plus que nourri. Mais ses efforts attirèrent de nouveau l'artillerie ennemie, les obligeant à courir comme des lapins chaque fois qu'ils allaient chercher à manger à la cantine de la section. Ils riaient tous beaucoup mais quand on vint leur annoncer dans l'après-midi qu'ils allaient être relevés, Liam ne cacha pas son soulagement.

Après avoir subi pendant vingt-quatre heures le feu des canons et des mitrailleuses ennemis, il était bien agréable de se retrouver derrière les lignes. Liam et son équipe allèrent aux bains-douches de Sailly puis à la poste du bataillon. A part une lettre expédiée d'Australie, Liam n'avait pas reçu de courrier depuis qu'il était monté en première ligne et il eut la joie de voir une pile de lettres et deux paquets de journaux qui l'attendaient. Il se dit pourtant avec humeur que tout cela aurait dû lui être expédié dans les tranchées.

C'était un après-midi très agréable et les six hommes marchaient sans se presser sur la route, tout en parcourant leur courrier. Liam examina rapidement chaque enveloppe, identifiant mentalement leurs expéditeurs. Trois venaient d'York, une de sa cousine Dorothy, à Leeds, deux de Robin et une qui était revêtue d'un cachet à peine lisible et d'une adresse dont il n'osait pas reconnaître l'écriture.

Il s'arrêta net au milieu de la route, fixant ces caractères penchés écrits d'une main si sûre.

Georgina.

Bien qu'il se fût obligé à ne pas penser à elle depuis bien longtemps, son visage lisse, doux et serein apparut à son esprit avec la même netteté que si elle avait été devant lui, en train de lui sourire.

Il y avait un tel désordre dans son cœur qu'il aurait été bien incapable de dire s'il était heureux ou contrarié. En tout cas, il était surpris. Pourquoi avait-elle écrit ? Pourquoi maintenant, après tout ce temps ? Était-il arrivé quelque chose ? Quelqu'un était-il mort ?

Mais non, il avait des lettres venant de tous ceux qui étaient chers à son cœur. Il devait y avoir autre chose. Son père, peut-être, *leur* père ? Il fixa l'enveloppe comme si elle pouvait révéler son secret. Peut-être s'agissait-il d'autre chose ? Elle allait peut-être se marier.

Sa mâchoire se crispa à cette pensée. Liam glissa l'enveloppe dans la poche intérieure de sa veste. Quel qu'en fût le contenu, il ne pourrait jamais lire cette lettre maintenant.

Les autres étaient déjà loin devant lui. Ils allaient s'asseoir à la terrasse d'un petit estaminet, où ils commandaient des bières. Il alluma une cigarette avant de les rejoindre.

« Ça va, caporal ? demanda l'un d'eux en le regardant d'un œil plein de sollicitude. Pas de mauvaise nouvelle, j'espère. »

Liam secoua négativement la tête.

« Non. Il y a seulement que j'ai reçu une lettre d'une personne dont j'étais à cent lieues de supposer qu'elle m'enverrait de ses nouvelles. »

Il se mit à rire d'une voix un peu tremblante.

Un autre de ses camarades dit avec un large sourire :

« Elle a appris que vous étiez un héros, caporal, alors elle veut faire votre connaissance, maintenant.

— Quelle foutaise ! » marmonna-t-il en se plongeant dans l'un de ses journaux. Pour les lettres, toutes les lettres, il attendrait d'être seul.

Les autres lisaient leur courrier après avoir commandé une deuxième bière. Liam alluma une autre cigarette et, après avoir lu les dernières nouvelles de la guerre dans le plus récent de ses journaux, il s'intéressa aux faits divers qui avaient émaillé la vie à York le mois précédent.

Une exclamation soudaine proférée par l'un de ses compagnons l'arracha à sa lecture.

« Ah les salauds ! Non mais quels salauds ! Vous avez vu ça ? C'est pas croyable ! »

Ils voulurent tous savoir ce qui se passait, mais c'est à Liam que le journal fut donné en priorité. Il le prit à contrecœur, parcourant les gros titres plusieurs fois avant de bien en saisir la portée.

A Dublin, le mois précédent, il y avait eu une rébellion armée dans les rues. Le lundi de Pâques, la république avait été proclamée et pendant plusieurs jours le bureau de poste de Sackville Street avait été occupé par des forces opposées à la Couronne. Après plusieurs jours de combats, les rebelles avaient été vaincus mais les canons britanniques avaient détruit beaucoup d'édifices du centre ville.

Cela paraissait incroyable. Un coup de poignard dans le dos ! Comme les autres, Liam fut écœuré, en lisant le reste de l'article, de voir la collusion évidente qui s'était opérée avec l'Allemagne. Un ancien consul britannique, Sir Roger Casement, avait tenté de se concilier l'aide de l'ennemi mais avait été arrêté après avoir débarqué d'un sous-marin allemand. Il allait être jugé pour haute trahison. Les rebelles irlandais avaient été fusillés.

Il s'arrêta de lire, passa le journal à un autre et inspira profondément. S'il n'avait pas eu cette lettre dans sa poche, il savait qu'il serait mort d'inquiétude à l'idée que Georgina était peut-être allée passer le week-end de Pâques chez sa tante à Dublin, et qu'il se demanderait si elle était encore en vie...

Mais d'où venait-elle donc, cette lettre ? Et quand avait-elle été postée ? Oubliant ses compagnons, il la sortit de sa poche et ouvrit l'enveloppe d'un geste brusque. Datée d'un mois plus tôt, le 30 avril, elle avait été envoyée d'un hôpital de Londres.

Cher Liam,

Grand Dieu, se dit-il en fermant les yeux ; il revoyait son visage, il entendait sa voix. Qu'il y avait longtemps qu'il ne l'avait pas entendue prononcer son nom !

Juste quelques lignes pour te dire que nous allons tous très bien. Étant donné la terrible nouvelle qui nous est parvenue de Dublin cette semaine, j'ai craint que tu ne t'inquiètes à notre sujet et bien que ta mère t'écrive régulièrement, j'ai tenu, moi aussi, à te rassurer sur notre sort.

Père est à Dublin depuis lundi. Sa lettre d'aujourd'hui dit que les combats sont terminés, mais qu'il est profondément navré des dégâts qui ont été causés à la ville. Il n'en est lui-même nullement responsable, Dieu merci, mais il ne décolère pas contre ceux qui ont ordonné ces destructions. La sécurité de tout le monde est en jeu, car les choses n'en resteront pas là, il en est convaincu.

Le plus bizarre, c'est que j'avais demandé un congé pour aller voir tante Letty. Père n'était pas d'accord mais finalement l'infirmière-chef n'a pas pu se passer de mes services, si bien que le problème s'est résolu tout seul.

Apparemment, tante Letty a refusé de rester

chez elle et elle a voulu aller s'occuper des rebelles arrêtés pour soigner les blessés. Et tout ça en dépit de son arthrite ! Non mais quelle famille, je te jure !

J'espère que tu vas bien, mon cher Liam, et que ce n'est pas trop terrible pour toi en France. Ta mère écrit souvent pour me tenir au courant de ce que tu deviens mais je préférerais avoir directement des nouvelles de toi, si tu as le temps d'écrire. Sinon, je comprendrai.

Avec toute ma tendresse,

Georgina.

« Georgina, ma belle Georgina », chuchota Liam en froissant le feuillet dans sa main.

Le gazouillement enthousiaste des oiseaux égayait les premières heures de cette douce matinée de la fin juin. S'arrachant à sa rêverie passagère, Georgina resta un moment devant la fenêtre de son bureau, respirant avec délices l'air embaumé, et se prit à regretter de ne pas avoir le même entrain que les fauvettes et les pinsons. La nuit avait été longue et fatigante et elle avait encore deux heures de présence à assurer avant de pouvoir rentrer dormir chez elle. Ensuite, elle aurait trois jours de repos ! Des journées entières à se détendre sans rien faire. Ce ne serait pas du luxe !

Un murmure de voix provenait de la salle. Une jeune infirmière frappa à la porte restée ouverte pour attirer son attention. L'amputé du lit n° 4 manifestait les symptômes d'une grave anxiété et il n'y avait pas moyen de le calmer. Pouvait-elle venir ?

« Appelez-le par son nom, mademoiselle, dit Georgina d'une voix lasse. Ce n'est pas simplement un amputé. Il a un nom. Je vous prierai de bien vouloir vous en souvenir.

— Excusez-moi, madame. Le soldat Hopkinson. Seulement, voyez-vous...

— Oui, je sais, *quand vous étiez en France, ils arrivaient et repartaient si vite que vous n'aviez pas le temps d'apprendre leur nom.* »

Cette phrase, Georgina l'avait trop souvent entendue dans la bouche de cette jeune femme et elle en était excédée.

« Ici, nous avons tout notre temps, reprit-elle, et ici, il faut les appeler par leur nom. »

L'infirmière hocha la tête en signe d'assentiment mais ne put réprimer un soupir agacé. Elle avait appris beaucoup de choses en France et sur le plan pratique, elle était irréprochable ; Georgina regrettait simplement qu'elle ne fasse pas davantage montre de patience, ni qu'elle ne donne pas un peu plus l'impression de s'intéresser au cas de ces malheureux qui étaient souvent là pour plusieurs mois. Leurs besoins ne se limitaient pas aux médicaments et aux pansements propres ; il leur fallait de l'affection, ils voulaient qu'on leur manifeste de l'intérêt, qu'on les rassure.

Pour certaines infirmières, il n'était pas facile d'y parvenir sans s'investir de façon excessive et celles qui manquaient d'expérience commettaient parfois l'erreur de trop donner d'elles-mêmes. Georgina s'était vue plusieurs fois devenir une sorte d'idole pour ces hommes dont la gratitude se parait alors des couleurs de l'amour, surtout chez les jeunes officiers qui, pour une raison qu'elle ne comprenait pas, se montraient plus vulnérables que leurs hommes. Elle leur expliquait alors que ces sentiments étaient bien naturels mais purement temporaires et qu'ils les auraient bien vite oubliés après leur départ. Bien peu la croyaient et lui demandaient la permission de lui écrire. Certains, en dépit de ses dénégations, lui envoyaient une lettre mais généralement, les choses en restaient là.

La plupart des médecins militaires étaient mariés et beaucoup plus âgés qu'elle, et ils avaient beaucoup trop de travail pour songer à lui faire la cour. Il y en eut pourtant un pour lequel Georgina éprouva une sympathie particulière car, s'il était très dur avec le personnel, il se montrait d'une gentillesse inhabituelle avec les patients. Un jour, pendant la pause café, il lui déclara qu'elle était l'une des meilleures infirmières qu'il eût jamais rencontrées et qu'elle était beaucoup plus belle que toutes les autres. Dommage, ajouta-t-il les dents serrées avec une rage à peine contenue, qu'elle ne levât jamais les yeux sur les hommes en bonne santé et normalement constitués. C'est sans doute pour cela qu'elle était si bonne infirmière.

Confondue par cette sortie, elle n'avait même pas rougi. Ayant achevé sa tasse, l'officier se dirigea vers la porte.

« Je vous croyais parfaite, dit-il avant de sortir. Mais il n'en est rien. Il y a une chose qui vous manque : un cœur de femme. »

Ces paroles lui avaient fait mal. En y repensant maintenant, elle se demandait jusqu'à quel point la formation qu'elle avait reçue à York chez les Quakers n'avait pas fini par atrophier en elle toute inclination féminine. Telle une nonne, elle avait tout canalisé sur sa vocation.

Pourtant cette accusation, venant d'un homme qu'elle avait apprécié et respecté, la blessait au vif, ce qui ne l'empêcha pas, par réaction sans doute, de redoubler d'exigence envers elle-même et envers les infirmières qui étaient sous ses ordres. Mais ce n'était pas facile, elles étaient trop fatiguées, trop surmenées, elles avaient elles-mêmes trop besoin de chaleur humaine pour pouvoir réagir avec une ardeur suffisante.

Tel était son état d'esprit à l'heure actuelle. Mais il

allait falloir trouver les paroles nécessaires, exprimer les encouragements que lui dicterait la sincérité de ses sentiments les plus profonds.

En quittant l'hôpital à huit heures, Georgina était sur le point de pleurer d'épuisement. Quand le portier la rappela, elle faillit faire comme si elle n'avait pas entendu. Le petit paquet de lettres qu'il lui tendit ne réussit même pas à la réconforter. Après un bref remerciement, elle fourra le courrier dans sa poche.

Elle s'endormit dans le tramway et il fallut que quelqu'un la réveille au terminus. Un autobus lui permit de traverser le fleuve, et elle en prit un autre pour arriver à Kensington Gardens.

Elle arriva chez elle à neuf heures et demie. L'appartement était désert, son père ayant dû repartir avec son domestique pour l'Irlande où les exécutions se poursuivaient à un rythme accéléré, transformant en héros des rebelles pour lesquels elle n'avait pourtant jamais éprouvé une sympathie particulière.

La situation dans l'île empirait de jour en jour et, comme son père, Georgina en déplorait l'absurdité. Si seulement, se disait-elle souvent, le gouvernement pouvait cesser de traiter cette province comme un enfant récalcitrant. Ce n'était pas en réprimant la révolte qu'on allait extirper le mal, il y aurait d'autres tentatives, son père en avait la certitude, lui dont les sympathies présentes étaient directement en conflit avec son sens du devoir.

Une fois de plus, il avait tenté de démissionner de ses fonctions, mais sous peine de se voir taxer de trahison il lui était interdit de révéler la profondeur de ses réticences à ses maîtres du War Office. Georgina ne l'avait jamais vu aussi désespéré et elle ne voyait vraiment pas ce qu'elle pouvait faire pour lui rendre sa sérénité. L'Irlande, c'était son pays à elle aussi.

Il n'y avait qu'une chose qui avait réussi à remonter un peu le moral de son père au cours des dernières semaines : l'arrivée des Australiens à Londres. Le premier contingent avait défilé jusqu'à l'abbaye de Westminster, le 25 avril, pour commémorer l'anniversaire du débarquement à Gallipoli et, depuis lors, on en rencontrait sans cesse en ville, de beaux hommes vigoureux et hâlés toujours prêts à lier conversation mais qui ne manifestaient guère d'enthousiasme à saluer les officiers anglais qui se trouvaient sur leur chemin. Cet aspect de leur comportement n'avait pas manqué d'inspirer une certaine dose de satisfaction un peu perverse à Robert Duncannon, qui avait répété à Georgina une histoire qui faisait les gorges chaudes des fonctionnaires du War Office.

Le bruit courait donc qu'un général anglais avait effectué une tournée d'inspection en Égypte, accompagné par un jeune officier australien. Surprenant un soldat qui montait la garde en mangeant un sandwich, le jeune officier horrifié lui avait immédiatement ordonné de présenter les armes. Là-dessus, sans se démonter le moins du monde, le soldat avait demandé au général de lui tenir son sandwich pour pouvoir s'exécuter.

Véridique ou non, cette histoire amusa beaucoup Robert, qui ne pouvait se défendre d'une certaine sympathie pour ces garçons un peu frustes qui ne voulaient témoigner leur respect qu'aux officiers qu'ils connaissaient et respectaient.

« Ce qui élimine la totalité de notre état-major, avait commenté Robert avec une satisfaction acide. Rien d'étonnant à ce que Haig ne puisse pas les piffer. Lui qui est toujours si jaloux des prérogatives dues à son rang ! »

Mais lorsque Georgina l'avait gentiment taquiné en lui demandant comment il réagirait si les soldats australiens refusaient de le saluer, lui, Robert avait une fois de plus sombré dans un désespoir morne.

« Tu sais, avec le peu de respect que j'éprouve à l'égard de moi-même en ce moment, je ne vois pas comment je pourrais m'en plaindre. »

Elle n'avait pas besoin de demander à son père si Liam figurait dans le contingent actuellement à Londres. Robert Duncannon s'était déjà renseigné auprès de l'état-major australien, au ministère, demandant qu'on le prévienne dès l'instant où Liam arriverait dans la capitale suite à une permission ou à une blessure.

Pourtant, cela n'empêchait pas son cœur de battre à coups précipités dans sa poitrine à chaque fois qu'elle voyait un soldat de haute taille dont les cheveux blonds étaient en partie dissimulés par le chapeau de brousse qu'elle connaissait si bien maintenant. Mais ce n'était jamais lui, et la déception était toujours aussi cruelle. Son besoin de le voir, de recevoir au moins un mot de lui, prenait des proportions hors du commun, et lui apparaissait comme l'unique condition pour se trouver soulagée de cette anxiété qui l'obsédait.

Elle se rendait pourtant bien compte qu'il y avait fort peu de chances, après tout ce temps, pour que Liam lui écrive. Si elle voulait avoir de ses nouvelles, elle devrait être la première à rompre le silence, aussi difficile que cela pût lui paraître.

Il y avait maintenant un mois qu'elle avait pris la plume en prétextant les événements qui s'étaient produits à Dublin, quatre semaines pendant lesquelles elle avait vainement tenté de reconnaître son écriture sur les missives qui lui étaient parvenues depuis. Aux déceptions du matin avaient succédé les heures nocturnes pendant lesquelles elle s'était maudite d'avoir tenté de briser le silence de toutes ces années. Et elle se disait qu'il n'avait aucune raison, après tout ce temps, de vouloir avoir de ses nouvelles, de se préoccuper de savoir si elle était à Londres, Dublin ou Tombouctou. Non, décidément, elle aurait bien mieux fait de s'abstenir de se manifester.

Après mûre réflexion, une semaine plus tôt, elle avait décidé de le chasser de ses pensées, car c'était la seule manière pour elle de retrouver un semblant de sérénité dans l'accomplissement de ses tâches quotidiennes. C'est pourquoi, en voyant l'enveloppe revêtue des tampons de l'armée, Georgina conclut que c'était Robin qui lui avait écrit, comme il le faisait régulièrement, et la laissa sur son lit.

Pourtant, tout en dégrafant son col blanc empesé et son corsage gris d'infirmière, elle regarda plus attentivement l'écriture et se rendit compte que ce n'était pas celle de Robin. Comme il n'y avait pas assez de lumière dans l'appartement, elle courut au salon pour écarter les lourds doubles rideaux afin de laisser pénétrer les rayons du soleil matinal. C'était l'écriture de Liam, bien que les caractères fussent plus hardis, moins calligraphiés qu'ils ne l'avaient été auparavant.

Osant à peine y croire, elle déchira l'enveloppe de ses doigts tremblants, parcourant d'un seul coup d'œil le feuillet unique, enregistrant de-ci de-là des formules ampoulées, engoncées, qui ne ressemblaient aucunement au Liam qu'elle avait connu. Et puis elle sourit, se rappelant ses propres difficultés, l'effort qu'elle avait dû fournir elle-même pour surmonter l'obstacle de ces années de silence.

Il avait sans doute dû se mesurer aux mêmes problèmes. Il ne s'excusait pas, pas plus qu'elle ne l'avait fait elle-même, d'être resté muet si longtemps. Il se contentait de la remercier d'avoir écrit, il disait qu'il était content d'avoir eu sa lettre et soulagé d'apprendre qu'elle n'avait pas été à Dublin pendant les émeutes.

Le courrier avait pris du retard, c'était la raison pour laquelle il n'avait pu lui répondre plus tôt. Sa vie en France était meilleure qu'il ne l'avait craint, et pour l'instant il n'avait pas été engagé dans des combats importants.

La phrase suivante avait été rayée par la censure et Georgina en conclut qu'il avait sans doute voulu indiquer quelques renseignements sur l'endroit où il se trouvait. Bien qu'elle eût levé la feuille de papier vers la lumière, le trait noir ne laissait rien voir de ce qui avait été écrit dessous et Georgina étouffa un juron de colère. Après tout ce temps, les moindres indications qu'il pouvait lui donner étaient précieuses à son cœur ; l'idée qu'on lui enlevait quelque chose lui paraissait insupportable au-delà de toute mesure.

Pourtant, la lettre s'achevait sur une note d'espoir. Liam déclarait qu'il attendait avec impatience d'avoir de ses nouvelles. Il aimerait savoir quel genre de vie elle menait à Londres.

Sa signature, vigoureuse et légèrement inclinée vers l'avant, était soulignée d'un seul trait de plume.

Ravie comme elle ne l'avait pas été depuis bien longtemps, Georgina fondit en larmes.

CHAPITRE XIX

A la fin du mois de juin, trois semaines après avoir posté sa lettre à Stephen, Zoe attendait toujours une réponse. Le bref message qu'elle avait reçu la semaine précédente ne contenait en effet aucune explication. Tout au plus s'agissait-il d'un simple billet dans lequel il ne mentionnait aucunement les raisons qui l'avaient poussé à téléphoner, et c'était tout juste s'il s'excusait de la brusquerie dont il avait fait preuve. Il ne faisait pratiquement pas allusion à ses propres sentiments à l'égard de Zoe ou de la situation telle qu'elle se présentait dans le Golfe, bien qu'il précisât, dans un post-scriptum, que les médias avaient le don de monter en épingle des incidents isolés qui ne devaient à aucun prix lui causer plus d'inquiétude qu'il n'était nécessaire.

Ne sachant trop comment interpréter cette lettre, Zoe lut la dernière phrase avec un certain scepticisme. Elle lisait régulièrement un quotidien tout à fait digne de respect et ne pouvait guère éviter les informations diffusées par la BBC, aussi bien à la radio qu'à la télévision, et on n'allait pas aussi facilement ébranler la foi qu'elle apportait à des médias dont la réputation ne pouvait être mise en doute. Or quelques jours auparavant, un journaliste dépêché à Dubaï avait justement établi le bilan des pertes subies dans le Golfe au cours des trois années précédentes : 227 bateaux avaient été coulés parmi lesquels la plupart étaient des pétroliers, dont la majorité battait pavillon libérien, comme celui de Stephen.

Le total des marins qui avaient trouvé la mort était également considérable, surtout quand on se disait qu'il s'agissait d'une guerre locale, que les navires de commerce n'étaient dotés d'aucun armement et que ces équipages se contentaient de faire leur métier. Pour défendre les intérêts du monde libre — et les superbénéfices de quelques potentats, s'était dit Zoe avec amertume — , 211 marins non combattants avaient perdu la vie.

L'article ne disait pas combien d'hommes avaient été blessés ou estropiés. En revanche, il précisait qu'un grand nombre de ces bateaux enfreignaient la loi internationale et les règles les plus élémentaires de la navigation en longeant de trop près les côtes d'Oman et des Émirats arabes unis. Deux pétroliers dont les soutes étaient archipleines s'étaient échoués à terre dans leurs tentatives pour éviter les attaques des canonnières iraniennes.

Voilà qui n'était guère rassurant, et ces chiffres tournaient dans sa tête tandis qu'elle lisait les dernières nouvelles internationales. Elle se prit soudain à regretter de ne pas être restée dans l'ignorance. Repoussant loin d'elle le journal, elle débarrassa la table de la vaisselle du petit déjeuner et se prépara à une matinée de travail.

La radio passait une chanson de l'album de *Dire Straits*, et elle sourit, se souvenant que c'était l'un des airs favoris de Stephen. Pourtant, quand on annonça les informations, elle sentit son inquiétude revenir, s'attendant au pire.

Il y avait encore eu un attentat à la bombe à Belfast, tuant deux soldats, et elle avait à peine eu le temps de se demander si les problèmes de l'Irlande seraient un jour résolus que la voix du speaker enchaînait sur le plan proposé par Washington pour protéger les bateaux battant pavillon américain dans le Golfe. En outre, les canonnières iraniennes avaient lancé des missiles sur deux pétroliers qui venaient de quitter le Koweit. Le chef mécanicien du premier bateau avait été tué et deux marins du second blessés.

Penchée sur sa planche à dessin, Zoe écoutait, les nerfs et les muscles tendus au maximum. Elle n'était pas certaine d'avoir bien entendu. Le doute s'insinuait en elle. Avait-il dit *scandinave* ou *libérien*? L'annonce avait été brève et aucun nom n'avait été précisé. Peut-être y avait-il eu une erreur, c'était un des bateaux qui était scandinave et l'autre...

Brusquement elle repoussa sa chaise en arrière et attrapa le téléphone; ayant obtenu le numéro aux renseignements, elle appela la BBC et finit par avoir les noms des deux bateaux. Aucun n'était celui de Stephen. Tremblant comme une feuille, elle mit la bouilloire sur le feu et appela sa voisine Polly.

« Bon Dieu, je ne peux plus supporter ça, murmura-t-elle à son amie quand celle-ci l'eut rejointe dans la cuisine. Je ne peux plus travailler et je n'arrive plus à dormir. Ça fait trois semaines que ça dure. Je suis devenue une vraie loque. Non, mais qu'est-ce que ça va être dans trois mois, bon sang de bon sang !

— Arrête la radio et supprime les journaux.

— Je ne peux pas !

— Il le faut, dit Polly d'un air décidé en allumant une cigarette. Cesse de penser à tout ça, Zoe. C'est la seule solution.

— Plus facile à dire qu'à faire ! Il faudrait avoir un cœur de pierre, bon Dieu, pour se désintéresser de ce qui se passe là-bas alors que Stephen s'y trouve mêlé ! »

Les genoux au menton, elle se balançait d'avant en arrière, comme sous l'effet d'une intense douleur physique.

« Merde et merde ! reprit-elle soudain, moi qui pensais m'être définitivement arrêtée de fumer, je me demande si je ne vais pas remettre ça !

— En tout cas, compte pas sur moi pour t'y encourager, déclara Polly avec véhémence. Prends plutôt un verre d'eau, il paraît que ça coupe l'envie. »

Ouvrant le robinet d'eau froide, elle noya sa cigarette et ouvrit la fenêtre. Puis elle emplit un verre d'eau et resta auprès de Zoe le temps que celle-ci en avale le contenu.

« Là ! Ça va mieux maintenant ?

— Non. »

Zoe se mit à marcher de long en large.

« Et s'il lui arrive quelque chose ? demanda-t-elle soudain. Qu'est-ce que je vais devenir ?

— Mais il ne lui arrivera rien. Et de toute façon, si un malheur devait arriver, ça ne t'avancera à rien de te faire du mouron pareillement. Écoute, pourquoi tu téléphonerais pas à sa tante ? Ou à la femme de son ami, là où vous êtes allés en week-end ? Elle aussi elle doit se faire un sang d'encre. Ça lui ferait sans doute plaisir d'avoir de tes nouvelles. »

Zoe hocha la tête.

« Oui, oui, tu as raison. Remarque, je suis restée en contact avec Joan mais Irène, ça fait des semaines que je ne lui ai pas parlé. Je vais lui passer un coup de fil dans la soirée.

— Eh bien voilà ! Mais en attendant, coupe-moi le sifflet à cette maudite radio. Écoute plutôt des cassettes, comme ça y aura pas d'informations. »

Une heure plus tard ; s'étant assurée que Zoe avait déjà meilleur moral, Polly repartit chez elle. Mais Zoe ne parvenait pas à chasser Stephen de son esprit. Ce fut bien réconfortant pour elle de parler avec Irène ce soir-là, d'entendre sa voix calme et raisonnable dire les mêmes choses que Polly, mais quand elle eut raccroché, Zoe fut reprise par ses appréhensions. Rongée par l'inquiétude, dévorée par le désir d'avoir Stephen auprès d'elle, elle regrettait presque de l'avoir jamais rencontré. En tout cas, elle se maudissait d'être tombée amoureuse de cet homme.

Elle passa une nuit très agitée et dormit tard le lendemain matin ; et c'est le cœur empli de désespoir qu'elle se lava avant d'enfiler un jean et une vieille chemise pour aller voir s'il y avait du courrier. La lettre envoyée de Karachi par avion et qu'elle récupéra dans sa boîte lui apporta une bouffée de bonheur.

Serrant la lettre contre elle comme un bouquet de fleurs, elle remonta l'escalier en courant, mit en route la bouilloire automatique et saisit un biscuit au chocolat. Aussi brèves qu'elles fussent, les lettres de Stephen constituaient un rare régal et méritaient un accompagnement digne d'elles. S'il y avait eu une boîte de chocolats dans l'appartement, elle y serait passée tout entière.

Cette lettre était la réponse à celle que Zoe avait envoyée trois semaines plus tôt, les premiers mots, un peu guindés, du début laissant peu à peu la place à une tendresse de moins en moins réticente. La manière dont Zoe lui avait parlé de son enfance semblait avoir touché en lui une corde dont il ne pouvait nier la sensibilité, comme si, ayant lui-même bénéficié d'une enfance heureuse, il ne pouvait supporter de penser à ce qu'elle avait enduré au moment du divorce de ses parents.

Ces élans d'affection lui firent chaud au cœur, et elle en vint même presque à regretter de s'être épanchée ainsi : il avait le pouvoir, rien qu'avec une seule parole, de la rendre si heureuse qu'elle finissait par se demander ce qui avait pu la rendre si triste.

Pour ce qui concernait Philip Dent, Stephen ne disait pas un mot. Certes, il lui conseillait d'oublier l'incident, mais à part cela, il n'y avait aucune allusion au contenu de la seconde moitié de la lettre de Zoe. Il était donc difficile de savoir si la sincérité dont elle avait fait preuve lui avait causé de la peine ou s'il était heureux de savoir que Philip ne représentait plus la moindre menace. Cette réticence la chiffonnait, refroidissait la chaleur qu'elle avait ressentie au début.

Elle relut la lettre une nouvelle fois, essayant d'y détecter une quelconque marque de froideur et trouva une raison supplémentaire de s'inquiéter dans la suggestion qu'il lui faisait de sortir davantage, de se distraire, et de consacrer moins de temps au passé.

Comme elle regretta alors de ne pas pouvoir s'expliquer de vive voix avec lui, pour lui faire comprendre qu'il n'était nullement dans ses intentions d'envahir totalement sa vie privée et qu'elle appréciait beaucoup trop sa propre indépendance pour ne pas respecter la sienne. Ce qu'elle voulait, c'était partager son existence et non la posséder.

Tenant toujours la lettre dans sa main, elle inséra une cassette dans le magnétophone de sa chaîne hi-fi, une chanson qu'elle avait repiquée sur un disque appartenant à Stephen. Il s'agissait de la musique du film *Far From The Madding Crowd* et l'introduction déferla sur elle comme la pluie que les notes suggéraient, évoquant des arbres ruisselants et des chemins de campagne noyés dans la brume. Elle se souvint de la première fois où elle avait entendu ce morceau, dans l'appartement de Stephen, un soir. Debout côte à côte, ils avaient regardé la cathédrale illuminée, et puis ils avaient parlé de ce champ de bataille surgi du brouillard. Revivant les instants d'intimité qu'ils avaient connus ensemble, elle éprouva soudain la tentation de lui écrire sans délai pour lui dire ce qu'elle éprouvait, lui faire part de cette conviction qui grandissait en elle qu'ils étaient destinés à vivre ensemble.

Posant la lettre de Stephen sur sa table, Zoe s'apprêtait à prendre la plume quand les paroles du dernier couplet retentirent soudain :

> *Mais si je vais lui dire mon amour,*
> *Mon amour, lui, il dira non.*
> *Si je lui montre à quel point je l'aime,*
> *Lui ne m'aimera jamais plus.*

Des paroles bien démodées, sans doute, mais les choses avaient-elles tellement changé depuis l'époque où elles avaient été écrites, au siècle dernier ? Dès qu'une femme parlait de son amour, de son désir de s'engager pour la vie, la plupart des hommes ne pensaient plus qu'à fuir. Non par lâcheté ou par manque de maturité, ainsi que l'affirmait souvent Polly, mais tout simplement parce que c'était dans leur nature. Malgré les progrès des féministes, les différences fondamentales existaient toujours et les efforts de tous les éducateurs du monde ne parviendraient jamais à les modifier.

Elle ressentit soudain un bref accès de pitié pour l'ex-femme de Stephen en se rendant compte qu'elle aussi avait escompté le même genre d'engagement de la part de Stephen. Elle voulait avoir la certitude qu'il l'aimait, qu'il voulait être le père des enfants qu'elle aurait ; aux yeux de Zoe, en effet, l'idée d'avoir des enfants, d'assurer la continuation, prenait une importance de plus en plus grande. Et pas avec n'importe quel homme. Avec Stephen.

Mais il fallait que ce soit Stephen qui vienne à elle. C'était à lui de parler d'amour et d'union, à lui de reconnaître les liens qui les rattachaient déjà l'un à l'autre. Il en connaissait l'existence, elle en était certaine, mais pour l'instant il était encore facile de les briser. Peut-être appartenait-il à cette catégorie d'hommes qui sont incapables de s'engager vraiment auprès d'une femme — ils étaient légion, comme elle avait pu s'en apercevoir avec Kit, son premier amour —, ou pour qui cet engagement est un lien si lâche que chacun part de son côté, à la dérive. Et si la mort frappait tout d'un coup, la laissant là, dans l'appartement de Georgina Duncannon, toute seule, échouée sur le rivage ?

Cette pensée la glaça.

Polly avait raison. Il ne fallait pas penser à ces choses. D'un geste brusque, Zoe arrêta cette musique obsédante et sortit faire un tour à pied dans le parc.

Ayant embarqué un assortiment hautement inflammable de kérosène, de mazout et d'essence, le *Damaris* fut prêt à reprendre la mer au début de l'après-midi. Mais Stephen n'avait aucunement l'intention de partir avant la tombée de la nuit. Il laissa les hommes de quart à leur poste et dit à ses officiers de prendre quelque repos.

Il réintégra sa cabine lui aussi, mais éprouva quelques difficultés à s'assoupir. Quand il eut enfin réussi à trouver le sommeil, ce fut pour rêver une fois de plus de Liam Elliott, le corps couvert de boue, comme toujours, et qui émergeait du brouillard pour courir vers lui, d'un pas mal assuré, les bras levés dans une sorte de prière muette. Bien qu'il eût déjà eu cette vision trois ou quatre fois auparavant, il n'en fut pas moins profondément affecté. Il se réveilla, trempé d'une sueur froide.

« Mais enfin, bon Dieu, murmura-t-il dans le noir, qu'es-tu donc en train d'essayer de me dire ? »

Il jeta un coup d'œil à la pendule et constata qu'il avait dormi à peine plus d'une heure ; il était bien

434

inutile d'essayer de se rendormir : l'heure du dîner allait bientôt sonner et il fallait qu'il mange.

Il alluma une cigarette et entra dans le salon pour se préparer du thé. Le breuvage sucré et brûlant lui fit beaucoup de bien, et tout en savourant sa seconde cigarette, il sentit que la forme revenait. Il resta longuement sous la douche pour se rafraîchir et réveiller tout à fait ce corps réticent. Tandis qu'il se rhabillait, son œil se posa par hasard sur le carnet de Liam étalé innocemment sur la commode à côté de son lit.

Il poussa un soupir et dit à voix haute :

« Désolé, mais je n'ai pas le temps de te regarder en ce moment. »

Comme une réplique inattendue, le téléphone sonna, le faisant sursauter. Il décrocha et répondit d'une voix brève :

« Oui, je suis réveillé. Je descends dans une minute. »

Il attrapa une chemise propre et y fixa les épaulettes garnies de leurs quatre galons dorés. Pendant un moment, il fixa ce symbole de son grade, se demandant si son ambition avait vraiment été justifiée. Quelques minutes plus tard, il était au bar, buvant à petits coups un grand verre d'eau glacée et passant commande pour son dîner. Pensant à la longue nuit qui l'attendait, il commanda de la soupe, une salade de sardines à l'huile, un steak frites et du fromage pour finir. Il ne mourait pas vraiment de faim mais il se força à achever tous les plats : pendant les douze heures à venir, il allait devoir se contenter de café noir avec, peut-être, un sandwich au fromage.

Il échangea quelques mots avec le second et ils montèrent ensemble sur la passerelle. C'est Johnny qui était de quart, mais tant qu'ils n'auraient pas franchi le détroit d'Ormuz, dans soixante-douze heures environ, Stephen resterait sur la passerelle, se reposant dans la petite cabine derrière la timonerie quand il serait nécessaire de jeter l'ancre. En lieu sûr sans doute, mais dans le Golfe, y avait-il vraiment des endroits où l'on ne risquait rien ? Près d'un territoire neutre, peut-être, ou d'un centre de forte population, ou d'installations pétrolières importantes, auxquels cas une attaque aérienne était moins probable pendant les heures de jour, car les hélicoptères montaient une garde incessante, avec les chasseurs iraniens qui traversaient le ciel en hurlant.

En revanche, la nuit, les vedettes prenaient subrepticement la mer pour se cacher au milieu des bateaux de pêche des Arabes. Depuis près d'un mois qu'il affrontait ces dangers chaque semaine, il fallait un système nerveux à toute épreuve pour tenir encore le coup.

Les remorqueurs repartirent juste avant sept heures. Stephen téléphona à la salle des machines.

« O.K., Mac, maintenant on y va. Tu tournes à plein régime aussitôt que tu le peux. »

Il éclata d'un rire bref en entendant la réponse du chef mécanicien.

« Alors là, t'as rudement raison. Rien ne nous arrête, surtout pas les petits bateaux équipés d'engins lanceurs de missiles. »

La dernière lueur du couchant ne tarda pas à disparaître au-dessus du désert, et quand il fit nuit noire le bateau s'éloignait du terminal kowétien à une vitesse de seize nœuds en direction du milieu du Golfe. Ils se trouvaient maintenant dans sa partie la plus dangereuse, mis à part le détroit d'Ormuz, car les vastes exploitations pétrolières situées au large des côtes kowétiennes et saoudiennes interdisaient d'aller chercher la sécurité d'un territoire neutre.

Plus bas, juste avant de mettre le cap sur le sud en direction de Ras Tannura, ils ne seraient qu'à cent kilomètres de la côte iranienne, tous près de l'endroit où les Scandinaves avaient été attaqués deux nuits plus tôt. Les vedettes iraniennes s'enhardissaient de plus en plus.

Stephen scrutait en permanence les cartes et le radar. A huit heures, au changement de quart, il posta le troisième lieutenant sur la passerelle à bâbord et chargea un matelot de surveiller tribord. Et il faisait sans cesse la navette entre eux, les nerfs tendus à craquer, un œil fixé sur le radar et identifiant soigneusement, avec ses jumelles de nuit, tous les bâtiments qui s'approchaient de son navire.

A minuit, lorsqu'arriva le premier lieutenant, vint le moment de repartir du centre du Golfe pour se rapprocher de la côte saoudienne. La manœuvre opérée, il s'accorda une courte pause pour avaler un café et un sandwich, avant de reprendre ses allées et venues.

Il avait l'esprit bien clair, totalement concentré sur cette surveillance ; jamais il ne s'autorisait à se demander ce qu'il ferait en cas d'attaque. Il faudrait qu'il se fie entièrement à lui-même, aux années d'expérience qu'il avait derrière lui, partant du principe que ses réactions ne pouvaient être que les bonnes, dans la mesure où elles ne l'avaient encore jamais trahi. S'il commençait à douter de lui-même, il n'y avait plus rien à espérer.

Quand le second réapparut à quatre heures, alors que Ras Tannura ne se trouvait plus qu'à deux heures, Stephen sentit qu'il allait pouvoir se détendre un peu. Dès que Johnny eut pris le quart, il s'installa sur la chaise haute réservée au pilote et s'aperçut qu'une fois de plus ses genoux et ses chevilles lui faisaient mal.

Il alluma une cigarette, la dernière d'un paquet qu'il avait ouvert juste avant le dîner, et dit :

« T'as réussi à dormir ?

— Si on veut. »

Johnny, dont la silhouette se détachait sur un ciel qui commençait à virer au gris, suivait attentivement les mouvements de trois pétroliers qui, ainsi qu'ils le faisaient eux-mêmes, se hâtaient d'aller retrouver la sécurité de leur point d'ancrage. Il observa leur déplacement sur l'écran du radar, puis il dit :

« Je ne peux pas m'empêcher de penser à ce qui est arrivé à ces malheureux Scandinaves.

— Ouais. Moi, c'est pareil.

— La nuit a été calme ?

— Y a pas mal de bâtiments qui remontent. Et on en a dépassé deux qui descendaient.

— Pas de petits salopards dans leur canonnière, alors ?

— Bah, y avait toute une flottille de bateaux de pêche, au moment où on a changé de cap. J'en menais pas large, tu peux me croire. Mais personne ne nous est tombé sur le poil, alors j'ai continué comme si de rien n'était. »

Johnny esquissa un sourire et reprit sa surveillance. Stephen descendit de son siège pour faire du café, soulagé après onze heures de concentration intense de pouvoir se dire que son second était un homme capable, dont l'esprit resterait sans cesse en éveil. Le plus dur était passé maintenant, pour cette nuit du moins, car à l'est, la première lueur de l'aube s'étalait déjà comme l'éventail formé par la queue d'un paon. Le soleil se leva rapidement, faisant surgir un chemin de lumière dorée à la surface de la mer et projetant les ombres longues et dramatiques des bateaux qui les précédaient.

Ils se rapprochaient de plus en plus des trois pétroliers, dont ils étaient séparés par deux autres bâtiments qui avançaient très lentement. Mais s'agissait-il vraiment de pétroliers ? Stephen se posa la question en essayant de discerner leur forme à la jumelle. Impossible : un autre bateau se trouvait sur sa ligne de vision. Il étudia le radar et se demanda s'il ne s'agissait pas d'un navire que l'on tirait en remorque.

« Tant pis, ils ont l'air d'aller au point d'ancrage. Nous verrons bien là-bas. »

Il jeta un coup d'œil à sa montre. Six heures et il avait déjà l'estomac dans les talons. Heureusement, ils allaient pouvoir prendre leur petit déjeuner dès qu'ils auraient jeté l'ancre, une fois en lieu sûr.

L'un après l'autre, les bateaux qui les précédaient ralentirent pour effectuer leur manœuvre d'approche, et comme Stephen s'apprêtait à les imiter il remarqua que le bâtiment que l'on tirait en remorque continuait imperturbablement sa course. Une fois de plus, il l'examina soigneusement à la jumelle. On aurait dit une énorme péniche et il lui fallut un bon moment pour comprendre de quoi il s'agissait. Quand la vérité lui apparut enfin, il constata que son envie de manger s'était complète- ment évanouie.

« Non, mais tu as vu ça, Johnny ? demanda-t-il d'une voix horrifiée.

— Ouais. Drôle de spectacle, hein ? »

Les deux bateaux avançaient si lentement que le *Damaris* ne tarda pas à les rattraper, passant à quinze cents mètres de distance environ. Les jumelles collées à ses yeux, Stephen avait senti confusément que Mac était venu le rejoindre sur la passerelle.

La « péniche », était en fait un pétrolier en partie détruit dont le nom et le port d'origine étaient tout juste visibles sur la coque calcinée, boursouflée par l'incendie qui l'avait ravagé. En fait, il n'y avait là qu'une caricature grotesque de bateau avec ses tôles arrachées et tordues et les tuyaux qui s'enchevê- traient à travers les ruines du gaillard d'avant. Il ne

439

restait plus aucune superstructure, plus de cabines, plus de passerelle. Seulement deux poteaux difformes qui se dressaient comme des moignons.

Certes, on avait l'habitude alors de voir dans le Golfe des bateaux endommagés : la plupart avaient un trou dans la coque, à l'avant ou l'arrière, ou alors, après avoir été mis hors d'état de prendre la mer pour un temps, ils attendaient dans un port leur tour de passer en cale sèche pour être réparés, mais Stephen n'avait encore jamais rien aperçu de semblable. Frappées de plein fouet par un Exocet ou par des obus à forte puissance, toutes les cabines de l'arrière avaient été détruites et l'incendie consécutif à ces explosions avait dû faire le reste.

Y avait-il eu des survivants ? Les hommes avaient-ils réussi à sauter par-dessus bord ? *A priori*, il paraissait impossible qu'on ait eu le temps de mettre les embarcations à la mer.

Quand cela s'était-il produit ? Et où ? Ils n'avaient rien entendu pendant la nuit et on ne leur avait parlé de rien de semblable pendant les deux jours où ils étaient restés au Koweit. Il y avait là un mystère, sur lequel il n'avait d'ailleurs aucune envie de s'attarder.

Personne ne disait mot à bord, et Stephen dut concentrer toute son attention sur la manœuvre délicate qui consistait à insérer ses deux cent soixante-cinq mètres de coque au milieu d'un assortiment varié de pétroliers venus du monde entier, afin que le *Damaris* pût pivoter à l'aise autour de son point d'ancrage.

Il y avait des bâtiments de toutes tailles et de tous âges, grecs, coréens, kowétiens, japonais, norvégiens, et au moins une douzaine qui battaient pavillon libérien. Certains se trouvaient dans un état pitoyable, avec des trous et des bosses, mais aucun ne pouvait se comparer avec cette épave que l'on acheminait vers Bahrein pour la livrer ensuite aux démolisseurs.

Et pourtant tous ces bateaux, sans aucune exception, manifestaient des signes d'usure, avec leur coque sillonnée de traces de rouille et la peinture qui s'écaillait un peu partout. Mais Stephen se rendait bien compte que lorsqu'ils accomplissaient de telles missions, il était hors de question de perdre son temps à soigner l'esthétique. Ce qui importait le plus, c'était d'avoir un matériel en bon état de marche. Certes, la fierté professionnelle de Stephen souffrait parfois quand il se disait qu'au bout de quatre semaines le *Damaris* commençait déjà à ressembler à un vieux rafiot, mais il valait tout de même mieux avoir un peu de rouille que de subir des dommages structurels et des pertes de vies humaines.

Et puis, il tirait aussi un certain réconfort du fait que, grâce aux soins diligents de Mac, les moteurs étaient bichonnés comme une Rolls Royce, que chaque pompe et chaque soupape se trouvaient dans un parfait état de fonctionnement et que le matériel de survie et de lutte contre l'incendie pouvait être utilisé à tout instant.

Il éprouvait également une grande satisfaction à se dire qu'il avait bien raison d'accorder tant d'importance aux exercices de lutte contre l'incendie et d'abandon du bateau. Ces activités n'étaient plus réservées aux matinées du samedi, et il ne s'agissait plus de mouvements routiniers que l'on effectuait dans le simple souci de se conformer au règlement. Dès qu'on était sorti du Golfe, Stephen insistait pour qu'on procède à de tels exercices à chaque voyage. Il voulait même qu'on les fasse les yeux bandés, partant du principe que quand les générateurs étaient en panne et que la fumée avait envahi les cabines, personne ne voyait plus rien.

Pour l'équipage, ce bandeau qu'on se mettait sur les yeux avait été l'occasion de bien des rires, et on s'amusait beaucoup au cours de ces parties de colin-maillard improvisées. Maintenant que les hommes avaient vu ce pétrolier dévasté, Stephen se demanda si leur gaieté serait aussi grande la prochaine fois.

Ils restèrent toute une journée à leur point d'ancrage, fouettés par la poussière que le vent leur soufflait du désert, enveloppés par une chaleur si intense qu'ils auraient pu cuire des œufs sur l'acier des ponts. Une journée semblable à beaucoup d'autres, avec ces chasseurs à réaction qui surgissaient en hurlant, à basse altitude, jetant la panique au cœur de chacun, et l'anxiété plus sourde et plus soutenue provoquée par les avions de reconnaissance.

A bord des bateaux, cependant, rien ne bougea avant le coucher du soleil qui fut le signal d'une activité soudaine et fiévreuse. Comme des lézards qui auraient observé une immobilité de pierre à la chaleur du jour, une fois la nuit tombée les bateaux commencèrent à s'esquiver un par un, pour entamer leur voyage nocturne. Et c'est alors qu'allaient commencer douze autres heures d'anxiété avec la perspective de la sécurité qu'offrirait l'île de Das juste après l'aube. Et puis viendrait une autre journée de chaleur et d'inertie, une journée que l'on passerait à manger, à somnoler et à lire dans sa cabine, pendant que l'officier de quart ferait les cent pas sur la passerelle.

Stephen essaya d'écrire à Zoe, mais il y avait trop de choses qu'il ne pouvait pas dire. Pourtant, avec le souvenir obsédant qu'imposait à sa mémoire l'image de ce pétrolier saccagé, il était difficile de ne pas parler des dangers qui le guettaient, et quand il relut sa lettre une heure plus tard, il eut l'impression de s'être laissé aller à une litanie de pleurnicheries puériles. Sur trois pages, il décrivait les passages de bateaux soviétiques qui allaient livrer des armes à l'Irak, se répandait en récriminations contre les tracasseries d'une bureaucratie dont il n'avait encore jamais connu l'équivalent, et vilipendait l'étroitesse d'esprit des autorités kowétiennes qui ne voulaient jamais autoriser à débarquer sur leur territoire les marins venant d'un bateau étranger.

Non, vraiment, il n'éprouvait aucune espèce de sympathie pour ce petit pays, et lui qui risquait sa vie et son bateau pour sauvegarder la richesse des émirs du pétrole, il ne pouvait que détester tout ce qui se rapportait de près ou de loin à ce territoire maudit.

La colère et un certain sentiment d'impuissance le faisaient pencher vers la dépression. Il aurait voulu lui dire ce qu'il ressentait maintenant qu'il se trouvait si loin d'elle, mais les perspectives qui l'attendaient étaient si sombres qu'il ne pouvait pas mobiliser assez de courage pour venir à bout de cette entreprise.

Ils repartirent après la tombée de la nuit, imitant en cela tous les autres bateaux qui se serraient les uns contre les autres dans leur recherche de la sécurité, comme les convois qui avaient autrefois traversé l'Atlantique. Seulement, il n'y avait aucun bâtiment militaire pour les protéger, à part quelques dragueurs de mines qui opéraient à proximité du détroit.

L'air était lourd et à peine respirable, avec toute cette poussière venue du désert qui réduisait encore la visibilité. Dans quelques semaines, les vents de la mousson allaient souffler pour de bon, générateurs d'un danger nouveau.

Stephen attendait avec impatience que Londres se manifeste pour le libérer de ce contrat infernal, mais rien ne pouvait l'autoriser à espérer qu'il se sortirait de cette galère avant d'avoir fait son temps. Ces transports de pétrole étaient beaucoup trop lucratifs...

En tout cas, une chose était sûre, et il s'en faisait la promesse solennelle : on pourrait le supplier à genoux, le menacer des pires représailles, il n'accepterait jamais de revenir dans ce Golfe maudit tant que tous les autres commandants de la compagnie n'auraient pas pris leur tour avant lui. Et à ce compte-là, calculait Stephen, il arriverait à la retraite avant qu'on ne retombe sur lui.

L'ancrage à Dubaï fut de courte durée : trois heures avant l'aube, pour prendre son élan avant de foncer, les nerfs à vif, à travers le détroit d'Ormuz en plein jour. Le détroit était trop étriqué, trop près de l'Iran et de ses féroces héros de la Révolution islamique pour prendre le risque de tenter le passage pendant la nuit.

Obsédé par la crainte de déguster des Exocet au petit déjeuner, Stephen ne trouva qu'un bien modeste réconfort en entendant à la radio qu'il n'y avait eu à bord du pétrolier sinistré « que » trois tués et deux blessés. Évidemment, il s'était attendu à bien pire mais il n'y avait tout de même pas de quoi pavoiser. Il s'agissait d'hommes désarmés, qui n'avaient jamais demandé à faire la guerre. Ils avaient été victimes d'un meurtre. Et ils étaient morts pour quoi ? Pour la politique ? la religion ? le profit ? Quelle que fût la raison, était-elle si importante ? Il se disait que non.

N'empêche qu'ils étaient quand même morts !

Et maintenant, se dit Stephen, à la grâce de Dieu. A moi de jouer.

CHAPITRE XX

Le 1er juillet 1916, sur les pentes des collines calcaires qui dominent au nord la vallée de la Somme, plus de 20 000 soldats britanniques trouvèrent la mort dans les prés fleuris, fauchés par les tirs de mitrailleuses, pris au piège au milieu des rouleaux géants de fils de fer barbelés.

A Fricourt, à cinq kilomètres de la petite ville d'Albert, Robin Elliott avançait avec le 7e bataillon des Green Howards et regardait ses amis tomber autour de lui. Terré au fond d'un trou d'obus juste devant les lignes allemandes, cloué sur place par de terrifiantes rafales d'armes automatiques, il appliqua un pansement sommaire sur les blessures d'un homme, et ligatura le bras d'un autre pour arrêter l'hémorragie qui le saignait à blanc. Il les réconforta tous les deux, leur donna un peu d'eau à boire et attendit la tombée de la nuit.

Ce fut une longue journée, chaude et sans nuages, une journée qu'il n'oublierait jamais, avec ce soleil semblable à un fer rouge et l'air chargé des odeurs de la lyddite et du sang. Les cris des blessés faisaient mal à entendre. L'un de ses compagnons, celui qui avait été blessé au ventre, mourut juste avant le coucher du soleil ; l'autre, dont la main n'était plus qu'une bouillie informe d'os et de chair, gémissait sans cesse.

Quand l'obscurité fut totale — ce jour-là, il avait fallu attendre jusqu'à onze heures du soir — , il hissa hors du trou l'homme à demi inconscient et repartit en rampant, en le traînant avec lui, vers l'endroit d'où ils étaient venus. Ce n'était pas très loin, un peu plus de cinquante mètres peut-être, mais il leur fallut deux bonnes heures pour retrouver la sécurité de leurs propres lignes.

Sous le feu ennemi, dans les tranchées qui se trouvaient en face de Messines, en Belgique, Liam ignorait tout de ce qui s'était passé. Les Allemands faisaient preuve d'une vigilance de tous les instants et on les sentait décidés à tuer à tout prix. Plus question de ces attaques presque courtoises auxquelles on avait assisté à Armentières ; ici, les tireurs sévissaient vingt-quatre heures sur vingt-quatre et les obus pleuvaient à toute heure du jour et de la nuit, d'une manière totalement imprévisible, et chacun avait tout intérêt à bien réfléchir avant d'entreprendre le moindre déplacement.

Bloqués au pied d'un petit talus, sans aucune tranchée de communication derrière eux, les hommes ne pouvaient pas en partir dans la journée ; la nuit, la route qui serpentait vers le sommet de la colline à travers six cents mètres de terrain bien dégagé était régulièrement balayée par les tirs des mitrailleuses postées de l'autre côté de la vallée.

Il y avait bien longtemps que Liam n'avait pas été en proie à une telle nervosité et quand, après dix jours de vacarme, de pluie, et de boue collante et nauséabonde, la compagnie fut enfin relevée, il aurait volontiers embrassé les soldats britanniques qui venaient prendre le relais. Mais l'un des hommes fut tué en voulant sortir cette nuit-là et le cinquième membre de l'équipe de Liam, Jim Smith, fut atteint lui aussi par la même rafale. Gémissant et riant à la fois, le mollet en lambeaux, il s'accrocha à Liam et à

Jack, le numéro deux, qui le tiraient dans la boue pour le ramener en lieu sûr.

« Ils m'ont eu, les salauds, répétait-il sans cesse. Ah les vaches, ils m'ont pas raté ! »

Soudain, une idée se fit jour en lui. L'air ravi, il s'écria : « Bon Dieu, je vais avoir une perm ! Y vont me rapatrier en Angleterre ! Dites donc, les mecs, y vont me sortir de ce merdier pour un bon bout de temps, non ?

— Ah ! Le pot qu'il a, celui-là ! s'exclama quelqu'un. Il va avoir des draps tout blancs, et des anges avec des ailes prêts à satisfaire tous ses caprices !

— Attention, Vic, tu deviens poète. Fais gaffe qu'ils te filent pas une promotion.

— Pas question, caporal. Je reste avec vous ! »

Pourtant cette blessure avait légèrement entamé leur sentiment d'invincibilité. Ils faisaient équipe ensemble depuis les premiers jours, à Bailleul ; quand Smithy fut confié aux ambulanciers, ils se dirent soudain qu'il y en avait un de moins, que pour la première fois ils avaient besoin d'un remplaçant.

Le bonheur qu'ils éprouvaient à quitter les premières lignes fut également gâché par le mauvais temps. Un orage s'était abattu sur la région et ils trouvèrent le camp complètement inondé. Toute la matinée, ils la passèrent à creuser des rigoles autour des tentes et des installations en toile.

Trop fatigué pour dormir, éprouvant soudain le besoin de s'éloigner un peu de la cohue, Liam partit faire un tour à pied. L'orage avait bien dégagé le ciel, maintenant d'un bleu pâle et fragile qui se reflétait comme un collier de perles dans les flaques d'eau de la route.

Au-delà des bois qui jouxtaient le camp, il entendit des bruits étranges, comme des coups de marteau ou de masse, impossibles à confondre avec le claquement des balles. Il voulut aller voir de quoi il s'agissait et se trouva en présence de soldats du génie qui posaient des traverses et des rails à une vitesse stupéfiante. Fasciné par l'activité fébrile de ces centaines d'hommes, il resta à les regarder un moment, remarquant aussi qu'un grand nombre de pièces d'artillerie, tirées par des chevaux, descendaient vers le sud sur une route voisine.

En passant devant un petit groupe qui s'était arrêté pour faire chauffer le thé, il demanda ce qui se passait.

« T'es pas au courant, mon pote ? C'est pour l'avance. Tout ça, là-bas, ça descend sur Amiens et cette voie, ce sera pour les trains blindés.

— Quelle avance ?

— Bon Dieu, mais d'où il sort, celui-là ? De la brousse ? »

Le vieux sergent s'esclaffa, ravi de son trait d'esprit, tandis que ses hommes hochaient la tête.

« T'as pas entendu parler de c'te grande poussée, au nord de Verdun ? On va donner un coup de main aux Français. On s'est pas mal défendus, nous non plus. D'ici peu, les Fritz vont prendre la poudre d'escampette ! »

Malgré son incrédulité foncière, Liam se mit soudain à espérer. Cette nouvelle comblait tous ses vœux, alors il rit en disant que c'était merveilleux et il leur souhaita bon courage. Sur le chemin du retour, il se sentait presque des ailes et il ne pouvait s'empêcher de se répéter sans cesse ce qu'il venait d'entendre, prenant cette information pour parole d'évangile. En tout cas, cela confirmait bien ce qu'ils savaient déjà, que les Allemands postés dans la région, apprenant qu'ils avaient subi une défaite ailleurs, avaient décidé de réagir avec toute la hargne dont ils étaient capables.

Le lendemain, les mitrailleurs se virent distribuer

des revolvers pour leurs essais de télémétrie car on avait fini par s'apercevoir que les fusils étaient trop encombrants à transporter quand il fallait déjà se coltiner les mitrailleuses, les trépieds et les lourdes caisses de munitions. Ils prirent un peu de bon temps, s'entraînant à tirer avec leurs armes nouvelles, puis se rendirent un peu plus tard aux bains-douches de Neuve-Église. Enfin propres, après avoir changé de linge, ils avaient l'impression qu'un véritable miracle s'était accompli en eux. La fatigue envolée, ils se disaient que la vie valait de nouveau la peine d'être vécue. Le paiement de la solde et l'arrivée du courrier portèrent à son comble la satisfaction de tous.

Liam regagna le camp situé dans le parc d'un vieux manoir. Il était déçu de n'avoir rien reçu de Georgina et se disait qu'il avait bien peu de chances qu'on lui accorde la permission sollicitée déjà depuis plusieurs semaines. L'artillerie continuait de descendre vers le sud et si la poussée des Alliés était aussi importante qu'on le disait, il était hors de doute que les Australiens n'allaient pas tarder à suivre le mouvement.

Agité par ces sombres pensées, il s'assit en s'adossant à un tronc d'arbre, alluma une cigarette et s'apprêta à lire son courrier. Surprise : il y avait une lettre de Tisha qui, de son écriture en pattes de mouche manifestement tracées à toute vitesse, annonçait qu'elle était mariée.

Tout s'était fait très vite, disait-elle, parce qu'Edwin allait partir au front. Il le demandait régulièrement depuis si longtemps qu'il avait fini par cesser d'y croire. Quand elle eut mentionné le grade et la classe sociale de son mari, Liam fut saisi d'un certain scepticisme et malgré la vague affection qui le rattachait encore à sa sœur, il se vit bien incapable d'éprouver une sympathie irrésistible pour leur situation. Il savait déjà par Georgina que Tisha était décidée à décrocher la timbale à Londres et il ne douta pas qu'elle eût réussi à tirer le parti maximum des gens qui se trouvaient sur son chemin, comme elle l'avait toujours fait jusqu'alors.

Pourtant il fut choqué d'apprendre que c'était Robert Duncannon qui l'avait accompagnée, au cours de la brève cérémonie, devant un officier d'état civil.

« Ni papa ni maman n'ont pu descendre, tu vois, parce que papa a été un peu souffrant ces derniers temps. J'écris à Robin aussi, mais si jamais tu le voyais, transmets-lui bien toute ma tendresse. Edwin se joint à moi pour te dire bien des choses, lui aussi. Il a hâte de vous rencontrer tous les deux, mais je ne pense pas que ce soit possible avant la fin de cette terrible guerre. Après, il faudra que nous nous serrions bien les coudes, tu ne crois pas ? »

Liam avala sa salive avec effort, se demandant pourquoi, après tout ce temps, Tisha avait encore le don de le mettre en fureur. Pourquoi avait-elle aussi cette manie de toujours procéder par allusions, avec ces *au fait, papa a été un peu souffrant, ces derniers temps* ? Ça voulait dire quoi, au juste ?

Il n'avait rien eu d'Edward, cette fois ; simplement un mot fort bref de sa mère. Il le parcourut très vite, cherchant une mention de cette maladie, mais n'en trouva aucune. Elle disait qu'Edward avait beaucoup de travail et qu'ils avaient été prévenus trop tard pour pouvoir assister au mariage.

« Mais je ne pense pas que cela ait beaucoup affecté Tisha, ajoutait-elle, et je crois savoir que les parents du jeune homme n'ont pas pu venir non plus. »

Cette lettre ne contenait rien de vraiment surprenant et pourtant elle le mettait mal à l'aise. Pourquoi Tisha invoquait-elle la maladie d'Edward alors que

450

Louisa n'en parlait à aucun moment, elle qui ne manquait jamais de mentionner le moindre malaise de l'un ou de l'autre. Qu'était-il donc arrivé à Edward qui suscitât tant de mystère ? Et pourquoi n'avait-il pas écrit lui-même ?

Désagréablement affecté par ces énigmes, Liam se promit de poser nettement la question dans la prochaine lettre qu'il enverrait à ses parents. Et il demanderait également à Georgina. Elle entretenait une correspondance suivie avec Louisa, elle devait donc être au courant de bien des choses.

Soudain ils reçurent l'ordre de remballer et de partir. La beauté magique du vieux manoir, qui se reflétait avec une telle pureté dans les eaux calmes des douves qui l'entouraient, resta intacte au soleil du matin, sans se soucier de l'activité fébrile qui se déroulait alentour.

Les hommes replièrent les tentes, démontèrent les cuisines de campagne, assujettirent les avant-trains des canons, comblèrent les latrines, attelèrent les chevaux et se préparèrent à entamer la longue marche qui les mènerait à Bailleul, cette ville proche d'Armentières d'où ils étaient partis précédemment.

De là, des wagons à bestiaux les emmenèrent de nuit à Doullens, où il fallut tout débarquer du train pour s'en aller vite vers le sud, à travers la Picardie. C'était une bien belle région avec ses bois noyés dans la brume, ses vallées cachées, ses chemins sinueux et ses maisons à colombages et à toit de chaume.

On y trouvait plus de douceur qu'en Flandre, plus de mystère aussi, et beaucoup moins d'exploitations agricoles. Il y avait également davantage de pauvreté. Les gens avaient peu de chose à vendre et rien à donner. Deux années de guerre avaient détruit leurs récoltes et les troupes qui avaient traversé la région dans tous les sens avaient mangé tout le reste.

Le pain était un luxe et la viande fraîche presque une légende.

A chaque halte, Liam avait l'impression que malgré leurs sourires forcés, les habitants ne faisaient guère de différence entre les Boches qui pillaient et les Britanniques qui venaient les défendre. Leurs fils étaient morts ou se mouraient à Verdun et les rares survivants ne trouveraient à leur retour qu'un héritage pathétique fait de trous d'obus et de champs à jamais condamnés à la stérilité.

Cette atmosphère de tristesse semblait colorer le paysage d'un mélange de beauté et de tragédie, comme dans un vieux poème romantique : des châteaux magnifiques mais laissés à l'abandon, entourés de jardins envahis par des rosiers en pleine floraison, et des fermes pittoresques dont le charme suranné dissimulait le vide et la faim qui sévissaient entre leurs murs ; des mares sans canards, des basses-cours sans oies et des prés bordant de jolies rivières qui ne nourrissaient plus rien d'autre qu'une moisson de fleurs sauvages.

Un soir où il se trouvait devant une grange, au coucher du soleil, Liam entendit la canonnade et mesura l'ampleur de ces destructions. Lui qui aimait tant la beauté, les lieux solitaires et les champs fertiles cultivés avec amour, il assimilait l'arrivée de ces hommes, des canons et des combats, comme un véritable viol. Un viol auquel il était contraint de participer, et cette pensée lui était pénible. Il fallait mettre fin à tout cela, livrer une bataille décisive qui permettrait enfin de remporter la victoire.

Le journal anglais qu'il avait acheté à Bailleul prétendait que tout allait très bien, mais quand ils arrivèrent plus près de la ville d'Albert, la vue de tous ces soldats britanniques épuisés et abattus lui fit douter de la véracité de ces affirmations. Et le lendemain, en lisant la première lettre qu'il recevait de Georgina depuis près de trois semaines, il comprit que bien des choses avaient été passées sous silence.

En fait, Georgina ne faisait guère autre chose, dans cette missive, que se confondre en excuses. Elle n'avait pas le temps de lui écrire longuement car les blessés arrivaient par fournées entières, presque trop vite pour qu'on ait la possibilité de s'en occuper vraiment. Le personnel soignant était astreint à des horaires de travail absolument inhumains, et il fallait tous les jours ajouter des lits supplémentaires dans des salles déjà pleines à craquer.

Elle espérait vivement qu'il était toujours en Belgique, loin de ce qui se passait dans la Somme. Avait-il eu des nouvelles de Robin ? Louisa avait reçu la carte postale imprimée par les services de l'armée, et la mention « Je vais bien » avait été entourée d'un cercle. Mais cette carte avait été envoyée trois jours avant le déclenchement de ces terribles combats. Et depuis, on ne savait plus rien.

Le déclenchement de ces terribles combats. Les paroles de Georgina retentissaient en lui comme un glas funèbre et attisaient encore davantage l'anxiété qu'il nourrissait sans cesse à l'égard de Robin. Seize jours s'étaient écoulés depuis cette horrible journée qui avait marqué le commencement de l'offensive et la bataille n'avait toujours pas cessé. Il entendait encore le grondement du canon quelques kilomètres plus loin. L'ensemble de la 1re division australienne s'était mis en branle et les survivants de la 29e division britannique, aux côtés de laquelle ils s'étaient battus à Gallipoli, se reposaient dans le village voisin.

Les hommes qu'il interrogeait lui disaient tous la même chose : les régiments du Yorkshire avaient subi des pertes énormes, certains bataillons étant pratiquement anéantis. Et ses informateurs ne cherchaient pas à en rajouter : leurs paroles, tout comme leurs yeux, n'exprimaient aucune émotion.

C'était un symptôme qu'il connaissait bien ; il en eut froid dans le dos. Il ne demanda pas de détails sur les combats, ce n'était vraiment pas la peine. Il avait vu de quoi il retournait à Quinn's Post, à Lone Pine et dans bien d'autres endroits, dans la péninsule. Il se contenta donc de se montrer très gentil avec eux, il leur offrit des cigarettes et leur tapota l'épaule au moment de repartir.

Le soir même, leur fanfare jouait des marches militaires dans les rues du village, mais ces airs populaires et entraînants étaient aussi déplacés que de la musique de danse à un enterrement. La plainte d'un violon solitaire aurait certainement été plus appropriée.

Ils piétinèrent devant Varennes jusqu'au 19, puis vint l'ordre de se mettre en mouvement sans délai. Il fallut endosser la tenue de combat, marquer les paquetages avant de les confier aux fourriers et échanger les chapeaux de feutre contre les nouveaux casques d'acier. En traversant Senlis un peu plus tard dans la journée, Liam vit un groupe de prisonniers allemands qui déchargeaient des vivres sous bonne garde et il fut étonné de leur extrême jeunesse. Ils avaient vraiment l'air d'adolescents, avec leur visage blafard et leur air égaré. Et puis il pensa à son frère, et sa pitié disparut.

Le soir, ils établirent leur camp dans un champ à proximité d'Albert, près de la route criblée de trous d'obus qui menait à Bapaume. C'était une large artère construite à l'origine par les Romains et qui ne contournait pas les collines : elle partait droit devant elle, montant à l'assaut du relief, sans le moindre compromis, pour culminer à Pozières, à un peu plus de sept kilomètres de distance. C'est là que les Allemands s'étaient finalement retranchés après avoir été chassés de tous les villages éparpillés de chaque côté de la route.

L'objectif de cette offensive, comme le leur expliqua leur officier, consistait à percer les lignes allemandes, qui s'étendaient depuis le port d'Ostende jusqu'à la frontière suisse, de manière à opérer un mouvement débordant qui permettrait par la suite d'enrouler l'armée allemande comme un tapis humain. La mission confiée aux Australiens, révélat-il avec une pointe de fierté dans la voix, avait pour but de déloger l'ennemi du village de Pozières.

La 1re et la 3e brigades se lanceraient les premières à l'assaut, la 2e, celle que l'on appelait la brigade de Victoria, étant gardée en réserve. Le jeune officier, qui avait pris le commandement de leur section en Égypte, semblait un peu triste en leur communiquant cette précision et Liam regretta lui aussi, tout comme ses camarades d'ailleurs, de ne pas partir immédiatement, afin d'assener un coup décisif qui mettrait vite fin à la guerre et leur permettrait de rentrer chez eux.

Mais non, tout se passait toujours comme s'ils étaient destinés à rester sur la touche, tâchant d'esquiver les obus, pour se demander en rongeant leur frein quand on ferait enfin appel à eux.

Toute la campagne environnante était criblée de trous d'obus et sillonnée de tranchées que les Allemands avaient creusées. On y voyait maintenant un chaos compact où grouillaient les hommes et les chevaux, les convois et les ambulances, les canons et les cuisines roulantes. Aux détonations sèches de l'artillerie alliée, répondait le grondement des canons allemands, et des nuages de fumée obscurcissaient régulièrement un ciel d'un bleu immaculé.

A plusieurs reprises, pendant les deux jours qui suivirent, on leur dit de se tenir prêts à intervenir. L'unité de Liam quitta le champ pour se réfugier dans un bois, puis gagner les anciennes tranchées allemandes qui dominaient un gigantesque cratère.

A minuit, le 22 juillet, la 1re et la 3e brigades partirent à l'assaut, après un formidable bombardement qui avait duré cinq heures.

Blotti dans la tranchée, Liam s'était mis du coton dans les oreilles pour amortir le bruit des détonations. Mais les explosions se succédaient à un rythme diabolique et il avait l'impression de s'être transformé en une boule que l'on ballotte dans un bidon d'acier, pendant des heures, sans aucune possibilité d'en sortir. Jamais encore il n'avait subi une telle épreuve et il se demandait comment un seul insecte pourrait survivre à un tir de barrage aussi systématique.

Il pensa aux bataillons qui étaient passés à l'attaque, certains des hommes se trouvant à quelques centaines de mètres des points d'impact, et se demanda comment ils allaient pouvoir se regrouper à la fin du bombardement.

Et les Allemands ? Étaient-ils en lieu sûr dans leurs abris profonds, comme le 1er juillet ? A moins qu'ils ne soient lentement pulvérisés l'un après l'autre, déchiquetés par les obus ? Il ne pouvait se défendre d'une certaine pitié à leur égard.

Quand le tir eut cessé, un silence total, palpable et presque féerique s'établit tout alentour, mais les hommes continuaient d'entendre dans leur tête l'horrible série de détonations qui les obligeait à crier pour se faire comprendre. Les bégaiements brutaux des mitrailleuses et les aboiements des mortiers échappèrent un moment à leur attention mais ils finirent par s'apercevoir que la bataille avait commencé. Aucun ne put dormir, chacun se demandant comment les choses allaient tourner.

La nuit était froide, avec une rosée abondante. Enveloppé dans deux vieilles capotes allemandes, Liam sommeilla jusqu'à l'aube, tendant l'oreille pour ne pas laisser passer l'appel qui les lancerait à l'action. Mais rien ne vint.

456

Une fois le soleil levé, il sortit avec trois hommes de son équipe pour aller chercher de l'eau et des provisions et c'est alors qu'il vit arriver le flot de blessés. La plupart d'entre eux n'avaient que des éraflures aux bras ou aux jambes et en dépit de la douleur ces hommes jubilaient : la bataille se présentait bien et les Fritz prenaient la poudre d'escampette. Pour confirmer leurs dires, bon nombre de prisonniers descendaient dans la vallée, dont la plupart paraissaient complètement ahuris, comme des somnambules.

« Ceux-là, ils se sont pas fait prier pour se rendre », remarqua Gray, le nouvel équipier de Liam.

Liam ne pouvait que se montrer d'accord avec lui. D'autant que les blessés alliés marchaient en chantant.

Ce fut une journée d'inactivité pour les mitrailleurs que l'on avait gardés en réserve. Liam obtint la permission d'aller avec ses hommes se promener dans le village déserté de La Boisselle et ils explorèrent les profonds abris qui avaient permis aux Allemands de survivre au premier bombardement qui avait eu lieu trois semaines plus tôt.

D'interminables escaliers s'enfonçaient sous la colline calcaire débouchant dans de vastes salles dotées de l'éclairage électrique et meublées de vrais lits et de tables de toilette. Abasourdis par un tel confort, les promeneurs se sentaient aussi un peu mal à l'aise, éprouvant l'impression de voyeurs qui se seraient introduits dans une maison provisoirement abandonnée. Il y avait encore des tuniques accrochées à des patères et des sous-vêtements dans les tiroirs ; un poudrier cassé, à côté d'un soulier de femme, révélait la réalité de présences féminines parmi les troupes ennemies. Apparemment, il s'était agi d'opératrices téléphoniques.

Les Australiens étaient choqués. Faire venir des

femmes au front, voilà qui prouvait une fois de plus la barbarie teutonne. Mais il se faisait également jour en eux une certaine envie. Après tout, c'était peut-être la meilleure façon de faire la guerre, avec de jolis minois et des chevilles fines pour atténuer l'ennui et une paire de bras bien tendres pour vous accueillir le soir.

Le soleil de l'après-midi leur parut fort agréable après le froid et l'humidité des souterrains. Pendant une bonne demi-heure, les hommes restèrent étendus dans l'herbe, fumant des cigarettes tout en regardant les nuages de poussière et de fumée qui s'élevaient au-dessus de Pozières. Des passants leur donnaient les dernières nouvelles, comme s'il s'était agi d'un match de cricket. Les Australiens progressaient à l'intérieur du village, en direction du cimetière, au nord, où ils opéreraient leur jonction avec les Britanniques du 48e.

L'artillerie pilonnait un avant-poste allemand qui résistait à l'ouest. Ils se redressèrent alors sur leur séant pour identifier l'endroit, discutant de la meilleure tactique qui permettrait de venir à bout des récalcitrants. Ils étaient déçus à l'idée qu'on ne ferait pas intervenir les éléments restés en réserve. Au-dessus d'eux, des avions bourdonnaient comme des moucherons et derrière les lignes britanniques, Liam compta seize ballons d'observation qui étincelaient comme des nuages d'argent sur un ciel céruléen.

Quand ils eurent rejoint leur poste, ils apprirent que le 8e bataillon avait reçu l'ordre de renforcer la 1re brigade, ce qui signifiait qu'ils allaient connaître une nouvelle nuit d'anxiété à se demander si on allait faire appel à eux.

Il n'en fut rien. Au matin, la nouvelle arriva que le village de Pozières avait été capturé et que le 8e avait réussi à se frayer un chemin dans les positions adverses pour atteindre le cimetière. C'était une excellente nouvelle et les hommes poussèrent de grands cris de joie en dansant comme des cannibales autour de la cuisine de campagne.

Pourtant, les combats n'étaient pas finis et ils connurent vingt-quatre heures d'anxiété tandis que l'on acheminait les vivres et les munitions vers la crête. Ils questionnèrent tous les brancardiers qu'ils rencontraient. Les Australiens tenaient le village, alors pourquoi ne poursuivait-on pas l'avance ? Qu'est-ce qui bloquait la progression ? Mais personne n'avait l'air de savoir.

Le 25, aux premières heures de la matinée, ils furent éveillés par le tintamarre d'un nouveau bombardement. Cette fois, c'étaient les Allemands qui semblaient vouloir se rappeler à leur souvenir. Les blessés que l'on vit passer ce matin-là étaient dans un bien triste état. Le bruit courait que le 8e bataillon avait perdu les deux tiers de son effectif en morts et en blessés. Pour le 5e, c'était encore pire.

Tout au long de cette superbe journée, il y eut sur la crête un nuage de fumée que rien ne put dissiper ; les Allemands contre-attaquaient, ils voulaient regagner le terrain perdu, jetant toutes leurs forces dans cette tentative. Le bombardement se poursuivit par intermittence, s'intensifiant au coucher du soleil, offrant une palette de couleurs splendides aux observateurs de la vallée. Partout ailleurs, le front était calme.

En remontant vers le bois du Bailli avec les autres mitrailleurs de sa compagnie, Liam avait l'impression que le monde entier retenait son souffle pour regarder le duel qui se livrait au sommet de la colline. Bien qu'il fût impossible de voir Pozières, il n'y avait qu'un champ minuscule pour séparer le bois du petit village de Contalmaison. Ce n'était plus qu'un amas de ruines déserté par les vivants, les murs et les solives gisant sur les allées et dans les jardins, les vergers dressant vers le ciel leurs moignons déchiquetés. Déchiquetés comme les morts. Des corps privés de sépultures figés dans des attitudes grotesques là où la mort les avait surpris, les Saxons et les hommes du Yorkshire, côte à côte, dans les gravats.

Le mouchoir sur la bouche pour se protéger de la puanteur, Liam profita des derniers rayons du soleil pour voir si son frère n'avait pas été là. Fricourt se trouvait à trois kilomètres de là, dans la vallée, et c'est à Fricourt que les Green Howards avaient vu stopper leur progression. Et ils y étaient revenus une semaine plus tard pour renouveler leur tentative. Robin était-il parmi eux ? Était-il au milieu de ces morts ?

Mais il ne vit rien qui suggérât l'élégance et la sveltesse de Robin Elliott. Après avoir demandé à un membre de son équipe de guetter le signal du départ qui risquait d'arriver d'une minute à l'autre maintenant, Liam s'arrêta un moment au pied d'un mur de ferme. Devant lui, quelques pommes à demi mûres étaient éparpillées dans l'herbe, avec toutes sortes de débris. Une baratte à beurre, intacte, gisait à côté des restes d'une chaise de bébé qui ne parvenaient pas à dissimuler, fixant le ciel d'un regard morne, une poupée de porcelaine au visage fracassé.

Il fut pris soudain d'une crise de larmes incoercible, brisé par le spectacle de ce foyer dévasté, de ces destructions insensées. Ces ruines avaient été la maison d'un homme qui revenait là chaque soir, après avoir travaillé dans les champs. Et la guerre avait fait de ces lieux un abattoir.

La colère le secoua. Il marchait dans la puanteur de la mort, s'indignant des outrages infligés à ces malheureux ; il voyait son frère dans tous ces visages déformés. Pourquoi ne les avait-on pas enterrés ? Pourquoi les laissait-on pourrir là ?

460

Il connaissait les réponses à ces questions mais la fureur l'aveuglait. Quand il eut rejoint son groupe dans le petit bois, le sergent Keenan vint à lui pour lui demander d'où il venait.

« Je cherchais mon frère », dit-il.

Il y avait dans ses yeux une lueur si farouche que l'autre n'insista pas davantage.

Dès la nuit tombée, l'artillerie britannique ouvrit de nouveau le feu. En voyant les obus chauffés au rouge qui passaient au-dessus de leur tête, Liam eut le pressentiment que leur tour allait bientôt venir de monter au combat. De temps à autre, un frisson lui parcourait l'échine, mais c'était moins de la peur qu'une simple tension physique ; il y avait en lui un ressort qui ne demandait qu'à se déclencher dès que viendrait l'ordre d'intervenir.

Des deux sections de mitrailleurs à monter à l'assaut, la leur était la première. Harnaché de son fourniment, Liam souleva le trépied de vingt-cinq kilos et attendit le signal de Keenan.

Le sergent lui adressa un hochement de tête. Liam comprit l'injonction et emmena son équipe de l'autre côté du carrefour pour s'engager sur une route à demi encaissée qui montait vers la première crête. Ils avaient un guide, fort heureusement, car sans lui, dans le noir, ils auraient tout aussi bien pu aller s'échouer sur les lignes allemandes. D'après les instructions reçues, ils devaient prendre position à l'extrémité sud-ouest du village où ils relèveraient deux sections de la 1re brigade décimées et épuisées par les combats. Ils trouvèrent leurs collègues dans une tranchée peu profonde et à demi croulante, mais ne virent aucun signe du village.

Au lever du soleil, ils purent discerner des briques et des gravats ainsi que les vestiges de murs qui marquaient approximativement le tracé de la voie romaine. A certains endroits il avait dû y avoir des arbres, mais on ne voyait plus que des troncs arrachés et des branches déchiquetées. La ferme qui s'était dressée au coin et avait été fortifiée par les Allemands n'était plus qu'un amas de décombres. Dans ses caves bétonnées s'était installé le quartier général des 7e et 8e bataillons.

Pendant un certain temps, le calme régna. Un calme presque insolite car, d'habitude, le lever et le coucher du soleil étaient toujours ponctués par des tirs sporadiques qui éclataient de toute part. Ils entendaient le chant des oiseaux qui leur parvenait du petit bois situé derrière les lignes. Une alouette, inconsciente de la tragédie qui se déroulait au-dessous, montait dans le ciel, saluant de ses trilles l'arrivée du soleil et l'extase de sa propre liberté.

Terrés dans leurs trous, les hommes buvaient de l'eau et mâchonnaient des biscuits durs ; Matt, le numéro deux de l'équipe, avait réussi à se procurer des saucisses brunes qu'il découpait en tranches et faisait passer à la ronde. Un peu épicées, mais c'était mieux que rien, se disait Liam. Il avait à peine fini d'avaler qu'une détonation assourdissante annonça le début du bombardement allemand.

La nouvelle ligne de front établie par les Australiens au cours des deux nuits précédentes avait été repérée par l'artillerie positionnée à l'extrémité est. A sept heures du matin, les canons de gros calibre entrèrent en action, expédiant leurs salves sans discontinuer ; ils déchiraient l'air avec la force d'un ouragan, soulevant la poussière, faisant voler les gravats. Soulevés de terre par le souffle, aspergés de morceaux de calcaire et de brique, les hommes cherchaient en vain à reprendre leur souffle, poitrine comprimée, oreilles et narines bloquées. Ils sentaient que leur cœur battait comme s'il était sur le point d'exploser. Au-dessus de leur tête, les obus hurlaient et les éclats s'abattaient sur le sol comme une pluie malfaisante. Sous leurs pieds la terre gémissait et tremblait, comme pour protester.

Le bombardement se poursuivit, pratiquement sans interruption, pendant plus de seize heures.

La Vickers qui avait été positionnée sur le parapet ne tarda pas à être recouverte de débris de toutes sortes ; s'attendant à une attaque dès que le tir de barrage aurait cessé, et cela pouvait se produire d'une minute à l'autre, Liam s'empressa de dégager la mitrailleuse. C'est à ce moment-là qu'un obus atterrit à une dizaine de mètres d'eux, jetant en l'air, comme des poupées de chiffon, deux des hommes qui retombèrent morts. Un instant plus tard, un autre projectile arriva juste devant le parapet, ensevelissant plusieurs fantassins qui se trouvaient à proximité. Toute l'équipe se précipita pour les sortir de là, écartant la terre de leurs mains nues ; il y avait quatre survivants, ils tremblaient et prononçaient des mots sans suite, comme des simples d'esprit. Mais le cinquième était mort, asphyxié ou assommé, personne ne pouvait le dire.

Soudain, un autre obus expédia le jeune Vic au sol, immédiatement recouvert par un quintal de gravats. Voyant cela, Liam se précipita vers lui, grattant la terre au niveau de la tête, creusant comme un chien jusqu'à ce qu'il eût dégagé un passage lui permettant de respirer, en prenant bien soin ensuite d'ôter la terre qu'il avait dans la bouche.

On aida Vic à se relever, suffoquant, pleurant, crachant les graviers qu'il avait encore sur la langue, et Liam lui tapa énergiquement dans le dos tandis que le garçon toussait et sanglotait en appelant sa mère. Les épaules appuyées contre ce qui restait du parapet, tandis que les autres membres de l'équipe formaient autour d'eux un arc de cercle destiné à les protéger, les deux compagnons se serrèrent l'un contre l'autre. Quelques instants plus tard, cette pluie de mort concentrée se déplaçait vers la gauche.

Pendant un bon moment, Vic continua de gémir, le visage enfoui contre le cou de Liam ; puis il fut pris d'une véritable crise de nerfs, criant qu'il voulait partir.

Liam lui saisit les bras et le secoua :

« Mais tu n'as rien, Vic. Rien du tout. Tu es *vivant* ! »

Secoué de mouvements convulsifs, le garçon continuait de se débattre. Liam le gifla au visage et lui enfonça un casque d'acier sur la tête.

« Ça s'est déplacé. Le tir de barrage s'est déplacé. Maintenant les obus tombent à un autre endroit ! »

Des marques livides s'attardaient sur les joues exsangues ; les yeux étaient terrifiés, mais Liam pouvait voir que son autorité n'était pas demeurée sans effet. Avant que la panique ne le reprenne, Liam lança d'une voix dure :

« Allons, du nerf, numéro six, et dégage-moi c'te putain de mitrailleuse. On va en avoir besoin dès qu'on aura un peu de répit. Grouille ! »

Ils se mirent tous à l'ouvrage, écartant la terre avec leurs pelles à tranchées, tandis que des mains expertes vérifiaient le mécanisme et le canon de la mitrailleuse pour s'assurer qu'elle fonctionnait encore. Blême et tremblant, Vic obéit lui aussi, pendant que Liam examinait les alentours pour tenter de savoir ce qui se passait.

On se mit ensuite à déblayer les parties de la tranchée qui s'étaient éboulées, donnant en priorité les premiers soins aux blessés et profitant de l'accalmie pour envoyer des messages à la base. Liam aperçut Keenan à la tête d'une autre section, face à la route, et eut la satisfaction de le voir disparaître lorsqu'un obus atterrit, soulevant un nuage de poussière derrière lui. Avec un peu de chance, il allait connaître lui aussi la joie de se faire enterrer vivant ! Mais, quelques instants plus tard, sa tête émergeait de nouveau. Liam prit une gorgée d'eau, se gargarisa pendant quelques secondes pour chasser la poussière qui lui desséchait le gosier et cracha.

En quelques minutes, la Vickers avait été démontée, nettoyée et huilée. Comme neuve, maintenant, elle avait été pourvue de munitions toutes fraîches. Liam visa un tronc d'arbre à deux cents mètres de là et tira une courte rafale. L'arme fonctionnait à la perfection. S'engageant un peu plus loin dans la tranchée, ils consolidèrent leur position, et c'est alors que de nouvelles salves d'obus à gros calibre leur arrivèrent dessus par la droite.

En cas de bombardement, ils devaient se disperser au maximum mais ils ne pouvaient que se serrer les uns contre les autres pour résister à ces horribles soufflets : il leur fallait le réconfort d'un contact physique tandis que le sol vibrait et se dérobait sous eux. Le bruit était assourdissant. Le garçon qui avait été enseveli se collait à Liam, il se cramponnait à son bras, crispant les doigts convulsivement à chaque explosion. Décidé lui-même à ne pas sombrer dans la folie, Liam se mit à compter, dénombrant quinze à vingt obus de gros calibre qui leur tombaient dessus à chaque minute.

Le bombardement se poursuivit toute la journée. L'entrée de « Gibraltar », la cave fortifiée de la ferme, avait été pulvérisée, et de l'autre côté de la route, le quartier général du 6e bataillon, installé dans un long baraquement, fut enseveli plusieurs fois avant de recevoir un obus de plein fouet. Beaucoup d'officiers furent tués ou blessés, et les messagers et les brancardiers qui se précipitaient sur la route encaissée livraient une véritable course avec la mort. Les fantassins positionnés dans les tranchées en sortirent en rampant pour aller se terrer dans les trous d'obus.

Au bout de seize heures, il ne restait plus rien : les tranchées que l'on avait creusées avec tant de peine avaient cessé d'exister ; un épais nuage de poussière ne cessait de tourbillonner, obscurcissant tout alentour ; et ceux qui avaient survécu étaient tellement hébétés que l'attaque attendue, si elle était survenue ce soir-là, n'aurait pu être repoussée.

Mais l'attaque ne vint pas. Ce bombardement effroyable avait ceci de remarquable que l'artillerie allemande l'avait infligé uniquement comme un moyen de destruction, une punition terrifiante pour l'échec de la contre-attaque qui avait eu lieu la veille. Toutes les positions australiennes tinrent bon et quand le tir de barrage prit fin, un peu après onze heures ce soir-là, la 1re division laissa lentement la place à la 2e qui était remontée de la vallée.

Suprêmement étonnée d'être encore en vie, à peine capable de se tenir debout, la compagnie de Liam fut relevée juste avant deux heures du matin, le 27 juillet. Un autre bombardement avait pris le relais, effectué cette fois par l'artillerie britannique, mais le bruit et les trépidations étaient exactement les mêmes.

Il fallut deux heures pour atteindre l'ancien cantonnement près de La Boisselle, deux heures à marcher en pliant sous le poids des canons de mitrailleuse, des trépieds et du matériel, avec les jambes en flanelle. Prêt à s'écrouler, terrassé par le manque de sommeil, Liam ne pouvait en croire ses yeux. Une rangée de canons de soixante avait été amenée des fins fonds du bois, et la tranchée se trouvait juste derrière eux.

« On pourrait pas aller ailleurs ? demanda-t-il à Keenan.

— Y a pas d'ailleurs, mon petit gars. Tous les autres cantonnements sont pris. Y va falloir vous faire une raison. »

Finalement, les gars de l'équipe durent s'installer dans des abris à quelques mètres de ces canons. Les éclairs, les détonations et le bruit sourd du recul se poursuivirent toute la nuit. Abrutis, sourds aux bruits normaux, ils émergèrent aux premières lueurs de l'aube pour trouver la chaude monstruosité métallique de la cuisine du bataillon. Pris de pitié, l'un des cuistots leur fit du thé, que Liam accepta avec reconnaissance, entourant de ses doigts froids et tremblants le quart émaillé. Il avait l'impression d'être un mort vivant, avec le sang qui lui battait irrégulièrement dans les tempes et des membres si lourds qu'il pouvait à peine bouger. Dans son crâne, le bruit était encore enfermé. Il se demanda si ce vacarme allait jamais cesser.

Personne ne parlait guère. Quand il eut enfin réussi à mobiliser en lui un intérêt suffisant, Liam regarda les visages qui l'entouraient, tous gris de crasse. Tous, comme lui, étaient accablés par un épuisement indicible. Il n'y eut aucune jubilation ce matin-là.

Le thé était brûlant, bien sucré avec du lait condensé. Après en avoir bu trois tasses et fumé plusieurs cigarettes, il commença à se sentir un peu mieux, suffisamment bien en tout cas pour pouvoir absorber quelque nourriture. Après être resté vingt-huit heures sans prendre autre chose que de l'eau et des biscuits durs, il fut pris soudain d'une fringale irrésistible. Il y avait de la viande bouillie froide et des pommes de terre nouvelles bien chaudes, avec du pain et de la confiture pour dessert. Un petit déjeuner au Ritz ne l'aurait pas davantage satisfait.

CHAPITRE XXI

Le petit déjeuner terminé, ils descendirent dans le bois de Bécourt, au fond de la vallée. Utilisant la ration d'eau qu'on lui avait allouée, Liam but à longues gorgées, puis se lava du mieux qu'il put avant d'étaler sa capote à l'ombre d'un talus herbeux. Et il dormit, oubliant le monde et tous ses bruits, pendant la plus grande partie de la journée. Au moment où le soleil s'apprêtait à se coucher dans la quiétude de l'occident, les survivants de la 1re division retournèrent auprès d'Albert, dans ce champ qu'ils connaissaient bien.

La plupart d'entre eux descendirent à la rivière pour se laver et nager un peu. Liam se dévêtit et plongea, frissonnant de plaisir au contact de l'eau froide : il avait besoin de se débarrasser de la crasse de la bataille ; ensuite, il fit quelques brasses paresseuses et se laissa flotter, les yeux fixés sur les traînées roses qui sillonnaient le ciel, les oreilles bouchées par l'eau qui le rendait sourd aux bruits ambiants.

Cela lui faisait tout drôle de se retrouver au grand air, de ne plus avoir besoin de se terrer dans un trou comme une bête aux abois, et en dépit de la chaleur du soir, quand fut venue l'heure de se coucher, il ne réussit pas à bien dormir : ses rêves l'empêchaient de trouver le repos car ils étaient trop marqués par le cataclysme qui dévastait la colline.

Il se réveilla juste après l'aube et fut heureux de se lever pour aller de côté et d'autre. Il avait encore l'estomac noué mais en allumant une cigarette il fut content de voir que les tremblements violents qui l'avaient secoué la veille s'étaient considérablement atténués.

Il décida de se passer de petit déjeuner et alla trouver Keenan pour lui demander la permission de se rendre en ville. Le sergent paraissait mal en point et il était encore trop affecté par l'effroyable pilonnage des jours précédents pour songer à lui demander ce qu'il voulait faire. Il lui accorda donc l'autorisation de s'absenter en lui recommandant bien d'être rentré pour midi. Liam retourna voir ses équipiers pour les prévenir qu'il allait faire un tour et risquait d'être retardé.

« Oui mais si on s'en va ? » demanda Vic avec anxiété ; tel un enfant, il semblait effrayé à l'idée de perdre Liam de vue, ne serait-ce qu'un moment.

« Je vous trouverai. »

A cette heure matinale, Albert était pratiquement désert. Partout, il n'y avait que ruines, et les rues poussiéreuses n'avaient pour habitants que les moineaux, les étourneaux et les chats qui s'enfuyaient à son approche. Sur le pas d'une porte, un chien moucheté était allongé au soleil, le museau entre les pattes, trop paresseux pour se remuer au passage de Liam. La ville avait subi des dégâts importants mais la population était restée sur place et Liam se demanda même si les habitants des villages voisins étaient venus se réfugier à la ville ou s'ils étaient allés plus loin vers l'ouest. Rentreraient-ils chez eux, une fois la guerre terminée ? Cela ne semblait guère possible.

La grande place carrée, recouverte de pavés, était

criblée de trous d'obus et la tour de la massive basilique romane avait beaucoup souffert. Il resta un moment à la contempler, s'étonnant de la taille de l'édifice pour une ville aussi petite, appréciant peu toutefois ces briques rouge vif et crème, trop criardes à son goût. Il fut soudain envahi par un assaut de nostalgie, revoyant en esprit la pierre si douce des églises de village anglaises, avec les joueurs de cricket sur la pelouse et les applaudissements discrets des spectateurs massés devant le pub local. Il voyait l'enseigne de ce pub : « Le George », et le tenancier, un gros homme au visage jovial...

Liam sourit, se moquant de sa naïveté. Ce n'était qu'illusion, souvenir, rêve. L'Angleterre était-elle encore comme ça ? Avait-elle jamais été aussi parfaite, autrement qu'en surface ? L'image qu'il avait évoquée était la superposition de plusieurs tableaux qu'il avait pu voir au cours de ses nombreuses excursions à bicyclette dans les villages du Yorkshire. L'église saxonne, le pub médiéval, la pelouse commune et le châtelain dans son manoir avec les paysans qui le saluaient respectueusement bien que condamnés à une pauvreté sans cesse croissante. Il avait voulu fuir ce genre de vie, échapper à un monde où les hommes ne possèdent pas la terre et sont obligés de la travailler pour le compte des aristocrates. Ses parents eux-mêmes, qui n'étaient pourtant pas des miséreux, n'étaient pas propriétaires de leur maisonnette, pas plus que sa mère ne possédait la terre qu'elle faisait si bien fructifier. Il fallait qu'ils paient un loyer.

La réalité, c'était quoi au juste ? Un lieu, un moment dans l'écoulement du temps ? Ce qu'il voyait là était réel : cette place de ville avec ses tas de gravats, son église à l'architecture bizarre, et la Vierge Marie prête à s'écrouler qui avait l'air de jeter son Divin Enfant à la mort...

La mort, elle, était réelle. Il pouvait en témoigner.

Et Georgina, était-elle un être en chair et en os ? Ou un produit idéalisé de son imagination ? Que de fois il rêvait du moment où il partirait en permission en Angleterre. Il la verrait, lui parlerait à cœur ouvert, après avoir aboli toutes les barrières. Que ferait-il pourtant, si cette occasion lui était jamais accordée ? Il faudrait qu'il se souvienne à tout instant qu'il était son frère et non son amant. Cette pensée lui paraissait la plus frustrante de toutes. Peut-être valait-il mieux qu'elle ne sorte pas du domaine des rêves ?

Et Robin, qui avait la même chair et le même sang que lui, il se trouvait tout près d'ici, dans ce minuscule coin de France. Il fallait qu'il le trouve, mort ou vif ; il fallait qu'il constate sa réalité, qu'il la palpe de façon tangible, avant qu'il ne devienne, lui aussi, rien de plus qu'un rêve, un souvenir ou une illusion.

Liam entra dans l'église et essaya de prier, prononçant ses prières de protestant au milieu des fresques dorées et des saints en plâtre défigurés. Mais il se sentait mal à l'aise et il n'était pas du tout certain que le Seigneur eût encore des oreilles pour l'écouter. Avec tout ce vacarme à Pozières et tous ces hommes qui l'imploraient des deux côtés, le conjurant de venir à leur aide, Dieu était probablement devenu sourd. Fatigué, il s'était sans doute retiré du monde. Avec tous ses saints.

Enjambant les décombres, Liam arriva devant une statue intacte de saint Antoine. Il s'était soudain rappelé qu'un de ses camarades de classe, qui était catholique, lui avait dit qu'Antoine était le saint qu'il fallait invoquer quand on avait perdu quelque chose. Après tout, pourquoi ne pas tenter une démarche auprès de lui ?

Avec un sourire teinté d'un cynisme à peine perceptible, Liam prit un cierge, L'alluma et le plaça devant la statue.

« Je vous en prie, murmura-t-il, aidez-moi à retrouver mon frère. »

Laissant quelques pièces dans le tronc des pauvres, il sortit au soleil, avec l'impression d'avoir reçu une sorte de réconfort. Des gens traversaient la place ; une vieille femme en noir s'approchait de l'église pour aller faire ses dévotions matinales ; des commerçants ouvraient leurs volets et devant un petit estaminet le tenancier, un homme entre deux âges, disposait des tables et des chaises. Liam s'assit et demanda un café et des petits pains.

« *Avez-vous du fromage ? Un peu, s'il vous plaît.* »

Le fromage était très fort, du chèvre sans doute, mais le pain était délicieusement frais et le café excellent. Liam alluma une cigarette et se dit qu'il y avait longtemps qu'il ne s'était pas senti aussi bien. Le patron, ravi de voir les efforts que faisait ce jeune militaire pour s'exprimer dans la langue du pays, se mit en frais, lui apportant du supplément de café, et multiplia les compliments sur les exploits des Australiens au cours des jours précédents.

Légèrement embarrassé car il savait qu'il n'avait personnellement rien fait qui ait pu aider au déroulement des combats, Liam fut content de voir que l'arrivée d'autres soldats allait détourner l'attention de son admirateur. Répondant d'un signe de tête à leur salut, il regarda leur écusson et éprouva un coup au cœur en constatant qu'ils portaient, en arc de cercle sur l'épaule, les lettres KOYLI (King's Own Yorkshire Light Infantry) signalant qu'ils étaient en majorité originaires de la région d'York.

Ils étaient jeunes et leurs uniformes paraissaient trop pimpants pour qu'ils aient participé au moindre engagement. Auprès d'eux, Liam se sentait vieux et fatigué.

« Vous n'auriez pas vu des gars du régiment des Green Howards dans le coin ? demanda-t-il. Je cherche mon frère.

— Bah, un peu, ouais, dit l'un d'eux. On a même fait route un moment avec eux en descendant vers Amiens. Si tu restes dans le secteur, tu vas finir par en voir débouler sur la place. »

Levant les yeux vers le soleil, Liam dit qu'il ne lui restait plus beaucoup de temps. Après avoir remercié, il partit de l'autre côté de la place, vers la route d'Amiens. Au bout de trois ou quatre cents mètres, il aperçut l'écusson des Green Howards sur l'épaule de quelques sous-officiers, des vétérans manifestement, comme en témoignaient leurs visages burinés et leurs uniformes bien fatigués malgré les boutons de cuivre qui étincelaient au soleil.

Il s'arrêta pour leur demander où se trouvait leur cantonnement et si l'un d'entre eux ne connaîtrait pas un certain Elliott. Il indiqua le numéro de la compagnie de Robin, mais ils secouèrent négativement la tête.

« Je suis son frère, dit Liam, et je n'ai pas beaucoup de temps. Nous repartons tout à l'heure, je ne sais pas où, et j'ai besoin de le retrouver. S'il est encore en vie, ajouta-t-il avec lassitude.

— Ouais, attends un peu, dit l'un d'eux. Y a eu beaucoup de pertes dans c'te compagnie mais je vais faire un bout de chemin avec toi pour te montrer où elle est. On cherchera ensemble et s'il est vivant, on le trouvera, mon gars, n'aie pas peur. »

C'était un vieux sergent de Rotherham, un ancien mineur dont les innombrables cicatrices bleues témoignaient du nombre des années qu'il avait passées sous terre. Il avait tout du dur à cuire mais sa gentillesse apparaissait dans chacun de ses gestes. Son fils aîné, un soldat de l'active, avait été tué à Mons.

« J'voulais pas qu'il descende dans la mine, tu vois ? Je lui ai dit d'aller dans l'armée. En temps de paix, c'était du gâteau. Ce que j'ai pu être con !

— Et vous, vous vous êtes engagé.

— Bah, j'pouvais pas faire autrement. Je devais bien ça à mon fiston. »

Liam poussa un soupir.

Quinze cents mètres plus loin, ils arrivèrent au camp, près de Dernancourt. Le sergent alla au bureau du QG pour demander où était cantonnée la compagnie et en profita pour essayer de savoir si le frère de Liam figurait toujours sur les effectifs. Son visage parcheminé était sillonné de rides joyeuses quand il réapparut.

« Il s'en est sorti, mon gars. Solide comme un chêne et il doit être là-bas avec les autres. »

Ils partirent ensemble, s'enfonçant dans une forêt de tentes canadiennes et de maisons de toile, jusqu'à l'emplacement qui avait été affecté à la compagnie B. Liam avait l'impression que son cœur faisait des cabrioles tandis que ses yeux dévisageaient tous les hommes grands et minces qui avaient des cheveux bruns et bouclés. Finalement, c'est Robin qui l'aperçut le premier. Planté devant des marmites qu'il était en train de récurer, en bretelles et manches de chemise, il resta la bouche ouverte, les yeux agrandis par la surprise.

En rencontrant le regard de son frère, voyant ce beau sourire épanoui, Liam sentit que ses lèvres s'incurvaient, que le rire gonflait sa poitrine, alors que Robin se précipitait vers lui, le prenait dans ses bras dans une accolade joyeuse. Liam le serra contre lui, le souleva de terre et le fit tourner avec lui ; quand il le reposa sur ses pieds, il rencontra le sourire ravi du vieux sergent.

« Eh bah, ça fait du bien de voir des gens heureux, c'est pas tous les jours que ça arrive », dit-il en tournant les talons avant que Liam ait eu le temps de le remercier comme il convenait. Il lui cria merci et eut la satisfaction de le voir lui adresser un signe de la main. Puis il se tourna vers Robin et le prit de nouveau dans ses bras.

« Pourquoi t'as pas écrit à la maison ? Ils se font un sang d'encre à ton sujet.

— J'ai écrit, la semaine dernière et aussi pas plus tard qu'hier.

— Oui, mais pourquoi t'as pas écrit tout de suite, aussitôt après avoir quitté les lignes ? »

Le regard de Robin se voila. Il esquissa un mouvement de recul.

« Je... J'ai pas pu.

— Mais pourquoi donc ?

— Parce que, reconnut-il d'un air penaud, ça m'était physiquement impossible. J'ai pas arrêté de trembler pendant près d'une semaine. »

Liam eut une sorte de sursaut.

« Bon Dieu, dit-il, honteux soudain d'avoir tant insisté. Excuse-moi.

— Oh, maintenant, ça va bien, déclara Robin en riant. D'autant mieux que tu es là. Qu'est-ce qu'on fait ? On va faire un tour en ville ? Attends, je préviens juste le sergent et on va aller faire les quatre cents coups tous les deux. »

Quand Robin réapparut, ajustant sa tunique, avec ses boutons de cuivre astiqués comme pour la parade, et redressant sa casquette, Liam fut étonné du changement qu'il constatait en lui. Malgré son uniforme fatigué et meurtri par les combats, il avait l'air d'un soldat jusqu'au bout des ongles et il se tenait si droit qu'on aurait dit un jeune officier qui avait enlevé ses galons. Il avait grandi d'au moins trois centimètres et il s'était musclé, bien que son visage fût plus maigre, avec l'ombre noire d'une barbe naissante au menton et sur les joues.

« Tu peux toujours parler, pour ce qui est d'envoyer des lettres, dit Robin au moment où ils quittaient le camp. Près d'un an avant de donner de tes nouvelles ! On était tous persuadés que tu étais mort.

— Remets pas ça sur le tapis.

— D'accord. »

Il eut soudain un large sourire qui lui fit le visage d'un jeune garçon. Son visage d'autrefois.

« C'est quand même marrant que tu sois venu justement aujourd'hui. Tu ne me croiras pas, mais on est arrivés qu'il y a deux jours. J'avais entendu dire que ton régiment était à Pozières et j'ai pas arrêté de te chercher depuis. En ville, matin et soir. J'espérais que tu finirais par passer par là. Mais aujourd'hui, ils m'avaient collé de corvée.

— On a été relevés du front hier, mais on repart cet après-midi. J'ai pas beaucoup de temps.

— Et tu y étais, là-bas ? A Pozières ? »

Liam hocha affirmativement la tête.

« Oui, mais vingt-quatre heures seulement. Les autres bataillons y ont eu droit pendant quatre jours.

— On a assisté au spectacle. » Un muscle se crispa sur son visage. « J'ai pensé à toi. Tout le temps.

— Moi aussi, je pensais à toi. »

Ils continuèrent de marcher en silence, côte à côte, leurs bras se touchaient car il leur fallait le réconfort du contact physique. Liam avait envie de poser une main sur l'épaule de son frère et il finit par le faire, sans se soucier de savoir si on le verrait et ce qu'on allait penser. Mais il trouvait bizarre qu'après trois années de séparation ils eussent si peu de chose à se dire. A moins qu'il y en eût trop et qu'ils fussent empêchés de les exprimer par la soudaineté de ces retrouvailles.

Ils allèrent à l'estaminet de la place et le patron, ravi de voir que les recherches de Liam avaient finalement abouti, voulut à tout prix leur offrir une bière. Certes, ce breuvage n'avait rien à voir avec ce qu'ils buvaient en Angleterre mais au moins c'était frais et ça calmait la soif. Après en avoir bu deux ou trois chacun, ils sentirent que leurs langues se déliaient et que les barrières tombaient.

Ils parlèrent du pays, de Tisha et de son mariage et aussi d'Edward et de leur mère. Liam voulut savoir si Edward était malade mais son frère ne savait rien de plus que lui, à part qu'il l'avait trouvé un peu abattu à Noël, pendant sa permission.

« J'ai seulement pensé qu'il avait l'air très fatigué, dit-il. Et très préoccupé par la guerre et les difficultés de son commerce. Comme tout le monde, finalement. Mais il ne m'est jamais venu à l'idée qu'il pouvait être malade.

— Si ça se trouve, il n'a rien du tout. Et ils auraient seulement dit ça à Tisha pour ne pas avoir à assister à son mariage.

— Possible. Mère a toujours eu horreur des cérémonies. »

Il resta silencieux un moment, puis demanda :
« Au fait, tu savais que c'est le colonel qui l'a accompagnée ? »

Liam sentit que les muscles de son visage se contractaient.

« Elle me l'a dit dans sa lettre. »

Se voyant observé, il détourna les yeux, s'absorbant dans la contemplation de la statue de la Vierge qui penchait dangereusement de l'autre côté de la place.

« Et ça, tu l'as pas encaissé, hein ? »

Il n'aurait servi à rien de tergiverser. Tous deux savaient à quoi s'en tenir là-dessus. Haussant les épaules avec une nonchalance affectée, Liam reconnut :

« Pas vraiment, non. Mais je n'ai pas tellement envie de parler de ça.

— Eh bien moi si, justement. »

Liam décocha un coup d'œil rapide à son frère et sourit.

477

« On en parlera... un autre jour. Mais pas maintenant. On va quand même pas gâcher le peu de temps qu'on a à passer ensemble.

— On n'en aura peut-être jamais plus l'occasion. Tu n'y penses jamais à ça ? Que chaque jour est peut-être le dernier que nous vivons ? »

Liam y pensait souvent, en effet, mais cette question, venant de son frère cadet, l'avait pris par surprise. En le regardant plus attentivement, il vit que la guerre avait profondément marqué le visage de Robin. La joie des retrouvailles lui avait conféré un éclat juvénile mais ce n'était plus un adolescent. Il avait vu trop souvent la mort, la mort qui avait failli le faucher lui aussi, en de trop fréquentes occasions.

Les rides qui lui marquaient le visage, cette expression de souffrance qu'on lisait dans ses yeux, tout cela était si courant à l'époque que personne n'y prêtait plus attention. Et comme de toute façon, il n'y avait rien à faire pour se sortir de cette galère, on se disait que ce n'était même pas la peine d'en parler. On se contentait d'en plaisanter. L'humour noir, c'était la seule façon de survivre.

Liam, pris au dépourvu par le sérieux de son frère, se sentait horriblement nu, tout à coup. Un moment même, il faillit s'effondrer, pleurer en appelant sa mère, comme Vic l'autre jour. Mais il se reprit très vite. Clignant les paupières, il détourna son regard.

« Oui, dit-il. J'y pense sans arrêt.

— Eh bien alors, pourquoi est-ce que tu ne fais rien ?

— Mais qu'est-ce que tu veux que je fasse, bon Dieu ? Que je rapplique à la maison pour dire que tout est pardonné ? Que je regrette d'être parti comme ça, et que je ne le ferai plus jamais ? »

Le silence tomba entre eux. Liam prit une cigarette et l'alluma, tenant l'allumette de ses doigts tremblants.

« D'ailleurs, j'écris, tu sais. J'écris même très régulièrement, depuis cette première lettre que je t'ai envoyée.

— Oui, mais as-tu vraiment mis les choses au point avec mère ? C'est de ça que je te parle. Tu peux lui envoyer des lettres très gentilles et très enjouées pendant cent sept ans, jusqu'à la fin de c'te putain de guerre en tout cas, mais tant que tu ne lui diras pas les mots qu'elle attend, elle n'aura jamais l'esprit en repos. Et c'est ça qui la détruit. Ça ne te dérange pas d'avoir ça sur la conscience ?

— Mais voyons, Robin, quels mots veux-tu que je lui dise ? »

Il sentit que son frère lui avait pris le bras, le serrait douloureusement.

« Elle veut que tu lui dises que tu la comprends. Que tu lui pardonnes. »

Liam regarda la main de son frère puis releva les yeux jusqu'au visage. Il avait presque envie de cogner.

« Mais je ne la comprends pas, déclara-t-il à mi-voix. Je ne l'ai jamais comprise et je ne la comprendrai sans doute jamais. Maintenant laisse tomber, Robin, et lâche-moi le bras, s'il te plaît. »

Robin se recula, avala d'une seule gorgée le reste de sa bière et alluma une cigarette. Ses mains tremblaient. Il commanda deux bières au patron d'une voix calme mais tous ses muscles étaient tendus. Trempé de sueur, et le cœur battant, Liam avait l'impression qu'il venait de livrer une bataille, et il était désespéré à l'idée qu'il se disputait avec le seul être au monde qu'il pouvait aimer sans réserve, celui qu'il avait tant voulu revoir. Prêt à s'excuser, il constata que c'était son frère qui lui demandait pardon.

« Non, protesta Liam. C'est moi qui m'excuse. Je ne voulais pas parler de tout ça parce que je savais ce qu'il en adviendrait. Et tu peux me croire quand je te dis que je suis le premier à en souffrir. J'y pense beaucoup, tu sais, mais je n'arrive pas à trouver la solution. C'est impossible, conclut-il dans un soupir en secouant la tête.

— Mais enfin pourquoi ? Qu'est-ce qu'il y a donc que tu ne puisses pas comprendre ? Tout ça pour des trucs qui sont arrivés il y a des années ! Qu'est-ce que ça peut bien te faire ? Surtout maintenant, avec tout ce merdier ! »

Liam détourna la tête. Il avait peur de montrer sa souffrance, peur que son frère, avec l'étrange pouvoir de divination dont il était doté, ne voie la véritable nature de ses préoccupations, ne comprenne qu'il ne pouvait songer sans haine à l'homme qui était son père ni sans désir à la femme qui était sa sœur.

Finalement, cherchant à détourner la conversation, il dit d'un ton sarcastique :

« Et notre cher papa, comment va-t-il ? Et où est-il donc, dans tout ça ? Je l'imagine mal avec un uniforme taché par la sueur et la boue des tranchées, et toi ? Où c'est qu'il était, lui, pendant que nous on était terrés dans nos trous, avec tout ce vacarme qui nous faisait perdre la boule ? Et quand tu as pris les tranchées d'assaut à Fricourt, et que tu as vu tous tes copains fauchés comme des épis de blé, il était où, lui ? Eh bien, je vais te le dire, continua Liam en frappant la table d'un index vengeur, il était confortablement assis dans son bureau de Whitehall, à moins qu'il n'ait été en train de lire son journal tranquillement dans son appartement, ou de prendre le ferry pour Dublin. Voilà où il était. Mais pas ici, en tout cas, oh, non, surtout pas ici.

— Quelle amertume !

— Mais c'est un soldat professionnel, bordel ! Un officier d'état-major à la con ! Et couvert de médailles, avec ça, pour le récompenser de sa bravoure en Afrique du Sud et au Soudan. N'oublions pas qu'il est très copain avec Haig, tu le savais, ça ? Oh, ne prends pas un air aussi surpris, ajouta-t-il avec vivacité. Il y a longtemps que je le sais.

— Tu m'as l'air bien mal renseigné, rétorqua Robin avec raideur. Il connaît Haig, effectivement, mais il n'y a guère d'atomes crochus entre eux. En fait, j'ai même l'impression qu'ils ne peuvent pas se piffer.

— Vraiment ? Et tu t'en es aperçu quand ?

— A Noël dernier. Quand je suis allé en permission. Il est venu me chercher à King's Cross avec Georgina. »

Ne pouvant être sûr que sa voix ne le trahirait pas, Liam se contenta de hocher la tête, sa bouche se crispant en un semblant de sourire.

« Je voudrais que tu comprennes à quel point il se fait du souci, et quelle amertume il ressent à l'idée qu'on l'oblige à rester en Irlande. C'est bien contre son gré, tu sais.

— Vraiment ?

— Bien sûr. Je sais que tu le détestes, mais je voudrais au moins que tu ne le méprises pas tant. Il ne le mérite pas. Malgré tous ses défauts, il est très loyal, et il dit ce qu'il pense. C'est sans doute pour ça qu'il partira en retraite avec uniquement le grade de colonel, tandis que Haig, lui, il aura droit à la béatification.

— Il a réussi à te mettre dans son camp, à ce que je vois.

— Mais il n'est pas question de camp. Moi, cet homme, je le trouve sympathique. J'ai toujours eu un penchant pour lui. » Sa voix s'était adoucie, soudain. « C'est bizarre, tu sais, mais je me souviens très bien de lui, quand j'étais tout petit. Je me rappelle encore un jour où j'étais assis sur ses genoux en train de sucer un berlingot. C'était une espèce de jeu. Il me laissait glisser le long de sa jambe, et j'avalais le berlingot tout entier. Je devais avoir deux ou trois ans, ajouta Robin en riant à l'évocation de ce souvenir.

— Des berlingots, t'as dû en avaler pas mal depuis, remarqua son frère d'une voix acide.

— Je le sais, merci. Et qu'est-ce que tu as fait de mieux, toi, au juste ? A part fuir les problèmes en te cachant la tête dans le sable comme tu l'as toujours fait ? Toi, tu as le droit de faire souffrir les autres, mais personne ne doit te faire mal. C'est bien ça ? Tisha a toujours dit qu'on t'avait trop gâté, et je commence à penser qu'elle avait raison. »

Liam ne put s'empêcher de faire la grimace en entendant ces paroles.

« Je te jure que je n'ai nullement envie de prendre parti contre toi, Liam, parce que tu es mon frère et je tiens beaucoup à toi. Mais ce n'est pas parce que tu es l'aîné que tu as toujours raison. Dans ce cas particulier, je suis sûr que c'est moi. Tu ne peux pas changer ce qui est arrivé, mais tu peux modifier beaucoup de choses dans la situation actuelle. »

Il s'interrompit et, se penchant au-dessus de la table, il reprit :

« Ça ferait tellement de bien à maman et à papa. Essaie d'avoir une permission et va les voir à la maison. Je t'en prie, Liam. »

En entendant prononcer son nom ainsi, Liam fut ému. Remué au plus profond de lui-même, il faillit fondre en larmes. Était-il vraiment si égoïste ? Était-ce ainsi que les autres le voyaient ? Avait-on vu dans son comportement les réactions d'un enfant têtu et gâté ? Ce n'était pas possible. Il pensa au cottage d'York, revit sa mère travaillant au jardin ; elle lui ébouriffait les cheveux avec amour. Ces images lui envahirent le cœur et entamèrent sa résolution et son entêtement. De tout son cœur, il souhaitait pouvoir rentrer au pays pour effacer le passé et toutes ses erreurs tragiques. Peut-être que s'il retournait là-bas il réussirait à voir les choses différemment ; peut-être la douleur s'estomperait-elle...

Brusquement, il saisit la main de son frère.

« D'accord, d'accord. Si ça peut te faire plaisir, j'irai là-bas. Si j'obtiens la permission que j'ai demandée, j'irai les voir. »

Une joie profonde apparut dans les yeux de Robin, et la chaleur avec laquelle il serra la main de son frère montra que désormais tout allait au mieux entre eux. Les paroles qu'ils avaient échangées avaient été empreintes de rudesse, mais entre frères on pouvait se le permettre.

L'atmosphère s'était éclaircie. Un petit grain de folie ne tarda pas à se manifester. Ils commandèrent de nouveau de la bière et quelque chose à manger. Puis, le cerveau plus qu'un peu embrumé par l'alcool, et malgré l'heure tardive car midi était passé depuis longtemps, ils décidèrent de se faire tirer le portrait.

« Non mais t'as vu l'allure que j'ai ? demanda Liam. J'ai même pas mon putain de chapeau. Seulement ce casque à la con.

— On va t'en trouver un. Tiens, y a des Australiens qui sont en train de glandouiller là-bas. T'as qu'à leur demander. »

Sachant qu'il aurait déjà dû être de retour au camp, Liam n'était pas chaud pour attirer ainsi l'attention sur lui, mais il savait pourquoi Robin voulait ces photos et pourquoi il les voulait lui-même. Elles constitueraient la preuve, en quelque sorte, que cette rencontre avait bien eu lieu, une preuve matérielle à laquelle ils pourraient se raccrocher. Sinon, ce ne serait qu'un souvenir fugitif, un rêve qui n'aurait bientôt plus rien de commun avec la réalité.

Il emprunta un chapeau à un jeune soldat, à qui il offrit une bière à l'estaminet. Une demi-heure plus tard, Robin ayant promis qu'il irait chercher les photos et lui en enverrait une, ils repartirent à pied vers le camp de Liam quand, au moment où ils s'engageaient sur la route de Bapaume, ils aperçurent l'ensemble de l'unité qui venait vers eux. Opérant un brusque demi-tour, Liam ramena son frère sur la place et ils se réfugièrent dans le renfoncement d'un portail. Il allait falloir écourter les adieux.

Quand sa compagnie apparut, il sortit discrètement pour aller se faufiler au milieu de ses camarades, à deux rangées derrière Keenan. Se retournant pour adresser à son frère un signe d'adieu, il vit que Robin s'était élancé en avant, le visage fendu d'un large sourire, et marchant du même pas, à ses côtés. Il avait les yeux brillants — de joie ou de larmes, Liam ne pouvait le dire avec certitude — , mais pendant un bon moment, il eut un air tellement espiègle que Liam, tout désorienté, en arriva à se demander à quoi pouvait bien rimer leur présence dans ces lieux.

Ils passèrent devant l'église, mais Liam s'aperçut qu'il n'avait qu'une vision confuse des choses ; il leva la main pour faire signe à son frère de s'éloigner mais sentit qu'une poigne de fer la saisissait. Puis Robin le lâcha, lui dit bonne chance et se laissa distancer.

En arrivant au carrefour, Liam tourna la tête et le vit, le dos au soleil, grand et bien droit, qui levait sa casquette dans un dernier geste d'adieu.

CHAPITRE XXII

La photographie mit exactement un mois pour lui parvenir. Quand il la tint entre ses doigts, Liam eut l'impression qu'un moment de son existence avait été capturé, conservé pour toujours malgré la fuite du temps ; un moment qui lui avait paru amusant bien que maintenant il n'arrivât pas à se rappeler ce qu'ils avaient trouvé de si comique. Malgré tout, il était content de l'avoir, et content également d'avoir la lettre de Robin, qui pourtant ne lui apportait pas vraiment des nouvelles fraîches. Était-il toujours en vie, seulement ? Sans doute, car on lui donnait encore des nouvelles de lui dans les lettres qu'il recevait d'York. C'était là, peut-être, un des côtés les plus exaspérants de cette guerre : le fait que le courrier mette si longtemps à traverser un champ de bataille.

Liam savait qu'il fallait lui écrire, mais il remettait sans cesse au lendemain. Il ne se sentait pas suffisamment d'attaque pour communiquer avec qui que ce soit. Il préférait se confier à un journal intime.

« *Poperinghe. Demain ou après-demain, Ypres. Un océan de boue, probablement, après plus d'une semaine d'orages et de pluies torrentielles. Hier, nous avons été chassés par l'inondation de notre cantonnement près de la ville, et aujourd'hui nous sommes logés dans un ancien entrepôt. Ce n'est guère mieux, le toit laisse passer l'eau. Tout l'après-midi, nous avons nettoyé les armes et garni de balles les bandes d'alimentation des mitrailleuses. On nous a lu les sempiternelles niaiseries, ces consignes prescrivant la correction de la tenue et la nécessité de saluer. Comme s'il n'y avait rien de plus important !* »

Il poussa un soupir et remit le carnet dans la poche intérieure de sa vareuse. Puis il alla fumer une cigarette à la porte de l'immense entrepôt. La pluie avait cessé et un pâle soleil conférait un éclat dramatique aux nuages d'orage qui s'étaient accumulés à l'est. De l'autre côté du canal, la nature resplendissait, intacte, si verte comparée au désert qu'était devenue la région de Pozières ! Et quel silence ! A moins que ce ne fût lui qui était devenu sourd. Il avait l'impression d'avoir en permanence du coton dans les oreilles, et les choses ne faisaient qu'empirer après chaque bombardement.

Au cours des quatre journées qu'il avait fallu pour prendre Pozières et des dix autres jours qui s'étaient écoulés depuis, la 1re division avait perdu près de 8 000 hommes. Pendant ce temps, la 2e et la 4e divisions avaient dépassé le village pour s'avancer d'un kilomètre vers le nord, jusqu'à la ferme fortifiée des Mouquet. Plus à l'est, elles s'étaient emparées du moulin à vent qui se dressait au-delà du village, repoussant les Allemands de plusieurs centaines de mètres jusqu'à la route de Bapaume.

Mais chaque attaque avait porté sur un point très précis du front, comme si l'on avait tenté d'enfoncer un coin dans un morceau de bois très dur, et les Allemands, qui avaient très bien compris l'objectif poursuivi — isoler la crête de Thiepval — , avaient jeté toutes leurs réserves dans la bataille. Et Sir Douglas Haig, commandant en chef des troupes britanniques, avait laissé les Australiens mener seuls ce combat. Au lieu de chercher à exploiter au maximum les succès remportés en déclenchant une offensive sur l'ensemble du front, il avait maintenu ses troupes au repos, soi-disant pour leur permettre de récupérer après la défaite essuyée pendant les deux premières semaines de juillet, laissant ainsi échapper l'occasion de prolonger d'une manière décisive les effets de la victoire, si chèrement acquise, du contingent australien.

Et les discussions étaient allées bon train, tous les stratèges de café du Commerce répétant ce qu'ils avaient entendu dire par un officier ou par un autre. Évidemment, songeait Liam, il était toujours facile de critiquer après coup, mais en discutant avec son frère il avait pu mesurer l'ampleur de la défaite des Britanniques et de la difficulté que cela représentait de faire venir des renforts composés d'hommes suffisamment entraînés.

N'empêche que des erreurs regrettables avaient été commises. Si le 1er juillet les Britanniques avaient attaqué à l'aube au lieu d'attendre qu'il fasse grand jour, ils auraient au moins bénéficié de l'effet de surprise ! Mais commencer une offensive à sept heures et demie du matin, sous un soleil éclatant, trop longtemps après la fin des tirs de barrage, c'était se condamner irrémédiablement à l'échec.

Et à qui incombait la responsabilité de tout ce gâchis ?

Malgré tout, les divisions australiennes continuaient leurs assauts contre la ferme des Mouquet, s'efforçant de se rapprocher de Courcelette et de couper les lignes allemandes à Thiepval. C'était une cause perdue d'avance, mais elles revenaient sans cesse à la charge. Pas question de battre en retraite !

Écœuré jusqu'à la nausée, Liam n'arrivait même pas à éprouver le moindre soulagement à l'idée qu'il s'en était sorti. Après avoir voyagé pendant cinq jours, à pied et en train, ils étaient arrivés à Ypres pour prendre quelque repos et relever les Canadiens qui descendaient maintenant à petites étapes vers la Somme. *Venir se reposer à Ypres !* Les Canadiens avaient bien ri en entendant cela. Certes, on ne pouvait pas dire que la pression ennemie y était très forte, mais de là à prétendre qu'on allait se la couler douce !

Sur les millions d'obus qui avaient retourné la terre à Pozières, il y en avait eu un qui avait tué Jack, le numéro trois de l'équipe de Liam. Ce grand gaillard jovial et sûr avait succombé, frappé de plein fouet, et sa mort, Liam la revivait sans cesse, avec une horrible précision ; il n'était rien resté à ensevelir, ou plutôt, il y avait eu trop de morceaux sanglants, et le bombardement avait été d'une violence telle que des obsèques décentes s'étaient avérées complètement impossibles.

C'était là un aspect de la guerre qui continuait de l'affecter profondément : on n'avait jamais le temps de pleurer les morts ni de prier pour eux. Les amis disparaissent, et c'est à peine si on peut pousser un soupir. La guerre n'attend pas.

Le jeune Vic, l'employé des chemins de fer de Melbourne, avait fini par craquer devant l'horreur, et il avait fallu l'emmener loin du front, car il avait complètement perdu la raison. Liam espérait qu'il ne s'agissait que d'une folie temporaire mais il ne comptait plus le revoir. Il y avait eu aussi un sergent, un gros homme sanguin, qui était devenu fou à cause du bruit. Il agressait tous ceux qui se trouvaient près de lui ; il avait fallu quatre hommes pour le maîtriser et le désarmer.

Keenan, lui, avait tenu le coup, soutenu sans doute par la hargne qui l'habitait. Il avait donné de nombreux signes de nervosité sur la fin, mais tout le monde en était là.

Une nuit, après un repos de vingt-quatre heures,

l'équipe avait emporté 32 000 cartouches. Toutes avaient été tirées le matin venu. Quelle nuit ! La 2e brigade avait attaqué, après un violent tir de barrage, mais à la suite d'une erreur, elle avait dû essuyer le feu de sa propre artillerie, ce qui avait provoqué de nombreuses pertes. Cette tragédie était bien regrettable mais compréhensible dans les fluctuations de cet océan de boue où il était si difficile, même en survolant le front, de trouver les repères qui permettent d'identifier correctement la position des lignes.

Lui-même, cette nuit-là, avait été atteint au talon par un éclat d'obus qui avait entamé le cuir épais de sa chaussure sans parvenir à le percer. Avec un peu de recul, il ne savait trop s'il devait se réjouir de ne pas être blessé ou le déplorer. Comme son vieux copain Smithy, à Messines, il aurait peut-être pu bénéficier d'une permission en Angleterre.

Les canons se mirent à gronder à Ypres. L'un d'eux allait-il lui apporter la mort ? S'il devait en être ainsi, il espérait que ce serait une fin rapide, immédiate, et non cette lente agonie de l'éviscération ou de ces blessures qui tournent à la gangrène ou des brûlures horribles des gaz asphyxiants qui vous aveuglent avant de vous tuer.

La soirée était très agréable, et il y avait des gens qui se promenaient, déambulant de côté et d'autre. Appuyé contre un mur, Liam alluma une cigarette, et entendit des coups sourds. Il se demanda si ce n'était pas le fruit de son imagination car personne ne semblait y prêter attention : on continuait de parler comme si de rien n'était, le sourire aux lèvres.

Un éclat de rire soudain parvint jusqu'à son tympan, malgré sa surdité, et Liam eut envie de se retourner pour demander un peu de silence. Il fit quelques pas, sans se presser, vaguement conscient d'avoir sauté un repas ; il aurait bien aimé boire quelque chose mais il n'avait pas d'argent. Aucune solde depuis qu'on les avait amenés à Pozières.

S'il avait eu la moindre idée d'un endroit où il aurait pu aller se réfugier, Liam savait qu'il serait parti. Eh oui, il aurait tiré sa révérence, purement et simplement. Mais il était incapable de prendre une décision. Il ne lui restait plus rien. Il se sentait aussi vide et inutile que la douille d'une cartouche qui a été tirée. Il n'était même plus capable de ressentir la plus petite frayeur, bien qu'il éprouvât le sentiment gênant qu'il n'était plus à la hauteur de ses obligations de caporal ; comment allait-il s'y prendre pour mettre au courant les nouveaux qui viendraient rejoindre son équipe ? Il n'en avait aucune idée.

Après avoir fait le tour de la ville et ne sachant plus guère où aller, Liam se dit qu'il n'avait plus qu'à regagner son cantonnement pour essayer de dormir. Il se sentait fatigué. En traversant la place à pas lents, les yeux fixés sur les pavés bosselés et inégaux, il fut arrêté par un petit homme revêtu de l'uniforme plutôt râpé d'un officier britannique.

Liam se crispa, s'attendant à une remontrance pour avoir oublié de saluer. Mais l'homme souriait. Il portait le col blanc des pasteurs.

« Excusez-moi, vous n'auriez pas du feu, par hasard ? J'ai l'impression que j'ai perdu mes allumettes. »

Liam porta la main à sa poche tandis que l'homme sortait un paquet de cigarettes et le lui tendait.

« Vous en voulez une ? »

Liam hésita. Il n'avait guère envie de lier conversation, surtout avec un aumônier, mais l'homme insistait, il tenait manifestement à échanger quelques paroles. Sans se laisser décourager par les monosyllabes de Liam, il se détourna de son chemin pour l'accompagner, lui demandant où se trouvait son cantonnement et s'il venait de la Somme.

« J'étais à Pozières », dit Liam, convaincu que l'autre n'en avait jamais entendu parler.

Il y eut un instant de silence, puis, avec une grande gravité, l'aumônier dit :

« Venez avec moi chez Talbot. C'est à deux pas d'ici. Vous pourrez manger un morceau et boire une tasse de thé. Si vous préférez rester sans parler, je ne vous dérangerai pas. »

Il y avait une telle bonté sur le visage de l'homme, une compréhension si profonde dans ses yeux, que Liam sentit sa résistance fléchir. S'éclaircissant la gorge, pris d'une émotion soudaine, il répondit :

« Ça fait des semaines que nous n'avons pas été payés et je n'ai pas de quoi m'offrir à manger.

— Ne vous tracassez pas. On ne demande à un homme que ce qu'il peut donner. Et s'il n'a rien, on ne lui demande rien, c'est aussi simple que cela. »

La haute maison blanche se dressait dans une rue où Liam était déjà passé. En voyant la porte ouverte et l'enseigne bien visible, il se demanda comment il avait pu ne pas la remarquer. Il entendait, venant des profondeurs de l'édifice, un piano qui accompagnait un cantique entonné par plusieurs voix mais l'aumônier le mena directement au jardin, long et profond et encore mouillé de pluie. Les arbustes et les plantes grimpantes formaient des tonnelles secrètes et dissimulaient des chaises et des bancs à l'écart des allées, et contre les murs, des roses étaient encore épanouies, dodelinant de la tête, tandis que les larmes tombaient de leurs pétales de velours.

C'était un lieu apaisant et parfumé, aux antipodes des sables mouvants de Pozières. Remarquant à peine qu'il était seul, Liam s'installa lentement sur un siège, le corps comme engourdi et privé de toute sensation ; il ferma les yeux. Non pour dormir mais pour respirer l'air odorant, pour sentir sa douceur humide sur sa peau et en avoir le goût sur les lèvres.

Et quand il ouvrit les yeux, ce fut pour regarder tout ce qu'il y avait autour de lui, la moindre petite feuille, le rameau le plus minuscule, l'intensité éblouissante de chaque fleur. Tout était d'une perfection à peine soutenable.

Une femme apparut avec un plateau et lui apporta des pommes de terre, des haricots verts d'une finesse extrême et du poulet cuit à la cocotte. Ce fut un repas exquis, un festin de saveurs délicates, aussi parfait que le jardin. Liam l'avait à peine achevé que l'aumônier vint le rejoindre en souriant, tenant à la main deux grandes tasses de thé fumant.

« Alors ça t'a plu ? Nous avons une excellente cuisinière ; elle est capable de préparer n'importe quel plat avec trois fois rien. Tu peux me croire. »

Liam ne l'avait pas quitté des yeux un seul instant, obligé qu'il était de lire sur ses lèvres à cause de sa semi-surdité. Il sourit.

« Je vous crois, mon père. Merci beaucoup.

— Tu n'as pas besoin de me remercier. Je suis trop heureux de pouvoir te rendre service. Vois-tu, enchaîna-t-il en acceptant la cigarette que lui offrait Liam, tu ne m'as pas encore dit ton nom ni le pays d'où tu viens, mais je suis prêt à parier que tu n'es pas né en Australie. Voyons... Non, ne me dis rien, d'après ton accent, je dirais que tu pourrais bien être originaire du Lincolnshire ou peut-être du Yorkshire.

— Vous avez vraiment de l'oreille. Je viens d'York.

— Quelle belle ville ! Je la connais bien. La cathédrale, les remparts, le fleuve. Quel ensemble merveilleux ! Et il y a aussi de très jolies églises. »

Il resta un moment rêveur, un sourire flottant sur ses lèvres.

« J'ai l'impression, reprit-il, qu'il y a longtemps que tu es parti de chez toi.

— C'est vrai.

— As-tu demandé une permission pour aller en Angleterre ?

— J'ai fait ma demande mais je ne suis pas certain de vraiment vouloir y aller.

— Pourquoi ? »

La question était simple mais Liam était incapable d'y répondre. Il secoua la tête, les mots lui manquaient.

Très doucement, l'aumônier lui toucha le bras.

« Mon petit, si tu veux que je te laisse tranquille, tu n'as qu'à hocher la tête, et je m'en irai. Mais si tu as envie de parler, si tu penses que ça peut te faire du bien — ce que je crois, d'ailleurs, alors nous allons rentrer. Nous serons mieux pour discuter. »

Un peu embarrassé, presque avec réticence, Liam se leva, éteignit sa cigarette, et suivit le prêtre à l'intérieur de la maison. C'était un homme trapu, et Liam aurait eu bien du mal à lui donner un âge, mais bien qu'il fût manifestement encore jeune, il émanait de sa personne une chaleur paternelle à laquelle il était difficile de rester insensible.

Il entra dans une salle du premier étage et Liam vit au-dessus de la porte un écriteau qui disait : « *Qui que tu sois, toi qui entres ici, ne pense plus à ton grade.* »

Liam ne put s'empêcher de sourire. Le prêtre expliqua en riant :

« Eh oui, il y a des gens à qui il faut mettre les points sur les i ! Mais assieds-toi et mets-toi à l'aise. Vois-tu, ajouta-t-il en s'installant dans un fauteuil de cuir, tu ne m'as toujours pas dit ton prénom. Ce n'est pas ton nom de famille que je veux savoir, pas plus que ton grade ou ton numéro matricule. Ça, ça ne m'intéresse pas. En revanche, j'aimerais que tu me dises comment il faut que je t'appelle.

— Mes camarades m'appellent Bill, mais dans ma famille on m'a toujours appelé Liam. C'est le diminutif de William.

— Et tu préfères quoi, toi ?

— Liam, je crois », dit-il après avoir hésité un moment.

Au début il dut faire un terrible effort pour parler mais le prêtre n'était pas avare de ses paroles, s'efforçant de prendre un ton plus aigu pour être mieux entendu. D'après les questions qu'il posait, de temps à autre, il fut vite évident que c'était un homme qui *savait*, qui comprenait toutes les terreurs auxquelles Liam avait été confronté et l'effort qu'il fallait faire pour rester calme sous les obus, et l'énergie qui était nécessaire pour communiquer ce calme à des compagnons qui étaient au bord de la panique. Il n'ignorait rien non plus de l'effroyable prix qu'il fallait payer ensuite, même pour des hommes qui, par ailleurs, avaient toujours été d'une force et d'un équilibre remarquables. Et il comprenait le désespoir.

Il ne cherchait pas à justifier la guerre mais il ne la condamnait pas non plus. Tout en reconnaissant que le commandement suprême était assuré par des hommes aussi faillibles que le reste de l'humanité, il ne cherchait à décerner ni blâmes ni louanges particuliers. Mais il savait écouter et il cherchait à connaître les raisons du désespoir.

Jusqu'à un certain point, il y réussit. Liam n'était pas habitué à partager ses préoccupations et l'intensité de ce qu'il éprouvait au sujet de la guerre était difficile à exprimer ; mais une fois qu'il eut trouvé les premiers mots, le reste se déversa comme l'eau d'un barrage qui vient de se rompre.

Le simple fait de pouvoir s'exprimer avait déjà une vertu curative en soi, et bien que le prêtre regrettât de ne rien pouvoir faire d'autre qu'écouter, Liam était intimement persuadé que la présence d'un auditeur attentif suffisait largement pour lui soulager l'esprit. Pourtant, quand le prêtre lui suggéra de se faire porter malade, il éclata d'un rire soudain.

« Excusez-moi, mon père, mais vous ne pouvez pas parler sérieusement ! Je ne suis pas plus malade que n'importe lequel de mes copains, et si je suis malade, moi, eh bien ils le sont tous eux aussi, tous jusqu'au dernier. »

L'aumônier secoua la tête, répétant avec insistance que Liam devait renouveler sa demande de permission, car il avait besoin de prendre quelque distance avec la guerre, besoin de temps pour se remettre d'aplomb.

La réponse de Liam fusa alors spontanément, une réponse qui le choqua.

« Je ne veux pas retourner chez moi. »

Il y eut un long silence.

« Veux-tu me dire pourquoi ? »

Liam secoua la tête, sentant qu'il y avait quelque chose de dur qui se nouait dans sa poitrine.

« Pas vraiment.

— Est-ce en rapport avec la raison pour laquelle tu es parti, quand tu es allé en Australie ? »

Comme Liam hochait affirmativement la tête, il dit :

« Est-ce à cause de quelque chose de mal que tu aurais fait là-bas ? »

Le rire de Liam desserra l'étreinte qu'il sentait en lui, mais il menaçait d'échapper à son contrôle. Avec un effort, il reprit son calme et s'excusa. Inspirant longuement, il se lança :

« J'ai découvert, tout à fait par inadvertance, que mon père n'était pas celui que je croyais. Qu'il n'était pas le mari de ma mère. J'ai un frère et une sœur et l'homme qui nous a engendrés est quelqu'un que je prenais simplement pour un parent éloigné. »

Pendant un moment, il ne put rien dire de plus. Il essaya d'allumer une cigarette mais les tremblements qui l'avaient repris quand il s'était mis à parler de la guerre l'empêchaient de tenir son allumette.

L'aumônier en alluma deux et lui en passa une. Liam se mit à fumer rageusement, à petites bouffées courtes, penché en avant, les mains serrées sur les genoux.

« Ce n'est pas vraiment ça le pire, dit-il, mais je suis tombé amoureux de sa fille. Je pensais qu'elle n'était qu'une vague cousine, quelque chose comme ça ; elle était plus âgée que moi et je n'ai jamais vraiment imaginé que ça pourrait tirer à conséquence mais... » Il se mit à tousser, une toux rauque, et il secoua la tête. « Oh, mon Dieu, j'avais dix-huit ans et je l'aimais...

— S'en est-elle aperçue ? T'a-t-elle encouragé ?

— Non. Elle savait à quoi s'en tenir sur notre lien de parenté. Elle m'aimait bien, c'est tout, je suppose. » Avec un rire bref et sardonique, il ajouta : « Comme une sœur, quoi ! »

Pendant un temps l'aumônier réfléchit en silence. Puis il demanda :

« Et ta mère, qu'est-ce qu'elle t'a dit ? Et l'homme que tu prenais pour ton père ? Je suppose que c'est lui qui vous a élevés ?

— Ma mère, je n'arrive pas à lui pardonner. J'ai essayé, mais je ne peux pas. Oh, je leur écris, j'écris très régulièrement et j'ai même promis à mon frère que j'irai les voir si on me donne une permission. Mais je redoute le moment où je les reverrai. Je redoute de me retrouver face à face avec ma mère.

— Tu étais très proche d'elle... enfin, avant de découvrir la vérité ? »

Liam sentit que sa voix allait lui faire défaut pour répondre. Il se contenta de hocher la tête. Finalement, il trouva assez de forces pour dire :

« Pourtant, je n'arrive pas à lui pardonner ce qu'elle m'a fait. Ces mensonges, cette dissimulation... me laisser croire... Je ne peux pas vous expliquer ce que ça a pu être...

496

— Ce n'est pas la peine, j'imagine sans mal... »

Au bout d'un moment de silence, l'aumônier reprit :

« Et qu'en est-il au juste pour ta sœur, celle que tu aimes. As-tu peur de la revoir, elle aussi ?

— Oui, mais je veux la revoir, et c'est ça qui est terrible. »

Il tira longuement sur sa cigarette et l'éteignit, se redressant sur son siège, avec l'impression que maintenant qu'il avait livré le fond de ses pensées, il n'y avait plus rien à faire, pas plus qu'on ne pouvait faire quoi que ce soit à propos de la guerre. Mais il était beaucoup plus léger et ses tremblements s'étaient enfin calmés.

Ils parlèrent encore un moment mais désormais Liam se sentait moins impliqué dans la conversation et par la suite, il fut bien incapable de se rappeler ce qu'il avait pu dire. Pas mal de choses, tout de même, car il resta près de deux heures dans ce petit bureau tranquille.

Il se souvenait tout de même que l'aumônier avait insisté pour qu'il renouvelle sa demande de permission et aille voir sa mère, car c'était seulement quand il se trouverait devant elle qu'il parviendrait à lui accorder le pardon qu'il souhaitait tant, au fond de lui-même. Et puis peut-être réussirait-il à voir Georgina comme une véritable sœur, sans plus.

La générosité de l'aumônier et sa force de conviction avaient finalement percé la carapace de lassitude qui enveloppait Liam, pour pénétrer en lui et laisser une trace durable. Il promit de suivre ses conseils et redit ses remerciements. Puis, après une courte prière, le prêtre lui donna sa bénédiction et le laissa partir.

Pourtant, en passant la porte, cette porte au-dessus de laquelle on rappelait à chacun que devant Dieu tous les hommes étaient égaux, Liam s'arrêta un moment.

« Mon père, pourquoi vous êtes-vous approché de moi pour me parler ce soir ? Vous n'aviez pas vraiment besoin de feu, n'est-ce pas ? »

Le visage rond et jovial se fendit dans un large sourire.

« Pas vraiment, mais c'était un bon moyen d'engager la conversation. La plupart des soldats fument et ils ne refusent jamais une cigarette, même quand elle est offerte par un ecclésiastique.

— D'accord, mais pourquoi justement moi ?

— Pourquoi pas ? Dieu nous entend, même dans notre désespoir. Surtout dans notre désespoir. »

Liam hésita.

« Et vous, vous l'entendez vraiment, Sa voix ? »

L'aumônier eut un petit rire.

« Eh bien, je ne suis pas certain qu'il s'agisse d'une voix, comme la tienne ou la mienne, en tout cas, mais très souvent, il me pousse du coude, enfin il m'adresse un signe, si tu préfères, pour que je fasse ou que je dise quelque chose. Je ne sais pas toujours pourquoi et je suis sûr de ne pas avoir l'exclusivité de ces suggestions. Peut-être l'as-tu constaté toi-même, cet appel pressant à faire quelque chose qui sort de l'ordinaire, ou qui n'est pas du tout dans ce que tu crois être ta nature ? »

Poussant un soupir de regret, Liam secoua la tête.

« Non, je ne peux pas dire que ça me soit jamais arrivé. »

C'est seulement quand il fut dehors, seul dans le noir, que la vérité lui apparut peu à peu. Mais oui, il avait fait quelque chose d'extraordinaire, il avait agi contre sa nature. En suivant le petit aumônier, en écoutant, et surtout en lui parlant, Liam s'était écarté de son chemin habituel ; il n'avait pas repoussé l'invitation, une invitation dont il avait tiré le plus grand bien.

Maintenant, pourtant, il avait un problème qui

l'attendait au retour : ses trois coéquipiers étaient de garde devant l'entrepôt et leurs visages prirent une expression éloquente quand il s'approcha d'eux. La mémoire lui revint aussitôt et il en eut un coup au cœur ; comment donc avait-il pu oublier que c'était le tour de sa section de monter la garde cette nuit-là ?

« Keenan est fou de rage, murmura Matt.

— Où est-il ? »

Carl fit un brusque signe de tête.

« Dans le bureau. Qu'est-ce que tu comptes faire, caporal ? »

— Il va pas me bouffer, tout de même. »

Redressant les épaules, Liam pénétra dans l'entrepôt. Installé à une table, à l'intérieur du bureau de l'ancien contremaître, le sergent Keenan compulsait des papiers, une cigarette brûlant dans le cendrier et une tasse de thé graisseuse à portée de la main. Il releva la tête à l'arrivée de Liam, ses petits yeux groseille se rétrécissant dangereusement.

« Ah, caporal Elliott. Vous voici de retour ! J'en suis tout surpris. Je vous croyais parti pour de bon, cette fois.

— Voyons, sergent. Vous me connaissez assez pour savoir que je ne ferais jamais une chose pareille. J'étais allé faire un petit tour. J'avais complètement oublié que j'étais de garde ce soir. Vous m'en voyez désolé.

— Vous avez *oublié* ! Ce n'est pas une excuse. Les caporaux ne sont pas payés pour oublier, ils sont payés pour *se rappeler*. Quant aux gars de votre équipe, ils se sont pointés avec dix minutes de retard, et complètement débraillés par-dessus le marché. Voilà qui vous fait honneur ! »

Il s'interrompit pour reprendre son souffle, mais Liam se garda bien d'intervenir. Mieux valait laisser s'écouler le flot jusqu'à ce que Keenan ait fini d'épancher sa bile.

« Pour une histoire comme celle-là, je pourrais vous faire destituer de votre grade, Elliott. Mais enfin, bordel, on n'est pas ici pour se les rouler. C'est la guerre, quoi, merde ! et on vous paie pour la faire, tâchez de pas l'oublier. »

Il se leva, fit le tour du bureau et vint se planter devant Liam.

« Laissez-moi vous dire, déclara-t-il en ponctuant chaque mot d'un index vengeur, que si on ne repartait pas au front après-demain avec la moitié des effectifs qu'il faudrait avoir, je vous ferais foutre au bloc séance tenante. »

Liam raidit la mâchoire, l'œil fixé sur le mur d'en face où s'étalait une carte des tranchées situées dans le secteur de Zillebeke, au sud-est d'Ypres. Mais le sergent n'en avait pas encore terminé avec lui.

« Faites-moi encore une fois un tour de ce genre-là, Elliott, et là, je ne vous rate pas, faites-moi confiance. »

Frappant une dernière fois du bout du doigt la poitrine de Liam il retourna s'asseoir, une flamme hargneuse au fond des yeux.

« Vous serez de corvée de chiottes demain matin, vous et votre équipe. Vous allez me boucher les latrines existantes et en creuser de nouvelles à au moins deux mètres de profondeur. Et tâchez au moins que ça soit impec, nom de Dieu ! »

Cette mission menée à bien, Liam et ses hommes n'en furent pas quittes pour autant. L'après-midi, sous une pluie battante, il fallut décharger des caisses de matériel amenées par un convoi de camions. En moins d'une demi-heure, ils furent trempés jusqu'aux os et complètement éreintés. Ils se consolèrent en constatant qu'ils avaient fini bien avant leurs camarades qui étaient partis à l'exercice. Ils mirent leurs vêtements à sécher devant un poêle qui avait bien du mal à chauffer dans cet entrepôt traversé par les courants d'air et s'assirent, enveloppés dans des couvertures pour essayer de ne pas trop se refroidir.

Le vent froid qui soufflait du nord-est avait viré à l'ouest le lendemain matin. Ayant été prévenu qu'il devrait être prêt pour deux heures de l'après-midi, Liam fit démonter et nettoyer la mitrailleuse, après que l'on eut mis les capotes humides à sécher au soleil.

Le repas consista en un ragoût d'apparence douteuse, composé de légumes baignant dans une sauce grisâtre et accompagné d'une minuscule portion de pommes de terre. Tout en mangeant, Liam repensa aux mets délicieux qu'on lui avait servis chez l'aumônier et se demanda comment les cuistots de l'armée pouvaient bien s'y prendre pour gâcher la nourriture avec une incompétence aussi systématique.

Au milieu de l'après-midi, le bataillon et la compagnie de mitrailleurs qui lui servait de soutien étaient prêts à partir pour la gare de Poperinghe. Un court trajet en train les amena dans les faubourgs d'Ypres où ils firent halte près d'un asile psychiatrique. Liam eut alors tout le temps de se remémorer *The Retreat* et la soirée où il était parti à bicyclette pour rencontrer Georgina. C'était la dernière fois qu'il l'avait vue, qu'il lui avait parlé. Il lui avait décrit ses rêves et évoqué ses ambitions. N'avait-il pas dit qu'il écrirait un livre un jour, une fois qu'il se serait fixé quelque part après avoir réalisé tous ses projets ? Mesurant l'insignifiance des prouesses qu'il avait effectivement accomplies, Liam sentit l'amertume monter en lui. Mais il ne fallait pas pour autant perdre de vue ces ambitions d'autrefois !

Au couchant, juste à l'horizon, des nuages d'orage commençaient à s'accumuler, engloutissant les derniers rayons du soleil. Ce fut comme un signal. Quelques secondes plus tard, on donna aux hommes l'ordre de se regrouper et de se remettre en route.

Un kilomètre plus loin, la pluie s'abattit sur eux, trempant les sacs et les capotes, transformant les routes déjà bourbeuses en une fange liquide et collante. Dans la pénombre crépusculaire, les carcasses boursouflées des chevaux se profilaient, hideuses, sur le bord du chemin, au milieu des fragments déchiquetés des canons toujours montés sur leurs avant-trains.

Devant eux, les tours en ruine de la cathédrale d'Ypres dressaient leurs silhouettes sur un ciel vaguement éclairé par des lueurs vacillantes. Il se dégageait de tout cela une impression d'horreur indicible, qui vous glaçait malgré la tiédeur de la nuit.

Au contact de l'eau qui avait traversé ses vêtements, Liam frissonna, se demandant comment ce serait en hiver. On n'était encore qu'à la fin août, comment tiendraient-ils en janvier ?

Ils dépassèrent la grande halle aux toiles médiévale en ruine elle aussi, puis traversèrent un pont qui franchissait des douves au pied d'un rempart. Finalement, après avoir essuyé un tir nourri d'obus de mortier, ils arrivèrent auprès des tranchées canadiennes, au nord du canal d'Ypres à Comines. Les premières lignes, telles qu'elles leur apparaissaient à la lueur des illuminations intermittentes, consistaient en un labyrinthe compliqué de caillebotis et de sacs de sable, creusé de tranchées peu profondes surmontées de parapets aux formes tourmentées. A première vue, il n'allait pas falloir se contenter de défendre ces positions. D'importants travaux de réfection allaient vite s'avérer indispensables.

Il était plus de minuit. Depuis leur descente du train, ils avaient fait plus de huit kilomètres à pied. Il fallait maintenant préparer les avant-trains des canons, sortir vivres et munitions et amener le tout quatre cents mètres plus loin, aux premières lignes.

Liam et ses équipiers avaient reçu la mission de porter leurs Vickers et quatorze caisses de munitions dans un trou entouré de sacs de sable qui contenait encore tous les signes d'une occupation antérieure. Trempé jusqu'aux os, frissonnant malgré les efforts qu'il multipliait, Liam entreprit de débarrasser les lieux des boîtes de conserve vides, des emballages de cigarettes et des douilles de balles.

Tassés au fond du trou, les trois hommes partagèrent ensuite un peu de thé et une boîte de ragoût qu'ils avaient eu un mal fou à réchauffer un peu. Comme Gray avait été dépêché dans une autre équipe pour la compléter, Liam se sentait extrêmement vulnérable avec Carl et Matt pour toute compagnie. Il fallait un homme pour garnir les bandes de cartouches, un autre pour alimenter le magasin de la mitrailleuse, et lui, il devait assurer le tir. L'effectif était donc réduit au strict minimum. En voyant la précarité de leur dispositif de protection et se remémorant les mises en garde des Canadiens qui les avaient prévenus que des tireurs redoutables étaient embusqués dans les lignes allemandes, Liam se dit qu'il aurait bien du mal à dormir sur ses deux oreilles.

Malgré les brûlures de son estomac qui protestait contre la mauvaise qualité de la nourriture qu'il venait d'ingérer, Liam offrit d'assurer la première faction mais Matt, inquiet de la pâleur de son teint, lui dit d'aller se reposer. Il suivit le conseil de son coéquipier, mais la douleur s'amplifia et il dut sortir du trou pour essayer de trouver les latrines. Pendant l'heure qui préceda l'aube il dut faire ainsi plusieurs aller et retour, marchant à quatre pattes dans la tranchée. Il se demanda avec angoisse comment il ferait en plein jour, avec les Allemands à deux cents mètres qui prenaient pour cible, comme s'il s'agissait de canards en bois à une fête foraine, toutes les têtes qui émergeaient à leur portée.

Il y eut certes quelques périodes de répit, pendant lesquelles il restait à trembler, le corps parcouru de frissons, aussi faible qu'un enfant qui vient de naître, mais bientôt les crampes s'intensifièrent. Il but un peu d'eau, ce qui déclencha une crise de vomissements, et il mâchonna quelques biscuits dans l'espoir de neutraliser le liquide brûlant qui lui emplissait l'estomac. Il fut contraint, au matin, d'aller s'accroupir juste à côté du trou, dans une latrine de fortune que ses compagnons avaient creusée pour lui.

Même allongé, il souffrait un véritable martyre mais s'efforçait de ne pas crier, claquant des dents sous les effets d'une fièvre qui ne voulait plus lâcher prise.

Les rafales de mitrailleuses tirées par les Allemands donnaient de l'occupation à ses hommes, qui n'osaient pas abandonner leur poste ni cesser de répliquer au moins une fois de temps en temps. Parfois, des mortiers ennemis expédiaient une bombe qui arrosait d'éclats redoutables tous les alentours. Pourtant, Carl, le Danois aux larges épaules qui s'exprimait toujours avec une grande lenteur, venait voir Liam dès qu'il avait fini de garnir une bande, pour lui essuyer le front avec un linge humide et lui murmurer des paroles rassurantes. Ils le sortiraient dès la nuit tombée pour l'amener à un toubib et s'assurer qu'on le soignerait. Ils se débrouilleraient toujours pour lui trouver un remplaçant.

Vers le milieu de l'après-midi, Liam ne pouvait même plus élever la moindre protestation. Maintenant, il ne faisait plus que du sang et il vomissait après avoir ingurgité la moindre gorgée d'eau. Il crut qu'il allait mourir. Pris de délire, il avait perdu la notion du temps. Un moment, dans un accès de lucidité, il se rendit compte qu'il était couché sur ses excréments mais était incapable de bouger. Il ne réussit qu'à s'excuser. Accroupi auprès de la mitrailleuse, Carl perdit alors patience et lui cria de ne pas gaspiller sa salive ; Matt lui épongea le visage et essaya de le persuader de boire un peu.

Dès que la nuit fut tombée, ils l'enveloppèrent dans des capotes et le transportèrent jusqu'au quartier général du 8e bataillon. Le docteur était très occupé à soigner des blessés plus ou moins gravement atteints et il fallut attendre. Finalement après l'avoir examiné, le major diagnostiqua une dysenterie pure et simple, bien que particulièrement aiguë.

Liam, qui avait repris conscience, se demanda si le médecin ne se trompait pas. A Gallipoli, comme la plupart de ses camarades, il avait également souffert de la dysenterie mais jamais il n'avait eu des symptômes aussi inquiétants. Jamais encore la maladie n'avait attaqué avec une rapidité aussi féroce.

A Gallipoli, on lui aurait prescrit de la marante sans se préoccuper autrement de ses souffrances, mais cette fois, heureusement, on décida de l'orienter sur le poste de secours le plus proche. Comme il n'y avait pas de brancardiers disponibles, ses compagnons durent le soutenir tandis qu'il avançait en titubant sur les caillebotis et dans la boue.

Ils finirent par trouver l'endroit, juste derrière les deuxièmes lignes. On lui offrit alors le confort d'une civière. Vers minuit, avec deux autres malades, il fut hissé à bord d'une ambulance tirée par des chevaux. Matt et Carl lui prirent les mains, lui dirent au revoir et repartirent rejoindre leur poste. L'ambulance s'ébranla en direction d'Ypres.

De là, une ambulance automobile l'amena à un centre de triage australien où quelqu'un eut la bonne idée de le déclarer contagieux et de le mettre à l'écart des blessés. Ayant recouvré une partie de sa conscience, il y resta jusqu'au lendemain matin.

Ensuite, on l'emmena à Poperinghe, dans un centre de triage canadien où on lui trouva un lit propre. On lui prescrivit une énorme quantité de pilules et une infirmière lui donna à boire une tasse de lait, ce qui eut pour effet de déclencher une crise de vomissements qui se prolongea, par intermittence, tout au long de la nuit. Le lendemain matin, un docteur vint le voir et resta un moment à méditer au pied de son lit. Cet après-midi-là, Liam repartit en voyage, par le train cette fois, jusqu'à la base de Boulogne.

Il y resta une semaine, sept jours et sept nuits de pilules, d'examens sanguins, de médicaments et de régimes liquides divers. Maintenant que les crampes et les vomissements s'atténuaient, Liam put glisser dans un sommeil naturel et réparateur. Il dormait plusieurs heures de suite chaque jour, se réveillait pour la toilette et les soins, et se rendormait.

Le soir du 11 septembre — Liam se souvenait que ce jour était l'anniversaire de sa mère — , le docteur revint pour inscrire un mot et un seul sur sa fiche : ANGLETERRE.

CHAPITRE XXIII

Les gens étaient gentils. D'une gentillesse extra-ordinaire. Voilà ce qu'il ne cessa de se dire tout au long du trajet qui le ramenait au pays. Les militaires britanniques pouvaient choisir l'hôpital de la ville où résidait leur famille, mais pour les Australiens Londres était la seule destination possible. Liam ne le regrettait pas. En dépit des promesses, des conseils et des supplications, il se sentait moins que jamais capable d'affronter sa mère. En fait, c'était Georgina qu'il désirait surtout rencontrer. Elle se trouvait quelque part à Londres et aussitôt qu'elle saurait où il était, elle viendrait probablement le voir.

De son vieil uniforme, il ne restait plus que son chapeau. Il avait réussi à le garder alors que tout le reste avait été brûlé dans l'incinérateur. La nouvelle tenue était très seyante, bien qu'un peu raide, mais Liam se réjouissait d'avoir gardé son chapeau qu'il avait conservé depuis Gallipoli. Le perdre, ç'aurait été un peu comme perdre un ami.

Mais qu'il était donc agréable de se sentir de nouveau propre et élégant, de voir des visages souriants, comme sur les quais de Portsmouth par exemple, et de recevoir des petits cadeaux accompagnés de paroles aimables, tandis que des mains empressées se tendaient pour vous aider à passer d'un lieu à un autre ! Bien qu'il eût été classé dans la catégorie des blessés valides, il se sentait encore très faible et dès qu'il restait debout plus d'une minute ou deux, les nausées le reprenaient. Heureusement, en Angleterre du moins, les trains sanitaires semblaient avoir la priorité sur les autres et ils ne tardèrent pas à rouler en direction de Londres.

A la gare de Waterloo, il y avait tout un convoi de voitures qui les attendait. Alors que les blessés graves étaient transférés dans un autre train, ceux qui pouvaient marcher furent accompagnés jusqu'aux voitures. C'est une dame d'une quarantaine d'années, vêtue de noir, qui emmena Liam et deux de ses compagnons à l'hôpital australien de Wandsworth.

Elle leur parla fort aimablement, sans les obliger à lui répondre, ce que Liam apprécia fort car il avait mal au cœur et l'un des deux autres hommes était sur le point de s'évanouir. Et si elle lui avait demandé de quoi il souffrait, il lui aurait beaucoup coûté de risquer de la choquer en entrant dans les détails.

Chemin faisant, elle leur montra les hauts lieux du tourisme londonien : le palais de Lambeth et, sur l'autre rive de la Tamise, le Parlement et l'abbaye de Westminster. Au bout d'un moment, ils passèrent devant Clapham Junction, centre névralgique des chemins de fer londoniens.

« Les zeppelins ne cessent d'essayer de le bombarder, annonça-t-elle de sa voix distinguée et pénétrante. Eh oui, nous avons eu droit à quelques séances de feux d'artifice, nous aussi à Wandsworth. Vous n'étiez pas les seuls, là-bas, de l'autre côté de la Manche, vous savez ? »

L'homme qui était au bord de l'évanouissement regarda Liam et réussit à lui sourire faiblement tandis que l'autre murmurait qu'ainsi ils n'allaient pas être trop dépaysés ; mais en dépit de l'air frais qui lui fouettait le visage, Liam savait que s'ils n'arrivaient pas bientôt à l'hôpital, il allait être obligé de demander un arrêt d'urgence car il avait l'estomac qui menaçait de régurgiter tout ce qu'il contenait.

« On est encore loin de l'hôpital ? réussit-il à articuler.

— Non, on y est presque. »

Elle montra la vaste pelouse qui s'étendait devant eux, et au-delà des arbres, la masse imposante et noire de suie de l'hôpital n° 3 qui avait été réservé aux militaires australiens.

Si l'on faisait abstraction de ces pierres noircies, qui semblaient être monnaie courante dans cette ville, l'hôpital ressemblait beaucoup à un château français avec ses tourelles et ses tours et le grand parc entouré de fossés. Quand ils eurent franchi la grande grille pour s'engager dans l'allée principale, leur cicérone leur annonça que cet édifice avait autrefois été une école de filles dont les pensionnaires avaient été évacuées à la campagne pour des raisons de sécurité.

Profitant du chaud soleil de l'après-midi, des convalescents déambulaient dans le parc, accompagnés d'infirmières, d'amis ou de bénévoles, et quelques regards modérément curieux se tournèrent vers eux quand ils s'arrêtèrent, près de deux autres voitures, devant l'entrée principale. Un essaim de jeunes infirmières arborant toutes une croix rouge sur la blouse et une expression angélique sur le visage attendaient les nouveaux arrivants.

Ils pénétrèrent dans un vaste hall de réception où on prit leurs noms avant de leur assigner une place. Et ce fut enfin l'arrivée dans une grande salle avec de longues rangées de lits, et la perspective d'un bain chaud et de serviettes propres, avant d'endosser l'uniforme bleu au tissu moelleux que revêtaient les pensionnaires de l'hôpital.

A la grande consternation de Liam, l'infirmière qui lui tendait tout cela insistait pour rester jusqu'au bout.

« Nous n'avons pas envie que vous perdiez connaissance dans la baignoire, déclara-t-elle d'un ton péremptoire en commençant à déboutonner sa tunique.

— Mais je peux très bien me débrouiller tout seul, protesta-t-il faiblement quand les doigts de la jeune fille arrivèrent au niveau de sa taille.

— Je n'en doute pas, seulement moi je n'ai pas le temps de vous attendre. »

Il finit par se laisser faire. A l'hôpital de Boulogne, on se contentait de le laver dans son lit et les infirmières qui s'étaient occupées de lui gardaient un visage impassible, préoccupées qu'elles étaient par l'urgence des autres tâches qu'il leur restait à accomplir. Mais là, il éprouvait une impression très étrange à se tenir debout, tout nu, devant une séduisante jeune fille de son âge, qui l'aidait à entrer dans la baignoire et restait à ses côtés pendant qu'il se savonnait ; plus encore, il sentait des mains fermes lui frotter le dos et le cou, et le bas de l'échine. Mais c'était bien agréable !

Toute gêne disparue, il se plongea dans l'eau, soulagé à l'idée qu'il n'avait pas eu à rougir de ses réactions ; pourtant, quand elle se mit à l'essuyer, il fut heureux de constater qu'elle le laissait se débrouiller tout seul avec les parties les plus intimes de son anatomie.

Enfin autorisé à se coucher, il se glissa avec délices entre les draps frais, humant la bonne odeur de linge propre, et posa avec volupté sa tête sur les oreillers moelleux. Moins de quelques minutes plus tard, il dormait à poings fermés.

On le réveilla pour le thé, puis pour le souper qui se composait d'une infusion accompagnée de tartines de pain grillé. Ensuite, il se rendormit, restant assoupi dix heures de suite, jusqu'à six heures le lendemain matin. Une autre infirmière vint lui prendre le pouls et la température et lui apporta de l'eau et une serviette pour qu'il puisse faire sa toilette. Ensuite, il eut droit à un œuf à la coque avec du thé et des biscottes.

Dans la matinée, un homme passa avec un assortiment de livres mais il ne resta pas pour parler et Liam lui en fut reconnaissant. Il feuilleta quelques ouvrages, lut trois ou quatre pages, et s'endormit.

Le docteur arriva, posant les questions habituelles, et comme les autres avant lui, il assura à Liam qu'il était en de bonnes mains et que sa guérison n'était qu'une question de repos et de temps. Quant à sa surdité, on allait s'en occuper dès qu'il pourrait rester hors de son lit plusieurs heures de suite. Il s'agissait sans doute d'une accumulation de cérumen, réaction spontanée et naturelle de l'organisme pour se défendre contre le bruit. Réconforté par ce diagnostic, Liam remercia le praticien et se rallongea, la tête bien calée par les oreillers. Le médecin, escorté par l'infirmière responsable du service, passa au malade suivant.

Quand il eut fini sa tournée, les conversations reprirent dans la salle, ponctuées d'éclats de rire émanant d'hommes qui avaient été malades mais se trouvaient maintenant en bonne voie de guérison. Rien de comparable avec le silence qui régnait parmi les grands blessés.

Il y avait là une trentaine de lits, dont certains étaient inoccupés, et la plupart des hommes pouvaient aller et venir. C'était le lit de Liam qui était le plus près de la porte et il se souvint, d'après l'expérience qu'il avait gardée de ses séjours antérieurs à l'hôpital, que plus son état s'améliorerait plus il se rapprocherait du fond.

L'homme qui se trouvait à côté de lui était arrivé deux jours avant et en face, il y en avait deux qui avaient débarqué du même train que Liam. Tous avaient les yeux battus, enfoncés dans leurs orbites, et il savait que c'était là le symptôme d'un épuisement total. Il se dit que son propre visage devait avoir le même aspect et ne s'étonna plus de cette insurmontable envie de dormir.

Il réussit à rester éveillé jusqu'à l'heure du déjeuner, regardant, par la fenêtre qui lui faisait face, un ciel d'un bleu un peu brumeux qui coiffait une alignée de toits d'ardoise et de cheminées en brique. Plus loin, vers le centre de la salle, la dentelle délicate d'une fougère en pot s'agitait légèrement au souffle de la brise qui pénétrait par une fenêtre ouverte. C'était une journée chaude et agréable et Liam appréciait particulièrement ce repos absolu qui comblait tous ses vœux. Il avait été terriblement malade mais le pire était passé et son état ne pourrait plus que s'améliorer. Bientôt il écrirait à sa famille pour dire où il était.

Dans l'après-midi, il y eut quelques visites mais Liam n'en fut que partiellement conscient. Couché sur le côté, protégé par sa relative surdité, il n'écouta que les sifflements de sa respiration et sombra dans des rêves béats.

Quelque chose s'insinuait dans la carapace de sa sérénité. Il ne s'agissait pas d'un son mais d'un contact, léger et frais, au niveau du poignet. Les paupières à demi ouvertes, il vit la silhouette d'une infirmière à côté de son lit, une coiffe empesée et blanche, une cape grise bordée de rouge et des manchettes amidonnées au-dessus d'une main qui tenait la sienne. Encore une infirmière venue lui prendre le pouls, songeait-il, fermant de nouveau les yeux et regrettant qu'on ne puisse pas le laisser tranquille.

Il resta un moment l'esprit à la dérive, attendant

une parole brève, le contact brusque du thermo-mètre contre ses lèvres ; mais une minute s'écoula sans que rien ne se produise. Les doigts qui lui tenaient la main se resserrèrent sensiblement, puis le contact cessa.

Il ouvrit grands les yeux, mais l'infirmière n'était pas partie. Elle était toujours assise à son côté, la tête penchée en avant, les doigts pétrissant un mouchoir. De temps à autre, elle se tapotait les yeux.

Il fronça les sourcils plusieurs fois en se deman-dant pour quelle raison une infirmière pouvait bien venir s'asseoir à son chevet pour pleurer. La réponse lui apparut lorsqu'il leva les yeux vers elle et aperçut l'ovale pâle du visage et la profondeur des yeux bleu foncé. Comme des bleuets, se dit-il en notant les longs cils humides ; et les cheveux, le peu qu'il en voyait du moins, avaient encore la couleur des blés en été. Il vit ses lèvres s'incurver en un sourire hési-tant et il sentit que sa propre bouche réagissait dans le même sens, s'écartant soudain pour murmurer son nom.

« Georgina ? »

Elle fit oui d'un signe de tête et il lui prit la main sans croire vraiment à la réalité de cette présence, presque convaincu qu'il s'agissait d'un rêve, qu'il allait s'éveiller pour trouver le vide et la désillusion, comme cela lui était arrivé si souvent par le passé. Mais une autre pression répondait à la sienne, et il entendit un faible son, qui tenait à la fois du rire et du sanglot. Il vit deux grosses larmes qui coulaient de ses yeux et roulaient, sans qu'elle songe à les arrêter, jusqu'au menton. Pleurait-elle vraiment à cause de lui ?

Elle dit quelque chose qu'il ne comprit pas, secoua la tête et se tamponna les yeux avec plus de force cette fois.

« Viens plus près, dit-il d'une voix implorante, en

tirant sa main vers lui. Je suis encore très dur d'oreille. »

Un nuage d'inquiétude passa sur ses yeux et elle approcha sa chaise, posant les coudes sur le lit. Elle était presque assez près pour pouvoir l'embrasser.

« Tu m'entends maintenant ?

— Oh oui », prononça-t-il, conscient qu'il lui suffisait de se soulever de quelques centimètres pour que sa bouche vienne se poser sur la sienne. Et qui trouverait quoi que ce soit à redire ?

Elle, sans doute. Certainement même, mais cette idée le plongeait dans le ravissement. Pouvoir se dire qu'elle était là, assez près de lui pour pouvoir la toucher, la tenir, l'embrasser ! Et au bout de si peu de temps !

« Comment as-tu su ?

— J'ai vu la liste des rapatriés sanitaires. »

Elle abaissa son regard sur les cicatrices qui zébraient les mains de Liam et vit ses ongles bien taillés mais très abîmés.

« J'ai appris ça ce matin. »

Il resta perplexe, se demandant comment elle avait pu avoir cette information dans son hôpital de Lewisham, mais il était trop fasciné par cette présence pour exprimer son étonnement.

« Quelle heure est-il donc ?

— Quatre heures moins le quart. J'ai réussi à me libérer plus tôt. D'habitude je fais la pause de quatre heures à six heures, mais aujourd'hui, j'ai changé mes horaires.

— Et tu es venue ici tout de suite. »

Elle eut un petit rire.

« Je voulais m'assurer que tu allais bien.

— Je vais bien. Très bien. »

Bien qu'il eût les mains couvertes de cicatrices, qu'il essayait de dissimuler, elle paraissait y trouver une sorte de fascination, passant sans cesse les doigts sur ses phalanges rugueuses et entamées. Et lui, il était suprêmement sensible à ce contact, chaque minuscule mouvement se répercutant jusque dans son cœur. Pendant un moment, il regarda les doigts de Georgina, longs et fins, plus blancs que ceux dont il avait gardé le souvenir lorsqu'elle était encore à *The Retreat*, mais ces doigts étaient ceux d'une femme qui accomplissait des tâches bien rudes. Au-dessous des ongles coupés court et soigneusement limés pour ne pas risquer de blesser, la peau des phalanges apparaissait bien rêche, à cause des lavages constants. Il avait envie de porter cette main à ses lèvres, des lèvres qui, comme sa gorge, étaient devenues soudain terriblement sèches.

D'une voix rauque, il dit :

« C'est merveilleux de te voir. »

Là-dessus, elle sourit, timidement, et dit que c'était merveilleux aussi de le voir, lui. Tout le monde s'était fait tant de soucis !

Mais Liam ne tenait pas particulièrement à ce qu'on lui parle de « tout le monde ». C'était elle qui l'intéressait et elle seule.

« Comment ça va, toi ? Je sais que tu as eu beaucoup de travail, grâce à tes lettres... »

Un sourire radieux démentit la réalité des problèmes qu'elle avait pu avoir.

« Oh, ça va très bien. Vraiment. J'attends avec impatience mon prochain congé, bien sûr, mais il n'y a pas de problèmes. Les choses se sont un peu calmées, heureusement.

— C'est pas trop tôt.

— Non. Mais je sais qu'en France, vous n'avez pas manqué d'occupations.

— Non, et c'est loin d'être fini, murmura-t-il, la mâchoire soudain crispée. Mais je suis en dehors de tout ça, Dieu merci. Tu ne peux pas t'imaginer à quel point je suis heureux d'être ici. »

Un sourire effleura la commissure des lèvres de Georgina.

« Oh, je crois que si », dit-elle.

De longs cils d'un gris cendré projetaient des ombres vacillantes sous ses yeux lorsqu'elle détourna son regard, et sur ses pommettes il aperçut une rougeur discrète qui parut s'intensifier tandis qu'il l'observait, mais il ne pouvait détacher son regard. Elle était si belle ! Jusqu'aux minuscules rides qui se dessinaient entre ses sourcils qui lui paraissaient la perfection même.

Qu'elle ait pu s'arracher à ses immenses responsabilités uniquement pour venir le voir, c'était là une pensée qui lui gonflait le cœur d'amour et de gratitude. Il en était bouleversé.

Elle devait deviner ses pensées. L'étreinte de ses doigts se resserra et elle baissa la tête. Quand elle la redressa, son sourire était un peu trop vaillant et ses yeux un peu trop brillants.

Elle chuchota le nom de Liam qui sentit aussitôt des larmes lui venir aux yeux. Les chassant d'un clignement de paupières, il n'éprouvait rien d'autre que le besoin de lui dire combien il l'aimait, combien il l'avait toujours aimée, d'un amour que sa simple présence maintenant ne pouvait que souligner encore davantage. Il ne s'était pas trompé, il n'avait pas été le jeu d'illusions. Les années de séparation n'avaient rien changé.

Non, le temps n'avait rien changé. Ces mots, il les repassa à mainte et mainte reprise dans son esprit, mais il savait aussi que ce qu'il ressentait pour elle allait bien au-delà de ce qu'elle pourrait jamais accepter. Elle était sa sœur. Elle était plus âgée que lui, et au cours des trois années qui venaient de s'écouler, elle n'était sans doute pas restée sans rencontrer l'amour. Il connaissait les hommes, il savait qu'une beauté aussi remarquable que la sienne ne

516

pouvait manquer d'attirer l'attention. Qui aimait-elle ? Y avait-il un homme quelque part, un jeune officier, probablement, à qui elle avait sauvé la vie ? Ou un docteur avec qui elle travaillait ? Oui, voilà qui était plus probable. Mais il ne lui posa pas la question.

Elle porta les mains de Liam à son visage, puis les écarta doucement.

« Y a-t-il quelqu'un, demanda-t-elle, que tu voudrais que je prévienne ? Tisha, peut-être, ou ta mère ? Je ne pense pas qu'elles soient au courant de ta présence ici. »

Cette question le ramena à la réalité. Troublé, presque pris de panique, sans savoir pourquoi, il secoua la tête.

« Non, ne préviens personne. Pas encore.

— Comme tu veux, mais j'ai l'impression que ta mère va bientôt recevoir la notification officielle. Si ce n'est pas déjà fait. »

Il ferma les yeux, imaginant sa mère éplorée volant à son chevet d'un moment à l'autre, maintenant qu'elle savait.

« Je ne veux pas la voir. Pas encore. »

Il entendit Georgina soupirer.

« Très bien, ne te fais pas de souci pour ça. Veux-tu que je lui écrive pour lui demander d'attendre un peu ? Je sais que ce n'est guère facile de voyager en ce moment avec tous ces détours qu'on nous impose, les attentes interminables, les changements de trains en pleine nuit. Elle sera peut-être bien contente de ne pas être obligée de se précipiter.

— Tu veux bien faire ça ? » Son soulagement était immense. « Dis-lui que je lui écrirai moi-même très bientôt.

— Tu peux compter sur moi. Et je ne dirai rien à Tisha tant que tu ne te sentiras pas en état de la voir. D'accord ?

— Alors là, ça risque d'être long », marmonna-t-il en manière de plaisanterie.

Le tintement soudain d'une sonnette dans le couloir lui vrilla le tympan. Ulcéré, il vit Georgina jeter un coup d'œil à sa montre. A l'autre bout de la salle, quelques visiteurs se levaient, poussant leur chaise vers le mur.

« Il va falloir que je m'en aille.

— Déjà ? »

Elle sourit.

« L'heure des visites est terminée. Je suis arrivée en retard. De toute manière, ajouta-t-elle en lui tapotant la main comme une infirmière, tu as suffisamment parlé pour aujourd'hui. Il est temps que tu prennes un peu de repos.

— Mais je n'arrête pas de me reposer, protesta-t-il avec un petit rire.

— Il le faut », dit-elle d'une voix ferme. Mais elle souriait elle aussi. « Ne t'inquiète pas, tu seras bientôt sur pied. Et tu ne penseras plus qu'à faire la cour aux infirmières. »

Cette remarque le fit rire.

« Est-ce que ça fait partie du traitement ?

— J'en ai l'impression, oui, reconnut-elle avec une pointe de regret. Généralement, je peux voir qu'un de mes malades va mieux à la façon dont mes filles se mettent à rougir. »

Riant de plus belle, et heureux de cette gaieté, il demanda d'un air taquin :

« Et toi ? On te fait rougir, toi aussi ?

— Oh, non ! Avec moi, ils n'osent pas. Moi, je suis là pour veiller au grain.

— Alors là, tu m'étonnes.

— C'est vrai, insista-t-elle. Je les remets à leur place, crois-moi. »

Liam ne demandait pas mieux que de la croire. Il en ressentit un immense soulagement.

« Cette fois, il faut que je m'en aille, sinon l'infirmière-chef va venir rouspéter. Mais tu me reverras bientôt. As-tu besoin de quelque chose ? Quelque chose que tu aimerais que je t'apporte ? »

Il secoua la tête.

« Du moment que tu es là, c'est tout ce que je demande. »

Elle écarta les lèvres et il crut qu'elle allait dire encore autre chose ; avec une chaleur soudaine, elle lui prit la main et se pencha, très vite, pour lui embrasser la joue. Un baiser léger, bref, qu'il sentit à peine ; mais quand elle eut tourné le dos, il posa le bout des doigts sur l'endroit que ses lèvres avaient effleuré et les porta lentement à sa bouche.

Georgina quitta son travail plus tard que d'habitude ce soir-là. Encore toute pénétrée du bonheur d'avoir revu Liam, elle dut se contraindre à prendre une attitude professionnelle avant de téléphoner à son père. Il n'aurait pas été sage de lui révéler la profondeur des sentiments qu'avait éveillés en elle cette visite.

Robert Duncannon était impatient d'avoir des nouvelles de son fils, comme il l'avait déjà été le matin même, et son soupir de gratitude, suivi d'un silence prolongé, le montra éloquemment. Après avoir minutieusement décrit l'état de santé de Liam, Georgina ne put cacher sa satisfaction à l'idée qu'il paraissait beaucoup mieux qu'elle ne l'avait craint, et qu'il avait un moral des plus satisfaisants.

« Et dans combien de temps sera-t-il tout à fait remis ? »

Cette question lui fit mal, car elle orientait ses pensées dans une direction qu'elle se refusait à prendre.

« Pour qu'ils le renvoient là-bas ? C'est ça que tu veux savoir ? »

Elle n'avait pu se défendre d'une certaine amertume, mais elle ne chercha pas à s'en excuser.

« Je n'en sais rien, reprit-elle. Il est de retour et il est indemne. Ça ne te suffit pas pour le moment ?

— J'ai besoin de le savoir.

— Eh bien, je ne peux pas te le dire. Ça dépend de la gravité de l'infection et de la constitution du malade. Le microbe a une fâcheuse tendance à s'incruster, même si, extérieurement, le malade a l'air tout à fait rétabli. Ça pourrait demander deux ou trois mois. Peut-être davantage. Pourquoi veux-tu le savoir ?

— Ensuite il y aura la convalescence, dit son père sans répondre à la question. Et une période de réadaptation sera nécessaire, poursuivit-il d'un air songeur. Je suppose qu'il va y en avoir pour cinq ou six mois. Ça va nôus donner pas mal de temps.

— Pour quoi faire ?

— Eh bien, pour mettre les choses au point une fois pour toutes, bien entendu. Jusqu'à présent, il a été impossible de prendre ce jeune idiot entre quatre-z-yeux pour lui parler vraiment d'homme à homme. Je vais être très franc, Georgie, maintenant que je sais qu'il va bien, et qu'il ne risque pas de nous claquer entre les mains, je suis rudement content qu'il ait été malade. Ça l'oblige à rester en place, et suffisamment longtemps pour qu'on puisse essayer de le ramener à la raison. C'est que je me suis fait bien du souci, tu sais, ajouta-t-il avec gravité, et il y a des années que ça dure. Nous allons peut-être enfin nous trouver en mesure de résoudre le problème. »

Georgina soupira de nouveau et resta un long moment sans rien dire. Elle comprenait les préoccupations de son père et ne pouvait que les partager. S'il parvenait à opérer une réconciliation entre Liam et sa mère, il réussirait du même coup à atténuer son propre sentiment de culpabilité. Au fond, elle le comprenait mais considérait aussi qu'après toutes les souffrances qu'il avait récemment endurées, Liam pouvait fort bien hésiter à affronter les problèmes émotionnels auxquels sa famille voulait le soumettre.

« Je crois qu'il va falloir faire preuve de beaucoup de patience, papa, et lui laisser le temps de se retourner. Oui, je sais bien qu'il s'est déjà écoulé trois années, dit-elle vivement en réponse au soupir exaspéré que poussait son père à l'autre bout du fil, mais ce n'est pas de ça que je parle. Il faut lui laisser le temps de se reprendre, après ce qu'il a vécu ces dernières semaines. Il en a tellement vu — si tu pouvais parler avec les garçons hospitalisés dans mon service, tu comprendrais ce que je veux dire par là — et en plus il a été si malade qu'il lui faut du temps pour se remettre de tout cela. »

Il eut un long soupir.

« D'accord, je comprends. Louisa ne va pas pouvoir venir ici tout de suite, alors c'est peut-être aussi bien comme ça. »

Sur un ton de lassitude résignée, il ajouta :

« Tu m'as dit que tu allais écrire à Louisa, mais je commence à me demander si je ne ferais pas bien d'aller moi-même à York, avant qu'ils ne reçoivent la notification officielle. En voyant l'enveloppe, ils pourraient penser au pire, ce qui risquerait d'achever complètement le pauvre Edward. Et ça, ça n'arrangerait rien, bien au contraire.

— Oh, mon Dieu ! » Dans la surexcitation qui l'avait tenue en haleine toute la journée, Georgina n'avait pas pensé à cet aspect du problème. « Pourvu que cette lettre n'arrive pas trop vite.

— Ça m'étonnerait. Les bureaucrates ne brillent pas par leur diligence, ma chérie, et cette liste que j'ai reçue ce matin venait d'arriver de Boulogne. »

Après avoir marqué un temps d'arrêt, Robert reprit d'un air décidé :

« Je pars pour York à la première heure demain matin. J'annoncerai la nouvelle avec beaucoup de ménagements et tâcherai de persuader Louisa de ne pas bouger pour le moment. »

Il dit également à sa fille qu'il se chargeait de prévenir Tisha, la conjurant de le laisser régler lui-même les problèmes familiaux et lui recommandant de prendre quelque repos. Georgina le remercia et, ayant raccroché l'écouteur, resta un moment à réfléchir. Si elle se souciait en priorité du sort de Liam, son père, lui, englobait l'ensemble de la famille dans ses préoccupations. Sans oublier Edward, pour lequel il éprouvait une très grande estime. Et comme il le disait, s'il arrivait quelque chose à Edward, cela ne pourrait que compliquer la situation, en repoussant aux calendes grecques la perspective d'une réconciliation.

L'indisposition qui avait empêché les Elliott d'assister au mariage de Tisha était beaucoup plus grave que Louisa n'avait bien voulu le dire à ses deux fils, partant du principe que dans la mesure où ils n'y pouvaient rien faire il valait mieux les laisser dans l'ignorance pour leur éviter des soucis supplémentaires et inutiles. C'est pourquoi elle avait demandé à Georgina de ne leur parler de rien.

En fait, Edward avait été à deux reprises victime d'une alerte cardiaque, sans gravité excessive certes, mais qui laissait présager une issue beaucoup plus dramatique, voire fatale, si on le soumettait à un choc émotionnel de quelque importance. Et ce n'était pas le moment d'infliger une telle épreuve à Liam qui avait besoin, lui aussi, de retrouver un certain équilibre.

Tout en regagnant son logis, Georgina s'était dit que puisque sa présence avait l'air de lui procurer un certain réconfort, elle allait s'arranger pour aller le voir régulièrement, quitte à faire modifier ses horaires de travail en sollicitant un régime de faveur. De cette manière, elle pourrait voir si son état s'améliorait et, dès qu'il serait un peu rétabli, elle le conjurerait de demander une permission qu'il irait passer dans sa famille à York. Il lui paraissait préférable en effet que Liam se retrouve chez lui, dans un environnement familier, plutôt que de faire venir Louisa jusqu'à Londres. Mais on aurait le temps de discuter de tout cela plus tard, se disait-elle avec conviction. Beaucoup plus tard même. Pour l'instant une seule chose comptait : il était de retour et il était bien vivant.

Et *accessible*, se dit-elle avec plaisir et chaleur un peu plus tard, une fois au lit. En dépit de sa maladie, et aussi épuisé qu'il fût, avec cette fatigue qui se lisait sur tous les traits de son visage, quel bonheur ç'avait été de le revoir ! C'était ce bonheur qui la ramènerait auprès de lui, même si elle dissimulait un tel plaisir sous le souci de l'aider à recouvrer équilibre et santé. Elle s'en rendait parfaitement compte et se le reprochait avec véhémence. Depuis le début de la guerre, elle avait pris l'habitude de négliger son propre bonheur. C'était toujours le sort des autres qui passait en premier dans ses préoccupations. C'est pourquoi il lui paraissait étrange de pouvoir s'acquitter d'un devoir tout en éprouvant un plaisir qu'elle sentait partagé.

Le vendredi, pourtant, ayant appris que l'on prévoyait de nouvelles arrivées à l'hôpital et que certains de ces blessés se trouvaient dans un état nécessitant des soins urgents, elle comprit qu'il lui serait impossible d'aller le voir le dimanche après-midi comme prévu. Déçue, elle écrivit à Liam une lettre qu'elle espérait encourageante, disant qu'elle avait réussi à se libérer le mercredi suivant. En outre, dans le courant du mois d'octobre, elle devait bénéficier d'un congé de trois jours, ce qui leur donnerait, avec un peu de chance, la possibilité de passer une ou deux journées entières ensemble.

Elle ne dit pas à Liam que le colonel était allé à York pour annoncer la nouvelle de son arrivée. Il lui avait téléphoné de son hôtel pour lui dire que Louisa, malgré ses larmes, avait été soulagée de savoir son fils vivant et qu'Edward, enfin rétabli mais d'une santé encore chancelante, l'avait chaleureusement remercié de s'être dérangé pour les prévenir de vive voix.

A l'inverse de Robert Duncannon, Edward semblait tout à fait décidé à laisser à Liam tout le temps qu'il faudrait. « Il viendra nous voir quand il sera prêt », avait-il répété à plusieurs reprises. Georgina ne l'en aima que davantage, appréciant qu'il eût fait preuve d'une telle sagesse et soulagée de se dire qu'Edward saurait calmer les impatiences de Louisa. Pour ce qui était de Robert, elle se sentait capable de s'en charger elle-même.

Bien que le mercredi fût son jour de congé, elle se réveilla comme d'habitude à six heures. Les autres fois, elle aurait essayé de se rendormir mais elle était trop surexcitée à l'idée de revoir Liam. Qu'allait-il lui dire, que lui dirait-elle ? Quelle mine aurait-il ?

Comprenant qu'il était hors de question de retrouver le sommeil, elle mit une robe de chambre et descendit dans la cuisine pour préparer le thé et les tartines de pain grillé. Elle y trouva une collègue qui s'acquittait des mêmes tâches routinières tout en maugréant amèrement à l'idée de recommencer une autre journée de travail. En la regardant partir dans le couloir, Georgina eut un petit sourire en se rendant soudain compte qu'elle était de la même humeur la plupart du temps le matin, et elle ne fut pas peu surprise de constater qu'elle était en pleine forme, sans aucune sensation de fatigue, envisageant avec plaisir la journée qui l'attendait.

Ce fut un délice pour elle de prendre un bain et de laver ses longs cheveux, s'asseyant ensuite au soleil pour les sécher. La seule chose qui l'ennuyait était qu'elle eût un choix si limité sur le chapitre vestimentaire. En dehors de son uniforme, elle n'avait à l'hôpital qu'un petit ensemble marine avec chapeau assorti, et un chemisier de soie rose. C'était mieux que rien, bien sûr, mais elle aurait préféré, pour la circonstance, quelque chose de plus frivole, une jolie robe pastel, un chapeau garni de plumes et des souliers à hauts talons, par exemple. Pour un jour comme celui-là, c'était tout à fait ce qu'il lui aurait fallu.

Mais soudain, elle se prit à sourire. Même dans sa garde-robe de Queen's Gate, elle n'avait rien de semblable. La plupart de ses toilettes étaient classiques et fonctionnelles, adaptées à sa personnalité ; ses chaussures, de bonne qualité, avaient des petits talons bien nets, et elles avaient été confectionnées sur mesure par le bottier de son père.

« Tandis que Tisha, elle, elle achète les siennes dans les boutiques de Bond Street, murmura-t-elle à l'intention du chat du concierge. Il faudrait peut-être que j'en fasse autant. Qu'en dis-tu, minou ? »

Minou ronronna en dodelinant du chef, avant de s'installer plus commodément sur les genoux de Georgina.

« Allons bon, voilà que je me mets à déraisonner, à présent. »

Elle déjeuna de bonne heure et seule, à la cantine de l'hôpital, puis alla faire un tour dans la grand-rue afin d'acheter quelque chose pour Liam. Hésitant à prendre des fruits, car elle se disait que le régime du malade ne s'y prêtait sans doute pas, elle préféra s'orienter plutôt vers les friandises. Après avoir essayé plusieurs boutiques, Georgina finit par trouver ce qu'elle cherchait : une petite boîte de bonbons à la menthe et une autre de chocolats napolitains. Ces deux articles avaient été confectionnés à York. Elle espérait que la vue de ces cadeaux allait évoquer de bien plaisants souvenirs.

Le trajet en bus et en métro jusqu'à Wandsworth dura plus longtemps que prévu et le début des visites était déjà passé d'un quart d'heure quand elle arriva devant la grille de l'hôpital. Mais il y avait encore des gens qui entraient en un flot régulier, attendus par des malades convalescents, et beaucoup repartaient aussitôt en direction du centre ville. Persuadée que Liam était encore au lit, Georgina n'accorda qu'une attention distraite à ces visages inconnus et elle avait déjà fait une vingtaine de mètres quand l'appel de son nom et le contact d'une main sur son bras l'arrêtèrent net dans sa progression.

Elle se retourna et le vit à côté d'elle, beaucoup plus grand qu'elle ne s'y attendait, le chapeau crânement incliné sur l'œil et le rire dansant au fond de ses yeux.

Il ôta son couvre-chef d'un geste large pour la saluer.

« J'étais venu t'accueillir à la grille et tu es passée à un mètre de moi... »

En sentant cette présence si proche, Georgina qui levait les yeux vers ce sourire épanoui, respirant la joie de la retrouver, aurait pu jurer que son cœur s'était retourné dans sa poitrine. Une faiblesse soudaine la prit. Le souffle court, elle rit en secouant la tête. Et dut baisser les yeux.

« Mais comment se fait-il que tu ne sois pas dans ton lit ? » demanda-t-elle.

Il haussa les épaules et étendit les mains dans un geste d'innocence, affirmant qu'il se sentait en pleine forme et qu'il se levait depuis trois jours. On l'avait autorisé à sortir le matin même.

« Quoi, déjà ? »

C'était beaucoup trop tôt ; si cela avait dépendu d'elle, il serait resté au lit bien plus longtemps !

« Et encore, renchérit-il en lui prenant le bras pour l'emmener, il a fallu que je commence par aller voir l'oto-rhino, pour me faire déboucher les oreilles. Ça n'a pas été agréable, expliqua-t-il avec une grimace, mais ça a été drôlement efficace. Tu te rends compte, maintenant j'entends les oiseaux chanter, et les trains qui passent au loin. C'est formidable ; avant, tous les sons étaient assourdis, comme si j'avais eu les oreilles pleines de coton. »

Son plaisir était contagieux. Lui serrant doucement le bras, elle dit qu'elle était contente pour lui, et soulagée de voir qu'il n'y avait eu aucun dommage irréversible. Décochant vers lui des regards brefs et timides, Georgina éprouvait le besoin de s'assurer qu'il était bien entier, physiquement indemne. Elle avait vu tellement de blessures, à peine perceptibles mais horribles, qu'il lui paraissait tout simplement miraculeux de pouvoir marcher aux côtés d'un homme aussi beau et aussi intact.

Et pourtant, autour d'eux abondaient les témoignages de la mutilation et de la douleur physique. Quand ils se furent assis sur un banc inoccupé, Liam suivit des yeux le passage d'un homme qui n'avait plus de jambes et que l'on poussait dans un fauteuil roulant. Soudain, toute son euphorie avait disparu.

« Même si j'étais resté dur d'oreille, ç'aurait pas été un drame, tu ne crois pas ? Au moins, j'ai conservé mes quatre membres et une vue intacte. Et, à Dieu ne plaise, la perspective de deux mois de tranquillité. Qu'est-ce que je pourrais demander de plus ? conclut-il en la fixant d'un regard intense.

— Que demander de plus, en effet ? » murmura-t-elle.

Il y avait des hommes qui s'appuyaient sur des béquilles, d'autres qui avaient la tête ou les bras enveloppés de bandages. Et pourtant les sourires et le ton de leurs voix exprimaient la joie que chacun éprouvait à se trouver en vie. Il devait faire une chaleur étouffante dans les salles, même avec les fenêtres ouvertes, et Georgina pensait à tous ceux qui étaient cloués dans leur lit, ceux qui se mouraient, lentement, comme le garçon atteint de gangrène qu'elle avait dans son service à Lewisham. Trois opérations, déjà, mais il avait bien peu de chances de survivre.

Fronçant soudain les sourcils, sachant que Liam aurait très bien pu être ce garçon, elle lui saisit la main.

« Quelle chance tu as eue !

— Je sais. »

Il aurait bien voulu garder cette main mais elle la retira, trop consciente de la présence, si près d'elle, de cette virilité d'adulte pour se sentir tout à fait à l'aise. L'autre jour, quand elle l'avait vu couché, comme les malades de son service, elle n'avait eu aucun mal à le reléguer dans le rôle de patient ; mais habillé de pied en cap, avec un genou qui frôlait les siens, il paraissait tellement différent ! Elle avait conservé le souvenir d'un adolescent, et bien que ses lettres les plus récentes l'eussent préparée à une certaine maturité, Georgina avait oublié combien un garçon pouvait changer entre dix-huit et vingt-deux ans, sans parler de la vigueur que pouvait conférer la rudesse de la vie militaire.

Ils restèrent assis un moment en silence, mais il ne cessait de la regarder, fronçant légèrement les sourcils avec un petit sourire comme s'il y avait eu en elle quelque chose qui l'intriguait. Elle était sur le point de lui demander ce que c'était quand il dit soudain :

« J'ai l'impression que tu n'as pas changé d'un pouce. Maintenant que tu n'as plus ton uniforme, je te revois telle que tu étais la dernière fois que nous

nous sommes rencontrés. Tu te rappelles ? Il y a plus de trois ans de ça. Moi, je m'en souviens aussi bien que si c'était hier. »

Surprise, car elle venait de se dire, au contraire, que le temps avait changé bien des choses, Georgina secoua la tête. Elle eut un moment la tentation de dire, en plaisantant plus ou moins, qu'elle se sentait beaucoup plus vieille mais y renonça, se contentant de déclarer que beaucoup d'eau avait coulé sous les ponts depuis.

Cette remarque lui fit froncer les sourcils.

« Je sais », dit-il.

Puis au bout d'un moment de silence, il ajouta :

« Je n'arrive toujours pas à croire ce qui m'arrive. Tout cela me paraît tellement irréel ! »

Une ombre passa au fond de ses prunelles. Il fixait maintenant un point situé très loin, au-delà des jardins, dans un lieu imaginaire.

« J'ai l'impression, reprit-il enfin, de ne plus savoir ce qui est réel et ce qui ne l'est pas. »

Alarmée par son changement de ton, elle observa son visage et y lut de la peur. Saisie de frayeur à son tour, elle se mordit les lèvres et crispa les poings, luttant contre le désir de le ramener de force à la réalité présente, loin des horreurs dont la vision semblait le hanter.

Mais elle n'en eut pas besoin.

« Je n'arrive pas à croire que je suis ici avec toi », dit-il à mi-voix en montrant d'un geste de la main les pelouses bien entretenues, les courts de tennis et les massifs d'arbustes. Puis il ajouta : « J'ai l'impression d'être en train de rêver... »

Elle glissa une main dans la sienne et sentit des doigts chauds et secs se refermer sur sa paume.

« Voilà qui ne manque pas de réalité, non ? » dit-elle.

Augmentant légèrement la pression de ses phalanges, il hocha la tête.

« N'empêche que ça me fait vraiment tout drôle. Ici, la guerre me semble tellement lointaine. J'en arrive à me demander si j'ai vraiment vécu tout ça, si elle est encore en train de se dérouler. Et c'est ça, le problème, dit-il avec une expression de souffrance dans les yeux, je n'arrive pas à croire qu'elle continue sans moi. »

Georgina avala sa salive avec effort.

« Elle ne s'est pas arrêtée pour autant, j'en ai peur. »

Avec un sourire amer, il détourna les yeux.

« Tu vas finir par me trouver vaniteux, dit-il.

— Non. Tout le monde ressent ce genre d'impression. Au bout d'un moment, ça finit par passer. »

Poussant un petit soupir, elle lui tapota le bras. Le moment était venu de changer de sujet.

« Parle-moi de l'Australie, suggéra-t-elle, tu ne m'en as jamais rien dit dans tes lettres. As-tu trouvé là-bas ce que tu attendais ?

— Oh, oui », murmura-t-il avec une telle chaleur qu'elle en vint à se demander, ainsi qu'elle l'avait déjà fait si souvent pendant ces trois ans, combien de jeunes femmes avaient guetté ses sourires. Mais il ne semblait pas soupçonner la puissance de sa séduction et il se lança dans une description de Melbourne, cette cité neuve et en pleine expansion, et des collines fertiles qui l'entouraient. Ses paroles révélaient une grande admiration pour la faune exotique et pour les gens qui peuplaient la région. Georgina ne put s'empêcher de se demander s'il y avait parmi eux quelqu'un à qui il pensait particulièrement.

« Et quand la guerre sera finie, hasarda-t-elle lentement, tu y retourneras ? »

La réponse parut très longue à venir. Une ombre fugitive était passée sur son visage. Il changea de position, s'écartant d'elle imperceptiblement.

« Je ne sais pas. J'aimerais bien, oui. »

Sa voix se fit soudain plus mordante et son regard plus lointain.

« Quand la guerre sera finie... On en parle toujours de la fin de cette guerre, mais personne n'y croit plus. Quand on regarde en arrière, c'est la guerre et la guerre seule que l'on revoit. Mes copains, ils parlent de Gallipoli comme si c'était de l'histoire ancienne et quand on pense à l'avenir, on n'arrive pas à imaginer autre chose que la guerre, et encore la guerre. »

Georgina fit une petite moue incrédule.

« Il faudra bien qu'elle finisse un jour. Tu ne crois pas ?

— Bien sûr. La question est de savoir si nous serons encore là pour nous en réjouir. »

Occupé à chercher ses cigarettes dans ses poches, Liam ne remarqua pas le chagrin que son cynisme avait causé. Quand il les eut trouvées, il reprit :

« Si elle se termine un jour, oui, je crois que je retournerai là-bas. C'est un pays merveilleux. Un vrai paradis. Tu l'adorerais », ajouta-t-il en lui décochant un regard aigu tandis que flambait son allumette. Il inspira profondément, et laissa échapper de sa bouche un nuage de fumée bleue.

Quelques instants plus tard, il lui adressait un sourire tendre en disant :

« Et toi, Georgina, qu'est-ce que tu feras quand la guerre sera finie ? Tu travailleras toujours dans les hôpitaux ?

— Que veux-tu que je fasse d'autre ? »

Percevant une certaine amertume dans cette réponse désabusée, il lui jeta un regard interrogateur.

« Tu n'as donc jamais pensé au mariage ? »

La question était si inattendue et l'idée si saugrenue qu'elle resta un moment à se demander s'il fallait rire ou s'étonner. Mais le ton qu'il avait pris amena un peu de couleur sur ses joues et elle dut détourner les yeux.

« Le mariage, répéta-t-elle, secouant la tête en riant. Non, jamais.

— Tu dis ça comme si ça ne t'avait jamais traversé l'esprit. Tu as dû y penser, tout de même, à un moment ou à un autre.

— Non, persista-t-elle. Le mariage a toujours été hors de question. »

Levant les yeux, elle vit l'étonnement de Liam. Il ne sait pas, se dit-elle, ou alors il n'a jamais réfléchi au problème. Pourquoi l'aurait-il fait, d'ailleurs ? Jamais, dans le cours de son existence, il n'avait eu l'expérience de la folie. Bien qu'elle n'eût pas envie de parler de ces choses, Georgina se dit que si elle lui révélait les crises de démence dont Charlotte Duncannon, sa mère, avait été victime, il aurait sans doute une meilleure perception de la nature du problème.

Elle se leva.

« Tu n'as pas envie de faire quelques pas ? »

Ils traversèrent les pelouses à pas lents, longeant les courts de tennis où des joueurs échangeaient quelques balles sans conviction. Liam ôta la veste de l'uniforme bleu imposé par l'hôpital, et desserra sa cravate ; Georgina enleva ses gants et son chapeau, avec un sentiment soudain de liberté, L'esprit soulagé de cette oppression qui l'assaillait toujours dès qu'elle pensait à sa mère. Le fait de se trouver avec Liam lui facilitait les choses et tout d'un coup elle éprouva le désir de lui faire mieux connaître sa mère, de lui parler d'un passé et d'une enfance auxquels il avait lui-même été si étroitement associé.

Ils avaient parlé de Charlotte Duncannon ce dernier soir où il avait voulu à tout prix venir la chercher à *The Retreat*, et il savait donc qu'elle était morte dans un établissement du même genre en Irlande. Ce qu'il ne savait pas, c'était l'historique de cette maladie, son aggravation sournoise pendant des années, et elle sentait instinctivement que l'antipathie de Liam pour son père serait peut-être atténuée s'il savait combien Robert Duncannon avait souffert de cette situation.

Georgina lui révéla donc qu'après avoir été témoin du meurtre de ses parents en Ulster, Charlotte avait été adoptée par un oncle de Dublin. Cette jeune fille d'une beauté mystérieuse et éthérée avait tout de suite attiré l'attention de Robert Duncannon. Juste après leur mariage, ce dernier avait compris pourquoi on s'était tant hâté de réaliser cette union. Le comportement mystérieux de Charlotte n'avait cessé de se détériorer : elle entendait des voix, conversait avec des interlocuteurs imaginaires. Et finalement sa bizarrerie avait dégénéré en haine et en violence.

Robert, dont le régiment venait d'être muté en Angleterre, n'avait pu se résoudre à la laisser seule et l'avait confiée à son frère et à sa belle-sœur. Après la naissance de Georgina, l'état de Charlotte avait encore empiré. Cette fois, elle était convaincue que Robert Duncannon était l'incarnation du Démon, qu'elle avait reçu la mission de le supprimer.

Georgina coula un regard en biais vers Liam et vit qu'il sursautait.

« Ça n'a pas été facile pour lui de faire face à cette haine, d'autant moins qu'il tenait beaucoup à Charlotte. Il l'aimait profondément, Liam, et il a fait tout ce qu'il a pu pour elle. Mais il était presque toujours parti par monts et par vaux. Quant à mon oncle et ma tante, ils avaient bien du mal à en venir à bout... »

Elle poussa un soupir, se remémorant ce jour de Noël où, rentrant de l'église, elle avait trouvé son père gisant sur son lit, perdant son sang à profusion.

« J'ai cru qu'il était mort. J'ai crié, j'ai crié, et ils m'ont arrachée à lui pour m'enfermer toute seule dans ma chambre. Après ça, j'ai fait des cauchemars pendant des années et des années.

— Elle l'avait attaqué ?

— Oui. Il était allé la voir pendant notre absence et elle s'était jetée sur lui avec une paire de ciseaux. La blessure n'était pas très grave, finalement, mais il saignait en abondance et il était en état de choc. »

Elle s'interrompit, le regardant à la dérobée, avant de reprendre son récit pour lui dire que c'était après cet incident que son père avait rencontré Louisa et l'avait persuadée, quand son régiment était reparti pour l'Irlande, de l'accompagner dans sa propriété de White Leigh.

« Louisa est restée avec nous pendant trois ans, trois ans de bonheur pour moi. Ils ont illuminé mon enfance. »

Elle croyait que Liam allait lui poser des questions sur cette période, sur ces années qu'ils avaient passées ensemble comme frère et sœur. Mais au bout d'un long moment de silence, c'est de Charlotte qu'il lui parla.

« Ce que je ne comprends pas, dit-il lentement, c'est que ta mère ait accepté de l'épouser, si elle le haïssait tellement. »

Georgina poussa un soupir.

« Au début, elle n'avait aucune haine pour lui. Je ne dirai pas non plus qu'elle l'aimait, bien sûr. C'était plutôt une sorte d'indifférence. Le véritable choc pour elle s'est produit au moment de ma naissance. Elle a dû être terrifiée, se demander ce qu'il lui arrivait. Et c'est sur lui qu'elle a rejeté tout le blâme... »

L'idée que sa naissance avait provoqué de tels dégâts n'avait cessé d'horrifier Georgina, dès qu'elle avait été en âge de comprendre. Si Charlotte Duncannon était morte en la mettant au monde, elle l'aurait mieux supporté. Mais se dire qu'elle avait sombré dans la folie était une croix trop lourde pour ses épaules. Car rien n'avait été résolu par la mort de Charlotte. Georgina était persuadée de porter en elle le ferment de la folie. Elle-même n'en serait peut-être jamais victime mais qui pouvait affirmer que ses enfants en seraient indemnes ?

C'est pour cela que, bien des années auparavant déjà, elle avait pris la décision de ne jamais se marier, se fermant résolument à toute émotion, coupant court à toutes les avances pour ne pas avoir à donner d'explications. Les explications qu'elle était justement en train de fournir à Liam.

« Alors tu comprends maintenant, dit-elle d'une voix neutre, pourquoi je n'ai jamais envisagé de me marier. J'ai d'abord cru que je finirais comme ma mère, mais après tout ce que j'ai vu ces deux dernières années, si j'avais dû perdre la raison ce serait déjà fait. N'empêche que je risque encore de transmettre le germe, vois-tu ? »

Liam s'arrêta soudain dans l'allée et se tourna vers elle. Elle vit qu'il avait les traits durs et tendus, à cause de l'effort qu'il faisait pour cacher son émotion. Il n'y avait plus la moindre méfiance dans son regard. Elle crut qu'il allait parler, pour émettre une protestation véhémente, mais il se contenta de lever une main vers le visage de Georgina pour lui redresser le menton et l'embrasser sur le front. Un baiser ferme et chaleureux, qui sans être celui d'un amant exprimait pourtant l'amour sous sa forme la plus absolue. Enflammée par l'exaltation, elle eut soudain envie de se serrer contre lui pour pleurer.

Ils refirent quelques pas, puis il dit d'une voix brève :

« Je ne savais pas. Je me rappelle que tu m'avais parlé de ta mère mais jamais je ne me serais douté...

535

enfin, que cela pouvait avoir de telles conséquences. Je suis vraiment désolé. »

Elle tenta de dédramatiser l'atmosphère ; elle dit d'une voix hésitante :

« Il n'y a quand même pas lieu de prendre ça au tragique. Ce sont des choses qui arrivent, tu sais. Il faut savoir se résigner, c'est tout.

— Mais tu es sûre d'avoir hérité de cet... atavisme ?

— Il n'y a aucune preuve. C'est seulement une impression que j'ai. Plus qu'une impression, en fait. Une véritable certitude. »

En voyant son air navré, elle se crut obligée d'ajouter :

« Je ne peux pas expliquer pourquoi. Mais je sais qu'il en est ainsi, et ça me fait peur. »

Il lui reprit la main et ce contact viril et chaud fit disparaître la peine qui lui emplissait le cœur. Au lieu de protester, Liam lui demanda sans ambages :

« Alors, tu n'as jamais été amoureuse ? Tu n'as jamais voulu te marier ?

— Non, jamais. J'ai toujours cherché à l'éviter.

— Mais ce n'est pas une question de volonté », dit-il avec dans son expression quelque chose qui fit naître en elle le sentiment d'être gauche, vulnérable. Trop sensible au contact de ses mains, à la chaleur de son sourire qui lui donnait presque la chair de poule, elle s'écarta lentement, suggérant une halte.

A la limite des arbres, pour avoir à la fois l'ombre et le soleil, il s'assit, étalant pour elle sa veste dans l'herbe. En s'agenouillant auprès de lui, elle se souvint avec quelque retard des petits cadeaux qu'elle avait apportés. Elle le regarda enlever le papier d'emballage, un sourire ravi épanouissant ses traits. Et il s'allongea de tout son long dans l'herbe, tenant à bout de bras les minuscules paquets.

« C'est formidable, dit-il. Alors, on les fabrique

toujours, ces friandises. Celles que je préfère... Comment l'as-tu su ? »

Elle réussit à rire avant de déclarer :

« Ça devait être inscrit quelque part dans ma mémoire. »

D'autres souvenirs affluaient maintenant. En le voyant ainsi étendu dans l'herbe, ses longues jambes paraissant encore plus longues dans ce pantalon bleu étroit, les manches de chemise relevées sur des bras bruns et solides, elle se rappela ce dernier soir, le dernier avant la tempête, quand il lui avait dit si innocemment qu'il voulait partir. Elle l'avait trouvé beau alors, un beau garçon qui avait le monde à ses pieds.

Et maintenant, il était un homme.

Cette pensée la fit frissonner. Il avait changé, il avait mûri, mais en dépit de la lassitude et de l'amertume engendrées par la guerre, il était resté, miraculeusement, la même personne. Il avait davantage d'expérience, et moins d'illusions, sans doute, mais il ne s'était pas fait trop malmener par la rude école de la vie. Il était resté un être sensible, qui lui vouait toujours une profonde tendresse, ainsi qu'en témoignait l'attitude qu'il avait eue envers elle aujourd'hui.

Mais à quoi tout cela allait-il les mener ? Un moment, elle éprouva un léger malaise, et puis il lui sourit : son inquiétude s'envola...

CHAPITRE XXIV

Liam écrivit à sa mère et à Edward pour leur donner de ses nouvelles, formulant l'espoir qu'ils allaient bien et qu'il serait bientôt en mesure d'aller les voir à York. Il était en effet inutile qu'ils viennent à Londres, surtout que lui pourrait faire le voyage gratuitement dès qu'il aurait obtenu la permission qu'il avait sollicitée.

Les jours raccourcissant de plus en plus, avec des brouillards et des averses d'automne, il passait le plus clair de son temps à la bibliothèque, fasciné par le charme romantique qui se dégageait de cet endroit. L'hôpital ayant autrefois été un orphelinat, il décida d'en lire l'histoire par un après-midi pluvieux : la chambre était encombrée de visiteurs et Georgina s'était trouvée dans l'impossibilité de venir le voir. L'édifice avait été construit dans un élan de patriotisme après la guerre de Crimée, pour les fillettes qui avaient perdu leur père pendant le conflit.

Grâce à une souscription publique, on avait recueilli plus d'un million de livres, et l'ensemble ne manquait pas de grandeur. Il y avait quelque chose de médiéval dans son architecture, un air à la fois romantique et viril sur lequel les centaines de petites filles qui y avaient vécu avaient laissé bien peu d'impression.

Souvent l'après-midi, surtout quand il pleuvait, Liam restait à regarder les infirmières circulant dans les cours intérieures qui faisaient penser à des cloîtres. Chacune de ces jeunes femmes, qui semblaient vouées au célibat, avait pourtant sa cour d'admirateurs : des hommes qui s'éprenaient d'un amour romantique pour elles avec une amusante régularité. Il n'y avait jamais la moindre vulgarité dans leurs propos mais plutôt de la vénération et du respect. Dans ce contexte, les relations de Liam avec Georgina ne surprenaient personne.

On le taquinait, bien sûr. On disait de Georgina qu'elle était son infirmière particulière et on lui demandait souvent quand il allait se décider à lui demander sa main. Tous les hommes étaient convaincus qu'elle était amoureuse de lui. Devant l'embarras de Liam, deux de ses camarades avaient posé la même question : « Bah, alors c'est ta sœur ou quoi ? » Il avait répondu qu'ils étaient cousins, ainsi qu'il en était convenu précédemment avec Georgina. Chacun avait alors eu la même réaction, comprenant pourquoi il y avait entre eux un tel air de famille. « Seulement, mon vieux, elle est beaucoup mieux que toi ! »

Liam prenait ces plaisanteries avec bonne humeur, tout en trouvant que, à part le teint et peut-être une certaine similitude dans la forme des yeux, ils ne se ressemblaient pas tellement. Il avait une ossature plutôt lourde alors qu'elle était gracile comme un saule. Tisha lui ressemblait davantage, car elle n'était pas très grande et avait des cheveux et des yeux qui rappelaient ceux de Liam. Chose étrange, quand sa sœur vint lui rendre une brève visite, personne dans la chambre ne se douta de leur lien de parenté.

Liam fut plus heureux de la voir qu'il ne l'aurait cru, mais ils avaient si peu de choses à se dire que leur embarras ne tarda pas à se manifester. Leur seul point commun était York, la maison et le passé, et ils avaient l'un et l'autre des raisons particulières de ne pas vouloir s'appesantir sur ces choses.

Pourtant, Tisha réussit à le choquer. Elle lui révéla la vérité sur l'état de santé d'Edward avec une telle désinvolture qu'il crut avoir mal entendu. Il la pressa alors de questions et elle se contenta de déclarer d'un air dégagé qu'il était tout à fait rétabli et qu'il n'y avait aucune raison de se tourmenter. Leur mère avait bien repris la situation en main.

Bouleversé, Liam sentait son cœur battre douloureusement dans sa poitrine, avec ces palpitations irrégulières et inquiétantes qu'il avait parfois depuis les bombardements de Pozières. Et il était trempé de sueur, bien qu'il ne fît pas chaud ce jour-là.

« Tu l'as vu depuis ? demanda-t-il. Tu es retournée à la maison ?

— Euh, non. Depuis que je suis mariée, je n'ai plus une minute à moi. Edwin est parti faire un stage d'entraînement et il a eu ensuite une permission avant d'embarquer. Je savais que maman ne souhaitait pas recevoir de visites pendant que papa était malade, alors j'ai pensé qu'il valait mieux attendre un peu.

— Donc il a failli mourir ! »

Elle clappa de la langue en guise de protestation.

« Oh, Liam, il faut toujours que tu exagères ! Ce n'étaient que de simples alertes et maman m'a bien recommandé de ne pas me faire de souci.

— Et tu t'es bien gardée de t'en faire, naturellement, rétorqua-t-il d'un ton sarcastique en se retenant pour ne pas la gifler. Et maintenant, tu as l'intention de leur rendre visite ?

— Oh, non, pas encore, répliqua-t-elle en lissant la couture de ses bas. Maman a suffisamment de travail sans avoir à veiller au bien-être de ses invités.

— Mais tu n'es pas une invitée, il me semble. Tu es sa fille. bon sang ! Tu ne vois pas la différence ? »

Sa sœur leva les yeux, le fixant d'un regard froid.

« Eh bien, puisque tu me poses la question, non. Pas vraiment. »

Liam était confondu. Bégayant presque, il lança :

« Mais enfin, Tisha, il faut que tu y ailles.

— Eh bien, et toi, qu'est-ce que tu attends ? Vas-y d'abord et commence par laver ton linge sale. Quand tu auras réglé tes problèmes, j'irai peut-être, moi aussi. En attendant, mon cher frère, n'essaie pas de me dire ce que je dois faire. Je suis mariée, maintenant, et j'agis comme il me plaît. »

Là-dessus, elle sortit d'un pas majestueux, pleine d'une élégance hautaine, escortée par un froufrou soyeux et le sillage odorant d'un parfum importé de France.

Il se sentit envahi par une vague de culpabilité, accompagnée d'un intense sentiment de frustration. Trois ans ! Qu'était-il arrivé à sa sœur pendant ces trois ans ? Quand il était parti, elle n'était qu'une enfant, et maintenant elle était femme jusqu'au bout des ongles, dure, élégante et raffinée. En surface, du moins. Qu'y avait-il en dessous ? Un monstre puéril et vindicatif ? Et il avait fallu qu'elle se marie ! Liam se prit de pitié pour le mari.

Ayant enfin réussi à se calmer, il écrivit à Edward une lettre plus spontanée que de coutume, dans laquelle il exprimait sa vive inquiétude et son besoin d'être rassuré. Il irait les voir, dit-il, aussitôt qu'il serait en mesure de faire le déplacement.

Il s'écoula plusieurs jours avant qu'il revoie Georgina, à la suite de quoi sa colère s'était calmée. Pourtant, il profita de la première occasion pour l'entreprendre sur ce sujet, et lui demanda pourquoi elle n'avait pas jugé utile de le mettre au courant du mauvais état de santé d'Edward.

« Tu étais en France, répliqua Georgina avec embarras, et tu avais d'autres chats à fouetter. Louisa savait très bien qu'il s'agissait de petites alertes cardiaques sans aucune gravité mais elle craignait — à juste titre à mon avis — que vous en concluiez, toi et Robin, qu'Edward avait déjà un pied dans la tombe. Bref, vous prévenir n'aurait eu pour effet que de vous démoraliser davantage et cela ne vous aurait même pas donné la possibilité de décrocher une permission pour venir le voir à York.

— Mais quand je suis arrivé ici, pourquoi ne m'as-tu rien dit ?

— Tu étais trop malade pour que je prenne le risque de te causer un pareil choc.

— Je ne suis pas d'accord.

— Liam, je sais bien, moi, que tu étais très malade, dit-elle en lui prenant doucement le bras, et le souci que cette nouvelle t'aurait causé aurait pu retarder ta guérison. Je t'en prie, fais-moi confiance.

— Et tu avais l'intention de me prévenir quand ?

— Je ne t'aurais rien dit, reconnut-elle sans détour. Ta mère s'en serait chargée elle-même. Il faut que tu le comprennes bien, Liam, ta mère et Edward sont prêts à faire n'importe quoi pour que tu te rétablisses le plus vite possible et c'est pour ça qu'ils ont décidé, d'un commun accord, de ne rien te dire, même quand ils ont su que tu étais arrivé à Londres. Ils ne veulent pas exercer sur toi la moindre pression. Malgré leur désir de te voir le plus tôt possible, ils pensent que c'est à toi, et à toi seul, de décider quand tu iras à York. Tu vois, en dépit de tout, ils t'aiment encore énormément. »

Liam était ému au-delà de toute mesure. Mais, résolu sans doute à n'en rien laisser paraître, il s'exclama brusquement :

« Et voilà, ça recommence ! On refuse de me dire ce qui se passe, comme si j'étais encore un enfant !

Mais enfin, est-ce qu'ils vont se décider un jour à me dire la vérité ? Tous ces secrets, ces cachotteries, ça m'exaspère, moi ! »

Elle ne répondit pas et il comprit qu'elle attendait qu'il se calme ; au prix d'un grand effort de volonté, il se leva et s'éloigna de quelques pas, laissant Georgina assise à l'ombre du mur de la chapelle. Quand il eut fumé la moitié de sa cigarette, il revint à elle pour s'excuser.

« Finalement, Tisha aurait mieux fait de ne rien me dire.

— Absolument, dit Georgina avec un petit sourire en coin. Mais tu connais Tisha.

— Oui. Mais qu'est-ce qui lui est arrivé, à Tisha ? Nous n'avons jamais eu beaucoup d'atomes crochus, elle et moi, mais elle n'était quand même pas comme ça autrefois. Dis-moi, Georgina, elle a eu des problèmes ?

— Il a dû se passer quelque chose au moment de ton départ. Ne me demande pas quoi parce que je n'en sais rien. Non, honnêtement, je n'en sais rien du tout. Je suppose seulement qu'elle a subi un choc, comme toi d'ailleurs, en apprenant la vérité sur sa naissance. Seulement elle, elle n'a pas pu s'échapper comme tu l'as fait. Et je crois que Louisa et Edward étaient tellement bouleversés par ta réaction qu'ils n'ont pas eu la possibilité de s'occuper d'elle autant qu'il aurait fallu. Ils ne se sont pas rendu compte à quel point elle avait besoin d'eux.

— Besoin d'eux ?

— Mais oui, soupira Georgina. Tisha a toujours cherché à attirer l'attention des autres. Il lui fallait un public, en particulier un public masculin. Edward, jusque-là, n'avait jamais cessé de se prosterner devant elle, et voilà que tout d'un coup il ne lui accordait plus la moindre attention. C'était Louisa qui absorbait la quasi-totalité de son temps et de son affection. Car Louisa souffrait énormément, Liam, elle t'avait perdu, toi qui étais son fils aîné. Elle en arrivait à se demander si tu n'étais pas mort. Cette incertitude a failli la tuer. »

Liam baissa la tête. Mais il avait exigé qu'on lui dise la vérité. Il ne pouvait pas lui demander d'arrêter, de ne plus prononcer les mots qui faisaient si mal.

« Dès que Robin a commencé à avoir de tes nouvelles, les choses se sont améliorées, bien sûr. Surtout quand tu as écrit à Edward. Louisa a repris goût à la vie, elle s'est de nouveau intéressée au monde qui l'entourait. Mais pour Tisha, c'était trop tard. Et je crois que ça a été un soulagement pour eux quand elle est partie pour Londres. Bref, c'est depuis ce moment que Tisha se comporte comme tu l'as vue le faire l'autre jour. Elle se fiche de tout et de tout le monde ; à part Edwin peut-être, mais Edwin est parti, lui aussi. Elle ne devait pas s'attendre à ce qu'il s'en aille aussi vite. »

Liam secoua la tête d'un air consterné. Il avait peine à croire que de telles infortunes aient pu être déclenchées à la suite de paroles trop hâtives prononcées par un homme. Il aurait sans doute dû s'apitoyer sur le sort de sa sœur, mais il ne parvenait pas à penser à autre chose qu'à ce lointain après-midi où il était rentré de l'atelier pour entendre cette sinistre révélation.

« Si on pouvait savoir... »

Il n'acheva pas. Il prit une cigarette et vit, en craquant l'allumette, que ses doigts tremblaient, mais la souffrance qu'il éprouvait lui-même s'effaçait maintenant devant celle qu'avait endurée sa mère.

« Jamais je n'aurais cru... », dit-il encore. Mais il ne put aller plus loin, submergé par le sentiment de sa culpabilité. Il sentit le contact de la main de Georgina sur son bras et il se retourna pour la regarder. Elle semblait si bouleversée elle aussi qu'il eut envie de la serrer contre lui, de l'envelopper de ses bras en lui disant qu'elle seule avait de l'importance à ses yeux. Mais il y avait aussi d'autres choses qui comptaient, et il ne pouvait pas l'étreindre, et il y avait bien peu de réconfort ailleurs. Pas dans ses propres pensées, en tout cas.

« Qu'est-ce qu'il y a ? Tu ne peux pas me le dire ? »

Sa voix était douce et persuasive mais Liam, en dépit de son envie de lui répondre, sentait que les mots étaient bloqués par une sorte de mur, et ce barrage il ne voulait pas le briser, sachant que le torrent d'amertume qui s'échapperait alors causerait peut-être des dégâts irréparables. Car dans ce flot, il y avait aussi l'amour, le joyau de cet amour qu'il avait pour elle.

« Non, dit-il avec tristesse. Pas maintenant.

— Ce n'est pas grave, murmura-t-elle. Je comprends.

— Ça m'étonnerait. »

Une cloche sonnait. Ils rentrèrent.

En septembre, il avait passé presque toutes les matinées au lit. Il se levait pour le déjeuner de midi, restait debout jusqu'à six ou sept heures du soir, et se recouchait ensuite sans déplaisir. Mais vers la fin du mois, il se sentait déjà beaucoup mieux et il pouvait vaquer à différentes occupations depuis le petit déjeuner jusqu'au souper, passant le plus clair de son temps à la bibliothèque ou dans le parc, allant parfois aider les cuisiniers dans leur travail. Quand six de ses compagnons partirent dans une maison de convalescence, Liam se rendit régulièrement à la cuisine de l'hôpital. Il aimait l'ambiance qui y régnait, appréciant la compagnie des jeunes employés qui le taquinaient parfois en plaisantant. Et puis il était heureux d'avoir de l'occupation ; il pouvait ainsi penser à autre chose qu'à ses problèmes personnels.

La visite de Tisha et la conversation qu'il avait eue ensuite avec Georgina continuaient toutefois de le hanter. Pourquoi avait-il infligé de telles souffrances à des êtres qui lui étaient si chers ? Depuis qu'il avait promis à Robin d'aller voir ses parents à York, il s'était imaginé un rôle de pontife, accordant son pardon du bout des dents. Maintenant, il se rendait compte que c'était lui qui devait solliciter la miséricorde, bien heureux si sa mère consentait à la lui accorder.

Toutes ces pensées, il essayait de les ignorer, de les enfouir dans les replis de son âme en attendant le jour où il lui faudrait prendre le problème à bras-le-corps. Mais il y avait une chose qu'il ne pouvait pas aussi facilement oublier, c'étaient ses sentiments à l'égard de Georgina. Au début, tout avait été relativement facile. L'euphorie du retour, la joie de recouvrer progressivement la santé lui avaient procuré des dérivatifs suffisamment puissants. Et puis ils se voyaient toujours dans l'atmosphère aseptisée de l'hôpital et de son parc.

Seulement, maintenant, ils commençaient à sortir. Une ou deux fois par semaine, ils se rendaient en ville pour l'après-midi, installés à l'impériale de l'omnibus pour mieux voir le spectacle de la rue ; et une fois plongé dans l'atmosphère trépidante de la vie active, Liam se rendait compte qu'il avait envie de se comporter comme n'importe quel autre jeune homme avec sa dulcinée, de la prendre par la taille, de l'embrasser pour lui dire au revoir comme le jeune soldat qu'il avait vu au crépuscule, étroitement enlacé dans les bras d'une jeune fille avec qui il échangeait un baiser long et passionné.

C'était désormais une lutte incessante qu'il se livrait pour se souvenir de ses obligations, un combat constant pour maîtriser le désir qui semblait croître en proportion directe avec la forme physique qu'il recouvrait enfin.

Le jour de son vingt-deuxième anniversaire tombait pendant le week-end de la première semaine d'octobre, et Georgina s'était arrangée pour se libérer pendant trois jours. Et aussi pour emprunter l'automobile de son père, une Ford gris foncé décapotable. Au début, Liam avait manifesté une certaine réticence, mais comme le temps s'annonçait très beau, il eût été stupide de refuser un tel plaisir. Dès qu'il eut surmonté le malaise qu'il avait d'abord éprouvé en s'installant dans la voiture de Robert Duncannon, il commença à apprécier cette sensation de vitesse et de liberté, et à admirer la maîtrise avec laquelle Georgina conduisait un engin aussi compliqué.

Le grand air avait mis du rose sur les joues de Georgina et l'écharpe de mousseline qui retenait son chapeau volait gaiement au vent. Un manteau beige recouvrait ses vêtements mais la jupe qu'elle portait dessous avait un coloris vieux rose que l'on retrouvait en plus sombre sur son chapeau de velours. Liam la trouvait non seulement belle — elle l'était toujours, de toute façon — mais extraordinairement jolie. Cette impression fut encore renforcée quand ils eurent atteint leur destination. Elle ôta alors son manteau et son écharpe, les laissant dans la voiture, puis, se tournant vers lui d'un air qu'il trouva un peu provocant, lui demanda ce qu'il pensait de son nouvel ensemble. La jaquette de velours prune, avec ses larges revers et sa taille haute, lui seyait à la perfection ; quant à la jupe en gabardine, elle s'arrêtait à dix bons centimètres au-dessus des chevilles, laissant deviner des mollets au galbe idéal. Il la trouva sensationnelle, et le dit, mais auparavant, il avait dû avaler sa salive avec effort.

A l'ombre dorée de ce début d'automne, Hampton Court était paré de bien des séductions, avec ses pierres anciennes et ses briques aux tons chatoyants. Ils se promenèrent dans le parc du château en parlant du cardinal Wolsey, l'homme qui avait construit ce magnifique palais et s'était vu ensuite contraint d'en faire cadeau à un roi jaloux.

Ensuite ils louèrent une barque et parlèrent de Bishopthorpe, l'autre palais de Wolsey qui se trouvait près d'York. Tandis que Liam ramait, Georgina évoquait une foule de souvenirs, lui demandant s'il se rappelait ceci ou cela. Elle en arriva bientôt à parler du fameux après-midi où il l'avait emmenée à la foire de St. George. Liam s'en souvenait parfaitement mais tout en approuvant d'un hochement de tête, le sourire aux lèvres, il ne pouvait que déplorer la perte de son innocence. En ce temps-là, il l'avait aimée d'un amour romantique, avec l'adoration d'un adolescent. Il l'adorait encore, certes, mais maintenant il se consumait de désir pour elle, et cette idée lui paraissait très difficile à accepter.

C'est à Bishopthorpe, en regardant le palais qui dominait la rivière, qu'il avait découvert que Georgina lui serait à jamais inaccessible ; c'est à Bishopthorpe, par ce merveilleux après-midi de la fin de l'été, qu'il s'était trouvé confronté avec la vérité.

Ces souvenirs allaient submerger et noyer tout le reste de l'après-midi dans une ambiance triste et ironique qui devait gâcher son plaisir. Il fut soulagé de repartir, de remonter dans la voiture pour se laisser conduire. Ils allèrent à Richmond et marchèrent dans le parc, sous un soleil qui parvenait encore à percer un léger voile de brume. Liam savait qu'il aurait dû être heureux mais maintenant il était envahi par un sentiment de frustration que rien ne pouvait dissiper.

Georgina avait remarqué sa tristesse, sans en

comprendre la raison, il en avait la certitude. Elle marchait à ses côtés en lui parlant doucement des charmes de l'automne. Il respirait son parfum qui dominait l'odeur des feuilles mortes, et il écoutait le bruit que faisaient leurs pas en remuant le tapis doré qui recouvrait le sol. Elle paraissait toute chaude et tendre dans son écrin de velours. Ah, comme il aurait voulu toucher cette chair délicate, l'attirer contre lui et goûter la douceur de ses lèvres. Et il n'osait même pas lui effleurer la main.

De retour à la voiture, il lui ouvrit la portière mais ne l'aida pas à monter. Posant le manteau sur ses genoux, elle leva vers lui un regard interrogateur, demandant s'il y avait quelque chose qui n'allait pas, si elle avait prononcé une parole qui l'avait blessé. Bouleversé à l'idée qu'il lui avait fait de la peine, Liam secoua négativement la tête, désespéré de constater qu'il ne pouvait donner aucune explication.

« Oh, je suis peut-être un peu fatigué. » C'est tout ce qu'il réussit à dire.

Quand ils reprirent la route du retour, le soir tombait et ils n'avaient plus le temps de s'arrêter nulle part. Devant la grille de l'hôpital, alors qu'il restait immobile un moment sans parler, retardant le moment où il faudrait se séparer, elle prit son sac à main et en sortit un petit paquet.

« Je voulais te donner ça pendant que nous prendrions le thé, dit-elle de sa voix mélodieuse qu'il aimait tant, mais nous n'avons pas eu le temps. Oh, ce n'est rien, en fait. Simplement un petit cadeau pour fêter ton anniversaire. J'aurais préféré que tu l'aies l'année dernière, pour tes vingt et un ans. »

Très embarrassé, Liam dit avec un petit rire gêné que c'était le premier cadeau qu'il recevait depuis bien des années. Il enleva le papier d'emballage et trouva un étui à cigarettes en argent ciselé, portant à l'intérieur ses initiales et sa date de naissance. Pendant une minute, il le tourna et le retourna dans ses mains. Et il ne se sentait pas la force de la regarder tant il avait honte d'avoir gâché une journée qui aurait pu être si parfaite ; et cette date, gravée dans le métal, serait là pour le lui rappeler jusqu'à la fin des temps. Et tout cela pourquoi ? Parce qu'il voulait quelque chose qu'il ne pouvait pas avoir. Son égoïsme lui faisait vraiment honte.

« Je suis désolé, réussit-il enfin à dire, désolé de m'être comporté ainsi. Tu es tellement gentille, et moi... »

Il s'interrompit, secouant la tête. Puis il reprit :

« Pourras-tu jamais me pardonner ?

— Mais de quoi ? demanda-t-elle d'un ton léger, le regardant droit dans les yeux avec un sourire. La journée a été formidable.

— Oui, dit-il à mi-voix. C'est vrai. Et tu as été absolument charmante. Merci. »

Elle s'était tournée vers lui, les lèvres légèrement écartées sous l'effet de l'étonnement ou dans l'attente de quelque chose, il ne le savait pas avec certitude. Il voulut dire ce qu'il ressentait, se racheter pour toutes ces heures de silence renfrogné, et il chercha les mots qu'il fallait sans parvenir à les trouver. Le cœur battant à grands coups dans sa poitrine, il se pencha en avant et l'embrassa tout doucement sur les lèvres. Il sentit une réaction délicate et momentanée qui le dissuadait de s'écarter ; le sang en feu, il s'obligea pourtant à ne pas l'embrasser une seconde fois.

Il n'osait plus bouger maintenant. Il aurait voulu descendre de voiture en disant au revoir d'un air dégagé, mais il tremblait de tous ses membres et son souffle paraissait coincé quelque part au fond de sa poitrine. Il la regarda, scruta ses yeux et crut voir de la surprise mêlée à du plaisir et à un certain trouble, avant qu'elle ne détourne son visage. Les mains crispées sur le volant, les joues en feu, elle murmura d'une voix entrecoupée qu'il commençait à se faire tard.

Saisissant la balle au bond, Liam dit que c'était vrai et qu'il fallait vraiment qu'il s'en aille. Une voix qu'il eut du mal à reconnaître comme étant la sienne ajouta qu'il espérait la revoir bientôt, et qu'il lui écrirait un mot dès le lendemain.

Le lendemain, encore envoûté par le souvenir de ces lèvres veloutées et de ces yeux brillants, Liam commença une lettre ardente, peuplée de tendres souvenirs. Avec un certain humour il expliquait qu'il s'était arrêté dans l'allée avant d'entrer et que ses gestes manquaient tellement de sûreté qu'il avait dû craquer trois allumettes avant de pouvoir allumer sa cigarette.

S'interrompant un moment, Liam sourit à une jeune infirmière qui passait avec une pile de linge dans les bras. Elle lui rendit son sourire. C'était elle qui lui avait frotté le dos le premier jour et, l'ayant vu entrer la veille au soir, elle lui avait discrètement conseillé de regagner son lit sans se faire remarquer pour que l'infirmière-chef ne vienne pas lui demander des détails sur la façon dont il avait occupé sa journée.

Elle avait l'air de ne nourrir aucun doute sur ce qui s'était passé, mais bon sang, se dit-il alors, si elle l'avait *vraiment su,* elle n'aurait pas souri ainsi.

Revenu au sentiment de la réalité, il se remit à sa lettre mais les allusions romantiques et tendres à la douceur de ces lèvres qui l'avait empêché de fermer l'œil de toute la nuit lui parurent soudain stupides et hors de propos. Il déchira la feuille de papier en mille morceaux et se campa devant la fenêtre. Il ne fallait pas parler de ce baiser, même pour s'excuser. S'il voulait qu'on l'interprète comme un geste fraternel et fortuit, mieux valait ne pas attirer l'attention dessus. Il savait fort bien, d'ailleurs, que fraternel ou non, ce baiser ne devait être suivi d'aucun autre.

Après le déjeuner, Liam reprit la plume, se cantonnant cette fois dans des sujets moins risqués. Il renouvela ses remerciements pour cette merveilleuse journée à la campagne et surtout pour ce cadeau qu'il allait chérir à jamais. Sa lettre ne manquait pas de sincérité mais elle était terriblement banale. La réponse qui lui parvint par retour du courrier était presque du même niveau.

Liam — du moins ce qu'il y avait en lui de plus réaliste et de plus sensé — en ressentit un soulagement considérable, mais l'amoureux qu'il était aussi en conçut une incontestable frustration. Les quelques jours qui suivirent, brûlant du désir de la revoir, il fut harcelé de doutes insidieux. Que pensait-elle de ce baiser ? Quel effet cela lui avait-il fait ?

Et lui, que ressentirait-il quand il se retrouverait devant elle, aiguillonné par cette présence, ce parfum et la tentation de son sourire ? Comment pourrait-il la regarder sans céder au désir de toucher la perfection de sa joue et la douceur de ses cheveux blonds si lisses ?

Au souvenir de ce baiser, il sentait une vive émotion s'emparer de lui. Il revoyait la façon dont elle l'avait regardé ensuite. Et maintenant, ses rêves étaient pleins d'un désir insatisfait.

Ils s'écrivirent ainsi régulièrement mais Liam ne revit pas Georgina pendant plus de deux semaines. Elle avait dû remettre une de ses visites parce qu'elle avait trop de travail et lui avait dû subir deux piqûres très éprouvantes qui, de toute façon, l'auraient trop fatigué pour qu'il puisse la voir. Quand Georgina eut enfin un après-midi de congé, alors qu'il se réjouissait tant à l'idée de l'emmener faire un tour en ville, tout l'hôpital fut consigné. Liam était furieux.

Il alla à sa rencontre à la grille, au milieu d'une foule qui clamait son mécontentement et son indignation. Pour se frayer un chemin avec elle, il fallait qu'il la tienne bien contre lui : mais alors il avait aussi envie de la caresser, ce qui augmentait sa colère. D'une voix brusque, répondant à la question qu'elle lui avait posée, Liam expliqua la raison de cette punition. Deux hommes étaient sortis un après-midi et avaient oublié de rentrer pendant trois jours. A sa vive contrariété, cette histoire eut le don d'amuser Georgina.

« Où étaient-ils allés ?

— Oh, nulle part. Ils voulaient seulement faire une virée en ville. Mais ils avaient tellement bu qu'ils ne se rappelaient plus où ils étaient, ni même qui ils étaient. »

Avec un sourire espiègle, elle commenta :

« Ça va leur coûter cher.

— Ça nous coûte cher à tous, rétorqua-t-il d'un air farouche. Nous voilà consignés au quartier jusqu'à la fin de la semaine. Comme si ça pouvait dissuader qui que ce soit. Ceux qui sont guéris et qui doivent partir en perme de convalescence ne tiennent plus en place. »

Il s'arrêta pour allumer une cigarette.

« Ça commence à être mon cas, ajouta-t-il. En fait, j'ai demandé une permission pour aller à York, l'autre jour, mais il paraît qu'il faut encore attendre. C'est ridicule. Je me porte comme un charme.

— Ne sois pas impatient, dit-elle doucement. Il faut que les choses suivent leur cours.

— Peut-être, mais n'empêche que quand tu commences à tirer sur ta laisse, tu sais que tu commences à aller mieux. »

Comme il pensait également à d'autres interdictions, le ton se faisait de plus en plus brusque et le sourire de Georgina se figea sur ses lèvres. Il s'aperçut de la peine qu'il lui avait causée avant qu'elle n'eût détourné son regard, et regretta son mouvement d'humeur. Lui prenant la main, il changea de sujet. Mais Liam le savait aussi bien qu'elle : dès qu'il serait déclaré guéri, on l'enverrait loin de Londres, sur la côte sud, probablement, car c'était là que la plupart des convalescents devaient se rendre.

Ce fut un après-midi difficile, et quand elle fut repartie Liam se retrouva avec le goût amer du regret. Sachant qu'il devrait aller passer quelques jours à York, il était déchiré entre le désir de rester le plus longtemps possible avec Georgina et l'anxiété qu'il ressentait à propos d'Edward. Bien qu'il continuât de recevoir d'York des lettres rassurantes, il se rendait bien compte que le temps passait et qu'il devait faire le maximum pour pouvoir entreprendre ce voyage d'une journée ou deux.

L'arrivée d'un autre médecin l'incita à renouveler sa demande. On écouta ses explications avec beaucoup de compréhension mais le docteur dit qu'il faudrait d'abord procéder à certains examens avant de pouvoir prendre une décision. Deux jours après l'envoi au laboratoire d'un nouveau prélèvement, Liam alla trouver l'infirmière de jour qui lui dit sèchement que le responsable du laboratoire avait demandé si le malade était encore alité car il avait trouvé des traces de colite. Bien qu'elle ne fît aucun autre commentaire, Liam comprit à son expression qu'il n'avait pas intérêt à trop insister s'il voulait conserver le peu de liberté dont il jouissait déjà.

Déçu et frustré, Liam ne dit rien de tout cela à Georgina. Le mauvais temps qui sévissait alors ne fit rien pour lui remonter le moral et les lettres qu'il écrivit reflétèrent son état d'esprit. Elle lui répondit en lui proposant une sortie au théâtre quand elle aurait son après-midi de congé, mais cette idée le séduisait moins qu'il n'aurait pu y paraître. Il y avait souvent des orchestres qui venaient à l'hôpital, certains d'un niveau convenable, d'autres — la plupart en fait — composés de musiciens amateurs. Et de temps en temps, on se rendait en groupes au Palladium de Stockwell, à deux pas de Wandsworth.

Bien qu'il fût plutôt blasé de ce genre de divertissement, Liam se dit qu'il aurait été grossier de décliner cette offre. Il fut donc convenu qu'il retrouverait Georgina près de Leicester Square, dans un salon de thé où ils étaient déjà allés une fois.

Il faisait un temps épouvantable, à la fois pluvieux et froid. Arrivé le premier, Liam attendit Georgina à l'intérieur de l'établissement. Quand elle vint enfin, elle était glacée. Il aurait voulu la réchauffer en la tenant serrée contre sa poitrine mais se contenta de lui prendre les mains, une fois attablé en face d'elle, en la regardant avec un sourire tendre.

Ils s'attardèrent plus longtemps que prévu et quand ils arrivèrent au théâtre, ce fut pour constater qu'il n'y avait plus de places. Bien qu'il eût cessé de pleuvoir, Georgina dit qu'elle était trop fatiguée pour marcher. Elle avait envie de s'asseoir pour se détendre.

« Viens, dit Liam en lui saisissant le bras d'un air décidé, nous allons entrer dans le premier théâtre vide que nous trouverons. Comme ça, tu pourras toujours dormir sur mon épaule. »

Il rit et elle répondit avec un sourire, mais ses traits restaient tendus et il se demanda si elle se faisait du souci pour son travail ou pour son père qui était parti à Dublin.

Au bout de quelques pas, il dit :

« Tu es sûre que tu ne préfères pas rentrer chez toi ? Avec la mine que tu as, je te verrais mieux devant un bon feu de bois que dans les rues de la ville, surtout avec le froid qu'il fait !

— Non, dit elle vivement. Ça va très bien, je

t'assure. Seulement, je vais m'arranger pour me coucher de bonne heure. Je manque un peu de sommeil en ce moment.

— Je vais appeler un taxi...

— Non, Liam, ce n'est pas la peine. »

Elle le prit par le bras et la chaude intimité de ce geste fut pour lui comme un rayon de soleil. Au coin de la rue, un peu plus bas, il y avait un petit théâtre qui annonçait un programme de variétés. Georgina proposa d'y entrer.

Le spectacle avait déjà commencé mais il restait des places libres. Liam prit deux fauteuils d'orchestre et poussa un soupir inquiet en pénétrant dans la salle. Elle était à moitié vide, ce qui ne laissait guère augurer un spectacle de grande qualité.

Il ne se trompait pas. Les numéros présentés étaient fort médiocres. Il avait vu un bien meilleur ventriloque au cours d'une séance récréative qui avait eu lieu à l'hôpital la semaine précédente et certaines des infirmières étaient infiniment plus adroites que les jongleurs qui s'escrimaient sur la scène. Il fit part de ses impressions à voix basse à Georgina, ce qui eut le don de la faire rire, mais les autres spectateurs, des militaires pour la plupart, commençaient manifestement à s'énerver. Au bout d'une demi-heure, alarmé par la grossièreté des commentaires qui volaient dans la salle, Liam s'apprêtait à proposer de partir quand apparut sur la scène une jeune fille déguisée en soldat.

L'uniforme du Tommy britannique, avec ses grandes poches plaquées et ses bandes molletières soigneusement enroulées, lui allait certainement beaucoup mieux qu'à n'importe quel homme, se dit Liam. Elle avait un corps idéalement proportionné et un visage angélique. Les quolibets cessèrent immédiatement, faisant place aux coups de sifflet admiratifs et aux applaudissements.

Quand elle commença à chanter, sa voix imposa un silence total à la salle.

Elle avait mis à son répertoire une série de ballades sentimentales parfaitement adaptées à son timbre de soprano, aux coloris d'une surprenante douceur. *Home, sweet home* fut suivi par *Roses de Picardie*, qui était alors si populaire que le refrain fut repris en chœur par tout l'auditoire. Ensuite, quand les applaudissements se furent calmés, elle commença la chanson favorite de Liam, une chanson dont il connaissait si bien les paroles qu'il dut se retenir pour ne pas les dire en même temps qu'elle.

Il est des mains prêtes à m'accueillir
Et des lèvres que je brûle de baiser
Et des yeux pareils à un brasier
Qui brillent rien que pour moi
Et mille autres choses qui me mettent en émoi.

Ces mots exprimaient exactement ce qu'il ressentait pour la femme assise à côté de lui. Soulevé par un élan de tendresse, il lui prit la main, coulant un regard oblique vers ses yeux qu'elle tenait baissés. Elle paraissait aussi émue que lui par les paroles, et elle serra fort les doigts qui l'étreignaient. Liam sentit son cœur bondir. Il y avait des semaines qu'il se contraignait à ne plus la toucher. Mis à part ce baiser furtif de l'autre jour, il avait gardé ses distances, et il se demandait si elle se rendait compte de l'effort que cela représentait pour lui.

Si tu étais la seule fille au monde
Et si j'étais le seul garçon,
Rien d'autre n'importerait aujourd'hui
Et nous pourrions nous aimer à notre façon
Dans le jardin d'Éden où il n'y aurait que nous
Sans rien qui puisse gâcher notre bonheur.

Cette petite chanson populaire, interprétée avec tant de douceur et de nostalgie, les toucha profondément l'un et l'autre. La main de Georgina s'ouvrit lentement, paume contre paume, les doigts venant doucement s'insinuer entre les siens ; l'intimité de cette caresse inonda Liam de vagues voluptueuses qui lui parcoururent le corps, le serrant à la gorge, combinant le désir et l'amour si totalement qu'il ne fut qu'à peine surpris de la chaleur soudaine qui lui envahissait les reins. Le contact entre eux était si restreint mais si sensuel qu'il ne semblait y avoir que deux points dans l'univers entier, deux points reliés par une ligne de plaisir, un plaisir d'une acuité à la limite du soutenable. C'était presque comme s'ils faisaient l'amour. Il le supposait du moins.

Éprouvait-elle la même sensation ? Pendant un moment, il en fut convaincu, devant la sensualité de sa caresse, et aussi en voyant les cils qui vibraient, la bouche à demi ouverte, et la poitrine qui palpitait en soubresauts fiévreux. Elle paraissait comme envoûtée. Et puis, alors que le feu qui lui incendiait le bas du ventre devenait de plus en plus douloureux, il se dit qu'elle ne pouvait pas se rendre compte, c'était impossible, sinon elle se serait écartée depuis longtemps, avant qu'il ne s'abatte sur elle, oubliant tous les gens qui les entouraient.

Pourtant, au moment où il s'apprêtait à passer un bras autour de ses épaules, en la serrant plus fort contre lui, Georgina porta une main à sa bouche, reprenant son souffle, et secoua la tête d'un air égaré comme quelqu'un qui s'éveille après avoir rêvé.

Paralysé, il la vit se lever brusquement et s'engager entre les fauteuils vides pour gagner la sortie.

La chanson venait de se terminer. La fille salua, dans un tonnerre d'applaudissements et de trépignements. S'arrachant à son siège, Liam saisit sa vareuse et son imperméable et s'élança à la poursuite de Georgina. Arrivé dans la rue, il la vit qui courait, non pas vers la grande avenue mais en direction des ruelles de Soho.

« Georgina ! »

Il courut, le cœur battant, et lui saisit le bras en arrivant à sa hauteur. Il la fit pivoter, sans douceur, pour l'obliger à lui faire face.

Elle tremblait et gardait les yeux obstinément baissés. Ne sachant que dire, il eut alors la certitude qu'elle avait éprouvé les mêmes émotions et le même désir que lui. Dans l'obscure tiédeur du théâtre, cette pensée lui avait paru excitante mais là, dans le froid et le brouillard du crépuscule, elle lui semblait énorme et terrible comme si, ayant découvert qu'il savait nager, il se trouvait soudain confronté à la mer du haut d'une falaise.

Calmé comme sous l'effet d'une douche glacée, il murmura gauchement quelques paroles d'excuse et posa son imperméable sur les épaules de Georgina.

« Je te ramène chez toi. »

CHAPITRE XXV

En dépit des protestations qu'elle multipliait sans conviction, Liam n'eut aucune difficulté à l'emmener vers la grande avenue où ils trouvèrent un taxi qui consentit à les conduire à Queen's Gate. Adossée dans un coin de la banquette, les yeux clos, elle ne dit pas un mot durant tout le trajet. Il lui avait pris la main pour la réconforter, saisi par l'anxiété et le remords à chaque fois qu'il levait son regard vers elle.

Son intention était de la déposer à sa porte pour rentrer directement à Wandsworth mais, alors qu'il payait le taxi et s'apprêtait à lui dire au revoir, Georgina lui demanda de monter à l'appartement.

« Je crois qu'il est grand temps que nous ayons une conversation tous les deux. Ce n'est pas ton avis ? Est-ce que tu as encore le temps ? »

Il regarda sa montre.

« Environ deux heures. »

Elle eut un petit sourire, un sourire résigné qui paraissait plus triste que l'après-midi lui-même.

« Ça te laisse au moins le temps de prendre une tasse de thé. »

Pendant qu'elle cherchait sa clé, il parcourut du regard la large avenue bordée d'arbres, jusqu'à l'endroit où elle disparaissait dans le brouillard, impressionné par l'élégance du quartier. Reprenant son souffle, il monta les marches derrière elle pour la suivre dans un hall spacieux au sol dallé de marbre. Le large escalier était garni d'une moquette mais elle mit un doigt sur ses lèvres avant de monter les marches qui menaient à la porte des Duncannon.

Une fois dans le petit vestibule, elle lui prit son chapeau et sa vareuse en peau de mouton pour les poser sur une chaise puis, sans lever les yeux, le fit entrer dans une grande pièce confortablement meublée qui, manifestement, remplissait différentes fonctions. Il y avait une table et des chaises devant les fenêtres, et, dans une alcôve, un grand bureau d'acajou ; une haute bibliothèque ornait le mur qui jouxtait la cheminée et un grand canapé faisait face à l'âtre, flanqué de quelques fauteuils. Il flottait dans la pièce une atmosphère masculine, renforcée par une légère odeur de cigare. Les couleurs, tirant toutes sur le vert foncé ou le vieil or, reposaient le regard. Le canapé paraissait avoir beaucoup servi. Pourtant, Liam s'assit avec précaution, conscient au plus haut point qu'il se trouvait en un lieu où tout appartenait à Robert Duncannon.

Mais Georgina était aussi chez elle, et c'était à elle qu'il songeait avant tout maintenant. Il se contraignit donc à oublier le cadre et à se concentrer sur elle.

Craquant une allumette qu'elle approcha des bûches que l'on avait préparées avec soin, elle lui demanda de veiller à ce que le feu prenne bien pendant qu'elle irait dans la cuisine pour faire un peu de thé. Il voulut lui dire que le thé pouvait attendre mais se rendit compte qu'elle avait besoin de se donner un peu de mouvement. L'esprit ailleurs, il mania les pincettes et actionna le soufflet. Il se demandait ce qu'elle voulait lui dire, redoutant qu'elle lui demande de ne plus jamais la revoir.

Et pourtant, si elle en arrivait là — et elle ne pouvait pas faire autrement, il en était sûr — , Liam savait qu'il serait obligé d'obéir. Étant donné ce qui s'était passé cet après-midi, la seule chose qu'il pourrait invoquer pour sa défense était qu'il y avait un véritable miracle dans le fait que cela ne s'était pas produit plus tôt. Mais bien qu'il connût les affres de l'enfer quand il se trouvait en sa présence il savait aussi qu'il était prêt à promettre n'importe quoi pour pouvoir continuer de la voir.

Il alla se camper devant la fenêtre, regardant les platanes dont les feuilles jaunes souillées de suie pendaient mollement au bout des rameaux noircis. En bas, il apercevait la capote noire d'un vieux fiacre en faction au bord du trottoir, et de l'autre côté de la rue, plus confusément, une alignée de grilles en fer forgé. Mais il avait du mal à distinguer les maisons aux couleurs claires. Le crépuscule s'épaississait, tout comme le brouillard, et il fut soudain pris d'inquiétude en se demandant comment il ferait pour rentrer à Wandsworth.

De plus en plus préoccupé par ce problème, il entra dans la cuisine. Georgina préparait le plateau. D'un geste hésitant, craignant qu'elle n'ait un mouvement de recul ou un sursaut, il posa doucement la main sur son bras.

« Je t'en prie, Georgina. Viens t'asseoir. Je n'en peux plus. J'ai besoin de te parler mais je ne sais pas quoi dire. »

Elle resta silencieuse un moment, dans une immobilité totale. Il contempla cette tête baissée, poussa un soupir et toucha une mèche folle pour la ramener en arrière. Elle était douce et souple entre ses doigts, comme de la soie. Il aurait voulu dénouer ce lourd chignon et faire tomber la longue chevelure sur les épaules de Georgina mais il n'osait pas. Il laissa sa main s'attarder sur la tiédeur de la nuque.

« Je ne voulais pas te faire de la peine... »

Traversée par un frisson soudain, elle se tourna vers lui et appuya sa tête contre la poitrine de Liam. Il osait à peine respirer, exerçant sur ce cou une pression à peine perceptible.

« Ce n'est pas ta faute. »

Les mots n'étaient pas sortis facilement, il s'en rendait compte, et ils trahissaient une certaine amertume, comme si elle avait dû elle aussi livrer certains combats et comme s'il lui coûtait beaucoup de faire une telle constatation.

« J'ai pourtant bien cru que si, dit-il courageusement, se préparant au pire. Après tout, c'est moi qui...

— Arrête, Liam, écoute-moi. »

Elle releva la tête, fouillant son visage de ses yeux désespérés. Elle passa les bras autour de son cou pour caresser les petits cheveux qui lui recouvraient la nuque.

« Je t'aime. »

Mais elle avait froncé les sourcils en le disant et il vit que cet aveu lui avait coûté un effort considérable, bien qu'il sentît que son cœur s'embrasait sous l'effet de la joie.

« Je sais que c'est mal, reprit-elle, et tu le sais aussi, mais je ne peux plus supporter de me taire. »

Alors il passa les bras autour d'elle, farouchement, et il la serra très fort, comme pour affirmer son droit à la possession. Il avait envie de pleurer de soulagement à l'idée qu'il n'aurait plus besoin de jouer la comédie. Il lui dit qu'il l'aimait aussi, qu'il y avait des semaines qu'il brûlait du désir de le lui dire, et que c'était par amour, oui, uniquement par amour, qu'il s'était tant efforcé de ne pas la toucher, pour ne pas commettre l'irréparable.

Les mots sortaient par saccades, dans un mélange confus de passé et de présent qu'elle avait pourtant,

comme par miracle, l'air de comprendre sans difficulté.

« Je sais, je sais », disait-elle sans cesse, tandis
qu'elle lui touchait le visage du bout des doigts, lui
caressait les épaules et échangeait avec lui des baisers hésitants et tendres.

, « Tu m'as tellement manqué, toutes ces années, je
souffrais tant de ne pas avoir de nouvelles. Comme
tu as été cruel de partir comme ça, sans un mot ! J'ai
cru que tu me détestais.

— Je t'ai détestée, chuchota-t-il, les lèvres collées à
ses cheveux. Mais seulement pendant un très court
laps de temps et uniquement parce que j'étais fou de
toi, et aussi parce que toi, tu savais la vérité. Moi je
ne la savais pas et tu ne me l'as pas dite...

— Je voulais te la dire, mon chéri. Je le voulais,
mais je ne pouvais pas, je...

— Chut. Tout cela n'a plus aucune importance,
maintenant ; ce n'est plus important du tout. »

Tout à sa joie, tout au bonheur de sentir ce corps
svelte et souple serré si passionnément contre lui,
Liam ne voulait plus penser au passé, il oubliait
toutes ces choses qu'il avait fallu se rappeler et qui,
jusqu'alors, l'avaient obligé à garder ses distances.

Éperdu, il était plongé dans le parfum qui émanait
de sa peau et de ses cheveux, ne sentait plus que le
doux contact de ses seins et de ses doigts qui lui
caressaient la joue. Elle bougea la tête en même
temps que lui et leurs bouches se réunirent. Les
lèvres de Georgina avaient un goût de sel et il trouva
dans ces larmes la preuve d'un amour immense, plus
grand encore qu'il ne l'avait cru.

Il y avait une telle passion dans l'étreinte de Georgina que toutes ses hésitations s'évanouirent. Elle
avait embrasé la faim qu'il y avait en lui, et il
n'éprouvait plus la moindre réticence ni la moindre
réserve. Il voulait accueillir chacune de ses caresses
et y répondre avec le même enthousiasme.

Étant donné son inexpérience, Liam aurait pu hésiter, mais elle semblait comprendre tout si bien, elle avait l'air de connaître son corps presque mieux que lui ; et quand il appuya ses lèvres sur sa gorge, elle lui dégrafa la chemise et fit courir ses doigts au-dessous, faisant naître ainsi mille frissons de délices. Ensuite, comme elle le laissait poser la main sur sa poitrine, Liam trouva tout naturel de défaire quelques minuscules boutons et d'écarter un tissu d'une légèreté aérienne pour avoir la joie de sentir contre ses paumes la chair ferme de ses seins nus.

Les sens chavirés, ils s'étreignaient farouchement, poursuivant leurs recherches, leurs explorations, et gémissant de plaisir à chaque nouvelle découverte. Il voulait maintenant s'intégrer à elle et satisfaire son désir dans la tiédeur et la douceur du sanctuaire le plus secret de son corps. C'était une nécessité car cet acte de fusion, si étrange qu'il lui parût, lui apporterait l'apaisement en les unissant l'un à l'autre.

Il la souleva dans ses bras et l'emmena dans l'autre pièce, l'allongeant devant la cheminée. Les yeux mi-clos, elle le guida vers elle, sans songer à défendre sa virginité. Mais lui hésitait à forcer ce fragile obstacle, et le soulagement lui vint avant qu'il ait pu aller jusqu'au bout. Trop tôt pour lui procurer de la joie mais trop tôt aussi, heureusement, pour causer des regrets persistants.

Après quelques secondes, et avant que le remords, ou les excuses ou quelque autre pensée n'aient eu le temps de se faire jour, le téléphone sonna, les faisant sursauter l'un et l'autre de son tintement strident et insistant. Pétrifiés, saisis par l'horreur, ils se cramponnaient l'un à l'autre, prenant conscience de leur semi-nudité et de l'extrême intimité des caresses qu'ils venaient d'échanger. Le choc était le même que si quelqu'un avait fait irruption dans la pièce.

Georgina fut la première à se reprendre. Elle sauta

sur ses pieds, rajustant son corsage dégrafé et lissant les plis de sa jupe chiffonnée. Titubant presque, elle traversa la pièce pour se précipiter dans le vestibule, laissant la porte ouverte derrière elle. Liam vit qu'elle restait immobile un moment avant de se saisir de l'instrument qui tintait toujours.

Et puis elle tourna son regard vers lui, tout en parlant, le regard affolé, la voix étranglée luttant pour s'éclaircir.

« Non, Tisha, il est encore en Irlande... Je ne suis pas très bien en ce moment, je couve une grippe... oui, une grippe carabinée... Ce n'est pas souhaitable que je te la passe. En fait, je viens de me réveiller... J'ai dormi une grande partie de l'après-midi... Non, père ne va pas rentrer avant une dizaine de jours, tu as dû mal comprendre... »

Ne sachant trop s'il devait se réjouir ou se lamenter, tandis que Georgina répondait aux questions en donnant des détails sur ce voyage de Robert Duncannon en Irlande, Liam alla dans la cuisine pour reprendre ses cigarettes. Quand elle eut enfin raccroché, il la saisit dans ses bras et la porta jusqu'au canapé. La tenant bien serrée sous son coude il alluma une cigarette et souffla un grand nuage de fumée bleue. Il n'avait qu'une envie : trouver un lit et l'y emmener, rien que pour l'avoir tout contre lui.

« Elle voulait venir te voir ?

— Ce n'est pas moi qui l'intéressais particulièrement. Elle espérait seulement qu'il y aurait quelqu'un ici. J'ai réussi à la dissuader.

— Heureusement, grands dieux. »

Il la serrait contre lui en lui caressant les cheveux que nul chignon n'emprisonnait plus. Retirant les dernières épingles, il les lissa consciencieusement, en la couvrant de baisers. Peu à peu, elle cessa de trembler, mais il avait encore les nerfs à vif, alors qu'il commençait maintenant à mesurer la signification exacte de ce qui s'était passé entre eux. Il ne savait pas s'il devait s'excuser d'avoir tenté de lui faire l'amour ou d'avoir échoué aussi lamentablement ; il finit par avouer qu'il avait eu très peur.

« Mais je voulais que tu le fasses, dit-elle d'une toute petite voix.

— Je sais. Et ça me fait peur aussi. »

Il la serra encore plus étroitement, embrassant ses cheveux tandis qu'elle s'enfouissait le visage dans l'ouverture de sa chemise.

« Je t'aime, Liam.

— Moi aussi, je t'aime, murmura-t-il, de nouveau saisi par les affres de leur situation. Qu'est-ce que nous allons faire ? »

Le problème paraissait insoluble. Ils parlèrent un moment puis Georgina prépara le thé. Pendant qu'elle était partie se changer, Liam raviva le feu qui ne tarda pas à flamber joyeusement. Il était assis en tailleur sur le tapis quand elle revint, drapée dans une robe de chambre de velours bleu, les cheveux répandus en souples ondulations sur ses épaules. A la lueur des bûches, Liam se dit qu'elle avait l'air d'une princesse de conte de fées. Elle était plus belle que jamais. Maintenant qu'il n'y avait plus la moindre contrainte entre eux, elle était plus douce, plus tendre, et paraissait si prête à tout donner que Liam sentait son amour pour elle redoubler chaque fois qu'ils se touchaient, à chaque fois que leurs regards se croisaient.

Pourtant la joie qu'ils éprouvaient n'était pas entièrement libérée de toute entrave. Ils parlèrent de l'amour en général et de l'amour qu'ils avaient l'un pour l'autre, de la manière dont il avait commencé, de leurs souffrances et de leurs incertitudes. Et, non sans réticences, ils évoquèrent cet aboutissement soudain, qui les avait submergés tous les deux.

Georgina dit que le côté scabreux de leur situation

n'avait rien de comparable avec ce qui se passait de l'autre côté de la Manche, ce qui amena Liam à penser qu'elle devait y réfléchir depuis bien long-temps. Lui, pourtant, avait une façon de voir les choses plus spécifique et plus personnelle. Mais il avait également beaucoup de mal à trouver les mots pour s'exprimer. Peu convaincu par ces concepts abstraits et relatifs, il se souciait surtout de la vulné-rabilité de Georgina. Il se contenta de dire que cela ne devait jamais plus se reproduire. Il était prêt à recourir à la contrainte s'il le fallait.

Cette attitude intransigeante la fit sourire. Un sou-rire tendre, indulgent et admiratif.

« Je ne te mérite pas », dit-elle.

L'après-midi s'était achevé de bonne heure sous une épaisse chape de brouillard. Un peu après six heures, au moment où il aurait dû songer à rentrer, Liam alla à la fenêtre pour scruter les ténèbres. Maintenant, les platanes n'étaient même plus visibles. Debout à côté de lui, Georgina déclara qu'ils n'avaient ni l'un ni l'autre la moindre chance d'atteindre leur destination ce soir-là ; les trams et les bus avaient certainement cessé de fonctionner et il serait beaucoup plus raisonnable de rester sur place.

« Eh bien, dit-il en souriant, je ne prétendrai pas que cela me navre. Pour passer une nuit avec toi, j'accepterais de me faire fusiller à l'aube. Mais ton infirmière-chef, qu'est-ce qu'elle va dire ?

— Qu'est-ce que tu veux qu'elle dise ? Elle sera bien obligée d'admettre que je ne pouvais pas venir par un temps pareil. Ne t'inquiète pas, dit-elle en lui caressant le bras, je vais téléphoner pour leur dire que je suis bloquée ici. Et toi, tu as peut-être intérêt aussi à prévenir l'hôpital. Comme ça ils ne s'inquiéte-ront pas. Dis que tu es chez des parents. »

Riant de bon cœur, Liam remercia le ciel.

Georgina se réveilla vers six heures. Pourtant, pour la première fois de sa vie, elle n'avait pas dormi seule. Dans son lit de plumes moelleux ils s'étaient lovés l'un contre l'autre, et Liam l'avait serrée dans ses bras, son corps chaud et lourd collé au sien, par-derrière. C'était une sensation étrange mais qui lui procurait un plaisir intense, comme si chaque pouce de sa peau naissait à la vie chaque fois qu'il faisait le moindre mouvement.

La veille au soir, elle avait succombé tout à coup à une sorte d'engourdissement, comme si le cerveau avait cessé de fonctionner, la seule chose qu'elle ressentait étant la présence de Liam, là où ses membres la touchaient, là où ses mains et sa bouche éveillaient ses sens et exploraient chaque recoin de son corps, la menant au bord de l'extase et au-delà. Il avait pris en elle un immense plaisir, avide de regarder et de caresser, un peu timide au début car il n'avait aucune expérience des femmes et ne savait trop ce qui était ou n'était pas permis. Georgina, qui n'était guère plus savante, avait seulement eu l'intuition, au plus profond d'elle-même, qu'elle voulait qu'il la touche de toutes les manières possibles, celles dont elle brûlait de le caresser.

Elle avait sur lui l'avantage de connaître le corps des hommes, de ne rien ignorer des fonctions fondamentales ni des sensibilités cachées. Et les années passées au chevet des malades n'avaient émoussé ni sa faculté d'émerveillement ni son profond respect. Elle éprouvait aussi, vaguement, ce sentiment étrange qu'en faisant l'amour avec lui elle exprimait d'une certaine manière toute la tendresse qu'elle avait ressentie à l'égard des autres hommes, ces hommes dont elle avait eu la responsabilité, qui avaient guéri ou étaient passés de vie à trépas ou qui étaient tout simplement retournés au front sans avoir jamais connu l'amour d'une femme.

En même temps qu'elle se souvenait d'eux, elle se remémorait aussi les paroles de ce jeune docteur qui l'avaient tant surprise par leur amertume, quand il l'avait accusée de n'avoir ni cœur ni âme.

Si seulement tu savais, avait-elle pensé alors. Et maintenant, elle se redisait la même chose, et cela la faisait sourire un peu. Mais il lui avait fait peur avec sa véhémence, elle en était presque arrivée à se demander s'il n'avait pas un peu raison. Car enfin, à force de rechercher la protection contre la souffrance, le cœur ne risquait-il pas de se dessécher complètement, abolissant toute possibilité de sentiment ? Mais Liam l'avait préservée de cette issue, en lui montrant dès le début que l'amour et la compassion existaient encore en elle et qu'elle était aussi capable d'être heureuse que de souffrir.

Après s'être trouvée pendant des années dans l'impossibilité d'admettre son amour, elle s'était sentie, au cours des dernières semaines, emplie de désirs contradictoires. Tandis qu'elle le regardait recouvrer santé et vigueur, s'était insinuée en elle l'envie de le couvrir de caresses et de baisers, une envie devenue tellement forte qu'elle avait fini par craindre de se trahir.

Si le baiser que Liam lui avait donné dans la voiture avait desserré le couvercle, le contact de sa main, la veille au théâtre, avait déchaîné en elle de tels torrents de désir physique qu'elle en avait été horrifiée, incapable qu'elle était de concilier l'intensité de ses pulsions avec les sentiments romantiques et tendres qui avaient été les siens jusqu'alors. Constatant que leurs relations ne pouvaient plus continuer sur ces bases équivoques et décevantes, elle avait voulu poser le problème avec franchise, étaler toutes les cartes sur la table en déclarant sans ambages : *Voilà ce que j'éprouve pour toi, que faut-il que je fasse ?*

Maintenant, elle ne se souciait plus de savoir ce qui était bien et ce qui était mal. La seule peur qui subsistait en elle avait trait aux conséquences de leur amour. Mais elle était prête à affronter tous les risques, du moment qu'elle connaissait la joie de ces étreintes, tout en se disant qu'elle n'était pas digne d'une sollicitude aussi tendre ni d'un amour aussi profond.

Elle se tourna sur le côté, s'étira lentement, appuyant ses lèvres sur le muscle lisse de l'avant-bras de Liam, cette présence la comblait de joie, elle était ravie de l'entendre soupirer, de le sentir qui bougeait contre elle, en s'éveillant de son sommeil.

Elle avait éteint la lampe depuis longtemps mais l'ampoule du vestibule était encore allumée ; grâce à cette lueur, elle pouvait voir son visage ; il avait sur les lèvres un sourire sensuel qui commençait à apparaître. Il a changé, se dit-elle, en regardant le dessin de sa bouche, de même que nos relations ne sont plus les mêmes. Il n'hésitait plus maintenant, depuis que les explorations intimes des heures qui venaient de s'écouler leur avaient permis de se découvrir l'un l'autre. Il lui avait fait connaître l'ivresse avec beaucoup de ménagements, mais il s'était aussi parfois montré assez brusque, sous l'effet d'une hâte qu'elle comprenait, même lorsque la vigueur de l'étreinte la faisait haleter, le corps agité de soubresauts.

La première fois, quand il avait enfoncé les doigts en elle, Georgina s'était arc-boutée en criant et il avait gémi en voyant qu'il avait du sang sur les mains, sans comprendre d'abord que c'était du sang virginal et que ce cri était celui d'une femme pénétrée pour la première fois. Pourtant cela n'avait fait que renforcer le lien qui les unissait, en modifiant subtilement l'équilibre délicat de leurs relations. Avant, c'était elle qui encourageait et qui rassurait ; dorénavant ce serait lui qui dominerait, en se montrant aussi plus protecteur.

« Je t'aime », dit-il d'une voix endormie en enfouissant son visage dans les cheveux de Georgina. Il lui caressa le corps, s'attardant sur les seins, le ventre et les cuisses, la taquinant doucement. Elle se tourna vers lui et il l'embrassa à longs baisers langoureux, en murmurant contre ses lèvres : « Je vais sans doute me réveiller d'une minute à l'autre et m'apercevoir que je suis en fait dans ce pageot à Wandsworth. »

Ces mots, malheureusement, avaient rompu le charme. Comme elle frissonnait, Liam passa un bras autour d'elle et la serra très fort.

« Nous aurons d'autres occasions comme celle-là. Nous trouverons un moyen d'être ensemble, tu le sais bien... »

Mais Georgina ne voyait qu'une multitude d'obstacles se dresser devant elle. Éperdue d'amour, elle voulait le garder auprès d'elle pour toujours. Évidemment, son père serait sans doute amené à s'absenter une nouvelle fois pendant une dizaine de jours, ce qui permettrait une autre rencontre ; mais après cela...

Il faudrait trouver quelque chose, même si cela supposait qu'ils se voient à l'hôtel pendant quelques heures ; elle avait de l'argent, plus qu'il n'en fallait, et elle était prête à faire n'importe quoi, oui n'importe quoi, pour être avec lui.

Le brouillard était toujours aussi épais mais maintenant il n'était plus question pour eux de se soustraire davantage à leurs obligations respectives. Georgina sortit son uniforme de la garde-robe et, pendant que le fer chauffait, elle prit les vêtements de Liam pour les repasser. Elle alla chercher dans la chambre de son père un rasoir, un blaireau et un bâtonnet de savon à barbe qu'elle posa devant un petit miroir sur la coiffeuse de sa chambre.

« Tiens, ils n'ont jamais servi. Mais si tu veux te laver les dents, mon chéri, il faudra que tu prennes ma brosse. Je n'en ai qu'une.

— Oh, je ne pense pas que ce soit un problème »,
dit-il avec un large sourire.

Elle lui apporta alors un broc d'eau chaude de la
cuisine et le laissa à sa toilette.

Une serviette nouée autour de la taille, Liam se
lava à la hâte, dans le froid du petit matin. Il n'hésita
qu'un court instant avant de s'attaquer à la barbe qui
recouvrait ses joues. Il fallait qu'il se rase, il le fallait
absolument, et il n'avait aucune raison de répugner à
utiliser les affaires de Robert Duncannon, surtout si
elles n'avaient jamais servi. Pourtant, il n'aimait
guère en passer par là, et il s'acquitta de sa tâche le
plus vite qu'il put. Ensuite, il s'essuya le visage et
partit à la recherche de Georgina et de ses vêtements. Chemise, vareuse et pantalon, tout était
repassé impeccablement, ce qui lui permettrait
d'accréditer la fable selon laquelle il avait passé la
nuit chez des parents.

Pendant qu'elle préparait leur petit déjeuner, il
retourna dans la chambre de Georgina pour s'habiller et remarqua que la porte de l'autre chambre était
ouverte, révélant un grand lit recouvert d'un édredon
marron. Sur la commode, en face de lui, il y avait
une collection de photographies.

Entouré par un cadre argenté, le visage de sa mère
lui apparut. C'était une photo qu'il connaissait bien,
prise quand elle était jeune fille avec ses cheveux
courts et bouclés et son menton fièrement pointé en
avant. Le sentiment de culpabilité qu'il avait d'abord
éprouvé à l'idée qu'on le surprenait au moment où il
venait de commettre une action honteuse disparut
soudain, tant il était fasciné par cette beauté juvénile
qu'il n'avait encore jamais remarquée. Il avait en
effet gardé le souvenir d'une femme beaucoup plus
âgée, au visage adouci par le temps et l'expérience.

L'image se brouilla soudain à sa vue et il dut
s'asseoir, les jambes coupées par les souvenirs

d'enfance qui l'assaillaient, les souvenirs d'une mère qui l'avait entouré d'une tendresse profonde et indéfectible. Il fut pris de remords, et se demanda si elle méritait la cruauté dont il avait fait preuve à son égard, sachant fort bien que sa conduite envers elle avait été impardonnable. Il pensa à la guerre et aux dizaines d'hommes qu'il avait tués dans la chaleur du combat. Mais il avait témoigné de la pitié aux prisonniers turcs et allemands, allant parfois jusqu'à partager avec eux l'eau, la nourriture ou les cigarettes, quand il le fallait. Il fut alors frappé par l'idée, une idée qui le remplit d'amertume, qu'il s'était montré plus charitable envers ses pires ennemis qu'il ne l'avait été avec sa propre mère au cours de ces dernières années.

Il prit le cadre d'argent poli et regarda ce charmant visage dans lequel il voyait non pas sa mère mais une jeune fille de son âge, qui aurait eu les mêmes pensées et les mêmes sentiments que lui. Pleine de vie et de passion, comme Georgina, avec les mêmes besoins et les mêmes désirs, elle s'était lancée en avant, renversant les barrières, prenant ce que l'amour pouvait offrir, au moment où il s'offrait à elle.

Comme Georgina. Oui, exactement comme Georgina.

Et il pensa à Robert Duncannon dans la chambre duquel il se trouvait maintenant et qui n'était pas alors beaucoup plus âgé que lui maintenant. Et il pensa à ce mariage tragique, promis au malheur et à l'échec.

Il regarda la photo de sa mère, toujours auprès du lit après tant d'années, et il mesura l'intensité de cet amour qu'il avait dû y avoir entre eux alors, et ce besoin de saisir le bonheur avant qu'il ne se dérobe à leur étreinte...

Et les pensées de Liam se tournèrent vers lui-même, lui qui aimait Georgina tout en sachant que c'était un amour interdit et qui avait pourtant commis une faute pour ainsi dire impardonnable. Emportés par la passion, ils avaient voulu l'un et l'autre consommer leur union, ils l'avaient fait sciemment, en dépit de son caractère incestueux et sans se soucier des conséquences. S'il fallait s'interroger sur le degré de gravité des actes, Liam savait parfaitement que l'adultère était beaucoup moins condamnable que l'inceste.

Cette idée le fit frissonner. Il avait accusé sa mère et Robert Duncannon d'avoir commis un péché odieux et pourtant il comprenait maintenant que leur seule faute avait été de s'aimer d'une manière inconsidérée. Et lui, il s'était imaginé que son amour pour Georgina était plus grand et plus pur que ce qu'aucun homme avait jamais ressenti auparavant. Pourtant, à la lumière de cette soudaine révélation, il se demandait si tous les hommes éprouvaient la même impression. Et toutes les femmes aussi. Et la passion, une fois qu'on y avait goûté, se perpétuait d'elle-même. Étant avec Georgina, en la voyant, au contact de son corps dévêtu, il en voulait davantage, toujours davantage.

Il l'aimerait toujours. Oui, toujours.

Était-ce cela que ressentait Robert Duncannon ? Lui qui avait maintenant plus de cinquante ans, était-il encore amoureux de Louisa Elliott ? Souffrait-il encore de son absence dans la solitude de ses nuits ? Regrettait-il encore d'être séparé d'elle ?

Liam frissonna de nouveau. Cette souffrance semblait imprégner la chambre. Elle se retrouvait dans la photo de sa mère et dans les autres, plus petites, qui se dressaient à côté d'elle. Il les regarda pour la première fois, et ressentit un terrible coup au cœur en se reconnaissant dans le portrait d'un enfant. Cette photo il l'avait vue bien des fois, Robin et Tisha s'y trouvaient également. Elle avait été prise dix ou douze ans plus tôt, pour Robert Duncannon sans doute, à qui on l'avait envoyée quand il était en Inde ou en Afrique du Sud.

Il y en avait une autre, que Liam n'avait jamais vue : trois enfants, là encore, mais beaucoup plus jeunes et pas les mêmes. Une petite fille qui avait peut-être sept ou huit ans, avec de longs cheveux blonds bouclés à l'anglaise et une jolie robe, qui tenait gauchement un bébé sur ses genoux. Et à côté d'eux, sur une chaise longue, un bambin joufflu vêtu d'un costume marin, l'air figé et les yeux froncés comme si on venait de lui dire que le petit oiseau allait sortir.

En se reconnaissant dans ce costume marin, et en reconnaissant Georgina, Liam sentit sa gorge se serrer. Alors, c'était vrai ! Cette maison qu'il croyait avoir imaginée et qu'il avait vue tant de fois dans ses rêves, c'était la maison d'Irlande où sa mère avait été si malheureuse et où elle avait tant pleuré. C'est là que cet homme de haute taille qu'il appelait son père et qui montait un beau cheval l'avait un jour emporté avec lui pour parcourir des kilomètres et des kilomètres, à ce qu'il lui semblait du moins, et lui montrer le monde du haut de sa monture.

Perdu dans ce monde secret, il ne s'était pas aperçu que Georgina était venue le rejoindre. Il ne sentit sa présence que lorsqu'elle eut glissé un bras autour de ses épaules et appuyé sa joue contre la sienne. Il fit un effort désespéré pour se reprendre mais l'émotion provoquée par tous ces souvenirs ne pouvait se dissiper aussi vite. Se tournant vers Georgina, il enfouit son visage au creux de son épaule, caressé par ses cheveux soyeux. Il ne pouvait pas parler, ni exprimer l'angoisse qu'il ressentait. Il commençait à comprendre des choses qu'il n'avait encore jamais réussi à soupçonner et cette révélation lui causait une profonde souffrance physique.

Comme un homme blessé, il se cramponnait à elle.

« Serre-moi bien fort, murmura-t-il enfin, et surtout ne m'abandonne jamais... »

L'infirmière-chef, une nouvelle venue d'un autre service, accepta sans sourciller les explications de Liam. Australienne elle-même, elle détestait les brouillards londoniens et redoutait l'approche de l'hiver.

Poussant un soupir de soulagement, Liam alla faire un tour du côté des cuisines pour voir s'il pourrait se faire offrir une tasse de thé. Il lui avait fallu plus de deux heures pour faire le trajet et il était arrivé trop tard pour bénéficier de la collation que l'on servait en milieu de matinée. L'une des jeunes infirmières posa la bouilloire sur le fourneau et se tourna vers lui.

« Mon Dieu, s'exclama-t-elle soudain. Vous avez vraiment mauvaise mine, dites donc ! Vous avez eu beaucoup de mal à rentrer ? Quel brouillard, hein ? Hier soir c'en était au point que je me suis perdue dans la cour. J'arrivais pas à trouver le foyer des infirmières. Et vous, vous avez essayé de rentrer quand même ?

— Non, j'ai préféré renoncer et je ne le regrette pas, j'y serais jamais arrivé. Encore ce matin, c'était pas piqué des vers !

— Vous avez bien fait. Kelly et McLaren ne sont pas rentrés avant dix heures et demie de Stockwell. Ils avaient tourné en rond pendant près de trois heures dans les petites rues du quartier. Et il y en a trois autres qui ont dû passer la nuit couchés à même le sol à Horseferry Road. Ils ont jamais pu aller plus loin. Horrible ! »

Liam sirota son thé en écoutant d'autres récits du même genre, heureux de voir qu'il n'avait pas été le seul à découcher la nuit précédente. Il se sentait incroyablement fatigué, non seulement parce qu'il n'avait dormi que trois heures mais aussi du fait que le torrent émotionnel qui l'avait submergé semblait avoir opéré un vide total dans son esprit. Il se sentait incapable d'une pensée rationnelle et n'avait qu'une idée en tête : s'esquiver à la bibliothèque dès qu'il aurait mangé, se trouver un coin tranquille et un fauteuil confortable et *dormir*.

Après le souper, il allait déjà beaucoup mieux mais n'en décida pas moins de se coucher de bonne heure, prétextant qu'il avait un livre intéressant à finir pour refuser une partie de cartes ou de billard. Le concert prévu pour ce soir-là au grand auditorium avait été annulé à cause du brouillard et une certaine agitation régnait à l'intérieur de la chambrée, obligeant l'infirmière de nuit à sortir de son bureau pour leur rappeler que certains avaient besoin de repos. En fait, il n'y avait personne de vraiment malade parmi eux ; ils n'étaient d'ailleurs plus que dix-huit, et la plupart d'entre eux, mieux rétablis que Liam, attendaient avec impatience leur permission de convalescence.

Bien qu'il eût été lui-même impatient de partir, il ne savait plus maintenant ce qu'il souhaitait au juste et cette incertitude ne faisait que jeter le trouble dans son esprit ; il eut beaucoup de mal à s'endormir.

Son amour pour Georgina était tel qu'il se sentait surtout préoccupé par le souci de lui éviter des conséquences fâcheuses. Il voulait à tout prix faire en sorte qu'elle ne se retrouve pas enceinte. S'il n'y avait pas eu ce problème, il savait qu'il aurait fait l'amour sans la moindre restriction ni le moindre scrupule. Il l'aimait de toute son âme et aurait été prêt à l'épouser si cela avait été possible. Le fait qu'ils étaient frère et sœur n'avait pour lui absolument aucune importance. D'ailleurs, il n'avait jamais pu accepter cette parenté, sinon la passion innocente et juvénile qu'il avait eue pour elle serait morte depuis bien des années.

Il aurait voulu ne penser qu'à Georgina et pourtant, malgré ses efforts pour les chasser, d'autres images surgissaient sans cesse à son esprit. Il revoyait les visites que Robert Duncannon avait faites à York, comme par exemple lors du cinquième anniversaire de Liam, le jour où Louisa et Edward s'étaient mariés. Certes, Liam s'était senti trahi ce jour-là mais maintenant il comprenait le motif de cette mise en scène. N'était-ce pas la seule façon de justifier un tel déploiement de faste à trois enfants innocents et bavards ? Les gens du voisinage devaient croire que Louisa et Edward étaient mariés depuis longtemps, tout comme lui n'avait jamais douté qu'Edward était son père.

Et pourtant, quand il s'était trouvé en présence de Robert, ne lui était-il pas arrivé de se demander quel rôle jouait cet homme dans sa vie ? Confronté à ce personnage imposant, l'enfant avait parfois été saisi par la peur de se montrer déloyal envers celui qu'il croyait être son père, troublé par ce retour soudain et inattendu.

Est-ce que je savais qui il était ? se demandait Liam. Mais il ne pouvait le dire avec certitude : seule l'émotion subsistait, une émotion qui s'estompait rapidement étant donné la facilité nouvelle et étrange avec laquelle il acceptait les vérités d'autrefois. Et s'il pouvait les accepter, c'était uniquement parce qu'il avait commencé à comprendre.

Mais la vérité, comme toujours, était une arme à double tranchant. En consentant enfin à admettre le lien indissoluble qui l'unissait à Robert Duncannon, il ne pouvait manquer également de voir celui qui le rattachait à Georgina, ce qui diminuait un peu le plaisir qu'il éprouvait à évoquer cette longue nuit d'amour et d'explorations mutuelles, en faisant naître en lui un certain sentiment de malaise.

Quand il s'endormit enfin, ce ne fut pas pour rêver de ces choses, mais pour subir une fois de plus, pour la première fois depuis bien des semaines, un nouveau et terrible cauchemar inspiré par ce qu'il avait vécu à Pozières.

CHAPITRE XXVI

La semaine qui suivit fut bizarre, presque angoissante. Pendant trois jours, le brouillard subsista, et cette chape persistante ne fit rien pour faciliter son introspection ou atténuer son sentiment de culpabilité. Quand il n'était pas blotti près du poêle, dans la chambrée, Liam se réfugiait dans la bibliothèque pour y chercher de nouvelles lectures, et quand il ne lisait pas, il écrivait des lettres qu'il déchirait aussitôt.

A qui pouvait-il se confier ? Qui allait le conseiller ? Et pourtant il n'avait jamais eu autant besoin d'aide. Les relations qu'il avait eues avec Georgina présentaient un caractère incestueux, c'était indubitable, et l'inceste était un véritable tabou pour l'Église, l'État et la société qui s'empressaient toujours avec un bel ensemble de dissimuler le problème sous un épais tapis d'ignorance. Non, jamais il ne pourrait avouer à qui que ce soit ce qui s'était passé entre Georgina et lui.

Si encore il avait pu la voir pour discuter avec elle de toutes les idées qui lui trottaient dans la tête ! Mais ce maudit brouillard paralysait totalement la vie dans la cité. Il en était réduit à prier comme une vieille dévote pour qu'une éclaircie leur permette de se voir le dimanche suivant, comme prévu.

Il fut arraché au sommeil au petit matin par un nouveau cauchemar à propos de Pozières. Trempé de sueur et agité de tremblements, il entendit alors le crépitement régulier de la pluie qui giflait les toits et les fenêtres, donnant le coup de grâce à ce brouillard sulfureux qui laissait bientôt la place à une matinée claire et ensoleillée, insufflant chez tous les pensionnaires de l'hôpital un entrain printanier.

Il fallut presque en venir aux mains pour obtenir une permission de sortie, mais Liam eut de la chance et, peu après une heure de l'après-midi, il partait à la rencontre de Georgina qui devait le rejoindre près du pont de Vauxhall. Peu après, ils montaient l'escalier de l'appartement de Queen's Gate et en dépit du sentiment de culpabilité qui ne le quittait plus, il ne tarda pas à lui faire l'amour.

Il flottait dans la chambre une odeur de roses émanant d'un pot de fleurs séchées posé sur une commode près de la fenêtre, et la peau de Georgina avait un parfum similaire, comme si la jeune fille aimait qu'il y eût en permanence, en elle et autour d'elle, les senteurs de l'été. Elle lui rappelait en effet les jours d'été des dernières semaines qu'il avait passées à York avant la guerre, avec ces vastes champs de blé sous un ciel radieux, la chaleur du soleil et les alouettes qui chantaient avec insouciance.

Georgina paraissait heureuse maintenant. Rien ne devait gâcher les brefs instants qu'ils allaient passer ensemble. Allongée sur le lit, elle respirait doucement, collée à lui, ses jambes superbes mêlées aux siennes, le visage caché dans la courbure de ses épaules, la chevelure largement étalée sur l'oreiller.

Il passa les doigts au travers de ses longues mèches soyeuses avec une douloureuse conscience de sa beauté et de l'amour qui les liait l'un à l'autre. Pour lui, l'innocence avait disparu. Il mesurait la profondeur de son désir et il savait que ce désir ne devait pas avoir sa place ici. Il le ressentait comme un fardeau dont il ne pouvait se débarrasser. Car il n'était pas question pour lui de se détacher d'elle : il continuerait de la voir et de l'aimer comme il le faisait maintenant, aussi longtemps qu'il en aurait la possibilité.

Sentant que quelque chose le tourmentait, Georgina se redressa pour lui demander ce qui n'allait pas. Liam secoua la tête en disant qu'il n'y avait rien mais elle ne fut pas convaincue. Finalement, avec beaucoup d'hésitations, il réussit à exprimer en paroles ce qu'il avait essayé de lui écrire sans y parvenir pendant des jours et des jours. En acceptant la vérité sur l'identité de son véritable père, il s'était trouvé confronté à un soudain sentiment de culpabilité. Liam avait l'impression, tout en parlant, qu'on leur avait montré un coin de paradis pour le leur enlever aussitôt.

Il pensa lors à un livre qu'il avait trouvé quelques jours plus tôt à la bibliothèque de l'hôpital. Cette traduction des *Quatrains* d'Omar Khayyam, le célèbre poète persan, l'avait fasciné par sa célébration des jouissances immédiates de la vie, et par la tragédie du destin de cet homme abandonné de tous sans le moindre regret. En lisant ces vers, il avait senti une musique puissante accompagnant un réquisitoire ardent contre le sentiment de culpabilité. Mais ces poèmes montraient aussi la brièveté des plaisirs d'ici-bas, et la rapidité avec laquelle la beauté se trouvait perdue à jamais dans la dégénérescence et la mort.

Était-ce pour cela qu'il avait rêvé de la guerre ?

« Qu'y a-t-il ? murmura Georgina. Qu'est-ce qui te tracasse ? »

Liam secoua la tête, il n'avait aucune envie de la tourmenter davantage, mais comme elle insistait, il finit par lui citer le vers qu'il ne cessait de se répéter comme un refrain lancinant.

« *Un moment dans le désert du néant, un moment pour puiser aux sources de la vie*... Ce vers me fait penser à toi, mais il me fait aussi penser à un village de la Somme qui n'existe plus maintenant. Ce n'est plus qu'un nom : Pozières ; c'est tout, un désert de boue et de cendres. Autrefois, il y avait un village sur une colline... »

Il ferma les yeux et au bout d'un moment de silence, il expliqua :

« J'ai encore rêvé de Pozières la nuit dernière... »

Elle ne parla pas. Elle cacha son visage dans la poitrine de Liam tandis qu'il lui caressait les cheveux et les épaules.

« *Le désert du néant*, répéta-t-il. Voilà ce que Pozières est devenu. Un désert. Rien. Anéanti par les obus, avec des hommes au-dessous. Et chaque fois qu'un nouvel obus atterrissait... »

Il frissonna, renonçant à décrire les visions qui le hantaient encore et toujours.

Soudain, de ses doigts tremblants, il saisit une cigarette et l'alluma, inhalant longuement la fumée qui dissipa peu à peu la tension de tout son corps. Il continua de lui caresser les cheveux, trouvant sa consolation dans leur douceur et puisant un certain réconfort dans les larmes qu'elle versait.

« Mais toi, mon amour, murmura-t-il, tu es ma *source de vie*. Tu m'as déjà tant donné, tu m'as rendu à la vie, et je t'aime tellement que c'en est presque douloureux. »

Rentrée à l'hôpital ce soir-là, Georgina resta un long moment à fixer l'obscurité, les joues trempées de larmes. Elle souffrait pour Liam. Ses souvenirs et ses regrets l'affectaient profondément et elle trouvait douloureusement ironique que ce soit grâce à leur amour qu'il ait fini par accepter la paternité de Robert Duncannon.

En fait, ce dont il avait besoin, c'était de temps pour s'accoutumer à cette situation nouvelle ; mais du temps, ils n'en avaient guère, et c'était là ce qu'elle regrettait le plus, bien que, contrairement à Liam, elle en eût été consciente depuis le début. Mais elle ne regrettait pas d'avoir sacrifié à l'urgence du plaisir physique car ce plaisir avait été essentiel, pour lui comme pour elle, et quand elle y pensait, Georgina n'éprouvait aucun sentiment de culpabilité ; son seul regret était que cela ne puisse durer éternellement.

Le jeudi suivant, Liam n'était libre que jusqu'à quatre heures et demie. Elle décida donc d'aller le retrouver à l'hôpital et ils partirent en promenade, souffrant terriblement de ne pouvoir échanger que les chastes baisers exigés par la décence. Plus que jamais, Georgina se disait qu'il leur faudrait trouver un lieu de rencontre, aisément accessible aussi bien de Lewisham que de Wandsworth. On était déjà à la fin octobre et il ne leur restait peut-être plus que quelques semaines à passer ensemble ; il fallait à tout prix éviter de les gaspiller.

Sur le chemin du retour, ils s'assirent un moment près du vieux moulin à vent, et regardèrent un employé ratissant les feuilles tombées, les arbres dénudés et le ciel empreint d'une beauté étrange et translucide. Ils échangèrent un long regard, adouci par l'ébauche d'un sourire intime, et Georgina se sentit profondément remuée par la vigueur virile qui se dégageait de ce visage car elle en percevait aussi la fragilité. Comme il était passager, ce moment de bonheur !

Liam lui prit la main pour la caresser, et elle fut réconfortée par la chaleur et la vitalité qui se dégageaient de ce contact.

« Tu as froid, dit Liam avec une grande douceur. Je crois que nous devrions rentrer... »

Il fallait qu'elle repasse par l'appartement pour reprendre son uniforme. Quelle ne fut pas sa surprise en constatant que la porte était ouverte ; le domestique de son père sortait avec une malle qui paraissait vide. Trop étonnée pour parler, elle se contenta de faire un signe de tête et de lui adresser un pâle sourire au moment où il passa devant elle, annonçant que le colonel était rentré.

Elle s'arrêta net, prise d'une véritable panique. Elle se voyait au lit avec Liam au moment où son père débarquait à l'improviste. Le souffle coupé, elle se demanda si tout était en ordre. Pourvu que Liam n'ait rien oublié la dernière fois !

Mais pourquoi donc son père était-il rentré aujourd'hui alors que dans la lettre qu'elle avait reçue la veille il n'annonçait son retour que pour le lundi suivant ?

Ils exprimèrent leur surprise en même temps, mais aucun d'eux ne rit. Après l'avoir embrassée brièvement, Robert voulut savoir ce que Georgina faisait dans l'appartement à cette heure de la journée et elle dut lui donner un compte rendu assez embarrassé de son emploi du temps, sans oublier de préciser qu'elle était allée voir Liam à Wandsworth.

« Et comment va-t-il ? »

Très gênée à l'idée que son père lisait peut-être dans ses pensées, elle s'efforça de répondre avec beaucoup de naturel.

« Bah, il a l'air de très bien se porter mais je suppose que le docteur voit les choses autrement sinon il ne serait plus à l'hôpital.

— Et toi ? Tu as ta soirée libre ou es-tu obligée de retourner à Lewisham ? »

Devant prendre son service de très bonne heure le lendemain matin, Georgina avait prévu de rentrer dans la soirée ; mais il y avait quelque chose dans le regard de son père — et aussi dans l'ensemble de son comportement — qui l'incitait à dire qu'elle pouvait rester avec lui s'il le souhaitait.

Il parut soulagé de cette proposition.

« Oui, Georgie, je voudrais bien que tu restes. »

Il lui prit affectueusement le coude puis s'affaira soudain, préparant à boire pour eux deux pendant qu'elle ôtait son manteau et son chapeau et allait vite voir dans la chambre pour s'assurer que tout était bien en ordre. Avisant une boîte d'allumettes vide dans la corbeille à papiers, elle s'en empara vivement pour la fourrer dans sa poche. Elle ne vit rien d'autre qui risquât de la compromettre.

Acceptant le verre de xérès que lui tendait son père, elle alla s'asseoir auprès du feu que le domestique allait allumer.

« Alors, papa, demanda-t-elle, quel bon vent t'amène si tôt ici ? Tu m'avais parlé de lundi dans ta lettre. »

Elle s'attendait à moitié à une nouvelle désagréable mais assez curieusement, la pensée de Robin ne l'avait pas effleurée. Quand son père lui eut dit qu'il était blessé, elle ressentit un grand choc.

« Comment... enfin, je veux dire, est-ce que c'est grave ?

— Une blessure à la jambe. Je ne sais rien de plus. »

Robert acheva son cognac d'une seule lampée et s'en versa de nouveau dans son verre avant de venir se planter devant le feu.

« Ça s'est passé dans la Somme. Dans un bled pourri dont j'ai oublié le nom. Ils attaquaient les lignes ennemies, apparemment. Le commandant de la compagnie y est resté, avec un autre officier et deux hommes. »

« Autrement dit, Robin a eu de la chance », se dit-elle avec amertume en songeant aux risques d'infection provoqués par le contact de la boue sur une plaie ouverte. Tout dépendait de la rapidité avec laquelle on dispensait les premiers soins, et de la proximité d'un centre de secours. De toute manière, il aurait de la chance s'il s'en tirait sans les complications provoquées par la gangrène. Elle n'en connaissait que trop bien les résultats.

« Quand as-tu appris la nouvelle ? Où est-il ?

— Encore à Boulogne, je crois, et j'ai l'impression qu'il va y rester un bon bout de temps. Je suppose qu'ensuite ils vont l'expédier sur un hôpital du Yorkshire mais je ne sais rien de précis. J'ai reçu le message hier matin et j'ai réussi à envoyer une lettre à Louisa pour la prévenir presque aussitôt après. Après ça, il m'a pratiquement fallu toute la journée pour régler les affaires en suspens afin de pouvoir rentrer. J'avais prévu d'emmener Letty à White Leigh vendredi...

— Comment va-t-elle ?

— Toujours des problèmes d'arthrose, mais à part ça tout est parfait. Quant à William, il boit comme un trou et je me demande dans quel état il va laisser le domaine. C'est pour ça que je voulais aller y faire un saut. Mais il ne s'intéresse plus à rien, Georgie, il se fout de tout. Et pour ce qui est de Dublin... »

Poussant un grand soupir de lassitude et de désespoir, il s'assit dans le fauteuil qui faisait face à sa fille.

En le regardant, en voyant ces cheveux presque blancs maintenant et ces rides de tristesse qui sillonnaient son visage encore séduisant, elle fut prise d'un remords soudain. Depuis le retour de Liam, elle n'avait guère eu le temps de penser à ce qui se passait en Irlande. Poussant un soupir elle aussi, elle dit :

« C'est vraiment navrant. De quelque côté qu'on se tourne, le monde est à feu et à sang. Mais enfin, qu'est-ce qui se passe ? Je me pose souvent la question... »

Robert secoua la tête.

« Je ne sais pas, Georgie, je ne sais vraiment pas. Et je ne vois nulle part aucune raison d'espérer, c'est ça qui est le plus tragique. Comme tu le dis, l'Irlande est à feu et à sang et ça ne s'améliore pas, bien au contraire. Quant au reste du monde c'est peut-être encore pire, mais que pouvons-nous y faire ? Nous sommes là, nous, les vieux, à essayer de maîtriser un attelage qui s'est emballé mais nous sommes trop âgés et trop faibles. Quant aux jeunes, ceux qui auraient pu nous tirer de là, ils sont tous à l'agonie, tous jusqu'au dernier... »

Son amertume et son désespoir se lisaient sur son visage. Ulcérée de voir son père souffrir, et incapable de lui fournir la moindre consolation, Georgina détourna son regard.

Un long moment, ils fixèrent les flammes, obsédés par leurs tragédies collectives ou individuelles. Elle était en train de penser à Robin quand son père exprima l'espoir que cette blessure pourrait peut-être jouer un rôle de catalyseur.

« Un catalyseur de quoi ? s'étonna-t-elle. Je ne comprends pas. »

Il poussa un soupir.

« Oui, expliqua-t-il, cette blessure pourrait nous aider à sortir de l'impasse, inciter Liam à mettre fin à sa stupide bouderie et à se rabibocher enfin avec sa mère. »

Georgina l'écoutait, le cœur battant. Il y avait longtemps que Robert souffrait du différend qui opposait Liam à sa mère et elle avait promis de jouer les conciliatrices. Bien qu'elle eût fait peu de chose pour persuader Liam, il semblait maintenant qu'il n'y eût plus besoin de catalyseurs.

« Est-ce que tu as réussi à faire avancer les choses avec lui ? »

Elle trouva la formulation de la question assez

malheureuse. Elle se mordit la lèvre, se demandant que lui dire et comment lui expliquer la situation, envahie par un sentiment de culpabilité qui lui emplissait la poitrine et s'étalait sur son visage.

Inspirant à fond pour tenter d'afficher une certaine sérénité, elle dit :

« Je crois t'avoir déjà dit qu'il faudrait beaucoup de patience. Pourtant, j'ai l'impression que le message a fini par porter. »

Robert tourna vers elle un regard brillant d'espoir où se mêlait toutefois une surprise mal dissimulée.

« Bon sang ! murmura-t-il. Comment as-tu bien pu t'y prendre pour y arriver ? »

Là encore, elle jugea la formule plutôt mal venue. Elle répondit plus vivement qu'elle ne l'aurait voulu :

« Je n'ai rien fait de spécial, rétorqua-t-elle. Je t'avais dit qu'il y viendrait de lui-même le moment venu, et c'est exactement ce qui s'est passé. »

Agacée par le regard inquisiteur de son père, elle se leva pour remplir leurs deux verres.

« Bon ! Alors raconte. Qu'est-ce qu'il a dit au juste ?

— Pour le moment, tu sais, il n'a pas dit grand-chose. »

Elle essaya de gagner du temps et après avoir tendu un verre à Robert, elle alla avec le sien auprès de la fenêtre. Il faisait déjà nuit et pendant une bonne minute elle regarda les phares des voitures qui passaient, se demandant jusqu'où elle pourrait aller dans ses révélations pour satisfaire la légitime curiosité de son père sans trahir sa loyauté envers Liam.

« Il m'a ramenée à l'appartement un après-midi de la semaine dernière — c'était mon dernier congé. On s'était promenés en ville et j'étais fatiguée, je ne me sentais pas très bien. Alors il m'a ramenée en taxi et il est monté jusque-là pour s'assurer que j'allais bien. »

Elle fronça les sourcils et se frotta le front.

« Au moment de repartir, reprit-elle, comme la porte de ta chambre était restée ouverte, il a vu le portrait de Louisa près de ton lit. Il est entré pour le regarder... Moi, je n'ai rien fait pour l'en empêcher... et il a vu aussi les autres photos. Il a eu l'air bouleversé.

— Et alors ?

— Je ne sais pas... C'est difficile à expliquer. Ç'a été comme une révélation pour lui. Sur le coup, nous n'avons parlé de rien, et puis, par la suite, quand je l'ai revu, j'ai eu l'impression qu'il ne voyait plus les choses de la même façon. »

Elle se retourna pour faire face à son père.

« Il ne refusait plus d'aller voir sa mère, disant même qu'il allait peut-être avoir une permission, sans avoir la certitude de l'obtenir, pourtant. Mais ce qui a vraiment changé, en fait, c'est que jusque-là il ne pouvait pas se faire à l'idée que tu étais son père. Eh bien, maintenant, ça y est. Je ne sais pas ce qu'il pensait avant, mais en voyant cette photo il a dû comprendre à quel point tu aimais Louisa... »

Robert détourna les yeux d'un air gêné, et se mit en quête de ses cigares. Un instant plus tard, le visage en partie masqué par un nuage odorant de fumée bleue, il dit d'une voix un peu enrouée :

« Je serais vraiment heureux de le revoir. Il y a si longtemps, Georgie, que nous n'avons pas eu l'occasion de parler un peu... Crois-tu que nous pourrions y aller ensemble ? demanda-t-il. Crois-tu qu'il accepterait de me voir un moment ? »

Georgina eut alors l'impression que quelque chose venait de se terminer. Les précieuses semaines que les circonstances leur avaient accordées à eux seuls ne se répéteraient plus jamais. Les exigences de la famille, restées en veilleuse jusqu'à présent, allaient maintenant prendre le pas et se faire sentir d'une manière de plus en plus pressante. Avec l'arrivée de Robin, Liam se trouverait aspiré à l'intérieur du cercle de famille et Georgina ne pourrait pas faire autrement que de le laisser parmi les siens.

Elle secoua la tête, clignant les paupières pour chasser les larmes prêtes à poindre, et dit avec difficulté :

« Je ne lui ai pas posé la question. Mais je suis sûre que tu vas le voir tôt ou tard. En fait, c'est inévitable... »

CHAPITRE XXVII

Le lendemain matin, Liam se trouvait dans la bibliothèque, regardant distraitement par la fenêtre, quand un de ses camarades vint le chercher.

« Pour l'amour du ciel, reboutonne ta chemise un peu mieux que ça, tu as de la visite. Un colonel, mon vieux, rien que ça ! Il vient du ministère. Qu'est-ce que t'as encore été faire comme connerie ? »

Liam sentit le sang affluer à son visage puis se retirer lentement, laissant derrière lui un sillage froid et moite. Il resta immobile un moment, l'esprit en ébullition, passant en revue tous les motifs possibles d'une telle visite. Son compagnon de chambrée lui donna un coup de coude, sans ménagements, et lui fourra un peigne dans la main.

« Tiens, ratisse ta tignasse. Et resape-toi un peu. »

Il tira d'un coup sec sur la vareuse de Liam en regardant par-dessus son épaule.

« Je suis sûr qu'il a monté l'escalier derrière moi... »

Un calme glacé s'était abattu sur Liam. En principe, le colonel aurait dû être en Irlande et s'il était revenu exprès pour le voir ce n'était sûrement pas pour lui faire une visite de politesse. Et lui qui avait passé une partie de l'après-midi hier avec Georgina. Dieu merci, ils n'étaient pas allés à l'appartement, mais tout de même...

Tel un homme attendant l'exécution, il se lissa les cheveux, rajusta sa cravate et reboutonna lentement sa vareuse. Comme il n'était pas seul dans la bibliothèque — certains feuilletaient des ouvrages dans les rayons, d'autres lisaient tranquillement devant les tables — , Liam trouva un certain réconfort dans la pensée que l'on ne pouvait guère lui passer un savon devant tout ce monde. Si le colonel avait voulu lui reprocher son inconduite, il aurait sûrement choisi un autre théâtre d'opérations.

Il avait à peine eu cette pensée que la porte s'ouvrit et pour la première fois de sa vie, il regarda Robert Duncannon en sachant que cet homme était son père.

Ce fut une sensation étrange où se mêlaient l'appréhension et une certaine dose de crainte. Il avait une sorte de crispation au creux de l'estomac, vestige de la haine qui l'avait habité si longtemps. Mais il y avait aussi dans cette apparition quelque chose de familier, car Liam savait maintenant que c'était dans cet homme que se trouvait l'origine de traits qui étaient les siens. Son hostilité en fut fortement atténuée, laissant la place à une liberté d'esprit qui lui permettrait de manifester une certaine ouverture.

Les trois années qui venaient de s'écouler avaient laissé leur trace. Robert Duncannon n'était plus l'homme que Liam se souvenait d'avoir vu. Les cheveux alors gris fer étaient maintenant presque blancs et comme tant d'autres, il avait beaucoup maigri. Mais si l'uniforme et la perte de poids le faisaient paraître plus grand, Liam fut également frappé par le fait qu'il avait perdu son air d'invincibilité. En dépit de ses galons, il était un homme comme les autres, ni un ogre ni un ennemi, un être humain faillible comme lui.

De la fenêtre où il était, Liam le vit rester un

moment immobile, scrutant les visages qui l'entouraient ; puis Robert se tourna vers lui et leurs regards se croisèrent. Instinctivement, Liam se mit au garde-à-vous, de même que le garçon qui se trouvait à côté de lui. Mais le colonel avait souri. La main tendue, il venait vers lui.

« Alors, Liam, comment vas-tu ? Depuis le temps qu'on ne s'est pas vus ! »

Tout en lui serrant la main, Liam surprit, du coin de l'œil, l'air étonné de son compagnon, qui disparut sans demander son reste. Robert Duncannon ne parut rien remarquer et garda longtemps la main de son fils dans la sienne. Même si sa vie en avait dépendu, Liam aurait été incapable de parler, et comme tout bon soldat, il attendit que son supérieur suggère de prendre un siège pour commencer la conversation.

Dès les premières secondes, et malgré la tension qu'il y avait entre eux, Liam vit tout de suite que son père ne nourrissait aucune animosité à son égard et il poussa un léger soupir de soulagement. Au début, il eut aussi l'impression qu'il ne s'agissait de rien de plus que d'une simple visite qui aurait été retardée par les circonstances et les obligations professionnelles de l'officier. Ils parlèrent de choses et d'autres, du temps qu'il faisait et de la guerre, de l'état de santé de Liam, des infirmières en général et des horaires de travail de Georgina en particulier ; et à mesure que Liam se détendait, répondant aux questions avec de plus en plus de naturel, son père en vint petit à petit à aborder les problèmes familiaux et le véritable motif de sa visite.

Il annonça la blessure de Robin avec beaucoup de tact et de ménagements mais ce fut tout de même un choc pour Liam. Le manque d'informations précises laissait trop de place à l'imagination.

« Viens, dit Robert avec entrain, on va aller faire

un tour dehors. On pourra fumer et ça nous fera du bien à tous les deux, je crois. »

Ce fut en effet un soulagement pour eux de pouvoir bouger un peu. Fouettés par un vent froid venu de l'est, les deux hommes arpentèrent les allées sablées en fumant les cigares de Robert. La situation paraissait si invraisemblable que Liam avait presque envie de rire. Il y avait très peu de monde autour d'eux, mais quand ils arrivèrent à la hauteur de deux de ses camarades de chambrée qui fumaient en silence à l'abri du mur de la chapelle, Liam ne put cacher davantage son amusement.

« Excusez-moi, dit-il en riant. Mais si quelqu'un m'avait dit un jour que je me promènerais dans ce parc avec un colonel de l'armée britannique en fumant ses cigares, je lui aurais conseillé d'aller consulter un psychiatre. »

A sa grande surprise, Robert rit aussi et pendant un moment il y eut entre eux une telle complicité qu'ils eurent presque l'impression d'être de vieux amis.

« Étant donné la réputation que nous avons les uns et les autres, la situation ne manque pas de piquant, en effet. Mais quelque chose me dit que quand tu retrouveras tes camarades, ils vont se poser des questions sur les motifs de cette rencontre...

— Peut-être, mais ça m'est bien égal.

— Vraiment ? »

Des yeux perçants fouillaient son regard. Mais Liam rit de nouveau, avec une certaine amertume, cette fois.

« J'en ai vu d'autres.

— Oui, dit son père à mi-voix. Je n'en doute pas une seconde. »

Ils marchèrent un moment en silence puis Robert suggéra que Liam aimerait peut-être aller voir son frère dès qu'il serait arrivé dans un hôpital anglais.

« Je sais que tu as sollicité une permission, qui t'a été refusée, mais dans une semaine ou deux, tu n'auras qu'à renouveler ta demande. D'ici là nous saurons ce qu'il en est au juste pour Robin. Et toi, tu seras davantage en état de voyager, bien entendu.

— Déjà maintenant, je me sens tout à fait en forme.

— C'est en effet l'impression que tu me donnes, approuva Robert. Mais tu sais comment sont les médecins, ils aiment bien faire marcher les gens à la baguette. S'ils la ramènent un peu trop, je vais voir ce que je peux faire. Au fait, tant qu'on y sera, ajouta-t-il avec un sourire, on pourra toujours s'arranger pour libérer Georgie. Comme ça, elle viendra avec toi... »

Le cœur de Liam bondit dans sa poitrine. Il baissa les yeux, incapable de soutenir le regard de son père. Il repoussa cette éventualité avec une brusquerie presque excessive et pourtant la perspective de voyager avec elle, de passer deux ou trois jours en sa compagnie, le remplissait d'un ravissement coupable.

« Eh bien, nous verrons ce que nous pourrons faire. Je pourrais aussi m'octroyer deux ou trois jours de congé. Ça fait au moins deux ans que je n'ai pas eu de permission digne de ce nom.

Il y eut quelques difficultés à résoudre mais finalement Liam obtint une permission de quarante-huit heures pour se rendre dans sa famille. Confié aux soins d'une infirmière expérimentée — Georgina — , il eut également Robert Duncannon comme compagnon de voyage.

Le trajet ne fut pas facile pour Liam. Il avait tellement peur de trahir l'intimité de ses relations avec Georgina qu'il passa la plus grande partie du temps à regarder le paysage ou à faire semblant de dormir. Robert attribua cette humeur taciturne à l'anxiété que lui inspirait l'état de santé de Robin et à l'appréhension légitime que lui causait la perspective de retrouvailles imminentes. Il est vrai qu'en dépit des assurances du colonel et bien qu'il eût reçu de sa mère une lettre disant qu'elle était enchantée à l'idée de le revoir bientôt, Liam ne pouvait s'empêcher de se faire beaucoup de souci. Il était également obsédé par le souvenir des dernières heures qu'il avait passées au cottage et, avec le recul du temps, la violence de ses réactions, qui l'avait amené à fuir aux antipodes, lui paraissait bien excessive.

Il était d'ailleurs étonné que Robert ne l'ait pas entrepris sur ce sujet. Il était allé le voir un jour, à l'appartement de Queen's Gate, et on avait beaucoup parlé du passé, mais à la grande surprise de Liam, son père n'avait pas posé la question à laquelle il s'attendait. En fait, Robert Duncannon paraissait surtout soucieux de justifier son propre comportement.

« Tu as dû penser, Liam, lui avait alors dit le colonel, que nous avions eu tort, ta mère, Edward et moi, de ne pas vous révéler plus tôt la vérité sur votre naissance. Seulement, vois-tu, étant donné les circonstances, c'était vraiment très difficile. Alors, que pouvions-nous faire d'autre ? Crois-moi, je connais ta mère suffisamment bien pour pouvoir affirmer qu'elle n'avait qu'une idée en tête : vous épargner le stigmate d'une naissance illégitime. Elle a voulu vous en protéger tous les trois. A-t-elle eu raison ? A-t-elle eu tort ? En tout cas, Edward et moi nous avons jugé que c'était la moins mauvaise solution. »

Fixant son fils d'un regard anxieux, il avait ensuite ajouté :

« Mais il y a une chose que je ne me pardonne pas, c'est d'être allé voir ta mère cet après-midi-là. Pour être franc, je voulais simplement passer un moment en sa compagnie, mais elle n'a pas du tout été contente de ma venue et nous avons fini par nous disputer. J'en suis vraiment navré. Crois-moi, je le regrette infiniment... »

Pendant une grande partie du trajet, Liam fut la proie d'émotions contradictoires mais il y avait tout de même une chose qui le soulageait énormément : l'absence de son autre sœur. Tisha était allée à York la semaine précédente mais elle avait prévu de rendre visite à tante Émily, la sœur de Louisa, pendant le séjour de Liam. Il n'était pas du tout fâché de cet arrangement car il n'aurait jamais pu supporter les regards inquisiteurs et les observations saugrenues dont Tisha avait la spécialité. Quant à Robert, il avait prévu de s'installer à l'hôtel avec Georgina.

La nuit était tombée bien avant qu'ils n'atteignent leur destination et, au bout d'un laps de temps qui lui parut interminable, Liam fut surpris quand le train aborda la longue courbe annonçant l'entrée dans la ville. Et finalement, il entendit l'employé qui annonçait : « York, vous êtes à York. Correspondance pour Scarborough, Whitby, Harrogate... »

Liam se sentait profondément remué, beaucoup plus qu'il ne l'aurait cru possible, par ce retour au pays. D'un seul regard, il avait vu les grilles en fer forgé, le bureau du chef de gare et l'horloge près de l'escalier. Un air froid chargé de suie lui assaillit les narines quand il descendit sur le quai ; profitant de ce que son père marchait devant, Georgina lui prit la main pour la serrer, et il lui sourit, brièvement.

Ils prirent un taxi pour se rendre à l'hôtel Harker puis, sourd aux protestations de Liam, Robert régla la course jusqu'au cottage de Clementhorpe.

« Ne sois pas ridicule, dit Robert d'un ton péremptoire. Si nous t'avons accompagné c'est uniquement pour te faciliter les choses. Crois bien que si notre présence t'avait paru souhaitable, nous serions allés avec toi jusqu'à la porte de chez tes parents. »

Liam fut touché de cette sollicitude.

« Alors, je vous vois tous les deux demain ?

— D'accord. Disons vers dix heures et demie. Ça nous laissera le temps d'aller à Leeds et de manger un morceau avant de nous rendre à l'hôpital. »

Ils se serrèrent la main. Georgina l'embrassa sur la joue en murmurant :

« Bonne chance ! »

Elle fit au revoir d'un signe de la main tandis que le taxi s'écartait du bord du trottoir.

A la lueur confuse des becs de gaz, York ne semblait aucunement différent de la ville qu'il avait laissée trois ans plus tôt mais, désireux de se retremper plus intimement dans cette atmosphère qui lui avait été si familière autrefois, il dit au chauffeur de le déposer près du pont de Skeldergate pour faire à pied les quelques centaines de mètres qui lui restaient à parcourir.

Les odeurs montant du fleuve n'avaient pas changé et il vit à la surface des eaux grossies par les pluies récentes la poudre blanche des minoteries et les billes de bois venant des entrepôts qui se trouvaient sur sa droite. Les arbres dénudés se dressaient dans la nuit et un vent glacé faisait monter la tension qu'il sentait en lui. Et bientôt, trop tôt à son gré, les vieux ormes laissèrent la place à une grille hérissée de pieux acérés. Cette grille qu'il avait repeinte au cours de l'été précédant la guerre.

Accablé par l'émotion, il alluma en tremblant une cigarette, regardant la masse sombre du cottage dont deux fenêtres étaient éclairées au rez-de-chaussée, et il perçut confusément la forme des buissons qui bordaient l'allée. Il avait l'impression qu'il s'était écoulé un siècle depuis son départ ; qu'il n'avait plus rien de commun avec l'adolescent qu'il était alors. Quels changements allait-il trouver à l'intérieur ?

Les rideaux de la cuisine n'étaient pas tout à fait

fermés. Il s'approcha pour essayer de voir puis, mû par une impulsion irréfléchie, il escalada la clôture, craignant de faire du bruit s'il ouvrait la barrière. Se faufilant derrière les buissons, il atteignit le mur pignon et l'allée qui contournait la maison.

Comme il l'avait pensé, les rideaux de la fenêtre de derrière n'étaient pas fermés et il vit sa mère de profil, penchée au-dessus du fourneau. D'un air inquiet, elle referma la porte du four et se redressa, remettant en place une mèche qui avait glissé. C'était un geste dont il se souvenait bien. Son visage rougi par les flammes n'avait pas changé, à part les pommettes, peut-être un peu plus saillantes qu'autrefois. Sinon, elle était restée exactement la même.

Le soulagement l'envahit comme une vague, le traversant de part en part, pour le laisser faible comme un enfant. Il s'appuya un moment contre le mur, les yeux clos, dans une attitude de reconnaissance silencieuse. Soudain, il se rendit compte que ses cils étaient humides. Il les essuya d'un geste brusque et prit son souffle à fond ; maintenant, il fallait agir vite ou ne rien faire du tout. Passant au ras de la fenêtre, il frappa quelques coups discrets à la porte et entra.

Bien qu'il eût été attendu, une expression d'incrédulité passa dans les yeux de Louisa. Pendant une seconde, elle se cramponna à la table, vacillant légèrement sur ses jambes. Puis, comme il faisait un pas vers elle, elle bougea à son tour. Il crut qu'elle allait l'embrasser mais elle s'arrêta net, à un mètre de lui, les traits figés, fixant sur lui un regard effaré dans lequel se lisaient une infinie variété d'émotions. Et puis, elle éclata en sanglots et se cacha le visage, le corps secoué de spasmes.

« Maman... »

Ému au plus haut point, lui aussi, il n'osait pas la toucher et quand il l'eut enfin prise dans ses bras, il la sentit si raide contre lui qu'il crut qu'elle n'allait jamais se détendre, jamais lui pardonner.

« Ne pleure pas, je t'en prie. Je te demande pardon... »

Il répéta ces mots à plusieurs reprises, alors que les sanglots le secouaient à son tour. Elle paraissait si menue, si fragile ! Il sentait sous ses paumes les os de son dos et de ses épaules, et il avait peur. Jamais il ne l'avait vue pleurer ainsi. Elle lui avait toujours paru si calme, si forte !

Et puis, juste au moment où il se disait qu'elle ne cesserait jamais de sangloter, elle retrouva son calme. Elle le serra dans ses bras et l'embrassa. Elle souriait maintenant, tout en essayant de maîtriser les mouvements incontrôlés qui la secouaient encore. Liam posa la tête sur le creux de son épaule et, pendant une bonne minute, il pleura comme un enfant. Elle se mit alors à le cajoler et il eut vaguement conscience qu'une porte s'ouvrait et se refermait discrètement.

Sa mère le fit asseoir sur une chaise, près du fourneau, puis, comme il portait la main à sa poche, elle lui tendit un mouchoir.

« Tiens, prends ça. Les mouchoirs que je te donnais, tu les as toujours perdus... »

Il rit, faiblement.

« Non, j'en ai un quelque part... »

Pourtant il prit celui qu'elle lui tendait, s'essuya les yeux et se moucha. Tout d'un coup, la situation lui apparaissait sous son meilleur jour : la bouilloire chantait sur le feu, le thé infusait et sa mère souriait, lui racontant qu'elle avait préparé les petits plats qu'il préférait : un ragoût de bœuf avec tout un assortiment de légumes et des beignets aux pommes prêts à être trempés dans la friture...

« Va voir ton père, à côté, dit-elle en disposant des assiettes sur un plateau. Il est venu tout à l'heure mais il n'a pas voulu s'imposer. Je vais apporter le thé. »

Edward avait beaucoup changé. Très pâle, les mouvements plus lents, c'était un vieil homme qui se levait pour accueillir Liam. Agé de soixante-deux ans, il en paraissait bien davantage. En embrassant son père adoptif, Liam se dit que le temps avait compté double pour lui, et cette idée le bouleversa.

« Je suis vraiment content de te revoir... » Quelques larmes intempestives furent vite chassées d'un revers de la main.

« Moi aussi, papa... »

Se tenant par la main, ils se regardaient intensément.

« Comment vas-tu, papa ?

— Bah, pas aussi bien qu'autrefois, mais beaucoup mieux maintenant que tu es là. »

Liam regarda autour de lui. En entrant, il avait remarqué le petit lit, au fond de la pièce, là où il y avait toujours eu le bureau d'Edward.

« Oui, c'est bien regrettable, mais il a fallu descendre le lit où Tisha dormait autrefois. Vois-tu, j'ai du mal à grimper les escaliers maintenant... »

Ce handicap semblait beaucoup l'affecter mais il ne tarda pas à chanter les louanges de Louisa, disant qu'elle aurait dû se faire infirmière et qu'en dépit des restrictions qui sévissaient alors, elle faisait des merveilles avec son allocation de combustibles et de produits alimentaires.

« Et il faut la voir travailler ! Dans le jardin par tous les temps, elle bêche, elle sème, elle arrache les mauvaises herbes ! Quand tu la vois s'acharner sur les chardons, on dirait que ce sont des Allemands qui la menacent avec leur fusil. Ah, vraiment, elle est à son affaire !

— Elle a toujours aimé le jardinage, dit Liam en souriant.

— Et toi aussi, elle t'a toujours aimé. Ce que je suis content que tu sois revenu !... »

Mais l'arrivée de Louisa mit fin à un nouvel épanchement. Le thé était fort et bien sucré et la fraîcheur de son arôme lui procura un plaisir exquis après la lavasse insipide à laquelle il était habitué ; et bien qu'il y eût plus de légumes que de viande dans le ragoût qu'ils partagèrent ensuite, Liam trouva qu'il y avait fort longtemps qu'il n'avait pas aussi bien mangé.

Puis ils s'assirent auprès du feu pour bavarder, jusqu'au moment où Edward commença à dodeliner de la tête. Alors, Louisa remit de l'eau sur le fourneau pour préparer des bouillottes. Liam insista pour faire la vaisselle.

Une fois Edward couché, il alla s'asseoir dans la cuisine avec sa mère et ils discutèrent ensemble jusqu'à minuit passé, évoquant la maladie d'Edward pour parler ensuite de Robin et de Sarah Pemberton, la jeune fille dont il s'était épris.

Liam s'en souvenait bien. Elle avait à peu près son âge et des cheveux blond-roux d'une beauté frappante. Avant la guerre, Robin s'était lié d'amitié avec le frère, Freddie, qui comme tant d'autres maintenant avait trouvé la mort quelque part dans la Somme, dès les premiers jours des combats. Robin avait alors entretenu une correspondance régulière avec Sarah depuis son départ sous les drapeaux — « disons plutôt, fit sèchement remarquer Louisa, que c'est elle qui lui a écrit » — , mais depuis qu'il était venu en permission à Noël, il y avait entre eux plus qu'une simple amitié.

« Elle est allée le voir à Leeds. J'en suis d'ailleurs très heureuse parce que nous n'avons pas pu faire le déplacement plus d'une fois la semaine. Avec ton père qui ne va pas très bien, ce n'était pas facile pour nous. Mais il paraît qu'ils vont transférer Robin à l'hôpital militaire d'York dès qu'il ira un peu mieux.

« — Et comment va-t-il ? Qu'est-ce qu'ils en disent de son genou, les docteurs ?

— Bah, apparemment, ça s'arrange plutôt bien. On l'a déjà opéré deux fois, tu sais, mais il y a une nette amélioration. Il n'est pas question de l'amputer, ajouta-t-elle vivement, seulement, il ne marchera sans doute plus jamais tout à fait normalement.

— Si tu veux mon opinion, ça vaut peut-être mieux, finalement. S'il ne peut pas bien marcher, l'armée ne voudra plus de lui.

— Mais...

— Comment cela, "mais" ? Il a déjà suffisamment donné. Il se bat depuis le début, et après tout ce qu'il a traversé, il a bien de la chance d'être encore en vie. Seulement, s'il pouvait marcher aussi bien que les autres, ils le reprendraient dès demain. »

Saisi de colère, Liam secoua la tête.

« Tu devrais être contente.

— Je le suis, Liam. Très contente même, surtout à l'idée que tu es ici, et tout entier. »

Elle lui prit la main, qu'elle serra avec affection.

« J'ai eu tellement peur, Liam, oui, tellement peur... »

Incapable de finir sa phrase, elle détourna son regard en s'essuyant vivement les yeux.

« Je m'en suis tiré, dit Liam doucement. J'ai eu bien de la chance. »

Puis, avec un optimisme qu'il était en fait bien loin de ressentir, il ajouta :

« Si j'ai pu m'en sortir à Gallipoli sans une seule égratignure, alors je peux survivre à n'importe quoi. Comme on dit toujours, il n'y a que les mauvais sujets qui...

— Tu peux te conduire aussi mal que tu le voudras, coupa Louisa, du moment que tu restes en vie ! »

Cette remarque le fit penser à Georgina et il baissa les yeux.

Mais Louisa se mit alors à parler de Tisha, regrettant qu'elle ne se soit pas davantage manifestée pour se rendre utile. Mais il est vrai qu'elle attendait un bébé, ce qui excusait beaucoup de choses. Liam fut surpris d'entendre cette nouvelle qui avait manifestement comblé sa mère de ravissement. Bref, on évoqua longuement l'arrivée du bébé et le bonheur que cette naissance allait apporter à Tisha et à son mari.

Juste au moment où, après avoir étouffé un bâillement, il s'apprêtait à annoncer son intention d'aller se coucher, sa mère aborda le sujet qu'il avait tenté d'éviter tout au long de la soirée. Après s'être brièvement enquise des arrangements prévus pour le lendemain, elle dit :

« Au fait, j'espère que tu n'es plus entiché d'elle comme autrefois. Ça t'a passé, non ? »

Elle avait presque réussi à le prendre par surprise. Mais il récupéra vite et, sans trop se démonter, il eut un petit rire.

« Oh, voyons, maman, je n'étais alors qu'un bébé. Depuis, j'ai connu bien d'autres filles. »

Elle eut l'air soulagé. Elle lui adressa un sourire approbateur.

« C'est ce que je pensais, naturellement, mais je préférais te poser la question. »

Une lueur de malice brillant au fond de ses prunelles, elle demanda :

« Alors, toujours rien de sérieux ? »

Liam se leva, emportant leurs tasses vers l'évier.

« Si c'est au mariage que tu penses, non. On aura bien le temps d'y penser quand la guerre sera finie. »

Edward étant allé voir Robin à l'hôpital avec Tisha la semaine précédente, il préféra rester à la maison : le voyage risquait trop de le fatiguer et il y avait bien assez de monde pour faire le déplacement cette fois. Liam promit de passer avec ses parents sa dernière soirée à York, ajoutant qu'il espérait décrocher bientôt la permission de convalescence qu'il attendait depuis si longtemps.

« Je devrais l'avoir avant la fin de la semaine prochaine. En tout cas, j'y ai droit, j'ai pas eu de perme depuis que je me suis engagé en 1914. De toute façon, promit-il, je viendrai la passer avec vous. »

Louisa fut enfin prête. Elle avait mis un chapeau et un manteau que Liam ne reconnut pas, que Tisha n'aurait certainement pas trouvés très à la mode mais qui lui allaient à la perfection. Il complimenta sa mère de son élégance, ce qui amena une rougeur subite sur les joues de Louisa et lui valut un sourire de la part d'Edward, qui embrassa tendrement sa femme en disant :

« Souhaite le bonjour de ma part à Robin. J'irai le voir très bientôt... »

Pendant qu'ils se rendaient à l'hôtel, Liam songea soudain que ce serait la première fois depuis ce fameux après-midi de 1913 qu'il verrait son père et sa mère ensemble. Pendant un moment, il se demanda ce qu'étaient leurs relations présentes. Robert Duncannon était la seule personne dont elle n'avait pas parlé la veille et il ignorait tout des sentiments qu'elle éprouvait pour lui maintenant. Il se dit qu'elle devait être un peu gênée à l'idée de rencontrer son ancien amant en présence de son fils, comme lui, en somme, à l'idée de voir Georgina devant eux. Cette idée l'amusa soudain et il se sentit beaucoup plus détendu en arrivant à destination.

Robert Duncannon, en tout cas, ne fit preuve d'aucune réticence pour montrer son affection. Il embrassa Louisa avec tendresse, la garda un moment dans ses bras et lui sourit comme si elle était pour lui la seule femme qui existât de par le monde. Puis il lui dit qu'elle était merveilleusement belle.

Elle ne rougit pas. Elle lui décocha simplement un regard teinté d'une ironie un peu amusée. Elle accepta de marcher à côté de lui mais refusa de lui prendre le bras. Loin de se montrer décontenancé, Robert se contenta de rire. Ils avaient l'air de se connaître à la perfection, ce qui ne manqua pas de surprendre Liam et son étonnement s'accrut encore quand il constata que Robert ne pouvait résister à la tentation de la taquiner tout en lui faisant du charme, tandis que Louisa, forte sans doute de son expérience passée, ne cessait de le remettre à sa place. Ce manège semblait les amuser l'un et l'autre et ils paraissaient plus jeunes, ils semblaient vivre plus intensément.

Marchant derrière eux, il coula vers Georgina un regard inquisiteur et vit qu'elle semblait penser comme lui.

« Ont-ils toujours été comme ça ? »

Elle réprima un sourire.

« Pas toujours, non. Mais quand père est heureux, il est capable de charmer tout l'univers...

— Ouais, je vois...

— Par contre, quand il ne l'est pas... »

Elle laissa sa phrase inachevée un moment, puis levant son regard vers Liam, elle reprit :

« Tu n'as pas encore vu l'autre aspect de son comportement. Quand ça le prend, il peut se montrer impatient, tyrannique et même absolument odieux. Tout le contraire d'Edward, conclut-elle avec un hochement de tête.

— Oui, c'est bien ce que je pensais. »

Il trouvait la vie bien étrange. Sa mère avait été heureuse avec Edward, il en avait la certitude. Encore maintenant, il y avait entre elle et lui une tendresse qui témoignait d'une compréhension illimitée.

Et pourtant, en compagnie de Robert, elle rayonnait littéralement. Il ne put s'empêcher de murmurer :

« C'est dommage, hein ?

— Quoi donc ?

— Qu'ils ne se soient jamais mariés.

— Ne te laisse pas abuser, Liam. Père est un célibataire dans l'âme. Il aime sa liberté par-dessus tout, il ne tient pas en place. Tandis que Louisa, eh bien, tu la connais. Elle adore sa maison et son jardin. Elle ne se plaît qu'avec sa petite famille autour d'elle. Lui, ajouta-t-elle, en secouant la tête d'un air triste, ça ne l'a jamais intéressé. »

Quand ils arrivèrent sur le pont, la large perspective offerte par le fleuve attira son attention et il s'arrêta un moment, l'air rêveur.

« C'est à cause de ça qu'ils se sont séparés ?

— Pour l'essentiel, oui.

— Alors tu ne crois pas... »

Elle secoua la tête.

« Non. Pas vraiment. »

Ils se remirent en marche, laissant une distance respectable entre eux et l'autre couple. Georgina dit :

« Si Louisa était libre — ce qui n'est pas le cas, et ce qu'elle ne souhaite nullement — , je les verrais bien se mettre d'accord sur une sorte d'arrangement, en fin de compte.

— Mais ils ne se marieraient pas.

— Non, je ne les vois pas du tout se marier. Ils se connaissent trop bien... Tu le regrettes ? »

Liam sourit et lui étreignit le bras.

« Non. Maintenant, c'est le cadet de mes soucis. »

Soulagé de voir que leurs parents étaient trop occupés l'un avec l'autre pour s'intéresser outre mesure au comportement de leur progéniture, Liam tira un grand plaisir de ce voyage et du repas qui le suivit. Georgina souriait elle aussi, bavardant avec

Louisa comme si elle avait retrouvé une vieille amie. Pourtant, l'atmosphère changea quand ils s'approchèrent de l'hôpital. Sa mère s'assombrit, expliquant que Robin était encore alité, qu'il souffrait beaucoup, et qu'il faudrait sans doute se séparer pour aller le voir deux par deux.

« Il vaudrait peut-être mieux que j'y aille d'abord avec Liam... ? »

Robert approuva la suggestion.

« Naturellement. Il vaut mieux ne pas risquer de le fatiguer. »

Robin se trouvait dans l'annexe provisoire, une construction en planches qui avait été édifiée à proximité du corps de bâtiment principal. Son lit n'était pas tout près du bureau de l'infirmière, ce qui était bon signe. En principe, du moins. Adossé aux oreillers, ses cheveux noirs ébouriffés tranchant sur le blanc immaculé qui l'environnait, Robin n'était plus que l'ombre de lui-même. En se rappelant son frère tel qu'il l'avait vu à Albert, Liam éprouva un coup au cœur. Incapable de parler tant son émotion était grande, il laissa d'abord sa mère s'enquérir des dernières nouvelles.

Robin lui prit la main.

« Dis donc, tu m'as l'air dans une forme écœurante pour un malade. Comment ça va, toi ? »

Liam avait quelque scrupule à afficher une aussi bonne santé au milieu de ces grands blessés. Se forçant à sourire, il dit brièvement :

« Comme tu le dis, je suis dans une forme écœurante. Dommage que le toubib n'en soit pas convaincu, sinon je pourrais enfin avoir ma permission de convalescence.

— Ne sois pas trop pressé, dit Robin, reprenant en écho les sentiments de Georgina. Ça viendra bien assez tôt. »

Liam savait à quoi il faisait allusion mais la présence de leur mère leur interdisait de parler de la guerre. Il aurait voulu en savoir davantage sur cette blessure, sur les circonstances qui l'avaient provoquée, mais il hésitait à poser toutes ces questions. Il se rattraperait plus tard, quand il aurait plus de temps et la possibilité de voir Robin en tête à tête.

Ils restèrent auprès de lui environ une demi-heure puis sortirent pour laisser la place aux autres, et ils attendirent dans le couloir. Au bout d'un moment, Georgina réapparut, insistant pour que Louisa retourne auprès du blessé.

« Alors, demanda Liam quand ils furent seuls, qu'est-ce que tu en penses ?

— J'ai discuté un moment avec l'infirmière tout à l'heure. Elle dit que ça va bien.

— Oui, mais toi, quelle est ton opinion ? »

Elle lui prit la main et détourna son regard.

« Ça m'a fait un choc de le voir comme ça. Oui, un grand choc. Ce pauvre Robin... »

Il voulait la tenir dans ses bras ; il avait besoin du réconfort physique qu'elle lui donnait toujours. Exaspéré par l'impossibilité où il se trouvait de satisfaire ces aspirations, il étouffa un juron et se mit à marcher de long en large. Georgina l'observa, sans bouger.

« Père a pris une semaine de congé, dit-elle quand il revint à sa hauteur. Il veut rester quelques jours à York. »

Liam sentit son cœur bondir dans sa poitrine.

« Pourtant je croyais que nous rentrions tous les trois à Londres ?

— Apparemment non. Tu devras te contenter de ma seule compagnie.

— Dans ces conditions, bon Dieu, dit-il d'une voix soudain devenue rauque, on part demain matin à la première heure. »

Sachant qu'il risquait d'y avoir foule à la gare, ils y

arrivèrent de bonne heure, dès six heures et demie, mais bien d'autres qu'eux avaient eu la même idée et en dépit des billets de première classe que leur avait pris Robert Duncannon, quand le train venant de Newcastle s'immobilisa le long du quai, ils ne réussirent pas à trouver un compartiment vide.

« J'ai l'impression que je vais me faire remarquer avec cet uniforme », murmura Liam qui portait toujours la tenue bleue fournie par l'hôpital. Il avait en effet remarqué la présence de plusieurs officiers d'état-major à l'avant du convoi. Pendant le trajet aller, il s'était attiré pas mal de regards inquisiteurs ou même franchement désapprobateurs, mais la présence du colonel à ses côtés lui avait valu une immunité totale.

« J'ai bien peur qu'on soit obligés de voyager debout », s'exclama Georgina.

Ils finirent tout de même par trouver un compartiment occupé uniquement par deux ecclésiastiques d'un certain âge et par une dame revêche dont le regard d'acier aurait terrorisé un adjudant de quartier. La jeunesse et l'uniforme d'infirmière de Georgina lui attirèrent des hochements de tête bienveillants de la part des pasteurs qui, en revanche, ne savaient manifestement que penser de la présence de Liam. Le chapeau qu'il portait, avec le soleil levant pour emblème, était devenu, grâce à la presse britannique, le symbole du courage au combat et s'il avait arboré les galons de lieutenant ils auraient été ravis de l'accueillir parmi eux. Pourtant ils étaient un peu déconcertés par l'arrivée de ce caporal qui, de toute évidence, s'était fourvoyé dans ce wagon de première classe. Mais ils étaient trop polis pour en faire la remarque.

Il n'en était pas de même pour la dame à la toque emplumée et drapée dans un manteau de fourrure. Armée de son parapluie, elle lui tapota le genou sans ménagements :

« Dites donc, jeune homme, vous êtes dans un compartiment de première classe. »

Liam n'apprécia pas du tout cette réflexion. C'était pour des gens comme elle que ses amis se faisaient tuer et que son frère avait été blessé. Peu disposé à lui répondre avec courtoisie, il préféra adopter l'attitude du paysan australien mal dégrossi et totalement imperméable aux subtilités de la langue. Tandis que Georgina réprimait un sourire amusé, il regarda d'un air admiratif les sièges rembourrés aux appuie-tête garnis de dentelle et les miroirs biseautés au-dessous des filets à bagages, et dodelina du chef en guise d'approbation.

« Ah bah ça, c'est ben vrrai, m'dame. Comme on dit cheu nous, c'est pas de la gnognote, tout ça ! »

Là-dessus, il s'installa en face de Georgina le plus innocemment du monde.

« Attendez que le contrôleur arrive, jeune homme, et vous verrez de quel bois il se chauffe ! »

Liam inclina fort poliment la tête et regarda par la fenêtre. Il faisait encore nuit mais lorsque le train fut sorti de la gare, il aperçut les premières lueurs de l'aube au-dessus des murailles entourant la ville. Mais il n'éprouvait qu'un regret fort limité car il savait qu'il reviendrait bientôt et pour plus longtemps.

Quelques minutes plus tard, le contrôleur entra dans le compartiment. Plus que jamais décidé à faire enrager sa voisine, Liam prit un air très inquiet pendant que les autres tendaient leur billet. Quand son tour fut arrivé, il retourna ses poches les unes après les autres avant de sortir enfin le précieux bout de papier.

« Mince alors, j'ai ben cru que je l'avions perdu. Vas-y mon gars, fais un trou là-dedans. »

Avec une indifférence parfaite, le contrôleur composta le billet et sortit en portant l'index à sa casquette.

Abandonnant son fort accent de paysan australien dès que la porte fut refermée, Liam se pencha vers Georgina et, adoptant la manière de parler d'un officier britannique, il lui dit :

« Vous n'allez sans doute pas me croire, très chère, mais pendant un moment j'ai vraiment cru que je l'avais perdu, ce billet. »

Il eut la satisfaction de voir l'un des pasteurs rire sous cape tandis que l'autre cachait son sourire derrière les pages du *Times*. Il ne tourna pas ses regards vers le dragon assis à côté de lui mais n'en sentit pas moins d'une manière presque palpable l'indignation qui se dégageait de sa personne.

Georgina lui dit alors d'une voix à peine perceptible :

« Ce que tu peux être taquin ! »

Mais une lueur d'amusement dansait au fond de ses prunelles.

Comme il était impossible de conduire une conversation intime, ils échangèrent peu de paroles, mais ils n'étaient plus obligés de rester constamment sur leurs gardes et ce fut un soulagement pour eux de pouvoir se regarder sans s'inquiéter des réactions des autres.

Liam la désirait si fort qu'il en avait mal partout et à la voir, il comprenait qu'elle éprouvait exactement la même chose. Pendant tout ce voyage, ils n'avaient pu être seuls que quelques minutes mais ce laps de temps avait été suffisant pour leur permettre de se dire à quoi ils pensaient l'un et l'autre.

Aussitôt arrivés à la gare de King's Cross, ils se précipitèrent à l'hôtel le plus proche. Georgina alla retenir une chambre et, prétextant qu'elle avait un train à prendre dans la soirée, elle paya d'avance. Liam entra au bar et se faufila dans l'escalier au moment où l'employé avait le dos tourné. Au troisième étage, elle l'attendait, l'anxiété et l'impatience inscrites sur tous les traits de son visage.

Il la prit dans ses bras avant même que la porte ne fût refermée, la serrant de toutes ses forces, et la couvrit de baisers avides sur le visage, les cheveux, la bouche, tandis qu'elle tentait de dégrafer sa cape et sa jaquette, tout en refermant la porte derrière eux. Elle finit alors par s'abandonner, ouvrant la bouche pour lui, réagissant à cette hâte passionnée avec une fébrilité qui révélait l'intensité du désir qu'elle éprouvait elle-même. Et lui se délectait de ces baisers, du goût de miel qu'il retrouvait dans sa bouche, une bouche dont le doux contact lui donnait envie de pénétrer ce corps d'une autre manière, un besoin qu'il n'arrivait plus à maîtriser maintenant.

Comme il tentait d'arracher le col empesé qui ornait sa robe, elle se dégagea de son étreinte.

« Voyons, Liam, ils vont se poser des questions à l'hôpital si j'arrive là-bas toute débraillée. »

Elle s'interrompit, le souffle court, la main sur la poitrine.

« Laisse-moi me déshabiller toute seule, ça vaudra mieux. »

Il rit un peu nerveusement, lui posa un baiser sur les lèvres, et se mit à se dévêtir. Il plia bien son pantalon et vit qu'elle faisait de même pour sa robe, prenant bien son temps pour le taquiner.

Amusé par ce manège, il la vit qui venait enfin vers lui et il embrassa ses seins, caressant du bout des doigts ses hanches et le creux de ses reins, pour prendre ensuite à pleines mains la partie charnue qui était au-dessous. Il ne cacha pas ses intentions quand il la serra contre lui, et elle lui répondit sur le même ton. C'était une sorte de rituel, chez eux, un plaisir qu'ils s'octroyaient par avance, mais il en éprouva soudain un certain agacement. Presque brutalement, il la renversa sur le lit, s'agenouillant au-dessus d'elle avant qu'elle ne puisse se relever.

« Assez plaisanté », dit-il.

Mais cette bestialité semblait avoir gâché quelque chose de précieux, et le désir de Georgina paraissait moins intense, tout d'un coup.

« Bon, eh bien, vas-y... »

Ce consentement était feint, il s'en rendait compte, et il n'était pas question pour lui de la prendre de force. Pas plus que de la gifler au visage. Poussant un soupir de découragement, il s'écroula sur le lit et la prit dans ses bras.

« Ma chérie, excuse-moi... »

Bouleversée, elle le couvrit de baisers et de caresses, désespérée de voir que le temps passait et qu'ils en étaient toujours à partager le même désir.

Leur plaisir ne fut pas aussi complet qu'ils auraient pu l'espérer et ils se retrouvèrent en fin de compte plus proches de l'angoisse que de la joie. Tout en la tenant dans ses bras, Liam se disait qu'il en serait toujours ainsi désormais : il faudrait se contenter d'étreintes furtives dans des endroits anonymes, de désirs qui se consumeraient en cendres, et d'un amour qui finirait par leur briser le cœur.

CHAPITRE XXVIII

Queen's Gate
Le 28 novembre

Ma chère Louisa,

J'ai eu vraiment beaucoup de plaisir à te revoir et, en dépit des circonstances, à constater que tu es plus heureuse que la dernière fois où nous nous sommes rencontrés. Robin se rétablit rapidement et il est en de si bonnes mains que la guérison est maintenant très proche, cela ne fait aucun doute. J'ai été très content de retrouver Liam, comme tu l'as été toi-même si j'en juge à l'expression de bonheur qui se voyait sur ton visage.

C'est un très beau jeune homme et tu as tout lieu d'être fière de lui, Edward aussi, bien entendu. En ce qui me concerne, je me suis si peu occupé de son éducation que je n'ai aucun lieu d'en tirer la moindre vanité.

Étant sa mère, tu as dû trouver en lui des changements qui m'ont échappé mais je ne pense pas qu'il y ait la moindre raison de regretter qu'il ne soit tout à fait le même. Certes, il a souffert de la guerre, mais il y a' en lui une maturité qui

617

n'existait pas autrefois, ce qui explique sans doute son désir de comprendre une situation qu'il n'avait pu accepter jusque-là.

J'ai été également très heureux d'avoir des nouvelles de Tisha. Sois bien assurée qu'en l'absence du jeune Fearnley je veillerai sur elle le mieux que je pourrai. Ça va me faire un drôle d'effet d'être grand-père. Tu te rends compte, je vais bientôt avoir cinquante-cinq ans et pourtant — en ce moment du moins — , j'ai l'impression de ne pas encore avoir atteint la quarantaine.

Oui, j'ai été heureux de te voir et d'apprendre toutes ces bonnes nouvelles après la série d'événements tristes qui avait marqué l'année. J'espère de toute mon âme que ça va continuer et que Robin va se rétablir très vite sans que l'armée cherche à le récupérer, ce qui me paraît très probable, d'ailleurs, et me réjouit au-delà de toute mesure.

Si on m'avait dit un jour que j'en arriverais à dire de telles choses, je ne l'aurais certainement pas cru mais, vois-tu, je suis vraiment écœuré par ce carnage. Tous ces jeunes qu'on envoie à la boucherie, nous en avons besoin ailleurs, mais il y a des moments où je me demande si Sir Douglas, notre général en chef, s'en rend seulement compte.

Voilà que je me mets à tenir des propos subversifs, il vaut peut-être mieux que j'en reste là pour l'instant. Toutes mes amitiés à Edward — j'ai l'impression que ça lui a fait beaucoup de bien de voir Liam et je suis heureux d'avoir pu user de mon influence, aussi modeste soit-elle, pour rendre ce voyage possible.

Toujours bien à toi,

Robert.

Ce n'était évidemment pas une lettre d'amour mais

Zoe fut émue en la lisant. Depuis l'année 1900, Robert avait très peu écrit et il n'y avait aucune trace de sa correspondance avant cette date ; pourtant les quelques missives que Louisa avait conservées étaient empreintes de tendresse et de sollicitude. En lisant ces lignes, Zoe avait complètement changé d'attitude à l'égard de l'officier.

« Tu l'aimais vraiment, n'est-ce pas ? dit-elle à la photo qui trônait au sommet de sa bibliothèque. Après tant d'années ! Ce devait être une femme hors du commun. »

Une fois de plus, Zoe regretta de ne rien avoir qui eût été écrit de la main de Louisa. Elle avait l'impression d'assister à une conversation fascinante dont elle n'aurait entendu que l'un des protagonistes, et il y avait toujours en elle le désir d'entendre la voix de l'autre interlocuteur. En somme, Louisa Elliott demeurait pour elle un personnage à peine entrevu, et cet être énigmatique n'avait laissé à la seule personne encore vivante qui l'eût connue que le souvenir d'une vieille femme en qui le tempérament et la passion de la jeunesse avaient à jamais disparu.

Zoe poussa un soupir et examina sa collection de photos tirées des originaux que Stephen l'avait laissée emporter à Londres. Elles lui étaient si familières maintenant qu'elle avait parfois l'impression que ces personnages étaient plus vivants que les membres de sa proche famille qui demeuraient en différents points de la côte sud. Elle en arrivait même parfois à se demander s'il n'y avait pas un côté un peu malsain à faire revivre ainsi le passé, mais il y avait dans les lettres qu'elle lisait une telle verve et une personnalité si affirmée qu'il lui était bien difficile de ne pas considérer qu'elle avait affaire à des êtres en chair et en os.

S'il n'y avait pas eu le recul du temps, elle se serait naturellement interdit de fouiller ainsi dans la vie privée de ces gens. Jamais elle ne se permettrait par exemple de lire la correspondance de son père ou de chercher à connaître les relations que sa mère pouvait entretenir avec les personnes qu'elle côtoyait, mais elle tenait absolument à savoir pour quelle raison Robert et Louisa avaient décidé de se séparer aux alentours de l'année 1895 et ce qui s'était réellement passé entre Liam et Georgina. Elle avait de plus en plus la certitude, bien qu'elle n'eût aucune preuve convaincante pour étayer sa théorie, que leurs amours n'étaient pas restées uniquement platoniques.

Dans le carnet de Liam, deux dates étaient soulignées à la fin octobre et quatre en novembre et en décembre ; et pour toute indication figurait en face la lettre G. A plusieurs reprises, auparavant il avait noté : « *G. est venue me voir aujourd'hui* » ou « *Suis allé en ville avec G.* ». Il y avait dans ce laconisme un contraste frappant avec le luxe de détails que l'on pouvait trouver à propos de la nourriture, des conditions météorologiques, de la qualité d'un concert et des lieux qu'il avait visités. Seule sa visite de deux jours à York était l'objet de la même parcimonie dans les commentaires : « *Suis allé à Leeds voir Robin. Il a l'air plutôt mal en point pour l'instant.* » Aucune allusion aux retrouvailles avec sa mère ni au voyage effectué en compagnie de Georgina et de Robert Duncannon.

Finalement tout se passait comme s'il n'arrivait pas à relater les événements concernant sa vie sentimentale. A moins qu'il ne craignît de trop se livrer ? Il fallait donc se contenter de n'y voir qu'un aide-mémoire, un bref commentaire ou une simple initiale.

Était-il venu voir Georgina dans cet appartement ? Zoe le pensait. Elle en était même certaine.

Sinon, pourquoi aurait-elle fait ces rêves ?

En fait, c'était le même rêve qui revenait toujours avec quelques variantes d'une fois à l'autre : Liam y figurait obligatoirement, revêtu de son uniforme. Au début, elle avait eu du mal à reconnaître l'appartement avec ses meubles foncés et ses décorations vieillottes, et il lui avait fallu beaucoup de temps pour s'apercevoir que le cadre de son premier rêve avait été en fait la chambre qui servait maintenant de salle de bain. C'était une longue pièce éclairée par une fenêtre haute et étroite, qui contenait un lit d'une personne, des étagères garnies de livres et de photos et une table de toilette avec cuvette et cruche ornées de roses.

Dans son rêve, elle s'arrêtait dans l'embrasure de la porte, surprise de voir Liam étendu sur le lit, en uniforme, encore chaussé de ses bottes. Son chapeau était posé sur la commode, à côté de lui. Liam paraissait en proie à une profonde tristesse. Il ne parlait pas mais il suivait du regard, la tête appuyée sur les oreillers, tous les mouvements qu'elle pouvait faire.

Zoe portait des vêtements modernes et elle se rendait parfaitement compte que tout cela se passait à l'époque actuelle, soixante-dix ans après celle où Liam avait vécu ces instants, en dépit du cadre edwardien qui les entourait.

Ce qu'elle ressentait alors, une fois l'étonnement initial dissipé, c'était le besoin de réconforter et de rassurer. Mais il y avait surtout en elle le sentiment puissant d'un amour réciproque et irrésistible.

Dans tous ses rêves, elle retrouvait la présence de ce sentiment amoureux et à chaque fois, Liam observait un silence total. Elle aurait pourtant voulu qu'il dise quelque chose, mais il se contentait de la regarder et il avait l'air d'écouter toutes les sottises qu'elle pouvait proférer.

Elle l'avait également vu dans la cuisine. Debout

au milieu de la pièce, il fumait une cigarette, l'air un peu perdu. Une autre fois, il avait été près du bureau de Zoe. Planté devant la fenêtre, il regardait le flot de voitures qui s'écoulait dans Queen's Gate.

En s'éveillant ce matin-là, au début du mois d'août, Zoe avait encore en elle l'image de Liam, assis auprès d'elle sur le bord du lit, qui regardait une photo entourée d'un cadre d'argent. Il était en partie tourné vers elle, la tête penchée, une longue mèche blonde barrant son front creusé de rides. L'image était si nette et la détresse si réelle que Zoe avait tendu la main vers lui pour le toucher avant d'ouvrir les yeux.

Comme toujours, il s'était dérobé à son contact et quand elle avait ouvert les yeux, elle n'avait vu que le décor familier de sa chambre avec la grande armoire, la commode victorienne assortie, deux estampes préraphaélites sur le mur et sa photo favorite de Stephen, dans un cadre de bois, sur sa table de nuit.

Elle l'avait prise elle-même, cette photo, sur les remparts de la ville, près de son appartement, avec la cathédrale en arrière-fond. Il lui souriait, comme pour lui rappeler les heures heureuses qu'ils avaient vécues à York. Mais tout cela paraissait bien lointain et tellement irréel en comparaison de ce rêve qui venait de s'évanouir en elle !

York. Stephen n'y était plus mais la ville existait encore. Zoe regarda de nouveau la photo et, l'espace d'un instant, elle eut l'impression que c'était Liam qui lui souriait, qui lui faisait signe de partir.

Zoe téléphona à Joan Elliott, espérant que celle-ci lui proposerait de passer la nuit dans l'appartement de Stephen, mais la vieille dame était sans doute trop attachée aux principes d'un autre siècle pour formuler une telle invitation et Zoe dut se rabattre sur l'hôtel de Gillygate en espérant qu'il n'était pas déjà entièrement occupé par les touristes, si envahissants en cette saison. Elle avait de la chance : Mrs. Bilton pouvait encore lui offrir une chambre à un lit, celle que Zoe avait déjà occupée lors d'un précédent séjour.

Finalement, Zoe n'était pas mécontente de cet arrangement. Après tout, Louisa avait vécu à Gillygate pendant une vingtaine d'années, avant d'aller s'installer avec Edward à Clementhorpe, et maintenant qu'elle connaissait bien la famille, ce séjour allait revêtir une signification encore plus grande.

Sa petite Renault ayant été remise en état peu de temps auparavant, elle décida de faire le trajet en voiture, empruntant l'autoroute A1 jusqu'à Stamford pour partir ensuite, sans se presser, à travers la campagne du Lincolnshire. Il ne s'agissait pas là d'un choix arbitraire : c'est dans un village au sud de Lincoln qu'était née la mère de Louisa et c'est d'un autre village, situé non loin de là, que Louisa avait reçu des lettres d'un cousin qui se nommait John Elliott.

Une route départementale tortueuse mais pittoresque à souhait la mena à Metheringham, lieu de naissance de Mary Elliott. Il s'agissait en fait d'un hameau fort tranquille avec l'église qui se dressait un peu à l'écart de la route et deux cafés restaurants qui, avec quelques autres commerces, semblaient former le cœur d'une communauté homogène et paisible.

Comme il était déjà midi, Zoe se laissa tenter par le petit pub qui faisait face à l'église et commanda une salade de maquereau fumé et un jus d'orange à l'eau gazeuse avec des glaçons. Considérablement ragaillardie par ce repas improvisé, elle décida qu'il lui restait suffisamment de temps pour aller faire un tour au cimetière, sans espérer vraiment y voir figurer le nom des Elliott.

Et pourtant, elle ne tarda pas à découvrir toute une rangée de tombes portant ce nom ; elles dataient du siècle dernier, les plus récentes remontant aux années 1870. Et elle lut des inscriptions diverses auxquelles se mêlaient des citations bibliques.

Bien que fort ignorante des coutumes paysannes, Zoe eut le sentiment, en comparant ces monuments avec les autres tombes qui les entouraient, que les Elliott avaient dû occuper une place prépondérante dans la vie du village. S'agissait-il de grands-parents ou d'arrière-grands-parents de Louisa et d'Edward ? Difficile à dire avec certitude, évidemment, mais rien qu'à regarder ces croix et ces arches de pierre, Zoe avait la conviction qu'il s'agissait de gens de sa propre famille, et de la famille de Stephen. Un jour, après son retour du Golfe, ils reviendraient tous les deux et ils consulteraient les registres de la paroisse.

Elle arriva à York juste avant cinq heures. Elle gara sa voiture dans un parking et fit à pied le court trajet jusqu'à Gillygate par les voies piétonnières, heureuse de se mêler à la vie de la cité, de fouler ces dalles de pierre et de respirer cet air où flottait comme une poussière dorée. Oui, vraiment, c'était un véritable plaisir d'être de retour dans cette ville.

Mrs. Bilton l'accueillit comme une vieille amie, lui prépara du thé et resta assise avec elle pendant quelques minutes dans le salon réservé à la clientèle. Quand elle fut partie, Zoe resta un moment à contempler la cheminée. Elle pensait à Louisa et à Edward et aussi à Mary Elliott qui avait quitté son village du Lincolnshire pour venir vivre ici et y mourir. Elle pensa aussi aux enfants, en montant l'escalier. Était-ce dans cette chambre ou dans celle-là que l'on avait installé la nursery ? Et puis il y avait également Robert Duncannon qui avait dû bien connaître cette maison, car il avait sans doute séjourné dans

cet hôtel à un moment ou à un autre. Était-ce là.
qu'il avait rencontré Louisa Elliott pour la première
fois, dans cette chambre qu'elle apercevait maintenant, éclairée de deux hautes fenêtres avec une jolie
cheminée victorienne au fond, face à la porte ?

La soirée était chaude mais Zoe eut soudain
l'impression d'être pénétrée par le froid ; ses cheveux
se dressaient sur sa nuque et elle avait la chair de
poule. Elle se dépêcha de passer pour monter à
l'étage au-dessus. Elle déposa son sac de voyage et
redescendit aussitôt, remarquant que la porte, tout à
l'heure ouverte, était maintenant fermée.

Refusant obstinément de considérer que cette
porte s'était ouverte puis refermée toute seule, Zoe
émergea dans la rue animée et, se remémorant les
indications fournies par Joan Elliott, elle partit en
direction de Walmgate.

Ce quartier autrefois si misérable — Zoe avait lu
dans un guide qu'il y avait eu au siècle dernier vingt-
six bouges malfamés dans une seule de ses rues — ,
était débarrassé depuis quelques années des taudis
médiévaux qui y foisonnaient et on y voyait maintenant des immeubles modernes d'aspect fort accueillant.

L'appartement de Joan Elliott se trouvait au premier étage de l'un d'eux. Petit mais pratique, il donnait sur la cour intérieure de Walmgate Bar.

Zoe s'excusa de cette visite surprise, expliquant à
Joan qu'elle ne faisait que passer puisqu'elles
devaient se retrouver le lendemain midi pour le
déjeuner.

« Je ne sais pas si vous vous en souvenez, expliqua-
t-elle alors, mais dans l'une des malles que vous avez
données à Stephen, il y avait un grand registre relié
de cuir où étaient inscrits les noms des clients de
l'hôtel. Nous nous sommes contentés d'y jeter un
simple coup d'œil avant de le ranger avec les autres

livres mais j'ai l'impression qu'il couvre une période de plusieurs années et j'aimerais le consulter plus sérieusement. Cela vous ennuierait-il de me prêter les clés de l'appartement de Stephen pour une heure ou deux. Si vous avez le temps, vous aimeriez peut-être m'accompagner ?

— Je vous remercie beaucoup, ma chère enfant, mais il fait tellement chaud ce soir que je n'ai guère envie de marcher jusque là-bas. Et pour tout vous dire, ajouta-t-elle avec un petit sourire coupable, je ne voudrais pas rater mon feuilleton à la télé. Tenez, voilà les clés. Vous n'aurez qu'à me les rapporter demain, quand vous reviendrez. Je suis sûre que Stephen n'y verrait aucun inconvénient. D'ailleurs, s'il ne vous avait pas fait confiance, il ne vous aurait jamais donné ces lettres à trier, n'est-ce pas ? »

Zoe réprima un sourire devant cette logique un peu tardive, comprenant que l'idée de lui offrir de passer la nuit chez Stephen n'avait pas effleuré la vieille dame. Mais elle ne regrettait rien, tout compte fait, car c'est à l'hôtel que lui était venue l'idée de consulter ce registre des visiteurs.

A sept heures et demie, la chaleur qui se dégageait des murs de brique de Bedern était encore considérable et dès qu'elle fut entrée dans l'appartement de Stephen, Zoe se dépêcha d'ouvrir les fenêtres pour aérer. Elle resta un moment à contempler le paysage admirant les ombres qui s'allongeaient et les jeux de la lumière sur la pierre, la brique et la tuile. Elle se rappelait la première soirée chez Stephen, leur longue conversation, assis là, auprès de cette même fenêtre. Ils avaient regardé les variations des couleurs au crépuscule et vu les dernières lueurs du jour se refléter dans leurs yeux.

Elle se détourna soudain et alla d'une pièce à une autre, frappée par l'atmosphère étrange qui régnait dans ces lieux en l'absence de Stephen ; comme si le temps s'était figé, tout d'un coup, à un moment précis du passé. Et soudain, elle revit cette dernière soirée vécue en sa compagnie, se remémorant les paroles amères qu'ils avaient échangées et les larmes qu'elle avait versées avant leur départ pour Teesport. Trois mois avaient passé depuis et pourtant chaque mot, chaque geste étaient inscrits dans son esprit en caractères indélébiles ; dût-elle vivre jusqu'à cent ans, elle se rappellerait toujours cette longue nuit qu'ils avaient vécue ensemble et l'image de Stephen sur le pont du *Damaris*, qui agitait le bras vers elle pour lui dire au revoir.

Elle erra un moment dans la chambre, touchant les bibelots, tous ces objets exotiques qu'il avait rapportés de ses voyages, et se dirigea vers l'armoire où elle resta un moment à contempler la longue rangée de costumes et de chemises d'où s'exhalait le parfum léger de l'homme qui les avait portés. Son regard se dirigea alors sur les boutons de cuivre d'un uniforme d'officier de marine, avec ses quatre galons dorés sur la manche. Prise de fureur, elle saisit la veste et la jeta à terre, haïssant tout ce que ce vêtement pouvait représenter : le métier de Stephen, la guerre, les dangers auxquels il était soumis. C'était à cause de cela qu'il était parti, qu'on le lui avait enlevé et elle l'englobait maintenant dans ses accusations, elle le maudissait, le sommait de lui dire *quand* mais *quand donc* il allait rentrer.

Reniflant bruyamment, tout en essuyant ses larmes, Zoe finit par recouvrer son calme. Elle remit les vêtements en place et alla se laver le visage dans la salle de bains. Puis elle se prépara du thé et entra dans la chambre d'amis.

Elle trouva tout de suite ce qu'elle cherchait, au milieu des livres et des albums entassés dans la grosse malle. Le registre des clients, un fort volume épais et lourd, portait le nom de l'hôtel gravé en lettres dorées sur la couverture. C'était sans doute Edward qui l'avait confectionné, tout comme il avait relié les albums et le carnet intime de Liam, en y mettant ses initiales, dorées elles aussi. Le simple fait de penser à Edward la calma complètement, comme s'il avait pu imprégner tous les objets qu'il avait touchés de la tranquillité sereine dont il ne se départait jamais.

Zoe feuilleta longuement le registre, déchiffrant parfois avec peine les indications qui y étaient inscrites, mais elle finit par trouver ce qu'elle cherchait. Au début de l'année 1892, deux ans et demi avant la naissance de Liam, Robert Devereaux Duncannon avait séjourné à l'hôtel de Gillygate. Dans quelles circonstances et pour quel motif, Zoe n'en avait évidemment aucune idée mais elle était convaincue que c'était à ce moment que Robert et Louisa s'étaient vus pour la première fois. Cette rencontre avait été le point de départ d'une idylle qui, après une brève période de bonheur, avait abouti à une séparation ; beaucoup plus tard, un tragique concours de circonstances avait amené Liam et Tisha à fuir le foyer familial, puis Liam et Georgina à se précipiter dans les bras l'un de l'autre.

Attristée par ce drame, Zoe rangea le registre et rajusta le lit sur lequel elle s'était assise en se demandant si elle tenait vraiment à savoir toutes ces choses. En regardant dans ces malles, elle avait ouvert une véritable boîte de Pandore, libérant un flot de joies et de malheurs passés qui envahissait sa vie présente et obsédait ses nuits.

Elle referma les fenêtres et jeta un dernier regard autour d'elle. Le reverrait-elle jamais, cet appartement ? Naturellement, elle allait écrire à Stephen pour lui faire part de sa dernière découverte, mais elle n'était pas sûre que ces détails allaient vraiment le passionner. Quand on sait que la mort risque de frapper à tout moment, on a d'autres chats à fouetter.

Rentrée à l'hôtel, Zoe monta tout de suite à sa chambre mais elle mit beaucoup de temps à s'endormir. Le lendemain matin, l'esprit un peu embrumé, elle éprouva le besoin de sortir au grand air. Elle se dirigea vers le bord du fleuve pour se promener un moment à l'écart de la foule en attendant de partir déjeuner chez Joan Elliott, qu'elle devait retrouver à une heure de l'après-midi.

Près de Lendal Bridge, elle se laissa tenter par une promenade sur l'eau à bord d'une des vedettes amarrées à quai. Il y avait déjà quelques personnes qui attendaient et, moins de dix minutes plus tard, le signal du départ était donné.

De temps à autre, le timonier faisait un petit commentaire sur les édifices intéressants qui, entre les ponts de Lendal et d'Ouse, se dressaient au bord de la rivière. Après le pont de Skeldergate, elle essaya de localiser le cottage de Clementhorpe où Louisa avait vécu avec toute sa famille et qui avait été démoli juste après la Première Guerre mondiale quand on avait implanté le Memorial Park de Rowntree.

Zoe avait d'abord été persuadée que Louisa s'était vue contrainte de déménager à cause des Quakers qui avaient pris l'initiative de créer ce parc, mais en examinant les dates et les adresses figurant sur les lettres reçues par Louisa, elle avait pu constater que le changement de domicile s'était effectué au cours de l'été 1918, Louisa s'étant alors installée dans une maison située non loin de Lord Mayor's Walk où elle avait vécu durant de nombreuses années.

Quand le bateau eut dépassé les élégantes demeures bordant la berge, Zoe se mit à penser aux enfants de Louisa qui avaient grandi là, et surtout à Liam qui, une fois adolescent, avait dû connaître par cœur tous ces chemins, ces prairies et ces bois, cette nature si semblable à celle que l'on pouvait trouver dans le Lincolnshire.

Liam aimait beaucoup nager également, cela se voyait à tout instant dans les notes inscrites sur son carnet. Il devait bien connaître cette rivière dont il appréciait l'eau fraîche, surtout par des journées comme celle-ci.

Il n'avait pas dû lui être facile de renoncer à tous ces plaisirs pour s'en aller vers un monde nouveau, loin de sa famille, de ses amis et de ceux qu'il aimait. Et qu'avait-il ressenti en rentrant au pays ? Quand il était revenu en compagnie de Georgina et de Robert Duncannon, en novembre 1916 d'abord, puis une deuxième fois, à Noël de la même année ?

Il avait dû trouver bien du changement, surtout au cottage, avec la maladie d'Edward et les restrictions causées par la guerre. Le pain et le charbon manquaient cruellement, et par ces jours sombres de décembre, York avait dû sembler bien triste, une ville où l'on pleurait les morts, tous ces jeunes hommes du régiment du Yorkshire massacrés dans la Somme...

Attristée par ces pensées, Zoe se résolut à faire le vide en elle pour tenter d'échapper à la puissance du passé. Mais le trajet du retour lui parut bien morne. Elle regarda le paysage en écoutant le commentaire d'une oreille distraite. Elle s'était comme fermée au monde extérieur.

Joan fut heureuse de la voir et devant la chaleur de cet accueil, Zoe sortit de sa léthargie. Sa curiosité était revenue ainsi que le désir de parer au plus pressé. Elle ne disposait que d'un temps limité et il était plus facile de glaner des informations au cours d'une conversation en tête à tête que par lettre ou au téléphone. De fil en aiguille, on en arrivait à aborder des sujets ou à faire surgir des souvenirs auxquels on n'aurait jamais pensé autrement.

Pendant le repas, Zoe parla du déménagement de Louisa lorsqu'elle avait quitté le cottage pour aller s'installer à Lord Mayor's Walk. Joan fut surprise en entendant que cela s'était fait avant la fin de la guerre.

« Vous en êtes sûre ? J'ai toujours été persuadée qu'elle était partie parce que les Quakers de Rowntree voulaient le terrain. Chaque fois que mon père nous emmenait au Park, il nous disait toujours qu'il avait vécu là autrefois. Si ce que vous dites est vrai — et ça l'est sûrement puisque la date de ces lettres ne peut être mise en doute — , elle a dû décider de s'en aller peu après la mort d'Edward. Le cottage était très isolé à l'époque et je me rappelle que mon père racontait qu'ils avaient été inondés deux ou trois fois quand il était jeune. Elle n'a pas dû vouloir affronter ces problèmes toute seule.

— C'est ce que je me suis dit aussi. Elle aurait donc déménagé un an environ après la mort de son mari.

— Exactement. Il est mort en 1917, en avril je crois. La date est sur sa pierre tombale. »

Zoe éprouva soudain le désir impérieux de voir cette sépulture.

« On pourrait aller au cimetière, suggéra-t-elle. J'aimerais voir l'endroit où il a été enterré.

— C'est là que Louisa a été enterrée aussi », dit Joan.

Une heure plus tard, sur le chemin du vieux cimetière de Fulford Road, Zoe revint sur la question du déménagement de Louisa. Joan dit que la maison se trouvait juste derrière l'église St. Maurice, qui avait été détruite, ainsi que la maison d'ailleurs, au début des années soixante-dix.

« C'était bien commode pour nous, surtout quand papa était malade, car on faisait le trajet en quelques minutes. Grand-mère venait souvent chez nous pour le soigner. Elle le veillait la nuit, comme ça maman pouvait se reposer un peu. Et puis au début de la guerre, juste après Dunkerque, en fait, mon frère Bill a décidé de s'engager dans l'armée et une fois qu'il a été parti, j'ai suivi son exemple. Ma mère s'est retrouvée toute seule et du coup Louisa a vendu sa maison pour venir s'installer chez elle. Évidemment, elles n'étaient pas toujours d'accord sur tout — deux femmes qui vivent ensemble ont souvent l'occasion de se disputer, n'est-ce pas ? — , mais au moins c'était une solution plus économique et elles pouvaient se tenir compagnie.

— Louisa a vendu la maison ? Je croyais qu'elle n'en était pas propriétaire, mais seulement locataire.

— Non, la maison était à elle.

— C'est bizarre, parce que le cottage, ils le louaient, n'est-ce pas ? Mais je suppose qu'Edward devait avoir un bon petit bas de laine.

— Alors là, sûrement pas. Il a vendu son affaire pendant la guerre pour une bouchée de pain, c'est du moins ce que papa m'a toujours dit, et après ça, ils avaient tout juste de quoi vivre.

— Vous en êtes certaine ? Elle a quand même bien dû trouver de l'argent quelque part pour acheter cette maison... »

Il y eut un long silence, que Joan fut la première à rompre.

« Évidemment, reconnut-elle enfin, mais ce n'est pas d'Edward qu'il venait.

— Alors ce ne peut-être que de Robert ! s'exclama Zoe. Je vous parie tout ce que vous voudrez que c'est Robert Duncannon qui lui a payé la maison.

— Vous croyez ?

— Absolument. »

D'une petite voix un peu hésitante, Joan dit alors :

« Nous aussi, nous étions propriétaires de notre maison et papa possédait son magasin. Il ne m'est jamais venu à l'idée de me demander comment il avait pu s'installer à son compte, mais quelqu'un a dû financer l'achat de la boutique car après la guerre de 14, la vie était dure pour tout le monde. La photo, à l'époque, c'était un luxe, et papa ne gagnait pas beaucoup d'argent. »

Poussant un profond soupir, elle reprit :

« Papa nous disait souvent que nous avions eu de la chance mais maman refusait d'abonder dans son sens et je me demandais pourquoi.

— Elle n'aimait peut-être pas beaucoup Robert Duncannon.

— En effet. Je ne l'ai d'ailleurs jamais entendue prononcer ce nom. Elle devait avoir horreur qu'on lui fasse la charité. Elle avait une nature très fière. "Je ne veux rien devoir à personne", disait-elle toujours. Après la mort de papa, elle nous a élevés toute seule, avec sa pension de veuve de guerre qui devait se monter à dix shillings la semaine. Ah, certes, ça n'a pas été rose tous les jours !... Mais elle l'adorait, mon père, et elle l'a soigné avec dévouement pendant sa maladie. Il avait le cœur très faible, vous savez, et sa jambe ne s'était jamais remise. D'après le docteur, c'est à cause de tous ces bombardements qu'il avait subis dans le nord de la France que le cœur a fini par flancher. Il n'avait que trente-six ans. »

Dès qu'elles eurent franchi les grilles du cimetière, Joan emplit d'eau une bouteille en plastique pour y mettre les fleurs qu'elle avait achetées au marché. Zoe fut profondément émue en voyant la tombe de Robin Elliott. Il avait écrit de nombreuses lettres à sa mère quand il était en France et elle revivait l'affreuse solitude de ce jeune homme qui ne pouvait exprimer la peur et l'horreur qu'il subissait chaque jour. Mais il avait trouvé l'amour, grâce à Sarah Pemberton, et ils avaient vécu heureux ensemble pendant douze ans, jusqu'à ce qu'il meure, en 1931.

Et maintenant, comme le disait l'inscription sur la pierre tombale, ils étaient réunis. Robin n'avait jamais perturbé les rêves de Zoe, ce qui l'inclinait à penser qu'il reposait en paix, ainsi que le suggérait l'atmosphère qui entourait sa sépulture.

Observant un silence total, elles se recueillirent un long moment puis Joan saisit le bras de Zoe en disant :

« Maintenant, allons voir la tombe de grand-mère.

— Comment était-elle, quand vous l'avez connue ? Avait-elle un tempérament triste ?

— Oh, non, pas du tout ! Bon naturellement, en certaines occasions : les anniversaires ou le jour du 11 novembre, elle avait un peu la larme à l'œil. Du vivant de papa, mon frère et moi, on allait avec lui à la cérémonie. Il ne défilait pas avec les anciens combattants mais il tenait à assister au service religieux. Maman détestait cela, elle restait à la maison, soi-disant pour préparer le dîner. En fait, elle ne voulait pas qu'on la voie pleurer en public. Vous savez qu'elle avait perdu un frère, dans la Somme...

« Après la mort de papa, c'est grand-mère qui nous y a emmenés. Elle disait que c'était notre devoir, qu'il fallait garder le souvenir de tous ceux qui avaient donné leur vie pour qu'il n'y ait plus jamais de guerres. »

Joan poussa un long soupir en secouant la tête.

« Elle voulait parler de Liam, bien entendu. Et aussi de mon père...

— Elle a dû souffrir terriblement en 1939, à la déclaration de guerre...

— Oui, si peu de temps après l'autre : vingt ans, vous vous rendez compte ! Elle a été absolument bouleversée. Elle n'arrivait pas à croire que ça allait recommencer. Quand mon frère Bill s'est engagé, elle a failli mourir. Elle était persuadée qu'elle ne le reverrait jamais. Ce qui n'a pas été le cas, Dieu merci, puisqu'il n'est parti d'Angleterre qu'en 1944.

— Stephen m'a dit qu'elle perdait un peu la tête, sur la fin.

— C'est vrai, mais seulement les dernières semaines. La guerre lui causait beaucoup de soucis, avec les restrictions, le black-out, tous ces gens en uniforme. Et les bombardements ! Le hurlement des sirènes la terrifiait. Un jour, un obus est tombé dans la cheminée. Il n'a pas explosé, Dieu merci ! Maman l'a ramassé avec des pincettes et l'a plongé dans un seau d'eau froide. Ça paraît rigolo, maintenant, mais je vous jure qu'à l'époque, on n'avait pas envie de rire. Surtout quand on avait chez soi une vieille dame qui refusait catégoriquement de descendre à la cave pendant les alertes. C'est qu'elle avait du caractère, la Louisa, mais finalement toutes ces épreuves ont eu raison de sa résistance.

— Elle avait beaucoup changé ?

— J'ai surtout vu la différence la dernière semaine. Juste avant le débarquement en Normandie, j'ai eu une permission. Grand-mère ne quittait pratiquement plus son lit. On sentait que la fin approchait. Maman m'a dit qu'elle parlait sans cesse à Edward, et quand je suis arrivée près d'elle, elle a eu l'air de me prendre pour sa mère. Elle n'avait plus la même voix non plus. C'était presque une voix de jeune fille, plus légère, plus aiguë. Ça m'a vraiment démoralisée.

— Qu'est-ce qu'elle vous a dit ? Vous vous en souvenez ? »

Le visage de Joan exprima soudain une profonde détresse.

« Oui, je m'en souviens. Elle m'a dit : *"Mais je l'aimais, maman, qu'est-ce que j'aurais pu faire d'autre ?"*

— Elle n'a pas cité de nom ?

— Non. Je n'ai jamais pu savoir de qui elle parlait mais sur le coup, j'étais bouleversée, presque autant qu'elle. Elle pleurait à chaudes larmes.

— Pauvre Louisa !

— Avec le recul du temps, je me dis maintenant qu'elle devait parler de Robert. Mais je ne me souviens pas qu'elle ait jamais prononcé son nom. J'ai été très impressionnée le dernier jour. Juste au moment où j'entrais dans sa chambre elle s'est tournée vers la porte en disant d'un air très surpris : "Tiens, on vous a donné une permission ? Je ne m'attendais pas à vous voir tous les deux."

« Elle avait l'air tellement lucide, poursuivit Joan, que j'ai cru honnêtement que mon frère était sur mes talons. Je me suis retournée mais il n'y avait personne. Alors, j'ai eu peur, parce que j'en ai conclu que c'était bien Bill, le père de Stephen, qu'elle avait cru voir et je me suis demandé si ce n'était pas parce qu'il avait été tué.

— Ça a dû être terrible, murmura Zoe. Et en fait, il n'en était rien ?

— Rien du tout. Il s'est sorti de la guerre sans une égratignure. »

Elle poussa un profond soupir en ajoutant :

« Mais il n'en a pas été de même pour mon fiancé. Il a été tué en Normandie, si bien que je me suis longtemps demandé si ce n'est pas lui que grand-mère avait cru voir à côté de moi.

— Vous le pensez encore ?

— Je ne sais pas, Zoe. Je ne sais plus que penser après tant d'années. Mais je sais ce que vous pensez, vous. Que c'est mon père et son frère qu'elle a vus.

— Robin et Liam... Oui.

— Vous êtes peut-être dans le vrai. Bref, elle est morte dans la nuit. Moi, j'étais repartie rejoindre mon unité dans le Dorset. Elle s'est éteinte en dormant. Je n'ai pas pu aller à son enterrement, alors il n'y a eu que ma mère et quelques voisines et aussi une vieille dame, une amie de grand-mère, qui venait parfois prendre le thé avec elle. Quand elles se retrouvaient toutes les deux, elles riaient comme des gamines. Je me demande de quoi elles pouvaient bien parler.

— Du passé sans doute. De leur jeunesse. »

Cette pensée fit sourire Zoe : deux vieilles dames revivant les années de leur jeunesse, à la fin du siècle dernier, à une époque où le monde devait paraître bien différent.

Elles enfilèrent une longue allée, regardant au passage la tombe de Joseph Terry, le célèbre chocolatier, puis Joan emmena Zoe à l'endroit où Edward et Louisa avaient été enterrés. A la tête de la sépulture, un livre sculpté dans la pierre portait cette inscription, sur la page de gauche :

Ci-gît Edward Elliott
Relieur et Poète
Décédé le 7 avril 1917
à l'âge de 62 ans

Sur l'autre page, on voyait le nom de Louisa, la date de sa mort et son âge, 77 ans ; il était également précisé qu'elle était la veuve d'Edward.

Tout en arrangeant les fleurs devant leurs noms, Zoe dit une prière pour Louisa, cette femme tendre et généreuse qui avait tellement aimé sa famille et ses amis qu'elle n'avait jamais pu supporter de se séparer de leurs témoignages d'affection. Et ils l'avaient aimée, eux aussi, comme le montraient les lettres qu'ils lui avaient envoyées.

Elle était avec eux, maintenant, Zoe en avait la certitude, après une longue vie qui avait eu plus que sa part d'angoisse et de malheur. Et pourtant, Louisa n'avait jamais désespéré.

Zoe regarda longuement cette sépulture, revoyant en esprit toutes les lettres qui l'avaient mentionnée. Elle savait combien avait coûté la concession, ainsi que le monument lui-même. Elle savait également quels étaient les membres de la famille qui avaient assisté à la cérémonie, suivie par une foule considérable d'amis et de relations : très connu et manifestement très apprécié, Edward Elliott avait été accompagné jusqu'à sa dernière demeure par une multitude de gens.

Zoe espérait que ces témoignages de sympathie avaient mis un peu de baume au cœur de Louisa, surtout la présence de ses fils. En dépit des caprices terrifiants dont la guerre était souvent l'origine, le destin avait décidé qu'ils seraient tous les deux à ses côtés.

CHAPITRE XXIX

Ils étaient debout à côté d'elle, Robin vêtu de l'uniforme bleu des hôpitaux, s'appuyant lourdement sur une canne, et Liam en kaki comme tous les soldats australiens, la tunique bien repassée, les bandes molletières serrées au-dessus des brodequins marron, le chapeau tenu respectueusement sur la poitrine.

Les kilos qu'il avait pris pendant sa convalescence semblaient avoir un peu fondu pendant le stage d'entraînement d'un mois qu'il venait de subir dans le Lincolnshire, se disait Georgina. Il paraissait en bonne forme physique en dépit de sa pâleur car les traces laissées par le soleil d'Égypte et de France avaient disparu depuis longtemps. Ses cheveux étaient plus foncés maintenant, surtout avec la pluie qui les lui plaquait sur le crâne. Elle regarda une mèche rebelle qui lui barrait le front, comme chaque fois qu'il baissait la tête, et faillit sourire, s'attendant à le voir la ramener en arrière. Mais il n'y prêtait aucune attention, tout à sa tristesse, qui se lisait dans la tension des muscles de la mâchoire et de la bouche et dans les ombres présentes au fond des yeux.

Georgina était triste, elle aussi, mais c'était surtout pour eux, pour ce petit groupe rassemblé devant le cercueil, beaucoup plus que pour elle-même ou

Edward. Elle avait vu tellement de tragédies ces derniers temps qu'elle ne pouvait guère s'apitoyer sur le sort d'un homme qui était mort paisiblement auprès de sa cheminée, après soixante années d'une vie agréable. Il avait eu la joie de se réconcilier avec Liam et connu le soulagement d'apprendre que pour Robin la guerre était désormais terminée. Et il savait que, grâce à Tisha, une nouvelle génération allait voir le jour. Pour Edward, il n'y avait aucune tristesse. Seulement le contentement et la paix.

Évidemment, Louisa ne devait pas voir les choses de cette façon. Ces pensées réconfortantes ne viendraient qu'avec le recul, pour le moment elle était tout à sa douleur, privée de la présence d'un mari qui l'avait toujours soutenue et aimée. Pour elle, l'avenir devait paraître bien noir !

Mais Georgina ne voulait pas penser à l'avenir, sinon elle sentait qu'elle se mettrait à pleurer. Pour le moment, il lui suffisait de regarder Liam, de laisser ses yeux se repaître du spectacle qu'il offrait, après cinq longues semaines de séparation. La courte permission qu'ils avaient passée ensemble, à Bournemouth, en février, lui laissait un souvenir mitigé, mais elle ne regrettait rien. En fait, elle était heureuse que les choses se soient passées ainsi. Il fallait que ce soit la dernière fois.

Elle frissonna, lança vers son père un regard chargé d'appréhension et tenta de discipliner ses pensées. Ainsi qu'elle l'avait un jour expliqué à Liam, le désir se lisait dans le regard et elle sentait que ses yeux pouvaient la trahir à tout moment. Heureusement, grâce à son parapluie, personne ne voyait l'éclat de ses prunelles, elle l'espérait du moins. D'ailleurs, en face d'elle, tout le monde fixait obstinément le bout de ses chaussures tandis que le prêtre en surplis psalmodiait la prière des morts.

Elle avait reçu l'autre jour un mot très bref de

Liam lui disant qu'il viendrait pour les obsèques. Bien qu'il se fût attendu à une fin plus ou moins rapide, ajoutait-il, la nouvelle de ce décès lui avait causé un grand choc. Cela se voyait, d'ailleurs, au calme glacé qu'il affichait. Il tiendrait aussi longtemps que ce serait nécessaire, Georgina le savait, mais elle brûlait d'envie de lui apporter son réconfort, de se retrouver seule avec lui, dans un endroit tranquille où ils pourraient parler, dans les bras l'un de l'autre, sans que le monde extérieur vienne les déranger. Et elle souffrait de l'impossibilité d'une telle éventualité.

Quelqu'un tenait un parapluie au-dessus de Louisa, suffisamment haut pour abriter aussi Liam qui se penchait vers elle. Un autre protégeait Tisha et Robin. Ils étaient tous très proches les uns des autres et quand Tisha commença à pleurer, Robin fit passer sa canne dans son autre main pour envelopper les épaules de sa sœur avec son bras. Il paraissait au bord des larmes, lui aussi, et l'expression de souffrance qui se lisait sur ses traits trahissait l'effort qu'il faisait pour se tenir sur ses jambes.

Mon Dieu, se dit Georgina, il va vite falloir qu'il se rassoie dans le fauteuil roulant qui l'a amené de la chapelle !

Louisa paraissait calme ; elle était la seule du groupe à garder la tête haute, bien qu'elle eût les yeux fermés, comme si elle priait. Quelqu'un bougea et Georgina aperçut alors ses mains, les doigts entrelacés dans ceux de Liam, comme si elle ne voulait plus jamais qu'il parte.

La foule commença à s'écarter lentement de la tombe ; le prêtre s'approcha pour murmurer quelques paroles de consolation et tendit son bras pour inviter la veuve à le suivre. Elle parut hésiter et Georgina sentit que son père, debout à côté d'elle, s'agitait avec embarras. Il avait envie de s'approcher de Louisa, tout comme Georgina voulait rejoindre Liam, et c'était difficile de résister, de faire comme s'il n'y avait rien de spécial entre eux, de s'éloigner comme les autres.

Quelqu'un avait apporté le fauteuil roulant. Liam aida son frère à s'y installer. Louisa se pencha alors vers le blessé encore grimaçant de douleur, et l'embrassa tendrement. Puis elle voulut prendre sa fille dans ses bras mais Tisha, qui était maintenant enceinte de huit mois, accepta le baiser avec raideur, sans le rendre vraiment. Georgina se mordit la lèvre, regrettant que sa demi-sœur ne se montre pas plus affectueuse. Mais le seul réconfort que Tisha attendait devait venir d'Edwin Fearnley, son mari, et Georgina se prit à espérer qu'il pourrait bientôt venir en permission.

Jetant un dernier regard vers eux, elle vit que Sarah Pemberton, la fiancée de Robin, était venue les rejoindre. Grande comme Louisa mais mince au point d'être presque maigre, elle avait pourtant un visage d'une grande beauté, encadré par des cheveux superbes. Georgina ne l'avait rencontrée qu'une seule fois et elle avait alors eu l'impression que Sarah lui avait manifesté une certaine suspicion. Elle le regrettait, appréhendant qu'une fois mariée la femme de Robin ne dresse une barrière entre Georgina et son mari.

Malheureusement, le mal était peut-être déjà fait. Si Robin avait révélé la véritable nature de leurs liens familiaux, Sarah avait dû trouver cette situation difficile à accepter.

Et pourtant elle l'aimait, aucun doute ne pouvait subsister là-dessus, à voir la tendre sollicitude qu'elle manifestait pour son fiancé. Quand ils seraient mariés — aussitôt que Robin aurait reçu son avis de réforme — , elle le protégerait et le soutiendrait jusqu'à la fin de ses jours. En un sens, Robin avait de la chance. Les hommes qui se sortiraient vivants de cette guerre allaient avoir besoin d'une génération de femmes courageuses, prêtes à affronter avec eux les difficiles problèmes de la vie courante, Georgina en était convaincue.

Voyant Georgina s'éloigner, Liam inspira profondément pour trouver la force de résister à l'envie de l'appeler, de lui demander de rester. Il voulait avoir Georgina à côté de lui, il avait besoin du calme et de la force qui émanaient d'elle pour pouvoir supporter cette épreuve jusqu'au bout. Car le plus dur restait à faire : subir les plates condoléances de tous ces vagues parents, les tantes Blanche et Émily et les cousins de Leeds qui n'avaient pour ainsi dire pas vu Edward depuis des années et qui allaient venir au cottage pour partager le repas funèbre, débiter des banalités et s'incruster jusqu'au moment où ils seraient enfin chassés par l'ennui.

Liam les détestait et il appréhendait cette épreuve. Déjà, Blanche lui décochait des regards chargés de sous-entendus, ce qui laissait présager un long sermon sur ses péchés passés. Quant à Émily, qu'il avait rencontrée deux fois ces derniers mois, elle allait sans doute rééditer les conseils stupides dont elle l'avait déjà gratifié.

Il ne voulait qu'une chose : se retrouver seul quelque part avec Georgina. Depuis qu'elle était venue le rejoindre à Bournemouth, où ils avaient passé quelques jours absolument idylliques dans leur nid d'amour, il avait vécu un véritable enfer à Wareham pendant ce stage de réadaptation qui avait duré trois semaines. Maintenant qu'il était à Belton Park, pour se familiariser avec les nouvelles mitrailleuses, cela allait beaucoup mieux mais dans quinze jours tout au plus, on le renverrait en France, et il lui faudrait sans doute attendre bien longtemps pour bénéficier d'une nouvelle permission après les dix-huit jours qu'il avait eus à Noël, avant de partir en convalescence près de Bournemouth, d'autant plus qu'ensuite on lui avait encore octroyé six jours supplémentaires — dont trois avaient été passés à l'hôtel avec Georgina.

Au fond, seule l'idée de la revoir lui avait permis de tenir. York était une ville en deuil, une cité lugubre où le soleil semblait avoir peur de briller, et sa morosité était encore accentuée par la mine renfrognée des gens rencontrés dans la rue. Les femmes de quarante ans qui avaient autrefois été des mères heureuses, s'arrêtaient pour lui parler mais leur sourire de bienvenue disparaissait vite car la conversation s'orientait immédiatement sur les maris ou les fils absents.

Beaucoup de ses anciens camarades étaient morts et on lui faisait souvent des réflexions sur la chance qu'il avait d'être encore en vie. Il se sentait coupable, se disant qu'il n'aurait pas dû venir s'exhiber ainsi.

Heureusement, il avait pu parler avec Edward pendant de longues heures, abordant une multitude de sujets, et il avait mesuré alors la chance qu'il avait eue de se trouver pendant son enfance au contact d'un homme aussi intelligent et aussi généreux. Son seul regret maintenant était de s'être enfui, se soustrayant à cette influence bénéfique dans un accès de fureur tout à fait injustifiée.

Les larmes qu'il avait versées pendant l'office funèbre étaient allées autant à ses camarades morts à Pozières et à Gallipoli qu'à Edward, et quand le cercueil avait disparu dans la fosse, Liam avait enterré mentalement tous ceux de ses amis qui n'avaient pas eu de sépulture.

Le repas funèbre, commencé peu après une heure de l'après-midi, fut aussi sinistre que Liam l'avait redouté. Il dut subir un sermon de la part de Blanche et les sourires fielleux de ses jeunes cousines. Et il avait vite fallu emmener Robin dans sa chambre car il souffrait trop. Mais c'était surtout l'attitude de Tisha qui l'avait exaspéré. Entourée d'une cour assidue formée par ses tantes qui lui chuchotaient des conseils éclairés, elle rayonnait littéralement, ronronnant comme une chatte.

C'est seulement après le départ de ses sœurs que Louisa abandonna le demi-sourire figé qu'elle avait arboré tout l'après-midi. Elle se laissa tomber dans un fauteuil, près du feu, l'air épuisé. Mais elle ne versa pas de larmes. En fait, elle n'avait pleuré qu'une fois, la veille au soir, quand Liam était arrivé. Pendant plusieurs minutes elle était restée dans ses bras en sanglotant et il avait trouvé tout drôle de serrer sa mère contre lui pour la consoler, elle qui l'avait réconforté si souvent.

Liam s'agenouilla au pied du fauteuil et posa une main sur celle de Louisa.

« Pourquoi n'irais-tu pas te coucher une heure ? Je te monterai une tasse de thé. »

Un faible sourire éclaira ses prunelles.

« Je veux bien le thé, murmura-t-elle, mais je crois que je vais rester ici. »

Liam prit un tabouret et l'aida à poser les pieds dessus. Quand il vit qu'elle était confortablement installée, il alla préparer du thé dans la cuisine. Sarah faisait la vaisselle. Il n'y avait aucune trace de sa sœur, qui avait dû monter se coucher, fatiguée elle aussi.

Et peu désireuse sans doute de s'abîmer les mains, se dit Liam en revenant au salon avec la théière. Il s'inquiétait de ce qui allait se passer maintenant. Sa mère serait seule dans cette maison car Robin retournerait à l'hôpital pour plusieurs mois. Comparée à la gravité de cette blessure, sa maladie à lui paraissait bien bénigne.

L'avenir. Tisha avait sa vie à elle, maintenant, et on ne pouvait guère compter sur elle pour s'occuper de Louisa. Quant à Robin, il avait Sarah, et en dépit de ce genou si affreusement mutilé, Liam enviait leur bonheur futur. Et pourtant, les problèmes financiers n'allaient pas manquer, car Edward n'avait pas tiré grand-chose de la vente de son atelier : juste de quoi permettre à Louisa de ne pas mourir de faim. En tout cas, il n'y aurait pas assez pour subvenir aux besoins de Robin et de sa future famille.

Pendant que sa mère emplissait deux tasses, Liam alluma une cigarette et parla de l'anxiété qui le rongeait. L'argent qu'il avait envoyé à Edward avait été placé sur un compte séparé mais elle devait l'utiliser comme bon lui semblait. Lui, il n'en avait pas besoin, il pouvait très bien s'en passer. Il voulait seulement avoir la certitude que sa mère ne manquait de rien.

Elle le regarda en fronçant les sourcils et s'efforça de prendre un air sévère pour lui dire qu'elle avait tout ce qu'il lui fallait :

« Je n'ai pas besoin de cet argent. Toi, oui. Du moins quand la guerre sera finie. Il faudra bien que tu te fixes quelque part, que tu achètes ce lopin de terre dont tu nous as parlé. C'est ce qu'Edward voulait, et j'étais bien d'accord avec lui. Moi, je me débrouillerai très bien. En faisant un peu attention, évidemment. Ne t'inquiète pas pour moi. »

Liam était trop ému pour lui dire que de toute façon il avait fait un testament en sa faveur. La gorge nouée, il se leva et alla à la fenêtre pour regarder le jardin. L'hiver était long, il y avait beaucoup à faire de ce côté.

« Est-ce que tu comptes rester ici ?

— Oui, sans doute... Mais je ne sais pas au juste. Je n'y ai pas encore réfléchi. Pourquoi ?

— A mon avis, tu devrais aller habiter en ville,

prendre un appartement plus petit, plus facile à entretenir. Tout ça, ajouta-t-il en désignant d'un geste le jardin détrempé par la pluie, ça va te donner beaucoup trop de travail.

— C'est toi qui le dis ! rétorqua Louisa avec vivacité, mais je n'ai que quarante-neuf ans, tu sais. Je ne suis pas encore complètement décatie. »

Liam sourit, réconforté par cette ardeur.

« Excuse-moi, j'oubliais. Mais papa était tellement plus âgé que toi...

— Oui, c'est vrai. Mais il n'a jamais paru son âge... »

Liam glissa un regard vers elle et voyant sa détresse, il s'aperçut de sa maladresse. Il s'approcha d'elle et elle s'appuya contre lui, réconfortée par le soutien de ce corps vigoureux.

« Je suis si heureuse que tu aies pu venir, murmura-t-elle. Je ne sais vraiment pas ce que j'aurais pu faire toute seule. »

Ces paroles se faisaient l'écho de sa propre inquiétude.

« Je sais. C'est bien ça qui me tourmente. Je ne peux pas supporter de t'imaginer ici, sans personne.

— Oh, ce n'est pas le problème. On s'habitue à tout, avec le temps. Non, je voulais parler... d'aujourd'hui. Je suis heureuse que tu aies pu être avec moi, aujourd'hui. Toi et Robin... Et Tisha aussi, bien sûr, ajouta-t-elle vivement, comme pour réparer un oubli. Je n'étais pas sûre qu'elle pourrait venir, enfin, qu'elle pourrait faire le voyage. »

Liam voyait très bien de quoi elle voulait parler. Avec Tisha, on ne savait jamais si on pouvait compter sur elle et Robin lui-même avait été surpris de voir sa sœur. Revenant à son principal sujet d'inquiétude, Liam reprit :

« Que feras-tu quand nous serons partis ?

— Je me trouverai des occupations, dit-elle d'une

voix ferme en s'écartant de lui, comme je l'ai toujours fait. Ne te tourmente pas pour moi, Liam, je suis jamais restée les deux pieds dans le même sabot et je n'ai pas l'intention de le faire maintenant. D'ailleurs, je ne serai pas toute seule. Il faudra que je m'occupe de Robin pendant un bon moment, le temps qu'il recouvre suffisamment de forces pour pouvoir se marier. Mais dès qu'il aura fondé un foyer, je n'imposerai pas ma présence. Ce n'est pas mon genre. »

Pourtant, ces paroles ne le rassuraient pas vraiment. Sa mère était une femme fière, qui refuserait d'appeler la famille à l'aide au moment où elle en aurait le plus besoin. Liam pensa alors à Robert Duncannon. Il dit :

« D'ailleurs, il y a aussi le colonel. Je suis sûr qu'il viendra à York de temps en temps pour voir Robin.

— Je n'en doute pas un seul instant », rétorqua-t-elle avec une pointe d'agacement. Mais elle sourit soudain. « Je ne devrais pas parler de lui de cette façon. Il est tellement gentil. Il l'a toujours été, Liam, et très généreux. Beaucoup trop à mon gré.

— Eh bien, j'espère que tu ne feras pas fi de sa générosité. Je voudrais pouvoir me dire qu'il y a au moins une personne sur qui tu peux compter, en cas de besoin.

— Je m'en souviendrai, dit-elle doucement en posant une main sur celle de Liam.

— Très bien. Voilà qui va me tranquiliser à ton sujet. »

Rassuré, il lui planta un baiser sur la joue.

« Il vaudrait peut-être mieux que j'aille voir comment va Robin. Et Tisha... Sarah m'a dit qu'elle ne se sentait pas très bien. »

Pourtant, arrivé au pied de l'escalier, il s'arrêta, réfléchissant aux changements que la mort d'Edward ne manquerait pas de provoquer dans leurs relations. Maintenant, il allait devoir assumer des responsabilités de fils aîné, non seulement auprès de sa mère mais aussi avec le reste de la famille. Malheureusement, la guerre l'empêcherait de remplir ses obligations, ce qui ne laissait pas de le tourmenter.

En temps normal, il aurait été trop fier, comme Louisa, pour solliciter l'aide du colonel, mais les circonstances n'avaient rien de normal et sa mère avait besoin de quelqu'un pour s'occuper d'elle. Après tout, le colonel faisait partie de la famille, n'en déplaise à ses tantes Blanche et Émily.

Il monta au premier étage. Sarah était assise à côté de Robin, qui avait l'air d'aller beaucoup mieux maintenant. Tisha avait retrouvé sa chambre d'autrefois. Les pieds calés sur des oreillers, elle lisait un magazine de mode, allongée sur son lit. Comme elle se plaignait d'avoir faim, Liam se dit qu'il avait eu bien tort de se préoccuper de sa santé.

Poussant un soupir, il redescendit au rez-de-chaussée et entra dans la cuisine. Il alluma une cigarette et jeta un regard à la pendule. Près de cinq heures. Il avait été convenu que Georgina et le colonel viendraient les retrouver vers sept heures. Deux heures à attendre ! A attendre quoi ? Avec toute la famille autour d'eux, il faudrait se contenter de quelques regards furtifs en échangeant des propos soigneusement édulcorés. Mais ce dont il avait besoin, c'était d'être seul avec elle, il voulait lui parler, il voulait la toucher. Surtout que ce serait sans doute la dernière fois qu'ils se verraient.

A l'idée qu'il faudrait feindre, jouer la comédie de la tendresse fraternelle, il sentait monter en lui une exaspération qui le rendait fou. Ah, si seulement il pouvait trouver un moyen de la voir seule.

Liam se débattait encore avec ce problème quand Tisha apparut et, à sa grande surprise, il la vit prendre un couteau pour commencer à éplucher des pommes de terre. Elle lui demanda si Sarah resterait manger avec eux et quand il eut répondu par la négative, elle exprima son soulagement avec volubilité.

Levant un regard nerveux vers le plafond, Liam la supplia de parler moins fort.

« Mais si elle m'entend, tant mieux, je m'en fiche. Je vais te dire, Liam. Si Robin se marie avec elle, il peut dire adieu à tout le reste de la famille. Elle le veut pour elle toute seule, tu peux me croire sur parole, et quand elle l'aura, elle l'étouffera dans ses bras.

— Je crois que tu te trompes. Mais de toute façon, en quoi cela peut-il te concerner ? demanda Liam sans se démonter. Tu ne t'es guère souciée de savoir ce que devenaient maman et papa une fois que tu les as quittés, alors pourquoi cet intérêt subit pour Robin ? »

Il y eut un long silence suivi d'un hoquet mal contenu, qui aurait aussi bien pu être provoqué par le rire que par l'envie de pleurer. En fait, au grand étonnement de Liam, Tisha fondit en larmes. Et son chagrin paraissait sincère. Il voulut tenter de la consoler mais elle le repoussa d'un haussement d'épaules, en faisant des efforts pour réprimer cette émotion soudaine et intempestive.

Finalement, d'une voix emplie d'amertume, elle dit :

« Parce qu'il est le seul, dans cette famille de merde, à s'être jamais soucié de moi.

— Comment peux-tu dire une chose pareille ?

— C'est vrai. Même papa, oui, papa. Il s'est toujours soucié comme d'une guigne de ce que je faisais.

— Mais non, Tisha, ce n'est pas vrai. Il s'intéressait beaucoup à toi, et maman aussi. »

Ému par ce chagrin, Liam essaya de la prendre

dans ses bras, mais elle se raidissait, et il ne savait comment s'approcher d'elle avec ce ventre saillant, qu'elle portait en avant comme un bouclier. Il parvint quand même à poser une joue contre la sienne et il lui tapota l'épaule en cherchant ce qu'il pourrait bien lui dire pour la convaincre. Mais il n'était pas vraiment convaincu lui-même, car il avait bien conscience qu'elle avait toujours été à part dans la famille : Tisha était un être que l'on avait du mal à comprendre et avec qui il était impossible de raisonner. Et quand elle se mettait à ruer dans les brancards, personne ne songeait à l'en empêcher, ce qui était encore une marque d'indifférence...

« C'est ma faute, tout ça, murmura-t-il d'un air désolé. Je n'ai pas compris, sur le coup. Mais quand je suis parti ce n'est pas à toi que j'en voulais, tu sais.

— C'est à cause d'elle, n'est-ce pas ? sanglota-t-elle. Sans elle, tu ne serais pas parti, hein ? C'est vraiment trop bête. Pourquoi a-t-il fallu qu'elle vienne ici pour tout gâcher ? »

Il se raidit, s'écartant d'elle soudain.

« Mais de qui parles-tu donc ? »

Tisha trouva une chaise à tâtons et s'assit, pleurant toujours. Quand les larmes se furent enfin un peu calmées, elle réussit à dire :

« Je sais pourquoi tu es parti. C'est à cause de Georgina. J'ai entendu papa et maman parler de vous deux, un soir. C'était juste après ton départ. Je n'ai pas compris sur le coup mais quand je vous ai vus pour la première fois ensemble à Londres, rien qu'à la façon dont tu la regardais, j'ai réalisé immédiatement. »

Elle s'interrompit un moment pour s'essuyer les yeux et se moucher. Puis elle demanda :

« Elle est ta..., enfin, ton amie ? »

Liam s'assit, l'estomac noué. Il lui fallut une minute pour retrouver sa voix et quand il parla, il ne la reconnut pas.

« Pas au sens où tu l'entends, non. »

Cette réponse l'avait-elle laissée sceptique ? Tisha ne le dit pas. Il n'osait pas lever les yeux vers elle. Comme il sortait une cigarette, gauchement, elle la lui prit pour l'allumer d'une main qui tremblait moins que la sienne.

« Tu ne t'attendais pas à ça, hein ? Mais ne fais donc pas cette tête, je ne dirai rien. »

Elle aspira gauchement une bouffée, cueillant quelques bribes de tabac sur sa lèvre.

« Robin est-il au courant ? »

Liam secoua négativement la tête, tout en s'efforçant de reprendre ses esprits.

« Je ne crois pas. De toute façon, c'est terminé. Je m'en vais demain.

— C'est pas plus mal. Sarah lui aurait tiré les vers du nez, et elle n'aurait sûrement pas approuvé.

— Ne me dis pas que tu n'es pas choquée. »

Tisha haussa les épaules.

« Je ne suis ni choquée ni étonnée. Je m'en fiche éperdument. En fait, ajouta-t-elle en rétrécissant les yeux à travers un nuage de fumée bleue, ça me rapprocherait plutôt de toi. Tu étais toujours tellement parfait, tellement pur. Un modèle de moralité en quelque sorte. Ça m'a fait du bien de voir que tu n'étais pas mieux que moi.

— Ai-je jamais prétendu le contraire ?

— Tu ne le disais pas, évidemment, mais tu as toujours été persuadé d'être supérieur et ça se voyait à ta manière d'agir.

— Si tel est le cas, je te demande de me pardonner, dit-il avec un regret sincère. Oui, je suis désolé, Tisha. J'espère que tu me crois.

— Mais oui, bien sûr, fit-elle d'une voix lasse. Mais c'est un peu tard maintenant que nous sommes tous en plein merdier. Non, quelle famille ! Pas terrible, ces cigarettes, Liam. Par contre je boirais bien quelque chose. Y aurait pas quelque chose d'un peu costaud dans la maison ? Avec maman, ça m'étonnerait, remarque.

— Il y a du xérès...

— Non, merci bien. »

Quelques instants plus tard, alors que Liam était plongé dans ses réflexions, Tisha dit d'une voix morne :

« J'espère ne jamais tomber amoureuse. Ça vous flanque dans un de ces pétrins ! Regarde maman. Regarde-toi ! Bon sang, quel gâchis ! Et quand je vois les deux amoureux transis, là-haut, ça ne me rassure pas davantage. Si c'est ça l'effet que l'amour produit sur les gens, ce gâtisme précoce qui vous fait vous prosterner devant l'autre, très peu pour moi ! »

Liam n'en croyait pas ses oreilles.

« Mais... Edwin ? Tu ne l'aimes pas ? »

Une fois de plus ce haussement d'épaules éloquent, comme si la pensée d'Edwin ne l'avait même pas effleurée.

« Oh, je l'aime bien, oui. Mais ce n'est pas de l'amour.

— Mais alors, pourquoi l'as-tu épousé ? »

Elle lui lança un regard apitoyé.

« C'était un parti inespéré. Le meilleur qui pouvait s'offrir à moi, à un moment où tout le monde partait à la guerre pour se faire tuer... Jeune, beau, de l'argent à ne savoir qu'en faire, et gentil avec ça. Et amoureux fou de moi. Le problème, ajouta-t-elle avec une candeur désarmante, c'est que je ne pensais pas qu'on l'enverrait au front. Je m'imaginais qu'il était bien planqué dans les bureaux du ministère pour toute la durée de la guerre. C'était devenu un sujet de plaisanterie pour lui. Il ne cessait de demander à partir et chaque fois il se voyait promu au grade supérieur. Seulement, ajouta-t-elle avec un profond soupir, ils ont fini par le prendre au mot et je redoute qu'il ne revienne grièvement blessé, comme Robin, ce qui m'obligerait à jouer les infirmières jusqu'à la fin de mes jours. Un rôle pour lequel je n'ai aucune disposition... »

Liam ne savait plus que dire.

« Oh, mais ne fais pas cette tête, dit-elle avec une insouciance affectée. Quelle importance cela a-t-il ? Finalement, c'est toujours la mort qui a le dernier mot, non ? Regarde papa, dit-elle d'une voix qui se brisa soudain, nous finirons tous comme papa... »

Submergée par le chagrin, elle se précipita vers l'escalier, aussi vite que son poids le lui permettait.

Liam était atterré. Se souvenant du xérès qu'il lui avait proposé, il s'en servit une ration généreuse et l'avala d'un trait. Tisha avait raison : la situation n'était guère brillante et rien ne permettait d'espérer qu'elle allait s'améliorer. Quant à lui, il ne pouvait que compter sur sa discrétion, malheureusement ; si elle y voyait son intérêt, elle ne se ferait pas faute de dévoiler son secret à quiconque lui prêterait une oreille complaisante. Dans ce cas, mon Dieu, que de dégâts elle pourrait causer !

Et puis une autre idée le frappa soudain. Si Tisha avait pu deviner aussi aisément ce qu'il y avait entre Georgina et lui, d'autres avaient sans doute pu faire de même ! Mais non, ce n'était pas possible. Il s'en serait aperçu en voyant leur comportement à son égard. Il n'y avait que Tisha pour prendre les choses avec une telle philosophie.

Bien qu'il n'eût guère le cœur à se mettre à table, Liam prépara un repas rapide : il fit bouillir des pommes de terre et des carottes qui, avec un cageot de pommes toutes ratatinées, constituaient les seuls vestiges des provisions que Louisa avait gardées pour l'hiver. Il restait aussi de la viande froide du déjeuner et un peu de tarte aux pommes. Tisha mise à part, personne n'avait pratiquement rien pris au retour du cimetière, si bien que l'on fit honneur à ce repas plus que frugal.

Louisa ne s'était pas fait prier pour prendre quelque nourriture et, les couleurs étant un peu revenues sur ses joues, elle annonça, à la grande surprise de Liam, qu'elle avait l'intention de rester au cottage au moins jusqu'à la fin de l'été.

« Grâce à mon jardin, il y a eu assez à manger pour nous et pour beaucoup de familles du voisinage, alors j'agirai comme l'an passé je ferai pousser des légumes qui se conservent bien. Ça me donnera de l'occupation. Je suis sûre qu'Edward aurait été d'accord. »

L'argument était sans réplique mais Liam aurait préféré qu'elle aille habiter en un lieu moins isolé. Pourtant la détermination de sa mère lui paraissait rassurante ; après tout, la satisfaction de rester en contact avec la nature devait constituer un bon antidote au chagrin.

Tandis que les femmes débarrassaient la table, il aida son frère à s'installer sur le canapé du salon, lui calant bien le dos avec des coussins. Robin souffrait, sans le moindre répit, et la journée lui avait été particulièrement pénible. Dans un geste de sympathie silencieuse, Liam lui prit la main et la garda un moment.

« Je suis vraiment heureux de t'avoir revu, en dépit des circonstances. »

Robin hocha la tête.

« Je suis très content que tu aies pu revenir à la maison pour te réconcilier avec maman et avec papa. »

Liam sourit.

« Moi aussi. »

Il appréciait de voir son frère reprendre un peu d'activité. Quand il lui avait rendu visite à l'hôpital, il s'était demandé si Robin n'allait pas mourir. Tout danger était écarté maintenant, et ses forces ne tarderaient pas à revenir car il était doté d'une volonté et d'une détermination qui lui permettraient de surmonter la souffrance et le handicap physique. Seulement, il ne retrouverait jamais son insouciance d'antan. Liam non plus, d'ailleurs, pas plus que tous les jeunes de leur génération.

Voyant la lueur d'inquiétude qui passait dans les yeux de son frère, Robin lui serra la main avec force.

« N'aie crainte, murmura-t-il, tu t'en sortiras, j'en suis sûr. Je me suis toujours dit que tu étais beaucoup plus coriace que moi, bien que j'aie souvent tenté de prouver le contraire. Mais toi, tu es fait pour survivre et tu survivras, ça ne fait pas l'ombre d'un doute. »

Réconforté par ces paroles flatteuses, bien qu'il ne fût pas certain de les mériter, Liam sourit.

« Bon, si c'est toi qui le dis... », lança-t-il d'un ton léger.

Mais la barrière avait grincé. Son cœur bondit dans sa poitrine. Deux silhouettes hésitaient, avant de s'engager dans l'allée du jardin. Liam se leva et avec une lenteur délibérée, il alla ouvrir la porte du devant.

Le colonel lui serra la main tout en l'interrogeant d'un regard anxieux. Liam dit que sa mère prenait les choses avec beaucoup de courage bien qu'il eût l'impression qu'elle était plus bouleversée qu'elle ne voulait le laisser paraître.

« J'ai l'impression qu'elle n'a pas encore tout à fait réalisé, dit le colonel à mi-voix tandis que Liam accrochait leurs manteaux et leurs chapeaux dans le vestibule.

— Sans doute pas, en effet. »

Il fronça les sourcils. Il aurait voulu en dire davantage mais c'était impossible. Pas ici. Robert Duncannon entra dans la cuisine et Georgina se hissa sur la pointe des pieds pour embrasser Liam chastement sur la joue. Maintenant qu'il la voyait de tout près, l'impression qu'il avait eue tout à l'heure se confirmait : elle avait maigri, et il y avait en elle une tension dont il pouvait trouver l'équivalent en lui-même. Il mourait d'envie de la tenir dans ses bras, de sentir cette anxiété fondre à la chaleur de son étreinte. Il fallait à tout prix qu'il la voie seule, oui, il le fallait.

Mais au moment où il s'apprêtait à dire ces mots, Tisha vint les rejoindre ; Georgina se tourna vers elle avec une grande sollicitude et elles partirent toutes les deux, en devisant, en direction du salon. Liam avait trouvé que le regard complice de sa sœur risquait de présenter quelque danger, mais personne ne parut le remarquer et Robin adressa un sourire rayonnant à Georgina en l'assurant qu'il se portait à la perfection malgré la gêne légère que lui causait parfois sa blessure. Bien que le mensonge fût flagrant, Georgina fit semblant de le croire et passa à des sujets plus légers, en prenant bien soin d'inclure Tisha dans la conversation. Et elle le fit très bien, Liam étant le seul à savoir combien d'efforts cette comédie pouvait représenter.

Quand Robert et Louisa furent venus les retrouver, il fallut redistribuer les sièges. Liam se leva pour proposer son fauteuil mais Robert déclina l'offre, préférant s'asseoir à l'extrémité du canapé et Liam reprit la place occupée autrefois par Edward, chose qu'il n'avait jamais été autorisé à faire du vivant de son père adoptif ; mais Edward n'était plus là.

Cette absence laissait un vide énorme mais Robert multipliait les marques d'une affection tangible et cependant discrète. Était-il soulagé par la mort de son ancien rival ? Rien ne pouvait le laisser paraître. Au contraire, il avait l'air de compatir à leur douleur, et se comportait comme l'aurait fait un père affectueux placé dans la même situation.

Liam se dit que c'était la première fois qu'ils se trouvaient ensemble en sachant exactement quels liens les rattachaient les uns aux autres. Le père, la mère et les enfants réunis pour la première fois. Il se demanda si les autres avaient la même idée que lui et s'ils se disaient que cette première rencontre risquait fort d'être la dernière. Tisha était mariée, elle allait bientôt repartir à Londres pour mettre son enfant au monde et accueillir Edwin de retour du front, et ils formeraient tous les trois une famille à part. Tôt ou tard, Robin s'en irait à son tour, tandis que Georgina resterait toujours Georgina, consacrant sa vie aux autres. Et lui, demain à la première heure, il prendrait le train et bientôt ce serait la France, où son destin se trouverait placé entre les mains des autres.

Elle était assise à côté de Robin, une main posée sur son épaule, intégrée dans ce cercle de famille qui, à l'heure présente, était presque une entité physique. Légèrement à l'écart des autres, Liam se disait que c'était peut-être lui qui se différenciait le plus de l'ensemble, un peu comme un intrus, car il était partagé entre les sentiments familiaux et l'amour qu'il portait à Georgina.

Mais la fatigue commençait à leur peser et quand Tisha eut déclaré qu'elle montait se coucher, Liam aida son frère à se lever. Comme autrefois, ils partageaient la même chambre. Sachant qu'il reverrait Robin plus tard, Liam redescendit, se demandant comment il allait pouvoir s'y prendre pour se retrouver seul avec Georgina. Comme il hésitait au pied de l'escalier, il se dit que s'il offrait de faire du thé, elle viendrait sans doute avec lui dans la cuisine pour aider. Mais quand il eut mis la bouilloire sur le feu, c'est son père qui entra pour lui parler.

« Pourrais-tu raccompagner Georgina à l'hôtel ?

La journée a été longue et elle est fatiguée, mais moi, j'aimerais rester un peu avec ta mère. »

Il hésita un moment, puis reprit :

« Je n'en ai pas pour longtemps mais il y a quelques petites choses dont nous avons besoin de discuter. »

Liam espérait que son expression ne trahissait pas son soulagement ni son ardeur à rendre un tel service.

« Sans problème, murmura-t-il en se permettant un sourire à peine ébauché. J'y vais tout de suite. »

Mais Robert avait refermé la porte derrière lui. Il paraissait en proie à une tension inaccoutumée.

« Au fait, c'est à quelle heure ton train ?

— Six heures et demie, à moins qu'il n'y ait du retard. C'est généralement le cas.

— Et il faut beaucoup de temps, après, pour aller jusqu'à Grantham. Veux-tu que je t'accompagne à la gare ? »

Le cœur de Liam fit un bond dans sa poitrine.

« Non, merci beaucoup. Je crois que je préfère être seul. Merci tout de même. »

Le regard de son père se planta au fond du sien. Un regard empreint de gravité.

« Ne te fais pas de souci pour ta mère. Je prendrai bien soin d'elle. Qu'elle le veuille ou non, ajouta-t-il avec un sourire chargé de sous-entendus. »

Liam s'apprêtait à le remercier mais Robert l'interrompit.

« Non, c'est la moindre des choses. Bon, si on ne se revoit pas, je veux que tu me promettes de faire très attention à toi. Ne prends pas de risques inutiles, tu me le promets ?

— C'est promis. Ces galons, je les ai eus à l'ancienneté, pas pour des actions d'éclat.

— Dans ce cas, j'espère que tu en auras un troisième sur la manche la prochaine fois que tu viendras au logis.

— Je ferai de mon mieux, mon colonel. »

Il y eut un silence et Liam se sentit soudain envahi par l'appréhension, sans savoir pourquoi. Son père avait baissé les yeux, les sourcils froncés ; bien qu'il eût la main sur la poignée de la porte l'entretien ne semblait pas terminé.

« A propos, dit-il enfin, d'une voix soudain accusatrice, étais-tu au courant du projet de Georgina ? Elle a demandé un poste d'infirmière à l'étranger. »

La question l'avait pris complètement au dépourvu, et par la suite, il se dit que son père l'avait voulu ainsi. Il sentit que le sang refluait de son visage et quand il se jugea enfin capable de parler, il balbutia :

« A l'étranger ? Non, non... elle ne m'a rien dit... »

Une vision lui hantait l'esprit : des blessés dans un poste de secours, sous les bombes. Il ferma les yeux.

« Je suis sûr, reprit Robert d'un ton pénétré, que tu sais très bien quels dangers elle courrait alors. Mieux que n'importe lequel d'entre nous en tout cas. Liam, je compte sur toi pour l'en dissuader. Je ne veux pas qu'elle aille risquer sa vie je ne sais où. Et tu ne dois pas le vouloir non plus toi-même. »

Il y avait eu dans sa voix une intonation particulière, accompagnée d'un regard incisif, chargé de sous-entendus. Liam se demanda ce que Robert savait au juste : il était encore plus mal à l'aise qu'avec Tisha tout à l'heure, car aucune accusation n'était formulée et il ne pouvait avancer la moindre dénégation. Au lieu des reproches qu'il pouvait attendre, il se trouvait confronté à cette courtoisie glacée et lourde de sens.

« J'ai eu une longue discussion avec Georgina, reprit Robert, mais elle ne veut rien savoir. »

Il avait baissé la voix mais chaque mot tombait avec la précision d'un couperet.

« Toi, tu pars demain, et finalement c'est aussi

660

bien ainsi. Tu sais aussi bien que moi que ce que vous avez fait est une véritable folie, mais c'est à moi que j'en veux, plus qu'à quiconque. C'est pour ça que je te supplie — oui, je te supplie — de faire preuve d'un peu de bon sens. Vous n'avez rien à espérer...

— Ma décision a déjà été prise », dit Liam avec raideur. Ses lèvres tremblaient, son corps tout entier était parcouru de frissons. Il s'était cramponné au dossier d'une chaise. Il voulait s'excuser, il voulait expliquer à son père comment les choses en étaient arrivées là. Il voulait être pardonné. Mais les mots ne venaient pas.

« Je suis désolé », balbutia-t-il enfin, se rendant parfaitement compte de l'inanité de ses paroles.

Une lueur momentanée surgit dans les prunelles de son père.

« Moi aussi, souffla-t-il, moi aussi. »

Les lèvres soudain crispées, il tourna la tête.

« Fais quelque chose d'utile, Liam... Empêche-la de commettre une autre folie.

— Si elle veut partir, ce n'est pas pour se rapprocher de moi ?

— Aussi curieux que cela puisse paraître, non. Elle a l'air de croire qu'en se trouvant mêlée aux opérations militaires, elle réussira mieux à s'affranchir de l'influence que tu exerces sur elle. Quand tu viendras en permission, elle ne te verra pas et il vous sera également plus difficile de communiquer entre vous. »

Tous ces coups lui étaient assénés avec la force d'un marteau-pilon. Il ne pouvait rien faire d'autre que hocher la tête, mécaniquement, comme un pantin.

« Que vous vous sépariez, d'accord. Mais ce n'est pas une raison pour courir au-devant de la mort. Je veux vous garder vivants tous les deux, et si ta mère savait de quoi il retourne, elle dirait comme moi.

— Je ferai de mon mieux », dit Liam.

Robert jeta un coup d'œil à sa montre.

« Bon, je te donne une heure ?

— Même si j'avais une semaine, dit son fils avec amertume, je ne pense pas que cela suffirait. Mais je vais essayer. »

Il fit un pas vers la porte que Robert ouvrit pour lui. Il enfila sa lourde capote en disant :

« Prévenez Georgina que je l'attends dehors. »

La pluie s'était muée en un crachin persistant qui obscurcissait tout, même la rivière. La seule lumière provenait de la porte du cottage et la nuit, comme une couverture, l'absorbait complètement. Liam s'approcha du premier arbre qui se dressait de l'autre côté de la barrière, plus pour y trouver un soutien que pour s'abriter des regards. Il tremblait comme un homme atteint de paralysie sénile. On était en avril et il faisait un froid de janvier. Et les événements de la journée, avec ce cortège de malheurs et de rebondissements imprévus, ne pouvaient guère apporter chaleur ou réconfort.

Deux minutes plus tard, Georgina sortit, s'arrêtant un moment pour ouvrir son parapluie. Il l'appela et elle courut à lui. Avant qu'il n'ait pu, par son expression courroucée, tenter de l'arrêter, elle s'était jetée dans ses bras. Il la secoua avec colère.

« Pourquoi ne m'as-tu pas prévenue, bon sang ? Je me suis fait avoir comme un bleu. T'aurais pu me dire qu'il était au courant ! »

Il vit sur le visage de Georgina l'expression d'une grande souffrance. Elle jeta un regard en arrière puis leva les yeux vers lui avant de baisser la tête.

« Il m'a dit, il m'a même promis qu'il ne te dirait rien. Je suis désolée. Je ne voulais pas que tu saches... même par lettre, c'était trop difficile à dire.

— Mais depuis quand est-il au courant ? Et comment s'en est-il aperçu ? Et qu'est-ce qu'il a dit ? »

Elle se pencha vers lui, appuyant son front contre son épaule. Presque contre sa volonté, Liam la serra contre lui.

« Dis-moi, chuchota-t-il. Il faut que je sache... tout... »

Le temps passait mais il ne pouvait pas bouger tant qu'il ne saurait pas. Abrité sous le parapluie, il alluma une cigarette et écouta les explications que Georgina lui donnait d'une voix entrecoupée. C'est à cause de ces trois jours qu'ils avaient vécus ensemble à Bournemouth que le pot aux roses avait été découvert. Georgina s'était arrangée avec l'hôpital pour avoir un congé mais elle n'avait pas prévenu son père. Il avait voulu la contacter pour régler une affaire urgente et l'infirmière-chef lui avait répondu que Georgina était partie. A son retour il avait voulu savoir où elle était allée.

« C'est ma faute, je le reconnais, et j'avais long-temps hésité à m'en aller ainsi sans le lui dire, mais je n'arrivais pas à trouver un mensonge suffisam-ment convaincant pour justifier mon absence.

— Tu aurais dû me prévenir. Moi, j'étais persuadé qu'il était en Irlande.

— J'ai pensé qu'il était parfaitement inutile de t'ennuyer avec mes histoires. »

Au bout d'un moment, elle reprit :

« De toute façon, quand j'ai vu sa tête, j'ai compris qu'il ne servirait à rien de mentir. Il savait tout, Liam, il n'ignorait absolument rien de mes faits et gestes. Il avait eu le temps de se renseigner. Il a même téléphoné à la maison de convalescence où tu étais, et on lui a dit que tu étais parti en permission. Heureusement, il n'a pas voulu imaginer le pire, et il a bien voulu croire à ma version des faits.

— Mais que lui as-tu donc raconté, grands dieux ?

— J'ai dit que nous avions chacun notre chambre, et que si j'étais descendue à Bournemouth, c'était parce que je voulais passer un moment avec toi avant que tu repartes. »

Sa voix se brisa. Levant vers Liam un regard suppliant, elle ajouta :

« Et ça, c'était vrai, non ?

— Bien sûr, seulement je n'ai pas dormi une seule fois dans ma chambre. »

Il jeta le bout de sa cigarette en direction de la rivière et lui saisit le bras.

« Viens, il vaut mieux partir. Il faut que je te ramène à ton hôtel et il ne reste pas beaucoup de temps.

— Je lui ai dit que nous nous aimions. Mon Dieu, il était bouleversé. Et furieux. Un moment, j'ai même cru qu'il allait me frapper, lui qui n'a jamais porté la main sur moi ! J'ai dû tout reprendre au début, depuis ce fameux après-midi, avant la guerre, en jurant mes grands dieux que, dans mon idée, nous étions seulement bons amis, rien de plus. Et puis je lui ai expliqué que c'est en allant te voir régulièrement, à l'hôpital, que j'ai compris qu'il y avait entre nous plus que de l'amitié. C'est là qu'il s'est senti coupable, parce que c'est lui qui avait voulu que j'aille te voir, pour garder le contact.

— Pourquoi ? »

Elle baissa la voix et Liam dut tendre l'oreille pour entendre la suite.

« Il voulait que je t'explique ce qui s'était passé autrefois. Il voulait que tu comprennes ce qu'il avait fait et pourquoi il l'avait fait. Il voulait que tu lui pardonnes. Et il savait que lui, tu ne l'écouterais pas, que tu n'accepterais jamais ses explications. C'est pour ça qu'il m'a demandé de te voir le plus souvent possible.

— En somme, il se juge responsable de ce qui s'est passé. C'est ce que j'ai cru comprendre tout à l'heure. J'espère simplement qu'il ne va rien dire à maman. Elle en ferait tout un drame.

— Il ne lui en parlera pas. Elle a déjà assez de chagrin comme ça.

— N'empêche qu'il t'avait promis de ne rien me dire, et tu vois ce que ça a donné ! »

Mais l'amertume de Liam n'était pas vraiment justifiée. Il s'en rendit compte en se remémorant la scène qui s'était déroulée dans la cuisine. Robert Duncannon ne lui avait rien dit de précis ; tout avait été contenu dans le regard, dans le ton de la voix quand il avait révélé les intentions de Georgina.

Ils partirent vers la ville, leurs pas résonnant sur le pavé des rues désertes. Le crachin leur glaçait le visage. Quelques becs de gaz luisaient mais leur clarté les atteignait à peine. Ils trouvèrent leur chemin sans mal, malgré le brouillard, constatant avec une certaine surprise que l'hôtel était moins loin qu'ils ne l'avaient cru. Mais ils n'avaient toujours rien réglé. Pendant un moment, Liam caressa le projet d'accompagner Georgina jusque dans la chaleur et l'intimité de sa chambre, mais il restait trop peu de temps. En outre, il ne désirait nullement la compromettre davantage.

Ils longèrent la cathédrale dont la masse imposante, noire et silencieuse, suggérait un vide intérieur qui apparaissait comme une parodie de la vie elle-même. Liam frissonna et entraîna Georgina sous une voûte, non loin de Goodramgate. Le brouillard mêlé à la fumée et au crachin leur faisait comme un écran qui les protégeait des regards des passants, peu nombreux d'ailleurs à cette heure.

« Ils risquent de t'envoyer n'importe où, murmura Liam, les lèvres collées à l'oreille de sa compagne. Et quand je dis n'importe où ce n'est pas seulement à Boulogne, en Flandre ou à l'arrière des lignes. Des infirmières britanniques, il y en a en Égypte, et à Malte, et n'oublie pas, ma chérie, que la mer est infestée de sous-marins allemands. Tu n'as pas vu l'article dans le journal d'hier ? Plus de cinquante bateaux alliés ont été coulés la semaine dernière, et parmi eux, il y avait un transport de troupes avec des infirmières à bord. Pourquoi prendre un tel risque alors que tu fais du si bon travail ici ? »

Comme elle ne répondait pas, il s'écarta d'elle.

« Mais enfin, sois donc raisonnable ! De toute manière, je n'ai aucune chance d'obtenir une permission avant longtemps ! »

Poussant un soupir exagéré il reprit :

« Tu veux que je renouvelle ma promesse ? Je n'essaierai pas de te voir, et si tu y tiens, je ne t'écrirai pas non plus.

— A quoi ça sert de faire des promesses ? murmura-t-elle d'une voix brisée. Dès l'instant où je saurai que tu es en permission, je ferai des pieds et des mains pour venir te retrouver, et si je pense que nous pouvons facilement rester en contact, je passerai mon temps à attendre tes lettres. Ou à t'écrire.

— Georgina, s'exclama-t-il avec amertume, tu ne me facilites pas la tâche !

— Mais enfin, tu ne cherches pas à comprendre pourquoi je veux partir ? Tu ne vois donc pas que si je reste là où nous avons été si heureux ensemble, je n'arriverai jamais à oublier ? A Londres, tout me rappelle ta présence, les endroits où nous sommes allés, les bus que nous avons pris, et l'appartement, la cuisine, le salon, près de la fenêtre, et mon lit... Je n'arrive plus à dormir dans mon lit ! Parfois, j'arrive à somnoler mais je rêve que tu es à côté de moi. Je me réveille et je te cherche. J'en arrive même à me caresser le corps, à faire comme si c'étaient tes mains. »

Elle s'accrocha à lui en sanglotant.

« Je ne peux plus supporter ça, Liam. Et plus ça va, pire c'est. Je te veux chaque jour davantage. Il faut que je m'en aille, oui, il le faut. »

Il la serra contre lui, le cœur brisé.

« Mais moi, je veux que tu vives. Il faut que je te sache en sécurité. Je t'en supplie, ne m'impose pas cette torture supplémentaire. Moi, je suis obligé de partir, mais ce n'est pas le cas pour toi. Je t'en prie, reste. Au moins, je pourrai me dire que tu ne cours aucun risque.

— Je ne veux pas être en sécurité, dit-elle d'une voix âpre en se dégageant de son étreinte. Je veux être là où la conscience du danger, où la simple nécessité de survivre me permettront d'oublier quel enfer ça peut être d'être obligée de vivre sans toi.

— Tu parles vraiment comme une gamine ! Tu n'as pas la moindre idée de ce qui t'attend là-bas ! »

Elle perdit patience. Malgré l'obscurité, il vit l'éclair de fureur qui jaillissait de ses yeux.

« Je t'en prie, garde ces accusations pour toi ! As-tu la moindre idée de ce que ça peut être, de vivre en lieu sûr en se disant à longueur de journée, à longueur de semaine, que les gens que tu aimes sont exposés à un danger permanent ? Tu es là, dans une ignorance totale, tu ignores complètement s'ils sont vivants ou morts, et tu vis dans l'attente des lettres et dans la terreur des télégrammes. Et les journaux étalent en première page l'annonce de victoires glorieuses alors que tout l'intérieur est plein des listes des morts et des blessés. Ces blessés-là, je les soigne, Liam, et je sais combien de mensonges on peut dire !

— Je ne veux pas que tu partes, dit-il à mi-voix. Des morts, il y en a assez comme ça. Et ta vie est trop précieuse.

— Mais la tienne aussi, elle l'est pour moi. Mais moi, je ne peux pas te supplier de rester. Et si je le faisais, tu serais quand même obligé de partir. »

Avec une grande nervosité, elle marchait de long en large, arpentant le petit carré d'asphalte que la pluie ne pouvait atteindre. Il la regarda lutter contre la souffrance qui se lisait sur son visage rendu livide par l'angoisse. Il alluma une autre cigarette et, se rendant compte que tous ses membres tremblaient, il s'adossa au mur.

Tout ce qu'elle avait dit était vrai, il ne pouvait le nier, mais ces paroles le peinaient profondément. Il était d'autant plus ulcéré que les instants qu'ils passaient ensemble maintenant étaient peut-être les derniers de toute leur existence car ils s'étaient bien mis d'accord sur un point, Georgina et lui : dès qu'il aurait quitté l'Angleterre, il n'essaierait plus jamais de la revoir.

Il aurait pu dire que l'avenir lui paraissait désespéré, à lui aussi, et que sans elle il n'avait plus la moindre envie de vivre. Qu'il ne lui restait plus rien, et qu'il n'avait plus rien à donner ; tout ce qu'il avait, il l'avait déjà donné, il le lui avait donné, à elle. Et voilà qu'elle voulait tout détruire, maintenant, en se livrant à un geste irresponsable, pour rien. Cette idée lui paraissait insupportable.

Mais il ne dit rien de tout cela. Il lui saisit les bras, l'obligeant à s'immobiliser, et la serra tendrement contre lui pour permettre aux larmes d'apporter leur amer réconfort. Elle s'accrocha à ce corps robuste, lui toucha le visage et les cheveux de ses mains fiévreuses et passionnées, comme si elle voulait en garder l'empreinte pour toujours.

Il l'embrassa, un long baiser profond et tendre, et les lèvres enfouies dans ses cheveux soyeux, il murmura que l'heure était venue de se séparer, il fallait partir, il était déjà bien tard.

Ils émergèrent ensemble de sous l'arche de pierre pour pénétrer dans la cour de la cathédrale, la tête dans les épaules pour affronter les tourbillons de brume. Les fenêtres aveugles de St. William's College les regardèrent passer et la masse imposante du pignon est de l'édifice les domina lorsqu'ils s'arrêtèrent dans le triangle qui s'étendait devant. Ils s'embrassèrent de nouveau, et il y eut de la passion et du désespoir dans la façon dont leurs lèvres se joignirent et dans l'étreinte des mains qui se cherchaient dans le noir.

Il fit un pas ou deux à ses côtés mais elle l'arrêta d'un geste, et s'éloigna à pas précipités avant de se retourner, faisant virevolter ses jupes, sa cape volant dans la nuit.

« Prie pour moi », murmura-t-il, mais elle était trop loin pour pouvoir l'entendre.

Il resta cloué sur place un moment, invisible dans le noir et dans la brume : l'air lui faisait l'effet d'un linceul froid et humide. Puis, aveuglé par le chagrin, il avança en titubant pour aller s'appuyer contre un arc-boutant en pierre qui saillait du mur.

Il fut alors pris d'une véritable crise de désespoir. Il poussa de grands cris en se cognant la tête contre le mur, clamant la colère et l'indignation que soulevait en lui l'injustice d'un sort aussi cruel.

Mais il n'y avait aucune réponse, aucune consolation, il ne pouvait même pas se dire qu'il avait agi comme il convenait.

Finalement, le calme revint en lui et il retrouva la force de repartir en direction du cottage, traînant les pieds comme s'ils avaient été de plomb. Il suivit un chemin sinueux, passant le plus possible au large de l'hôtel, et mit près d'une heure à faire le trajet.

Un papier, laissé sur la table de la cuisine, lui disait que sa mère, fatiguée, était allée se coucher. Elle le verrait le lendemain matin.

Liam se déshabilla, mettant ses vêtements humides à sécher devant le poêle. Et il monta dans sa chambre.

CHAPITRE XXX

Au début, il eut vraiment l'impression qu'il ne pouvait plus vivre sans elle. Il n'avait plus le moindre goût pour l'existence, il n'était plus qu'un bloc de chair dépourvu de toute sensation.

Les jours se succédaient, dans une grisaille terne, tandis que pleuvaient sur lui les réprimandes, et il supporta tout sans jamais se plaindre. Les stands de tir de Grantham étaient recouverts d'une épaisse couche de neige, le charbon était plus rare que jamais, et comme les sous-marins allemands coulaient de plus en plus de bateaux britanniques, les rations alimentaires se réduisaient de jour en jour. Pendant dix jours, il souffrit du froid, de l'humidité et de la faim, mais tout cela n'était rien à côté du vide glacé qui régnait dans son âme.

Quand il apprit que les Alliés avaient déclenché une grande offensive près d'Arras, il n'eut qu'une réaction : pourvu qu'on me renvoie vite en France pour que la mort vienne enfin mettre un terme au vide de mon existence.

Son premier souhait fut vite exaucé. Dès le 20 avril, il allait rejoindre un contingent important de troupes en partance pour Folkestone. Le trajet jusqu'à la gare londonienne de King's Cross fut pénible, à cause du froid et de la promiscuité, mais il était heureux de s'en aller, de partir vers une vie qu'il haïssait mais qu'il connaissait si bien, une vie qui n'avait absolument rien à voir avec Georgina.

Pourtant, quand il quitta le brouhaha de cet immense hall de gare pour s'en aller à travers Londres avec une vingtaine de compagnons, le plaisir amer qu'il escomptait fit vite place à une souffrance à laquelle il avait été loin de s'attendre. Il comprit alors ce que Georgina avait voulu dire et mesura l'ampleur de la torture à laquelle elle serait soumise durant les aller et retour qu'elle ferait dans la cité.

Oxford Street, c'était là qu'ils avaient flâné, bras dessus bras dessous, passant des petites boutiques aux rayons des grands magasins ; Hyde Park, sinistre sous un linceul de neige grise ; le palais de Buckingham où ils étaient venus, par un après-midi ensoleillé d'octobre dernier, assister à la relève de la garde...

A la gare Victoria, l'attente fut interminable. En déambulant dans la salle des pas perdus, il vit une cabine téléphonique et eut la tentation d'y pénétrer. Mais il s'obligea à repartir et entra dans un bar pour engloutir coup sur coup deux pintes de bière. Pourtant, au lieu d'engourdir son chagrin, l'alcool ne réussit qu'à ébranler la fermeté de sa décision et quelques minutes après il repartait vers la cabine, demandant l'hôpital à l'opératrice. Mais Georgina n'était pas de service et la surveillante, qui venait d'arriver à ce poste, ne savait pas où elle était. Il appela Queen's Gate mais n'obtint pas de réponse.

Ils attendirent cinq heures à Folkestone avant de pouvoir embarquer à bord du transport de troupes, mais là il n'eut aucun problème : Georgina n'était jamais venue à Folkestone. Blotti dans sa capote, protégé du froid par une peau de mouton, Liam décida de se reposer dans un coin du grand hall où des centaines d'autres soldats patientaient comme lui. Certains jouaient aux cartes, d'autres écrivaient des lettres et il y en avait aussi qui chantaient, accompagnés par les accents plaintifs d'un harmonica.

Tout cela lui rappelait la veille de son départ pour Gallipoli, mais à présent il faisait beaucoup plus froid et son enthousiasme patriotique était bien tombé.

Il somnola un moment pour être bientôt arraché à son sommeil par un groupe anxieux de jeunes conscrits qui lui disaient qu'on allait bientôt embarquer. Ils étaient surexcités et tenaient à tout prix, pour calmer leur anxiété, à rester en compagnie d'un vétéran qui avait déjà fait la guerre. Pour eux, il était une sorte d'oracle, guettant la moindre de ses paroles pour se la répéter ensuite, entre eux, à voix basse. Et moins il en disait, plus ses indications leur paraissaient précieuses.

Ils avaient peur des sous-marins allemands. Il haussa les épaules d'un air indifférent. Ils le regardèrent d'un air ébahi.

« Bah, quoi ? C'est un risque à courir, non ? »

Ces paroles firent le tour de l'assemblée à la vitesse d'un train express. En les voyant redresser le menton, rassurés par sa sérénité, il ne put se défendre d'un amusement amer. Auraient-ils été aussi prompts à le croire s'ils avaient pu soupçonner qu'en fait il se moquait éperdument de savoir si c'était une torpille teutonne qui allait l'envoyer par le fond ou un obus prussien qui pulvériserait sa chair dans la boue du sol de France.

Mais avant de songer à se livrer à des actions d'éclat, il lui fallut subir un autre stage d'entraînement près d'Armentières, une ville qu'il connaissait bien, si bien qu'il avait l'impression de n'en être jamais parti. A un an d'intervalle, rien n'avait changé, jusqu'au temps qui était le même, avec cet hiver si rude qui n'en finissait pas mais qui, pourtant, céda soudain la place à un soleil éclatant. En une semaine, les fleurs sortirent de partout, et les visages des Flamands, dans les boutiques et dans les bars, recommencèrent à sourire. Mais ils étaient plus maigres et plus gris, ces visages, et beaucoup plus las, et en se promenant le long de la Lys, Liam vit que les cimetières avaient pris de l'extension. On en avait même créé d'autres.

Il se reprit à penser à ces trois jours passés en fraude à Bournemouth, et sentit l'odeur des pins dans cet étroit ravin près de l'hôtel, corsée par la senteur salée de la mer. Un pâle soleil luisait sur les eaux et ils avaient eu l'impression que l'hiver lui-même faisait des efforts pour montrer sa complicité. Ils avaient marché sur la plage, au pied des falaises, esquivant les vagues et faisant des ricochets avec des galets. Ils avaient connu le bonheur, un bonheur serein, dépourvu d'excitation, un calme total et la satisfaction de savoir qu'ils étaient bien ensemble. Jamais il ne s'était senti aussi détendu, et elle non plus.

La perfection, en somme. Mais la perfection est une chose tellement fragile : cela ils le savaient aussi. Le dernier soir, rentrant de leur promenade à la nuit tombante, l'air glacé avait vibré d'un lourd grondement continu, comme s'il avait tonné au loin. Surprise, Georgina avait demandé ce que c'était et Liam, qui savait à quoi s'en tenir, avait eu le corps parcouru d'un frisson.

Ici, à Armentières, ces grondements, sans être particulièrement intenses, se produisaient de façon quasiment permanente et il avait appris à ne pas sursauter quand il y avait une explosion plus forte que les autres. Il avait appris à discipliner son expression pour ne manifester qu'une résignation muette tandis que son cœur bondissait dans sa poitrine et que ses entrailles se changeaient en eau au souvenir que chacune de ces déflagrations évoquait en lui.

Il ne recevait pas de lettre de Georgina, en dépit de l'espoir qui était revenu. Et puis un jour arriva un mot bref et triste de son père qui lui disait qu'elle avait reçu son avis d'affectation en Égypte. Elle avait quitté Londres quinze jours après le départ de Liam pour la France. Un peu plus tard, une autre missive lui apprit qu'elle était arrivée là-bas sans encombre. Et Robert Duncannon ajoutait pour conclure que si Liam ne demandait pas d'autres nouvelles, il s'abstiendrait désormais d'en donner.

Aucune adresse et Le Caire avait plusieurs hôpitaux. Liam fut pourtant soulagé de savoir qu'elle était là-bas et non en France où il aurait eu la tentation de se lancer à sa recherche et où elle aurait risqué de se faire tuer par un obus égaré ou par une offensive soudaine de l'ennemi.

Certes, l'Égypte n'était pas un pays particulièrement agréable, mais comme les infirmières se voyaient attribuer le statut d'officier, Georgina bénéficierait sans doute d'une nourriture et de conditions de vie très supérieures à ce qu'il avait eu lui-même.

Et puis, elle serait certainement séduite par l'attrait historique de ces lieux ; elle avait été fascinée par la description qu'il lui avait faite des tombeaux, des monuments et des musées. Mais tout en se souvenant de ces conversations, Liam était frappé par l'ironie de cette situation. Elle avait fui Londres pour ne pas avoir à se retrouver dans des endroits où ils avaient été heureux ensemble et elle était maintenant en Égypte où il avait lui-même passé plus de huit mois. Que ressentirait-elle en voyant la lune se lever sur les pyramides ? Verrait-elle l'ombre de Liam dans le sable ? Quand elle déambulerait dans les jardins et les palais, sentirait-elle sa présence à côté d'elle ?

Il allait l'imaginer là-bas, contemplant les flamboyants couchers de soleil sur le désert ; avec les yeux de Georgina, il verrait les orangers fleurir dans les jardins d'Héliopolis et il regarderait les fontaines miroiter dans leurs bassins de marbre. Tous les hôpitaux étaient installés dans des grands hôtels ou dans des palais ; il avait passé son congé de convalescence dans la résidence d'été du prince de la couronne germanique, et il avait beaucoup apprécié, à l'époque, le paradoxe de cette situation.

Ce souvenir lui ramena à la mémoire sa dernière rencontre avec Mary Maddox qui était maintenant infirmière à Harefield, un hôpital australien situé dans la banlieue de Londres. Et par association d'idées, il pensa à Lewis, le frère de Mary. D'après la dernière lettre qu'il avait reçue de lui, Lewis était encore en Égypte, avec les chevau-légers, et maintenant qu'il avait été promu au grade de capitaine, il faisait preuve d'une verve et d'une confiance en soi que Liam ne lui avait jamais connues. Il voulait garder le contact, ce qui témoignait de la solidité de l'amitié qui les liait l'un à l'autre depuis cette période précédant la guerre, bien que Liam se demandât parfois si cette fidélité n'était pas également motivée par le besoin de se rassurer, de se rappeler qu'il n'était pas le seul garçon de Dandenong à avoir survécu, qu'il y en avait un autre qui était également encore en vie. Il se sentait peut-être coupable, ou en tout cas un peu comme un être à part, dans la mesure où il avait la capacité d'échapper à la mort. Liam avait connu ce genre de sentiments, lui aussi, surtout quand il avait vu tous ses camarades tomber autour de lui.

Mais il ne s'était senti nullement coupable, en fait, car il était devenu profondément fataliste. Tout homme, selon lui, était marqué par son destin et quand l'heure de mourir était venue, rien ne pouvait modifier le cours des choses. Il n'avait pas été prévu qu'il reçoive un éclat d'obus à Gallipoli ni qu'il meure de pneumonie à Héliopolis et le rêve étrange où Ned lui était apparu n'avait fait que confirmer cette croyance.

Il avait discuté de cela un jour, à Londres, avec Georgina, et il avait eu la surprise de constater qu'elle n'avait pas cherché à contredire ses vues. Sans être entièrement d'accord avec lui, elle avait reconnu que les mourants semblaient toujours retrouver le calme et la sérénité, comme si de vieux amis leur faisaient signe de venir les rejoindre dans la tombe. Elle ne pensait pas qu'il s'agissait d'une hallucination et ne mettait nullement en doute la véracité de l'expérience qu'il disait avoir vécue.

Quand il repensait maintenant à son amitié avec Ned et à l'amour qu'il vouait toujours à Georgina, il en arrivait immanquablement à se demander pourquoi de telles choses se produisaient et pourquoi il fallait qu'elles s'interrompent aussi brutalement. N'aurait-il pas mieux valu, finalement, qu'il ne connaisse jamais ces deux êtres ? Sans amour, aurait-il éprouvé de telles souffrances ?

Pourtant, grâce à Georgina, il avait vécu un bonheur intense, des moments d'extase inoubliables, et le sentiment de ne faire qu'un avec une autre personne, d'éprouver les mêmes joies et les mêmes désirs... et les mêmes désespoirs ! En la quittant, il avait perdu beaucoup plus qu'il n'aurait pu l'imaginer quatre ans plus tôt.

Mais ce qui le torturait le plus, c'était de se dire qu'elle souffrait, elle aussi.

Cette douleur sourde et constante, ponctuée parfois d'accès plus violents qui l'assaillaient aux moments les plus inattendus, ne l'incitait guère à communiquer avec sa famille. Il devait faire un effort sur lui-même pour écrire, s'obliger à exprimer une certaine sollicitude alors qu'en fait il n'éprouvait que de l'envie et du ressentiment à l'égard de chacun. Robin avait Sarah et Tisha avait donné naissance à un bébé, une petite fille. Même sa mère, au sujet de laquelle il s'était tant tourmenté avant de quitter l'Angleterre, lui paraissait maintenant avoir un sort plus enviable que le sien. Elle avait connu vingt années de bonheur avec Edward, après en avoir eu déjà avec Robert Duncannon. Et il lui suffisait de lever le petit doigt pour que son ancien amant se précipite vers elle pour finir ses jours à ses côtés. Non, il y avait là une injustice flagrante.

Quant à communiquer avec Georgina, quel que fût son désir de le faire, il se l'était interdit et en plus, même s'il l'avait voulu, il ne voyait vraiment pas comment il aurait pu y parvenir. Pourtant, elle ne quittait pas ses pensées et il finit, après avoir retrouvé cette lettre que lui avait envoyée Lewis trois mois plus tôt, par écrire à son ami australien, mentionnant incidemment qu'une *de ses proches parentes* se trouvait en Égypte. Peut-être Lewis pourrait-il la voir, s'il avait l'occasion d'aller au Caire ?

Le simple fait d'écrire cette lettre et de la poster lui procura un soulagement incontestable et son moral s'améliora encore davantage quand il eut appris qu'il allait bientôt rejoindre son ancienne compagnie. Il y avait eu de violents combats à Bullecourt — à deux reprises au cours des dernières semaines — , et il regrettait de ne pas y avoir participé.

Il avait eu hâte de retrouver des visages connus mais quand il monta à bord du train qui devait l'emmener à Amiens, il éprouva des sentiments plus mitigés. Parmi les hommes qui se trouvaient avec lui, certains avaient reçu pour mission de renforcer la 1ʳᵉ division ; il y en avait qui ne s'étaient encore jamais battus et d'autres, comme lui, qui retournaient au combat après la guérison d'une blessure ou d'une maladie. Le bruit courait que trois divisions australiennes — la première, la seconde et la cinquième — allaient quitter le théâtre des opérations pour prendre un repos bien mérité. Tout le monde autour de lui saluait cette nouvelle avec enthousiasme mais Liam ne partageait pas cette manière de voir : le front, c'était l'enfer, certes, mais tant qu'on se battait on n'avait pas le temps de penser, pas le temps de broyer du noir.

D'ailleurs, le repos en question n'avait rien de bien séduisant. Il fallait, des semaines durant, suivre un stage d'entraînement basé sur une succession d'exercices stupides destinés à modeler la chair à canon en pulvérisant tout ce qui pouvait subsister de personnel en chacun. Une routine assommante qui détruisait l'âme et laissait beaucoup trop de temps pour s'interroger sur la vanité des choses de ce monde.

Il n'en était pas moins heureux pour ses compagnons d'armes. Depuis le mois de juillet de l'année précédente, les Australiens avaient combattu pratiquement sans interruption, sur la Somme d'abord, puis à Ypres, pour revenir vers la Somme pendant l'hiver, d'où on les avait envoyés à la poursuite des Allemands qui opéraient une retraite précipitée. Liam s'était réjoui d'apprendre que ces hommes, qui avaient infligé aux Allemands des coups assez terribles pour briser leurs lignes sur la route de Bapaume en août, avaient eu l'autorisation de s'emparer de la ville elle-même en mars.

Mais ce succès était venu après un hiver horrible où la neige, la pluie et une boue collante et persistante avaient constitué un ennemi beaucoup plus pernicieux que le Boche lui-même... Oui, ils méritaient bien de partir au repos !

Le champ de bataille de la Somme était étrangement silencieux, cette lande balayée par le vent où l'on croyait entendre, la nuit, gémir les âmes des morts. Une lande maudite, en fait, le théâtre d'une tragédie éclairé par la lune, bien que le pire s'y fût déjà produit. Il ne restait plus que le souvenir, celui des jours et des semaines passés autour de Pozières paraissant maintenant bien pâle à côté des drames plus récents qui s'y étaient déroulés.

Dans la journée, pourtant, un printemps contrasté se muait en l'annonce d'un été éclatant. A quelques kilomètres de l'ancien tracé du front, les récoltes promettaient d'être belles tandis que s'affairaient les femmes et les enfants, ainsi que des hommes très âgés. Pour Liam, il y avait là un signe d'espoir, une manifestation de la vie, en quelque sorte.

Et pendant ce temps, les bataillons décimés commençaient à se reconstituer, absorbant de nouveaux effectifs, au matériel neuf et des stratégies inédites. Peu à peu, les peaux livides brunissaient au soleil et on entendait fuser des rires dans les cantonnements, le soir. On buvait, on jouait sa solde aux dés, on buvait encore et on braillait. Certains se lançaient à la recherche d'une ancienne petite amie et d'autres s'en trouvaient une nouvelle. Les bars et les bobinards d'Amiens firent des affaires d'or avec les Australiens cet été-là, et Liam eut suffisamment de permissions de vingt-quatre heures pour prendre un peu de bon temps dans les meilleurs de ces établissements ; mais le vœu qu'il s'était fait de ne plus se consacrer désormais qu'au vin, aux femmes et aux chansons ne porta que partiellement ses fruits. Pour le vin et les chansons, il n'eut pas de problèmes, mais les femmes ne l'attiraient que médiocrement. Non qu'elles n'eussent rien qui puisse le séduire ! Mais elles ne pouvaient lui offrir qu'une monnaie dépréciée, de bien piètre valeur à côté des lingots d'or qu'il avait autrefois possédés.

Il regardait souvent cette vieille photo de Georgina

et la comparait avec l'autre qu'il aimait tant où on les voyait tous les deux et qu'ils avaient fait faire dans un studio d'Oxford Street. Il y avait encore de la douceur dans le sourire de Georgina mais la sérénité avait disparu. Ses yeux tristes semblaient obscurcis par la souffrance qu'elle avait vue et par la surcharge de travail imposée par des horaires inhumains. C'était le visage d'une femme, et non celui d'une jeune fille, et chaque fois qu'il regardait ce portrait, il ne pouvait se défendre d'un profond sentiment de commisération.

Son père lui écrivit pour lui dire qu'elle allait bien, que son travail lui laissait quelques loisirs et qu'elle avait le temps de voir un peu l'Égypte. Liam espéra qu'il en était vraiment ainsi. Il n'avait toujours pas de nouvelles de Lewis.

Matt, son vieil ami, partit en permission pour trois semaines et revint gonflé à bloc ; il avait fait les quatre cents coups, assisté à tous les spectacles dignes de ce nom et séduit les filles à la douzaine. Liam sourit, se gardant bien de prendre au mot le récit de tels exploits. Promu soldat de première classe, son ami appartenait désormais à une autre équipe. Quant à Carl, il était parti lui aussi, après s'être fait gazer à Ypres. Rien de grave, en fait, mais il était encore à l'hôpital. Liam l'avait d'ailleurs raté de peu, puisqu'on l'avait envoyé à Wandsworth. Quel dommage, vraiment !

Mais ce que Liam regrettait en fait, c'était que tous ces visages connus aient été remplacés par d'autres. Jusqu'à Keenan, son vieux sergent, qui n'était plus là. Il avait perdu un bras à Bullecourt. Liam n'aurait jamais pu imaginer que ses yeux furibonds, semblables à de la gelée de groseille, lui manqueraient un jour à ce point.

Heureusement, le nouveau sergent était plus jeune, plus robuste et plus compétent, et Liam éprouvait pour lui sympathie et respect. C'était un ancien de Gallipoli, lui aussi, qui avait été transféré d'un bataillon d'infanterie. Bien qu'il eût suivi les stages de formation indispensables, il semblait content de pouvoir bénéficier de l'expérience acquise par Liam dans le maniement des mitrailleuses Vickers.

En juin, les 3e et 4e divisions remportèrent d'éclatants succès à Messines, bien que les pertes subies fussent énormes et, tout comme à Bullecourt en avril et à Pozières l'année précédente, le haut commandement britannique ne jugea pas utile d'exploiter cette percée comme elle le méritait. Les Australiens en conçurent une amertume profonde et générale, leur seule consolation étant qu'ils n'avaient pas démérité en tant que soldats.

Haig avait maintenant mis au point un nouveau plan d'offensive dans les Flandres, ce qui sema la consternation dans tous les cœurs L'artillerie monta vers le nord en juillet, les fantassins et leur soutien logistique en septembre.

Le mois d'août avait connu beaucoup d'orages cette année-là, mais septembre amena une très belle arrière-saison, avec des journées chaudes et ensoleillées, comme s'il avait voulu créer une atmosphère digne des succès à venir.

Les opérations avaient été planifiées avec un luxe de détails absolument incroyable et, pour une fois, le secret avait été bien gardé. Le soin avec lequel on avait préparé les hommes pour la bataille prochaine dissipa une grande partie de leur appréhension et au bout de quatre mois de repos et d'entraînement sur la Somme, ils se sentaient prêts à foncer en avant ; chacun n'avait plus qu'une hâte, sortir l'armée britannique de l'ornière et enfoncer les lignes allemandes une fois pour toutes.

Partout à la ronde, on disait et répétait qu'avec ces

nouvelles stratégies, et pour peu que la chance s'en mêle aussi, Sir Douglas, cette fois, allait montrer de quel bois on se chauffait dans le camp anglais.

Physiquement, Liam se sentait dans une forme étonnante et plein de fierté professionnelle et de confiance pour un plan de bataille qui leur avait été exposé pendant des jours, avec cartes et maquettes à l'appui. Chacun savait avec précision quels objectifs il devait atteindre et la manière dont il fallait qu'il s'y prenne pour y parvenir. Et pour la première fois, deux divisions australiennes allaient livrer combat côte à côte, constituant le fer de lance central d'une poussée destinée à s'emparer de la crête qui allait de Gheluvelt à Passchendaele.

Le premier objectif important était le bois du Polygone avec son énorme butte, ce monticule élevé qui avait autrefois été utilisé comme terrain de tir par l'armée belge. Mais avant d'y parvenir, il y avait deux autres bois, Glencorse et Nonne Boschen, ainsi que des douzaines et des douzaines de blockhaus en béton qui constitueraient la menace la plus redoutable pour les assaillants.

Pourtant, il n'était pas prévu de procéder à un bombardement intensif des positions ennemies avant de déclencher l'attaque. On se contenterait d'un tir de barrage à courte portée, derrière lequel se dissimuleraient les troupes d'assaut. Naturellement, on courait ainsi le risque de voir les hommes se faire tuer par un obus de son propre camp, mais les Alliés professaient une foi touchante dans la précision du tir de leur artillerie.

Ils partirent de la Somme le 12 septembre et s'installèrent dans des petits villages disséminés au sud-ouest d'Ypres après avoir reçu pour consigne de se faire les plus discrets possible. Le 18, les bataillons se mirent en ordre d'attaque et commencèrent à s'approcher de la ligne des combats. Ils devaient s'aligner sur leur position de départ le 19 septembre à minuit pile.

Liam trouva que la ville d'Ypres n'avait guère embelli depuis l'année précédente, mais au moins le soleil brillait sur ses édifices informes en brique et sur ses tours ébréchées qui ne tenaient plus debout que par miracle. Les rues médiévales n'étaient plus que des pistes serpentant entre des amas de décombres et des trous d'obus béants, jonchées de poutres calcinées et de statues brisées de saints et de rois décapités par la guerre qui gisaient, comme des cadavres, à côté des roues fracassées des avant-trains de canons. Cette ville lui faisait penser à York, avec ses églises, ses sculptures et ses habitants. Mais ici il n'y avait plus d'habitants, seulement des soldats, et cette ville médiévale était morte.

Des policiers militaires, munis de planchettes porte-papier, se tenaient à tous les carrefours pour canaliser le flot de ce troupeau humain ; il régnait une atmosphère tendue, les voix acerbes trahissaient la nervosité précédant les combats, tout le monde était crispé, on avait hâte de passer à l'action.

Les compagnies de mitrailleurs se postèrent en position de soutien auprès de leurs bataillons respectifs, et il n'y eut plus qu'à attendre, après avoir passé le matériel en revue. L'attente, c'était le moment le plus redoutable, celui où les doutes venaient vous assaillir en force, où la peur vous tordait les tripes, pour en faire un nœud dur et douloureux.

Cherchant à se détendre un peu, Liam grimpa au sommet des vieux remparts et s'assit sur une souche d'arbre pour regarder la route menant à Menin ; ce n'était plus qu'une piste sillonnée d'ornières et criblée de trous d'obus traversant un désert ocre jonché des détritus de la guerre.

Masqué en partie par la brume de chaleur, le léger renflement de la crête se profilait à une distance impossible, avec de petits flocons de fumée qui apparaissaient de place en place, suivis par l'inévitable succession de détonations assourdies. Parfois, les claquements secs d'une mitrailleuse interrompaient le bourdonnement de voix qui provenait d'en bas.

Au-dessous de lui, de chaque côté de la brèche qui coupait les fortifications et que l'on nommait la Porte de Menin, des hommes étaient tassés les uns contre les autres, encaqués comme des harengs, au pied des murailles délabrées, dédoublées par le reflet irréprochable que lui renvoyaient les eaux tranquilles des douves. Une plaisanterie que l'on faisait un peu trop à son goût sur cet endroit lui revint en mémoire : « Le dernier à passer aurait-il l'obligeance de refermer la porte derrière lui ? » Mais il n'y avait pas de porte à refermer et le flot des hommes ne s'arrêtait jamais.

Il y en avait beaucoup qui la passaient, cette porte, mais peu nombreux étaient ceux qui la franchissaient dans l'autre sens. Et lui ? Reviendrait-il ? Ce n'était pas la première fois qu'il se posait cette question, mais l'éternité avait perdu son attrait et comme dans toutes les autres batailles, Liam se contentait de vouloir survivre.

Obsédé par la pensée de Georgina, il se demanda s'il ne fallait pas lui écrire. Un an plus tôt, à une époque où l'idée de la mort ne le quittait jamais, il aurait trouvé ridicule de vouloir rédiger une dernière parole, mais il y avait maintenant près d'un an qu'il n'était pas monté à l'assaut et la mort était devenue pour lui une étrangère dont il ne reconnaîtrait peut-être même pas le visage.

Pourtant, il hésitait. Il alluma une cigarette et prit l'étui en argent où il gardait ses deux précieuses photos de Georgina et une lettre qu'elle lui avait écrite. Une missive très courte, pleine de tendresse mais moins passionnée que certaines autres qu'il avait préféré détruire. Si jamais il mourait, on renverrait ses objets personnels dans sa famille et il ne voulait pas que d'autres sachent à quel point leurs relations avaient été intimes.

Il relut ce feuillet chiffonné par tant de lectures successives et se demanda s'il n'allait pas le jeter lui aussi. Mais il ne supportait pas l'idée de ne plus rien avoir d'elle. Il avait besoin de ce simple témoignage certifiant qu'elle l'aimait et que leur amour avait existé réellement.

Quand les ombres commencèrent à s'allonger sur les douves, ses hésitations s'envolèrent. Arrachant une feuille de papier de son carnet, il saisit un crayon indélébile et traça ces mots : « *Je n'ai pas oublié et je sais que je n'oublierai jamais. Je t'aime et je pense sans cesse à toi. Je regrette que les choses ne se soient pas passées autrement. A toi, pour toujours et à jamais, Liam.* »

Il écrivit aussi un court message pour sa mère et inséra le tout dans une enveloppe destinée à Robert Duncannon, demandant à son père de faire le nécessaire pour que ces lettres atteignent leurs destinataires. Puis, heureux de pouvoir s'agiter un peu, il partit à la recherche d'un planton susceptible de porter le courrier au bureau de poste du bataillon. Liam n'était pas le seul à vouloir lui confier des missives de dernière minute et il dut dépenser beaucoup de salive et allonger pas mal de cigarettes pour arriver à le persuader.

En début de soirée, le ciel se couvrit et une petite pluie fine ne tarda pas à tomber, démoralisant la troupe. Décidément le destin semblait s'acharner à leur compliquer la tâche. A minuit, bien que la pluie eût cessé, les chemins qui partaient de la route de Menin étaient rendus glissants par la boue apparue en surface, ralentissant nettement la progression des assaillants.

Flanqués de chaque côté par les troupes britanniques, près de trente mille Australiens vinrent prendre position en silence sur la ligne de départ. De temps à autre, quelques obus tirés par un ennemi nerveux éclairaient leur chemin, alors que les premiers doigts de l'aurore effleuraient le ciel, mais finalement ils durent reconnaître que la pluie leur avait plutôt rendu service car elle engendrait maintenant un brouillard suffisamment épais pour masquer l'armée en marche aux yeux des Allemands.

Sur la gauche, près du bois de Glencorse, les bataillons de la 3e brigade essuyèrent soudain un violent tir de barrage qui leur infligea de lourdes pertes. L'inquiétude des Alliés grandit. Ensuite ce fut au tour du 8e — l'un des derniers bataillons à atteindre sa position, à l'extrémité droite du front — de subir un autre bombardement, qui lui fit perdre un commandant de compagnie et plusieurs hommes. La nervosité grandit encore chez les jeunes recrues de la compagnie de Liam.

Liam aperçut soudain le visage anxieux de l'officier qui les commandait. Il devina tout de suite ses pensées : le plan avait été éventé. Pourtant, on avait plutôt l'impression qu'il s'agissait de tirs de barrage fortuits, et quand la canonnade cessa il eut envie d'allumer une cigarette en dépit de l'interdiction. Pendant les dix minutes précédant l'attaque, on n'entendit plus que des soupirs, des toux étouffées et le bruit fait par les hommes qui se soulageaient furtivement.

Liam ajusta la portée de la mitrailleuse et compta les secondes. A cinq heures quarante, l'enfer se déchaîna, l'artillerie lourde déchirant l'air de ses détonations assourdissantes. Mais Liam, trop occupé à tirer avec la Vickers, entendait à peine. L'un les servants tenait les bandes qu'il introduisait dans la mitrailleuse ; un autre alluma deux cigarettes pour en mettre une entre les lèvres de son caporal.

Liam inspira une longue bouffée, pendant qu'on insérait une nouvelle bande, mais il ne lâcha pas la détente, fumant et tirant avec une joie sauvage alors que les obus pleuvaient sans discontinuer à cent cinquante mètres de là. Quatre minutes plus tard, au moment où le tir de barrage commençait visiblement à progresser plus en avant, arriva le signal d'arrêter le feu.

Le bombardement allemand commença au moment même où ils démontaient la mitrailleuse. Le sergent leur cria de se grouiller tandis que l'officier leur ordonnait de partir en avant pour se sortir de la ligne de feu.

Liam hissa le lourd trépied tandis que son numéro deux juchait le canon de l'arme sur son épaule. Les autres saisirent les caisses de munitions et tous partirent en courant, protégés par le rideau de leur propre tir de barrage. Mais les obus britanniques tombaient horriblement près, les illuminaient de leur explosion, les assourdissaient ; les hommes suffoquaient dans cette fumée, giflés par le souffle, et se disaient qu'ils avaient là un avant-goût de ce que pouvait être l'enfer. Pourtant, maintenant, les projectiles des Allemands tombaient derrière eux et ils allaient bientôt atteindre leur premier objectif.

Des blockhaus allemands surgirent au milieu de cet épais nuage de poussière et de fumée ; ils furent pris d'assaut. Le bois de Glencorse tomba à son tour, puis ce fut Nonne Boschen, sur la gauche, et sur la droite les bataillons victoriens s'emparèrent de la ferme des Fitzclarence, capturant un officier et quarante hommes. Progressant toujours, les Australiens atteignirent leur premier objectif à près de six cents mètres de la ligne de départ, moins d'une demi-heure après le début de l'assaut. On avait respecté l'horaire à la minute près.

Liam était en proie à une exaltation farouche

quand il se terra, avec ses compagnons, dans un trou d'obus. Il n'en croyait pas ses yeux. Abasourdis par la violence des tirs de barrage et par la rapidité de l'attaque, les Allemands cédaient le terrain pratiquement sans se battre. Incroyable.

On avait prévu une halte de trois quarts d'heure afin de procéder à un premier bilan et à un rassemblement des forces. Ce répit avait paru excessif au départ, mais en fait il s'avéra essentiel. Des hommes provenant de différents bataillons s'étaient mélangés dans leur hâte à échapper au bombardement allemand et maintenant il fallait les trier et leur trouver un abri en attendant que commence la nouvelle phase de l'offensive.

Le tir de barrage qui assurait une couverture efficace ne tarda pas à progresser de l'avant. Une fois de plus il fallut démonter la Vickers et les hommes repartirent sur le sol glissant et sillonné d'ornières en direction de leur prochain objectif.

Si la première attaque ne s'était heurtée qu'à une faible résistance, la seconde se déroula encore plus facilement et les trois cents mètres suivants furent parcourus dans les délais prévus. On atteignit la seconde ligne à sept heures quarante-cinq.

Sur le flanc droit, s'efforçant sans relâche de rester à la tête du bataillon et haletant un peu sous le poids qu'il portait, Liam amenait ses hommes d'un trou d'obus à un autre sans jamais perdre de vue l'officier qui marchait devant lui. Debout au bord d'un cratère, ce dernier leur désigna un entonnoir où ils se précipitèrent pour y monter la mitrailleuse, tandis que Matt et ses compagnons s'installaient dans un trou voisin.

Le peu de pluie qui était tombé avait été absorbé par des fissures qui lézardaient l'argile mais il y avait une boue déjà ancienne au fond et les parois étaient restées grasses. Comme il y avait deux heures d'attente, Liam décida qu'ils avaient intérêt à creuser une marche pour rendre le tir plus commode et une corniche pour y déposer les munitions.

Grâce aux mois d'entraînement qu'ils avaient subis, ils vinrent rapidement à bout de cette tâche et pendant que le tir de barrage s'éloignait pour aller frapper les lignes allemandes situées plus avant, ils allumèrent des cigarettes et, à tour de rôle, ils observèrent la situation à la jumelle car ils ne voulaient rien perdre du déroulement des opérations.

Il faisait grand jour mais l'horizon était voilé par une brume faite de fumée et de poussière. L'extrémité gauche de la ligne d'attaque se trouvait peut-être à cinq cents mètres, touchant presque la pointe sud du bois du Polygone, une forêt de moignons déchiquetés qui faisait penser à une armée de squelettes debout dans le brouillard ensoleillé, avec la silhouette massive de la butte qui se dressait derrière, comme une ombre.

Plus près d'eux se trouvait le « Coin de la Sentinelle noire » ou un blockhaus était encore en pleine action, arrosant de projectiles les hommes du 5e bataillon. Plus près encore, à la « Maison solitaire », il y avait un autre blockhaus, mais ce qui inquiétait le plus Liam c'était que, sur la droite, il en voyait une alignée de six qui s'étiraient jusqu'à un point situé très au-dessus de Reutelbeek.

Le sergent lui avait donné pour consigne de couvrir ce secteur et Matt, à vingt mètres de là, opérait de concert avec lui pour protéger les fantassins qui attaqueraient d'un moment à l'autre.

Liam espérait que l'assaut allait commencer bientôt. Pour l'instant, les Allemands étaient sonnés mais ils risquaient de se reprendre très vite...

En entendant ses camarades pousser des cris surexcités, il comprit qu'il se passait quelque chose. Une compagnie du 5e venait de se lancer en avant au

« Coin de la Sentinelle noire ». Voulant se concentrer, il leur dit de se taire mais ils étaient trop tendus, trop inquiets de ce qui risquait de se produire. Un officier tomba ; ses hommes, fous de rage, massacrèrent les Allemands qui voulaient se rendre ; d'autres officiers intervinrent... Et tout fut terminé. On emmenait les prisonniers qui avaient survécu et les hommes du 5e disparurent dans les entonnoirs...

« Ceux-là, ils peuvent se démerder tout seuls », marmonna Liam qui se souciait beaucoup plus de protéger les hommes se trouvant plus près de lui, sur sa droite. Une section du 8e bataillon venait justement de sortir de terre pour foncer vers le blockhaus le plus proche quand une rafale soudaine révéla la présence d'une mitrailleuse allemande qui semblait bien décidée à ne pas s'en laisser conter. Il expédia une bordée de balles, ponctuée par un juron véhément quand il vit deux hommes tomber.

Il entendit l'écho de la rafale lâchée par Matt pour le soutenir, puis une voix juvénile qui criait quelque chose à sa gauche. Une tête sortit du trou, à côté de lui, les jumelles braquées au-dehors. Il cria à son jeune compagnon de se baisser, vite, et le tira par le col...

L'espace d'une fraction de seconde, il entendit et sentit la violence d'une explosion intense, et pendant cette fraction de seconde, la chaleur, le bruit et la douleur lui parurent insupportables. La violence se prolongea par une éruption de fusées, d'obus et de flammes qui éclairaient le ciel noir... et ce feu d'artifice se prolongea indéfiniment...

Quand le brouillard se dissipa, il regarda autour de lui pour voir qui était blessé. Pendant un moment, il crut qu'il était seul, mais un homme à côté de lui murmura son nom. Liam se tourna de son côté et vit le visage de son ami. Son uniforme était déchiré et il y avait des taches de sang par endroits mais il reconnut Ned. Oui, c'était bien Ned...

La balle qui avait tué Liam avait également blessé le garçon qu'il avait sauvé. Atteint à la main, il ne pouvait rien faire d'autre que fixer d'un œil effaré la bouillie sanglante qu'était devenu le visage de son caporal.

Matt avait tout vu, lui aussi. Dès la première accalmie il bondit hors de son trou pour prêter assistance. Voyant que son vieux copain était mort, il se contenta de lui enlever son casque d'acier désormais inutile, et serra le corps contre lui, sans se soucier du sang qui coulait.

« Ça fait longtemps qu'on se connaissait, vous savez, dit-il à la cantonade. Il était là-bas, à Anzac... »

Quand leur officier vint aux nouvelles, accroupi dans la boue au fond du cratère, le numéro deux lui fit à voix basse le compte rendu de ce qui s'était passé. Le garçon blessé à la main était allongé sur le dos, le visage ruisselant de larmes.

Matt vida les poches du cadavre. Un paquet de cigarettes chiffonné, un porte-cigarettes en argent, des allumettes, un carnet, un bout de crayon, des lettres dans des enveloppes écornées et un journal intime...

« Vous étiez son ami ? Alors gardez tout ça », dit l'officier.

Il poussa un soupir, consultant sa montre d'un air anxieux, puis jeta un coup d'œil au-dessus du rebord du cratère.

« Enterrez-le. Marquez la tombe du mieux que vous pourrez. Il n'est pas question de l'emmener. »

Sous la couche superficielle de boue, le sol était dur, et ce ne fut pas une tâche aisée de creuser suffisamment pour que le corps d'un homme disparaisse tout à fait. Mais ils y parvinrent. Matt, qui n'était pas pratiquant, ne trouva rien d'autre à faire que de prononcer quelques paroles d'adieu à un homme courageux qui avait aussi été un bon copain. Il conclut ces mots en priant pour le repos de son âme bien que, sur le moment, cette requête lui parût d'une effroyable ironie.

Ils fabriquèrent grossièrement une croix avec des planches provenant d'une caisse de munitions et gravèrent son nom et son numéro matricule avec la pointe d'une baïonnette dans l'espoir qu'on trouverait un jour cette tombe et que l'on pourrait ensevelir le corps en un lieu plus approprié.

Mais le terrain qu'ils conquirent ce jour-là avait été transformé en marécage par les pluies d'automne. Ils s'emparèrent du bois du Polygone et plus tard — beaucoup plus tard — , les forces anglo-australiennes prirent aussi Passchendaele. L'hiver suivant, leurs alliés russes signèrent une paix séparée puis au printemps les armées allemandes reprirent le saillant d'Ypres et près de soixante kilomètres de territoire allié.

Comme beaucoup d'autres, la tombe de Liam Elliott ne fut jamais retrouvée.

CHAPITRE XXXI

L'enveloppe était d'une épaisseur inhabituelle. Stephen l'ouvrit à la hâte mais fut déçu de voir que la lettre de Zoe ne comportait qu'un feuillet on ne peut plus laconique. Espérant tout de même en trouver davantage, il passa en revue la liasse de photocopies — des formulaires de l'armée et des lettres à en-tête des autorités militaires — , et son attention fut attirée par une page dactylographiée portant le nom de Liam, son numéro matricule, et en haut, ces indications : *2e mitrailleur Coy, Australian Imperial Forces*.

Presque malgré lui, il laissa ses yeux parcourir le reste de la feuille.

... Le 20 septembre 1917, le caporal Elliott... progressant avec l'infanterie... fit une halte et prit position dans un trou d'obus à l'est de la ferme de Northampton... attendant que le tir de barrage se déplace vers le nord... de nombreux tireurs allemands étaient embusqués... au moment où le caporal Elliott a sorti la tête... une balle l'a atteint au côté droit de la face... Il est mort instantanément. Sans aucune souffrance. Avant d'avoir pu réaliser ce qui lui arrivait, il était mort. La balle qui l'avait tué avait également blessé un autre homme...

Comme pour étancher le sang s'écoulant d'une blessure soudaine, Stephen remit ces feuilles en liasse et les tint serrées les unes contre les autres. Il lui fallut plusieurs secondes pour reprendre son souffle, avec précaution, et c'est alors que le chagrin l'envahit comme une vague brûlante et inopportune. A croire qu'il venait d'apprendre la mort d'un être cher, d'un ami intime précieux à son cœur ; la douleur était accablante.

La tête basse, il resta immobile, oubliant tout ce qui l'entourait, pensant à cette mort, à sa soudaineté, à toutes ces années volatisées par l'impact d'une balle perdue.

Des pas. On frappait à la porte. Stephen tourna la tête et se leva, fixant la fenêtre de son bureau comme si un événement d'une importance vitale accaparait son attention. Il parla à l'homme sans le regarder, et c'est seulement quand il eut repris le contrôle de lui-même qu'il se tourna vers lui pour s'excuser.

Le problème fut vite résolu. Un instant plus tard, il était de nouveau seul, tenant toujours les papiers à la main, enroulés comme une baguette. Avec beaucoup de précautions, il les remit dans leur enveloppe sans cesser de s'interroger sur la puissance des mots. Il le savait pourtant depuis longtemps, que Liam était mort le 20 septembre 1917, il n'avait rien appris de nouveau mais le choc l'avait profondément ébranlé. Maintenant qu'il en était arrivé à connaître Liam Elliott plus intimement que son meilleur ami, Stephen avait l'impression d'avoir perdu un être cher.

Se mêlant à son chagrin, il y avait aussi le sentiment d'un gâchis inutile ; et de la colère, en voyant que le monde avait si peu changé. Conscient soudain de sa propre vulnérabilité, il regretta que Zoe n'eût pas gardé pour elle les informations qu'elle avait pu se procurer. Maintenant, il allait recommencer à s'interroger sur la nature transitoire de la vie humaine, à se souvenir de ses rêves et à se demander si une mort soudaine n'était pas inscrite dans son propre destin.

Il repoussa cette idée. Ce n'était pas le moment de sombrer dans la déprime ; il avait déjà assez de toute cette fatigue provoquée par un stress qui ne se relâchait jamais.

L'escale à Karachi ne lui apporta aucun réconfort. Au bout de quarante-huit heures, Stephen fut plus heureux que d'habitude à l'idée qu'il allait repartir. Les fonctionnaires du port lui étaient tombés dessus à l'improviste, à plusieurs reprises, pour se livrer à leurs assauts coutumiers sur sa patience et son ingéniosité, et ils s'en étaient allés, lestés de cigarettes, de paperasse et de whisky hors taxes en ne laissant rien d'autre que le souvenir de leurs sourires radieux.

Le pilote enfonça son chapeau sur son crâne, ajusta la jugulaire et lui souhaita un agréable voyage, mais il y avait une lueur au fond de ses yeux quand il se retourna pour partir. Les moussons du sud-ouest avaient commencé à sévir et il savait aussi bien que Stephen que les prochaines quarante-huit heures n'auraient rien de plaisant.

Ballotté par les vagues, à l'abri du *Damaris*, le bateau-pilote attendait, le vrombissement de ses moteurs dominant le bruit du vent. Stephen s'accouda au bastingage tribord de la passerelle et regarda le pilote descendre le long du flanc du pétrolier pour sauter avec agilité à bord du remorqueur qui rugit à pleine gorge et bondit, soudain souffleté par le vent dès qu'il eut dépassé l'étrave du *Damaris*

Un pincement d'envie étreignit le cœur de Stephen quand l'embarcation se fut évanouie dans la pénombre crépusculaire. Lui aussi, il aurait voulu rentrer chez lui, ne pas avoir à affronter ce dixième trajet vers les mâchoires d'Ormuz sans savoir quand ce cauchemar allait se terminer.

Le premier lieutenant et le second mécanicien avaient été relevés à l'issue du dernier voyage au Koweit, et ç'avait été très dur de les voir partir. C'est alors qu'il s'était rendu compte à quel point il désirait en finir. Heureusement, les remplaçants s'avéraient très sympathiques, à l'usage.

Il regarda le bosco ramener l'échelle avec l'aide d'un matelot et, poussant un soupir amer, il regagna l'intérieur de la passerelle en refermant la porte avec soin pour maintenir une fraîcheur relative car il faisait une chaleur étouffante dehors.

Avec le point d'ancrage sur l'arrière et un vent de force huit soufflant à bâbord, Stephen ordonna de baisser la vitesse à dix nœuds. Vidé de sa cargaison, le navire était léger et très haut au-dessus de l'eau mais il fallait nettoyer les soutes et les débarrasser de leurs gaz inflammables, si bien qu'en dépit du mauvais temps il faudrait que les hommes restent sur le pont pour y travailler toute la nuit.

Le second, qui avait été sur la brèche pendant la quasi-totalité de l'escale à Karachi, surveillant le déchargement de la cargaison, s'était octroyé deux heures de répit pour dormir et manger un peu, et maintenant il allait remonter sur le pont afin de commencer à nettoyer les soutes numéros 1 et 2, près du poste d'équipage. Ce n'était pas une tâche particulièrement ardue, mais le pompage de gaz inertes à l'intérieur de toutes les cales du navire était long et fastidieux car il fallait sans cesse surveiller les valves et les manomètres indiquant la pression. En tout, il y en avait pour vingt-quatre heures et avec le mauvais temps qui sévissait, Stephen n'enviait nullement le sort de son subordonné.

Il savait très bien par expérience de quoi il retournait car il l'avait souvent fait lui-même, et sans qu'il y eût un commandant compréhensif pour répartir les tâches. Il avait une fois travaillé sans relâche quarante heures de suite, à surveiller le déchargement puis le dégazage, et le souvenir de ce cauchemar était tellement vivace en lui qu'il avait décidé de ne jamais imposer une telle galère à aucun de ses officiers.

Le second lieutenant arriva. Stephen lui demanda de prendre le quart en lui recommandant de rester en contact, par le talkie-walkie, avec le second qui était sur le pont, pour le cas où il aurait besoin de conseils. Rencontrant Johnny vêtu d'un ciré et coiffé d'un casque de chantier, il lui dit qu'il serait relevé sur le pont à minuit.

Il consulta sa montre : sept heures moins vingt-cinq. Tout juste le temps de dîner avant d'aller se coucher. A minuit, il reprendrait le quart sur la passerelle pour une période de six heures pendant que le premier lieutenant irait relever le second sur le pont : le second et lui se relaieraient toutes les six heures jusqu'à ce que les soutes soient totalement dégazées.

Quant aux mécaniciens, ils n'allaient pas être à la noce non plus ; après avoir travaillé vingt-quatre heures sur vingt-quatre dans le port, ils allaient devoir rester dans la salle des machines jusqu'à la fin des opérations. Décidément, rien n'était facile pour personne, et les équipiers de Mac étaient aussi fatigués que les siens.

Stephen mangea avec Mac dans le salon mais les deux hommes ne parlèrent guère. Ils étaient trop fatigués pour avoir envie de faire la conversation, et ils étaient tellement habitués maintenant aux tracasseries qu'on leur faisait subir à Karachi qu'ils n'éprouvaient plus le besoin d'en faire le moindre commentaire. Ils abrégèrent leur repas et, comme d'un commun accord, se levèrent de table d'un même mouvement.

Il y avait un roulis très accentué et ils eurent

beaucoup de mal à gravir les étages. Quand Stephen arriva à sa cabine, il constata qu'il commençait à souffrir d'une migraine assez prononcée.

Il souleva la lourde machine à écrire et la posa sur le sol. Puis il rangea tous ses dossiers, refermant avec soin les tiroirs et les portes de placard. Dans le salon, il récupéra une poignée de cassettes qui étaient tombées à terre puis, s'étant assuré que rien d'autre ne risquait une chute bruyante qui aurait risqué de le réveiller, il mit un peu de musique, atténua les lumières et leva le store de la fenêtre avant. Il faisait trop sombre pour qu'on puisse voir grand-chose. Tout juste s'il apercevait la pointe blanche de l'écume qui s'élevait comme une nappe à bâbord, près des bossoirs, et les lueurs des lampes de poche à tribord.

Il poussa un soupir et laissa retomber le store. Puis il ôta sa chemise mouillée et s'assit pour lire le courrier.

La lettre de Joan racontait dans le moindre détail la visite de Zoe à York et annonçait qu'il y avait enfin eu une réponse du ministère des Anciens Combattants d'Australie. Plusieurs mois plus tôt, Stephen l'avait persuadée d'écrire à Canberra pour demander des renseignements sur le dossier de Liam et, apparemment, la réponse apportait des éléments fort intéressants.

Il revint alors à la lettre de Zoe, éprouvant la même déception que quelque temps auparavant. Le récit de son voyage à York était beaucoup plus succinct, mais elle insistait sur l'idée qui lui était venue et qui l'avait amenée à consulter le registre de l'hôtel qui se trouvait chez Stephen.

« *Mais je ne suis pas restée longtemps dans l'appartement. Sans toi, ces pièces paraissaient vides et ça me faisait tout drôle...* »

Il lut la lettre une seconde fois et s'attrista en

constatant le changement de ton qu'il y décelait. Au début, Zoe lui avait écrit dans un style qui rappelait la conversation, avec humour et enthousiasme, et aussi avec de la tendresse, une tendresse qui transparaissait entre les lignes et qui le réchauffait de son étreinte silencieuse. Et puis, les lettres étaient devenues plus guindées, elles ne parlaient plus guère que des recherches auxquelles leur auteur se livrait. A peine si elle mentionnait le moindre détail sur l'existence qu'elle menait par ailleurs.

Il se demanda pourquoi. Peut-être s'imaginait-elle qu'il ne s'y intéressait plus. Peut-être y avait-il quelqu'un d'autre dans sa vie, finalement. Bref, Zoe avait fermé une porte quelque part et il n'arrivait plus à distinguer ce qui se passait de l'autre côté.

Mais elle n'était peut-être pas entièrement responsable de cet état de fait. Il se demandait s'il n'était pas à blâmer lui aussi. Pourquoi avait-il insisté à ce point pour qu'elle se conforme aux règles qu'il s'était fixées ? N'avait-il pas tout bonnement réussi à s'aliéner son affection ? Et puis de toute façon, de quoi parlait-il lui-même dans ses lettres ? Pas de ses sentiments, en tout cas, car il les avait enfermés dans un recoin bien isolé de son âme, pour ne les libérer que quand il serait rentré au pays, une fois qu'il aurait recouvré lui-même la liberté. Et comme il évitait aussi de mentionner l'angoisse que lui causaient ses trajets hebdomadaires entre le Koweit et Karachi, sa correspondance avait fini par être aussi impersonnelle que le journal de bord qu'il tenait sur son navire.

Il se sentait aussi sec et stérile que le désert lui-même et le souvenir de Zoe n'avait pas plus de consistance à ses yeux qu'un mirage lointain.

Il jeta un coup d'œil rapide à la première des feuilles portant l'en-tête du ministère et éprouva une profonde répugnance à lire ce qu'il y avait d'écrit en dessous. Il avait les yeux desséchés par la fatigue et sa tête lui faisait mal car le bateau tanguait et roulait avec une violence sans cesse accrue. Mieux valait aller se coucher, essayer de dormir. Et pourtant...

La lettre précisait que les dossiers de la Croix-Rouge contenaient les rapports émanant des cinq témoins qui avaient assisté à la mort du caporal Elliott, ce qui amena Stephen à penser que quelqu'un avait dû demander une enquête, soit parce que l'on n'avait jamais retrouvé le corps, soit parce que la personne en question avait cru bon de contester le récit des circonstances de sa mort. Il s'agissait peut-être de Robin lui-même à qui cette histoire de balle qui aurait transpercé la tête de Liam avait paru particulièrement suspecte. Surtout qu'en plus on n'avait jamais réussi à récupérer le cadavre.

Que de tracasseries pour rien, se dit Stephen ! Si on en faisait autant pour les centaines de milliers de soldats qui avaient été portés disparus au cours de cette guerre !

Il ne lui restait plus maintenant qu'à prendre connaissance des déclarations de chacun des cinq témoins pour voir si elles concordaient bien avec le récit effectué par un sergent à Grantham en mars 1918. Bien qu'il se fût préparé mentalement au choc qu'il pourrait subir en lisant ces lignes, il n'en fut pas moins profondément ému par certains détails.

« C'était un homme de grande taille, bien bâti, blond, d'environ vingt-cinq ans...

« Tout le monde l'appelait Bill...

« Je le connaissais bien. Je l'ai vu mourir. J'ai déjà écrit à sa famille pour dire comment ça s'était passé... »

« J'étais à vingt mètres de lui quand ça s'est produit. J'ai vu son corps quelques minutes plus tard... »

700

« Il a été enterré sur le champ de bataille. »

Il en avait lu assez. Il ne voulait pas en savoir davantage. Pour l'instant du moins. Le reste pouvait attendre.

Se raidissant pour résister aux mouvements du navire, il se servit un autre verre en se disant que cette fois c'était le dernier, qu'il fallait essayer de dormir. Il dégusta lentement le scotch qui avait douze ans d'âge en laissant son esprit vagabonder sur le problème de la mort de Liam et l'énigme de ses relations avec Georgina. Qu'avait-elle ressenti ? Il se posa un moment la question puis finit par penser à Zoe, essayant d'imaginer ses réactions si c'était lui qui...

Cette idée le fit frissonner. Il y avait trop de points communs entre les deux situations, trop de coïncidences inexplicables pour pouvoir envisager une telle comparaison avec sérénité. Il ne tenait pas du tout à en ajouter une autre. Mon Dieu, faites qu'il n'y ait pas une balle perdue qui me soit destinée !

Il acheva le reste de son whisky d'une seule lampée, coinça le verre vide entre deux coussins et gagna la chambre d'un pas chancelant qui ne devait rien aux effets de l'alcool.

Le tangage et le roulis s'étaient accentués, amplifiés encore davantage par l'absence de cargaison. Quand il y avait du pétrole dans ses immenses cuves, le *Damaris* tenait très bien la mer, mais une fois allégé comme il l'était maintenant, le bateau pouvait se retourner comme une crêpe, Stephen en était convaincu.

Tous les sens en alerte, il entendait le choc de l'étrave qui plongeait dans l'abîme tandis que la poupe se soulevait au-dessous de lui, émergeant complètement hors de l'eau. Tournant dans le vide, l'hélice s'emballait dans un hurlement strident qui faisait place à un gémissement sourd quand l'arrière retombait lourdement dans un grand bruit d'éclaboussures. Tout vibrait et tremblait alentour, les ponts d'acier, les parois métalliques, les placards et les meubles et, dans l'obscurité, le vacarme paraissait encore plus impressionnant, à croire que le bateau allait être déchiqueté en mille morceaux.

Allongé sur son lit, bien calé contre la cloison par son gilet de sauvetage qu'il avait glissé sous le matelas, Stephen s'efforçait de se détendre en laissant son corps accompagner le rythme de la mer, et fut bientôt surpris de constater qu'il était en train de penser à Ruth. Elle avait toujours été très affectée par les tempêtes, même sur la terre ferme, et le typhon qu'ils avaient essuyé au large du Japon l'avait plongée dans une terreur indicible, chaque vague l'amenant à penser que la mort allait survenir d'un instant à l'autre. Lorsque le toit du salon arrière avait été emporté par le vent, elle avait éclaté en sanglots incontrôlables et la vue du gaillard d'avant qui se déformait sous la violence des rafales l'avait complètement achevée. Il n'avait servi à rien de lui expliquer que le bateau avait été conçu pour se déformer : sinon il risquait de se briser en deux... Ruth était restée blottie dans son gilet de sauvetage, sourde à tous les arguments.

Stephen avait eu honte pour elle. Maintenant, il pouvait le reconnaître. A l'époque il n'était que second et Ruth était la seule femme à bord. Il n'oublierait jamais les regards apitoyés des autres officiers. Ils avaient manifesté beaucoup de gentillesse mais il savait ce qu'ils pensaient. Quant au pacha, il avait vite perdu patience et ordonné qu'on la transporte dans sa cabine, loin de la passerelle, où il ne pouvait plus supporter de la voir.

Et puis il pensa à un autre incident survenu quelques années plus tard au large du cap Hatteras. La fille du second, une très jeune adolescente, avait éclaté de rire quand une énorme vague turquoise avait balayé le gaillard d'avant, submergeant complètement le navire chargé à bloc. Tout le monde s'était dit que le bateau était en train de couler mais elle n'avait vu que le côté comique de la situation. Riant avec elle, Stephen l'avait félicitée de son courage mais elle avait reconnu qu'elle mourait de peur la nuit. En revanche, dans la journée, elle trouvait la tempête terriblement excitante.

« Autrefois, j'avais peur de la *Bombe*, j'étais obsédée par la crainte de l'holocauste nucléaire. Mais quand on subit une tempête en mer, quand on se dit toute la nuit qu'on va mourir d'un moment à l'autre, ça vous guérit de vos appréhensions. Vous savez qu'il n'y a aucun moyen d'échapper au danger, alors il ne vous reste plus qu'à l'accepter. Si bien que maintenant, je n'ai plus peur de mourir... »

Quel âge pouvait-elle avoir à l'époque ? Treize ou quatorze ans, pas plus. La vérité sort de la bouche des enfants, se dit-il, admirant son cran et sa sagesse. Il savait qu'elle avait eu raison. Quand on vit en se disant que la mort est là, tout près, on finit par accepter cette idée, avec un certain fatalisme. On est prêt à affronter le pire.

Liam avait-il éprouvé la même chose ?

N'avait-il pas pensé, comme Stephen, que ce n'était pas l'idée de la mort qui était effrayante mais le courage moral dont il fallait faire preuve pour survivre ?

Il acheva son quart à six heures du matin, alors que les ténèbres laissaient la place à une lueur grise, puis rose et orange, pour prendre enfin un ton jaune malsain qui ressemblait au brouillard épais d'une pollution industrielle. La poussière, si fine qu'elle avait presque la même consistance que la poudre de talc, était amenée par des vents qui avaient traversé avec la force d'un ouragan les déserts d'Afrique du Nord et d'Arabie. Et le sable s'insinuait dans les moindres interstices, s'infiltrait dans les fissures pour se déposer sur les cartes et les instruments, souiller les vitres d'un mélange poisseux et salé qui vous obligeait à consulter le radar toutes les deux ou trois minutes.

Debout dans la coursive centrale, Johnny et le premier lieutenant étaient arrosés par les embruns. Stephen les regarda crier contre le vent, leurs cirés jaunes luisant soudain au moment où ils se détournèrent pour partir chacun de son côté. Cramponné à la rambarde, le second se dirigea vers l'avant tandis que le jeune Paul, après avoir passé six heures sur le pont, s'en allait d'un pas chancelant vers l'intérieur pour prendre son petit déjeuner et un repos bien mérité.

Stephen descendit dans son bureau, calculant la descente de chaque marche pour qu'elle coïncide avec les mouvements du bateau. Il se servit une demi-tasse de café, passa une heure fort inconfortable devant son bureau pour tenter de mettre à jour quelques paperasses, puis se rendit au salon des officiers pour le breakfast. Ensuite, il retourna s'allonger et dormit comme une souche quatre heures d'affilée avant de reprendre son poste sur la passerelle à midi.

Les opérations de dégazage s'achevèrent à huit heures du soir ce jour-là, mais le vent soufflait encore trop violemment pour qu'on pût songer à augmenter la vitesse. Quand ils arrivèrent en vue de Fujairah, juste avant cinq heures du matin, le troisième jour, il était trop tard pour espérer atteindre Ormuz dans des conditions de sécurité satisfaisantes.

Comme s'il ne suffisait pas d'avoir déjà à se colleter avec les hélicoptères et les canonnières, Stephen avait reçu un télex le prévenant du danger de heurter des mines à l'approche des terminaux koweitiens ; d'ailleurs, quelques jours plus tôt, il avait entendu à la radio qu'un superpétrolier américain, le *Texaco Caribbean*, avait été endommagé par l'une de ces mines dans le golfe d'Oman, à huit milles au large de Fujairah. Il s'agissait sans doute d'un engin qui était parti à la dérive, en provenance du détroit, mais personne ne pouvait rien affirmer de précis.

La perspective d'une telle collision n'avait rien de bien réjouissant, bien que Stephen se fût empressé alors de dire à ses collaborateurs immédiats qu'un pétrolier n'était pas un navire que l'on pouvait couler aussi facilement. Si le choc se produisait à l'avant — hypothèse la plus vraisemblable quand le navire était en mouvement — , il y avait tellement de cloisons étanches que les dégâts se trouvaient obligatoirement limités au maximum. On alerterait aussitôt la compagnie d'assurances, on gagnerait Dubaï pour faire effectuer les réparations et, avec un peu de chance, la compagnie rapatrierait la plupart de l'équipage en Angleterre.

Facile à dire, quand le danger est encore loin. Mais avec ces rafales de vent qui s'acharnaient sur le *Damaris*, par une visibilité d'à peine deux cents mètres, Stephen sentait qu'il avait les nerfs à fleur de peau. Il n'avait jamais endommagé un de ses bateaux et il n'avait pas l'intention de commencer maintenant. Aussi légers que fussent les dégâts, il y avait toujours le risque que quelqu'un se trouve au mauvais endroit au mauvais moment. Il n'éprouvait nullement l'envie d'avoir ce genre d'accident sur la conscience.

Finalement, alors que l'obscurité s'intensifiait à l'approche de la nuit, il fut plutôt satisfait de ce retard qui allait les obliger à mouiller l'ancre au large de Fujairah. Ainsi ils pourraient goûter quelques heures d'un repos bien mérité. A mesure que diminuait la distance qui séparait le *Damaris* de l'abri offert par la côte, il sentit que le vent faiblissait considérablement. Étudiant les cartes dans la timonerie, il pouvait rester debout sans être obligé de se cramponner et il arrivait même à se déplacer sans trop de difficultés.

Grâce au radar, il voyait plusieurs dizaines de bateaux qui avaient jeté l'ancre, protégés par la crête montagneuse qui se dressait à l'ouest. Il fit réduire la vitesse de moitié et finit par trouver un emplacement pour le *Damaris*, en prenant la précaution de vérifier à l'aide du radar ; puis il détermina l'endroit où le navire pourrait effectuer la manœuvre de mise en place.

Sous le regard attentif du second lieutenant, il marqua la position sur la carte et donna ses instructions à l'homme de barre. Puis il détermina la profondeur de l'eau — 45 brasses, soit près de 82 mètres — grâce à son sonar. Le talkie-walkie se mit alors à crachoter et il entendit que le second était sorti sur le pont avec les hommes chargés de jeter l'ancre. Stephen se saisit aussitôt du téléphone qui assurait la communication avec la salle des machines pour demander au mécanicien de service de réduire le plus possible la vitesse. Quelques minutes plus tard, au moment où le navire n'avançait pratiquement plus, il prit son talkie-walkie pour dire au second :

« Nous sommes à trois nœuds, descendez l'ancre d'un maillon... »

Il voyait la lueur des torches sur le gaillard d'avant et entendait les crissements et les grincements des treuils, tandis que l'on descendait lentement l'ancre de bâbord. L'énorme chaîne se déroulait dans un cliquetis métallique, qui parvenait jusqu'à lui. A une telle profondeur, il fallait opérer avec beaucoup de précautions sinon l'on risquait de griller complètement les freins du cabestan.

Deux minutes plus tard, la voix du second retentit :

« Un maillon. Nous tenons bon.

— Continuez à tenir jusqu'à ce que nous soyons en position. »

Il se tourna vers le timonier et vit que le second lieutenant, toujours à son poste, entre le radar et la carte, lui faisait un signal. Stephen téléphona alors au mécanicien pour ordonner la marche arrière, et se précipita à la rambarde de la passerelle pour voir le sillage laissé par l'hélice le long du flanc du navire. Dès qu'il l'eut vu rebrousser chemin pour passer devant lui, il comprit que le bateau était maintenant immobile sur l'eau.

« O.K. On ne bouge plus. Vous pouvez continuer à descendre l'ancre ; et tenez-moi au courant. »

Il écouta au talkie-walkie la voix du second qui comptait les maillons au fur et à mesure. Au bout de trois maillons il dit :

« Le câble commence à avoir du mou...

— Parfait. » L'ancre avait touché le fond, l'extrémité du câble reposant à côté.

« Quatre maillons, le câble dérive vers l'arrière... »

Stephen se tourna vers le second lieutenant et lui cria :

« Arrêtez les machines ! »

Il attendit, sentant que le vent lui ébouriffait les cheveux alors que la nuit était encore peuplée des grincements et des gémissements provenant des cabestans. Le moment était peut-être venu de tendre un peu ce câble au lieu de le laisser s'enrouler en tas autour de l'ancre.

« Six maillons. Le câble commence à partir vers l'avant...

— Parfait. On va reculer un peu. »

Il se tourna vers le second lieutenant.

« Dites au mécanicien de partir lentement vers l'arrière.

« — Lentement vers l'arrière, entendu, commandant. »

Il se pencha au-dessus de la rambarde à bâbord, regardant les lueurs des torches qui vacillaient sur le gaillard d'avant. Le ciel s'éclaircissait et devant lui, un peu sur la gauche, il distinguait dans la brume les lampes des autres bateaux. Il regarda sa montre. Presque cinq heures et demie. Le jour allait bientôt se lever.

Au moment même où un crachotement familier annonçait l'appel du second qui allait dire où en était la situation, un gigantesque éclair jaillit quelque part au-dessous de lui, vers l'arrière, accompagné simultanément d'une explosion qui projeta Stephen sur le côté.

Hébété, abasourdi, les oreilles bourdonnantes, Stephen gisait sur le pont, se demandant pourquoi le ciel s'était illuminé comme s'il y avait eu un feu d'artifice. Et il se demandait aussi ce qui avait bien pu se passer dans la salle des machines.

Il essaya de se lever en prenant appui de la main droite sur le marchepied du compas et poussa un cri : une lame chauffée au rouge lui transperçait l'épaule jusqu'à l'échine, la poitrine et le poignet. Il crut qu'il allait s'évanouir. Repoussant la main du second lieutenant accouru pour l'aider, il inspira à fond.

« Qu'est-ce qui s'est passé, bon Dieu ?

— Je n'en ai pas la moindre idée, commandant. »

Il parlait d'une voix haut perchée, trahissant sa panique.

« Je crois, reprit le second lieutenant, que quelque chose a explosé dans la salle des machines... l'alarme s'est déclenchée et puis elle s'est arrêtée.

— Alors actionnez l'alarme manuelle, bon Dieu, et passez-moi cette putain de radio !

708

— Et vous, ça va, commandant ?

— Non, mais on va faire aller », dit Stephen avec force en se hissant sur ses pieds. Criant pour dominer le tintement qui lui emplissait la tête, il répéta : « Actionnez l'alarme, Marcus. Tout de suite. »

Le jeune officier s'étant éclipsé pour aller exécuter l'ordre, Stephen saisit le talkie-walkie et appuya sur le bouton pour répondre à la question que lui adressait le second.

« Non, Johnny, je ne sais rien de sûr. C'est peut-être un moteur, mais il y a beaucoup plus de chances pour que ce soit une de ces putains de mines. Mets la pompe à incendie en route et amène-toi ici le plus vite que tu peux. Terminé. »

Il resta un moment accoudé à la rambarde de la passerelle, aspirant l'air à fond dans ses poumons, pour lutter contre la nausée qui l'assaillait par vagues successives. Il avait une violente douleur dans le bras droit qu'il n'arrivait pas à bouger. Le laissant pendre le long de son corps, comme un appendice inutile, il se contraignit à gagner la timonerie et donna au second lieutenant l'ordre de se rendre au poste de secours.

Tandis que son subordonné descendait par une échelle extérieure, la porte s'ouvrit pour laisser entrer le chef mécanicien et l'officier radio ainsi que les échos de la sonnerie d'alarme qui retentissait dans tout le navire. Sparks n'était qu'à demi vêtu, il tenait à la main ses bottes et sa combinaison de mécanicien. Pendant qu'il achevait de s'habiller, Mac enfila un gilet de sauvetage tout en écoutant le compte rendu de la situation que lui faisait Stephen. Il serrait les mâchoires, sa barbe rousse hérissée.

« Alors ils étaient tous les deux en bas ? Le second et le troisième mécanicien ? Il faut que je descende voir ce qui se passe dans la salle des machines.

— Tiens-moi au courant, chef. »

Armé de sa torche et de sa radio, Mac rebroussa chemin. En le regardant descendre vers les ténèbres, Stephen se rendit compte pour la première fois que toutes les lumières étaient éteintes, même celles qui auraient dû être alimentées par le générateur de secours. Il avait tellement l'habitude de rester dans le noir sur la passerelle qu'il ne s'en était pas aperçu.

Manifestement, il y avait eu du grabuge en bas, quelle qu'en fût la cause. Il arrêta les signaux d'alarme manuelle et dans le silence qui s'établit alors il entendit le raclement des semelles sur les barreaux des échelles métalliques et les propos surexcités échangés par les marins dans les profondeurs du bâtiment. Tous les bruits se répercutaient alentour, amplifiés par le silence total qui régnait dans la salle des machines.

L'espace d'un instant, il faillit succomber à la panique. Puis il pensa à l'ancre et se dit qu'ils avaient eu de la chance de pouvoir la mouiller avant la catastrophe. Sa radio crépita et il entendit la voix de Mac qui lui signalait avoir rencontré l'électricien dans l'escalier ; ayant tenté de regagner son poste de secours dans la salle des machines, l'électricien s'était vu barrer le passage par un mur de flammes.

« Et les deux mécaniciens ? Tu les as vus ? »

N'obtenant qu'une réponse négative, Stephen sentit que le cœur lui manquait.

« O.K. Je contacte immédiatement le centre de secours en mer. Je te rappelle. »

Il se tourna vers Sparks qui s'affairait autour du VHF. Dieu merci, la radio à haute fréquence marchait avec sa propre batterie, alors que tout le reste : radar, ordinateurs et autres radiogoniomètres, était désormais inutilisable.

« Lance un SOS sur toutes les fréquences, en indiquant notre position. Dis qu'il y a un incendie à bord et demande des secours immédiats. »

Le premier et le second lieutenants signalèrent leur présence. A l'exception de l'équipe qui avait mouillé l'ancre, tous les membres de l'équipage étaient présents, à leur poste auprès des embarcations. Stephen étouffa un juron.

« Eh bien dites-leur de regagner le poste qu'ils doivent occuper *en cas d'urgence*. Il n'y a absolument aucune raison de céder à la panique. Nous ne sommes pas menacés de naufrage, c'est la salle des machines qui est en feu. Et deux mécaniciens manquent à l'appel. Le chef mécanicien et le commandant en second vont vous rejoindre d'un moment à l'autre... »

Mais au fait, où était donc passé le second ?

« Tu as entendu ce que je viens de dire, Johnny ?

— Oui, commandant. Je continue ma progression. Je suis en train de contourner les cabines. »

Comme il avait laissé sa radio branchée, Stephen put l'entendre respirer ; il avait le souffle un peu court, comme s'il courait. Le chemin était long, depuis le gaillard d'avant...

« Eh bien alors, il fait rudement chaud dans le secteur !... »

Stephen jeta un coup d'œil à sa montre. Six heures moins vingt-trois. Il s'était écoulé exactement sept minutes depuis la dernière fois qu'il l'avait consultée, quelques secondes avant l'explosion. Il avait l'impression que c'était une éternité. Il rassembla toute son énergie pour dire les mots qu'il devait prononcer maintenant.

« Chef, quand le second t'aura rejoint, je veux qu'il s'équipe avec Lecky — tenue d'incendie avec masques et le toutim — pour aller à la recherche des disparus dans la salle des machines.

— Commandant, je suis déjà tout équipé. Laissez-moi y descendre. »

Stephen s'était attendu à cette réaction.

« Non, chef. Pas question. Je sais ce que tu ressens mais tu es le seul mécanicien que j'aie sous la main pour le moment, et j'ai besoin de toi.

— Mais la salle des machines est sous *ma* responsabilité !

— Et le bateau est sous *ma* responsabilité. Laisse tomber, Mac, c'est un ordre. »

Stephen inspira à fond et fit la grimace quand la douleur lui transperça la poitrine.

« Il vaut mieux que tu ailles tout de suite fermer les vannes d'arrivée du carburant.

— Il y a longtemps que je l'ai fait ! »

Mac avait l'air furieux.

« Parfait. Alors reste où tu es et tiens-moi au courant. »

Il consulta sa montre une nouvelle fois, puis demanda à Sparks de lancer un autre SOS à Fujairah. Il pensait à ces deux jeunes officiers mécaniciens qu'on ne retrouvait pas et se disait qu'une assistance médicale était maintenant urgente, ne serait-ce que pour traiter les hommes qui avaient subi un choc et respiré d'importantes quantités de fumée. Grands dieux, pourvu qu'il n'y ait rien de pire que cela !

Au moment où il se tournait vers Sparks, une voix puissante les fit sursauter tous les deux. Un officier du service de contrôle du port de Fujairah leur annonçait, avec un fort accent étranger, que les bateaux-pompes allaient arriver d'ici une trentaine de minutes ; Sparks répondit aussitôt qu'ils avaient également besoin d'un docteur. Quelques instants plus tard il y eut un nouvel appel, émanant cette fois d'un remorqueur d'épaves basé à Ormuz. Il offrait de venir se mettre à la disposition du *Damaris*. D'autres propositions du même genre arrivèrent par la suite.

« Les vautours se mobilisent », murmura Stephen avec amertume. Il n'ignorait pas qu'un bateau que l'on abandonne était un butin précieux pour les sociétés spécialisées dans la récupération des épaves. Eh bien, ils pouvaient toujours attendre ; il n'avait aucunement l'intention d'abandonner quoi que ce soit, et surtout pas le navire.

« Comment va votre bras, commandant ? »

Il secoua la tête.

« On fait aller, pour le moment. »

Il ne pouvait détacher ses pensées des hommes bloqués dans la salle des machines, se demandant à quel niveau ils pouvaient bien se trouver : tout en bas, près de l'arbre de l'hélice ou dans la salle de contrôle ? Cette dernière était située à bâbord et c'était sûrement de ce côté que s'était produite l'explosion, ce qui expliquait l'absence totale de courant électrique. Il devait y avoir au moins un des deux hommes qui s'était trouvé dans ce secteur au moment de la déflagration.

Il chercha ses cigarettes et se rendit compte qu'il n'en avait plus. Sparks lui en passa une des siennes et laissa le paquet à sa portée. Stephen aspira une longue bouffée et alla s'accouder à la rambarde, à bâbord. Le soleil se levait et il allait bientôt ajouter sa chaleur à celle que l'on sentait monter d'en dessous, à travers les ponts et les parois métalliques.

Mais que pouvait-il bien se passer dans les entrailles de ce putain de navire ? Et les cuves étaient-elles bien vidées de leurs vapeurs de pétrole ? Si les remorqueurs n'arrivaient pas à temps, ne risquaient-ils pas tous de sauter d'un instant à l'autre ?

Son talkie-walkie crépita de nouveau.

« Équipe de secours. Demandons la passerelle.

— Je t'écoute, chef.

— Lecky et le second ont trouvé le mécanicien en second. Il est blessé à la tête et ça a l'air assez grave ; il est complètement groggy. Mais il est sorti de la fournaise, et vivant. Aucun signe du troisième mécanicien pour le moment. »

Dieu merci, il y en avait au moins un de vivant... Et l'autre ?

« Passe-moi le second. »

Johnny parla d'une voix enrouée, hachée par l'émotion.

« On a essayé d'entrer à bâbord mais... c'était plein de fumée et de flammes. On s'est contenté de tout boucler... Sur tribord y avait de la fumée mais pas de flammes... »

Il s'interrompit pour reprendre son souffle et Stephen entendit le bruit rauque que faisait sa gorge.

« On a réussi à y aller, par l'échelle... On n'y voyait absolument rien. A mi-parcours, on a trouvé le second mécanicien qui rampait sur les plaques métalliques, dans notre direction. Pratiquement inconscient. On l'a traîné au-dehors. Il a une vilaine blessure à la tête mais je crois qu'il s'en tirera...

— Bravo, Johnny. Et félicite Lecky de ma part. »

Stephen s'interrompit un moment. Il pensait à l'homme que l'on n'avait toujours pas retrouvé. Il revoyait son visage souriant, toujours mal rasé. Il se rappelait les paroles cordiales qu'ils avaient échangées en se croisant dans l'escalier. C'était quand ? Hier ? Il essaya de raffermir sa voix.

« Vous sentez-vous capables d'y retourner ? Pour reprendre les recherches ? »

Ce fut le silence à l'autre bout, comme si les hommes se consultaient. Puis la voix du second s'éleva de nouveau.

« Affirmatif, commandant. Nous redescendons immédiatement.

— Faites attention, Johnny. Ne prenez aucun risque inutile. Ni toi ni Lecky. »

Un rire nerveux retentit à ses oreilles.

« On n'est pas des héros ! On serait plutôt du genre Laurel et Hardy. »

Stephen sourit de la comparaison : le second était

grand et maigre et Lecky bas sur pattes et tout rond... Revenu au sentiment de la réalité, il demanda à parler à Mac.

« Chef, libère le premier lieutenant pour qu'il aille d'urgence avec le mécanicien à l'infirmerie. »

Quand il eut regagné la timonerie, Sparks lui alluma une autre cigarette. Quelques minutes plus tard, Mac le rappela pour lui dire qu'ils avaient réussi à obtenir quelques renseignements de la bouche du blessé : l'un des générateurs ayant manifesté quelque signe de faiblesse, il était sorti de la salle de contrôle pour aller le vérifier et c'est alors que s'était produite l'explosion. Le troisième mécanicien était donc resté seul à l'intérieur.

« Aïe. Ça se présente mal.

— En effet. Surtout qu'il est presque certain que quelque chose a heurté le bateau de l'extérieur, tout près de la salle de contrôle.

— Une mine ?

— Ça m'en a tout l'air.

— Les *salauds*... »

Une fois de plus, il pensa à la chance qu'ils avaient eue de pouvoir jeter l'ancre avant l'explosion. Sinon le bateau serait parti à la dérive, incontrôlable, avec un incendie à bord. Un terrible danger pour la moitié des bateaux qui mouillaient dans le secteur. Et il y en avait beaucoup. Tous des pétroliers.

Dans le silence irréel qui s'était installé, il entendait les rafales souffleter la cheminée, s'acharnant sur les antennes radio et les haubans ; du côté exposé au vent, la mer faisait une sorte de chuintement, comme lorsque le bateau avançait... Et soudain il s'aperçut que le pont, au-dessous de lui, était incliné. L'eau s'engouffrait dans la salle des machines, tirant le bateau vers le bas, sur l'arrière.

La voix du second interrompit ses constatations.

« Rien à faire, commandant. C'est une véritable

fournaise de ce côté. On a réussi à s'avancer pas mal... et on a repéré une brèche... une voie d'eau où la mer s'engouffre... »

Il s'interrompit et reprit son souffle, comme si ce qu'il avait à dire maintenant n'était pas facile à formuler.

« Le corps était tout déchiqueté. J'ai dit au chef qu'il était impossible de s'en approcher. »

En entendant ces paroles, Stephen se rendit compte qu'il s'était attendu à ce dénouement, sans en avoir pris clairement conscience. L'image de Jim Stubbs surgit dans son esprit. Troisième mécanicien, court, trapu, une tignasse grise mal disciplinée et une barbe de deux ou trois jours qui lui hérissait le menton en permanence. Un gars de Liverpool, débraillé, négligé, célibataire et sans diplôme, mais un gars qui croyait à son métier. Un peu trop porté sur la bouteille mais d'un humour abrasif, et un type sûr, un mécanicien hors pair !

Quelle mort horrible !

Et pour quoi ?

La tristesse et la pitié l'envahirent, avec cette idée vaguement réconfortante que la mort avait dû être instantanée. C'était la seule consolation possible.

Il fit un effort pour retrouver sa voix, pour s'exprimer avec calme.

« Je comprends. Vous avez fait tout ce que vous pouviez et je vous en remercie. Et Lecky ? Il va bien ?

— Il souffle comme un phoque, mais à part ça rien à signaler.

— Parfait. » Le moment était venu de passer à l'action. « Alors Johnny, à ton avis, est-ce qu'il ne faudrait pas maintenant prendre le taureau par les cornes et asperger tout ça de neige carbonique ?

— Indiscutablement, commandant.

— Parfait, Johnny. Passe-moi le chef. »

Il donna à Mac l'ordre de fermer toutes les ouvertures et toutes les bouches d'aération et de noyer l'incendie avec la neige carbonique. Puis il demanda au second lieutenant de veiller aux mesures de sécurité qui s'imposaient.

« Faites évacuer le secteur aussitôt que les tuyaux auront été branchés. Je ne veux aucun homme d'équipage dans les environs immédiats. Il n'y a qu'à les rassembler à l'avant. Et donnez une radio au bosco. Nous aurons besoin de rester en contact avec lui. Ensuite, vous me rejoindrez sur la passerelle. »

Au-delà des bossoirs, à tribord, il voyait les remorqueurs qui s'approchaient, les coques orange bien détachées dans la brume du matin ; derrière eux, grossissant à vue d'œil, arrivait la vedette d'un pilote. Stephen entra en communication avec le lieutenant qui était à l'infirmerie du bateau avec le blessé.

« Va rejoindre l'équipage à l'avant, Paul, et emmène tout le monde avec toi. La vedette du pilote sera là d'un moment à l'autre avec un docteur. »

De la rambarde de la passerelle, il voyait les matelots qui, par groupes de deux ou de trois, traversaient le pont principal à pas pressés, suivis par les porteurs de la civière qui marchaient plus lentement. Le visage du blessé était constellé de taches blanches, là où le lieutenant avait nettoyé les plaies avant de les panser. Deux ou trois jours à l'hôpital et il serait de nouveau sur pied. Multipliant les conquêtes auprès des infirmières...

Le second et Lecky, échevelés, les yeux hagards, vinrent le rejoindre. Lecky se laissa tomber sur le marchepied du compas comme si ses jambes dodues ne pouvaient plus le soutenir. Il paraissait à bout de forces et ses mains tremblaient. Sparks lui alluma une cigarette. Johnny avait le visage marqué par l'effort mais il semblait résister mieux. Stephen les regarda un moment et prit sa décision aussitôt.

« A mon avis, vous feriez bien d'aller avec les

autres, pour vous faire examiner par le docteur. Tous les deux. »

Stephen n'avait pas la conscience tranquille en pensant à l'épreuve qu'il venait de leur imposer. Lecky ne chercha nullement à résister. Il hocha mollement la tête ; manifestement il préférait quitter le navire, et personne ne pouvait l'en blâmer.

En revanche, Johnny secoua la tête. Il voulait rester. Tout irait très bien une fois qu'il aurait eu quelque chose à boire.

« Y aurait pas une ou deux boîtes de Coca dans le coin ? J'ai le gosier aussi sec que le désert d'Arabie. »

Sparks proposa aussitôt d'aller aux provisions et Stephen le remplaça au VHF. Il y avait toujours des appels en provenance d'autres navires, ainsi que des remorqueurs spécialisés dans la récupération des épaves qui rivalisaient d'ardeur pour offrir leurs services. Quant aux bateaux-pompes, ils déversaient des trombes d'eau dans le trou béant qu'il y avait au-dessous de la passerelle.

Mac vint le rejoindre, traînant les pieds comme un vieillard. Il avait le visage livide et quand il s'appuya contre le siège réservé au pilote, Stephen eut l'impression qu'il n'avait plus la force de parler.

« Mac, je suis désolé... »

Il mesurait la tristesse de son ami, à qui il avait interdit de pénétrer dans sa propre salle des machines pour aller y chercher des hommes de son équipe. Cela pouvait paraître comme une véritable trahison. Et pourtant, le premier devoir de Stephen n'était-il pas d'assurer la sauvegarde du navire ?

« Non, dit alors le chef mécanicien. Tu ne pouvais pas faire autrement... »

Il alluma une cigarette et fuma en silence pendant un moment. Puis, remarquant que Stephen évitait de se servir de l'un de ses bras, il lui demanda ce qui lui était arrivé.

« J'ai été renversé par le souffle de l'explosion. Je suis allé valdinguer contre ce fourbi, dit-il en indiquant le compas-répétiteur sur la rambarde de la passerelle, et ensuite j'ai dû mal me recevoir en tombant par terre. J'ai l'impression que c'est l'épaule qui est complètement disloquée.

— Il pourrait y avoir une fracture. Tu devrais demander au docteur de monter jusqu'ici, pour qu'il y jette un coup d'œil. »

Mais Stephen, pour la première fois depuis l'accident, ne savait à quel parti se résoudre, déchiré entre le désir de se faire soigner et sa volonté de rester à bord. Pendant qu'il s'interrogeait sur ce qu'il fallait faire, Mac s'approcha du poste de radio et appela le lieutenant pour lui demander d'escorter le docteur jusqu'à la passerelle, une fois que le blessé aurait été évacué du bateau.

Vingt minutes plus tard, le médecin les avait rejoints, un sémillant Arabe de petite taille, tiré à quatre épingles avec son élégant costume de toile qu'il avait légèrement sali en montant l'échelle menant de la vedette au gaillard d'avant du *Damaris*. La perfection de son accent indiquait qu'il avait dû passer plusieurs années dans un hôpital britannique.

Des doigts fuselés palpèrent le bras blessé et deux yeux sombres, qui ne souriaient pas, étudièrent le visage de Stephen pendant que ce dernier répondait aux questions en évitant de pousser trop de grognements de douleur. A côté du docteur, et légèrement en retrait, le lieutenant observait la scène avec attention, pénétré de l'importance de ses fonctions en tant qu'officier sanitaire du bateau. Le visage barbouillé de noir et trempé de sueur, avec sa combinaison de mécanicien ouverte jusqu'au nombril, il offrait une image peu compatible avec celle de l'infirmier traditionnel. Stephen rencontra son regard anxieux et grimaça un sourire en coin.

Le docteur prononça enfin son diagnostic.

« Je ne pense pas qu'il y ait fracture. Seulement une luxation de l'épaule. Je peux remettre l'articulation en place tout de suite mais ça va être très douloureux. Il vaudrait mieux que vous m'accompagniez à l'hôpital. Je pourrais alors opérer sous anesthésie. Et on en profiterait pour faire une radio du poignet, pour voir s'il n'y a rien de cassé de ce côté.

— Il est hors de question que je quitte le bateau. »

Le docteur eut un haussement d'épaules éloquent.

« Vous préférez que j'opère la remise en place tout de suite ? »

Stephen se tourna vers le lieutenant.

« Allez me chercher Sparks. Dites-lui d'apporter la bouteille de whisky. »

Une légère crispation de la lèvre trahit la désapprobation du médecin.

« L'alcool est très mauvais pour résister à un choc.

— Je sais. Mais c'est bigrement bon pour résister à la douleur. »

Il saisit la bouteille, ôta le bouchon, et avala une longue lampée, à même le goulot. Puis il s'en octroya une seconde, qui lui coupa le souffle un moment, et ses yeux s'emplirent de larmes. Mais il soutint tout de même le regard du médecin. Tout se passait comme si l'un des deux voulait imposer sa volonté à l'autre, mais Stephen n'était pas du tout sûr de l'emporter. Tant pis, en tout cas il lutterait jusqu'au bout. Et il ne quitterait pas le bateau.

« Allongez-vous, s'il vous plaît. Par terre. Mettez-vous sur le côté. »

Il sentit le contact d'un genou contre son dos. Une main se posa sur son épaule et l'autre sur son poignet. Et puis tout d'un coup, un violent mouvement de torsion suivi d'une douleur aiguë, insupportable, et quelque chose explosa dans son crâne, avec un craquement assourdissant...

Les effluves de l'ammoniaque lui firent reprendre conscience. Passant le flacon sous les narines de Stephen, le lieutenant semblait sur le point de défaillir. Quant au médecin, il vérifiait le contenu de sa sacoche.

« Il va falloir vous reposer, dit-il avec le plus grand calme. Le mieux serait que vous alliez vous coucher.

— Si vous croyez que j'ai que ça à faire... »

Le docteur s'approcha et avec l'aide du lieutenant il mit Stephen sur ses pieds et les deux hommes le soutinrent jusqu'à la cabine dont la porte était grande ouverte. Sparks avait rabattu le drap du dessus et se tenait au garde-à-vous près de la couchette, tel un directeur d'hôtel.

Comme s'il s'était adressé à un enfant, le docteur expliqua avec une grande patience :

« Voici un lit... Il faut que vous vous y reposiez. »

Se tournant vers le lieutenant, il ajouta :

« Il faudra lui mettre le bras en écharpe. Il va beaucoup souffrir. Vous lui donnerez des médicaments pour atténuer la douleur. »

Stephen s'assit sur le bord de la couchette, la main crispée sur son bras endolori. Il avait la nausée, tout tournait autour de lui. Il respira à fond, plusieurs fois de suite, pour tenter de se reprendre. Comme le docteur ressortait en direction de la rambarde de la passerelle, il jeta un coup d'œil à Sparks dont le visage trempé de sueur exprimait un soulagement soudain.

« Qu'est-ce qu'il est parti faire là-bas ?

— Il veut examiner le second et Lecky. C'est le chef qui le lui a demandé.

— Parfait. Dès qu'il sera parti, il faudra prévenir la compagnie. »

Sa montre annonçait sept heures moins dix. A Londres tout le monde dormait encore.

« Quatre heures du matin en Angleterre. Jack va être ravi que je le tire du lit si tôt.

— Cinq heures, corrigea Sparks. Ils en sont à l'heure d'été, maintenant. »

Stephen était à bout de forces, la douleur irradiait à travers les côtes, depuis l'épaule jusqu'au poignet. Mais la perspective d'arracher à leur sommeil tous ces bureaucrates pantouflards lui procurait une satisfaction non dénuée d'une certaine perversité.

Entraînant le lieutenant dans son sillage, le docteur revint pour expliquer à Stephen que selon lui tous les officiers étaient traumatisés par le choc et avaient besoin de prendre du repos. Il fallait donc envisager de leur faire quitter le navire bien qu'un seul d'entre eux eût accepté de partir.

« Aucun problème, rétorqua Stephen. A partir du moment où nous n'avons plus de courant nous pouvons très bien nous passer de l'électricien... Et il le sait aussi bien que nous. Mais la présence des autres est absolument vitale.

— Je vois. »

Il promena autour de lui le regard apitoyé d'un prince soudain confronté à la triste réalité d'un camp de travail forcé. Puis il sourit.

« Eh bien, commandant, il faut que je m'en aille. Je vous souhaite bonne chance.

— Merci. »

Dès qu'il fut parti, Stephen se leva et gagna la rambarde de la passerelle en luttant contre la nausée et le vertige qui lui tournait la tête. La vedette était encore là, suscitant quelques espérances chez certains des hommes d'équipage rassemblés sur le gaillard d'avant.

L'un des bateaux-pompes avait cessé d'arroser le *Damaris* et il venait se mettre bord à bord. Le poste VHF crépita. C'était le capitaine du remorqueur qui demandait la permission de faire monter une équipe de pompiers sur les lieux de l'incendie. Stephen donna son accord et, après avoir prévenu le second lieutenant, il regarda une demi-douzaine d'hommes qui grimpaient le long du flanc du navire.

Moins d'une demi-heure plus tard, on le prévenait que l'incendie avait été circonscrit. Maintenant, il pouvait respirer un peu plus tranquillement et il était à même de faire un compte rendu relativement précis au directeur de sa compagnie à Londres. Il entra en contact avec Fujairah et demanda la communication par l'intermédiaire de la station radio locale. L'attente fut assez longue mais il finit par entendre la voix ensommeillée de Jack Porteous dominant le bruit de friture qui avait envahi la ligne.

« Jack, c'est Stephen Elliott, à bord du *Damaris*. Désolé de te réveiller mais il nous est arrivé un pépin... »

Il raconta ce qui s'était passé, succinctement, rassuré de constater que son interlocuteur prenait les choses avec le plus grand calme.

« ... Je viens d'avoir de bonnes nouvelles de l'équipe de marins pompiers. Maintenant que l'incendie est éteint, il va falloir que je me fasse remorquer jusqu'à un chantier de réparations. Je pense que c'est Dubaï le plus proche. Il faudra aussi que je contacte les représentants des compagnies d'assurances à Fujairah pour régler les problèmes des blessés et des membres de l'équipage...

— D'accord. Je te donne carte blanche. De mon côté, je ferai tout le nécessaire. Je préviendrai moi-même la famille du défunt. Quant à ton électricien, fais-lui prendre le premier vol pour l'Angleterre. As-tu besoin de renforts en personnel dans l'immédiat ?

— Non. Nous allons nous débrouiller tout seuls pour amener le bateau en réparation. Nous verrons plus tard s'il y a des remplacements à envisager.

— Et toi, Steve ? Tu vas tenir le coup ?

— Pas de problème pour l'instant. Excuse-moi, Jack, mais j'ai pas mal de trucs à régler. Je te rappelle aussitôt que possible.

— Ou alors je t'appellerai moi-même. Au fait, les médias vont sûrement vouloir fourrer leur nez là-dedans... Tu peux t'en débrouiller ?

— O.K. Mais il n'est pas question de faire monter qui que ce soit à bord.

— S'ils insistent trop, tu n'as qu'à leur dire de nous contacter.

— O.K. Compte sur moi. »

C'est seulement quand un journaliste d'ITN News l'eut appelé que Stephen pensa à sa propre famille. Tout en exigeant de son correspondant l'assurance qu'il ne mentionnerait ni le nom ni le grade des blessés sans avoir au préalable contacté la compagnie maritime, il se souvint soudain de sa sœur Pamela et pria le ciel qu'elle ait suffisamment de bon sens pour téléphoner à Joan avant que les chaînes de télévision et de radio ne diffusent la nouvelle. Et ainsi, Joan pourrait peut-être contacter Zoe...

CHAPITRE XXXII

Depuis quelque temps déjà, Zoe ne dormait plus très bien mais elle s'éveilla cette nuit-là avec la nette impression que quelqu'un ou quelque chose avait perturbé son sommeil. Les sens en alerte, elle fixa l'obscurité pendant un moment, l'oreille aux aguets pour percevoir le moindre son inhabituel. Mais il n'y avait rien, pas le moindre courant d'air, et pourtant son cœur martelait sa poitrine, tous ses muscles étaient tendus comme s'il avait fallu soudain chercher le salut dans la fuite.

Elle regarda la pendule. Ses petites aiguilles lumineuses indiquaient trois heures et demie. Il ne faisait pas encore jour. La gorge nouée, elle se glissa hors du lit, enfila un peignoir en coton léger et traversa le minuscule vestibule pour gagner le salon. Les stores étaient levés et elle vit du premier coup d'œil que rien n'avait bougé. La cuisine était vide.

Presque rassurée maintenant, elle ouvrit la porte d'entrée de l'appartement et resta un moment sur le palier, scrutant les ténèbres, l'oreille attentive. Au bout d'une minute ou deux, un frisson soudain la fit réintégrer son logis. La porte soigneusement refermée, les verrous bien tirés, Zoe repartit vers la cuisine pour se faire du café.

Le liquide brûlant lui calma les nerfs mais une

anxiété indéfinissable restait tapie dans un coin de son esprit. Finalement elle en vint à la conclusion qu'elle avait dû rêver. Un rêve inquiétant mais insaisissable qui avait disparu de sa conscience dès qu'elle s'était réveillée.

Malheureusement, maintenant, elle avait les sens sur le qui-vive : impossible de se rendormir. Elle prit un roman mais l'intrigue était trop terne pour retenir son attention. Après tout ne valait-il pas mieux se mettre carrément au travail ?

Elle fit une toilette rapide, se brossa les cheveux, et enfila un vieux jean et une chemise kaki maculée de taches de peinture. Puis elle s'installa à sa table pour étudier le travail en cours.

Sur une feuille de papier fin au format grand jésus, les couleurs les plus variées s'offraient à sa vue, des rouges et des bleus éclatants avec des gris et des verts plus doux, représentant des motifs stylisés de feuilles et de branches qui se détachaient sur un fond de pierres taillées appartenant à un monument antique.

Des vrilles de lierre s'enroulaient tout autour de la page et s'insinuaient au cœur du dessin où l'on voyait la tige veloutée d'une rose rouge sang serpenter sur la pierre, avec les pétales qui jonchaient l'herbe. Au loin, entre les feuilles, apparaissait une vaste prairie coupée en deux par un sentier.

Il s'agissait là de l'illustration de l'un des quatrains du recueil de poèmes persans, le *Rubaiyat*, qui avait été traduit par Edward Fitzgerald vers le milieu du siècle dernier. Son éditeur lui ayant bien recommandé de rester dans le plus pur style victorien, Zoe avait puisé son inspiration dans le souvenir qu'elle avait gardé de sa visite au cimetière d'York ainsi que dans les descriptions que Liam avait faites des villages de Picardie dont il parlait en termes si évocateurs dans ses lettres.

Quatre mois s'étaient écoulés depuis le départ de Stephen, mais ce n'était pas de la solitude qu'elle souffrait le plus, dans la mesure où elle y était habituée depuis bien longtemps. Ce qui lui coûtait, en fait, c'était de ne rien savoir de ce qu'il faisait. Elle ignorait s'il était en danger ou non, et surtout elle n'avait aucune idée de ses sentiments actuels à son égard.

« Si seulement j'étais sûre que tu m'aimes... », murmurait-elle souvent à l'adresse de son portrait, mais la réponse ne venait jamais, pas même dans les lettres qu'il lui écrivait et qui étaient devenues aussi arides que le désert dont il lui faisait la description.

Heureusement, ses recherches lui donnaient une raison de vivre, de même que la pensée de Liam dont elle se sentait maintenant plus proche que jamais. Passionnée par son journal intime et ses lettres, et même par les documents administratifs que contenait son dossier militaire, elle avait parfois l'impression qu'il était physiquement présent à ses côtés, comme s'il avait voulu lire par-dessus son épaule.

A présent, toutefois, elle n'éprouvait plus la moindre angoisse à l'idée qu'il se trouvait si près. Elle en arrivait à lui parler, à le considérer comme un ami qui voulait jouer à cache-cache avec elle. Mais comme il gardait invariablement le silence et refusait de se montrer, elle se demandait parfois si elle ne se laissait pas entraîner par ses obsessions.

Grâce à ce nouveau travail, elle avait enfin trouvé un exutoire pour les émotions composites, ce mélange d'amour passionné et de doute, qui l'habitaient. Sous l'aiguillon d'une inspiration fiévreuse elle avait rapidement esquissé l'ébauche d'une douzaine d'illustrations. Si sa hantise de la mort transparaissait dans ces croquis, la vie était présente elle aussi, avec ces grappes luxuriantes, le reflet éclatant du soleil sur les arches mauresques et les silhouettes des personnages assis sous les tonnelles agrémentées de fleurs exotiques.

Le plus difficile consistait ensuite à exécuter le détail de chaque dessin en respectant scrupuleusement le style de l'époque victorienne qu'il fallait combiner avec une opulence médiévale et byzantine à la fois. Ce travail exigeait un énorme effort de concentration et au bout de deux heures, la fatigue surgissait, obligeant Zoe à s'octroyer une pause plus ou moins longue.

Ce matin-là, pourtant, ses deux heures achevées, elle décida d'arrêter complètement.

Fatiguée, les nerfs à fleur de peau par suite du manque de sommeil, elle se fit du café et mit une autre cassette dans le magnétophone de sa chaîne pour tenter de se détendre un peu. Un moment, elle se demanda si elle n'allait pas se recoucher mais le soleil s'était levé et la journée promettait d'être belle. Il aurait vraiment été dommage de rester au lit ou enfermée dans l'appartement sans pouvoir en profiter.

Elle se rappela alors qu'elle avait prévu d'aller un jour avec Polly effectuer une sorte de pèlerinage à Wandsworth. Seulement son amie était plutôt débordée de travail en ce moment car les vacances approchaient, et elle n'arrivait jamais à se libérer. Zoe se dit qu'après tout elle pouvait très bien faire ce déplacement toute seule et qu'elle n'avait aucune raison d'attendre davantage.

Cette brusque décision lui remonta aussitôt le moral à bloc. Elle arrêta la cassette et partit d'un pas léger vers la salle de bain. Une douche bien chaude chassa les dernières traces de mélancolie et un solide breakfast lui insuffla une énergie renouvelée. Les cheveux fraîchement lavés et vêtue de la plus jolie de ses robes d'été — un tissu doux et vaporeux dans les tons pêche et vert d'eau très pâle — , elle partit se mêler aux foules matinales.

Il y avait longtemps que Zoe s'était renseignée sur l'hôpital de Wandsworth et elle attendait avec impatience le moment où elle pourrait voir l'endroit où Liam avait passé près de quatre mois pendant la guerre. En dépit des bombardements qu'il avait subis pendant la bataille d'Angleterre, en 40, le château existait toujours et grâce aux renseignements qu'elle avait pu obtenir, elle savait que l'ancien orphelinat avait été rénové pour devenir un ensemble résidentiel fort élégant, comprenant même un restaurant dont on lui avait dit le plus grand bien et où elle s'était depuis longtemps promis d'aller déjeuner.

Aussitôt descendue de l'autobus, elle s'engagea dans Windmill Road. De jolies maisons victoriennes faisaient face à une vaste pelouse bordée d'arbres, que dominait sur la gauche la tour noire d'un ancien moulin à vent. Des enfants jouaient dans l'herbe, des femmes poussaient des landaus ou tenaient leur chien en laisse. Un vieux monsieur qui prenait le soleil leva son panama au passage de Zoe et elle eut soudain l'impression que le temps s'était aboli, que rien n'avait changé depuis le début du siècle. C'était une sensation fort rare à Londres, où les choses évoluaient toujours beaucoup plus vite qu'on ne l'aurait voulu.

Quand elle aperçut pour la première fois le corps de bâtiment principal, il était en partie masqué par les arbres. Elle s'engagea alors sur la pelouse pour trouver un endroit d'où elle le verrait mieux. C'était un édifice imposant, qui se dressait majestueusement devant elle avec l'austère dignité d'un château médiéval. Tout en briques aux couleurs de miel avec des pierres de taille qui s'harmonisaient à la perfection, on aurait vraiment pu croire qu'il avait effectivement été construit au Moyen Age, avec ses tours et ses échauguettes, ses arches gothiques et ses fenêtres surchargées d'ornements. Bref, une restauration parfaitement réussie d'où se dégageait une impression d'équilibre des plus reposantes pour l'œil.

Le spectacle était si inattendu qu'elle adressa un message silencieux de remerciements au philanthrope ou au mécène qui avait financé de ses propres deniers une réhabilitation aussi parfaite. Puisse-t-il avoir une vie heureuse et prospère, se dit-elle en repartant vers la rue qu'elle venait de quitter.

Pourtant, quand elle eut franchi la grille, la vue de deux immeubles hideux, datant des années 60, refroidit son enthousiasme. Elle leur jeta un regard fulgurant, comme s'ils n'avaient aucunement le droit de monter ainsi la garde, si près de l'entrée, et formula le souhait que le béton dont ils étaient constitués ne résistât pas à l'usure du temps. Elle se demanda même, l'espace d'un instant, si elle n'allait pas envoyer une lettre de protestation au palais de Buckingham, connaissant l'intérêt que portait le prince Charles aux efforts des urbanistes et son aversion pour les monstruosités architecturales du genre de celle-ci.

Pourtant, dès qu'elle eut fait quelques pas dans l'allée, ses réticences s'envolèrent comme par magie. Tout son corps s'était mis à vibrer, des cheveux jusqu'au bout des ongles, une joie inattendue la possédait, défiant toute logique, bannissant toute autre pensée. Elle avait envie de rire, de crier : *Attends une minute, laisse-moi regarder*, mais son compagnon invisible riait, lui aussi, il la tirait par la main, avec impatience, l'entraînait presque malgré elle.

C'était comme si, invitée à une soirée, un admirateur exubérant l'avait saisie dans ses bras dès son arrivée pour la faire danser. Mais cette fois, elle savait qui était son cavalier, et elle n'avait plus peur.

Et lui s'en rendait parfaitement compte, il l'emmenait à sa suite comme pour lui montrer des lieux qu'il brûlait depuis bien longtemps de lui faire visiter. Il la laissa tout de même reprendre son souffle un moment, devant la porte principale, et elle eut le temps d'admirer la profusion de détails architecturaux, en particulier cette statue de saint Georges terrassant le dragon, dans sa niche, au-dessus du vantail.

« Naturellement, à l'époque où tu te trouvais là, tous ces murs devaient être noirs de suie, dit-elle à mi-voix, surtout avec la ligne de chemin de fer qui passait juste à côté. Oui, je suppose que tout cela n'était guère à son avantage, surtout à la fin de l'automne... »

Mais il lui était impossible d'éprouver la moindre mélancolie, même en pensant à toutes les orphelines qui avaient franchi ces grilles pour vivre leur enfance entre ces murs. Même quand elle imaginait les malades et les blessés qui avaient été les compagnons de Liam. Elle se sentait légère et heureuse, pleine de surprise et d'émerveillement tandis qu'elle poursuivait sa promenade au milieu de ce domaine enchanté. En arrivant auprès de la chapelle qui se dressait au bout du parc, elle se rappela avoir lu dans le journal intime de Liam qu'il y venait parfois pour assister à l'office. Elle s'attarda un moment dans un recoin ombragé, écoutant la voix de son instinct qui lui soufflait que c'était là que Liam s'asseyait régulièrement l'après-midi pour savourer un peu de tranquillité.

Il lui accorda cet instant de répit, touchant son visage et ses mains d'une caresse légère qui la faisait vibrer et l'emplissait de joie. Et puis il l'emmena dans un couloir dallé de pierres jusqu'à un passage vitré qui bordait trois des côtés d'une cour rectangulaire. Avec ses plafonds voûtés et ses piliers de fonte on aurait dit un cloître. Arrivée dans un angle, elle hésita pour la première fois. Elle avait la certitude qu'il était sur le point de la quitter.

Elle avait envie de crier : *Non, je t'en prie*, mais au moment même où les mots allaient franchir ses lèvres, elle le vit très nettement, revêtu de son uniforme, avec son chapeau crânement incliné sur l'œil. Il marchait vers elle, le visage éclairé par un sourire d'amour et de triomphe, comme pour lui dire : *Regarde, mais regarde donc ce que je suis capable de faire quand je le veux vraiment...*

Elle suffoqua de surprise. Il avait l'air si réel, sa présence paraissait tellement physique et il semblait possédé d'une vitalité si chaleureuse qu'elle sentit son cœur bondir dans sa poitrine. Elle voulait courir à lui pour qu'il la soulève dans ses bras vigoureux et tendres. Mais elle restait clouée sur place, incapable de faire autre chose que de le regarder venir à elle avec une détermination joyeuse.

Il était sur le point de la toucher quand il disparut. Pétrifiée, Zoe fixait le couloir vide ; et puis tout son être se mit à vibrer, son échine, ses bras, sa nuque étaient comme électrisés par ses caresses. Et elle cherchait désespérément à le saisir, à le retenir, mais elle ne pouvait que mesurer la vanité de ses efforts. Il était avec elle et il la touchait mais ce n'était plus un être de chair ; elle ne pouvait pas le serrer contre sa poitrine, avoir ce contact physique auquel elle aspirait tant, et il ne pouvait l'aimer qu'en lui communiquant la joie dont il était possédé.

Soudain, elle sentit que ses yeux s'emplissaient de larmes. L'émotion était trop forte. Si brève, si fugitive, insaisissable comme un rêve et tout aussi immatérielle.

Elle poussa un profond soupir et s'accouda à une fenêtre ouverte, fixant les pavés de la cour en essayant de maîtriser son trouble.

Pourquoi moi ? se demandait-elle. Avait-elle vécu

autrefois sous les traits de Georgina Duncannon ? Mais un *non* résolu retentit en elle, car Zoe avait la certitude qu'elle était aimée pour elle-même.

Elle essaya de formuler d'autres questions mais il ne vint aucune réponse, et elle eut la sensation que Liam s'éloignait d'elle, comme s'il ne parvenait plus maintenant à mobiliser suffisamment d'énergie pour rester plus longtemps en sa compagnie.

Elle sentit qu'il le regrettait, qu'il lui caressait la joue une dernière fois. Et puis il partit, emportant avec lui les frustrations et les angoisses mesquines. Seule restait une sensation de bien-être, de paix, de calme et de satisfaction totale. Il était vivant. Rien d'autre ne comptait plus désormais.

Pendant le trajet du retour, elle s'aperçut qu'elle avait faim. Le bon petit repas qu'elle s'était promis de s'offrir à Wandsworth n'avait pas été un succès, faute d'appétit, bien qu'elle se fût promenée à nouveau dans le parc, seule, cette fois. Il n'y avait pas un monde fou au restaurant, et Zoe en avait profité pour discuter presque tout le temps avec le patron, dont la passion pour les vieilles pierres l'avait amené à lui faire visiter les lieux en la gratifiant d'une multitude de considérations historiques. Une fois qu'elle avait vu le rez-de-chaussée, avec ses armures étincelantes, il l'avait autorisée à se promener seule dans la grande salle située à l'étage, et elle avait longuement contemplé sa collection d'estampes et de photographies prises à l'époque où ces lieux avaient été occupés par l'hôpital militaire.

Elle avait éprouvé une impression bizarre en regardant ces infirmières au visage sérieux et les soldats épanouis, sachant que Liam s'était trouvé parmi eux et qu'elle venait de le voir marcher vers elle dans un couloir.

Elle avait failli demander si le château était hanté

mais y avait finalement renoncé, sachant que la réponse n'avait aucune importance à ses yeux. Liam n'était pas un fantôme enchaîné à un lieu et à un instant précis du passé. Il avait simplement choisi ce moment pour se montrer, pour partager avec elle la joie que lui avait procurée cette visite.

En tout cas, c'est ainsi qu'elle voyait les choses. Son instinct lui disait qu'il avait été heureux à Wandsworth, loin de la guerre et consolé par Georgina des jours affreux qu'il avait vécus avant de venir.

Et de même que Georgina lui avait apporté le réconfort de sa présence au moment où il en avait eu le plus besoin, de même Liam était venu donner une joie de vivre renouvelée à Zoe quand le chagrin et la dépression avaient menacé de la submerger complètement. Elle lui en était profondément reconnaissante et elle se disait que si Stephen avait cessé de s'intéresser à elle, ce n'était sûrement pas le cas pour Liam.

Peut-être même avait-il toujours été présent à ses côtés, sans qu'elle s'en rende vraiment compte. Elle commençait à se dire que c'était lui qui avait voulu qu'elle le retrouve, qu'elle soit mêlée d'une manière ou de l'autre à l'existence qu'il avait eue. Au fond, l'intérêt qu'elle avait éprouvé pour la famille Elliott n'avait-il pas eu Liam pour origine, et non Tisha comme elle l'avait d'abord cru ?

Mais pourquoi ? Tout cela paraissait s'être enchaîné de la manière la plus arbitraire du monde. En tout cas cette expérience avait produit sur elle un effet extraordinaire, et jamais, dût-elle vivre encore cent ans, elle n'oublierait ce qu'elle avait éprouvé ce matin. Il avait manifesté à son égard un amour presque palpable et le sentiment de paix qui s'était ensuite emparé d'elle continuait encore maintenant de l'habiter. C'était à croire qu'il avait essayé de lui dire que rien ne devait plus la tourmenter désormais.

Le téléphone sonnait pendant qu'elle se débattait avec ses clés pour ouvrir sa porte. Elle se précipita vers l'appareil mais y arriva trop tard. Tout en se demandant qui avait bien pu l'appeler, elle regarda sa montre. Près de cinq heures et demie. Elle resta perplexe un moment puis haussa les épaules et passa dans la cuisine pour se préparer du café et des sandwiches. Ensuite, elle revint au salon pour prendre les nouvelles du début de soirée à la télévision.

Le speaker annonçait les gros titres au moment où elle s'asseyait. « ... entrevue en Irlande du Nord. Dans le Golfe, un pétrolier libérien a heurté une mine. Un officier britannique a été tué et un autre blessé. Nous vous donnerons de plus amples détails sur cette tragédie dans quelques instants ; pour le moment revenons à... »

Mon Dieu ! Malade d'appréhension, Zoe fixait l'écran, le cœur battant, conjurant le présentateur de se dépêcher, de passer vite sur les autres événements pour en arriver tout de suite à ce qui était arrivé dans le Golfe. Cette incertitude la mettait à la torture.

« Mais enfin, tu vas te magner un peu, oui ? » grinça-t-elle d'un air féroce à l'intention du Premier Ministre qui exprimait pompeusement son espoir de voir s'installer une atmosphère de coopération entre Londres et Dublin. A tout autre moment ce commentaire l'aurait intéressée, mais maintenant...

« Passons à présent à la situation dans le Golfe. Notre correspondant Jeremy Brown va nous parler de cette tragédie qui vient de se produire dans le golfe d'Oman... »

Un homme jeune au visage hâlé faisait face à la caméra tandis que s'étalait derrière lui une mer étincelante parsemée de bateaux.

« Nous sommes actuellement au large de Fujairah à un endroit où les pétroliers qui vont dans le Golfe ou qui en ressortent aiment jeter l'ancre car l'eau y est particulièrement profonde. C'est ici que ce matin, juste avant le lever du soleil, un pétrolier battant pavillon libérien mais commandé par des officiers britanniques a heurté une mine au moment où l'on procédait aux manœuvres d'ancrage... »

Le visage du journaliste fut alors remplacé sur l'écran par une photographie aérienne montrant un gros navire, tandis que la voix, dépourvue de toute expression, continuait de débiter :

« Ce pétrolier — le *Damaris* — a été heurté à l'arrière, ce qui a provoqué une explosion dans la salle des machines où un officier mécanicien de nationalité britannique a été tué et un autre blessé. Le commandant du navire a également été légèrement blessé par la déflagration, mais il a quand même pu nous parler par l'intermédiaire de la radio du bord... »

Pétrifiée par ce coup de massue, Zoe entendit la voix de Stephen, une voix brève, déformée par le micro de la VHF, qui faisait un rapide compte rendu des événements, expliquant que l'incendie avait été circonscrit rapidement et que le bateau était maintenant acheminé vers Dubaï par des remorqueurs. Quand il eut terminé, le journaliste lui posa une nouvelle question.

« Si j'ai bien compris, vous avez été blessé par l'explosion, commandant ?

— Très légèrement. Il s'agit d'une luxation de l'épaule qui a été immédiatement traitée.

— Et êtes-vous inquiet à l'idée de devoir retraverser le détroit d'Ormuz ?

— Pas le moins du monde. Maintenant, le mal est fait. Une fois de plus un pétrolier a été mis hors service, et il n'y a rien à dire. Si un de mes officiers a été tué et un autre blessé, il ne s'agit que d'une péripétie parfaitement négligeable pour ceux qui dirigent et exécutent ces attaques contre la navigation internationale. »

736

Quelle amertume derrière ces paroles !

L'enregistrement terminé, un fondu enchaîné fit réapparaître le journaliste qui se lança alors dans un commentaire plutôt confus sur la portée possible d'un tel événement. Puis il rendit l'antenne au studio d'ITN.

Zoe fixait l'écran d'un regard vide. Sourde à ce que l'on disait ensuite sur ce qui se passait ailleurs, elle se leva pour éteindre le poste. Ses membres étaient de plomb. Elle avait le cerveau paralysé. Comme une mécanique, elle s'approcha du téléphone puis se figea sur place. Elle savait qu'il fallait parler à quelqu'un, essayer de savoir ce qui s'était passé au juste...

Qui pouvait-elle appeler ?

Elle pensa à Irène, mais renonça bientôt à cette idée. C'était peut-être Mac qui avait été tué. Mieux valait savoir à quoi s'en tenir avant de la contacter.

« Joan... »

Elle saisit son carnet d'adresses mais le laissa tomber et eut toutes les peines du monde pour le reprendre, les muscles tétanisés par l'angoisse, et elle le feuilleta fébrilement, mettant un temps infini pour tomber enfin sur la bonne page. Le numéro composé, elle dut s'asseoir tant elle tremblait, et quand Joan eut décroché au bout de trois ou quatre sonneries, Zoe fut presque incapable d'articuler le moindre son.

« Oh, c'est vous, Zoe ? J'ai essayé de vous toucher toute la journée, depuis neuf heures ce matin. Vous étiez donc sortie... Avez-vous vu le journal télévisé ?

— Oui, à l'instant.

— Sur ITN... C'est affreux, n'est-ce pas ? Ils en avaient déjà parlé à midi. Mais vous savez, Zoe, il n'est rien arrivé de grave à Stephen, vous n'avez aucune raison de vous inquiéter. Il y a quelqu'un de la compagnie qui a téléphoné à Pamela ce matin.

C'est un drame horrible qui vient de se produire mais Stephen s'en est bien sorti, et c'est le principal.

— Mais il est blessé... et Mac, qu'en est-il pour Mac ?

— Il n'a rien, répondit Joan sans la moindre hésitation, ajoutant d'une voix attristée : C'est le troisième mécanicien qui a été tué. Le pauvre ! Je ne sais pas s'il avait de la famille, mais en tout cas il n'était pas marié, fort heureusement...

— Oh ! mon Dieu !... Et le pauvre Stephen a été obligé de se débattre au milieu de tous ces problèmes.

— Il est très compétent, mon petit, *très* compétent. Et il ne mourra pas d'une luxation à l'épaule. J'ai téléphoné au directeur de la compagnie ce matin pour m'assurer que Pamela n'avait pas compris de travers... Elle partait travailler, en catastrophe comme d'habitude, quand ils lui ont annoncé la nouvelle, et j'ai préféré avoir une confirmation, sachant à quel point elle peut paniquer pour un rien. Tout comme la femme de Stephen... Oh, excusez-moi, Zoe, je voulais dire comme Ruth, autrefois... »

Zoe ferma les yeux, essayant d'oublier l'impact que cette précision intempestive avait eu sur elle. Mais Joan s'était reprise et enchaînait :

« Bref, Londres va faire le nécessaire pour rapatrier tout le monde de... Zut, comment ça s'appelle déjà ? Abu Dhabi ? Non, Dubaï, oui, Dubaï, c'est ça ! La compagnie s'occupe de tout régler et ils prendront l'avion pour rentrer. C'est l'affaire de quelques jours, une semaine tout au plus, le directeur a été catégorique. Mais Stephen va très bien, Zoe. Sinon, il ne serait plus à bord, non ? »

Bien que Joan fût très convaincante, Zoe avait encore un doute.

Elle savait que Stephen avait une telle volonté qu'il aurait fallu qu'il soit mourant pour accepter de quitter le navire.

Après lui avoir une fois de plus répété ces paroles rassurantes, Joan lui conseilla de se faire une bonne tasse de thé bien fort avec beaucoup de sucre et lui recommanda de passer un moment en compagnie d'une amie pour éviter de broyer du noir toute seule.

Mais Zoe ne voyait pas du tout avec qui elle avait envie de se trouver. L'idéal aurait été d'avoir Polly à ses côtés mais Polly était partie se dorer au soleil de Marbella avec un ami.

« Eh bien, pourquoi n'appelleriez-vous pas votre mère ? »

Zoe avait une bonne douzaine de raisons de ne pas vouloir contacter ses parents, surtout sa mère, à qui de toute façon il faudrait un temps infini pour arriver jusqu'à elle. Néanmoins, elle promit de le faire.

Avant que Joan n'ait eu le temps de raccrocher, elle lança soudain :

« Joan, j'ai vu Liam aujourd'hui. »

Silence au bout du fil. Puis :

« Excusez-moi, Zoe. Vous disiez ?

— Je suis allée à Wandsworth, là où était l'hôpital. Vous vous rappelez, je vous en avais parlé. C'est pour ça que je n'ai pas été chez moi de toute la journée. Bref, Liam était là-bas. Je l'ai vu très distinctement qui marchait dans un couloir. Il venait dans ma direction... Bizarre, n'est-ce pas ? Et maintenant voilà que... »

Joan la croyait-elle ? Peut-être, mais c'était bien difficile à savoir au téléphone. Et puis quelle importance, après tout ? L'essentiel était qu'elle l'avait vu, qu'elle avait senti sa présence pendant de longs moments ; elle défiait quiconque de lui prouver que c'était une illusion.

Ce qu'elle n'arrivait pas à comprendre, c'était la raison de ce phénomène. Et pourquoi s'était-il produit justement aujourd'hui, le jour où cette chose affreuse était arrivée à Stephen ? De quoi y perdre son latin !

S'efforçant de suivre le conseil de Joan, Zoe se fit une tasse de café, car elle n'aimait pas le thé, et prit deux gaufrettes au chocolat en guise de sucre. Glacée jusqu'aux os, elle remplaça sa robe par un pantalon et un pull bien chaud. Peu à peu, les tremblements s'apaisèrent.

Elle avait l'esprit agité de pensées confuses où se mêlaient son anxiété pour Stephen, les questions qu'elle se posait au sujet de Liam et le désir pressant d'en savoir davantage sur la situation à bord du *Damaris*. Et surtout, elle avait envie de parler à Stephen ou en tout cas à quelqu'un qui avait eu de ses nouvelles personnellement.

Elle se maudissait d'être allée à Wandsworth ce jour-là. Si seulement elle était restée chez elle, elle aurait pu téléphoner au siège de la compagnie, s'entretenir avec ce directeur dont Joan lui avait parlé.

Elle reprit son carnet d'adresses. Irène, la femme de Mac. Elle devait être au courant de pas mal de choses...

Au moment où elle allait décrocher, le téléphone se mit à sonner.

Des déclics et des grésillements à l'autre bout du fil annonçaient que l'appel venait de loin. Un homme, avec un fort accent étranger, lui dit de ne pas quitter, qu'on la demandait d'un bateau.

Elle ne réalisa pas tout de suite. Puis, osant à peine respirer, elle se cramponna à l'appareil comme à une bouée de sauvetage, et tout d'un coup elle entendit la voix de Stephen, faible mais très claire, qui miraculeusement prononçait son nom.

Incrédule, le cœur débordant de joie et de reconnaissance, elle ne put rien faire d'autre que dire le nom de Stephen en retour, tout en remerciant Dieu du fond du cœur d'avoir accompli ce véritable tour de force.

« Zoe, ma chérie, tu vas bien ? Je suis désolé de n'avoir pas pu t'appeler plus tôt mais j'ai eu beaucoup à faire. Il y a eu tellement de choses à régler, tu ne peux pas imaginer...

— Oh, Stephen, comme je suis heureuse d'entendre ta voix. Mais comment vas-tu, *toi* ?

— Un peu fatigué, mais à part ça tout va bien. On commence à voir le bout du tunnel. Maintenant, il n'y a plus qu'à se laisser remorquer jusqu'à Dubaï, ça va me permettre de faire un peu roue libre pendant quelques heures. Alors, comment ça s'est passé pour toi ? Ça a dû te faire un choc ! Est-ce que Joan ou Irène avaient réussi à te contacter ?

— Non, je me suis absentée toute la journée et j'ai appris la nouvelle par la télévision. Oui, le choc a été rude, tu peux me croire. J'ai téléphoné à Joan aussitôt et elle m'a dit qu'elle essayait de m'appeler depuis ce matin. Et tout de suite, je m'apprêtais à passer un coup de fil à Irène quand ça a sonné.

— Oh, mon amour, je suis désolé. Moi qui voulais justement éviter que tu sois mise au courant par les médias ! Et je n'ai pas pu te téléphoner avant tant la journée a été chargée. Bref, tu n'as aucune raison de t'inquiéter. Tout le monde va bien à bord et nous devrions être à Dubaï dès demain. Il faudra mettre le bateau en cale sèche et les réparations vont prendre un sacré bout de temps. La salle des machines est pratiquement détruite. Tu verrais Mac, il en fait une vraie maladie, ajouta-t-il avec un rire bref. On le mettait toujours en boîte tellement il était tatillon sur la propreté. C'était si bien astiqué qu'on aurait pu manger par terre... Mais maintenant, ce n'est plus le cas, tu peux m'en croire... »

Zoe était un peu choquée. Comment pouvait-il plaisanter en un moment pareil ? Et il y avait eu mort d'homme...

« Stephen, que s'est-il passé ? Je n'ai pas très bien compris ce que tu disais quand on t'a interviewé. »

Il resta un moment silencieux avant de répondre et quand il parla enfin, Zoe perçut dans sa voix l'effort qu'il faisait pour garder un minimum de sérénité. Après avoir résumé les circonstances de la tragédie, il ajouta :

« Quand je pense que ce pauvre Jim s'était porté volontaire pour remplacer le troisième mécanicien qui nous avait lâchés au Koweit, c'est vraiment triste, tu ne trouves pas ? »

Zoe ne put trouver aucune parole de consolation.

« Et celui qui est blessé ? demanda-t-elle. Ce n'est pas trop grave ? Et toi, tu ne m'as pas encore dit ce qui t'était arrivé.

— Eh bien, le second mécanicien est à l'hôpital pour une blessure à la tête, mais je crois que ça va s'arranger rapidement. Et moi, comme j'ai été assez bête pour me trouver sur la plate-forme extérieure de la passerelle au moment de l'explosion, je me suis pris un jeton qui m'a démantibulé l'épaule. Mais elle a été remise en place.

— Ça a dû te faire très mal ? »

Elle l'entendit rire à l'autre bout du fil.

« Disons que ça n'a pas été très agréable... mais ne te fais pas de souci. Je prends des cachets pour calmer la douleur. En fait, expliqua-t-il, j'ai eu une sacrée veine de m'en tirer à si bon compte. J'aurais tout aussi bien pu me fendre le crâne sur le compas-répétiteur. Il y a une arête bien coupante en métal avec des boulons de chaque côté. Si je m'étais cogné dessus, ç'aurait été beaucoup plus grave... »

A peine avait-il achevé que Zoe s'écriait impulsivement :

« Tu m'as beaucoup manqué, Stephen, terriblement, même... Et j'étais morte d'inquiétude... »

Sa voix se brisa et elle dut lutter contre elle-même pour ne pas fondre en larmes. Elle rassembla pourtant assez de forces pour demander :

« Crois-tu qu'ils vont vous laisser rentrer en Angleterre ? »

Le long silence qui suivit lui fit regretter d'avoir donné libre cours à ses sentiments.

Quand la réponse se fit enfin entendre, ce fut d'une voix plus basse et plus grave, comme si Stephen avait soudain décidé de parler moins fort pour prendre un ton plus confidentiel. Elle dut tendre l'oreille pour saisir ses paroles. Il lui expliquait qu'il n'était plus seul sur la passerelle et qu'il essaierait de la rappeler de Dubaï. Là-bas il serait plus tranquille pour lui parler.

« Et je serai mieux fixé sur notre sort une fois que j'aurai contacté le représentant de la compagnie. Mais nous risquons de devoir rester sur place encore un bon bout de temps. Généralement le commandant et le chef mécanicien veillent sur le bateau tant qu'il est en cale sèche. J'en suis profondément désolé, mais c'est comme ça que ça se passe chez nous. »

Le ton brusque qu'il avait pris pour lui répondre ne fit qu'accroître son désarroi, lui ôtant toute envie d'objecter que Joan avait entendu un autre son de cloche. Après tout le directeur de la compagnie avait peut-être tout simplement cherché à rassurer les familles avec des promesses qu'il n'avait pas l'intention de tenir. Elle fut tellement déçue que les mots lui restèrent en travers de la gorge.

« Je te téléphonerai de Dubaï. Dans deux jours au plus tard. D'accord ?

— Oui, oui, bien entendu. J'attendrai ton coup de fil.

— Il faut que je te quitte, mon amour. Prends bien soin de toi.

— Oui. Toi aussi... Dis, Stephen... »

Mais il n'était plus là. Le récepteur bourdonnait, comme pour marquer encore davantage la distance qui les séparait. Très lentement, elle raccrocha, sentant deux grosses larmes couler sur ses joues.

Elle ne savait pas très bien pourquoi elle pleurait. Était-ce l'anxiété, la déception ou le soulagement ? Quoi qu'il en soit, elle ne fit rien pour endiguer le flot, se contentant de s'essuyer le menton avec des mouchoirs en papier. Toutes ces émotions accumulées au cours de cette maudite journée devaient trouver leur exutoire ! Finalement, les larmes cessèrent de couler toutes seules et elle se servit un verre de cognac qui lui remit à la fois le cœur et les idées en place.

Il allait bien. Il avait téléphoné. Il l'avait appelée *mon amour*, ce qui la ramenait à l'époque passionnée de leurs premières étreintes. Mais fallait-il vraiment prendre cette expression à la lettre ? Il était très courant, dans la région d'York, de donner du *mon amour* à pratiquement n'importe qui, un peu comme certains Londoniens qui appelaient *chérie* des femmes qu'ils ne connaissaient ni d'Ève ni d'Adam.

Et dire qu'elle avait eu cette maudite boule dans la gorge qui l'avait empêchée de lui crier qu'elle l'aimait, qu'elle avait envie de lui, qu'elle ne pouvait plus supporter de rester séparée de lui plus longtemps...

Elle se traitait de tous les noms, oui, elle s'était comportée comme une collégienne paralysée par le mal d'amour.

En revanche, se dit-elle après avoir achevé une seconde dose de cognac, bien qu'il eût mis un certain temps à réagir à l'émotion qu'elle avait manifestée, il avait été bien près, lui, de laisser transparaître un certain émoi. Elle avait même l'impression qu'il s'apprêtait à dire quelque chose d'important au moment où quelqu'un était venu troubler leur tête-à-tête.

744

Quand il appellerait de Dubaï, il tiendrait peut-être des propos moins impersonnels... s'il trouvait un endroit tranquille pour lui parler.

Elle décrocha soudain pour composer le numéro d'Irène, dans le Northumberland.

CHAPITRE XXXIII

Zoe ne bougea pas de son appartement. Elle ne reçut aucun appel provenant de Dubaï mais le matin du troisième jour, Jack Porteous lui téléphona pour lui indiquer l'heure d'arrivée de Stephen à l'aéroport d'Heathrow.

« Mais je croyais... enfin, Stephen m'avait dit qu'il serait obligé de rester auprès du bateau tant qu'il serait en cale sèche », dit-elle stupidement, partagée entre l'incrédulité et le désir d'embrasser l'homme qui lui parlait à l'autre bout du fil.

Il éclata d'un rire bref.

« Alors ça, c'est du Steve tout craché ! En fait, nous avons décidé de le libérer et un autre commandant est parti pour assurer la relève. Dès qu'il sera arrivé, Steve prendra l'avion avec les autres officiers. Il m'a demandé de vous prévenir car il s'est dit que vous voudriez peut-être venir le chercher à Heathrow demain matin.

— Oh, oui, oui bien sûr, j'y serai...

— Il n'y a qu'un tout petit problème. Comme Steve et le chef mécanicien, Mr. Petersen, habitent loin de Londres, nous aimerions qu'ils fassent un saut jusqu'au siège de notre compagnie pour que nous puissions discuter un peu de ce qui s'est passé. Ça leur évitera de revenir une fois qu'ils seront rentrés chez eux. Ça ne vous dérange pas trop ?

— Mais non, pas du tout. C'est beaucoup mieux ainsi.

— Bien. Il y aura donc quelqu'un de chez nous qui les attendra à l'aéroport demain, Mr. Goodall. Il les connaît et ils le connaissent, il n'y aura donc aucun problème d'identification. Il fera le nécessaire pour assurer les déplacements jusqu'au centre ville... Vous êtes cordialement invitée à les accompagner, bien entendu.

— Merci beaucoup. Cette visite m'intéresse beaucoup.

— Parfait. Eh bien, Miss Clifford, je vous dis à demain. Et n'ayez aucune inquiétude, Steve se porte comme un charme.

— Merci encore. Vous êtes bien aimable... »

Son soulagement était si intense qu'elle ne savait plus si elle devait rire ou pleurer. Heureusement, Polly était rentrée de Marbella la veille au soir. Elle avait donc sous la main quelqu'un avec qui elle pourrait fêter l'événement.

Folle de joie, elle monta l'escalier quatre à quatre et faillit tomber quand on lui eut ouvert la porte. Elle saisit son amie à bras-le-corps et l'entraîna dans une danse échevelée à travers la cuisine, puis Polly ouvrit une bouteille de mousseux espagnol et elles burent à la santé de Stephen, à la leur, puis à celle de Jack Porteous et de l'ami avec qui Polly avait savouré les charmes de Marbella. Ensuite il y eut un nouveau toast en l'honneur de Stephen.

Une demi-heure plus tard, étourdie par le champagne, le soulagement et une joie complètement débridée, Zoe se souvint de ses obligations et partit pour donner quelques coups de fil. Elle téléphona à sa mère, puis à Joan et — comme d'habitude, « Mr. Clifford assistait à une réunion et ne pouvait être dérangé sous aucun prétexte » — chargea la secrétaire de son père de lui annoncer la bonne nouvelle.

Enfin, elle appela Irène et elles convinrent de se retrouver à Heathrow le lendemain matin.

« Ça va être une véritable petite fête, dit Irène. J'espère que la compagnie va nous inviter à déjeuner. »

C'étaient deux paquets de nerfs qui attendaient derrière les barrières l'arrivée des hommes. Pour tromper leur impatience, Zoe et Irène essayaient de deviner l'identité des autres personnes qui étaient là mais le représentant de la compagnie aurait pu être n'importe lequel des cinq ou six gentlemen présents et il y avait tant de femmes qu'il était impossible de savoir lesquelles étaient les épouses ou les fiancées des autres officiers.

L'avion avait déjà atterri depuis un bon moment et les yeux de Zoe allaient sans cesse de la pendule à l'endroit d'où émergeaient les personnes qui venaient de passer à la douane. Il y eut d'abord quelques passagers qui tenaient un sac ou une petite valise à la main, puis d'autres qui poussaient des chariots chargés de bagages. Soudain arriva un groupe compact dominé par les têtes de trois hommes très grands dont les yeux semblaient scruter la foule avec une anxiété particulière. Irène et sa compagne repérèrent en même temps la barbe et les cheveux roux de Mac. Aussitôt Irène fit de grands gestes frénétiques. Mac sourit et, laissant tomber sa valise, il contourna les chariots pour courir vers sa femme et la prendre dans ses bras.

Stephen resta caché derrière eux pendant un moment puis elle le vit qui se dirigeait vers elle, gêné dans sa progression par les autres voyageurs entassés dans ce goulet étroit. Il avait les cheveux beaucoup plus longs qu'autrefois, et elle s'étonna de les voir aussi bouclés. Tout comme le hâle très foncé de son teint, ils contrastaient étrangement avec l'élégance de son costume et de sa cravate d'un gris pâle immaculé. Son visage paraissait plus mince, buriné par les rides de l'exaspération. Puis il leva les yeux et la vit. L'espace d'un moment, son regard exprima une telle tendresse que Zoe eut l'impression qu'elle allait exploser d'impatience. Enfin il réussit à se dégager et il sourit. Elle s'avança vers lui pour l'accueillir.

Mais une sorte de timidité semblait retenir leurs élans. Pendant une seconde ils hésitèrent puis Stephen ouvrit les bras et elle l'embrassa sur la joue tandis qu'il la serrait contre lui comme s'il avait l'intention de ne plus jamais lâcher prise. Le souffle court, juchée sur la pointe des pieds, elle enfouit son visage dans ses cheveux. Puis il trouva sa bouche et il l'embrassa avec chaleur et gratitude et aussi avec un soulagement indéniable.

« Que c'est bon de te revoir, dit-il d'une voix enrouée. Tu ne peux pas imaginer... »

Il rit pour cacher son émotion, la serra de nouveau contre lui et l'embrassa encore.

« Mais il y a quelqu'un qui nous attend et nous avons une petite formalité à régler, ajouta-t-il comme pour s'excuser.

— Oui, je sais. Mr. Porteous m'en a parlé. »

Jetant un coup d'œil alentour, Stephen aperçut le représentant de la compagnie qui parlait déjà à Sparks et au second lieutenant.

« Viens, autant en finir tout de suite. Il faut que je te présente au second, et aux autres aussi. Ils ont tous été formidables et je ne sais pas ce que j'aurais pu faire s'ils n'avaient pas été là. »

Ils étaient tous d'une timidité surprenante, constata Zoe. A part le second, qui se pencha pour l'embrasser sur la joue comme s'il la connaissait depuis des années. Il était encore plus grand que Stephen, mais moins carré d'épaules, et sa petite amie paraissait décidée à ne pas le lâcher d'une semelle, se cramponnant à son bras pendant qu'il discutait avec Mr. Goodall. Résolue à ne pas suivre son exemple, Zoe resta à l'écart avec Irène, pendant que les hommes discutaient en riant. Elle pensait que tous les officiers allaient devoir se rendre ensemble au siège de la compagnie mais Irène lui dit que Stephen et Mac étaient les seuls à y être conviés.

Elle les regarda se serrer la main en se disant au revoir et fut frappée par le respect et l'affection qu'ils témoignaient tous en prenant congé de Stephen. Seul le second l'appelait par son prénom, ce qui semblait montrer l'existence de relations particulièrement amicales entre les deux hommes.

Mr. Goodall leur fit alors signe de le suivre et il les emmena jusqu'au taxi qui attendait le long du trottoir. Stephen s'assit à côté de lui sur un strapontin tandis que Mac se glissait entre les deux femmes sur la banquette ; prenant leurs mains dans la sienne il clama bien haut que c'était lui qui avait choisi le meilleur côté.

Le trajet fut des plus joyeux, Mac et Stephen échangeant sans arrêt une multitude de plaisanteries toutes plus drôles les unes que les autres, et Zoe se dit qu'elle ne s'était jamais autant amusée de sa vie quand le taxi les déposa au bureau de Leadenhall Street. Elle connaissait très bien ce quartier car le siège de la société de son père se trouvait à deux pas de là. Stephen se souvint qu'elle lui en avait parlé un jour et lui en fit la remarque.

Elle rougit et confirma d'un signe de tête.

« Je l'ai vu l'autre soir. Il m'a dit que si tu restais quelques jours à Londres, il serait très heureux de nous inviter tous les deux à déjeuner. Tu n'es pas obligé d'accepter, s'empressa-t-elle d'ajouter. Je n'ai pris aucun engagement.

— Mais j'aimerais beaucoup faire sa connaissance. Ce sera un plaisir pour moi de le rencontrer. »

Cette réponse causa à Zoe une joie immense, et lui permit de supporter sans impatience excessive l'interminable attente pendant que les hommes discutaient dans le bureau du patron. Une hôtesse d'accueil leur apporta du café et elles essayèrent de tuer le temps en feuilletant d'un œil distrait des revues de navigation beaucoup trop techniques à leur goût, tout en échangeant de temps à autre quelques brefs commentaires sur l'existence qu'elles avaient menée depuis leur rencontre à Teesport.

Irène s'était levée de très bonne heure et elle mourait de faim. Finalement, sur le coup de deux heures, Mac et Stephen refirent leur apparition en compagnie de Jack Porteous et d'un autre homme auquel elles furent présentées. Ce n'est que par la suite qu'elles s'aperçurent qu'il s'agissait de l'un des directeurs.

Le déjeuner qu'on leur offrit dans un restaurant du quartier ne manquait pas d'agréments mais la séance de discussion semblait avoir complètement tari la source de gaieté qui s'était manifestée dans le taxi. Jack Porteous évitait soigneusement de parler des événements du Golfe et faisait preuve d'une courtoisie extrême envers les dames. Mais les deux marins montraient quelques signes de tension et burent beaucoup plus qu'ils ne mangèrent pendant cette heure passée à table.

Zoe eut soudain très envie de s'en aller et Irène consulta sa montre à plusieurs reprises ; finalement, jugeant qu'il avait maintenant satisfait à ses obligations, Jack annonça qu'il devait retourner au bureau et Irène reconnut qu'elle tenait beaucoup à ne pas manquer le train qui partait de King's Cross à quatre heures.

Les bagages récupérés, on héla deux taxis et quand on eut échangé la promesse de se revoir dans les meilleurs délais, Stephen fit de grands gestes d'adieu à Mac et Irène, serra la main de Jack et aida Zoe à monter en voiture. Après avoir disposé sacs et valises sur la plate-forme avant, à côté du chauffeur, il vint s'installer sur la banquette arrière et passa un bras autour des épaules de Zoe pour la serrer contre lui.

« Je suis absolument épuisé », dit-il.

« Tu veux te coucher tout de suite ? demanda Zoe dès qu'ils furent arrivés. Pour dormir, naturellement. »

Il sourit.

« Non, ça va aller. J'ai seulement envie de m'asseoir pour qu'on puisse parler un peu. »

Ils s'installèrent donc confortablement et bavardèrent en buvant du café. Ils feignaient l'un et l'autre de ne pas voir le mur de défiance qui se dressait entre eux. Zoe se disait que ces quatre mois de séparation avaient été bien longs et qu'il était normal qu'ils ne se sentent pas très à l'aise d'emblée. Il s'était passé tant de choses pendant ce laps de temps, surtout pour Stephen. Pourtant, elle était déçue qu'il ne l'ait pas tout de suite entraînée vers la chambre. N'aurait-ce pas été le meilleur moyen de mettre un terme à un embarras qui semblait s'amplifier de minute en minute au lieu de se dissiper ?

Non que Stephen fût frappé de mutisme ! Au contraire, il parlait d'abondance, du Koweit et de Karachi, de ses démêlés avec les fonctionnaires tatillons et à qui il fallait graisser la patte. Mais quand elle lui posait des questions précises sur les difficultés qu'il avait rencontrées dans le Golfe, il détournait la conversation pour revenir sur les gens à qui il avait eu affaire dans les ports.

Remarquant qu'il évitait de se servir de sa main droite, elle lui demanda des nouvelles de son épaule mais il resta fort évasif sur ce sujet également, se contentant de dire que le choc avait été rude mais que tout allait très bien par ailleurs. Manifestement, il ne tenait pas à parler de l'accident ni du trajet qu'ils avaient ensuite effectué jusqu'à Dubaï.

Quand il eut demandé à Zoe ce qu'elle avait fait pendant son absence, où en étaient ses recherches et quels travaux elle avait entrepris pour les éditeurs, elle éprouva quelque peine à évoquer le caractère ésotérique de ses récentes expériences. Le moment ne lui paraissait pas vraiment opportun pour parler de Liam.

Soudain le flot de la conversation se tarit. Zoe alla dans la cuisine pour refaire du café et quand elle revint elle trouva Stephen effondré dans un coin du canapé, la veste étalée à côté de lui ; il fixait la cheminée d'un œil vide. Il avait l'air si épuisé qu'elle fut prise de pitié pour lui, oubliant la gêne qu'elle avait éprouvée jusqu'alors, cette horrible impression qu'ils n'étaient plus que des étrangers qui n'avaient entre eux absolument rien de commun. Penchée au-dessus du dossier du canapé, elle lui embrassa le lobe de l'oreille et la joue, puis lui caressa les cheveux.

« Tu as l'air flapi, dit-elle tandis qu'il desserrait sa cravate et déboutonnait sa chemise. Je sais qu'il n'est que six heures mais tu pourrais aller faire un somme d'une heure ou deux. J'en profiterais pour préparer mon poulet avant de le mettre au four. On ne sera pas obligés de le manger pour autant, mais si tu dors un peu, Stephen, tu te sentiras mieux après. »

Elle crut d'abord qu'il allait protester, mais il céda bien vite, se contentant seulement d'aller récupérer son rasoir dans la valise qu'il avait posée dans le vestibule en arrivant. Quelques minutes plus tard, en entrant dans la chambre pour préparer le lit, Zoe entendit qu'il prenait une douche.

Quand il réapparut, enveloppé dans une serviette, elle vit la meurtrissure qu'il avait à l'épaule. C'était une ecchymose noire et violacée dont la surface lui parut avoir des dimensions affolantes. Le souffle coupé par la surprise, elle tendit la main pour la toucher mais il l'attira à lui et la serra dans ses bras, l'embrassant tendrement avant qu'elle n'ait eu le temps de poser la moindre question.

Son épiderme humide exhalait une odeur capiteuse, et sa bouche sentait le dentifrice. La combinaison de ces parfums lui apparut soudain comme la chose la plus érotique qu'elle eût jamais imaginée. Quand il l'embrassa une nouvelle fois, elle décela derrière cette étreinte une telle passion et un tel désir physique que toute sa gêne se dissipa. Ils étaient ensemble, et tout allait redevenir comme avant.

« Viens t'allonger à côté de moi, chuchota-t-il. Je ne veux pas dormir seul. »

Elle passa les doigts sur son épaule, effleurant légèrement du bout des lèvres la chair endolorie. Comme pour répondre à la question qu'elle n'avait pas posée, il dit :

« Ça paraît bien pire que ça ne l'est en fait. Évidemment, ajouta-t-il avec un sourire malicieux, il ne faudrait pas me demander de faire vingt pompes en ce moment. Mais aucune importance, pour l'instant, je vais me contenter de faire une petite sieste. Ça te dit ? »

Elle éclata de rire.

« Si tu me l'offres, il m'est bien difficile de refuser... »

Elle l'embrassa longuement, rabattant en arrière les cheveux mouillés qui étaient tombés sur son front.

« Seulement, reprit-elle, si tu veux manger tout à l'heure, il vaudrait mieux que je mette mon plat au four. Il n'y en a que pour deux secondes. Promis ! »

Elle avait déjà presque tout préparé pendant que Stephen s'était débarrassé de sa fatigue sous la douche. Elle disposa les légumes coupés en petits morceaux sur le blanc de poulet et recouvrit le tout d'une sauce bien crémeuse avant de glisser le plat hermétiquement clos dans le four dont elle avait soigneusement réglé la température. Allez, une bonne chose de faite ! La salade et les pommes de terre nouvelles pouvaient attendre.

Quand elle retraversa la salle à manger, elle fut prise d'une angoisse subite qui l'obligea à s'arrêter et à se demander pourquoi elle se sentait aussi nerveuse qu'une jeune mariée le soir de ses noces. Jamais encore elle n'avait éprouvé cette impression... Il faut dire qu'elle ne s'était jamais trouvée dans une situation semblable.

Elle ouvrit la porte de la chambre. Le soleil couchant avait envahi la pièce et Stephen était allongé, le dos calé contre les oreillers, un bras sur les yeux. Il paraissait endormi, ce qui eut le don de la soulager plus que de la décevoir, à son étonnement d'ailleurs, et, poussant un soupir, elle se dévêtit vivement en lui tournant le dos.

C'est seulement quand elle se glissa entre les draps qu'elle se rendit compte de son erreur : il ne dormait pas et avait observé tous ses faits et gestes.

« Ce que tu es belle ! » murmura-t-il en la prenant dans ses bras tout en mêlant ses jambes chaudes à celles de Zoe.

Elle s'abandonna à ses mains et à ses lèvres, goûtant la douceur de ses caresses. Elle avait tellement envie de lui, elle ne pouvait plus attendre le moment où il se fondrait en elle, pour que leur communion fût totale et pour que ces quatre mois de séparation n'apparaissent plus que comme un affreux cauchemar.

Mais très vite, elle s'aperçut qu'il se passait quelque chose d'anormal et la panique s'empara d'elle. Une peur irrationnelle, fondée sur le souvenir de ce qui était arrivé plus d'une fois avec Philip, la priva de toute possibilité de pensée ou d'action. Le cœur à la dérive, elle essaya de se dire qu'il n'y avait là rien d'inquiétant mais le souvenir amer de ces derniers mois surgit à sa mémoire, avec ces lettres si froides, si totalement dépourvues de tendresse et d'affection. Tout avait été merveilleux au début, grâce à l'attrait de la nouveauté, à cette attirance soudaine qui les avait rapprochés, mais maintenant, il n'éprouvait plus rien pour elle et ne savait comment le lui dire.

Elle se sentait humiliée, malgré les efforts qu'elle faisait pour se raisonner : il était fatigué, tout simplement, il avait été soumis à une tension nerveuse hors du commun et ce n'était pas parce qu'il ne pouvait pas faire l'amour maintenant qu'il avait cessé d'avoir envie d'elle.

Non, elle n'était pas entièrement convaincue et la façon dont il s'écarta d'elle avant de prononcer quelques paroles d'excuse ne pansa en rien la blessure infligée à son amour-propre. Si seulement elle avait eu le courage de le regarder bien en face, elle aurait sans doute vu qu'il éprouvait une détresse au moins aussi grande que la sienne, mais Zoe était trop soucieuse de dissimuler sa propre émotion. Le visage enfoui contre l'épaule valide de Stephen, elle priait le ciel pour qu'il ne voie pas à quel point elle était déçue.

Pendant un long moment, aucun des deux ne parla. Elle resta allongée, le visage sur la poitrine de Stephen, et lui avait une main reposant mollement sur le cou de Zoe. Et puis, il répéta d'une voix à peine perceptible et totalement dépourvue d'expression qu'il était désolé, qu'il s'excusait mais qu'il était fatigué. Il ne fallait surtout pas qu'elle s'imagine que c'était à cause d'elle ; d'un ton tout aussi sinistre, elle dit qu'elle comprenait, c'était bien normal, il était fatigué, et il aurait fallu être fou pour s'imaginer que les choses puissent se passer autrement.

Il la serrait tendrement et lui caressait les cheveux, et au bout d'un moment, il se détendit. Quand Zoe osa enfin relever la tête, elle vit qu'il s'était endormi.

Tout doucement, elle s'écarta et quand elle fut certaine qu'il n'allait pas bouger, elle sortit de la chambre sur la pointe des pieds en emportant ses vêtements.

C'était une situation grotesque. Elle n'avait plus qu'une envie : fuir cette demeure, laisser tout cela derrière elle et ne plus jamais avoir à poser son regard sur lui. Seulement, elle se trouvait dans son appartement *à elle*, et c'était dans son lit *à elle* que dormait Stephen Elliott. Si elle voulait se reposer cette nuit, il faudrait qu'elle vienne se glisser de nouveau auprès de lui pour essayer de dormir.

Quand le poulet fut cuit, elle éteignit le four et se fit un sandwich qu'elle mangea en regardant un vieux film à la télévision. Ensuite elle lut jusqu'à onze heures et quand ses yeux ne purent plus rester fixés sur les pages, elle alla se coucher sans bruit. Stephen s'agita faiblement, murmurant quelque chose sur l'approvisionnement en carburant, mais il ne se réveilla pas.

Zoe dormit mal et il n'était pas encore six heures quand elle ouvrit les yeux. Décidée à éviter une réédition de la scène de la veille, elle saisit son jean et une chemise en coton et se réfugia dans la salle de bain. Quand Stephen commença à donner signe de vie, elle avait déjà travaillé pendant une heure. Peu désireuse de faire le moindre commentaire sur ses dessins, elle s'empressa de les dissimuler à la vue de Stephen et d'une voix qu'elle espérait normale elle lui offrit de préparer le petit déjeuner.

En tout cas, il n'avait pas perdu l'appétit, pas de doute là-dessus. Il n'eut aucun mal à venir à bout des œufs accompagnés de saucisses et de bacon, prit plusieurs tartines de pain grillé avec de la confiture d'oranges et but deux grandes tasses de café. Puis il déclara qu'il n'avait pas aussi bien mangé depuis des mois. Flattée dans son amour-propre, Zoe se détendit un peu mais quand, par la suite, il manifesta l'intention de la prendre dans ses bras, elle se raidit de nouveau. Il prit un air un peu mortifié et n'insista pas, se contentant d'allumer une cigarette.

Pendant qu'elle s'affairait pour débarrasser la table de la cuisine, il réussit à la faire sursauter en annonçant qu'il avait pris la décision de rentrer à York.

Elle se tourna brusquement vers lui et rencontra son regard illuminé par un rayon de soleil. Dans ces yeux d'un bleu étonnant il y avait une lueur froide et accusatrice.

« Mais il n'y a rien qui t'oblige à partir... ?

— Oh, que si ! dit-il à mi-voix en éteignant sa cigarette. Je crois bien que oui. »

Douchée, elle ne sut que dire pendant un bon moment. Puis, sottement, elle crut bon de faire remarquer :

« Mais je pensais que tu avais prévu de rester quelques jours.

— J'ai à faire là-bas, lança-t-il en se levant de table. J'ai des gens à voir. Et j'ai la nette impression qu'il me faut un peu de temps pour faire le point. »

Aussitôt elle se sentit coupable, comme si, d'une manière ou d'une autre, elle avait pu avoir un comportement qui ne répondait pas à son attente. Mais elle eut beau lui dire qu'elle ne voulait pas qu'il parte, le suppliant presque de rester, Stephen se contenta de lui rétorquer qu'il avait trois mois de congé devant lui. Il n'avait pas l'intention d'en faire cadeau à la compagnie, quoi qu'il advienne, et ils auraient donc tout le temps de se voir plus tard.

Il s'exprimait de la manière la plus plaisante du

monde mais elle sentait qu'il avait pris une décision irrévocable et que tout argument, tout effort pour le dissuader, ne servirait strictement à rien, même si elle s'était jetée à ses pieds en le suppliant de ne pas partir. En le regardant boucler sa valise, elle se sentait bien fragile et inefficace, elle ne faisait pas plus le poids que Ruth, l'ex-épouse. Mais si Ruth s'était trouvée aussi dans ce genre de situation, Zoe était toute prête à lui donner l'absolution.

Finalement elle en fut réduite à exiger au moins de l'emmener à la gare, coupant court à ses objections. Jamais elle n'avait conduit aussi mal, accablant d'insultes tous les chauffeurs qui avaient l'audace de se trouver sur son chemin. Lui, à part quelques soupirs vite réprimés, ne fit aucun commentaire.

Impossible de se garer à King's Cross. Il se pencha vers elle, l'embrassa brièvement et dit qu'il lui passerait un coup de fil.

« Et si tu as besoin de moi, tu sais où je suis. »

Mais c'est maintenant que j'ai besoin de toi, faillit-elle gémir, en le regardant prendre la valise, de sa main gauche, sur la banquette arrière de la Renault. Derrière elle, les taxis cornaient avec impatience ; il fallait partir. En plein désarroi, elle leva les yeux vers lui mais il se contenta de sourire en lui adressant un signe de la main. Un sourire plein de raideur et un adieu brutal.

Refoulant ses larmes d'un clignement de paupières, Zoe serra les dents et démarra en trombe.

Si Zoe était malheureuse, pour Stephen ce n'était pas la joie non plus. Seulement lui, il était beaucoup plus en colère contre lui-même que contre elle, une fureur si peu rationnelle qu'il était incapable de se comporter autrement qu'en se conformant aux diktats de son instinct. Et son instinct lui ordonnait de partir, d'aller panser ses blessures tout seul dans son coin. Ce qu'il aurait dû faire d'emblée, ne cessait-il de se dire, en se maudissant d'avoir cru qu'il pourrait enfouir le souvenir de ces quatre derniers mois dans le havre de paix que lui offriraient les bras de Zoe.

L'ennui, c'est qu'il avait eu trop envie d'elle, beaucoup trop sans doute, s'imaginant que tout marcherait à la perfection comme la première fois. Au début, il y avait eu une étincelle d'espoir, et puis... plus rien. Et comment pouvait-on expliquer que quand le cerveau voulait quelque chose, la chair refusait catégoriquement de suivre ? Il avait été trop consterné pour donner la moindre explication, trop conscient de l'amère déception éprouvée de part et d'autre et trop démoralisé pour dire autre chose que de banales paroles d'excuse. En sombrant dans le sommeil, il avait pensé confusément que tout irait beaucoup mieux le lendemain matin, mais elle avait délibérément évité de se trouver à ses côtés quand il s'était réveillé, et c'était cela qui l'avait mortifié plus que toute autre chose.

C'est à peine s'il vit le paysage durant le trajet par le train. D'habitude, il prenait grand plaisir à revoir l'Angleterre après avoir passé plusieurs mois en mer, mais cette fois, rien ne put lui rendre sa sérénité. Le spectacle des murs de la cité ne mérita rien de plus qu'un vague coup d'œil plein de morosité et ce fut d'un pas dépourvu d'allégresse que Stephen regagna son appartement dans Bedern.

Il ouvrit les fenêtres, rétablit l'eau et l'électricité et se fit une tasse de café noir. Il n'y avait pas de lait, ni de provisions dans le réfrigérateur. Manifestement, Joan s'était dit qu'il ne rentrerait pas avant plusieurs jours. A l'idée qu'il allait falloir la contacter et répondre aux questions qu'elle ne manquerait pas de poser pour connaître les raisons de son retour précipité, il se dit qu'il n'aurait jamais le courage de l'affronter. Il défit sa valise, téléphona au garage pour demander sa voiture et se rendit au pub pour y boire quelques chopes et manger un sandwich.

On lui amena sa voiture juste avant six heures et il alla aussitôt dans un Sainsbury's pour y faire ses provisions. Ce soir-là, il mangea au restaurant.

Ne sachant trop que faire, le lendemain, il partit en voiture dans la campagne environnante. Il éprouvait un grand plaisir à pousser un peu la Jaguar dans les virages, appréciant aussi la puissance du moteur quand il montait à l'assaut des pentes abruptes. Arrivé en vue d'Harrogate, il se sentait suffisamment réconforté pour envisager de passer voir sa sœur et son beau-frère.

Pamela était seule au logis. Elle rentrait de l'école. Moins d'une demi-heure après avoir franchi sa porte, Stephen savait déjà qu'il avait eu tort de venir chez elle. Il aurait dû attendre que son cerveau soit suffisamment rodé pour pouvoir affronter le feu roulant de questions auquel sa sœur n'avait pas tardé à le soumettre.

Certes, elle était heureuse de le voir si tôt mais un peu vexée à l'idée qu'il avait préféré passer d'abord quelques jours à Londres chez sa bonne amie au lieu de venir directement à York retrouver sa famille. Surtout après ce qui s'était passé.

« Je n'y suis resté qu'une nuit, objecta-t-il, et c'est surtout parce qu'il fallait que je passe au bureau de la compagnie. Je suis rentré à York hier midi.

— Joan ne m'a pas prévenue.

— Je ne lui ai pas encore dit que j'étais là.

— Ah bon ? Pourquoi ? »

Il bredouilla une vague explication pendant que les yeux de Pamela scrutaient son visage pour tenter de découvrir la vérité. Soudain sa sœur modifia l'angle d'attaque. Elle voulut en savoir davantage sur cette petite amie dont il lui avait si peu parlé jusqu'alors.

« Tu te fais des idées. C'est beaucoup plus une cousine qu'une petite amie. Joan ne te l'a pas dit ? Elle s'intéresse à l'histoire de la famille, alors je l'ai aidée un peu. C'est tout.

— Oh, je vois très bien, lança-t-elle d'un ton sarcastique en versant de l'eau bouillante sur du café instantané. La pauvre Ruth en a été toute retournée. Dès qu'elle a su ce qui était arrivé à ton bateau, elle est venue me voir. Elle était en larmes. Ça lui a rappelé tout ce qu'elle avait enduré...

— Qu'est-ce qu'elle avait enduré ?

— Tu le sais bien... cet horrible voyage qu'elle a fait avec toi, la tempête, tout ça...

— Ne sois pas ridicule. Ça remonte à au moins dix ans.

— Et alors ? Ces choses-là, on s'en souvient toute sa vie, tu sais. »

Elle baissa soudain la voix : le fixant par-dessus sa tasse à café, elle ajouta :

« Elle t'aime encore, vois-tu ? »

Il soutint ce regard un moment.

« Voilà une bonne nouvelle. Si je me souviens bien, elle a su me montrer son amour d'une manière on ne peut plus charmante. »

Pamela détourna les yeux et se mâchonna la lèvre.

« J'ai l'impression qu'elle ne s'entend pas très bien avec Dave...

— Manque de bol.

— Bon sang, mais tu n'as pas de cœur, Stephen. On dirait que rien ne te touche. Elle a été ta femme, tout de même. Ce n'est pas rien, ça !

— Elle *a été* ma femme. Elle ne l'est plus. Depuis six ans. Et même quand elle était ma femme, elle ne m'a guère témoigné de tendresse. Elle a rencontré un autre homme, et elle a préféré le suivre. Alors si elle ne s'entend pas bien avec lui, sœurette, je suis désolé de le préciser mais c'est son problème à elle. Pas le tien, et encore moins le mien. »

Il acheva sa tasse d'un trait et se leva.

« Maintenant, Pam, je vais te dire une bonne chose, quelque chose que j'ai sur le cœur depuis très longtemps. Je ne sais pas pourquoi je ne l'ai pas dit, c'est peut-être parce que tu étais ma sœur et je ne voulais pas risquer de créer des dissensions entre nous. Bref, j'en ai assez que l'on me rebatte les oreilles avec Ruth. Elle ne m'intéresse plus le moins du monde. Elle était névrotique et instable et elle a complètement gâché mon existence. Et comme je n'ai pas l'impression qu'elle ait beaucoup changé depuis, je dis qu'il est temps qu'elle se conduise en personne responsable et qu'il est temps que tu cesses de la soutenir. La prochaine fois qu'elle viendra pleurer chez toi, fous-la dehors à coups de pompes dans le train et dis-lui de se démerder toute seule avec ses problèmes. »

Si Stephen avait giflé sa sœur, elle n'aurait pas eu l'air plus scandalisée. Sa petite bouche béait, ses yeux s'élargissaient d'étonnement.

Il se tourna vers la porte.

« Autrefois, vois-tu, je croyais que tout était ma faute, que j'étais incapable de la rendre heureuse. Et pendant des années, j'ai traîné cette idée comme un boulet. Et toi, Pam, tu n'as rien fait pour me déculpabiliser, bien au contraire. Maintenant, tu viens de m'ouvrir les yeux. Je suis ravi qu'elle ne s'entende pas bien avec Dave — tu ne peux pas savoir à quel point ça me met du baume au cœur, parce que ça prouve que tout n'a peut-être pas été entièrement ma faute. »

Le trajet du retour, il le fit à tombeau ouvert et quand il claqua derrière lui la porte de son appartement, il se rendit compte qu'il était trempé de sueur. Il alluma une cigarette et se servit à boire. Puis il se dit qu'il valait peut-être mieux appeler Joan avant que Pamela n'ait réussi à lui faire avaler des couleuvres.

Elle fut agréablement surprise de l'avoir au bout du fil et s'empressa de l'inviter à venir manger avec elle.

« Comment ? Tout de suite ?

— Eh bien oui, pourquoi pas ? J'ai de quoi nourrir deux personnes, d'autant plus que j'ai fait de la pâtisserie, aujourd'hui... »

Les retrouvailles furent des plus agréables. Avec Joan Elliott, Stephen pouvait être lui-même. Il se soulagea le cœur en lui parlant de Pam, ajoutant qu'il lui avait dit une fois pour toutes ce qu'il pensait de son ex-épouse.

« Je reconnais bien là Pamela. Il a toujours fallu qu'elle se mêle de tout, même quand elle était petite. Et si on lui en faisait la remarque gentiment, elle ne comprenait pas ; il fallait se fâcher tout rouge. »

Joan poussa un soupir qui en disait long sur l'idée qu'elle se faisait des noirceurs de l'âme humaine.

« Mais ne regrette rien, Stephen, grâce à elle, tu sais à quoi t'en tenir à propos de Ruth. En voilà une que je n'ai jamais portée dans mon cœur. C'était un vrai pot de colle, surtout avec toi. »

Ce jugement le surprit.

« Tu ne m'avais jamais dit ça. »

Elle rit de bon cœur.

« Je n'ai pas l'impression qu'à l'époque mon opinion t'importait beaucoup. De toute façon, tu n'aurais pas apprécié que je te le dise...

— Je ne t'aurais pas crue, reconnut-il. Mais sais-tu que Pam m'a flanqué une frousse de tous les diables en me disant que Ruth m'aimait encore. Mon Dieu, j'ai cru un moment que j'allais encore l'avoir sur le dos. »

Joan le fixa d'un air sceptique.

« A ta place, ce n'est pas ça qui me tracasserait. J'ai l'impression que tu as des sujets de préoccupation beaucoup plus intéressants, ou alors je me trompe complètement.

— Ah bon ? Et lesquels ?

— Eh bien, Zoe, par exemple. »

Évitant de croiser le regard pénétrant de sa tante, Stephen répondit d'une manière très évasive.

« Je ne voudrais pas me mêler de ce qui ne me regarde pas, mon petit, mais s'il y a la moindre dissension entre vous je te conseillerai de tenter le maximum pour que les choses s'arrangent. Je suis sûre qu'elle t'aime et en plus, c'est une fille bien, trop bien pour que tu risques de la perdre à la suite d'une simple querelle d'amoureux.

— Nous ne nous sommes pas disputés.

— Dommage, ça aurait sans doute mieux valu. »

Il eut un sourire un peu amer. Avant qu'il ne s'en aille, elle lui fit une autre remarque qui allait alimenter ses réflexions pendant le trajet du retour. Selon Joan, il était toujours mauvais de garder au fond de soi les sujets de préoccupation que l'on pouvait avoir. Il était toujours préférable d'aborder le problème de front, et de ne jamais hésiter à en parler ouvertement. C'était le meilleur moyen de s'en sortir.

« Mais ça se voit à ce point que j'ai un problème ? »

Elle hocha la tête d'un air entendu.

« Tu n'es pas dans ton assiette, ça saute aux yeux.

— Ah bon. Eh bien, tu as peut-être raison. »

Une fois rentré chez lui, Stephen se servit une généreuse dose de whisky et resta un long moment à fixer le téléphone. Il était déchiré entre le désir désespéré d'entendre la voix de Zoe et la crainte de s'exposer à une souffrance supplémentaire. Et en plus, il était fatigué. Il appellerait peut-être le lendemain.

Il alluma la télévision mais il y avait une émission sur le Golfe, alors il éteignit le poste et alla se coucher. Contrairement à ce qui s'était passé la veille au soir, il s'endormit comme une masse, mais sur le coup de deux heures il se réveilla, tremblant et trempé de sueur. Il avait fait un cauchemar horrible. Il y avait eu une explosion sur le *Damaris*, l'incendie se propageait à une vitesse affolante dans les cabines. L'ancre s'était détachée et le bateau partait à la dérive et se rapprochait de plus en plus d'un autre pétrolier bourré de white spirit...

Les images étaient d'une telle précision que dès qu'il refermait les yeux elles s'imposaient de nouveau à lui. Désespérant de se rendormir, il se força à se lever et alla se préparer du thé. Quand il en eut bu deux tasses, tout en fumant plusieurs cigarettes, il avait enfin réussi à débarrasser son esprit de ces visions horribles.

C'était tout de même curieux, se disait-il, qu'il n'eût jamais eu peur de se noyer alors que la pensée qu'il pouvait mourir dans les flammes continuait de le terrifier. La décision la plus effroyable qu'il eût jamais prise avait été d'envoyer le second et Lecky dans la salle des machines, alors qu'il savait parfaitement à quoi il les exposait. Quelques années plus tôt, il avait fait un stage de lutte contre l'incendie à Liverpool. Après avoir enfilé une combinaison protectrice complétée par un appareil respiratoire, il avait dû pénétrer dans un local plein de flammes et de fumée, et c'est alors qu'il avait vraiment su ce qu'était la peur. Même s'il n'y avait plus que ce métier-là sur la terre, Stephen savait qu'il serait incapable de gagner son pain en éteignant les incendies. Pour rien au monde !

Ce pauvre Jim...

Stephen avait écrit à sa famille, un frère marié habitant à Wallasey, chez qui il allait quand il était en congé. Une tâche difficile, mais heureusement Mac avait aussi proposé d'envoyer une lettre. Naturellement, la compagnie allait verser une indemnité très importante — ils avaient au moins réussi à se mettre d'accord là-dessus au cours de leur réunion à Londres — , mais qu'était-ce que l'argent en échange d'une vie ?

Plus il pensait à ce qui s'était passé au large de Fujairah, plus Stephen était convaincu qu'il avait de la chance d'être encore en vie. Si le feu avait gagné les cabines, il se serait propagé sur tout le navire en un temps record...

Allons, en voilà assez, se dit-il. Tu ferais mieux de retourner te coucher.

La porte de la chambre d'amis était restée entrouverte. En passant devant, Stephen aperçut la vieille malle pleine de livres qui lui rappela que Zoe était actuellement occupée à illustrer un ouvrage dont elle n'avait d'ailleurs guère voulu parler. Par pure curiosité, il eut envie de jeter un coup d'œil à cette vieille édition du *Rubaiyat*, qu'elle avait tant admirée au printemps, quand ils l'avaient trouvée pour la première fois.

Sa beauté le frappa encore bien davantage — à l'époque, il avait eu l'esprit occupé par tout autre chose — , et il voyait maintenant pourquoi elle était si fascinée par ce volume. Il se souvint alors qu'il avait eu l'intention de le lui donner avant de reprendre la mer, mais avait complètement oublié ce projet dans la fièvre du départ pour Teesport. Eh bien, il pouvait encore réparer cette omission. Après tout Zoe avait autant le droit de détenir ce modeste trésor que n'importe quel autre membre de la famille. D'autant qu'elle était peut-être la seule à pouvoir vraiment apprécier sa valeur artistique.

Les illustrations étaient plus déroutantes qu'il ne l'avait d'abord cru et en les examinant, il lut quelques-unes des strophes qui les accompagnaient. Il fut alors frappé par la beauté de ces vers.

Le message qu'ils contenaient lui apparaissait avec une clarté limpide : la vie est courte et la mort toute proche, dépêche-toi de profiter de l'instant, demain il sera trop tard !

Un frisson lui parcourut l'échine. Il fixa longuement ces pages avant de poser doucement le livre.

Ses yeux furent alors attirés par la plus petite des deux malles, vidée de ses lettres maintenant et qui ne contenait plus que quelques objets hétéroclites, de précieux souvenirs rassemblés dans un plateau. Mais il y avait encore autre chose...

Ses doigts touchèrent et soulevèrent des chaussures d'enfant, ouvrirent une vieille enveloppe renfermant des mèches de cheveux enveloppées dans du papier de soie ; dans un petit coffret de cuir, il trouva deux bagues en or et dans un autre, mon Dieu, une broche ornée d'un diamant et d'un saphir !

D'où ce bijou pouvait-il donc provenir ? Stephen s'assit, tenant cette broche entre ses doigts, regardant les rayons lumineux qui scintillaient à travers la poussière. Joan connaissait-elle l'existence de ce bijou ? Il devait valoir... eh bien, une somme considérable. Il le remit en place, médusé, tout en se disant que ce n'était pas cela qu'il était en train de chercher. Et pourtant, il n'avait aucune idée de la nature de l'objet qu'il voulait trouver.

Une fois le plateau vidé, il alla voir au fond de la malle, passant la main avec précaution dans les coins, et se demanda s'il n'y avait pas un compartiment secret. Soudain, en tâtant la doublure de cuir souple, déchirée par endroits, il sentit quelque chose de dur et finit par extraire un étui à cigarettes extraplat. L'argent en était terni et le système d'ouverture bloqué. Mais tout en ignorant ce qu'il pouvait bien y avoir à l'intérieur, Stephen savait que c'était cela qu'il avait cherché.

Insérant l'ongle de son pouce dans la minuscule fente, il réussit à soulever le couvercle et fit tomber deux photographies et une feuille de papier pliée en quatre. Il vit aussi que les initiales de Liam et la date de son vingt-deuxième anniversaire avaient été gravées dans le métal. Il se souvint alors de quelques mots qu'il avait lus dans le journal et conclut qu'il s'agissait là du « *cadeau d'anniversaire donné par G.* ».

Oui, c'était bien elle, se dit Stephen en regardant les photos : Georgina Duncannon, avec ses longs cheveux soyeux ramenés en arrière, mettant en valeur la beauté classique du visage. Elle était vraiment belle, songea-t-il, passant d'une photo à l'autre, comprenant parfaiement l'expression de fierté qui apparaissait dans les yeux de Liam.

Ce n'est qu'au bout d'un moment qu'il se rappela la lettre contenue également dans le porte-cigarettes. Il la déplia, se rendant compte que son cœur battait un peu plus vite. Sans doute parce qu'il s'agissait là d'un message écrit directement à Liam par Georgina, le seul qui existât probablement. Et cette écriture penchée si nette, lui rappelait celle de Zoe.

> *Mon chéri*
>
> *Tu ne peux pas savoir combien tu me manques ! Barton-on-Sea me semble situé aux antipodes, malgré les lettres merveilleuses que tu m'envoies. Tu es vraiment très gentil de m'écrire tous les jours, ça me permet de garder le moral, quand je lis les amusantes descriptions de tes compagnons de convalescence dans ce petit hôtel du bord de mer. Quel dommage que je n'aie pas le temps de t'écrire un peu plus longuement maintenant !*
>
> *Je refuse d'en rejeter la faute sur les malades et le travail qu'ils me donnent, mais tu sais mon chéri comment les choses se passent et pourquoi il en est ainsi. Souviens-toi bien que je t'aime, que mon cœur est plein d'amour pour toi, même*

quand mes mains et mon esprit sont occupés, et que je pense à toi dès qu'on me laisse un peu de répit, surtout pendant ces nuits de solitude.

A bientôt, mon amour, à très bientôt. Nous allons être ensemble d'ici peu, quoi qu'il arrive, et alors ces longues semaines de séparation seront complètement oubliées.

Avec tout mon amour,

G.

Les mots se brouillèrent devant lui. Bouleversé, Stephen baissa la tête, les yeux brûlants, le cœur endolori par la tristesse.

La feuille de papier frémit entre ses doigts, lui envoyant dans tout le corps une série de vibrations ; il y eut soudain dans l'air comme un pressant appel et il leva les yeux, étonné, s'attendant presque à voir Liam debout devant lui, les bras levés dans un geste de supplication, comme il l'avait vu faire tant de fois dans ses rêves.

Pendant une minute peut-être, il resta cloué sur place. Puis, quand l'électricité ambiante se fut atténuée, il hocha lentement la tête pour montrer qu'il avait compris et qu'il acceptait le message.

« D'accord, dit-il à mi-voix. Je ne suis pas complètement stupide. Je sais ce que tu essaies de me dire. D'ailleurs, j'avais déjà trouvé tout seul, figure-toi. »

Il replia la fragile feuille de papier et la remit à sa place, avec les deux photographies. Il s'habilla à la hâte et empila quelques vêtements de rechange dans un sac de voyage sans pratiquement jamais quitter des yeux l'étui à cigarettes qu'il avait posé sur son lit.

Quand il fut prêt à partir, il le glissa dans la poche poitrine de sa chemise, saisit un pull-over bien chaud et descendit au garage.

CHAPITRE XXXIV

Il s'arrêta une fois sur l'autoroute pour prendre de l'essence et arriva aux abords de Londres juste au moment où le soleil se levait. La fin de la nuit avait été très belle et très sèche avec une circulation très fluide et il ne se rappelait pas avoir jamais éprouvé autant de plaisir à rouler. Sur une chaussée bien dégagée, la Jaguar se comportait aussi bien que l'on pouvait s'y attendre. Ayant aperçu deux voitures de police avant qu'elles n'aient eu le temps de le voir, il avait immédiatement levé le pied de l'accélérateur pour faire revenir le compteur à 150 aussitôt l'alerte passée.

La seule question qui le hantait était de savoir si Zoe serait encore chez elle. Se frayant un chemin dans les rues de Londres déjà passablement encombrées, il priait pour que la colère ou la tristesse ne l'aient pas incitée à abandonner l'appartement pour aller demander l'hospitalité à sa mère dans le Sussex ou, pire encore, s'installer chez des amis en un endroit dont il n'avait aucune idée.

Son angoisse augmentait de minute en minute et il se maudissait de n'avoir pas téléphoné la veille au soir. Et puis, il commença à se demander où il allait pouvoir garer la voiture mais au moment où il s'engagea dans Queen's Gate, il vit un habitant du

771

quartier qui démarrait et prit immédiatement la place ainsi libérée. Évidemment, ce comportement cavalier ne manquerait pas de lui attirer des ennuis tôt ou tard mais pour l'instant c'était bien là le cadet de ses soucis[1].

Il mit pied à terre, s'étira, fléchit ses longues jambes, et regarda longuement la fenêtre de Zoe. Puis, s'emplissant bien les poumons, il traversa la chaussée. Arrivé devant les marches du perron il eut une brève hésitation mais il pensa à Liam et mit le doigt sur la sonnette.

Le bourdonnement retentit dans l'appartement de Zoe et se répéta à intervalles irréguliers pendant plus d'une minute, jusqu'au moment où elle s'aperçut qu'il s'agissait d'un bruit réel et non d'un rêve. Enfilant un peignoir bleu pâle, sans manches, qui lui arrivait au ras des genoux, elle se dirigea d'un pas mal assuré jusqu'à l'interphone du vestibule en se demandant pourquoi le facteur sonnait constamment quand il avait besoin de laisser un paquet.

« Oui ?

— Zoe ? C'est moi, Stephen. »

Stephen ? Mais quelle heure était-il donc ? Et que faisait-il là ?

« Zoe, écoute, je te demande pardon de m'être comporté comme un imbécile l'autre jour. Peux-tu me laisser entrer pour que nous parlions tous les deux ?

— Oh, oui ! Pousse la porte. »

Elle appuya sur le bouton pendant une seconde ou deux afin de lui laisser le temps de pénétrer dans le hall du rez-de-chaussée, puis secoua la tête comme pour s'éclaircir les idées. La panique montait en elle.

1. Dans les quartiers résidentiels des villes anglaises, les places de .parking sont réservées aux riverains (N.d.T.).

Elle courut à la salle de bain, attrapa le dentifrice et se brossa furieusement les dents tout en contemplant l'image désastreuse que lui renvoyait son miroir. Le mascara de la veille lui avait coulé sous les yeux et ses cheveux ressemblaient à une haie mal taillée...

Elle s'était débarbouillée et sa brosse était en train de démêler les dernières mèches quand il frappa à la porte. Des yeux gris, tout effarés, dans un visage luisant comme une pomme la fixèrent derrière le miroir. Elle avait tout de la collégienne bien proprette, mais tant pis, il faudrait s'en contenter.

Elle aurait préféré retrouver l'attitude nonchalante, détachée des choses de ce monde, qu'elle s'était donnée la veille et l'avant-veille, mais elle en était bien incapable maintenant. Son cœur battait à tout rompre et, par-dessus le marché, elle était trop heureuse pour se composer un personnage.

Dès qu'elle le vit, grand et bronzé, légèrement chiffonné par le trajet en voiture, tous ses états d'âme s'envolèrent. Elle avait voulu le haïr mais dans son cœur il n'y avait plus que de l'amour.

Les yeux que Stephen fixait sur elle, avec leurs longs cils et leur bleu si éclatant, exprimaient une profonde tendresse tout en laissant transparaître un certain embarras.

« Tu me pardonnes ? » murmura-t-il.

Mais Zoe était trop bouleversée pour parler. Elle aurait voulu dire qu'elle s'excusait elle aussi, mais ne put rien faire d'autre que hocher la tête et le laisser entrer. La porte se referma toute seule.

Profitant des instants de répit qu'elle pouvait avoir entre les baisers, les soupirs et les petits gloussements joyeux, elle réussit à lui dire qu'elle avait essayé plusieurs fois de lui téléphoner la veille, et lui, faisant aller sa bouche des yeux aux lèvres puis à la base du cou, réussit à lui expliquer où il avait été.

« Et puis je me suis réveillé à deux heures du matin, et je n'ai pas pu me rendormir, tellement je pensais à toi et... »

Il était revenu à ses lèvres, sur lesquelles il s'attarda longuement.

« ... il m'est alors apparu qu'il fallait que je te voie. Au téléphone, il m'aurait été impossible de te dire à quel point je t'aime... J'ai essayé deux fois, et je n'ai jamais pu... »

Zoe n'en croyait pas ses oreilles. Elle eut un petit sourire incrédule et leva les yeux vers lui.

« Qu'est-ce que tu as dit, là ? »

Le visage empreint d'une grande gravité, il annonça :

« Je t'aime, Zoe. Veux-tu m'épouser ? »

Elle eut l'impression que des bulles de joie explosaient en elle ; son sourire s'élargit, s'installa pour l'éternité. En riant, elle dit :

« Tu es vraiment *incroyable* ! Après tout ce que tu m'as fait subir, tu te pointes à sept heures du matin, alors que je ne suis même pas réveillée, et tu me demandes de t'épouser. Je devrais dire que non et te jeter à la porte.

— Et c'est ce que tu vas faire ? »

Elle secoua la tête.

« Je t'aime. »

Pendant un long moment elle le regarda, partagée entre le désir de l'embrasser et celui de lui rendre une partie de la souffrance qu'elle avait endurée pendant ces deux derniers jours. Mais ce fut le baiser qui l'emporta, d'une courte longueur. Il fut farouche, intense et passionné.

« Assez pour m'épouser ?

— Oh, plus qu'assez, murmura-t-elle, toute trace de colère enfin dissipée. Et ça ne date pas d'hier, bien au contraire ! »

Elle regarda ses yeux et sa bouche et resta interloquée : la ressemblance avec Liam était stupéfiante. Et il avait la même façon de la tenir que Liam, l'autre jour, à Wandsworth.

La voyant frissonner, Stephen hésita, comme s'il avait perçu quelque chose de bizarre lui aussi. Ses yeux scrutèrent le visage de Zoe, puis, très tendrement, il suivit du bout de l'index le contour de sa bouche.

« Moi aussi, je t'aime depuis longtemps, dit-il d'une voix à peine perceptible, depuis le jour où je t'ai vue pour la première fois, le soir où il y avait du brouillard. Ah ! si seulement j'avais pu m'en apercevoir tout de suite... ! »

Ces paroles ne firent que l'associer à Liam encore davantage. Elle répondit d'un air préoccupé, tandis que de minuscules vibrations la parcouraient à chaque mouvement qu'il faisait avec ses mains.

« C'était écrit, vois-tu. Notre rencontre, tout ce qui s'est passé ensuite...

— Oui », murmura-t-elle.

Elle avait envie de lui, besoin de lui et un peu peur aussi de ce qui allait se produire. Leurs lèvres se joignirent avec une tendresse qui s'embrasa bien vite en passion ; au contact de sa langue, elle eut l'impression qu'une pluie d'étoiles filantes enflammait le ciel nocturne et elle s'accrocha à son cou quand il la souleva pour l'emporter vers le lit défait.

Étourdie de bonheur, elle le regarda se déshabiller tandis que du bout des doigts elle dégrafait des boutons minuscules, si bien qu'elle fut bientôt nue elle aussi, tendant les bras vers lui dès qu'il fut à sa portée. Elle pressa son visage contre lui, le couvrit de baisers, ravie de l'entendre pousser des petits gémissements à chaque contact de ses lèvres. Il tremblait et elle tremblait aussi, car les pulsations qui se produisaient en eux à chaque fois qu'ils se touchaient faisaient naître des délices à peine supportables.

Avec une délicatesse infinie, il l'inclina en arrière et lentement, comme s'il s'agissait d'un rituel, il pénétra en elle d'un mouvement si doux qu'elle eut l'impression que c'était une caresse légère qui se prolongeait.

Il imprima à son corps des mouvements à peine perceptibles d'abord, qui s'amplifièrent peu à peu, et elle poussa des soupirs et des gémissements de plaisir, l'âme dilatée, partant à la dérive sur un océan d'ivresse. Elle entendait sa propre voix et celle de Stephen qui dominaient le bruit des battements de son cœur. Une force irrésistible l'emportait dans la nuit, au milieu des étoiles ; la nuit et les étoiles de Liam.

Elle était soulevée, hissée, brisée dans une immense cascade de lumières étincelantes. Et puis jaillit soudain un long cri qui ne pouvait pas venir d'elle, tant il paraissait lointain...

Et ce fut le calme qui suit la tempête et ils restèrent blottis l'un contre l'autre comme deux naufragés, incapables de parler, abasourdis, tout juste conscients d'être encore en vie et de se trouver ensemble, le temps et l'espace complètement abolis. Le moindre mouvement paraissait une torture, le simple fait de respirer leur causait une souffrance. Ils avaient l'impression d'être baignés par une lumière brûlante dans un silence et une immobilité marqués par la toute-puissance de Liam.

Pourtant, peu à peu, l'emprise de cette présence s'éloigna et quand elle eut disparu, les larmes jaillirent des yeux de Zoe, muettes d'abord, puis suivies de sanglots convulsifs qu'elle était incapable de maîtriser. Stephen se mit alors à la bercer comme une enfant, murmurant des paroles de consolation, les lèvres enfouies dans ses cheveux.

« Je sais, je sais... ma chérie, je sais. »

Il couvrit de baisers ses joues humides, ses lèvres

au goût salé. Il savait pourquoi elle était si bouleversée parce que, lui aussi, il avait ressenti la même chose.

Une chose dont ils n'avaient guère envie de parler ni l'un ni l'autre, au début surtout. De tels mots leur auraient fait l'effet d'une véritable profanation, mais dans la façon dont ils se regardaient, dont ils se touchaient, ils sentaient la permanence de cette présence.

Au cours des deux jours qui suivirent, Stephen n'y fit allusion qu'une seule fois, juste après avoir fait l'amour avec elle.

« Ç'a été très bon, dit-il à mi-voix, le regard éclairé par un sourire, mais ça ne m'a pas fait un effet à tout casser. Et je crois que c'est ce que je préfère. »

C'était vrai. Certes, l'exaltation n'avait pas été totalement absente, mais en atteignant l'extase l'un et l'autre ils avaient eu le sentiment de ne pas être seuls. Stephen, en tout cas, aurait pu le jurer. Jamais encore, dans toute son existence, il n'avait éprouvé une telle impression. C'était comme si quelqu'un leur dictait chacun de leurs mouvements. Tout paraissait avoir été orchestré comme une symphonie qui aurait été jouée bien des fois auparavant.

Stephen ne prétendait pas comprendre ce qui se passait. D'ailleurs ce n'était pas quelque chose qui le tourmentait vraiment, bien que cette pensée fût rarement absente de son esprit. Et il soupçonnait Zoe d'y songer souvent elle aussi.

Pourtant, ils avaient bien d'autres sujets de conversation et ils ne cessaient pratiquement jamais d'égrener leurs souvenirs, de parler de leurs découvertes, des recherches effectuées par Zoe, de la famille Elliott et des problèmes de Stephen dans le Golfe. Dès qu'ils eurent abordé pour de bon ce sujet, il se rendit compte qu'il lui était beaucoup plus facile qu'il ne l'avait cru d'en parler et d'établir entre sa propre expérience et celle que Liam avait vécue pendant la Première Guerre mondiale un parallèle qui lui permettait de voir les choses sous leur jour véritable.

Il s'aperçut que Zoe n'était pas dénuée de sens pratique et qu'elle manifestait pour le métier qu'il faisait un intérêt qui ne manqua pas de le rassurer. S'il était amené à repartir en mer un jour, il était certain qu'elle ne craquerait pas à la moindre anicroche. Le Golfe, pour elle comme pour lui, avait constitué une sorte de baptême du feu ; le fait qu'elle en était sortie indemne prouvait qu'elle était maintenant capable de résister à n'importe quelle épreuve.

Elle eut tout de même suffisamment d'honnêteté pour reconnaître qu'elle avait passé des moments terriblement angoissants au cours de ces affreuses semaines et il admit qu'il avait eu tort de ne pas lui dire ce qu'il avait ressenti. Mais dès lors que leurs relations se fondaient sur l'amour et la confiance réciproques, ils n'avaient plus aucune raison de faire preuve d'une fierté mal placée.

« Pas plus l'un que l'autre », lui avait-il dit avec beaucoup de tendresse.

Un jour où ils se promenaient dans les jardins de Kensington, il lança, incidemment, l'idée que Zoe pourrait peut-être l'accompagner dans ses voyages. Non point dans le Golfe : il avait déjà donné et s'était empressé de prévenir la compagnie qu'il refuserait d'y retourner. Il expliqua tout de même à Zoe que la vie en mer n'avait rien de commun avec celle qu'elle menait à Londres.

Elle leva sur lui un regard brillant.

« Tu parles sérieusement ? Je pourrais vraiment partir avec toi ? »

Stephen éclata de rire.

« Bien entendu. Toutes les fois que tu voudrais.

— Mais je croyais... tu ne m'as pas dit un jour que tu avais l'intention d'abandonner. »

Il la fixa d'un air grave.

« Si tu me le demandais, je le ferais sans hésiter... »

Elle le serra très fort contre lui en faisant non de la tête.

« Je n'ai pas besoin d'un sacrifice de ce genre. C'est toi que je veux et ton travail fait partie de toi, de même que le mien fait partie de moi... Il suffit simplement que nous puissions le faire ensemble.

— Je suppose que tu peux emporter ton travail avec toi ?

— Sans problème », répondit-elle avec ferveur.

C'est seulement en rentrant à Queen's Gate cet après-midi-là que Stephen se souvint des objets qu'il avait rapportés d'York. Il lui donna d'abord l'exemplaire illustré du *Rubaiyat,* et rien qu'à voir ses yeux émerveillés quand elle l'ouvrit, il comprit qu'il n'aurait pas pu lui faire un plus magnifique cadeau. Elle se mit aussitôt à lui parler du travail qu'elle avait entrepris, lui montra les dessins déjà terminés et expliqua le symbolisme et les idées qui avaient inspiré chacune des illustrations.

Stephen était fasciné. Il ne connaissait pratiquement rien à l'art mais l'enthousiasme de Zoe le gagna et la discussion se prolongea tout le temps qu'elle prépara le dîner.

Le repas fut très frugal, mais ils avaient déjeuné au restaurant le midi et ils préféraient passer la soirée en tête à tête. Quand ils se furent installés sous la lampe, à la nuit tombée, Stephen versa à boire et alluma une cigarette. Puis il sortit de sa poche le petit étui en argent. En le tendant à Zoe il se dit, non sans amusement, que le cadeau de Georgina avait finalement réintégré l'appartement qu'elle avait autrefois occupé.

« Je ne l'ai pas nettoyé et il est difficile à ouvrir mais je préfère que tu essaies toi-même... »

Elle prit un air intrigué, et pendant qu'elle cherchait un moyen de faire jouer le ressort, il lui dit où il l'avait trouvé et pourquoi il avait eu la certitude que c'était de ce côté qu'il fallait chercher.

« Manifestement, c'est quelqu'un qui l'avait caché là. Probablement Louisa, à moins que ce ne soit Sarah elle-même.

— Oh, ça m'étonnerait, Stephen. Il y avait des années et des années que personne n'avait touché à ces lettres. La seule chose que Sarah ait pu faire, c'est y joindre celles qu'elle a reçues par la suite, tu sais bien, Robin lui a écrit aussi pendant la guerre. Je ne pense pas qu'elle se soit souciée de savoir ce qu'il y avait dans les autres... »

L'étui d'argent s'ouvrit soudain et son contenu s'éparpilla sur les genoux de Zoe. Comme lui quelques jours plus tôt, elle regarda d'abord les photos et en voyant celle où Liam et Georgina se trouvaient côte à côte, elle eut un petit sourire triste et compatissant.

« Tous les deux ensemble, murmura-t-elle. Ça ne me surprend pas du tout, et toi ? »

Il secoua négativement la tête, incapable de parler, repoussant tendrement une mèche qui était tombée sur le visage de Zoe. Elle fixa longuement la photo avant de déplier la feuille de papier bon marché sur laquelle Georgina avait tracé les quelques lignes destinées à Liam. Pendant un long moment, elle resta silencieuse.

Voyant les larmes qui coulaient de ses yeux, Stephen l'attira contre lui.

« Tu sais, murmura-t-il, j'aurais très bien pu écrire exactement la même chose, pendant que j'étais loin de toi. Je regrette de ne pas l'avoir fait. C'est exactement ce que je ressentais moi-même. »

Ils demeurèrent serrés l'un près de l'autre, et Zoe pleura un peu. Quand elle fut un peu plus calme elle dit :

« Finalement, nous avions vu juste, n'est-ce pas ? Ils étaient beaucoup plus l'un pour l'autre que de simples frère et sœur. Je comprends pourquoi Louisa a voulu cacher cette pièce à conviction.

— Ce qui m'étonne, c'est qu'elle ne l'ait pas détruite, dit-il en essayant d'imaginer le choc qu'elle avait sans doute éprouvé.

— Elle avait dû pressentir la vérité. Peut-être se jugeait-elle coupable...

— Peut-être, en effet. Nous ne le saurons jamais. »

Ils restèrent un long moment perdus dans leurs pensées. Nulle part, à aucune époque, Liam et Georgina n'auraient eu la moindre chance de vivre heureux. Leur amour était condamné irrémédiablement, dès le départ.

« Et tout ça à cause du hasard de leur naissance, dit Zoe d'un air pensif.

— C'est Robert et Louisa qui n'ont pas eu de chance. S'il n'avait pas été marié, ou alors s'ils ne s'étaient jamais rencontrés...

— Tu sais, soupira-t-elle, s'ils ne s'étaient jamais rencontrés, nous ne serions pas ici, tu ne crois pas ? »

Cette réflexion suscita en lui un sentiment étrange, qui ne fit que renforcer un soupçon qu'il avait déjà conçu : son destin n'était-il pas lié à celui de Robert Duncannon, tout autant qu'à celui de Liam ? Et la relation qu'il avait avec Zoe maintenant n'était-elle pas une juste compensation accordée à la famille dans la mesure où Robert, même après la mort d'Edward, n'avait pu épouser Louisa sans doute à cause des amours illicites de Liam et de Georgina ?

Zoe avait dû orienter ses pensées dans la même direction, car elle dit soudain :

« Robert serait mort en 1923, selon toi, six ans après le décès d'Edward. Il aurait donc très bien pu épouser Louisa. Qu'est-ce qui l'en a empêché ? »

Stephen désigna la lettre de Georgina.

« Ça me paraît assez évident, répondit-il. Imagine que je sois marié et dans l'impossibilité d'obtenir le divorce. Nous nous rencontrons, nous nous aimons et nous devenons amants. Pendant un bon moment, nous filons un bonheur parfait, mais je suis constamment obligé de m'absenter à cause de mon travail, si bien qu'au bout de quelques années, les choses commencent à se gâter. Et finalement, nous partons chacun de notre côté. Comme Louisa, tu épouses le cousin qui t'a toujours aimée et il élève comme les siens les trois enfants que tu as eus de moi. Et voilà que, des années plus tard, *notre* fils aîné et *ma* fille se rencontrent et tombent amoureux l'un de l'autre... »

Stephen n'acheva pas tout de suite, regardant l'aversion qui montait dans les yeux de Zoe.

« Naturellement, nous éprouverions un terrible sentiment de culpabilité. Nous nous dirions que nous n'aurions jamais dû nous aimer, et le poids de cette faute suffirait pour nous obliger à renoncer à tout projet d'union. »

Comme elle détournait son regard, il lui toucha la joue du bout des doigts.

« Voilà qui peut nous aider à comprendre, dit-il, pourquoi le reste de la famille a toujours voulu ignorer les Duncannon. »

Il s'éveilla de bonne heure le lendemain matin, et pensa de nouveau à Robert et aux années qu'il avait passées dans cet appartement. Dans la demi-obscurité, les meubles victoriens et les corniches au dessin compliqué entretenaient l'illusion que bien peu de chose avait changé depuis lors. D'ailleurs le monde n'était-il pas toujours agité des mêmes convulsions ? Et si l'on songeait à ce qu'était la situation en Irlande, on voyait tout de suite que le prétendu progrès n'était rien de plus qu'une bien superficielle couche de peinture sur le vieux rafiot rouillé de la nature humaine, lequel bourlinguait toujours sur les mêmes océans qu'autrefois.

En relisant les lettres écrites par Robert après le soulèvement de Dublin, le jour de Pâques, et au cours des terribles représailles opérées par la troupe, il s'était rendu compte que le colonel avait perdu tout espoir en un règlement pacifique de la crise. Et quand les forces de la répression avaient débarqué dans l'île, Robert avait donné sa démission, partageant ensuite son temps entre Dublin, Waterford et York.

S'était-il livré à des activités antibritanniques ? Cela paraissait improbable. Il s'était sans doute contenté de fermer les yeux de temps en temps ou de garder pour lui certaines informations qui auraient pu être précieuses pour le War Office.

Au cours de l'été 1921, il était parti sur le continent pendant deux mois, en voiture, pour aller visiter les anciens champs de bataille, et il avait envoyé à Louisa des lettres et des cartes postales de tous les endroits mentionnés par ses fils dans leur correspondance. Pour cet homme qui avait été décoré deux fois pour sa bravoure au Soudan et en Afrique du Sud et à qui on avait interdit de participer aux opérations en Europe, c'était là un moyen de prendre une sorte de revanche sur le destin et de mieux comprendre les circonstances dans lesquelles son fils aîné avait trouvé la mort.

Et vers la fin de l'année suivante, il était parti sur les traces de Georgina, en Égypte d'abord puis en Australie.

C'est en pensant à Georgina que Stephen regarda

Zoe qui dormait toujours. Il la contempla un long moment, le cœur empli d'une tendresse et d'un amour allant beaucoup plus loin que le simple désir sexuel qui les avait d'abord attirés l'un vers l'autre. D'ailleurs, avec le recul du temps, il se rendait compte que dès les premiers jours il y avait déjà eu autre chose, une sympathie et une compréhension mutuelles qui ne pouvaient être inspirées que par le sentiment de partager un sang et un héritage communs. Et c'est ce qui leur avait permis, d'emblée, de connaître une relation aussi profonde et aussi désintéressée. Ce qu'il voulait par-dessus tout, c'était le bonheur de Zoe, son bonheur et sa sécurité. Et il savait qu'il en avait été de même pour Liam à l'égard de Georgina.

Après le petit déjeuner, Zoe mit de côté les lettres de Robert qui avaient occupé leur attention la veille au soir et montra à Stephen celles qui avaient été écrites par Georgina. Il y avait d'abord un court message de condoléances posté au Caire environ un mois après la mort de Liam, et malgré la sobriété des phrases on sentait à quel point cette nouvelle lui avait brisé le cœur. Quelle n'avait pas dû être la souffrance de cette jeune femme, exilée loin des siens, et qui n'avait même pas la consolation de pouvoir pleurer avec ceux qui avaient aimé le cher disparu ni de revendiquer une sympathie dont elle avait pourtant le plus grand besoin.

Mais cette lettre bouleversante n'était pas la première qu'elle avait envoyée d'Égypte. Peu de temps après son arrivée dans ce pays, elle avait décrit l'étrange atmosphère qui régnait au Caire et l'impression favorable qu'elle avait éprouvée au spectacle de ces souks où l'on était constamment tenté d'acheter des objets dont on n'avait nul besoin. Et elle avait été également sensible à la splendeur de ces palais convertis en hôpitaux où elle passait la quasi-totalité de ses journées.

> *Tant qu'il y a de l'ombre où je puisse me réfugier*, écrivait-elle, *je trouve la chaleur plutôt agréable. Une fois le travail terminé, je peux me chauffer au-dehors, comme un chat, et je ne me souviens pas d'avoir jamais éprouvé une sensation aussi reposante.*

Évidemment, comparée à ce qu'elle avait vécu à Londres, York et Dublin, l'existence qu'elle menait au Caire ne pouvait que la combler et les premiers mois passés en Égypte avaient dû lui paraître comme un baume sur les souffrances causées par la séparation d'avec Liam.

D'ailleurs, n'avait-elle pas un peu l'impression d'être encore avec lui quand elle parlait de l'immensité du désert et de l'étrange beauté des pyramides au crépuscule ? L'être aimé était en France mais son souvenir hantait encore ces lieux.

Dans un post-scriptum, elle signalait qu'un ami de Liam, Lewis Maddox, de Dandenong, lui avait récemment causé une grande surprise en venant se présenter à elle.

> *... J'ai commencé par trouver la coïncidence bien étrange jusqu'au moment où il m'a dit qu'il avait reçu une lettre de son vieil ami Bill — c'est ainsi qu'il appelle Liam — , lui demandant d'entrer en contact avec moi. J'ai beaucoup apprécié cette démarche et nous avons passé une heure très agréable à parler de Dandenong et de notre ami commun...*

Cette missive était datée du mois d'août et après la lettre de condoléances d'octobre, il n'y eut rien d'autre jusqu'au mois de juin 1922. C'est alors qu'elle écrivit à Louisa pour lui demander d'accompagner Robert Duncannon qui venait en Australie pour les vacances.

... Je serais tellement heureuse de te revoir, Louisa, ne serait-ce que pour parler comme nous le faisions autrefois. Il me semble que le moment est venu de tirer un trait sur le passé — du moins sur ce qu'il peut nous rappeler de plus triste — , pour tenter de nous préparer un avenir meilleur. C'est ce que j'essaie de faire depuis quelques années déjà.

Liam n'a pas été oublié et ici, à Dandenong, tu serais surprise et touchée de voir avec quelle dévotion ses vieux amis parlent encore de lui. Il ne s'agit nullement d'un culte morbide mais d'un profond sentiment de respect pour tous ceux qui ont illustré le nom de l'Australie dans le monde, en particulier à Gallipoli.

J'ai trouvé dans ces témoignages un réconfort précieux et durable qui ne peut que renforcer encore davantage le bonheur que j'éprouve à m'être fixée dans ce pays. Il n'y avait plus rien pour moi, ni en Angleterre ni en Irlande, et l'instinct qui m'a poussée à venir ici pour voir ce qui avait séduit Liam était beaucoup plus puissant que j'aurais jamais pu le croire. Une sorte de nécessité intérieure m'y contraignait et je n'ai jamais eu à le regretter.

Lewis, arguant du fait que c'était Liam qui nous avait permis de nous connaître, n'a de cesse que je lui accorde ma main. Il m'avait déjà demandé de l'épouser il y a bien longtemps — avant de quitter l'Égypte, en fait. Mais en ce temps-là, je ne pouvais pas lui répondre. Je suis certaine que tu comprends pourquoi. Fort heu-

reusement, Lewis n'a pas attribué mon refus aux blessures qu'il avait reçues à Beersheba. Il sait bien qu'elles ne peuvent pas être un obstacle pour quelqu'un qui a une aussi longue expérience que moi du métier d'infirmière. Grâce à une volonté et une détermination sans faille, il a tout de même réussi à opérer une guérison beaucoup plus complète que ce que l'on pouvait espérer et je crois que nous nous connaissons maintenant suffisamment pour avoir la certitude de pouvoir vivre heureux ensemble. Naturellement, nous n'aurons jamais d'enfants, mais c'est pour moi beaucoup plus un soulagement qu'une source de tristesse, d'autant qu'il y a déjà dans la ferme suffisamment de petits neveux et de petites nièces, de charmants bambins qui font notre bonheur à tous les deux.

Son frère aîné a combattu en France, avec le 5e bataillon, et il est rentré au pays quelque temps après Lewis, physiquement indemne mais peu enclin à supporter la compagnie des autres. Il habite dans sa famille à Warragul, mais les enfants sont souvent confiés à la garde de leurs grands-parents, ce qui me permet de bien les connaître. La sœur de Lewis est veuve et elle habite ici avec ses trois enfants, si bien que nous formons une véritable communauté, qui ne sera que davantage soudée quand nous nous serons installés dans la maison que nous faisons construire près de l'ancienne ferme.

Mary — tu te souviens sans doute que Liam nous avait parlé d'elle dans ses lettres — s'est mariée et vit maintenant à Sydney. Nous nous étions liées d'amitié au moment où je travaillais avec elle à Melbourne, mais elle parlait rarement de Ned. Lewis, lui, en parle très souvent, ainsi que de Liam, bien entendu, dont le nom revient fréquemment dans nos conversations.

Je crois que tu aimerais beaucoup Lewis, il est très franc, très ouvert, et il aime beaucoup faire pousser les plantes. Trop, sans doute, pour réussir vraiment dans la profession d'agriculteur, mais heureusement en ce moment, il écoute davantage son père, contrairement à ce qui se passait autrefois.

Ses parents sont des gens très gentils et honnêtes, et ils m'ont adoptée tout de suite. Je sais que mon père a hâte de faire leur connaissance à cause de la générosité dont ils ont fait preuve envers Liam avant la guerre et de leur gentillesse à mon égard maintenant.

J'aimerais beaucoup que tu viennes aussi, Louisa, ça te ferait tellement de bien ! Ce séjour en Australie serait pour toi un merveilleux moyen d'évasion.

Si tu n'envisages pas de faire ce voyage, j'espère que ce ne sera pas parce que tu continues de me reprocher — ou de te reprocher — ce qui s'est passé. Je pense que nous nous sommes tous suffisamment punis. D'ailleurs toutes les larmes du monde ne suffiront jamais pour le faire revenir, ni pour effacer le souvenir de la situation dans laquelle nous nous sommes trouvés.

Écris-moi, je t'en prie, et dis-moi que tu comprends. C'est la seule bénédiction dont j'aie besoin avant mon mariage avec Lewis.

Sois bien assurée de ma tendresse et de mon affection,

Georgina.

Une telle lettre ne pouvait laisser indifférente une femme dont l'existence avait été marquée du sceau du malheur et de la tragédie et elle avait dû susciter une réponse pleine de compréhension car Georgina avait écrit une nouvelle fois, remerciant Louisa de sa générosité tout en exprimant son regret d'apprendre qu'elle ne pourrait se rendre à Dandenong.

Bien que Louisa eût apparemment invoqué pour excuse l'inquiétude que lui causait la santé incertaine de Robin, Zoe pensait que ce refus était surtout motivé par l'embarras. Car Louisa n'était pas mariée à Robert Duncannon et elle ne tenait certainement pas à s'afficher en compagnie du colonel, que les Maddox soient au courant ou non de leurs relations passées. Et elle devait hésiter aussi à s'exposer aux questions concernant les rapports qui avaient pu s'établir entre son fils et la fille de Robert.

Donc Robert était parti seul. D'après les lettres qu'il écrivit alors à Louisa, il apparaissait qu'il comptait s'absenter pour une période d'environ six mois. La date du mariage avait été fixée au début janvier 1923 et sa dernière missive contenait une description fort circonstanciée de la modeste cérémonie, qui s'était déroulée à Dandenong, et une longue liste d'éloges décernés à la famille Maddox et à son gendre, en particulier. Lewis avait servi dans la cavalerie, il s'était battu avec les forces australiennes en Égypte et en Palestine, il y avait là de quoi fournir aux deux hommes de passionnants sujets de conversation. Son enthousiasme laissait transparaître la joie d'un père comblé par le bonheur de sa fille et plein d'espoir pour l'avenir.

Il devait mourir trois semaines plus tard, d'une attaque d'apoplexie foudroyante, alors qu'il se promenait à cheval avec Lewis.

CHAPITRE XXXV

Il y avait eu une lettre de Lewis Maddox, écrite d'une main ferme et vigoureuse, mais Georgina, apparemment, avait gardé le silence pendant plusieurs mois. La mort de son père avait dû la bouleverser.

En se fiant à son expérience personnelle, Stephen parvenait très bien à imaginer les effets de ce second coup du sort : maintenant, Georgina pouvait donner libre cours à la stupéfaction et au chagrin qu'elle n'avait pu exprimer après la mort de Liam.

« D'ailleurs, renchérit Zoe, pendant la guerre il aurait été mal vu pour une infirmière entourée de mourants de s'apitoyer sur son sort ; il fallait se raidir et aller de l'avant, comme si rien ne s'était passé. »

Elle secoua la tête d'un air exaspéré et reprit :

« Seulement là, elle a dû s'effondrer complètement à la mort de Robert. Elle lui vouait un véritable culte, n'est-ce pas ? Et tous ses chagrins s'étaient accumulés, avec ses cousins tués à la guerre les uns après les autres, sans parler de la mort de Liam.

— La pauvre ! murmura Stephen, en serrant Zoe contre lui.

— Oui. Heureusement, elle n'était pas seule. Il m'a l'air très bien, ce garçon qu'elle a épousé.

— Comme tout le reste de la famille, d'ailleurs. »

Il regarda un moment la correspondance postée en Australie et se rappela quelque chose que sa tante avait dit plusieurs mois plus tôt.

« Tu te souviens ? D'après Joan, Louisa a reçu des lettres d'Australie pratiquement jusqu'à la fin. Elle était restée en contact avec les gens chez qui Liam avait travaillé avant la guerre. Sur le coup, je n'y ai pas prêté attention parce que...

— Parce qu'à l'époque nous ne savions rien de Georgina, interrompit Zoe. Mais ensuite, elle a dit...

— ... Que Sarah, sa mère, n'avait pas récrit après la mort de Louisa ; elle n'était pas du genre à se passionner pour ce genre de correspondance. »

Zoe ne put s'empêcher de rire.

« De toute façon, Sarah n'a pas dû connaître Georgina. Oui, je sais, elles se sont peut-être rencontrées une fois ou deux, mais c'est tout. D'autant que Georgina était en Égypte quand elle s'est mariée avec Robin.

— Et je ne pense pas que Sarah ait su ce qui s'était passé entre Georgina et Liam. Louisa n'a pas dû le chanter sur les toits, n'est-ce pas ?

— Non, bien sûr. »

Après avoir réfléchi un moment, Zoe ajouta :

« A mon avis, Sarah ne devait pas tenir à avoir des relations avec les Duncannon. La mort de Robert l'a certainement beaucoup soulagée. Quant à Georgina, elle était trop loin pour causer la moindre gêne. Je comprends maintenant la répugnance qu'elle éprouvait à parler de cette moitié de la famille.

— Et Louisa n'était pas non plus tellement à même de se lancer dans de grandes explications là-dessus auprès de mon père et de sa sœur Joan, ajouta Stephen, surtout quand ils étaient encore jeunes. »

Ils restèrent un moment plongés dans leurs pensées. Bien qu'il y eût fort peu de chances pour que Georgina fût encore en vie, Zoe était persuadée qu'il devait encore y avoir quelqu'un en Australie qui se souvenait de l'avoir connue.

« C'est bizarre, dit-elle soudain. Elle n'a pas vécu plus de deux ans dans cet appartement et pourtant il me semble qu'elle y a laissé une empreinte encore perceptible. D'ailleurs, elle m'a accueillie le jour où je suis venue ici pour la première fois. J'en ai la certitude. »

En voyant son expression rêveuse, Stephen ne put s'empêcher de sourire.

« Toi, tu as une idée qui te trotte dans la tête. On peut savoir quoi ?

— Non, rien de précis », dit-elle.

Pourtant, un instant après, le voyant remettre les lettres dans leurs enveloppes, elle dit :

« Tu sais, je crois que je pourrais essayer de leur écrire...

— A qui ?

— Aux Maddox. Il y a eu une flopée d'enfants et je suis sûre qu'il y a encore quelqu'un qui s'occupe de cette ferme. »

Stephen n'avait pas l'air convaincu.

« Écoute, la dernière fois que je suis allé à Melbourne, il y a une vingtaine d'années, le secteur était en pleine urbanisation. Les gens qui étaient propriétaires de la ferme des Maddox ont dû s'empresser de vendre. Il y avait une fortune à gagner. Tout ce coin a dû devenir une zone résidentielle.

— Oh, ne sois pas aussi défaitiste ! Dandenong est à des kilomètres de Melbourne...

— Ce n'est pas si loin...

— Et de toute façon, continua-t-elle après lui avoir fermé la bouche d'un baiser, qui ne risque rien n'a rien. Regarde ce qui s'est passé quand j'ai écrit aux cinquante-deux Elliott qui figurent dans l'annuaire d'York... »

Elle l'embrassa de nouveau, avec passion.

« Dans ce cas, murmura Stephen une bonne minute plus tard, j'ai l'impression qu'il va falloir que je t'interdise toute démarche similaire. Dieu sait ce que tu vas risquer de dénicher cette fois.

— Mais un Australien beau comme un adonis, tout simplement, dit-elle avec un sourire taquin.

— A moins que ce ne soit un chasseur de kangourous mal dégrossi, rétorqua-t-il en riant. Et puis fais gaffe, de mon temps, les Australiennes n'étaient que des citoyennes de troisième classe, ce qui explique, ajouta-t-il, le succès que nous pouvions avoir auprès d'elles, nous autres sujets de Sa Gracieuse Majesté... »

Les plaisanteries se prolongèrent encore un bon moment, mais quelques jours plus tard, Zoe prit sa plus belle plume pour rédiger une missive dans laquelle elle demandait des renseignements sur Georgina Maddox, née Duncannon, et qu'elle envoya à l'ancienne adresse de la ferme des Maddox. Cela revenait à jeter une bouteille à la mer, mais elle tenait beaucoup à tenter cette expérience, pour relever le défi que lui avait lancé Stephen. Et puis, leurs recherches avaient déjà abouti à des résultats si bénéfiques que cette lettre pouvait peut-être en procurer encore davantage.

Il était difficile à Stephen de ne pas se montrer d'accord avec elle sur ce point.

Le père de Zoe les invita tous les deux à un déjeuner qui se prolongea fort avant dans l'après-midi, et quelque temps plus tard, c'est sa mère qui les convia à venir dîner dans son cottage du Sussex.

Malgré les appréhensions qu'il avait pu éprouver avant de rencontrer James Clifford, Stephen le trouva tout à fait conforme à la description que Zoe lui en avait faite. C'était un homme de taille moyenne à la cinquantaine sportive, dont les yeux clairs semblaient tout enregistrer, même quand il riait. Son affabilité et son esprit, ses sourires et sa bonne humeur, ainsi que son aptitude à meubler les silences par des considérations anodines, lui permettaient, mine de rien, de poser les questions les plus pertinentes. Bien que Stephen fût loin d'être étranger aux techniques de l'entretien telles qu'elles sont pratiquées par les « chasseurs de têtes », il n'en fut pas moins obligé d'admirer le savoir-faire du père de Zoe, tout en se félicitant de ne rien avoir à cacher. Et ce fut avec un certain soulagement qu'il se rendit compte qu'il avait réussi son examen de passage. Avant de prendre congé, James Clifford leur avait donné sa bénédiction à l'un comme à l'autre.

« S'il ne l'avait pas fait, ça n'aurait rien changé. De toute façon, je me serais mariée avec toi, mon chéri. Mais tout de même je suis heureuse que tu lui aies plu.

— Je l'ai trouvé très sympathique, moi aussi, dit Stephen avec la plus grande sincérité. Et je suis heureux qu'il m'ait jugé capable de prendre soin de toi. »

Et flatté, pensa-t-il sans le dire, de savoir que cet homme m'ait trouvé digne de son respect.

Vis-à-vis de la mère de Zoe, pourtant, sa réaction fut beaucoup plus mitigée. Bien que moins svelte que sa fille elle était d'une élégance qui démentait son âge. Stephen fut un peu gêné à l'idée que s'il avait dix ans de plus que la fille, la mère n'était son aînée que de dix ans elle aussi. Il se souvint alors que Marian était sa cousine au second degré et qu'ils appartenaient en principe à la même génération. Pour se convaincre qu'il n'en était pas réduit à prendre sa femme au berceau, il dut se dire et se répéter qu'à vingt-sept ans, Zoe n'était tout de même plus tout à fait une jouvencelle.

Il était bien le seul à se sentir tout intimidé et plus que gêné aux entournures, quand Zoe lui présenta la sémillante et fière Marian. Il régnait alentour une atmosphère de perfection totale, et il y avait dans ce cottage un tel étalage de meubles anciens et de bibelots rares qu'il eut presque peur de s'asseoir dans ce musée, et se sentit terrifié à l'idée d'allumer une cigarette.

Décelant la panique momentanée qui s'emparait de lui, Zoe profita de ce que sa mère versait du xérès d'une carafe en cristal pour aller à la recherche d'un cendrier qu'elle poussa ostensiblement vers lui en se laissant tomber sur des coussins moelleux.

« Stephen a l'habitude de fumer, maman. Ça ne te dérange pas, n'est-ce pas ? »

Le ton de défi sur lequel ces paroles avaient été prononcées aurait pu redonner confiance à un homme plus hardi que Stephen mais il vit bien, au regard qui accueillit cette question, que cela dérangerait beaucoup Marian. Énormément, même. En dépit de la permission gracieuse qui lui fut accordée et des coups de coude administrés par Zoe, il parvint à tenir jusqu'à la fin du repas, se disant alors qu'on pourrait bien lui pardonner une toute petite cigarette.

Pendant tout le trajet du retour, il fuma sans arrêt. Zoe lui dit en riant que Marian avait dû s'empresser d'ouvrir toutes les fenêtres après leur départ et qu'elle allait maintenant vaporiser du déodorant dans la salle à manger.

« T'as pas l'impression que tu en rajoutes ?

— Pas du tout. C'est ce qu'elle faisait toujours avec moi, quand il m'arrivait d'en griller une. Chez elle, c'est une véritable phobie.

— Quand nous serons mariés, dit-il d'un ton sentencieux, je m'efforcerai de ne pas la contrarier, mais si elle vient nous voir chez nous, il faudra bien qu'elle supporte mes vices.

— Tu n'as pas remarqué quelque chose ? Les gens n'arrêtent pas de nous demander quand nous allons nous marier et où nous avons décidé de nous installer. Et ils nous regardent d'une drôle de façon quand on leur dit qu'on n'en a pas encore discuté.

— Mais ce sont deux excellentes questions, annonça-t-il en secouant la tête, tandis que Zoe lui tendait une autre cigarette pour remplacer celle qu'il venait d'éteindre. Quand et où ? »

Il glissa un regard vers elle tandis qu'elle réfléchissait. Il n'avait pas vraiment peur de la réponse mais espérait tout de même qu'elle voudrait se marier bientôt. Quand Marian s'était lancée sur le sujet des demoiselles d'honneur et des listes d'invités, il avait été saisi par l'angoisse. Les grands mariages demandent de longs préparatifs, il le savait par expérience, et dans sa profession, il était presque impossible de garantir les dates. D'ailleurs n'était-il pas divorcé, ce qui risquait de poser un problème épineux auprès des autorités ecclésiastiques ?

La maturité dont elle fit preuve en lui répondant ne manqua pas de le rassurer.

« Vois-tu, mon chéri, j'aurais bien aimé que nous nous mariions à l'Église — *devant Dieu et devant les hommes* — , et cela vient sans doute de toutes les années que j'ai passées dans un pensionnat religieux. Pourtant, je ne pense pas que ce sera possible, à moins d'aller faire des platitudes pour trouver quelqu'un qui consente à se charger de la cérémonie. De toute façon, ce qui importe pour moi, c'est notre vie de couple, et non le nombre de demoiselles d'honneur, avec une liste d'invités longue comme le bras. Tant pis si maman est déçue. Parce qu'elle le sera, crois-moi. Son unique fille qui convole à la sauvette ! Mais très sincèrement, il n'y a pas plus d'une demi-douzaine de personnes dont je souhaite la présence à nos côtés ce jour-là. »

Stephen ne dit rien, mais il lui serra doucement le genou entre ses doigts.

« La seule chose qui compte, c'est nous deux, n'est-ce pas ? Les vœux que nous échangerons. Je suis sûre que Dieu nous entendra, que ce soit à l'église, au milieu d'un champ, ou au bureau d'état civil du quartier...

— J'en suis bien certain moi aussi », dit Stephen en songeant aux nuits passées en pleine mer, à l'immensité de l'océan et au ciel constellé d'une infinité d'étoiles. C'est au milieu de cette beauté mystique qu'il était possible de se sentir près de Dieu, plus que dans la plus belle des églises. Son vœu le plus cher était que Zoe éprouve, ne serait-ce qu'une seule fois, le sentiment de la solitude et de l'humilité grâce auquel la séparation entre la chair et l'esprit paraissait si fragile.

Mais peut-être avait-elle déjà ressenti cette impression, qui sait ?

CHAPITRE XXXVI

La question du lieu et de la date fut vite réglée. Zoe annonça que pour elle il n'y avait que York qui puisse convenir et comme ils avaient hâte l'un et l'autre d'apposer le sceau de la légalité sur leur relation, ils se mirent d'accord pour que le mariage ait lieu un jeudi, à la mi-septembre.

Il restait donc fort peu de temps pour mettre au point les autres préparatifs et la mère de Zoe ne cacha ni sa fureur ni la panique qui s'était emparée d'elle. En septembre, il y avait toujours beaucoup de travail à Brighton et il lui était bien difficile de fermer le magasin dans des délais aussi brefs. Et puis il y aurait les toilettes à acheter, la robe de mariée à commander. « Tu ne vas quand même pas prendre des articles de confection, ma chérie, ce serait trop horrible ! »

« Et les fleurs ! Et le repas ! Comment veux-tu que j'organise tout d'ici, avait-elle gémi un jour au téléphone, vraiment, je ne vois pas. »

Stephen avait envoyé des fleurs à sa future belle-mère, à la fois pour s'excuser et pour la rassurer. « Je m'occupe de tout », avait-il écrit sur la carte de visite épinglée au bouquet.

Évidemment, elle n'allait pas apprécier, mais au moins pourrait-elle dégager sa responsabilité si quelque chose ne lui convenait pas.

Le père de Zoe s'était montré beaucoup plus compréhensif.

« Faites à votre idée, avait-il dit quand ils étaient venus le voir chez lui, à Sunbury, au bord de la Tamise. Vous n'aurez qu'à m'envoyer les factures. »

Pendant que Zoe faisait de son mieux pour concilier les impératifs de son travail et les achats qu'il lui fallait effectuer à Londres, Stephen repartit pour York, afin de solliciter l'aide de Joan. Après avoir exprimé sa joie à l'annonce de la nouvelle, elle s'exclama :

« Il va quand même falloir faire le maximum pour ne décevoir personne. »

Et là-dessus, elle partit en campagne afin de trouver le cadre qui conviendrait pour accueillir les invités.

Elle avait un nombre surprenant d'amis et de relations et Stephen en prit clairement conscience le jour où elle lui annonça qu'une de ses anciennes collègues du contingent féminin de l'armée territoriale était prête à mettre à sa disposition un superbe manoir georgien qu'elle possédait à deux pas de la ville.

« Elle le fait régulièrement pour les fêtes de charité, expliqua Joan, et elle recourt toujours aux services du même traiteur, une maison très réputée pour la qualité de ses menus. Impossible de trouver mieux.

— Tu es formidable, tout simplement, déclara Stephen en lui plantant un baiser sur les deux joues. Tout cela m'a l'air absolument épatant. »

La suite des événements ne le détrompa nullement. Après avoir vu l'amie de Joan et visité le manoir en question, il pouvait écrire à Zoe que sa mère elle-même allait être impressionnée.

« C'est un vieux château merveilleux avec une longue allée plantée d'arbres centenaires et des fenêtres fabuleuses. Tu vas adorer l'endroit, surtout que les feuilles commencent à jaunir ; nous allons faire des photos magnifiques. »

La veille du grand jour, Stephen abandonna son appartement à Zoe et à Polly pour aller s'installer avec Mac et Irène dans le petit hôtel de Gillygate. Mrs. Bilton se déclara enchantée de ce mariage dont elle se sentait peut-être un peu la complice. Elle insista pour donner à Stephen sa meilleure chambre, une vaste pièce donnant sur la rue, dotée d'une salle de bain particulière. De l'autre côté du couloir, Mac et Irène avaient une excellente vue sur les remparts.

Le lendemain matin, Mrs. Bolton servit le petit déjeuner avec beaucoup d'empressement, s'occupant comme une véritable mère de Stephen, lequel s'efforçait, sans grand succès, d'avaler un peu de nourriture.

Pendant que Mac dégustait un bon breakfast à la mode d'autrefois, les yeux bruns d'Irène scintillants de gaieté, Stephen chipota avec ses œufs brouillés puis, renonçant à les terminer, se rabattit sur le café et les cigarettes.

Désireux de se montrer à la hauteur des circonstances, Mac s'était taillé la barbe, muant le Viking débonnaire qu'il avait été autrefois en un vice-amiral de la plus grande distinction, surtout depuis qu'il avait endossé son uniforme numéro un.

Il s'était d'ailleurs longuement plaint de la nécessité où on le contraignait d'apporter un tel soin à sa mise et à son apparence.

« Si j'avais su qu'il faudrait se mettre sur son trente et un pour jouer les marins d'opérette, je n'aurais jamais accepté d'être ton témoin.

— Ne parle pas comme ça, Mac, lui dit sa femme en s'apprêtant à lui brosser sa veste, ça fait des années que je ne t'ai pas vu aussi élégant. »

Elle se retourna vers Stephen qui se débattait avec

le col de sa chemise blanche toute neuve, et réussit à le lui boutonner tandis que, face au miroir, il ajustait sa cravate noire avec une anxiété mal dissimulée.

« Pour l'amour du ciel, détendez-vous. Zoe ne va pas vous mordre !

— Zoe, non. Mais sa mère, je n'en suis pas certain », dit-il d'un air sombre en prenant la veste qu'elle lui tendait.

Irène ne put s'empêcher de rire.

« Ce n'est pas sa mère que vous épousez.

— Croyez bien que j'en suis ravi. »

Il demeura parfaitement immobile pendant qu'Irène chassait d'un revers de la main quelques grains de poussière plus ou moins imaginaires, et boutonna sa veste, en se regardant dans le long miroir. Coiffure impeccable, rasé de près, sans coupure, pour une fois, la cravate nouée à la Windsor, et le vieil uniforme aussi pimpant qu'un neuf avec ses boutons de laiton étincelants et le liséré doré qui se détachait bien sur le simili-daim presque noir des revers. Huit ans d'âge, il avait ce costume, et il lui allait encore à la perfection. Heureusement, d'ailleurs, car il aurait été hors de question de s'en faire faire un autre dans des délais aussi brefs. Or Zoe avait bien insisté pour que les officiers de marine soient en tenue.

Irène lui tendit sa casquette et tout en brossant les feuilles de chêne dorées qui ornaient la visière, il regarda un moment l'ancre de l'écusson de la marine marchande. Il se souvint alors de cette autre ancre qui les avait maintenus en place à un moment critique et sentit tout d'un coup que son anxiété s'évanouissait comme par miracle. Il était encore sur cette terre, et bien vivant de surcroît. Il se dit alors, avec gratitude, que ce jour était le premier du reste de son existence.

Levant les yeux, il rencontra le regard de Mac et il

y eut entre eux un bref éclair de connivence. Sous le coup d'une impulsion soudaine, ils se retrouvèrent dans les bras l'un de l'autre, ce bref accès d'émotion se traduisant par un éclat de rire. Poussant un long soupir de soulagement, Irène fit un pas en arrière pour mieux voir Stephen.

« Eh, Robert Redford, prenez garde. Vous êtes tellement beau que si je ne me retenais pas, c'est moi qui vous épouserais.

— Chiche, je vous prends au mot, lança-t-il avec un large sourire en plantant un baiser sur sa joue tiède. Je vous trouve bien tentante, moi aussi.

— Eh là, doucement, intervint Mac en prenant sa femme par le bras, je suis là, *moi aussi*. »

Ils sortirent en riant. Au moment où il allait fermer la porte de sa chambre, Stephen leva la tête. Quelqu'un venait d'appeler son nom. La voix lui était parvenue avec une telle netteté qu'il alla voir dans la salle de bain ; il n'y avait personne.

Un frisson lui parcourut l'échine au souvenir de Robert Duncannon et des Elliott qu'il avait eus lui-même pour ancêtres, et il prit conscience, comme il l'avait déjà fait la première fois qu'il était venu dans cette maison, que de nombreux liens le rattachaient au passé.

Il jeta un regard circulaire et s'aperçut que les hautes fenêtres étaient légèrement entrouvertes. Il conclut alors qu'il avait dû entendre quelqu'un crier dans la rue. Pourtant cet appel lui avait paru venir de tout près...

Il haussa les épaules et descendit l'escalier. Mrs. Bilton l'attendait dans le hall d'entrée. Elle l'embrassa en lui souhaitant bonne chance et lui dit qu'elle irait les rejoindre dans quelques minutes. Elle voulait voir Zoe et les féliciter tous les deux à l'issue de la cérémonie.

Ils allèrent à pied jusqu'à la mairie de Bootham,

s'attirant chemin faisant les regards intéressés d'un certain nombre de jeunes femmes qui se retournèrent sur leur passage. Johnny les attendait au pied des marches menant au bureau de l'état civil.

« Ah, vous voilà enfin, maugréa-t-il. Ça fait pas cinq minutes que je vous attends et il y a déjà trois gugusses qui se sont arrêtés pour me demander à quelle heure passait le prochain autobus.

— Arrête tes conneries, Walker. Tu es beau comme un astre, alors, cesse de te plaindre.

— Ne restez pas plantés là, entrez, marmonna Mac. On va finir par nous prendre pour les trois mousquetaires.

— Allez, pas de fausse modestie, protesta Irène en prenant le bras de Johnny. Moi, je vous trouve splendides tous les trois. »

Au cours des dix minutes qui suivirent, les invités arrivèrent à tour de rôle et Stephen procéda aux présentations. On attendait la mariée. Pamela fit son apparition, accompagnée de son mari, puis ce fut Joan et, quelques instants plus tard, la mère de Zoe entra au bras d'un monsieur très distingué sanglé dans un costume sombre. Marian paraissait au comble de la nervosité et Stephen fut aussitôt saisi d'un accès de panique, se demandant quelle catastrophe avait pu se produire, mais Polly survint alors, tout sourire et le visage éclatant. Elle tourna vers lui un regard épanoui, et lui adressa un discret signal, pouce levé, qui lui rendit sa sérénité, tandis qu'elle se dirigeait droit sur Johnny.

Ils ont vraiment l'air de bien s'entendre tous les deux, songea-t-il, se rappelant combien ils avaient ri ensemble la veille au soir, à croire qu'ils étaient l'un et l'autre libres de toute autre attache familiale ou sentimentale...

Mais le silence se fit soudain, le ramenant à des considérations plus immédiates.

La main passée sous le bras de son père, Zoe avait l'air de flotter dans sa direction, portée semblait-il par des bouffées de mousseline de soie qui la poussaient vers l'intérieur de la salle. Certes, le style et le tissu de la robe rappelaient les modèles des années folles, mais en la regardant, Stephen avait l'impression de voir l'une des illustrations qu'elle avait réalisées récemment, *Titania* peut-être, ou l'*Esprit de la rose*. Ses cheveux étaient aussi vaporeux que le bandeau de son voile, constellés de fleurs minuscules qui scintillaient dans un rayon de soleil.

Il savait depuis toujours que Zoe était belle, mais jamais sa beauté ne lui avait coupé le souffle à ce point. Même si sa vie en avait dépendu, il aurait été incapable de prononcer la moindre parole.

Faisant effort sur lui-même, il détacha son regard de cette merveilleuse apparition, posa sa casquette sur le bureau de l'officier d'état civil et saisit la main de Zoe. Elle tremblait légèrement, et cela le surprit. Pourtant Zoe souriait, un petit sourire timide qui redonna immédiatement confiance à Stephen. Il accentua légèrement la pression de ses doigts et sentit qu'elle faisait de même. L'employé toussa discrètement pour s'éclaircir la voix.

La cérémonie fut on ne peut plus brève ; moins de quelques minutes plus tard, toutes les formalités terminées, deux êtres étaient unis pour ne plus en former qu'un. Ils se regardèrent, étourdis de bonheur, jusqu'au moment où un coup de coude administré par Mac rappela à Stephen qu'il était censé embrasser la mariée.

Hésitant presque, il baissa la tête mais Zoe se précipita dans ses bras et le serra avec une telle fougue qu'il la souleva de terre pour la faire virevolter autour de lui, aux cris enthousiastes de toute l'assistance.

« On n'aurait pas pu faire ça à l'église, dit-elle en riant tandis qu'il la reposait sur ses pieds.

— J'ai l'intention de mener les choses rondement », répliqua-t-il en l'embrassant de nouveau.

La réception fut très réussie car les invités, peu nombreux, avaient vite fait connaissance. En très peu de temps, ce repas nuptial devint une véritable petite fête.

La mère de Zoe ne tarissait pas d'éloges, amenant sur les lèvres de Stephen un sourire légèrement ironique quand elle laissa entendre qu'elle ne l'aurait pas cru capable d'organiser les choses aussi bien. Quant à James Clifford, il se répandit en compliments, sans la moindre restriction, ajoutant même qu'il trouvait les amis de Stephen tout à fait charmants, ce qui revenait pour lui à apposer le sceau de son approbation sur toutes les initiatives de son gendre.

Un peu plus tard, Zoe poussa ce dernier du coude pour lui montrer Marian et Joan en grande conversation. Elle dit ensuite que Pamela, la sœur de Stephen, venait de lui parler avec une amabilité qui lui avait paru tout à fait sincère.

« Que ce succès ne te monte tout de même pas à la tête, la prévint-il. Mais il est vrai que Pam m'a avoué qu'elle te jugeait sympathique.

— Alors, elle va peut-être m'accepter ?

— Bien sûr », dit-il d'un ton convaincu, en la prenant par la taille.

Il regarda sa montre.

« Dis donc, t'as vu l'heure ? Il va être temps de nous dépouiller de ces oripeaux pour prendre la route sans tarder. »

Zoe passa les doigts sous les revers en simili-daim de sa veste d'uniforme.

« Quel dommage ! Tu ne peux pas imaginer à quel point tu peux être séduisant comme ça... »

Il eut un petit rire.

« Allez, monte là-haut. Je te suis. »

Ils reparurent vingt minutes plus tard, vêtus d'une manière beaucoup plus adaptée au voyage, pour constater que personne ne s'était aperçu de leur absence. Ils eurent un moment la tentation de filer à l'anglaise mais Mac attira l'attention générale en leur demandant de lui dire, si ce n'était pas un secret d'État, où ils comptaient passer leur lune de miel.

« Nous allons en France, dit Zoe d'un air rayonnant en levant son regard vers Stephen.

— Pour visiter deux ou trois vignobles, admirer des châteaux et faire quelques étapes gastronomiques », ajouta-t-il avec un sourire désarmant.

Curieusement, personne n'eut l'air de les croire et il dut exhiber les billets de ferry, Hull-Zeebrugge, pour parvenir à convaincre les invités, bien qu'un léger doute subsistât encore.

« J'ai pigé, déclara Johnny. Vous allez vous vautrer dans le vice tout un week-end à Amsterdam : Canal Street et le toutim, à la lueur des chandelles !

— Dans ce cas-là, on aurait pris le ferry de Rotterdam », rétorqua Stephen sans se démonter.

Le père de Zoe partit d'un grand éclat de rire, tandis que son ex-épouse prenait un air légèrement choqué.

Quelques minutes plus tard, Marian disait d'un air de regret :

« J'avais pensé que vous emmèneriez peut-être Zoe faire un tour aux Caraïbes.

— Oh, non, surtout pas à cette époque de l'année, il fait un temps épouvantable, avec tous ces ouragans, vous savez. Non, Zoe et moi, nous préférons ne pas trop nous dépayser. La France nous conviendra parfaitement. »

« Ils n'ont pas cru un traître mot de notre histoire », dit Zoe d'un air de ravissement, tandis que la Jaguar les emportait loin de leurs invités.

Arborant un large sourire, Stephen passa en troisième pour permettre à la voiture de prendre un peu de vitesse.

« Si nous leur avions dit la vérité, ils ne nous auraient pas crus, de toute façon. D'ailleurs, nous ne leur avons pas menti. »

Zoe éclata de rire. Glissant un regard vers elle, Stephen fut de nouveau frappé par sa beauté et sa joie de vivre. Elle était superbe quand elle riait, et il avait envie de l'embrasser. Pris d'une intense jubilation, il accorda de nouveau toute son attention à la route.

« Non mais tu te rends compte... »

Il secoua la tête, incapable de finir sa phrase.

« Ils nous auraient pris pour des fous. »

Cette idée continua de les amuser, jusqu'à leur arrivée à Hull.

La cabine était petite mais fort bien aménagée avec sa minuscule salle de bain privée. Le seul inconvénient, pour eux du moins, c'étaient les couchettes superposées.

« Bon, bah, tant pis, maugréa Stephen en inspectant les lieux d'un œil expert. Quand on veut, on peut.

— Décidément, tu ne penses qu'à ça ! s'exclama Zoe quand il tendit les bras vers elle.

— Ne me dis pas que tu vas t'en plaindre. Ou même que ça te surprend. »

Elle rit.

« Non.

— Bon, parce que, l'informa-t-il entre deux baisers, il s'agit de notre nuit de noces et en dépit... de l'exiguïté des lieux, je tiens à réaliser ce fantasme qui consiste... »

Il ne put achever. Après s'être cogné les coudes et le front, tout en percevant des bribes de conversation qui leur parvenaient des cabines voisines, ils furent tous les deux pris d'une crise de fou rire. Finalement, ils renoncèrent à poursuivre leurs efforts, préférant aller boire un verre avant de dîner.

Le vin était bon et la nourriture passable. Au bar, il y avait un pianiste charmant qui exécutait tous les morceaux qu'on lui demandait. Stephen et Zoe se dirent que « La première fois que j'ai vu tes yeux » méritait d'être leur chanson ; il est vrai que cette soirée invitait au romantisme, avec une mer parfaitement calme qui chuintait contre la coque du navire et les étoiles qui apparaissaient dans la pénombre. Ils s'octroyèrent même la promenade obligatoire sur le pont.

Mais le temps était frisquet et ils se dirent que la journée avait été longue.

Blottis l'un contre l'autre sur l'étroite couchette du bas, après avoir fait l'amour avec plus de hâte que de raffinement, ils prirent soudain l'un et l'autre conscience qu'ils étaient mariés.

Portant la main gauche de Zoe à ses lèvres, Stephen embrassa sa paume à la base de l'annulaire, entouré de deux bagues aux contours délicats.

« Alors, Miss Clifford, dites-moi quel effet ça vous fait d'être Mrs. Stephen Elliott. »

Écartant les cheveux courts et bouclés qui pendaient sur le front de Stephen, Zoe incurva sa bouche ravissante en un sourire rayonnant.

« Eh bien, commandant Elliott, j'ai l'impression d'être *aimée*, oui, c'est bien le mot. Et je me sens aussi en totale *sécurité*.

— J'en suis très heureux, chuchota-t-il, parce que je t'aime vraiment beaucoup.

— Je le sais. Et moi aussi, je t'aime. Pour toujours. »

Ce *toujours* ne paraissait ni étrange ni impossible sur ses lèvres. Il avait la quasi-certitude que chez les Elliott c'était ainsi que l'on aimait.

A huit heures du matin, Zeebrugge présentait un spectacle sinistre avec une petite pluie fine qui tombait d'un ciel plombé et les flots de voitures aux phares aveuglants, qui emmenaient leurs occupants vers les usines et les bureaux où ils étaient condamnés à passer la journée.

« Bon sang, je serais bien incapable de faire ça tous les jours », s'exclama Stephen. Il se faufilait entre les véhicules tout en cherchant désespérément à se rappeler qu'il fallait à tout prix se cantonner dans la partie droite de la chaussée.

« T'inquiète pas, personne ne t'oblige à aller travailler, observa Zoe sans se laisser impressionner, une carte routière étalée sur les genoux. D'ailleurs la plupart de ces gens ne supporteraient pas non plus de faire ce que tu fais.

— Bon, trêve de philosophie pour le moment, ma chérie, et dis-moi plutôt où est notre route.

— Tu prends la direction d'Ostende et tu ne t'en écartes pas d'un pouce.

— Parfait. »

Une fois franchies les limites de la ville, tout fut relativement facile, avec la voie express qui les emmenait jusqu'à Ostende, d'où ils bifurquèrent vers le sud, prenant une route secondaire pour Dixmude, Ypres et Armentières. Ils n'avaient pas d'itinéraire précis. Ce qu'ils voulaient surtout, c'était suivre les pas de Liam, depuis la Flandre jusqu'à la Somme, pour remonter ensuite vers le nord car le 20 septembre, à Ypres, on allait célébrer le soixante-dixième anniversaire de la bataille de la route de Menin. On les avait prévenus que la ville connaîtrait une animation inhabituelle au cours du week-end et ils avaient pris la précaution de retenir une chambre à l'hôtel.

En revanche, pour le reste, ils n'avaient aucune contrainte particulière, se contentant de faire comme bon leur semblerait, au hasard des occasions et des circonstances. Ils s'étaient munis de guides et de cartes routières détaillées, ils avaient un livre décrivant les champs de bataille et même un vieux guide illustré de nombreuses photographies que Stephen avait trouvé dans la malle. Publié en 1920, il portait la signature de Robert Duncannon sur sa page de garde.

Zoe avait fait l'emplette d'un ciré bien imperméable et de bottes en caoutchouc vertes pour le cas où il faudrait marcher dans la boue. Stephen avait pris ses bottes et ses chaussettes de marin, affirmant qu'avec son vieux Burberry il pourrait affronter toutes les intempéries. Ils avaient prévu de patauger dans les bois et les labours sous une pluie battante, mais en pénétrant à l'intérieur des terres, ils constatèrent que le temps s'améliorait ; le soleil réussissait à percer la couche de brume automnale s'étendant sur un paysage qui n'était pas sans rappeler les environs d'York.

Après avoir contourné Ypres, la première ville qu'ils trouvèrent fut Poperinghe. Ils garèrent la voiture sur la place du marché et après le déjeuner, ils partirent en promenade, comme Liam l'avait fait autrefois, et ne tardèrent pas à arriver devant la maison Talbot ; cette haute demeure toute blanche où un aumônier anglais du nom de Tubby Clayton avait ouvert un foyer destiné à accueillir les soldats fatigués ou démoralisés était maintenant un lieu de pèlerinage pour les touristes qui venaient se recueillir sur les champs de bataille. Quand Stephen et Zoe se présentèrent, un jeune homme très aimable qui parlait parfaitement l'anglais vint leur ouvrir la porte et les invita à entrer. Il leur expliqua les circonstances dans lesquelles ce club avait été fondé et le rôle qu'il avait joué aux heures les plus sombres de la guerre.

Le jardin existait toujours, ainsi que la chapelle au plafond soutenu par des chevrons, avec ses chaises et son autel déjà prêts pour le prochain office. Ils virent également le bureau avec son invitation à « renoncer à son grade pour quiconque pénétrait en ces lieux ».

Il régnait dans cette pièce une profonde atmosphère de paix et de recueillement et sachant que Liam était venu ici à un moment qui avait sans doute été l'un des plus dramatiques de la guerre, ni Stephen ni Zoe ne voulaient en partir. Mais il se faisait déjà tard et ils ressentaient une grande fatigue ainsi que le besoin de prendre un bain et de dîner tranquillement avant d'aller se coucher. Ils trouvèrent, à deux pas de la place du marché, un hôtel qui leur proposa toutes ces commodités.

Tout en servant le vin qui restait dans la bouteille à la fin du repas, Stephen demanda :

« Si tu n'avais pas envie de continuer ce voyage, tu me le dirais, n'est-ce pas ?

— Naturellement. Pourquoi ? Tu veux renoncer ?

— Moi, non, pas du tout, seulement j'ai remarqué cet après-midi que tu avais les larmes aux yeux. Et je reconnais que pour moi, ce n'était pas la joie non plus. Alors, je me suis dit que ce n'était que le commencement et que ce serait peut-être un peu triste pour un voyage de noces. Évidemment, je sais bien que c'est ainsi que nous l'avions prévu, mais il n'y a aucune honte à changer d'avis. On pourrait descendre en voiture jusque sur la Côte d'Azur, si tu préfères...

— Et on reviendrait une autre fois ? »

Stephen hocha affirmativement la tête, tout en jouant distraitement avec son verre. Il vit son regard s'assombrir. Elle détourna les yeux pour regarder les dîneurs installés aux autres tables et les serveurs qui s'affairaient autour d'eux.

« Je vois très bien ce que tu veux dire, articula-t-elle enfin, mais je ne suis pas d'accord. Nous en avions discuté, tu te rappelles, avant d'en arriver à prendre cette décision. D'ailleurs, voyage de noces ou non, nous nous étions dit qu'il fallait faire ce pèlerinage. » Un sourire soudain éclaira son visage. « Seulement, nous avons décidé de nous marier d'abord. »

Soulagé, il lui prit la main, sur la table.

« Alors, tu veux continuer ?

— Oui, je crois qu'il n'est pas question de faire autrement. »

« Ah, au fait, dit Zoe au moment où ils entrèrent dans leur chambre, j'avais reçu une lettre avant de quitter Londres. Je me demande comment j'ai pu oublier de t'en parler, ajouta-t-elle en glissant vers lui un regard taquin. C'est sans doute à cause des prépa-ratifs de ce mariage. »

Elle plongea la main dans le sac volumineux qu'elle portait en bandoulière et en sortit, avec un geste large de magicienne, une enveloppe réservée au courrier aérien et ornée de la Croix du Sud, emblème de l'Australie.

« La ferme n'existe plus, du moins pour l'essentiel. Mais l'ancienne habitation et les bungalows sont toujours là, avec quelques hectares de terrain. Et alors, devine ! C'est toujours la même famille qui en est propriétaire.

— Tu plaisantes. »

Il prit l'enveloppe et l'ouvrit pour parcourir rapide-ment le feuillet qu'elle contenait avant de se livrer à une lecture plus approfondie. La lettre était signée par une certaine Mrs. Laura Maddox, veuve de David Maddox, qui avait été le fils du frère aîné de Lewis Maddox. Laura avait soixante-sept ans et elle se sou-venait parfaitement de son oncle Lew et de sa tante

Gina. En fait, à la mort de son mari, six ans plus tôt, elle avait emménagé dans leur ancien bungalow, laissant la ferme à son fils et à son épouse.

Bien qu'elle n'eût pas très bien compris ce que Miss Clifford voulait savoir sur la vieille dame, Mrs. Maddox prétendait pouvoir affirmer sans crainte d'être contredite que la tante Gina avait été l'une des personnes les plus gentilles qu'il lui eût jamais été donné de connaître, et qu'elle regrettait beaucoup sa mort survenue en 1973.

... et Dieu seul sait quel âge elle pouvait avoir. Plus de quatre-vingts ans, pour sûr, mais elle ne voulait jamais le dire. C'était son secret. N'empêche qu'elle était fraîche comme la rosée, alerte et tout, jusqu'à la dernière semaine. Et puis elle s'est mise à décliner, tout d'un coup, et elle a perdu un peu la tête, comme ça arrive souvent chez les personnes très âgées. Elle avait attrapé froid, et ça a tourné en pneumonie. Bref, elle est morte à la fin septembre. L'oncle Lew, lui, nous avait quittés en 1949. Un brave homme, ma foi, pas très robuste mais toujours le mot pour rire, malgré sa maladie.

Tante Gina était infirmière, et elle nous a rendu de grands services à tous, surtout entre les deux guerres. Elle a mis au monde je ne sais combien de bébés car les gens commençaient toujours par l'envoyer chercher avant d'appeler le docteur. L'oncle Lew disait constamment que sans elle, il serait mort depuis longtemps.

Le frère de tante Gina avait été très ami avec Lew pendant la guerre et je crois qu'il avait travaillé dans la ferme avant de devenir soldat. Elle avait une jolie photo de lui sur la cheminée, un très beau portrait où on le voit en uniforme. Je l'ai toujours, d'ailleurs, car je n'ai pas voulu le jeter,

*mais je ne sais pas qui il pourrait intéresser. Si
vous le voulez, je vous l'enverrai, puisque vous
êtes parente de l'autre frère...*

Stephen leva les yeux vers Zoe qui était debout
près de la chaise où il était assis, et son sourire
heureux céda la place à un rire où se mêlaient l'étonnement et une pointe d'admiration. Décidément, Zoe
avait une chance phénoménale et il était ravi du
contenu de la lettre envoyée par Mrs. Maddox.

Attirant Zoe contre son épaule, il se réjouit à l'idée
que Georgina avait connu le bonheur, qu'elle avait
eu une vie longue et bien remplie, ce qui compensait
les souffrances occasionnées par son amour passionné pour Liam. Maintenant, se dit-il, Louisa et
Robert — et Edward aussi, bien entendu — pourraient reposer en paix.

Et Liam ? Reposait-il vraiment en paix ? Zoe avait
longuement décrit ce qui lui était arrivé à l'hôpital et
plus Stephen y réfléchissait, moins il comprenait.
Manifestement, Liam exerçait sur le cours de leur
existence une influence dont ils ne pouvaient que se
féliciter, mais il y avait autre chose. Liam essayait de
leur dire quelque chose, de leur faire parvenir un
message et la seule façon de le savoir, c'était de
rester à l'écoute, de laisser faire l'instinct, sans se
préoccuper des diktats de la raison et de la logique.
Et l'instinct leur disait de poursuivre ce voyage, en
dépit des protestations de la raison et de la logique.
Oui, il fallait continuer.

Le lendemain matin, ils repartirent, peu après
neuf heures, vers le sud en direction de Bailleul et de
la zone qui avait servi de terrain de manœuvres pour
la plupart des troupes débarquant en France. Dédaignant l'autoroute pour rouler sur d'étroits chemins
vicinaux serpentant entre les prés bordés de haies, il
leur fut facile d'imaginer les impressions de Liam

découvrant cette campagne fertile pour la première fois. En traversant les bourgades somnolentes, ils avaient l'impression que le temps n'avait eu aucune prise sur elles et il leur fut facile de se dire que rien n'avait changé depuis.

Pourtant, ils ne tardèrent pas à se rendre compte que la réalité pouvait être tout autre. Le chapelet de hameaux et de localités qui bordait les méandres de la Lys entre Estaires et Armentières ne formait plus qu'une seule agglomération, l'industrie ayant chassé ce qui avait pu subsister des fermes et des champs.

Stephen n'avait aucune envie de se laisser entraîner dans un labyrinthe de ce genre. Tournant résolument à droite, il s'éloigna de la rivière et des usines pour retrouver la campagne authentique. Maintenant, enfin, sur ces vastes plaines limitées par des haies et des clôtures, il leur était possible d'imaginer les longues lignes de tranchées envahies par la boue, l'enchevêtrement des fils de fer barbelés et les ruines des granges et des maisons avec leurs sacs de sable éventrés.

C'est de ce côté que se trouvait le front. Près de cette route, Liam avait passé deux mois avec sa compagnie de mitrailleurs, pour apprendre à cohabiter avec la boue et avec les rats, avec la peur et l'horrible réalité de la guerre.

Ils prirent le même itinéraire que Liam, par Saint-Pol et Doullens. Le paysage était d'une beauté inespérée, avec des champs de blé récemment fauchés et les bois qui flamboyaient aux premières atteintes de l'automne. Après avoir fait étape à Estaires pour déjeuner frugalement, ils s'arrêtèrent de nouveau juste après quatre heures dans un café au bord de la route, et repartirent vers le sud, en direction de la Picardie.

Sur la carte Michelin, Zoe avait marqué tous les villages mentionnés par Liam dans son journal. Ils se trouvaient situés sur une ligne horizontale, de part et d'autre de la route Doullens-Amiens, de la vallée de la Somme à celle de l'Ancre, ce qui représentait une distance d'environ cinquante kilomètres. Liam avait donc beaucoup marché, se disait Zoe, surtout après la tension et la fatigue des combats.

Ils se demandèrent un moment s'ils allaient s'engager tout de suite de ce côté, mais Stephen objecta que la journée avait été longue, malgré le confort offert par la Jaguar. Il jugea donc préférable de descendre tout de suite sur Amiens pour y passer la nuit.

Le lendemain, après avoir passé la matinée à rouler d'un petit village à un autre et à photographier les granges à colombages en se demandant dans lesquelles Liam avait dormi, Stephen et Zoe arrivèrent à Albert à l'heure du déjeuner. La basilique, avec sa tour massive de briques rouges et blanches, se voyait de très loin, et le soleil se reflétait sur la statue dorée de la Vierge à l'Enfant qui la surmontait. Un repère idéal pour l'artillerie ennemie et ils frémirent en songeant à tous ces obus qui avaient atterri sur la place avec une précision mortelle.

Ils s'attablèrent à la terrasse d'un café, réchauffés par le soleil de septembre, et se demandèrent si c'était le même estaminet que celui où Liam et Robin étaient venus au cours de l'été 1916. Obéissant à une impulsion sentimentale, Stephen commanda deux bières et pendant qu'on leur préparait une omelette et des frites, ils contemplèrent l'imposant édifice, le comparant avec la carte postale qui le représentait en 1916. Les ruines du monument, avec sa fameuse statue penchée comme un plongeur au bord de l'eau, avaient été complètement restaurées et on avait peine à croire qu'il eût pu paraître moins solide.

La ville proprement dite était plutôt prosaïque, sans la moindre prétention à la grandeur, mais ils s'y promenèrent un moment avant de partir pour Fricourt, le village où Robin Elliott avait survécu au carnage du 1er juillet.

Niché dans un creux formé par les pittoresques vallons crayeux, de l'autre côté d'Albert, le hameau ne manquait pas de cachet. En revanche, vu du mémorial des Green Howards, le champ de bataille offrait un spectacle affreux. La croix de granite se dressait à l'intérieur du mur du cimetière britannique et au-delà s'étendait un petit champ bordé à gauche par un épais bouquet d'arbres et à droite par une colline incurvée. La crête, maintenant occupée par des pavillons modernes, n'était pas à une distance de plus de cent mètres, aisément couverte en douze secondes par un jeune athlète en bonne forme. Et pourtant les jeunes militaires du 7e bataillon y avaient trouvé la mort par centaines en essayant de s'emparer des canons allemands.

En regardant ce champ minuscule, Zoe frissonna malgré la chaleur du soleil. Elle se disait que ce qui s'était produit ici s'était répété, le même jour, sur un front long de plus de trente kilomètres.

Stephen laissa une petite croix de bois, portant le nom de son grand-père et ornée d'un coquelicot, près du monument en granite. Tout comme les autres soldats qui étaient morts en ces lieux, Robin Elliott avait été une victime, lui aussi. Pensant à ces hommes ordinaires, employés et ouvriers, artistes, mineurs et intellectuels, il trouva bien pertinente la réflexion que quelqu'un avait inscrite dans le livre des visiteurs : « Aucun homme politique n'est enterré ici. »

A une courte distance de là s'étendait le cimetière allemand, très bien entretenu, lui aussi, mais plus sévère d'apparence car il n'y avait pas de fleurs. De simples croix noires, plantées au milieu des arbres, dominaient le champ de bataille. De place en place, on voyait une arche de pierre ornée d'une étoile de David qui marquait l'emplacement où gisait la dépouille d'un soldat juif. Quand on pensait à ce qui s'était passé vingt ans plus tard, au cours de la Seconde Guerre mondiale, on ne pouvait s'empêcher de remarquer l'effroyable ironie de cette situation.

Piétinant un tapis de feuilles mortes, ils reprirent le chemin de la voiture. Poussant un profond soupir, Stephen sortit les cartes et les guides et chercha longuement le meilleur itinéraire pour Pozières. Zoe contempla le champ de bataille sans prononcer une seule parole.

Ils repartirent sur leurs pas, retraversèrent le village et prirent la direction de Bécourt. Le long de cette route déserte s'étendait un autre cimetière, d'innombrables rangées de pierres tombales blanches que dominaient du haut d'une colline des bois aux feuillages encore verts ou déjà dorés. Quatre ou cinq cents mètres plus loin, là où la route s'incurvait en direction du prochain village, un grand crucifix blanc se dressait à l'intersection de deux chemins charretiers, dont l'un menait vers les bois voisins.

« Ça doit être le bois de Bécourt, dit Stephen en regardant une nouvelle fois son dépliant montrant tous les champs de bataille du secteur. Et si je ne me trompe pas, ce chemin doit mener à Sausage Valley, la vallée de la Saucisse, ou la "Ravine", comme l'appelaient les Australiens. Tu veux qu'on y aille à pied ?

— Alors, y a intérêt à chausser les bottes, répliqua-t-elle en descendant de voiture. J'ai l'impression que le terrain est gras par ici. »

Elle ne se trompait pas, et Stephen savait qu'il faudrait encore bien des jours ensoleillés pour assécher les labours qui montaient en pente douce de chaque côté de la route. La main dans la main, ils s'engagèrent dans la Ravine serpentant en direction d'une couronne d'arbres et de buissons qui, selon les estimations de Stephen, devait se trouver près du village de La Boisselle.

La montée s'avéra plus longue qu'ils ne l'avaient cru et ils étaient l'un et l'autre très essoufflés quand ils atteignirent la crête. Ce qui les frappait le plus, c'était le temps qu'ils avaient mis pour monter jusque-là, et ils eurent une pensée pour les combattants qui avaient dû gravir ces pentes sous le feu de l'ennemi, sans qu'il y eût la moindre haie pour les protéger des regards.

Survolant d'un coup d'œil le trajet qu'ils venaient de suivre, ils aperçurent au milieu de ces hectares fraîchement labourés des lignes blanches qui serpentaient à la surface des terres et des grandes taches claires qui marquaient l'emplacement des anciens cratères formés par les trous d'obus. Soixante-dix ans plus tard, ce spectacle avait encore quelque chose qui vous glaçait le sang, comme si la nature elle-même voulait à tout prix conserver le souvenir de ces jours d'angoisse. Plus impressionnant encore était le petit tas d'obus rouillés que l'on avait retrouvés intacts et empilés contre une pierre, là où le chemin devenait une route.

« Au bout de soixante-dix ans, murmura Stephen, les paysans en déterrent encore. »

Examinant le sol, il découvrit au milieu des cailloux une bille de shrapnel, une de ces petites boules de plomb que l'on mettait par centaines dans chaque obus qui explosait au-dessus du sol en projetant alentour une pluie mortelle de projectiles. Stephen la soupesa un moment, imaginant les dégâts qu'elle aurait pu faire en pénétrant dans les chairs tendres, brisant ensuite les os sous la force de son impact.

Il mit la bille dans sa poche et alla rejoindre Zoe qui contournait l'alignée de buissons barrant la crête. Devant eux se dressait une croix de bois, au bord d'un cratère dont la largeur et la profondeur défiaient l'imagination. C'était donc là que s'était trouvé le gigantesque abri souterrain de La Boisselle, détruit par des mines avant l'arrivée des Australiens, au moment où les Britanniques avaient tenté de déloger les forces allemandes de leur position dominant la route de Bapaume.

Stephen contempla l'immense entonnoir de vingt mètres de profondeur, tout en tâtant du bout des doigts la bille de shrapnel qu'il avait dans sa poche. Les gros calibres comme les petits, tout avait été bon pour essayer d'anéantir l'adversaire. Et pour quel résultat ? On avait massacré une génération entière et la terre en portait encore les traces.

Le soleil commençait à baisser vers l'horizon. Ils décidèrent de reprendre la voiture à Bécourt pour aller voir Pozières avant de regagner Amiens pour y passer la nuit.

Le village, tel qu'ils le virent en remontant la route venant d'Albert, semblait tout à fait conforme aux photographies qui le montraient tel qu'il avait été avant la guerre : une enfilade de maisons basses, sans prétention ni originalité. Stephen, qui parlait avec Zoe, faillit le dépasser sans s'en apercevoir.

L'ancien moulin à vent se remarquait à peine lui aussi. Un petit sentier tout blanc menait à un monument commémoratif près du monticule où le moulin se dressait autrefois. Les anciennes fortifications en béton étaient maintenant enfouies dans le sol.

Combien de vies avait-on sacrifiées pour s'en emparer ? Stephen n'en avait aucune idée mais en voyant le panorama qui s'offrait à lui, au nord et à l'est, il comprenait sans peine pourquoi les Australiens voulaient à tout prix tenir ce point stratégique.

A l'autre extrémité du village, près de « Fort Gibraltar », qui n'était plus maintenant qu'une masse confuse de ronces enchevêtrées, on voyait l'obélisque érigé à la mémoire de la 1re division australienne qui s'était si vaillamment battue pendant trois longues années en France. Une plaque énumérait les hauts lieux de ces combats, Pozières, Passchendaele et une douzaine d'autres entre Bullecourt et la ligne Hindenburg. Au-dessus de cette plaque, le bronze se détachant bien sur le granite, s'élevait l'emblème du soleil levant avec sa couronne impériale.

Zoe déclara que l'ensemble était tout à fait réussi, mais elle avait les larmes aux yeux en prononçant ces paroles. Stephen savait qu'elle pensait à Liam et qu'elle s'efforçait de ne pas pleurer.

CHAPITRE XXXVII

Les lumières d'un petit bar attirèrent l'attention de Stephen au moment où ils repartaient vers la voiture et il eut soudain envie de prendre un café bien chaud. Comme ils étaient glacés l'un et l'autre, il commanda également deux cognacs, Zoe répondant, en un français très appliqué, aux questions aimables que lui posait la patronne.

C'était une femme d'une quarantaine d'années, bien en chair et joviale, tout à fait à sa place dans cet établissement où régnait une atmosphère douillette, on ne peut plus traditionnelle. Des vaisseliers et des étagères s'alignaient le long des murs, garnis de faïences de Delft et d'un assortiment d'objets rappelant l'époque de la guerre : insignes de régiments, photos et drapeaux, képis et casques, douilles d'obus de tous calibres aux cuivres astiqués à la perfection. C'était là un vrai paradis pour un collectionneur et un lieu de fascination pour ceux qui s'intéressaient, ne fût-ce que de très loin, à tout ce que l'on pouvait trouver sur un champ de bataille.

Son verre à la main, Zoe passait d'un objet à l'autre tandis que la patronne s'affairait, servant le repas d'un groupe de voyageurs installé dans un coin. Les odeurs de cuisine, fort appétissantes d'ailleurs, leur rappelant qu'ils n'avaient rien mangé depuis longtemps, Stephen et Zoe décidèrent de goûter aux spécialités de la maison.

Le pâté les enchanta ainsi que le poulet, avec son fumet délicat, et le fromage qui était excellent. Ils burent avec délices le vin qu'on leur avait recommandé et finirent par une liqueur offerte par la patronne.

Une fois les autres clients partis, celle-ci se fit un plaisir de parler de Pozières, de son petit café et de son musée, ainsi que des gens qui venaient régulièrement pour manger, boire et dire bonjour. Le 1er juillet de l'année précédente, qui avait été le soixante-dixième anniversaire de la bataille de la Somme, elle avait servi des centaines de repas à des Australiens, des Canadiens, des Irlandais, des Écossais et des Anglais, une journée mémorable pour sa famille et pour les habitants de Pozières.

Certes, les cyniques auraient pu dire que la guerre avait du bon, qu'elle faisait marcher le commerce, et pourtant, en dépit de la barrière du langage, il était facile de comprendre que l'essentiel pour ces gens était que Pozières ne sombrât pas dans l'oubli. Les soldats morts dans la région étaient des étrangers, mais les jeunes gens du village avaient payé leur tribut, eux aussi ; au nord comme au sud, ils avaient été tués au combat, et dans le village lui-même de nombreuses destructions avaient anéanti ou ruiné pour longtemps la vie de ses habitants.

« Que voulez-vous, c'est comme ça. On n'y peut rien », avait conclu la femme dans un haussement d'épaules, mais cette résignation apparente cachait en fait un amour profond de la vie et le regret intense qu'un tel gâchis ait pu avoir lieu.

Tout en regagnant Amiens, Zoe et Stephen échangèrent leurs impressions dans la voiture. Ce qui les frappait, c'était la ténacité de ces gens, leur courage et leur détermination à revenir chez eux pour tout recommencer comme avant. Ils avaient voulu reconstruire leur village tel qu'il avait été autrefois.

Ils éprouvèrent la même impression plus au nord, en pénétrant dans la ville médiévale d'Ypres, au cœur des Flandres. Là encore, on avait reconstitué tous les édifices : la halle aux toiles, les maisons hautes et étroites, aux toits pointus, et les boutiques minuscules. La ville tout entière était un monument à la persévérance et à la détermination.

En traversant la rue qui de la grande place pavée menait à leur hôtel, Stephen et Zoe, sans le savoir, se trouvaient juste dans le prolongement de la route de Menin. Ils aperçurent soudain le Mémorial, ce cénotaphe blanc et massif qui chevauchait la rue étroite comme une version classique de l'une des portes médiévales que l'on pouvait voir à York. Fascinés par le spectacle, ils continuèrent leur chemin en marchant comme des automates.

« Je ne sais pas pourquoi mais j'avais toujours cru que le monument se trouvait en pleine campagne.

— Moi aussi », murmura Stephen en pensant au mémorial de Thiepval, austère et solitaire au milieu des bois, des champs et des cimetières.

L'ensemble était fort réussi, bien intégré aux anciens remparts de la ville dont les arbres semaient leurs feuilles dans l'eau paisible des douves qui s'étiraient à leur pied.

Comme la ville d'York, Ypres se trouvait au carrefour de plusieurs routes d'importance considérable et celle qui menait à Menin était aussi fréquentée que par le passé. Il y avait là quelque chose de rassurant, dans la mesure où la vie continuait de se dérouler en un lieu qui avait vu tellement de morts. Et il paraissait également tout à fait normal que le nom de Liam soit présent au milieu des vivants, dans cette ville qui avait tant de points communs avec celle où il avait passé son enfance.

Presque tous les régiments de l'Empire étaient venus se battre dans la région et tous les hommes qui étaient tombés sans avoir eu le privilège de bénéficier d'une sépulture avaient leur nom inscrit ici. Cinquante-cinq mille noms. Australiens, Canadiens, Sud-Africains, Indiens et Antillais. Plus de quarante mille étaient britanniques.

Debout sous l'immense voûte de l'arche centrale, Stephen et Zoe regardaient ces hautes murailles faites de dalles lisses et blanches qui célébraient tant d'hommes et tant de régiments. Au-dessus de leurs têtes, le soleil pénétrait par des œils-de-bœuf grands ouverts. De chaque côté, des arches jumelles se faisaient face, séparées par la rue, et il y avait des marches qui menaient à d'autres murs et à d'autres noms.

Ils trouvèrent enfin les Australiens et parmi eux l'unité de mitrailleurs où figurait le nom de Liam, gravé dans la pierre, avec les initiales de ses prénoms. Stephen tendit le bras pour sentir sous ses doigts le contour de ces lettres qui commençaient à s'estomper, et fut soudain frappé par le sentiment de sa propre vulnérabilité. Sous le coup d'une impulsion inattendue, il saisit Zoe dans ses bras, se rendant compte avec une acuité inaccoutumée qu'il avait de la chance d'être vivant, d'avoir son amour et, plus important encore, de savoir qu'elle le comprenait. Ce bonheur qu'ils partageaient, et qu'ils devaient pour l'essentiel à Liam, avait ses racines profondément enfouies dans le passé tandis que ses branches s'épanouissaient vers l'avenir. Bien qu'ayant le même sang et le même héritage, les tragédies qui s'étaient abattues sur Liam et sur Georgina leur seraient épargnées.

Se tenant étroitement par la taille, ils rentrèrent à leur hôtel. Deux heures plus tard, au moment où un rayon de soleil faisait miroiter un reflet châtain dans les cheveux de Zoe étalés sur l'oreiller, Stephen murmura doucement :

« Il y a en moi un profond sentiment de paix. Comme si maintenant il n'y avait plus aucun problème. Pas seulement entre nous deux, mais pour tout ce qui nous touche de près ou de loin. Et je crois avoir compris le sens de toutes ces coïncidences étranges. Il voulait que nous soyons ensemble, n'est-ce pas ? Et il voulait que nous venions ici.

— Oui, c'est évident. »

Effleurant de ses lèvres les doigts qu'elle approchait de sa bouche, il sourit tendrement, étudiant son visage. Ses longs cils bruns projetaient des ombres sur sa joue et il avait l'impression qu'elle savait plus de choses que lui, qu'elle comprenait beaucoup plus en profondeur ce qu'il commençait seulement à soupçonner. Pourtant, elle n'essayait pas de le lui dire, elle ne tentait pas de le pousser dans des directions qu'elle connaissait déjà ; elle se contentait de le laisser découvrir tout seul la vérité.

Se demandant s'il s'agissait de divination ou de sagacité pure et simple, il sourit de nouveau, se rappelant l'impression qu'elle avait produite sur lui la première fois, quand il avait cru voir en elle une matinée brumeuse d'Irlande, douce, aimable et légèrement mystérieuse. Et quand le soleil dardait ses rayons, elle resplendissait, comme ses yeux maintenant, des yeux pleins de lumière et d'amour, des yeux qui savaient, comme par magie, toutes les pensées qu'il pouvait avoir à l'esprit.

« Et tu sais ce que je veux ? »

Elle s'efforça de réprimer son sourire, mais ses yeux la trahirent.

« Non, dis-moi.

— Je veux que nous ayons des enfants. »

C'était une chose que Stephen n'avait encore jamais dite. Cet homme vivait trop dans le présent pour accepter de regarder si loin vers l'avenir, surtout dans une direction aussi précise. Mais ici, avec Zoe, il commençait à voir l'importance de l'avenir. De leur avenir, et de la famille qu'ils allaient fonder.

« Mais pas tout de suite, dit-il en riant, quelques minutes plus tard. Très égoïstement, je veux que tu viennes en mer avec moi, une ou deux fois au moins.

— Et moi, je veux avoir le bonheur de vivre dans ton appartement...

— C'est *notre* appartement, corrigea-t-il.

— ... avec sa vue superbe. Je veux en profiter un moment, avant d'envisager l'installation dans une maison avec jardin et tout le confort domestique.

— Tu es certaine de ne pas regretter Londres ? »

Cette question, il l'avait déjà posée plusieurs fois ; ce n'était pas vraiment à la ville de Londres qu'il songeait mais plutôt à l'appartement de Queen's Gate, cet appartement qui avait appartenu à Robert et à Georgina.

« Londres ne me manquera pas le moins du monde, je te l'ai déjà dit, et quant à Queen's Gate, eh bien je ne tiens pas à m'y incruster indéfiniment. Il fait partie du passé, dit-elle à mi-voix, comme Robert et Georgina. Mais je n'ai pas l'intention de l'oublier pas plus que je n'oublierai Robert et Georgina. »

Le visage soudain épanoui par un sourire chaleureux, elle ajouta :

« D'ailleurs, il n'est pas à moi. On me l'avait prêté, en quelque sorte...

— Au bon moment, murmura-t-il.

— Oh, oui. Comme tout le reste, c'était juste au moment qu'il fallait. »

Ils firent un excellent dîner ce soir-là dans un minuscule restaurant qui donnait sur la place. Comme à leur hôtel, il y avait de nombreux touristes anglais venus assister aux cérémonies d'anniversaire prévues pour le lendemain.

Ils lièrent connaissance avec deux hommes d'une cinquantaine d'années installés à la table voisine qui, comme eux, étaient allés voir le champ de bataille de La Boisselle. L'un était lui-même un ancien soldat dont le grand-père avait péri dès le premier jour dans la Somme, en menant sa section au combat. Quant à l'autre, il révéla que son grand-oncle avait été tué à Passchendaele. Tous deux connaissaient admirablement cette région où ils venaient régulièrement depuis près de vingt ans.

Zoe leur demanda pourquoi ils accomplissaient ces pèlerinages et pendant un moment, ils parurent hésiter. Ils avaient, dirent-ils, la chance d'avoir des épouses compréhensives et ils étaient attirés par la beauté des paysages et la chaleur de l'accueil des populations locales. Pourtant, finalement, ils furent d'accord pour reconnaître que ce qui les attirait ici, d'une année sur l'autre, c'était la qualité particulière de l'atmosphère.

« Il y a quelque chose de spécial, ici et dans la Somme. Je ne sais pas si vous l'avez déjà remarqué, mais vous vous en apercevrez sûrement un jour ou l'autre. Ce n'est pas du tout la tristesse à laquelle on pourrait s'attendre, loin de là. C'est plutôt un extra-ordinaire sentiment de *paix*. Ça vous fait un bien énorme, dit l'ancien soldat avec une fougue soudaine. Il m'arrive souvent de venir ici avec le sentiment de porter le poids du monde sur mes épaules, mais quand je repars, je suis regonflé à bloc. »

Son compagnon approuva d'un hochement de tête, tandis que Stephen et Zoe se regardaient d'un air entendu.

« C'est vrai, dit-elle, nous l'avons remarqué aussi. »

Stephen lui prit la main, pour la serrer dans la sienne et elle sut ce qu'il pensait. Après les trois mois d'angoisse qu'il avait passés dans le Golfe, il lui avait fallu attendre ces tout derniers jours pour redevenir vraiment lui-même. Et maintenant il était plus détendu, plus calme que jamais encore auparavant. Et il en était de même pour elle. Bien sûr, il y avait le fait qu'ils étaient mariés et heureux de se trouver ensemble, mais ce n'était pas tout, loin de là. Et il était à la fois curieux et rassurant de constater que d'autres personnes éprouvaient la même impression.

Stephen indiqua alors qu'ils s'intéressaient particulièrement aux premiers stades de l'offensive australienne et il reçut en retour des indications précises sur la manière de se rendre sur place, grâce à l'ancien soldat dont la connaissance approfondie des stratégies et des méthodes militaires lui permit de localiser approximativement l'endroit où Liam avait dû trouver la mort.

Le lendemain matin, leur tasse de café avalée, Zoe fit provision de biscuits et de chocolat avant leur départ, dès l'aube, en direction du bois du Polygone.

Sur un ciel zébré de lignes roses à l'est, la masse sombre de la forêt se détachait, émergeant d'une couche de brume qui rampait au ras du sol. Ce spectacle, d'une étrange beauté, les frappa à l'idée que c'était par une matinée semblable que les bataillons s'étaient regroupés pour monter à l'assaut. Au loin sur leur gauche se dressait le bois de Glencorse, derrière les quelques fermes isolées qui surgissaient, comme des mirages, sur la vaste plaine.

Ils garèrent leur voiture et s'engagèrent sur un étroit chemin qui bifurqua bientôt vers la route de Menin. Juste au moment où ils atteignaient l'embranchement, le soleil apparut dans toute sa splendeur, inondant le ciel et la brume de sa lumière. Le bois du Polygone semblait flotter devant eux, sur une mer laiteuse, tandis qu'ils continuaient de marcher, plongés jusqu'à la ceinture dans le brouillard qui s'accrochait encore.

Ils passèrent devant une maison isolée, puis, plus

loin, ils virent des fermes et des granges récemment construites, qui devaient remplacer celles que les obus avaient détruites.

D'après les renseignements dont ils disposaient, c'était de ce côté, tout près du chemin, que la balle d'un tireur embusqué avait frappé Liam au moment où il sortait la tête. Et c'était par là qu'on l'avait enterré.

Cela n'a aucune importance. Ces mots avaient surgi à l'esprit de Zoe, au moment où elle revivait cette tragédie, examinant avec Stephen les champs et les fermes et le bois du Polygone. *Absolument aucune importance.* Cette fois, les paroles étaient si distinctes qu'elle leva les yeux vers Stephen, convaincue que c'était lui qui les avait prononcées. Il demeurait immobile, ses yeux bleus étincelant au soleil, puis il sourit, secoua la tête et passa un bras autour des épaules de Zoe.

« Non, dit-il d'une voix enrouée par l'émotion, je ne pense pas que cela ait la moindre importance. Pour lui, en tout cas. »

Elle comprenait ce qu'il voulait dire. Soixante-dix ans plus tôt, jour pour jour, au moment où le soleil se levait au-dessus de ces bois et de ces champs noyés dans la brume, Liam avait trouvé la mort ; mais pour lui, ce drame avait été le commencement d'une vie qui se manifesterait bien au-delà de ces champs de la campagne flamande. Et c'était là, elle en avait la conviction, l'essentiel du message qu'il avait toujours tenté de leur communiquer : que c'était la vie qui importait, que la mort ne devait jamais constituer une fin. Que si l'amour, sous toutes ses formes, était l'élément le plus fondamental de la vie elle-même, cela voulait dire que l'amour était éternel et tout puissant. Et c'était avec cet amour qu'il était venu jusqu'à eux.

Liam était investi d'un pouvoir indéniable. Était-ce

un pouvoir exceptionnel encore renforcé par leur amour et par leurs efforts pour faire revivre un passé oublié ? Liam accomplissait-il, à travers eux, un destin qui lui avait été refusé de son vivant ? C'étaient là des questions auxquelles ils ne pouvaient répondre. La seule chose dont ils pouvaient vraiment être certains, c'était qu'il se trouvait maintenant auprès d'eux, et qu'il communiquait avec eux à sa manière à lui, une manière inimitable.

Une sensation de légèreté, semblable à celle que Zoe avait éprouvée en visitant l'hôpital de Wandsworth, les transporta l'un et l'autre : plus calme, moins enivrante, mais tout aussi identifiable. Et retrouvant leur voiture, ils savaient que Liam les avait quittés depuis quelque temps déjà, mais il y avait encore en eux cette impression de clarté et de paix.

Stephen arrêta la voiture avant de franchir la Porte de Menin et ils restèrent un moment à contempler un couple de cygnes qui évoluaient au milieu des feuilles mortes poussées par le vent. Ils avaient maintenant pris nettement conscience des réalités du passé et du présent, ainsi que des changements survenus au cours de ces soixante-dix années. Au-dessus d'eux se dressaient les murs de brique et de terre des remparts et, dominant la route de Menin, cette immense arche triomphale. Oui, triomphale, en dépit des noms de ces morts, ou peut-être à cause d'eux. Elle marquait le triomphe de l'esprit, aussi éblouissant que le soleil matinal, aussi resplendissant que l'amour, l'espoir et la félicité qu'ils avaient dans leur cœur.

Ensemble, ils déposèrent leur couronne de coquelicots sur les marches, sous le nom de Liam, puis, mains jointes, ils sentirent sa présence les envelopper comme une étreinte fraternelle. Ensuite, ils montèrent les gradins qui menaient aux remparts et le monde leur apparut alors comme un univers de paix, de lumière et de clarté parfaite.

Stephen regarda Zoe et vit, l'espace d'un instant, le sourire de Louisa et la sérénité de Georgina. Et il comprit que se trouvaient combinés en elle l'héritage du passé et toutes les promesses de l'avenir.

Et Liam le savait, lui aussi. En fait, il l'avait toujours su.

Tout lui apparaissait maintenant avec une netteté si lumineuse que Stephen ne put par la suite que s'en émerveiller sans cesse. Tout avait commencé avec Robert, Louisa et Edward ; et puis il y avait eu ce journal, cette succession d'annotations que Liam voulait ensuite utiliser pour écrire un livre, une fois la guerre terminée ; et il y avait sa propre vie et celle de Zoe, et leur expérience commune, au cours de cette surprenante année qui allait s'achever. Oui, Stephen savait ce que voulait Liam. Il voulait qu'on écrive son histoire pour que les vivants puissent la lire. Cette révélation le bouleversa à un tel point qu'il ne put rien faire d'autre que tendre les bras vers Zoe et la serrer bien fort contre son cœur.

« Je ferai de mon mieux, murmura-t-il en levant le visage vers la lumière, je ferai du mieux que je pourrai. »

Composition réalisée par EUROCOMPOSITION

IMPRIMÉ EN FRANCE PAR BRODARD ET TAUPIN
Usine de La Flèche (Sarthe).
LIBRAIRIE GÉNÉRALE FRANÇAISE - 6, rue Pierre-Sarrazin - 75006 Paris.
ISBN : 2 - 253 - 09774 - 8 ⊕ 30/9774/8